Mecânica dos fluidos

R. C. HIBBELER

Mecânica dos fluidos

R. C. HIBBELER

Tradutor: Daniel Vieira

Revisão técnica: Oscar M. H. Rodriguez
Prof. Associado Universidade de São Paulo (USP)
Escola de Engenharia de São Carlos

Pearson

©2017 by Pearson Education do Brasil Ltda.
Copyright©2015 by R. C. Hibbeler. Published by Pearson Prentice Hall

Todos os direitos reservados. Nenhuma parte desta publicação poderá ser reproduzida ou transmitida de qualquer modo ou por qualquer outro meio, eletrônico ou mecânico, incluindo fotocópia, gravação ou qualquer outro tipo de sistema de armazenamento e transmissão de informação, sem prévia autorização, por escrito, da Pearson Education do Brasil.

Diretora de produtos	Gabriela Diuana
Supervisora de produção editorial	Silvana Afonso
Coordenador de produção editorial	Vinícius Souza
Editora de texto	Sabrina Levensteinas
Editora assistente	Karina Ono
Preparação	Regiane Monteiro Pimentel Stefanelli
Revisão	Lígia Nakayama
Capa	Adaptado por Natália Gaio
Projeto gráfico e diagramação	Casa de Ideias
Imagem da capa	©National Physical Laboratory/Crown Copyright/Science Source. Cavitação de hélice. Teste a ser realizado em uma hélice para estudar os efeitos de cavitação.

Dados Internacionais de Catalogação na Publicação (CIP)
(Câmara Brasileira do Livro, SP, Brasil)

Hibbeler, Russell Charles
    Mecânica dos fluidos / R. C. Hibbeler ; [tradução Daniel Vieira].
-- São Paulo : Pearson Education do Brasil, 2016.

    Título original: Fluid mechanics.
    ISBN 978-85-430-1626-9

    1. Cinemática 2. Mecânica dos fluidos 3. Mecânica dos fluidos
- Estudo e ensino I. Título.

16-05594   CDD-620.106

Índice para catálogo sistemático:
1. Mecânica dos fluidos : Engenharia 620.106

2016
Direitos exclusivos para a língua portuguesa cedidos à
Pearson Education do Brasil Ltda.,
uma empresa do grupo Pearson Education
CEP 05036-001 - São Paulo - SP - Brasil
Avenida Santa Marina, 1193
Fone: 11 3821-3542
universidades.atendimento@pearson.com

Ao estudante

Com a esperança de que este trabalho estimule
o interesse pela Mecânica dos Fluidos
e seja um guia para a compreensão do assunto.

Sumário

Capítulo 1 Conceitos fundamentais 1
1.1   Introdução..1
1.2   Características da matéria..2
1.3   Sistemas de unidades..4
1.4   Cálculos..7
1.5   Resolução de problemas 8
1.6   Propriedades básicas do fluido..10
1.7   Viscosidade..15
1.8   Medição da viscosidade..19
1.9   Pressão de vapor...22
1.10 Tensão superficial e capilaridade...23

Capítulo 2 Estática dos fluidos 39
2.1   Pressão...39
2.2   Pressão absoluta e manométrica 41
2.3   Variação da pressão estática..43
2.4   Variação de pressão para fluidos incompressíveis.......................43
2.5   Variação de pressão para fluidos compressíveis..........................45
2.6   Medição da pressão estática..47
2.7   Força hidrostática sobre uma superfície plana — Método da fórmula...........54
2.8   Força hidrostática sobre uma superfície plana — Método geométrico..........59
2.9   Força hidrostática sobre uma superfície plana — Método da integração......64
2.10 Força hidrostática sobre um plano inclinado ou
       superfície curva determinada pela projeção................................67
2.11 Flutuação 73
2.12 Estabilidade...76
2.13 Aceleração translacional constante de um líquido......................80
2.14 Rotação constante de um líquido..84

Capítulo 3 Cinemática do movimento de fluidos 121
3.1   Descrições de escoamentos de fluidos 121
3.2   Tipos de escoamentos de fluidos..123
3.3   Descrições gráficas do escoamento de fluidos 126
3.4   Aceleração de fluidos...133
3.5   Coordenadas de linha de corrente 140

Capítulo 4 Conservação de massa..155
4.1   Volumes de controle finitos...155
4.2   O teorema de transporte de Reynolds.......................................158
4.3   Vazão volumétrica, vazão mássica e velocidade média............163
4.4   Conservação da massa...167

Capítulo 5 Trabalho e energia dos fluidos em movimento.....197
5.1   Equações eulerianas do movimento...197
5.2   A equação de Bernoulli 201

5.3	Aplicações da equação de Bernoulli	203
5.4	Linhas de energia e piezométrica	215
5.5	A equação da energia	221

Capítulo 6 Quantidade de movimento do fluido 257

6.1	A equação da quantidade de movimento linear	257
6.2	Aplicações para corpos em repouso	259
6.3	Aplicações para corpos com velocidade constante	267
6.4	Equação da quantidade de movimento angular	270
6.5	Hélices e turbinas eólicas	276
6.6	Aplicações para volume de controle com movimento acelerado	281
6.7	Turbojatos e turbofanes	282
6.8	Foguetes	283

Capítulo 7 Escoamento de fluidos diferencial 307

7.1	Análise diferencial	307
7.2	Cinemática de elementos de fluido diferenciais	308
7.3	Circulação e vorticidade	311
7.4	Conservação da massa	314
7.5	Equações do movimento para uma partícula de fluido	316
7.6	Equações de Euler e de Bernoulli	318
7.7	A função corrente	322
7.8	A função potencial	327
7.9	Escoamentos bidimensionais básicos	331
7.10	Superposição de escoamentos	340
7.11	As equações de Navier-Stokes	349
7.12	Dinâmica dos fluidos computacional	353

Capítulo 8 Análise dimensional e semelhança 373

8.1	Análise dimensional	373
8.2	Números adimensionais importantes	375
8.3	O teorema do Pi de Buckingham	378
8.4	Considerações gerais relacionadas à análise dimensional	386
8.5	Semelhança	387

Capítulo 9 Escoamento viscoso dentro de superfícies delimitadas 407

9.1	Escoamento laminar em regime permanente entre placas paralelas	407
9.2	Solução de Navier-Stokes para o escoamento laminar em regime permanente entre placas paralelas	413
9.3	Escoamento laminar em regime permanente dentro de um tubo liso	418
9.4	Solução de Navier-Stokes para o escoamento laminar em regime permanente dentro de um tubo liso	422
9.5	O número de Reynolds	424
9.6	Escoamento plenamente desenvolvido a partir de uma entrada	428
9.7	Tensão de cisalhamento laminar e turbulenta dentro de um tubo liso	430
9.8	Escoamento turbulento dentro de um tubo liso	434

Capítulo 10 Análise e projeto para escoamento em tubos 453

10.1	Resistência ao escoamento em tubos rugosos	453
10.2	Perdas decorrentes de conexões e transições no tubo	464

10.3	Escoamento em uma tubulação	470
10.4	Sistemas de tubulações	474
10.5	Medição de vazão	479

Capítulo 11 Escoamento viscoso sobre superfícies externas 501

11.1	O conceito da camada limite	501
11.2	Camada limite laminar	506
11.3	Equação integral da quantidade de movimento	516
11.4	Camada limite turbulenta	520
11.5	Camadas limite laminares e turbulentas	523
11.6	Arrasto e sustentação	528
11.7	Efeitos do gradiente de pressão	530
11.8	O coeficiente de arrasto	534
11.9	Coeficientes de arrasto para corpos com formas variadas	537
11.10	Métodos para reduzir o arrasto	543
11.11	Sustentação e arrasto em um aerofólio	545

Capítulo 12 Escoamento em canais abertos 573

12.1	Tipos de escoamento em canais abertos	573
12.2	Classificações do escoamento em canal aberto	575
12.3	Energia específica	577
12.4	Escoamento em canal aberto sobre uma rampa ou obstáculo	584
12.5	Escoamento em canal aberto sob uma comporta	588
12.6	Escoamento uniforme em regime permanente em canal	591
12.7	Escoamento gradual com profundidade variável	598
12.8	O ressalto hidráulico	605
12.9	Vertedores	609

Capítulo 13 Escoamento compressível 627

13.1	Conceitos termodinâmicos	627
13.2	Propagação de onda por um fluido compressível	635
13.3	Tipos de escoamentos compressíveis	637
13.4	Propriedades de estagnação	641
13.5	Escoamento isentrópico com variação da seção	647
13.6	Escoamento isentrópico por bocais convergentes e divergentes	652
13.7	O efeito do cisalhamento sobre o escoamento compressível	660
13.8	O efeito da transferência de calor sobre o escoamento compressível	670
13.9	Ondas de choque normais	676
13.10	Ondas de choque em bocais	680
13.11	Ondas de choque oblíquas	686
13.12	Ondas de compressão e expansão	692
13.13	Medição em escoamento compressível	696

Capítulo 14 Turbomáquinas 717

14.1	Tipos de turbomáquinas	717
14.2	Bombas de escoamento axial	718
14.3	Bombas de escoamento radial	723
14.4	Desempenho ideal para bombas	726
14.5	Turbinas	731
14.6	Desempenho da bomba	737

14.7 Cavitação e carga de sucção absoluta (NPSH) 740
14.8 Seleção de bomba relacionada ao sistema de escoamento 742
14.9 Semelhança dimensional de turbomáquinas 744

Apêndice A Propriedades físicas dos fluidos 759
Apêndice B Propriedades compressíveis de um gás ($k = 1{,}4$) 767
Soluções dos problemas fundamentais 777
Respostas dos problemas selecionados 791
Índice remissivo 807

Prefácio

Este livro foi escrito e revisado diversas vezes por um período de nove anos, com o intuito de melhorar ainda mais seu conteúdo e levar em conta as muitas sugestões e os comentários dos meus alunos, colegas de universidade e revisores. Espera-se que esse esforço ofereça aos que usarem este material uma apresentação clara e completa tanto da teoria quanto da aplicação da mecânica dos fluidos. Para alcançar esse objetivo, incorporei muitos dos recursos pedagógicos que utilizei nos meus outros livros. Entre eles estão os seguintes:

Organização e abordagem. Cada capítulo é organizado em seções bem definidas, contendo uma explicação de tópicos específicos, exemplos com ilustrações e, ao final do capítulo, um conjunto relevante de exercícios. Os tópicos dentro de cada seção são colocados em subgrupos definidos por títulos. O propósito dessa organização é apresentar um método estruturado para introduzir cada nova definição ou conceito, além de tornar o livro um recurso conveniente para referência e revisão futuras.

Procedimentos para análise. Este recurso exclusivo oferece ao estudante um método lógico e regular a ser seguido na aplicação da teoria que foi discutida em determinada seção. Os exemplos são então resolvidos usando esse método esboçado, a fim de esclarecer sua aplicação numérica. No entanto, observe que, após dominar os princípios relevantes, quando forem obtidas confiança e senso crítico suficientes, o estudante poderá então desenvolver seus próprios procedimentos para resolver os problemas.

Pontos importantes. Este recurso oferece uma revisão ou resumo dos conceitos mais importantes em uma seção, e destaca os pontos mais significativos que deverão ser lembrados quando se aplica a teoria para resolver problemas. Uma análise adicional do material é dada no final do capítulo.

Fotografias. A relevância do conhecimento do assunto é refletida pelas aplicações realísticas representadas nas muitas fotos incluídas no decorrer do livro. Essas fotos normalmente são usadas para mostrar como os princípios da mecânica dos fluidos se aplicam a situações no mundo real.

Problemas fundamentais. Esses conjuntos de problemas estão localizados seletivamente logo após os exemplos. Eles oferecem aplicações simples dos conceitos aos estudantes e, portanto, lhes dão a chance de desenvolver suas habilidades de resolução de problemas antes de tentar resolver quaisquer dos problemas seguintes. Os alunos poderão considerar esses problemas como exemplos estendidos, pois todos eles possuem soluções e respostas completas dadas no final do livro. Além disso, os problemas fundamentais oferecem aos alunos um meio excelente de preparação para exames, e podem ser usados posteriormente para a preparação para o Exame de Fundamentos da Engenharia.

Deveres de casa. A maior parte dos problemas no livro representa situações encontradas na prática da engenharia. Espera-se que esse realismo tanto estimule o interesse no assunto como ofereça um meio para desenvolver as habilidades de resolver qualquer problema, partindo de sua descrição física para uma representação simbólica ou um modelo ao qual os princípios da mecânica dos fluidos possam então ser aplicados.

No decorrer do livro, existe um equilíbrio aproximado de problemas usando unidades tanto do SI quanto do FPS. Além disso, em qualquer conjunto, tentou-se arrumar os problemas em ordem crescente de dificuldade. Exceto por cada problema múltiplo de quatro, indicado por um asterisco (*), as respostas de todos os outros problemas aparecem ao final do livro.

Exatidão. Além do meu trabalho, a exatidão do texto e as soluções dos problemas foram totalmente verificadas por outras pessoas. Dentre as principais, destaco Kai Beng Yap, Kurt Norlin juntamente com o Bittner Development Group, além de James Liburdy, Jason Wexler, Maha Haji e Brad Saund.

Conteúdo

Este livro é dividido em 14 capítulos. O Capítulo 1 começa com uma introdução à mecânica dos fluidos, seguida por uma discussão sobre unidades e algumas propriedades importantes dos fluidos. Os conceitos de estática dos fluidos, incluindo a translação acelerada constante de um líquido e sua rotação constante, são abordados no Capítulo 2. No Capítulo 3, são vistos os princípios básicos da cinemática dos fluidos. Este é seguido pela equação da continuidade no Capítulo 4, as equações de Bernoulli e da energia no Capítulo 5 e o momento dos fluidos no Capítulo 6. No Capítulo 7, discutimos o escoamento diferencial de um fluido ideal. O Capítulo 8 aborda a semelhança e a análise dimensional. Em seguida, o escoamento viscoso entre placas paralelas e dentro de condutos é tratado no Capítulo 9. A análise é estendida ao Capítulo 10, onde discutimos o projeto de sistemas de dutos. A teoria da camada limite, incluindo assuntos relacionados a arrasto e sustentação devidos à pressão, é abordada no Capítulo 11. O Capítulo 12 discute os escoamentos em canal aberto, e o Capítulo 13 aborda diversos tópicos sobre escoamento compressível. Por fim, as turbomáquinas, como bombas e turbinas de escoamento axial e radial, são tratadas no Capítulo 14.

Cobertura alternativa. Depois de abranger os princípios básicos dos capítulos de 1 a 6, os capítulos restantes podem ser apresentados em *qualquer sequência*, sem a perda de continuidade, a critério do professor. Se o tempo permitir, as seções que envolvem tópicos mais avançados podem ser incluídas no curso. A maior parte desses tópicos se encontra nos últimos capítulos do livro. Além disso, este material também oferece uma referência apropriada para os princípios básicos, quando discutidos em cursos mais avançados.

Agradecimentos

Eu me esforcei para escrever este livro de modo que agrade tanto a estudantes quanto a professores. Com o passar dos anos, muitas pessoas ajudaram no seu desenvolvimento, e sempre serei grato por suas valiosas sugestões e comentários. Durante os últimos anos, tive o privilégio de ensinar aos meus alunos durante o verão em diversas universidades alemãs, e gostaria de agradecer particularmente ao Professor H. Zimmermann, da Universidade de Hanover, ao Professor F. Zunic, da Universidade Técnica de Munique, e ao Professor M. Raffel, do Instituto de Mecânica de Fluidos em Goettingen, por seu auxílio. Além disso, I. Vogelsang e o Professor M. Geyh, da Universidade de Mecklenburg, me ofereceram suporte logístico nesses esforços. Também gostaria de agradecer ao Professor K. Cassel, do Illinois Institute of Technology, ao Professor A. Yarin, da Universidade de Illinois-Chicago, e ao Dr. J. Gotelieb, por seus comentários e sugestões. As seguintes pessoas também contribuíram com importantes comentários de revisão, relativos à preparação deste trabalho:

S. Kumpaty, *Milwaukee School of Engineering*
N. Kaye, *Clemson University*
J. Crockett, *Brigham Young University*
B. Wadzuk, *Villanova University*
K. Sarkar, *University of Delaware*
E. Petersen, *Texas A&M University*
J. Liburdy, *Oregon State University*
B. Abedian, *Tufts University*
S. Venayagamoorthy, *Colorado State University*
D. Knight, *Rutgers University*
B. Hodge, *Mississippi State University*
L. Grega, *The College of New Jersey*
R. Chen, *University of Central Florida*
R. Mullisen, *Cal Poly Institute*
C. Pascual, *Cal Poly Institute*

Algumas pessoas merecem um reconhecimento particular. Um amigo e sócio há muito tempo, Kai Beng Yap, foi de grande ajuda na verificação do manuscrito como um todo e na checagem de todos os problemas. Uma nota de agradecimento especial vai para Kurt Norlin, por sua diligência e apoio em relação a isso. Durante o processo de produção, também sou grato pelo suporte da minha editora de produção de longa data, Rose Kernan, e meu editor geral, Scott Disanno. Minha esposa, Conny, e minha filha, Mary Ann, ofereceram grande ajuda com a revisão de provas e a digitação necessárias para preparar o manuscrito para publicação.

Por fim, estendo minha gratidão a todos os meus alunos que me deram sugestões e comentários. Como a lista é muito grande para mencionar aqui, espero que aqueles que ajudaram dessa maneira aceitem esse reconhecimento anônimo.

Também valorizo sua opinião e gostaria muito de recebê-la, a qualquer momento, caso tenha algum comentário ou sugestão que possa ajudar a melhorar o conteúdo deste livro.

Russell Charles Hibbeler
hibbeler@bellsouth.net

Site de apoio do livro

Na Sala Virtual deste livro (<sv.pearson.com.br>), professores podem acessar os seguintes materiais adicionais 24 horas:

- Apresentações em PowerPoint;
- Manual de Soluções (em inglês).

Esse material é de uso exclusivo para professores e está protegido por senha. Para ter acesso a ele, os professores que adotam o livro devem entrar em contato com seu representante Pearson ou enviar e-mail para professoraluno.atendimento@pearson.com.

CAPÍTULO 1

Conceitos fundamentais

A mecânica dos fluidos desempenha um papel importante no projeto e na análise de vasos de pressão, sistemas de dutos e bombas usados em plantas de processamento químico.

(©AZybr/Shutterstock)

1.1 Introdução

Mecânica dos fluidos é o estudo do comportamento dos fluidos que estão em repouso ou em movimento. Trata-se de uma das principais ciências da engenharia, pois possui aplicações importantes em diversas disciplinas de engenharia. Por exemplo, os engenheiros aeronáuticos e aeroespaciais utilizam princípios de mecânica dos fluidos para estudar aviação e para projetar sistemas de propulsão. Engenheiros civis utilizam esse assunto para projetar canais de drenagem, redes de distribuição de água, sistemas de esgoto e estruturas resistentes à água, como represas e barragens. A mecânica dos fluidos é usada por engenheiros mecânicos para o projeto de bombas, compressores, turbinas, sistemas de controle de processo, equipamentos de calefação e resfriamento, e para projetar turbinas eólicas e dispositivos de aquecimento solar. Engenheiros químicos e de petróleo aplicam essa ciência para projetar equipamentos usados para filtragem, bombeamento e mistura de fluidos. Finalmente, os projetistas dos setores de eletrônica e computação utilizam os princípios da mecânica dos fluidos para projetar *switches*, monitores e equipamentos de armazenamento de dados. Além da área de engenharia, os princípios da mecânica dos fluidos também são usados na biomecânica — desempenhando um papel vital na compreensão dos sistemas circulatório, digestivo e respiratório — e na meteorologia — no estudo do movimento e dos efeitos de tornados e furacões.

Ramos da mecânica dos fluidos

Os princípios da mecânica dos fluidos são baseados nas leis do movimento de Newton, na conservação da massa, na primeira e segunda leis da termodinâmica, e nas leis relacionadas às propriedades físicas de um fluido. O assunto é dividido em três categorias principais, como mostra a Figura 1.1.

Objetivos

- Oferecer uma descrição da mecânica dos fluidos e indicar seus diversos ramos.
- Explicar como a matéria é classificada como sólido, líquido ou gás.
- Discutir o sistema de unidades para a medição de quantidades de fluidos e estabelecer técnicas de cálculo apropriadas.
- Definir algumas propriedades importantes dos fluidos, como densidade, peso específico, módulo de elasticidade volumétrico e viscosidade.
- Descrever os conceitos de pressão de vapor, tensão superficial e capilaridade.

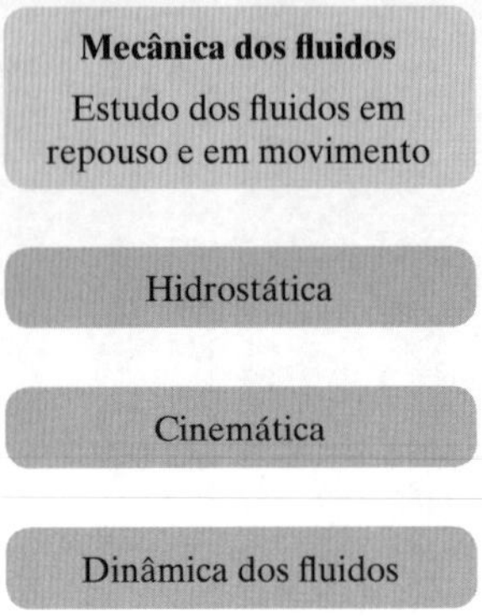

Mecânica dos fluidos
Estudo dos fluidos em repouso e em movimento

Hidrostática

Cinemática

Dinâmica dos fluidos

FIGURA 1.1

- **Hidrostática** considera as forças que atuam sobre um fluido em repouso.
- **Cinemática dos fluidos** é o estudo da geometria do movimento do fluido.
- **Dinâmica dos fluidos** considera as forças que causam aceleração de um fluido.

Desenvolvimento histórico

Um conhecimento fundamental dos princípios da mecânica dos fluidos tem tido uma importância considerável no desenvolvimento da civilização humana. Registros históricos mostram que, por meio do processo de tentativa e erro, as sociedades antigas, como o Império Romano, usaram a mecânica dos fluidos na construção de seus sistemas de irrigação e abastecimento de água. Em meados do século III a.C., Arquimedes descobriu o princípio da flutuação e então, muito tempo depois, no século XV, Leonardo Da Vinci desenvolveu princípios para o projeto de eclusas e outros dispositivos usados para o transporte de água. No entanto, as maiores descobertas dos princípios básicos da mecânica dos fluidos ocorreram durante os séculos XVI e XVII. Foi durante esse período que Evangelista Torricelli projetou o barômetro, Blaise Pascal formulou a lei da pressão estática e Isaac Newton desenvolveu sua lei da viscosidade para descrever a natureza da resistência do fluido ao escoamento.

No século XVIII, Leonhard Euler e Daniel Bernoulli foram pioneiros no campo da **hidrodinâmica**, um ramo da matemática que lida com o movimento de um fluido idealizado, ou seja, que possui uma densidade constante e não oferece resistência interna por cisalhamento. Infelizmente, os princípios hidrodinâmicos não puderam ser usados pelos engenheiros para estudar alguns tipos de movimento de fluidos, pois as propriedades físicas do fluido não foram levadas em consideração por completo. A necessidade de uma abordagem mais realística levou ao desenvolvimento da **hidráulica**. Esse ramo utiliza equações empíricas encontradas a partir do ajuste de curvas a dados obtidos por meio de experimentos, principalmente para aplicações que envolvem água. Entre os colaboradores estão Gustave Coriolis, que desenvolveu as turbinas hidráulicas, e Gotthilf Hagen e Jean Poiseuille, que estudaram a resistência ao escoamento de água através de tubulações. No início do século XX, a hidrodinâmica e a hidráulica foram basicamente *combinadas* pelo trabalho de Ludwig Prandtl, que introduziu o conceito da camada limite enquanto estudava aerodinâmica. Com o passar dos anos, muitos outros deram contribuições importantes a esse assunto, e discutiremos muitas delas no decorrer do texto.[*]

1.2 Características da matéria

Em geral, a matéria pode ser classificada pelo estado em que se encontra — como um sólido, um líquido ou um gás.

Sólido

Um *sólido* mantém forma e volume definidos, como na Figura 1.2a. Ele mantém sua forma porque as moléculas ou átomos de um sólido são

---

[*] As referências [1] e [2] oferecem uma descrição mais completa do desenvolvimento histórico deste tema.

densamente compactados e firmemente presos, geralmente na forma de uma treliça ou estrutura geométrica. O espaçamento dos átomos dentro dessa estrutura deve-se em parte às grandes forças coesivas que existem entre as moléculas. Essas forças impedem qualquer movimento relativo, exceto para qualquer vibração leve das próprias moléculas. Como resultado, quando um sólido está sujeito a uma carga, ele não se deformará facilmente; porém, uma vez que estiver em seu estado deformado, ele continuará a suportar a carga.

Sólidos mantêm uma forma constante
(a)

Líquido

Um *líquido* é composto de moléculas que estão mais espalhadas do que aquelas em um sólido. Suas forças intermoleculares são mais fracas, de modo que os líquidos não mantêm sua forma. Em vez disso, eles *escoam* e tomam a forma de seu recipiente, como na Figura 1.2b. Embora os líquidos possam facilmente se deformar, seu espaçamento molecular lhes permite resistir às forças compressivas quando estão confinados.

Líquidos tomam a forma de seu recipiente
(b)

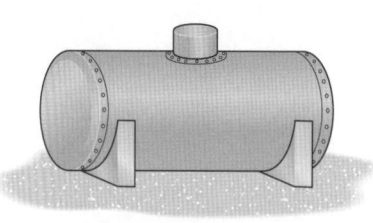

Gás

Um *gás* é uma substância que preenche o volume inteiro de seu recipiente, como na Figura 1.2c. Os gases são compostos de moléculas muito mais afastadas do que aquelas de um líquido. Por conseguinte, as moléculas de um gás estão livres para se afastarem umas das outras até que uma força de repulsão as afastem de outras moléculas de gás ou das moléculas na superfície de um limite sólido ou líquido.

Gases preenchem o volume inteiro de seu recipiente
(c)

FIGURA 1.2

Definição de um fluido

Líquidos e gases são classificados como *fluidos* porque são substâncias *que se deformam ou fluem continuamente quando sujeitas a uma força de cisalhamento ou tangencial.* Esse comportamento pode ser visto sobre pequenos elementos fluidos na Figura 1.3, onde uma placa se move sobre a superfície superior do fluido. A deformação do fluido continuará enquanto a força cisalhante for aplicada e, quando removida, o fluido manterá sua nova forma, em vez de retornar à sua forma original. Neste texto, iremos nos concentrar apenas nas substâncias que apresentam *comportamento fluido*, o que significa qualquer substância que flua porque não pode suportar uma carga de cisalhamento, *não importando* se a força de cisalhamento é *pequena* ou a *lentidão* com que o "fluido" se deforma.

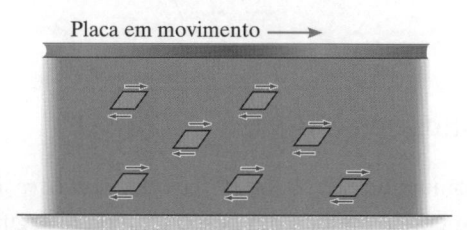

Placa em movimento →

Todos os elementos fluidos se *deformam* quando sujeitos ao cisalhamento

FIGURA 1.3

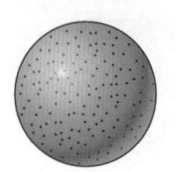

Fluido real (a)   Hipótese do contínuo (b)

FIGURA 1.4

Contínuo

Seria uma tarefa impossível estudar o comportamento de um fluido analisando o movimento de todas as suas muitas moléculas (Figura 1.4a). No entanto, felizmente, quase todas as aplicações da engenharia envolvem um volume de fluido que é muito maior do que a distância entre moléculas adjacentes do fluido, e por isso é razoável supor que o fluido seja uniformemente disperso e contínuo por todo o seu volume. Sob essas circunstâncias, podemos então considerar o fluido como algo **contínuo**, ou seja, uma distribuição contínua de matéria, sem deixar espaços vazios (Figura 1.4b). Essa hipótese nos permite usar *propriedades médias* do fluido em qualquer ponto dentro do volume que esse fluido ocupa. Para aquelas situações nas quais a distância molecular torna-se importante, que está na ordem de bilionésimos de metro, a hipótese do contínuo não se aplica, e é necessário empregar técnicas estatísticas para estudar o escoamento do fluido, um assunto que não será considerado aqui. Veja a Referência [3].

1.3 Sistemas de unidades

Existem cinco quantidades básicas utilizadas na mecânica dos fluidos: comprimento, tempo, massa, força e temperatura. Destas, comprimento, tempo, massa e força são todas *relacionadas* pela segunda lei do movimento de Newton, $F = ma$. Como resultado, as *unidades* utilizadas para definir a medida dessas quantidades não podem ser *todas* selecionadas arbitrariamente. A igualdade $F = ma$ é mantida quando *três* dessas unidades são arbitrariamente definidas, e a quarta unidade é então *derivada* da equação. Neste texto, iremos considerar dois sistemas de unidades diferentes para fazer isso, como mostra a Tabela 1.1.

TABELA 1.1 Sistemas de unidades.

Nome	Comprimento	Tempo	Massa	Força	Temperatura	
Comuns nos EUA	pé	segundo	slug*	libra	Rankine	Fahrenheit
FPS	pé	s	$\left(\dfrac{lb \cdot s^2}{pé}\right)$	lb	°R	°F
Sistema Internacional de Unidades	metro	segundo	quilograma	Newton*	Kelvin	Celsius
SI	m	s	kg	N $\left(\dfrac{kg \cdot m}{s^2}\right)$	K	°C

* Unidade derivada.

Unidades comuns nos EUA

No sistema comum dos EUA, ou FPS (*foot-pound-second* — pé-libra-segundo), o comprimento é medido em pés, o tempo em segundos (s) e a força em libras (lb). A unidade de massa é uma unidade derivada, retirada de $m = F/a$. Ela é chamada de *slug*, onde 1 slug é igual ao tamanho de matéria acelerada a 1 pé/s² quando sob ação de uma força de 1 lb (slug = lb · s²/pé), Figura 1.5a.

Peso

Se um fluido estiver na "localização padrão", que é no nível do mar e a uma latitude de 45°, então a aceleração da gravidade é $g = 32{,}2$ pés/s². A massa em slugs de um fluido com um peso W, em libras, lb, é então

$$m \text{ (slug)} = \frac{W \text{ (lb)}}{32{,}2 \text{ pés/s}^2} \qquad (1.1)$$

Portanto, um fluido que pesa 32,2 lb possui uma massa de 1 slug, 64,4 lb do fluido, uma massa de 2 slugs, e assim por diante.*

Temperatura

A ***temperatura absoluta*** é aquela medida a partir de um ponto no qual as moléculas de uma substância possuem a chamada "energia de ponto zero".** A unidade para a temperatura absoluta no sistema comum nos EUA é o grau Rankine (R). Geralmente, porém, os engenheiros utilizam escalas de temperatura reportadas em graus Fahrenheit (F). A magnitude de 1°R é a mesma de 1°F; porém, para a conversão,

$$T_R = T_F + 460 \qquad (1.2)$$

Para essa escala, os pontos de congelamento e ebulição da água na pressão atmosférica padrão normalmente são reportados nos termômetros em graus Fahrenheit (F), onde o congelamento ocorre a 32°F (492°R) e a ebulição, a 212°F (672°R) — veja a Figura 1.5b.

Unidades do SI

O Sistema Internacional de unidades é uma versão moderna do sistema métrico, que recebeu reconhecimento mundial. Como podemos ver na Tabela 1.1, o SI especifica o comprimento em metros (m), o tempo em segundos (s) e a massa em quilogramas (kg). A unidade de força, denominada newton (N), é *derivada* de $F = ma$, onde 1 newton é igual à força necessária para dar a 1 quilograma de massa uma aceleração de 1 m/s² (N = kg · m/s²), conforme a Figura 1.6a.

Peso

Para determinar o peso de um fluido em newtons na "localização padrão", onde a aceleração da gravidade é $g = 9{,}81$ m/s² (32,2 pés/s²) e a massa do fluido é m (kg), temos

$$W \text{ (N)} = m \text{ (kg)} \, 9{,}81 \text{ m/s}^2 \qquad (1.3)$$

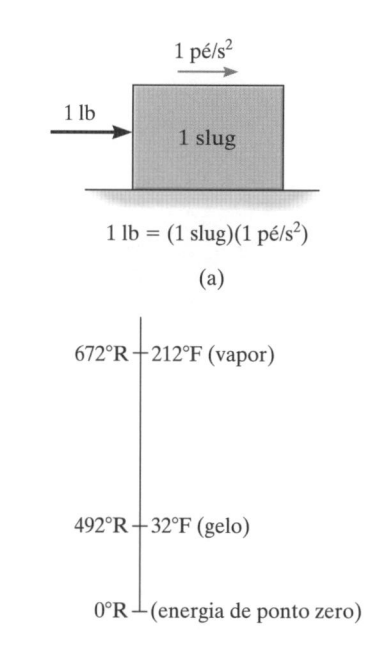

As escalas Rankine e Fahrenheit
(b)
FIGURA 1.5

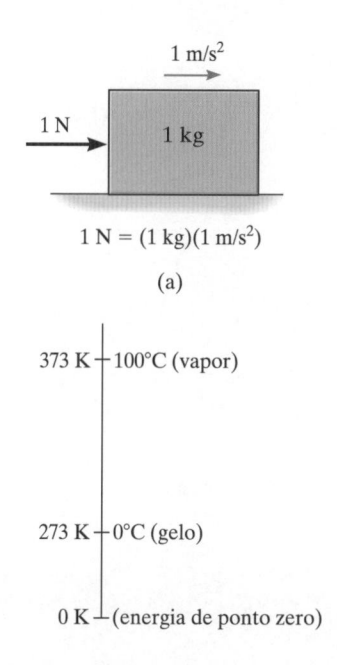

As escalas Kelvin e Celsius
(b)
FIGURA 1.6

---

* ***Sistema inglês de engenharia***. Esse sistema de unidades às vezes é utilizado na termodinâmica e para o estudo do escoamento de gases compressíveis. Para ele, a unidade de força é a *libra força*, lbf, e a unidade de massa é a *libra massa*, lbm. Usando a lei do movimento de Newton, definimos essas unidades de modo que 1 lbf dê a 1 lbm a aceleração padrão de 32,2 pés/s². Observe que, como 1 lbf também acelerará 32,2 lbm a 1 pé/s², e como 1 slug também é acelerado a 1 pé/s² por 1 lbf, então as unidades de massa entre os dois sistemas estão relacionadas por 1 slug = 32,2 lbm.

** Na realidade, este é um ponto inatingível, de acordo com as leis da mecânica quântica.

Portanto, um fluido com massa de 1 kg possui um peso de 9,81 N, 2 kg de fluido têm um peso de 19,62 N, e assim por diante.

Temperatura

A unidade para a *temperatura absoluta* no SI é o kelvin (K). Diferente do grau Rankine, essa unidade é expressa *sem* referência a graus, de modo que 7 K é citado como "sete kelvins". Embora não seja uma unidade oficial do SI, uma unidade com magnitude equivalente medida em graus Celsius (C) é usada com frequência. Essa medida é referenciada a partir dos pontos de congelamento e ebulição da água, onde o ponto de congelamento está em 0°C (273 K) e o ponto de ebulição está em 100°C (373 K), conforme a Figura 1.6*b*. Para a conversão,

$$T_K = T_C + 273 \tag{1.4}$$

As equações 1.1 a 1.4 serão usadas neste livro porque são adequadas para a maioria das aplicações da engenharia. Porém, use os valores exatos de 459,67 na Equação 1.2 e 273,15 K na Equação 1.4, para realizar um trabalho com mais precisão. Além disso, na "localização padrão", as equações 1.1 e 1.3 deverão usar o valor mais exato de $g = 32{,}174$ pés/s^2 = 9,807 m/s^2, ou então deverá ser usada a aceleração da gravidade *local*.

Conversão de unidades

A Tabela 1.2 oferece um conjunto de fatores de conversão direta entre os dois sistemas de unidades para comprimento, massa e força.

Como a temperatura medida a partir do zero absoluto até o ponto de congelamento da água deverá ser a mesma para as escalas de temperatura Rankine e Kelvin, então, em um sentido mais exato, (32 + 459,67)°R = 273,15 K, ou 1°R = 5/9 K. Portanto, a relação entre as duas temperaturas é

$$T_K = \frac{5}{9} T_R \tag{1.5}$$

Além disso, usando os valores exatos de 459,67°R e 273,15 K e igualando as equações 1.4 e 1.5, explicitando T_R e substituindo na Equação 1.2, obtemos

$$T_C = \frac{5}{9}(T_F - 32) \tag{1.6}$$

TABELA 1.2	Fatores de conversão.		
Quantidade	Unidade de medida FPS	É igual a	Unidade de medida SI
Comprimento	pés		0,3048 m
Massa	slug		14,59 kg
Força	lb		4,448 N

Prefixos

No SI, quando uma quantidade numérica é muito grande ou muito pequena, as unidades utilizadas para definir seu tamanho deverão ser modificadas usando um prefixo. A faixa de prefixos usados para problemas neste livro aparece na Tabela 1.3. Cada um representa um múltiplo ou submúltiplo de uma unidade, que move o separador decimal de uma quantidade numérica para a frente ou para trás em três, seis ou nove casas. Por exemplo, 5000000 g = 5000 kg (quilogramas) = 5 Mg (megagramas) e 0,000006 s = 0,006 ms (milissegundos) = 6 μs (microssegundos).

Via de regra, as quantidades definidas por várias unidades que são múltiplas umas das outras são separadas por um ponto para evitar confusão com a notação de prefixo. Assim, m · s é um metro-segundo, enquanto ms é um milissegundo. Finalmente, a potência exponencial aplicada a uma unidade contendo um prefixo refere-se *tanto à unidade quanto ao seu prefixo*. Por exemplo, ms² = (ms)² = (ms)(ms) = (10^{-3}s)(10^{-3}s) = 10^{-6} s².

TABELA 1.3 Prefixos.

	Forma exponencial	Prefixo	Símbolo no SI
Submúltiplo			
0,001	10^{-3}	mili	m
0,000001	10^{-6}	micro	μ
0,000000001	10^{-9}	nano	n
Múltiplo			
1000000000	10^9	Giga	G
1000000	10^6	Mega	M
1000	10^3	quilo	k

1.4 Cálculos

A aplicação dos princípios da mecânica dos fluidos geralmente requer manipulações algébricas de uma fórmula, seguidas de cálculos numéricos. Por esse motivo, é importante ter em mente os conceitos abordados a seguir.

Homogeneidade dimensional

Os termos de uma equação usada para descrever um processo físico deverão ser **dimensionalmente homogêneos**, ou seja, cada termo deverá ser expresso nas *mesmas unidades*. Se isso acontecer, então todos os termos da equação poderão ser *combinados* se os valores numéricos substituírem as variáveis. Por exemplo, considere a equação de Bernoulli, que é uma aplicação especializada do princípio do trabalho e da energia. Estudaremos essa equação no Capítulo 5, mas ela pode ser expressa como

$$\frac{p}{\gamma} + \frac{V^2}{2g} + z = \text{constante}$$

Usando unidades do SI, a pressão p é expressa em N/m², o peso específico γ está em N/m³, a velocidade V está em m/s, a aceleração da gravidade g está em m/s² e a elevação z está em metros, m. *Não importa como essa equação está arrumada algebricamente, ela deverá manter sua homogeneidade dimensional.* Na forma enunciada, cada um dos três termos está em metros, conforme observado por um cancelamento de unidades em cada fração.

$$\frac{N/m^2}{N/m^3} + \frac{(m/s)^2}{m/s^2} + m$$

Como quase todos os problemas na mecânica dos fluidos envolvem a solução de equações dimensionalmente homogêneas, pode-se fazer uma *verificação parcial* da manipulação algébrica de qualquer equação verificando se todos os termos têm as *mesmas unidades*.

Procedimento de cálculo

Ao realizar cálculos numéricos, *primeiro* represente todas as quantidades em termos de suas unidades básicas ou derivadas, convertendo quaisquer prefixos em potências de 10. Depois, faça o cálculo e, finalmente, expresse o resultado usando um *prefixo simples*. Por exemplo,

$$3 \text{ MN}(2 \text{ mm}) = [3 \ (10^6) \text{ N}] [2 \ (10^{-3}) \text{ m}] = 6 \ (10^3) \text{ N} \cdot \text{m} = 6 \text{ kN} \cdot \text{m}.$$

No caso de unidades fracionárias, com a exceção do quilograma, o prefixo sempre deverá estar no numerador, como em MN/s ou mm/kg. Além disso, após o cálculo, é melhor manter os valores numéricos entre 0,1 e 1000; caso contrário, um prefixo adequado deverá ser escolhido.

Precisão

O trabalho numérico na mecânica dos fluidos é quase sempre realizado por meio de calculadoras de bolso e computadores. Porém, é importante que as respostas de qualquer problema sejam informadas com precisão justificável usando o número adequado de algarismos significativos. Via de regra, sempre retenha mais algarismos em seus cálculos do que aparecem nos dados do problema. Depois, arredonde sua resposta final para *três algarismos significativos*, pois os dados para as propriedades dos fluidos e muitas medições experimentais normalmente são informados com essa precisão. Seguiremos esse procedimento neste texto, onde os cálculos intermediários para os problemas de exemplo geralmente se estendem até quatro ou cinco algarismos significativos, e depois as respostas geralmente serão dadas em até *três* algarismos significativos.

Escoamentos complexos geralmente são estudados usando uma análise por computador; porém, é importante ter um bom conhecimento dos princípios da mecânica dos fluidos para ter certeza de que foram feitas previsões razoáveis. (© CHRIS SATTLBERGER/ Science Source)

1.5 Resolução de problemas

À primeira vista, o estudo da mecânica dos fluidos pode ser um tanto assustador, pois existem muitos aspectos dessa área que precisam ser compreendidos. Porém, o sucesso na solução de problemas dependerá de sua atitude e disposição para focar nas exposições em sala de aula e em ler cuidadosamente a matéria no livro. Aristóteles disse certa vez: "O que precisamos aprender a fazer, *aprendemos fazendo*", e realmente *sua capacidade de resolver problemas* na mecânica dos fluidos depende de uma preparação atenciosa e uma apresentação organizada.

Em qualquer área da engenharia, é muito importante que você siga um procedimento lógico e disciplinado ao resolver problemas. No caso da mecânica dos fluidos, isso deverá incluir a sequência de etapas esboçada a seguir.

Procedimento geral para análise

Descrição do fluido

Os fluidos podem se comportar de várias maneiras diferentes, portanto, é importante inicialmente *identificar o tipo de escoamento de fluido* e especificar as *propriedades físicas* do fluido. O conhecimento disso garante a seleção correta das equações a serem utilizadas para uma análise.

Análise

Geralmente envolve as seguintes etapas:

- Organize os dados do problema em forma de tabela e desenhe, com uma escala razoavelmente grande, quaisquer diagramas necessários.
- Aplique os princípios relevantes, geralmente em forma matemática. Ao substituir dados numéricos em quaisquer equações, não se esqueça de incluir suas unidades e garantir que os termos sejam dimensionalmente homogêneos.
- Resolva as equações e informe quaisquer respostas numéricas com três algarismos significativos.
- Estude a resposta com julgamento técnico e bom senso, para determinar se ela parece razoável ou não.

Ao aplicar este procedimento, realize o trabalho da maneira mais organizada possível. Ser organizado geralmente estimula o pensamento claro e disciplinado, e vice-versa.

Pontos importantes

- Os sólidos possuem forma e volume definidos, os líquidos tomam a forma de seu recipiente e os gases preenchem o volume inteiro de seu recipiente.
- Líquidos e gases são fluidos porque se deformam continuamente ou escoam quando sujeitos a uma força de cisalhamento, não importa quão pequena ela seja.
- Para a maior parte das aplicações da engenharia, podemos considerar um fluido como um meio contínuo e, portanto, usar suas propriedades médias para modelar seu comportamento.
- A massa é medida em slugs no sistema FPS e é determinada a partir de m (slug) = W (lb)/32,2 pés/s^2. O peso é medido em newtons no SI e é determinado a partir de W (N) = m (kg) 9,81 m/s^2.
- Certas regras precisam ser seguidas ao realizar cálculos e usar prefixos no sistema de unidades SI. Primeiro, converta todas as grandezas numéricas com prefixos em suas unidades básicas, depois realize os cálculos e finalmente escolha o prefixo apropriado para o resultado.
- As equações derivadas da mecânica dos fluidos são todas dimensionalmente homogêneas, e assim cada termo de uma equação possui as mesmas unidades. Portanto, deve-se prestar muita atenção às unidades ao entrar com os dados, para depois resolver uma equação.
- Via de regra, realize cálculos com suficiente precisão numérica e, depois, arredonde a resposta final com três algarismos significativos.

EXEMPLO 1.1

Avalie (80 MN/s)(5 mm)² e expresse o resultado com unidades do SI contendo um prefixo apropriado.

Solução

Primeiro, convertemos todas as quantidades com prefixos para potências de 10, realizamos o cálculo e depois escolhemos um prefixo apropriado para o resultado.

$$(80 \text{ MN/s})(5 \text{ mm})^2 = [80(10^6) \text{ N/s}][5(10^{-3}) \text{ m}]^2$$
$$= [80(10^6) \text{ N/s}][25(10^{-6}) \text{ m}^2]$$
$$= 2(10^3) \text{ N} \cdot \text{m}^2/\text{s} = 2 \text{ kN} \cdot \text{m}^2/\text{s} \qquad \textit{Resposta}$$

EXEMPLO 1.2

Converta um escoamento de fluido de 14 m³/s em pés³/h.

Solução

Usando a Tabela 1.2, 1 pé = 0,3048 m. Além disso, 1 h = 3600 s. Esses fatores de conversão são arrumados na seguinte ordem para que ocorra o cancelamento de unidades.

$$14 \text{ m}^3/\text{s} = \left(\frac{14 \text{ m}^3}{\text{s}}\right)\left(\frac{3600 \text{ s}}{1 \text{ h}}\right)\left(\frac{1 \text{ pé}}{0{,}3048 \text{ m}}\right)^3$$

$$= 1{,}78(10^6) \text{ pé}^3/\text{h} \qquad \textit{Resposta}$$

Observe que os prefixos geralmente não são usados para unidades comuns nos EUA.* Em vez disso, para o trabalho na engenharia, os resultados são expressos como um múltiplo de 10, tendo uma potência exponencial em múltiplos de três, como em (10^3), (10^6), (10^{-9}) etc.

---

* Uma exceção é a quilolibra (kip), onde 1 kip = 1000 lb.

1.6 Propriedades básicas do fluido

Supondo que o fluido seja um meio contínuo, definiremos algumas propriedades físicas importantes que são usadas para descrevê-lo.

Densidade

A ***densidade*** ρ (rô) refere-se à massa do fluido que está contida em uma unidade de volume, conforme a Figura 1.7. Ela é medida em kg/m³ ou slug/pés³ e é determinada a partir de

$$\rho = \frac{m}{V} \qquad (1.7)$$

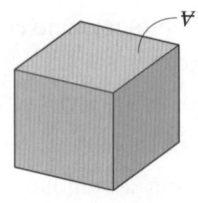

Densidade é massa/volume

FIGURA 1.7

Aqui, m é a massa do fluido, e V é o seu volume.

Líquido

Por meio da experiência, descobriu-se que um líquido é praticamente incompressível, ou seja, a densidade de um líquido varia pouco com a pressão. Contudo, ele tem uma ligeira variação, porém, maior, com a temperatura. Por exemplo, a água a 4°C tem uma densidade de $\rho_{água} = 1000$ kg/m³, enquanto a 100°C, $\rho_{água} = 958,1$ kg/m³. Para a maior parte das aplicações práticas, desde que a faixa de temperatura seja pequena, podemos, portanto, considerar que *a densidade de um líquido é basicamente constante*.

Gás

Ao contrário de um líquido, a temperatura e a pressão podem afetar bastante a densidade de um gás, pois ele possui um grau de compressibilidade mais alto. Por exemplo, o ar tem uma densidade de $\rho = 1,225$ kg/m³ quando a temperatura é de 15°C e a pressão atmosférica é de 101,3 kPa [1 Pa (pascal) = 1 N/m²]. Porém, nessa mesma temperatura e com o dobro de pressão, a densidade do ar *dobra* e torna-se $\rho = 2,44$ kg/m³.

O Apêndice A mostra os valores típicos para as densidades dos líquidos e gases comuns. São incluídas tabelas de valores específicos para a água em diferentes temperaturas, e para o ar em diferentes temperaturas e altitudes.

Peso específico

O *peso específico* γ (gama) de um fluido é o seu peso por unidade de volume (Figura 1.8). Ele é medido em N/m³ ou lb/pés³. Logo,

$$\gamma = \frac{W}{V} \qquad (1.8)$$

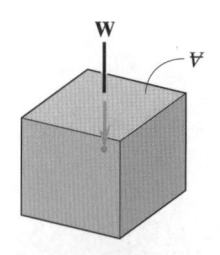

Aqui, W é o peso do fluido, e V é o seu volume.

Visto que o peso está relacionado à massa por $W = mg$, então substituindo isso na Equação 1.8 e comparando esse resultado com a Equação 1.7, o peso específico está relacionado à densidade por

$$\gamma = \rho g \qquad (1.9)$$

Os valores típicos dos pesos específicos para líquidos e gases comuns também podem ser vistos no Apêndice A.

Peso específico é peso/volume

FIGURA 1.8

Densidade relativa

A *densidade relativa* ou *gravidade específica* S de uma substância é uma quantidade adimensional definida como a razão entre sua densidade ou peso específico e a de alguma outra substância considerada como um "padrão". Ela é mais utilizada para líquidos, e a água em uma pressão atmosférica de 101,3 kPa e uma temperatura de 4°C é considerada o padrão. Assim,

$$S = \frac{\rho}{\rho_{água}} = \frac{\gamma}{\gamma_{água}} \qquad (1.10)$$

A densidade da água para este caso é $\rho_{água} = 1000$ kg/m³ em unidades do SI, e seu peso específico em unidades FPS é $\gamma_{água} = 62,4$ lb/pés³. Assim, por exemplo, se um óleo possui uma densidade de $\rho_o = 880$ kg/m³, então sua densidade relativa será $S_o = 0,880$.

Lei dos gases perfeitos

Neste livro, vamos considerar que cada gás se comporta como um *gás perfeito*.* Consideramos que esse gás possui separação suficiente entre suas moléculas para que elas não se atraiam umas pelas outras. Além disso, o gás não deve estar perto do ponto de condensação para um estado líquido ou sólido.

Pelas experiências, realizadas principalmente com o ar, mostrou-se que os gases perfeitos se comportam de acordo com a *lei dos gases perfeitos*. Ela pode ser expressa como

$$p = \rho RT \quad (1.11)$$

Aqui, p é a **pressão absoluta**, ou força por unidade de área, referenciada a partir de um vácuo perfeito, ρ é a densidade do gás, R é a constante do gás e T é a **temperatura absoluta**. Os valores típicos de R para diversos gases são dados no Apêndice A. Por exemplo, para o ar, $R = 286{,}9$ J/(kg · K), onde 1 J (joule) = 1 N · m.

O volume, a pressão e a temperatura de um gás nesse tanque estão relacionados pela lei dos gases perfeitos.

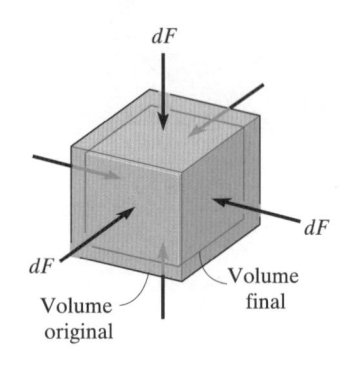

Módulo de elasticidade volumétrico

O *módulo de elasticidade volumétrico*, ou simplesmente **módulo volumétrico**, é uma medida da magnitude pela qual um fluido oferece uma resistência à compressão. Para definir essa propriedade, considere o cubo de fluido na Figura 1.9, onde cada face possui uma área A e está sujeita a uma força incremental dF. A intensidade dessa força por unidade de área é a *pressão*, $dp = dF/A$. Como resultado dessa pressão, o volume original $\forall$ do cubo *diminuirá em* $d\forall$. Essa pressão incremental, dividida por essa diminuição no volume por unidade de volume, $d\forall/\forall$, define o módulo volumétrico, a saber,

$$E_\forall = -\frac{dp}{d\forall/\forall} \quad (1.12)$$

O sinal de menos foi incluído para mostrar que o *aumento* na pressão (positiva) causa uma diminuição no volume (negativo).

As unidades para $E_\forall$ são as mesmas que para a pressão — ou seja, força por área —, pois a razão do volume é adimensional. As unidades típicas são N/m² ou Pa, e lb/pol.²

Módulo de elasticidade volumétrico

FIGURA 1.9

Líquido

Como a densidade de um líquido muda muito pouco com a pressão, seu módulo volumétrico é muito alto. Por exemplo, a água do mar na pressão atmosférica e temperatura ambiente possui um módulo volumétrico de cerca de $E_\forall = 2{,}20$ GPa.** Se usarmos esse valor e considerarmos a região mais profunda do Oceano Pacífico, onde a pressão da água é de 110 MPa, então a Equação 1.12 mostra que a compressão fracionária da água é de apenas $\Delta\forall/\forall = [110(10^6)$ Pa$]/[2{,}20(10^9)$ Pa$] = 5{,}0\%$. Por esse motivo, podemos considerar que, para as aplicações mais práticas, os *líquidos podem ser*

---

* Gases imperfeitos e vapores são estudados na termodinâmica.

** Naturalmente, os sólidos podem ter módulos volumétricos muito mais altos. Por exemplo, o módulo volumétrico para o aço é 160 GPa.

considerados incompressíveis e, como indicado anteriormente, sua densidade permanece constante.*

Gás

Um gás, devido à sua baixa densidade, é milhares de vezes mais compressível do que um líquido, e daí seu módulo volumétrico ser muito menor. Para um gás, porém, a relação entre a pressão aplicada e a mudança de volume depende do processo usado para comprimir o gás. Mais adiante, no Capítulo 13, estudaremos esse efeito em relação ao escoamento compressível, onde as variações de pressão se tornam significativas. Porém, se o gás escoa em *baixas velocidades*, ou seja, menos de cerca de 30% da velocidade do som no gás, então ocorrem apenas *pequenas variações* na pressão do gás e, logo, até mesmo com seu baixo módulo volumétrico, à temperatura constante, um gás, assim como um líquido, neste caso também pode ser considerado incompressível.

Pontos importantes

- A massa de um fluido geralmente é caracterizada por sua *densidade* $\rho = m/\forall$, e seu peso é caracterizado por seu *peso específico* $\gamma = W/\forall$, onde $\gamma = \rho g$.
- A *densidade relativa* é uma razão entre a densidade ou peso específico de um líquido e a densidade ou peso específico da água, definida por $S = \rho/\rho_{água} = \gamma/\gamma_{água}$. Aqui, $\rho_{água} = 1000$ kg/m^3 e $\gamma_{água} = 62,4$ lb/pés^3.
- Para muitas aplicações da engenharia, podemos considerar um gás *perfeito*, e podemos assim relacionar sua *pressão absoluta* à sua *temperatura absoluta* e densidade usando a lei dos gases perfeitos, $p = \rho RT$.
- O *módulo de elasticidade volumétrico* de um fluido é uma medida de sua resistência à compressão. Como essa propriedade é muito alta para os líquidos, geralmente podemos considerar os líquidos como fluidos incompressíveis. Desde que um gás tenha uma baixa velocidade de escoamento — menos de 30% da velocidade do som no gás — e tenha uma temperatura constante, então a variação de pressão dentro do gás será baixa e também podemos, sob essas circunstâncias, considerá-lo incompressível.

EXEMPLO 1.3

O ar contido no tanque (ver Figura 1.10) está sob uma pressão absoluta de 60 kPa e possui uma temperatura de 60°C. Determine a massa do ar no tanque.

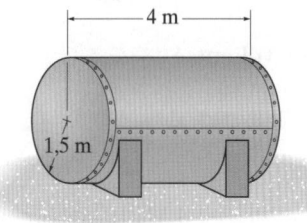

FIGURA 1.10

---

* A *compressibilidade* de um líquido escoando, porém, deve ser considerada para alguns tipos de análise de fluidos. Por exemplo, o "golpe de aríete" é criado quando uma válvula em uma tubulação é fechada repentinamente. Isso causa uma mudança local brusca na densidade da água perto da válvula, que gera uma onda de pressão que trafega pela tubulação e produz um som de martelada quando a onda encontra uma curva ou outra obstrução no tubo. Veja a Referência [7].

Solução

Primeiro encontraremos a densidade do ar no tanque usando a lei dos gases perfeitos, conforme a Equação 1.11, $p = \rho RT$. Depois, conhecendo o volume do tanque, podemos determinar a massa do ar. A *temperatura absoluta* do ar é

$$T_K = T_C + 273 \text{ K} = 60°\text{C} + 273 \text{ K} = 333 \text{ K}$$

Pelo Apêndice A, a constante do gás para o ar é $R = 286{,}9 \text{ J/(kg} \cdot \text{K)}$. Logo,

$$p = \rho RT$$
$$60(10^3) \text{ N/m}^2 = \rho\, (286{,}9 \text{ J/kg} \cdot \text{K})(333 \text{ K})$$
$$\rho = 0{,}6280 \text{ kg/m}^3$$

A massa do ar dentro do tanque é, portanto,

$$\rho = \frac{m}{V}$$

$$0{,}6280 \text{ kg/m}^3 = \frac{m}{\left[\pi(1{,}5 \text{ m})^2(4 \text{ m})\right]}$$

$$m = 17{,}8 \text{ kg} \qquad \textit{Resposta}$$

Muitas pessoas geralmente se surpreendem ao ver como a massa de um gás contido dentro de um volume pode ser tão grande. Por exemplo, se repetirmos os cálculos para a massa do ar em uma sala de aula normal, medindo 4 m × 6 m × 3 m, a uma temperatura ambiente de 20°C e pressão de 101,3 kPa, o resultado é 86,8 kg. O peso desse ar é 851 N, ou 191 lb! Não é de se estranhar, então, que o fluxo de ar possa levantar um avião e causar danos estruturais em prédios.

EXEMPLO 1.4

Uma certa quantidade de glicerina possui um volume de 1 m³ quando a pressão é de 120 kPa. Se a pressão for aumentada para 400 kPa, determine a variação no volume desse metro cúbico. O módulo volumétrico para a glicerina é $E_V = 4{,}52$ GPa.

Solução

Precisamos usar a definição do módulo volumétrico para o cálculo. Primeiro, o aumento de pressão aplicado ao metro cúbico da glicerina é

$$\Delta p = 400 \text{ kPa} - 120 \text{ kPa} = 280 \text{ kPa}$$

Logo, a variação no volume é

$$E_V = -\frac{\Delta p}{\Delta V / V}$$

$$4{,}52(10^9) \text{N/m}^2 = -\frac{280(10^3) \text{N/m}^2}{\Delta V / 1 \text{m}^3}$$

$$\Delta V = -61{,}9(10^{-6}) \text{m}^3 \qquad \textit{Resposta}$$

Esta é realmente uma variação muito pequena. Como ΔV é diretamente proporcional à variação na pressão, dobrar a variação de pressão dobrará então a variação no volume. Embora o E_V para a água seja cerca de metade daquele da glicerina, até mesmo para a água a variação de volume ainda permanecerá muito pequena!

1.7 Viscosidade

Viscosidade é uma propriedade de um fluido que mede a *resistência ao movimento* de uma camada muito fina de fluido sobre uma camada adjacente. Essa resistência ocorre somente quando uma força tangencial ou de cisalhamento é aplicada ao fluido, como na Figura 1.11a. A deformação resultante ocorre em diferentes taxas para diferentes tipos de fluidos. Por exemplo, água ou gasolina se deformarão ou escoarão mais rapidamente (baixa viscosidade) do que betume ou mel (alta viscosidade).

Causa física da viscosidade

A resistência que faz surgir a viscosidade em um fluido pode ser compreendida considerando as duas camadas de fluido na Figura 1.11b deslizando uma sobre a outra. Como as moléculas que compõem o fluido sempre estão em movimento contínuo, então, quando a molécula A na camada superior *mais rápida* desce para a camada inferior *mais lenta*, ela terá um componente de movimento para a direita. As colisões que ocorrem com qualquer molécula de movimento mais lento da camada inferior farão com que ela seja *empurrada* devido à troca de quantidade de movimento com A. O efeito contrário acontece quando a molécula B na camada inferior migra para cima. Aqui, essa molécula de movimento mais lento *retardará* uma molécula de movimento mais rápido através de sua troca de quantidade de movimento. Em grande escala, esses dois efeitos causam resistência ou viscosidade.

Lei da viscosidade de Newton

Para mostrar em uma pequena escala como os fluidos se comportam quando sujeitos a uma força de cisalhamento, vamos agora considerar uma fina camada de fluido que é confinado entre uma superfície fixa e uma placa horizontal muito larga (Figura 1.12a). Quando uma força horizontal muito *pequena* **F** é aplicada à placa, ela fará com que os elementos do fluido se distorçam conforme mostrado. Após uma breve aceleração, a resistência viscosa do fluido levará a placa ao equilíbrio, de modo que a placa começará a se mover com uma *velocidade constante* **U**. Durante esse movimento, a força de aderência molecular entre as partículas do fluido em contato com a superfície fixa *e* a placa cria uma "*condição de não deslizamento*", de modo que as partículas de fluido na *superfície fixa* permanecem *em repouso*, enquanto aquelas na superfície inferior da placa se movem com a mesma velocidade da placa.* Entre essas duas superfícies, camadas muito finas de fluido são arrastadas, de modo que o perfil de velocidade u através da espessura do fluido será paralelo à placa e poderá variar, como mostra a Figura 1.12b.

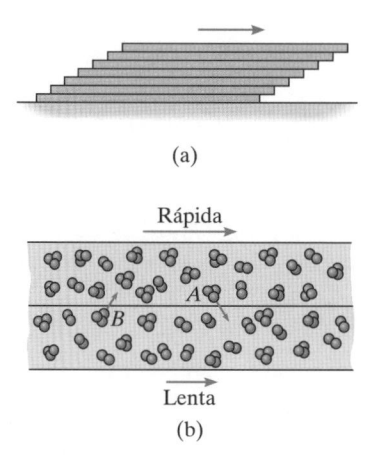

FIGURA 1.11

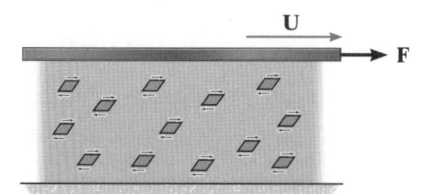

Distorção dos elementos fluidos causada pelo cisalhamento
(a)

Distribuição de velocidade dentro de uma camada fina de fluido
(b)

tensão de cisalhamento causa deformação por cisalhamento
(c)

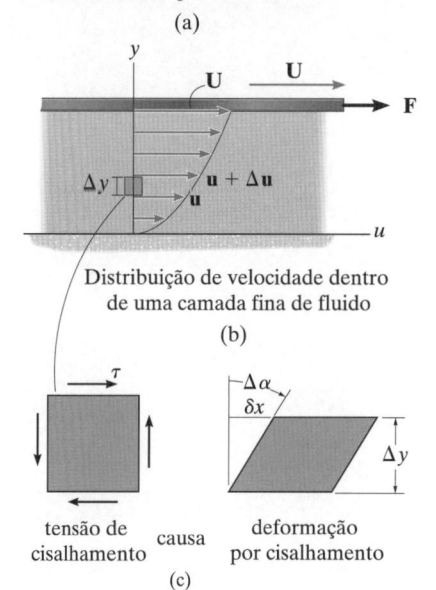

FIGURA 1.12

---

* Descobertas recentes confirmaram que essa "condição de não deslizamento" nem sempre é verdadeira. Um fluido com movimento rápido escoando sobre *uma superfície extremamente lisa* não desenvolve aderência. Além disso, a aderência à superfície pode ser reduzida acrescentando-se *moléculas tipo "sabão"* ao fluido que cobre a superfície, tornando-a assim extremamente lisa. Entretanto, para a *maioria* das aplicações da engenharia, a camada de moléculas de fluido adjacente a um limite sólido *aderirá à superfície*, e por isso esses casos especiais com deslizamento no limite *não* serão considerados neste livro. Veja a Referência [11].

Tensão de cisalhamento

O movimento que acabamos de descrever é uma consequência do efeito de cisalhamento dentro do fluido, causado pela placa. Esse efeito sujeita cada elemento do fluido a uma **tensão de cisalhamento** τ (tau) (Figura 1.12c), que é definida como uma força tangencial ΔF que atua sobre uma área ΔA do elemento. Ela pode ser expressa como

$$\tau = \lim_{\Delta A \to 0} \frac{\Delta F}{\Delta A} = \frac{dF}{dA} \qquad (1.13)$$

Deformação por cisalhamento

Como um fluido escoará, essa tensão de cisalhamento fará com que cada elemento se deforme para a forma de um paralelogramo (Figura 1.12c), e durante o curto tempo Δt, a deformação resultante é definida por sua **deformação por cisalhamento**, especificada pelo pequeno ângulo $\Delta \alpha$ (alfa), onde

$$\Delta \alpha \approx \text{tg } \Delta \alpha = \frac{\delta x}{\Delta y}$$

Um sólido manteria esse ângulo sob carga, mas um elemento fluido *continuará a se deformar*; portanto, na mecânica dos fluidos, a *taxa temporal de variação nessa deformação por cisalhamento (ângulo)* torna-se importante. Como o topo do elemento se move a uma taxa de Δu relativa à sua parte inferior, conforme a Figura 1.12b, então $\delta x = \Delta u \, \Delta t$. Substituindo isso na equação anterior, a taxa temporal de variação da deformação por cisalhamento torna-se

$$\frac{\Delta \alpha}{\Delta t} = \frac{\Delta u}{\Delta y}$$

E no limite, quando $\Delta t \to 0$,

$$\frac{d\alpha}{dt} = \frac{du}{dy}$$

O termo da direita é chamado de **gradiente de velocidade**, pois é uma expressão da variação de velocidade u em relação a y.

No final do século XVII, Isaac Newton propôs que a tensão de cisalhamento no fluido é diretamente proporcional a essa taxa de deformação por cisalhamento ou gradiente de velocidade. Isso normalmente é conhecido como **lei de Newton da viscosidade**, e pode ser escrita como

$$\boxed{\tau = \mu \frac{du}{dy}} \qquad (1.14)$$

A constante de proporcionalidade μ (mi) é uma *propriedade física do fluido* que mede a *resistência* ao movimento do fluido. Embora às vezes seja chamada de **viscosidade absoluta ou dinâmica**, vamos nos referir a ela simplesmente como **viscosidade**. A partir da equação, μ tem unidades de $N \cdot s/m^2$ ou $lb \cdot s/pés^2$.

Fluidos newtonianos

Experiências têm mostrado que muitos fluidos comuns obedecem à lei de Newton da viscosidade, e qualquer fluido que faça isso é chamado de *fluido newtoniano*. Um desenho mostrando como a tensão de cisalhamento e a taxa de deformação por cisalhamento se comportam para alguns fluidos newtonianos comuns pode ser visto na Figura 1.13. Observe como a inclinação (viscosidade) aumenta, a partir do ar, que possui uma viscosidade muito baixa, para a água e depois ao petróleo bruto, que tem uma viscosidade muito mais alta. Em outras palavras, *quanto maior a viscosidade, maior a resistência do fluido ao escoamento*.

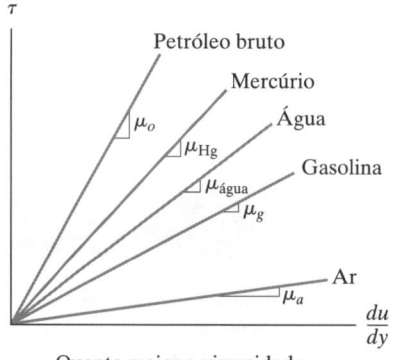

Quanto maior a viscosidade, mais difícil é o escoamento do fluido.

FIGURA 1.13

Fluidos não newtonianos

Fluidos cujas camadas muito finas apresentam um comportamento *não linear* entre a tensão de cisalhamento aplicada e a taxa de deformação por cisalhamento são classificados como **fluidos não newtonianos**. Existem basicamente dois tipos, e eles se comportam conforme mostra a Figura 1.14. Para cada um desses fluidos, a *inclinação da curva* para qualquer taxa de deformação por cisalhamento específica define a **viscosidade aparente** para esse fluido. Aqueles fluidos que possuem um aumento na viscosidade aparente (inclinação) com um aumento na tensão de cisalhamento são conhecidos como **fluidos dilatantes**. Alguns exemplos são a água com altas concentrações de açúcar e a areia movediça. Entretanto, muito mais fluidos apresentam o comportamento oposto e são chamados de **fluidos pseudoplásticos**. Alguns exemplos são o sangue, a gelatina e o leite. Conforme observamos, essas substâncias fluem lentamente em baixas aplicações de tensão de cisalhamento (grande inclinação), porém rapidamente sob uma tensão de cisalhamento mais alta (inclinação menor).

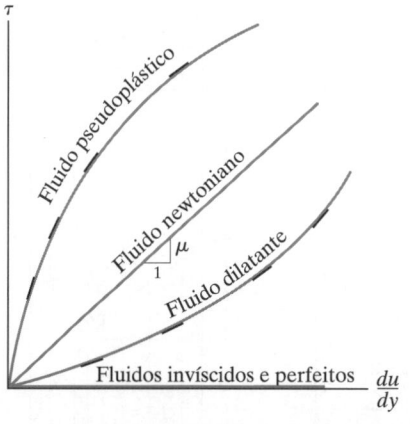

Por fim, existem outras classes de substâncias que possuem propriedades de sólido *e* de fluido. Por exemplo, massa corrida e cimento molhado mantêm sua forma (sólido) para uma pequena tensão de cisalhamento, mas podem facilmente escoar (fluido) sob cargas de cisalhamento maiores. Essas substâncias, bem como outras substâncias sólido-fluidas incomuns, são estudadas no campo da *reologia*, e não na mecânica dos fluidos. Veja a Referência [8].

FIGURA 1.14

Fluidos invíscidos e perfeitos

Muitas aplicações na engenharia envolvem fluidos que possuem *viscosidades muito baixas*, como a água e o ar — $(1{,}00(10^{-3})$ N · s/m^2 e $18{,}1(10^{-6})$ N · s/m^2, a 20°C), respectivamente —, portanto, às vezes podemos *aproximá-los* como fluidos invíscidos. Por definição, um *fluido invíscido* possui *viscosidade zero*; $\mu = 0$ e, como resultado, ele *não oferece resistência à tensão de cisalhamento* (Figura 1.14). Em outras palavras, ele é *sem "atrito"*. Logo, se o fluido na Figura 1.12 é invíscido, então, quando a força **F** é aplicada à placa, ela fará com que a placa continue a *acelerar*, pois nenhuma tensão de cisalhamento poderá ser desenvolvida dentro de um fluido invíscido para oferecer uma resistência cisalhante restritiva à parte inferior da placa. Se, além de ser invíscido, o fluido também for considerado incompressível, então ele

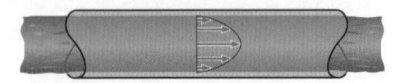

Perfil de velocidade para um fluido real
(a)

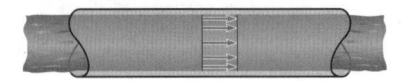

Perfil de velocidade para um fluido invíscido ou perfeito
(b)

FIGURA 1.15

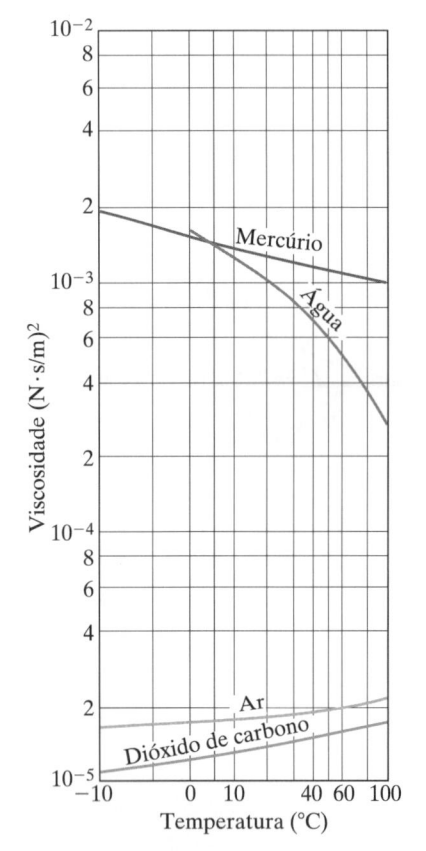

é chamado de *fluido perfeito*. Por comparação, se qualquer *fluido real* escoa lentamente por uma tubulação, ele terá um perfil de velocidade que se parece com o da Figura 1.15a, enquanto um fluido invíscido ou perfeito terá um perfil de velocidade uniforme, parecido com o da Figura 1.15b.

Efeitos da pressão e da temperatura

Por meio de experiências, descobriu-se que a viscosidade de um fluido é, na realidade, *aumentada* com a pressão, embora esse efeito seja muito pequeno e, portanto, geralmente é desprezado para a maioria das aplicações da engenharia. A temperatura, porém, afeta a viscosidade dos fluidos com uma extensão muito maior. No caso de um *líquido*, um *aumento na temperatura diminuirá sua viscosidade*, como mostra a Figura 1.16 para a água e o mercúrio; Referência [9]. Isso ocorre porque o aumento da temperatura fará com que as moléculas do líquido tenham mais vibração ou mobilidade, rompendo assim suas ligações moleculares e permitindo que as camadas do líquido se "soltem" e deslizem com mais facilidade. Se o fluido for um gás, um *aumento na temperatura* tem o efeito oposto, ou seja, a *viscosidade aumentará*, conforme observado para o ar e o dióxido de carbono na Figura 1.16; Referência [10]. Como os gases são compostos de moléculas muito mais afastadas do que para um líquido, sua atração intermolecular é *menor*. Quando a temperatura aumenta, o movimento molecular do gás aumentará, e isso aumentará a *troca* de quantidade de movimento entre as sucessivas camadas. É essa resistência adicional, desenvolvida por colisões moleculares, que faz com que a viscosidade aumente.

Foram feitas tentativas de usar equações empíricas para ajustar as curvas experimentais da viscosidade *versus* temperatura para diversos líquidos e gases, como aquelas mostradas na Figura 1.16. Para os líquidos, as curvas podem ser representadas usando a *equação de Andrade*.

$$\mu = Be^{C/T} \text{ (líquido)}$$

E, para os gases, a *equação de Sutherland* funciona bem.

$$\mu = \frac{BT^{3/2}}{(T + C)} \text{ (gás)}$$

Em cada um desses casos, *T* é a *temperatura absoluta*, e as constantes *B* e *C* podem ser determinadas se valores específicos de μ forem conhecidos para duas temperaturas diferentes.[*]

Viscosidade *versus* temperatura

FIGURA 1.16

Viscosidade cinemática

Outra forma de expressar a viscosidade de um fluido é representá-lo por sua **viscosidade cinemática**, ν (ni), que é a razão entre sua viscosidade dinâmica e sua densidade:

$$\nu = \frac{\mu}{\rho} \qquad (1.15)$$

---

[*] Veja os problemas 1.48 e 1.50.

As unidades são m²/s ou pés²/s.* A palavra "cinemática" é usada para descrever esta propriedade, pois a força não está envolvida nas dimensões. Os valores típicos das viscosidades dinâmica e cinemática são dados no Apêndice A para alguns líquidos e gases comuns, e listagens mais extensas também são dadas para a água e o ar.

1.8 Medição da viscosidade

A viscosidade de um líquido newtoniano pode ser medida de várias maneiras. Um método comum é usar um **viscosímetro rotativo**, às vezes chamado de *viscosímetro de Brookfield*. Esse dispositivo, mostrado na foto a seguir, consiste em um cilindro sólido que é suspenso dentro de um recipiente cilíndrico, como mostra a Figura 1.17a. O líquido a ser testado preenche o pequeno espaço entre esses dois cilindros, e enquanto o recipiente é forçado a girar com uma velocidade angular constante ω muito baixa, ele faz com que o cilindro contido dobre o fio em suspensão por uma pequena distância antes de atingir o equilíbrio. Medindo o ângulo de dobra do fio, o torque M no fio pode ser calculado usando a teoria da mecânica dos materiais. Esse torque resiste ao momento causado pela tensão de cisalhamento exercida pelo líquido sobre a superfície do cilindro suspenso. Quando esse torque é conhecido, podemos descobrir a viscosidade do fluido usando a lei de Newton da viscosidade.

Para demonstrar como isso é feito, considere apenas o efeito da tensão de cisalhamento desenvolvida na superfície vertical do cilindro.** É preciso que M, o torque no fio, equilibre o momento da força de cisalhamento resultante que o líquido exerce sobre a superfície do cilindro em torno do eixo do cilindro, Figura 1.17b. Isso resulta em $F_s = M / r_i$. Como a área da superfície é $(2\pi r_i)h$, a tensão de cisalhamento atuando sobre a superfície é

$$\tau = \frac{F_s}{A} = \frac{M/r_i}{2\pi r_i h} = \frac{M}{2\pi r_i^2 h}$$

A rotação angular do recipiente faz com que o líquido em contato com sua parede tenha uma velocidade de $U = \omega r_o$, conforme a Figura 1.17c. Como o cilindro suspenso é mantido estacionário pelo fio quando este estiver totalmente dobrado, e como a lacuna t é *muito pequena*, o gradiente de velocidade através da espessura t do líquido pode ser considerado constante. Se isso acontecer, ele pode ser expresso como

$$\frac{du}{dr} = \frac{\omega r_o}{t}$$

Usando a lei de Newton da viscosidade,

$$\tau = \mu \frac{du}{dr}; \qquad \frac{M}{2\pi r_i^2 h} = \mu \frac{\omega r_o}{t}$$

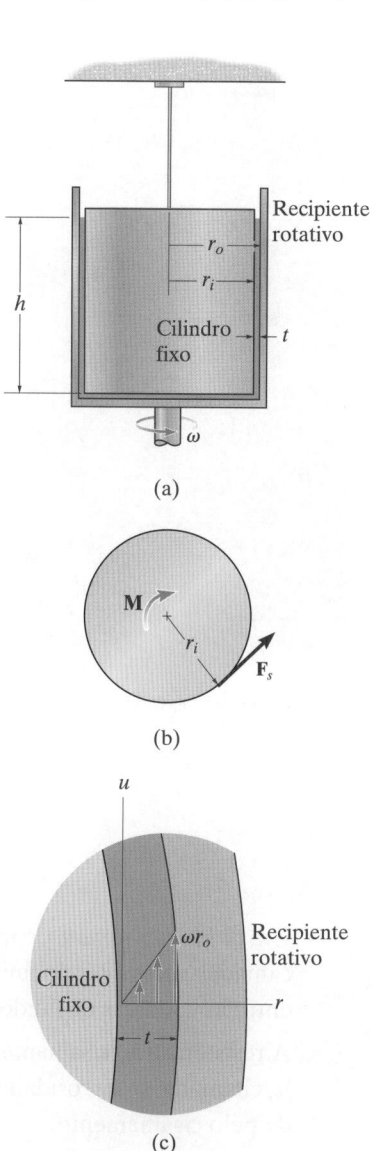

FIGURA 1.17

---

* No sistema métrico padrão (não SI), usam-se gramas e centímetros (100 cm = 1 m). Neste caso, a viscosidade dinâmica μ é expressa usando uma unidade chamada *poise*, onde poise = 1 g/(cm · s), e a viscosidade cinemática ν é medida em *stokes*, onde 1 stoke = 1 cm²/s.

** Uma análise estendida inclui a resistência viscosa do líquido sobre a superfície inferior do cilindro. Veja os problemas 1.57 e 1.58.

Viscosímetro de Brookfield

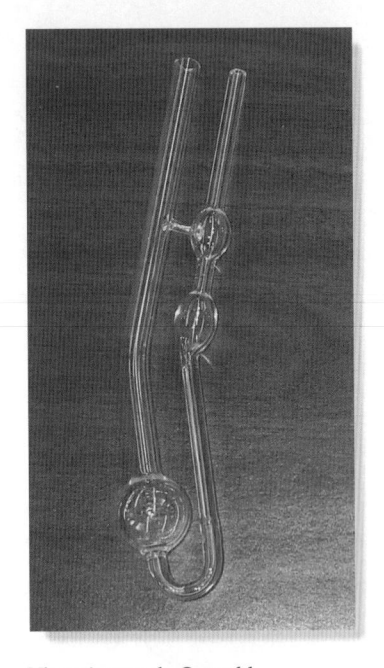

Viscosímetro de Ostwald

Explicitando μ em termos das propriedades medidas, a viscosidade é, então,

$$\mu = \frac{Mt}{2\pi\omega r_i^2 r_o h}$$

A viscosidade de um líquido também pode ser obtida usando outros métodos. Por exemplo, W. Ostwald inventou o *viscosímetro de Ostwald* mostrado na foto a seguir. Aqui, a viscosidade é determinada medindo-se o tempo para que um líquido escoe pelo tubo curto, de pequeno diâmetro, e depois correlacionando esse tempo com o tempo para que outro líquido de viscosidade conhecida escoe pelo mesmo tubo. A viscosidade desconhecida é então determinada por proporção direta. Outra técnica é medir a velocidade de uma pequena esfera enquanto ela percorre o líquido que deve ser testado. Mostraremos na Seção 11.8, no Capítulo 11, que essa velocidade pode ser relacionada à viscosidade do líquido. Essa técnica funciona bem para líquidos transparentes, como o mel, que possui uma viscosidade muito alta. Além disso, muitos outros dispositivos foram desenvolvidos para medir a viscosidade, e os detalhes sobre o seu funcionamento poderão ser encontrados em livros relacionados a esse assunto. Por exemplo, veja a Referência [14].

Pontos importantes

- Um *fluido newtoniano*, como a água, o óleo ou o ar, desenvolve tensão de cisalhamento dentro de finas camadas sucessivas do fluido, que é diretamente proporcional ao gradiente de velocidade que ocorre entre as camadas de fluido, $\tau = \mu \, (du/dy)$.
- A resistência ao cisalhamento de um fluido newtoniano é medida pela constante de proporcionalidade μ, chamada de viscosidade. Quanto mais alta a viscosidade, maior a resistência ao escoamento causada pelo cisalhamento.
- Um fluido não newtoniano possui uma viscosidade aparente. Se a viscosidade aparente aumentar com um aumento na tensão de cisalhamento, então o fluido é dilatante. Se a viscosidade aparente diminuir com um aumento na tensão de cisalhamento, então ele é um fluido pseudoplástico.
- Um fluido invíscido não possui viscosidade, e um fluido perfeito é invíscido e incompressível; ou seja, $\mu = 0$ e ρ = constante.
- A viscosidade varia apenas ligeiramente com a pressão; contudo, para uma temperatura crescente, μ diminui para líquidos, mas aumenta para gases.
- A viscosidade cinemática ν é a razão de duas propriedades do fluido, ρ e μ, onde $\nu = \mu/\rho$.
- É possível obter a viscosidade de um líquido de uma maneira indireta usando um viscosímetro rotativo, um viscosímetro de Ostwald ou por vários outros métodos.

EXEMPLO 1.5

A placa na Figura 1.18 é apoiada no topo do filme fino de água, que está a uma temperatura de 25°C. Quando uma pequena força **F** é aplicada à placa, o perfil de velocidade através da espessura do fluido pode ser descrito como $u = (40y - 800y^2)$ m/s, onde y está em metros. Determine a tensão de cisalhamento que atua sobre a superfície fixa e sobre o fundo da placa.

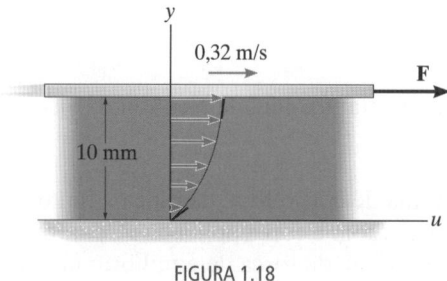

Capítulo 1 – Conceitos fundamentais **21**

FIGURA 1.18

Solução

Descrição do fluido

A água é um fluido newtoniano, portanto, a lei de Newton da viscosidade se aplica aqui. A viscosidade da água a 25°C pode ser encontrada no Apêndice A, e é $\mu = 0{,}897(10^{-3})$ N · s/m².

Análise

Antes de aplicar a lei de Newton da viscosidade, primeiro devemos obter o gradiente de velocidade.

$$\frac{du}{dy} = \frac{d}{dy}\left(40y - 800y^2\right) \text{ m/s} = (40 - 1600y) \text{ s}^{-1}$$

Portanto, na superfície fixa, $y = 0$,

$$\tau = \mu \frac{du}{dy}\bigg|_{y=0} = \left(0{,}897\left(10^{-3}\right) \text{ N} \cdot \text{s/m}^2\right)(40 - 0) \text{ s}^{-1}$$

$$\tau = 35{,}88\left(10^{-3}\right) \text{ N/m}^2 = 35{,}9 \text{ mPa} \qquad\qquad Resposta$$

E, no fundo da placa em movimento, $y = 0{,}01$ m,

$$\tau = \mu \frac{du}{dy}\bigg|_{y=0{,}01 \text{ m}} = \left[0{,}897\left(10^{-3}\right) \text{ N} \cdot \text{s/m}^2\right]\left(40 - 1600(0{,}01)\right) \text{s}^{-1}$$

$$\tau = 21{,}5 \text{ mPa} \qquad\qquad Resposta$$

Por comparação, a *maior tensão de cisalhamento* se desenvolve na superfície fixa, e não no fundo da placa, pois o *gradiente de velocidade* ou inclinação *du/dy* é *grande* na superfície fixa. Essas duas inclinações são indicadas pelas linhas escuras curtas na Figura 1.18. Além disso, observe que a equação para o perfil de velocidade precisa satisfazer a condição limite de nenhum deslizamento, ou seja, na superfície fixa $y = 0$, $u = 0$ e, com o movimento da placa em $y = 10$ mm, $u = U = 0{,}32$ m/s.

EXEMPLO 1.6

A placa de 100 kg na Figura 1.19*a* está repousando sobre um filme muito fino de óleo SAE 10W30, que possui uma viscosidade $\mu = 0{,}0652$ N · s/m². Determine a força **P** que precisa ser aplicada ao centro da placa para deslizá-la sobre o óleo com uma velocidade constante de 0,2 m/s. Suponha que a espessura do óleo seja de 0,1 mm e o perfil de velocidade através dessa espessura seja linear. O fundo da placa tem uma área de contato de 0,75 m² com o óleo.

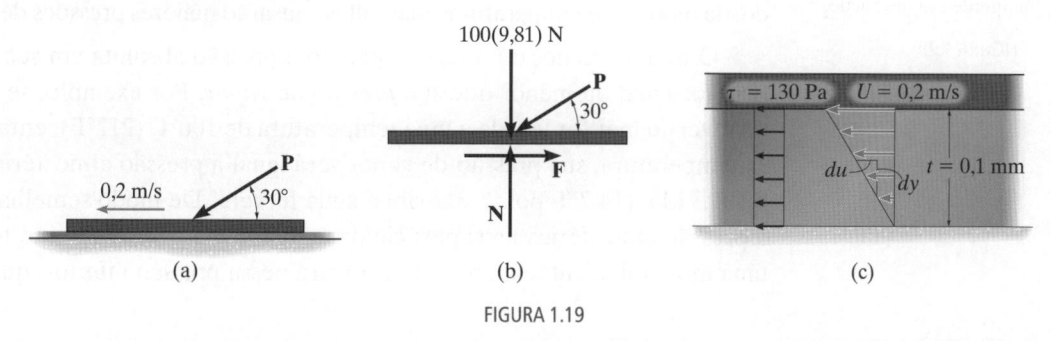

FIGURA 1.19

Solução

Descrição do fluido

O óleo é um fluido newtoniano, portanto, a lei de Newton da viscosidade pode ser aplicada.

Análise

Primeiro, desenhamos o diagrama de corpo livre da placa a fim de relacionar a força de cisalhamento **F** causada pelo óleo no fundo da placa com a força aplicada **P**, conforme a Figura 1.19b. Como a placa se move com velocidade constante, a equação da força de equilíbrio na direção horizontal se aplica.

$$\overset{+}{\rightarrow} \Sigma F_x = 0; \qquad F - P\cos 30° = 0$$

$$F = 0{,}8660P$$

O efeito dessa força *sobre o óleo* é na direção oposta, portanto, a *tensão de cisalhamento* sobre o topo do óleo atua para a esquerda. Ela é calculada como

$$\tau = \frac{F}{A} = \frac{0{,}8660P}{0{,}75 \text{ m}^2} = (1{,}155P) \text{ m}^{-2}$$

Como o perfil de velocidade é considerado linear (Figura 1.19c), o gradiente de velocidade é constante, $du/dy = U/t$, portanto

$$\tau = \mu \frac{du}{dy} = \mu \frac{U}{t}$$

$$(1{,}155P) \text{ m}^{-2} = (0{,}0652 \text{ N} \cdot \text{s/m}^2) \left[\frac{0{,}2 \text{ m/s}}{0{,}1(10^{-3}) \text{ m}} \right]$$

$$P = 113 \text{ N} \qquad\qquad Resposta$$

Observe que o gradiente de velocidade constante produzirá uma distribuição de tensão por cisalhamento constante através da espessura do óleo, que é $\tau = \mu(U/t) = 130$ Pa, conforme a Figura 1.19c.

1.9 Pressão de vapor

Considere um líquido contido em um tanque fechado, como na Figura 1.20. Como a temperatura do líquido causará uma agitação térmica contínua das moléculas do líquido, algumas dessas moléculas próximas da superfície adquirirão energia cinética suficiente para romper suas ligações moleculares com as moléculas adjacentes, e se moverão para cima ou evaporarão no espaço vazio do tanque. Quando um estado de equilíbrio for atingido, o número de moléculas que se evaporam do líquido será igual ao número de moléculas que se condensam de volta para ele. Diz-se, então, que o espaço vazio está **saturado**. Ricocheteando nas paredes do tanque e na superfície do líquido, as moléculas evaporadas criam uma pressão dentro do tanque. Essa pressão é chamada de **pressão de vapor**, p_v. Qualquer aumento na temperatura do líquido aumentará a taxa de evaporação, e também a energia cinética das moléculas do líquido, de modo que temperaturas mais altas causarão maiores pressões de vapor.

O líquido começará a ferver quando a pressão absoluta em sua superfície for igual ou menor que sua *pressão de vapor*. Por exemplo, se a água no nível do mar for levada a uma temperatura de 100°C (212°F), então, nessa temperatura, sua pressão de vapor será igual à pressão atmosférica, que é 101,3 kPa (14,7 lb/pol.²), e assim a água ferverá. De modo semelhante, se a pressão atmosférica na superfície da água for *reduzida*, como no topo de uma montanha, então a ebulição ocorrerá nessa pressão inferior, quando a

A pressão de vapor p_v será formada dentro do espaço superior do tanque fechado, que originalmente era um vácuo.

FIGURA 1.20

temperatura for menor que 100°C. Valores específicos da pressão de vapor para a água em diversas temperaturas são dados no Apêndice A. Observe que, à medida que a temperatura aumenta, a pressão de vapor também aumenta, devido ao aumento na agitação térmica de suas moléculas.

Cavitação

Quando os engenheiros projetam bombas, turbinas ou sistemas de tubulações, é importante que eles não permitam que o líquido em qualquer ponto dentro do escoamento esteja sujeito a uma pressão *igual ou menor que* sua pressão de vapor. Se isso ocorrer, conforme indicamos, haverá uma evaporação ou ebulição rápida dentro do líquido. As bolhas resultantes migrarão para regiões de pressão mais alta e se romperão repentinamente, criando um fenômeno conhecido como **cavitação**. A pancada repetida causada por esse efeito contra a superfície de uma lâmina de hélice ou casco de bomba pode desgastar sua superfície, e por isso é importante evitar seu surgimento. Mais adiante, no Capítulo 14, estudaremos o significado da cavitação com mais detalhes.

1.10 Tensão superficial e capilaridade

Um líquido mantém sua forma porque suas moléculas são atraídas umas às outras pela **coesão**. É essa força que permite que os líquidos resistam à tensão de tração e, portanto, criem uma *tensão superficial* no líquido. Por outro lado, se as moléculas do líquido forem atraídas às de uma substância diferente, a força de atração é conhecida como **adesão**, e essa força, juntamente com a de coesão, faz surgir a *capilaridade*.

Tensão superficial

O fenômeno da tensão superficial pode ser explicado visualizando-se as forças coesivas que atuam sobre duas moléculas (ou partículas) em um líquido, mostradas na Figura 1.21*a*. A molécula localizada profundamente dentro do líquido tem as mesmas forças coesivas atuando sobre ela por todas as moléculas ao seu redor. Consequentemente, não existe uma força resultante atuando sobre ela. Porém, a molécula localizada na superfície do líquido possui forças coesivas que vêm somente das moléculas que estão próximas a ela na superfície e daquelas abaixo dela. Isso produzirá uma força resultante para baixo, e o efeito dessas forças produzirá uma *contração* da superfície. Em outras palavras, a força coesiva resultante tenta puxar para baixo a superfície.

A separação das moléculas na superfície exige uma força de tração. Chamamos essa força de tração por unidade de comprimento em qualquer direção ao longo da superfície de **tensão superficial**, σ (sigma), conforme a Figura 1.21*b*. Ela possui unidades de N/m ou lb/pés e, para qualquer líquido, seu valor depende principalmente da temperatura. Quanto mais alta a temperatura, mais agitação térmica ocorre, e, portanto, a tensão superficial torna-se menor. Por exemplo, a água a 10°C tem $\sigma = 74{,}2$ mN/m, enquanto na temperatura mais alta de 50°C, $\sigma = 67{,}9$ mN/m. Os valores de σ, como estes, são sensíveis a impurezas, de modo que é preciso ter cuidado ao usar valores publicados.

A força resultante é verticalmente para baixo

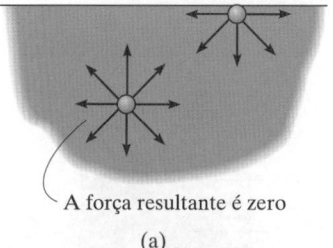

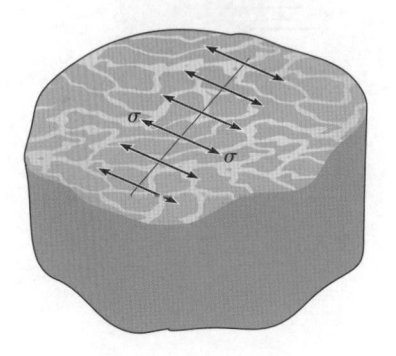

A força resultante é zero

(a)

A tensão superficial é a força por unidade de comprimento necessária para separar as moléculas na superfície

(b)

(c)

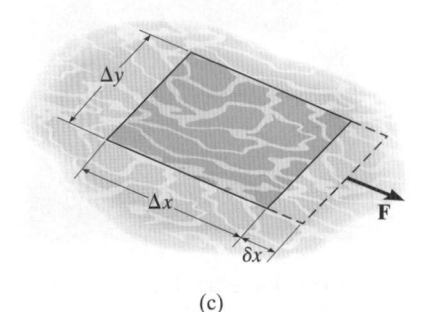

FIGURA 1.21

Assim como gotas de chuva, a água ejetada desse chafariz forma gotículas esféricas devido à força coesiva da tensão superficial.

Como a coesão resiste a qualquer aumento na área superficial de um líquido, ela realmente tenta *minimizar* o tamanho da superfície. Separar as moléculas e, assim, quebrar a tensão superficial exige trabalho, e a energia produzida por esse trabalho é chamada de ***energia de superfície livre***. Por exemplo, suponha que um pequeno elemento da superfície esteja sujeito à força de tensão superficial $F = \sigma \Delta y$ ao longo dos seus lados, como mostra a Figura 1.21c. Se a superfície se estica por δx, então o aumento na área é $\Delta y \, \delta x$. A força **F** realiza trabalho de $F \, \delta x$, portanto, o trabalho realizado por aumento de área é

$$\frac{F \, \delta x}{\Delta y \, \delta x} = \frac{\sigma \Delta y \, \delta x}{\Delta y \, \delta x} = \sigma$$

Em outras palavras, a tensão superficial também pode ser considerada como a quantidade de energia da superfície livre exigida para aumentar uma área de superfície unitária de um líquido.

Gotas líquidas

A coesão é responsável pela formação de gotas líquidas que se formam naturalmente quando um líquido é borrifado na atmosfera. A coesão minimiza o formato de qualquer gota d'água, e, assim, forma uma esfera. Podemos determinar a pressão que a coesão causa dentro de uma gota desde que saibamos a tensão superficial σ para o líquido. Para fazer isso, considere o diagrama de corpo livre de metade da gota (Figura 1.22). Se desprezarmos a gravidade e os efeitos do arrasto atmosférico quando a gota cai, então as únicas forças atuando são aquelas correntes de pressão atmosférica, p_a, sobre sua superfície *externa*; a tensão superficial, σ, em torno da *superfície* da gota onde ela é cortada; e a pressão interna, p, sobre a área cortada. Conforme será explicado no próximo capítulo, as forças horizontais resultantes decorrentes de p_a e p são determinadas pela multiplicação de cada pressão pela *área projetada* da gota, ou seja, πR^2, e a força resultante da tensão superficial é determinada multiplicando σ pela distância da circunferência em torno da gota, $2\pi R$. Para o equilíbrio horizontal, temos, portanto

$$\overset{+}{\rightarrow}\Sigma F_x = 0; \qquad p(\pi R^2) - p_a(\pi R^2) - \sigma(2\pi R) = 0$$

$$p = \frac{2\sigma}{R} + p_a$$

FIGURA 1.22

Aqui, a pressão interna é composta de duas partes, uma devida à tensão superficial e a outra devida à pressão atmosférica. Por exemplo, o mercúrio a uma temperatura de 20°C tem uma tensão superficial de $\sigma = 486$ mN/m. Se o mercúrio se formar em uma gota com diâmetro de 2 mm, sua tensão superficial criará uma pressão interna de $p_{st} = 2(0{,}486 \text{ N/m})/(0{,}001 \text{ m}) = 972$ Pa dentro da gota, além da pressão causada pela atmosfera.

Capilaridade

O mercúrio é um líquido não umectante, conforme observado pela forma como sua borda se encurva para dentro.

A capilaridade de um líquido depende da comparação entre as forças de adesão e coesão. Se a força da adesão de um líquido às moléculas da superfície de seu recipiente for *maior* do que a força de coesão entre as moléculas do líquido, então o líquido é conhecido como um **líquido umectante**. Nesse caso, o **menisco** ou a superfície do líquido, como a água, em um recipiente de vidro estreito, será côncavo (Figura 1.23a). Se a força de adesão for *menor* do que a força de coesão, como no caso do mercúrio, então o líquido é chamado de **líquido não umectante**. O menisco forma uma superfície convexa (Figura 1.23b).

Líquidos umectantes subirão ao longo de um tubo estreito (Figura 1.24a) e podemos determinar sua altura h considerando um diagrama de corpo livre da parte do líquido suspensa no tubo (Figura 1.24b). Aqui, a superfície livre ou menisco cria um ângulo de contato θ entre a parede do tubo e a superfície do líquido. Esse ângulo define a direção da força de adesão, que é o efeito da tensão superficial σ do líquido conforme ela segura a superfície do líquido contra a parede do tubo. A resultante dessa força, que atua em torno da circunferência interna do tubo, é, portanto, $\sigma(2\pi r) \cos \theta$. A outra força é o peso do líquido suspenso, $W = \rho g V$, onde $V = \pi r^2 h$. Para o equilíbrio vertical, é preciso que

$$+\uparrow \Sigma F_y = 0; \qquad \sigma(2\pi r)\cos\theta - \rho g(\pi r^2 h) = 0$$

$$h = \frac{2\sigma \cos\theta}{\rho g r}$$

Experimentos têm mostrado que o ângulo de contato entre a água e o vidro é $\theta \approx 0°$, e assim, para a água, a superfície do menisco, mostrada na Figura 1.24a, na realidade torna-se um tanto hemisférica. Medindo h cuidadosamente, a equação anterior pode então ser usada com $\theta = 0°$ para determinar a tensão superficial σ para a água em diversas temperaturas.

No próximo capítulo, mostraremos como determinar a pressão medindo a altura de um líquido em um tubo de vidro. Porém, quando usado para essa finalidade, pode haver erros devido à altura adicional causada pela capilaridade dentro do tubo. Para reduzir esse efeito, observe que h no resultado anterior é inversamente proporcional à densidade do líquido e ao raio do tubo. Quanto menor eles forem, maior torna-se h. Por exemplo, para um tubo com diâmetro de 3 mm contendo água a 20°C, onde $\sigma = 72,7$ mN/m e $\rho = 998,3$ kg/m³, temos

$$h = \frac{2(0,0727 \text{ N/m})\cos 0°}{(998,3 \text{ kg/m}^3)(9,81 \text{ m/s}^2)(0,0015 \text{ m})} = 9,90 \text{ mm}$$

Isso é bastante significativo e, portanto, para o trabalho experimental, geralmente é preferível usar tubos com um diâmetro de 10 mm ou mais, pois com 10 mm, $h \approx 3$ mm, e o efeito da capilaridade é reduzido.

Durante nosso estudo da mecânica dos fluidos, veremos que, em sua maior parte, as forças de coesão e adesão serão pequenas em comparação com os efeitos da gravidade, pressão e viscosidade. Porém, a tensão superficial geralmente ganha importância quando queremos estudar fenômenos relacionados à formação e ao crescimento de bolhas, examinar o movimento de líquidos através de meios porosos, como o solo, ou considerar os efeitos dos filmes de líquido sobre superfícies.

Líquido umectante (a)   Líquido não umectante (b)

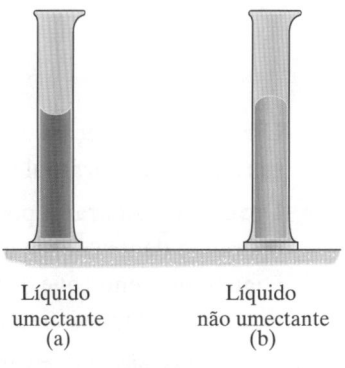

FIGURA 1.23

(a)

(b)

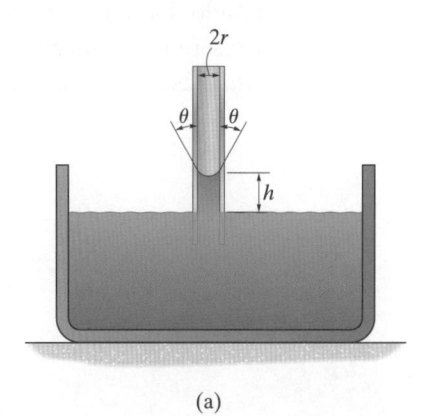

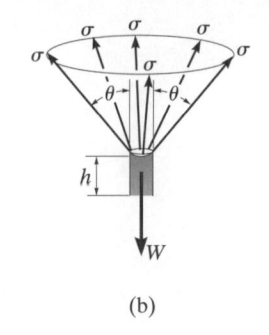

FIGURA 1.24

Pontos importantes

- Um líquido começará a ferver em uma temperatura específica quando a pressão dentro dele, ou em sua superfície, for igual à sua pressão de vapor nessa temperatura.
- Deve-se considerar a possibilidade de *cavitação* ao se projetar elementos mecânicos ou estruturais operando dentro de um ambiente fluido. Esse fenômeno é causado quando a pressão dentro do fluido é igual ou menor que a pressão do vapor, causando ebulição, migração das bolhas resultantes para uma região de pressão mais alta e depois seu rompimento repentino.
- A *tensão superficial* (σ) em um líquido é causada pela coesão molecular. Ela é medida como uma força por comprimento unitário atuando sobre a superfície do líquido. Ela se torna menor à medida que a temperatura aumenta.
- A capilaridade de um *líquido umectante*, como a água em um tubo de vidro estreito, cria uma superfície côncava, pois a força de adesão às paredes do tubo será maior do que a força causada pela coesão do líquido. Para um *líquido não umectante*, como o mercúrio, a superfície é convexa, pois a força de coesão será maior do que a de adesão.

Referências

1. TOKATY, G. A. *A History and Philosophy of Fluid Mechanics*. Nova York: Dover Publications, 1994.
2. ROUSE, H.; INCE, S. *History of Hydraulics*. Iowa City: Iowa Institute of Hydraulic Research, 1957.
3. MONIN, A. S.; YAGLOM, A. M. *Statistical Fluid Mechanics* – Mechanics of Turbulence. v. 1. Nova York: Dover Publications, 2007.
4. CRC. *Handbook of Chemistry and Physics*. 62. ed. Cleveland, Ohio. Chemical Rubber Publishing Co., 1988.
5. *The U.S. Standard Atmosphere (1976)*. Washington, D.C.: U.S. Government Printing Office, 1976.
6. CRC. *Handbook of Tables for Applied Engineering Science*. Cleveland, Ohio: Chemical Rubber Publishing Co., 1970.
7. MASSEY, B. S.; WARD-SMITH, J. *Mechanics of Fluids*. 9. ed. Londres/Nova York: Spon Press, 2012.
8. MACOSKO, C. W. *Rheology: Principles, Measurements, and Applications*. Nova York: Wiley-VCH Publishers, 1994.
9. KAMPMEYER, P. M. "The Temperature Dependence of Viscosity for Water and Mercury". *Journal of Applied Physics*, 23, 99, 1952.
10. TRENGOVE, R. D.; WAKEHAM, W. A. "The Viscosity of Carbon Dioxide, Methane, and Sulfur Hexafluoride in the Limit of Zero Density". *Journal of Physics and Chemistry*, v. 16, n. 2, 1987.
11. GRANICK, S.; ZHU, E. *Physical Review Letters*, 27 ago. 2001.
12. BLEVINS, R. D. *Applied Fluid Dynamics Handbook*. Nova York: Van Nostrand Reinhold, 1984.
13. MOTT, R. L. *Applied Fluid Mechanics*. Upper Saddle River, New Jersey: Prentice Hall, 2006.
14. GOLDSTEIN, R. *Fluid Mechanics Measurements*. 2. ed. Washington, D.C.: Taylor and Francis, 1996.
15. LIDE, P. R.; HAYNES, W. M. (orgs.). *Handbook of Chemistry and Physics*. 90. ed. Boca Raton, Flórida: CRC Press, 2009.

Problemas

Seções 1.1 a 1.6

1.1. Represente cada uma das seguintes grandezas com combinações de unidades na forma correta do SI, usando um prefixo apropriado: (a) GN · μm, (b) kg/μm, (c) N/ks^2, (d) kN/μs.

1.2. Avalie cada um dos seguintes itens com três algarismos significativos e expresse cada resposta em unidades do SI usando um prefixo apropriado: (a) (425 mN)^2, (b) (67300 ms)^2, (c) $[723(10^6)]^{1/2}$ mm.

1.3. Avalie cada um dos seguintes itens com três algarismos significativos e expresse cada resposta em unidades do SI usando um prefixo apropriado: (a) 749 μm/63 ms, (b) (34 mm) (0,0763 Ms)/263 mg, (c) (4,78 mm) (263 Mg).

*1.4. Converta as seguintes temperaturas: (a) 20°C em graus Fahrenheit, (b) 500 K em graus Celsius, (c) 125°F em graus Rankine, (d) 215°F em graus Celsius.

1.5. O mercúrio possui um peso específico de 133 kN/m^3 quando a temperatura é 20°C. Determine sua densidade e a densidade relativa nessa temperatura.

1.6. O combustível para um motor de jato possui uma densidade de 1,32 slug/pés^3. Se o volume total A dos tanques de combustível é 50 pés^3, determine o peso do combustível quando os tanques estiverem totalmente cheios.

PROBLEMA 1.6

1.7. Se o ar dentro do tanque está em uma pressão absoluta de 680 kPa e uma temperatura de 70°C, determine o peso do ar dentro do tanque. O tanque possui um volume interno de 1,35 m^3.

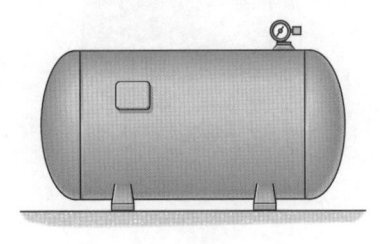

PROBLEMA 1.7

*1.8. O cilindro de gás tem um volume de 0,12 m^3 e contém oxigênio a uma pressão absoluta de 12 MPa e uma temperatura de 30°C. Determine a massa do oxigênio no cilindro.

1.9. O cilindro tem um volume de 0,12 m^3 e contém oxigênio a uma pressão absoluta de 8 MPa e temperatura de 20°C. Desenhe a variação da pressão no cilindro (eixo vertical) contra a temperatura para 20°C $\leq T \leq$ 80°C. Informe os valores em incrementos de $\Delta T = 10$°C.

PROBLEMAS 1.8 e 1.9

1.10. Determine o peso específico do dióxido de carbono quando a temperatura é 100°C e a pressão absoluta é 400 kPa.

1.11. Determine o peso específico do ar quando a temperatura é 100°F e a pressão absoluta é 80 psi.

*1.12. O ar seco a 25°C possui uma densidade de 1,23 kg/m^3. Porém, se ele possui 100% de umidade na mesma pressão, sua densidade é 0,65% menor. Em que temperatura o ar seco produziria essa mesma densidade menor?

1.13. O cargueiro transporta 1,5(10^6) barris de petróleo bruto em sua carga. Determine o peso do petróleo se a sua densidade relativa é 0,940. Cada barril contém 42 galões, e existem 7,48 gal/pés^3.

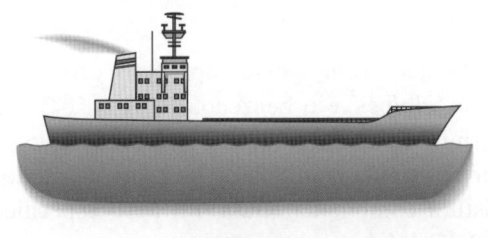

PROBLEMA 1.13

1.14. A água na piscina tem uma profundidade medida de 3,03 m quando a temperatura é 5°C. Determine sua profundidade aproximada quando a temperatura torna-se 35°C. Desconsidere as perdas decorrentes de evaporação.

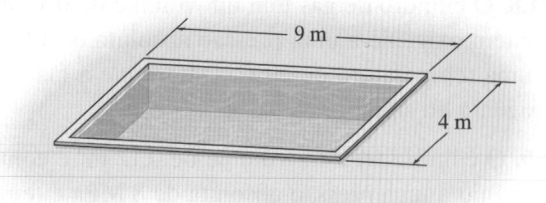

PROBLEMA 1.14

1.15. O tanque contém ar a uma temperatura de 15°C e uma pressão absoluta de 210 kPa. Se o volume do tanque é de 5 m³ e a temperatura sobe para 30°C, determine a massa do ar que deverá ser removido do tanque para manter a mesma pressão.

*__1.16.__ O tanque contém 2 kg de ar a uma pressão absoluta de 400 kPa e uma temperatura de 20°C. Se 0,6 kg de ar for acrescentado ao tanque e a temperatura subir para 32°C, determine a nova pressão no tanque.

1.17. O tanque inicialmente contém dióxido de carbono a uma pressão absoluta de 200 kPa e uma temperatura de 50°C. À medida que se acrescenta mais dióxido de carbono, a pressão sobe em 25 kPa/min. Desenhe a variação da pressão no tanque (eixo vertical) contra a temperatura para os primeiros 10 minutos. Relate os valores em incrementos de dois minutos.

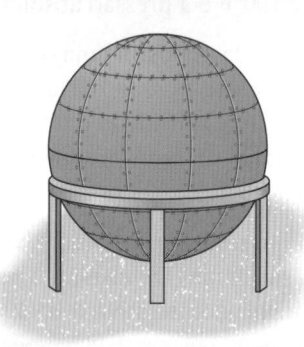

PROBLEMAS 1.15, 1.16 e 1.17

1.18. O querosene possui um peso específico de $\gamma_k = 50,5$ lb/pés³ e o benzeno, de $\gamma_b = 56,2$ lb/pés³. Determine a quantidade de querosene que deverá ser misturada com 8 lb de benzeno de modo que a mistura combinada tenha um peso específico de $\gamma = 52,0$ lb/pés³.

1.19. O balão esférico com 8 m de diâmetro é preenchido com hélio a uma temperatura de 28°C e uma pressão absoluta de 106 kPa. Determine o peso do hélio contido no balão. O volume de uma esfera é $V = \frac{4}{3}\pi r^3$.

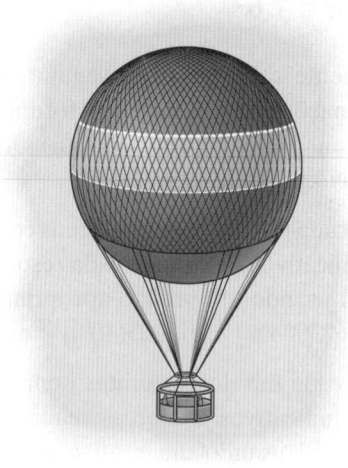

PROBLEMA 1.19

*__1.20.__ Querosene é misturado com 10 pés³ de álcool etílico de modo que o volume da mistura no tanque torna-se 14 pés³. Determine o peso específico e a gravidade específica da mistura.

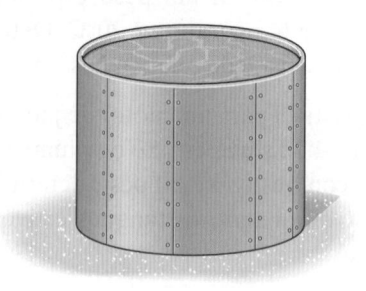

PROBLEMA 1.20

1.21. O tanque é fabricado de aço com 20 mm de espessura. Se ele possui dióxido de carbono a uma temperatura absoluta de 1,35 MPa e uma temperatura de 20°C, determine o peso total do tanque. A densidade do aço é 7,85 Mg/m³, e o diâmetro interno do tanque é de 3 m. *Dica:* o volume de uma esfera é $V = \frac{4}{3}\pi r^3$.

PROBLEMA 1.21

1.22. Qual é o aumento na densidade do hélio quando a pressão absoluta muda de 230 kPa para 450 kPa, enquanto a temperatura *permanece constante* em 20°C? Isso é chamado de *processo isotérmico*.

1.23. O recipiente em forma de tambor é enchido com água a uma temperatura de 25°C e com uma profundidade de 2,5 m. Se o recipiente possui uma massa de 30 kg, determine o peso combinado do recipiente e da água.

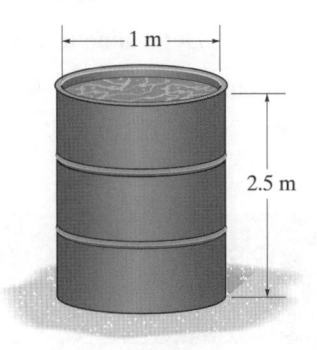

PROBLEMA 1.23

*1.24. A nuvem de chuva tem um volume aproximado de 6,50 milhas³ e uma altura média, de cima a baixo, de 350 pés. Se um recipiente cilíndrico com 6 pés de diâmetro coleta 2 pol. de água após a chuva cair da nuvem, estime o peso total da chuva que caiu da nuvem. 1 milha = 5280 pés.

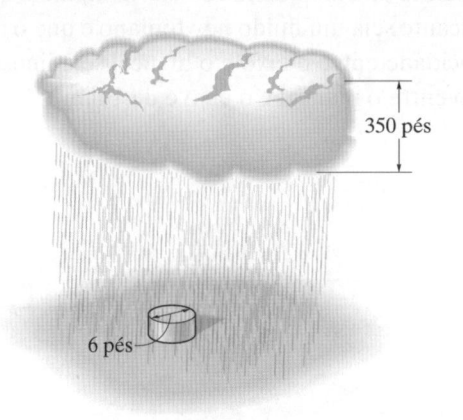

PROBLEMA 1.24

1.25. Se 4 m³ de hélio a 100 kPa de pressão absoluta e 20°C está sujeito a uma pressão absoluta de 600 kPa, enquanto a temperatura permanece constante, determine a nova densidade e o volume do hélio.

1.26. A água a 20°C está sujeita a um aumento de pressão de 44 MPa. Determine o aumento percentual em sua densidade. Considere $E_V = 2{,}20$ GPa.

1.27. Um sólido possui um peso específico de 280 lb/pés³. Quando uma variação na pressão de 800 psi é aplicada, o peso específico aumenta para 295 lb/pés³. Determine o módulo volumétrico aproximado.

*1.28. Se o módulo volumétrico para a água a 70°F é 319 kip/pol.², determine a variação na pressão exigida para reduzir seu volume em 0,3%.

1.29. A água do mar tem uma densidade de 1030 kg/m³ em sua superfície, onde a pressão absoluta é 101 kPa. Determine sua densidade a uma profundidade de 7 km, onde a pressão absoluta é 70,4 MPa. O módulo volumétrico é 2,33 GPa.

1.30. O peso específico da água do mar em sua superfície é 63,6 lb/pés³, onde a pressão absoluta é 14,7 lb/pol.² Se, em um ponto no interior da água, o peso específico for 66,2 lb/pés³, determine a pressão absoluta em lb/pol.² nesse ponto. Considere $E_V = 48{,}7(10^6)$ lb/pés².

1.31. Uma massa de oxigênio de 2 kg é mantida a uma temperatura constante de 50° e uma pressão absoluta de 220 kPa. Determine o módulo volumétrico.

Seções 1.7 e 1.8

*1.32. Em uma temperatura em particular, a viscosidade de um óleo é $\mu = 0{,}354$ N · s/m². Determine a viscosidade cinemática. A densidade relativa é $S_o = 0{,}868$. Expresse a resposta em unidades SI e FPS.

1.33. A viscosidade cinemática do querosene é $\nu = 2{,}39(10^{-6})$ m²/s. Determine sua viscosidade em unidades FPS. Na temperatura considerada, o querosene possui uma densidade relativa de $S_k = 0{,}810$.

1.34. Um teste experimental usando sangue humano a $T = 30$°C indica que ele exerce uma tensão de cisalhamento de $t = 0{,}15$ N/m² na superfície A, onde o gradiente de velocidade medido na superfície é 16,8 s⁻¹. Como o sangue é um fluido não newtoniano, determine sua *viscosidade aparente* na superfície.

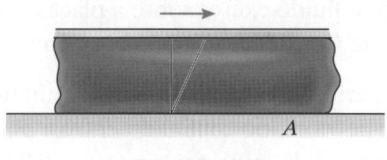

PROBLEMA 1.34

1.35. Duas medições de tensão de cisalhamento em uma superfície e a taxa de variação da deformação por cisalhamento na superfície para um fluido foram determinadas por experiência como sendo $\tau_1 = 0{,}14$ N/m², $(du/dy)_1 = 13{,}63$ s⁻¹ e $\tau_2 = 0{,}48$ N/m²,

$(du/dy)_2 = 153$ s^{-1}. Classifique o fluido como newtoniano ou não newtoniano.

***1.36.** Quando a força de 3 mN é aplicada à placa, a linha AB no líquido permanece reta e possui uma taxa de rotação angular de 0,2 rad/s. Se a área da superfície da placa em contato com o líquido é de 0,6 m^2, determine a viscosidade aproximada do líquido.

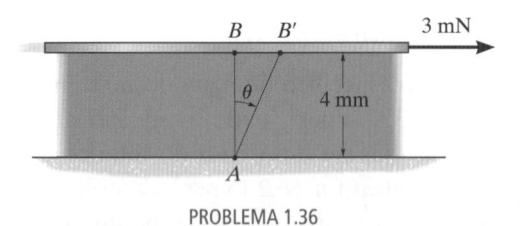

PROBLEMA 1.36

1.37. Quando a força **P** é aplicada à placa, o perfil de velocidade para um fluido newtoniano confinado sob a placa é aproximado por $u = (12y^{1/4})$ mm/s, onde y está em mm. Determine a tensão de cisalhamento dentro do fluido em $y = 8$ mm. Considere $\mu = 0,5(10^{-3})$ N·s/m^2.

1.38. Quando a força **P** é aplicada à placa, o perfil de velocidade para um fluido newtoniano confinado sob a placa é aproximado por $u = (12y^{1/4})$ mm/s, onde y está em mm. Determine a tensão de cisalhamento mínima dentro do fluido. Considere $\mu = 0,5(10^{-3})$ N·s/m^2.

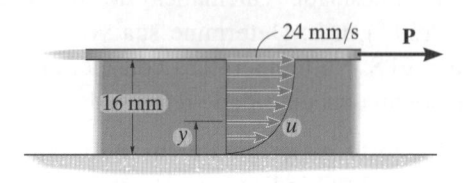

PROBLEMAS 1.37 e 1.38

1.39. O perfil de velocidade para um filme fino de um fluido newtoniano confinado entre a placa e uma superfície fixa é definido por $u = (10y - 0,25y^2)$ mm/s, onde y está em mm. Determine a tensão de cisalhamento que o fluido exerce sobre a placa e sobre a superfície fixa. Considere $\mu = 0,532$ N·s/m^2.

ature *1.40. O perfil de velocidade para um filme fino de um fluido newtoniano confinado entre a placa e uma superfície fixa é definido por $u = (10y - 0,25y^2)$ mm/s, onde y está em mm. Determine a força **P** que deverá ser aplicada à placa para causar esse movimento. A placa possui uma área de 5000 mm^2 na superfície em contato com o fluido. Considere $\mu = 0,532$ N·s/m^2.

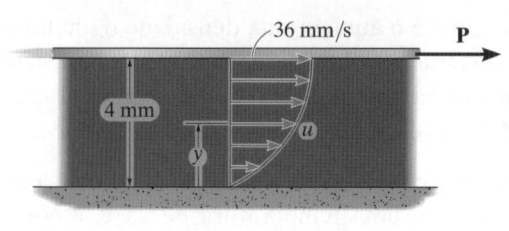

PROBLEMAS 1.39 e 1.40

1.41. O perfil de velocidade de um fluido newtoniano escoando por uma superfície fixa é aproximado por $u = U \operatorname{sen}\left(\dfrac{\pi}{2h}y\right)$. Determine a tensão de cisalhamento no fluido em $y = h$ e em $y = h/2$. A viscosidade do fluido é μ.

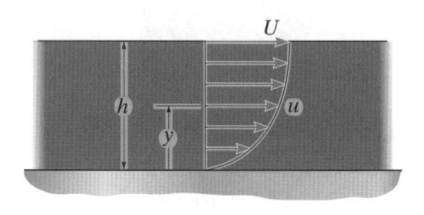

PROBLEMA 1.41

1.42. Se uma força de $P = 2$ N faz com que um eixo com 30 mm de diâmetro deslize por um mancal lubrificado com uma velocidade constante de 0,5 m/s, determine a viscosidade do lubrificante e a velocidade constante do eixo quando $P = 8$ N. Suponha que o lubrificante seja um fluido newtoniano e que o perfil de velocidade entre o eixo e o mancal seja linear. O espaço entre o mancal e o eixo é de 1 mm.

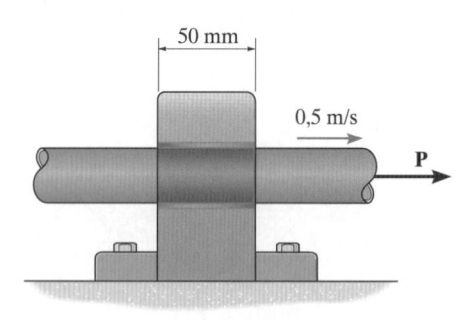

PROBLEMA 1.42

1.43. A placa de 0,15 m de largura passa entre duas camadas, A e B, de óleo com uma viscosidade de $\mu = 0,04$ N·s/m^2. Determine a força **P** necessária para mover a placa a uma velocidade constante de 6 mm/s. Despreze qualquer atrito nos suportes das extremidades e considere que o perfil de velocidade que corta cada camada seja linear.

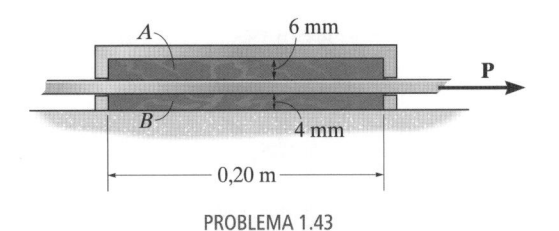

PROBLEMA 1.43

*1.44. A placa com 0,15 m de largura passa entre duas camadas, A e B, de óleos diferentes, com viscosidades de $\mu_A = 0,03$ N · s/m² e $\mu_B = 0,01$ N · s/m². Determine a força **P** necessária para mover a placa a uma velocidade constante de 6 mm/s. Despreze qualquer atrito nos suportes das extremidades e considere que o perfil de velocidade que corta cada camada seja linear.

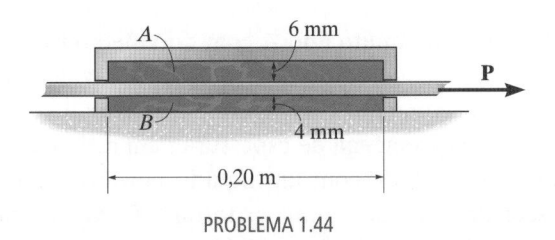

PROBLEMA 1.44

1.45. O tanque contendo gasolina possui uma longa rachadura em sua lateral, com uma abertura média de 10 μm. A velocidade pela rachadura é aproximada pela equação $u = 10(10^9)[10(10^{-6})y - y^2]$ m/s, onde y está em metros, medidos de baixo para cima na rachadura. Descubra a tensão de cisalhamento no fundo, em $y = 0$, e o local y dentro da rachadura onde a tensão de cisalhamento na gasolina é zero. Considere $\mu_g = 0,317(10^{-3})$ N · s/m².

1.46. O tanque contendo gasolina possui uma longa rachadura em sua lateral, com uma abertura média de 10 μm. Se o perfil de velocidade pela rachadura for aproximado pela equação $u = 10(10^9)[10(10^{-6})y - y^2]$ m/s, onde y está em metros, desenhe o perfil de velocidade e a distribuição da tensão de cisalhamento para a gasolina à medida que ela se escoa pela rachadura. Considere $\mu_g = 0,317(10^{-3})$ N · s/m².

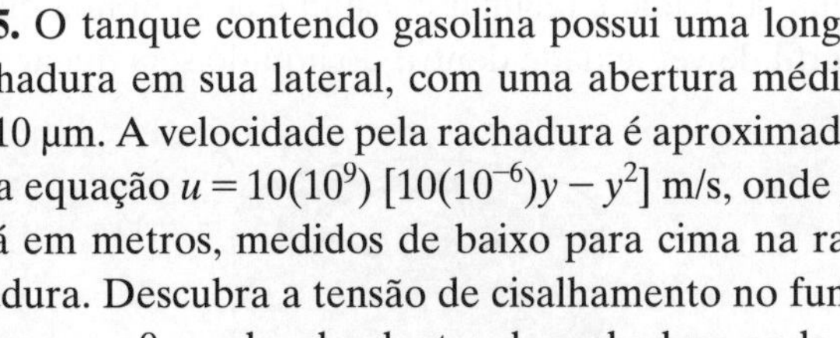

PROBLEMAS 1.45 e 1.46

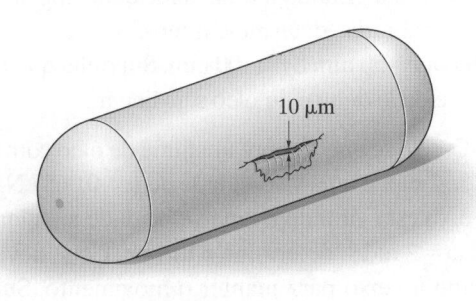

1.47. A água em A possui uma temperatura de 15°C e escoa pela superfície superior da placa C. O perfil de velocidade é aproximado como $u_A = 10$ sen $(2,5\pi y)$ m/s, onde y está em metros. Abaixo da placa, a água em B tem uma temperatura de 60°C e um perfil de velocidade de $u_B = 4(10^3)(0,1y - y^2)$, onde y está em metros. Determine a força resultante por unidade de comprimento da placa C que o fluxo exerce sobre a placa devido ao atrito viscoso. A placa possui 3 m de largura.

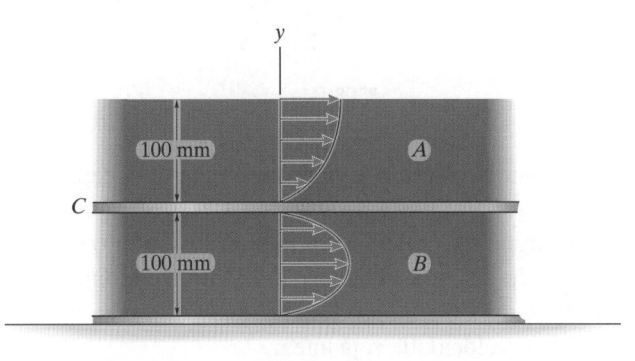

PROBLEMA 1.47

*1.48. Determine as constantes B e C na equação de Andrade para a água, se tiver sido determinado experimentalmente que $\mu = 1,00(10^{-3})$ N · s/m² a uma temperatura de 20°C e que $\mu = 0,554(10^{-3})$ N · s/m² a 50°C.

1.49. A viscosidade da água pode ser determinada usando a equação empírica de Andrade com as constantes $B = 1,732(10^{-6})$ N · s/m² e $C = 1863$ K. Com essas constantes, compare os resultados do uso dessa equação com aqueles listados no Apêndice A para temperaturas de $T = 10$°C e $T = 80$°C.

1.50. Determine as constantes B e C na equação de Sutherland para o ar se tiver sido determinado experimentalmente que, a uma pressão atmosférica padrão e temperatura de 20°C, $\mu = 18,3(10^{-6})$ N · s/m², e a 50°C, $\mu = 19,6(10^{-6})$ N · s/m².

1.51. As constantes $B = 1,357(10^{-6})$ N · s / (m² · K$^{1/2}$) e $C = 78,84$ K foram usadas na equação de Sutherland para determinar a viscosidade do ar na pressão atmosférica padrão. Com essas constantes, compare os resultados do uso dessa equação com aqueles listados no Apêndice A para temperaturas de $T = 10$°C e $T = 80$°C.

*1.52. A cabeça de leitura e gravação de um dispositivo de música portátil possui uma área de 0,04 mm² em sua superfície. A cabeça é mantida 0,04 μm acima do disco, que está girando a uma taxa constante de 1800 rpm. Determine o torque **T** que deverá ser aplicado ao disco para contornar a resistência do cisalhamento por atrito do ar entre a cabeça e o disco. O ar ao redor está na pressão atmosférica e a uma temperatura de 20°C. Suponha que o perfil de velocidade seja linear.

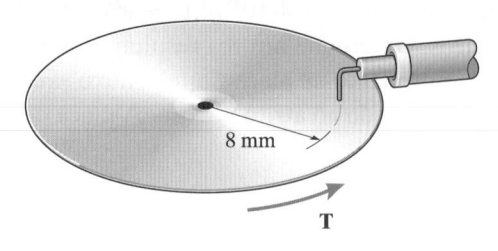

PROBLEMA 1.52

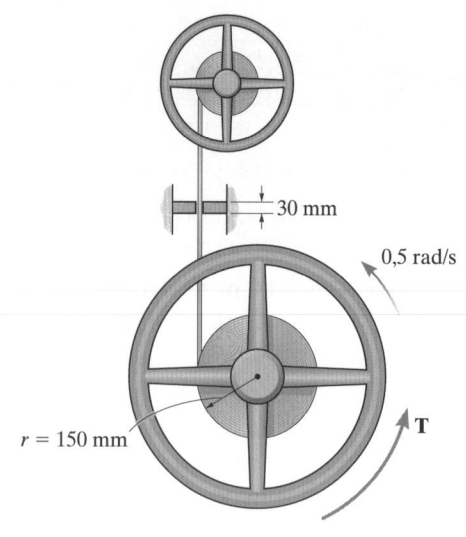

PROBLEMA 1.55

1.53. Os discos em A e B giram a uma taxa constante de $\omega_A = 50$ rad/s e $\omega_B = 20$ rad/s, respectivamente. Determine o torque **T** exigido para sustentar o movimento do disco B. A lacuna, $t = 0{,}1$ mm, contém óleo SAE 10 para o qual $\mu = 0{,}02$ N · s/m². Suponha que o perfil de velocidade seja linear.

1.54. Se o disco A for estacionário, $\omega_A = 0$, e o disco B girar a $\omega_B = 20$ rad/s, determine o torque **T** exigido para sustentar o movimento. Faça um gráfico dos seus resultados do torque (eixo vertical) contra a espessura da lacuna para $0 \le t \le 0{,}1$ mm. A lacuna contém óleo SAE 10 para o qual $\mu = 0{,}02$ N · s/m². Suponha que o perfil de velocidade seja linear.

***1.56.** O tubo muito fino A com raio médio r e comprimento L é colocado dentro de uma cavidade circular fixa, como mostra a figura. Se a cavidade possui uma pequena lacuna de espessura t em cada lado do tubo, preenchida com um líquido newtoniano com viscosidade μ, determine o torque **T** exigido para contornar a resistência do fluido e girar o tubo com uma velocidade angular constante ω. Suponha que o perfil de velocidade dentro do líquido seja linear.

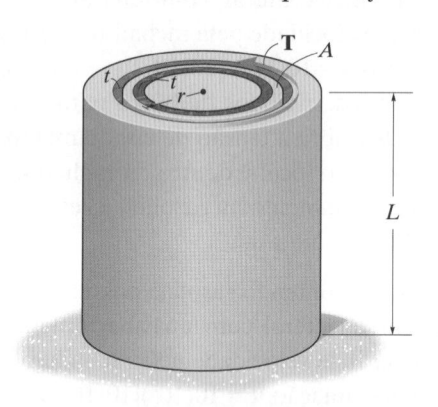

PROBLEMA 1.56

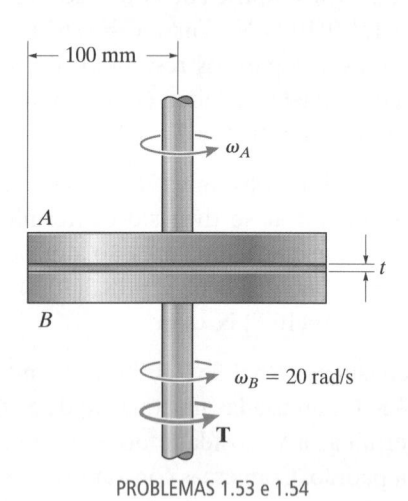

PROBLEMAS 1.53 e 1.54

1.55. A fita tem 10 mm de largura e passa por um aplicador, que aplica uma camada líquida (fluido newtoniano) com uma viscosidade de $\mu = 0{,}830$ N · s/m² a cada lado da fita. Se a lacuna entre cada lado da fita e a superfície do aplicador é de 0,8 mm, determine o torque **T** no instante $r = 150$ mm necessário para girar o carretel a 0,5 rad/s. Suponha que o perfil de velocidade dentro do líquido seja linear.

1.57. O eixo se apoia sobre um filme de óleo com espessura de 2 mm e uma viscosidade de $\mu = 0{,}0657$ N · s/m². Se o eixo está girando a uma velocidade angular constante $\omega = 2$ rad/s, determine a tensão de cisalhamento no óleo a $r = 50$ mm e $r = 100$ mm. Suponha que o perfil de velocidade dentro do óleo seja linear.

1.58. O eixo se apoia sobre um filme de óleo com espessura de 2 mm e uma viscosidade de $\mu = 0{,}0657$ N · s/m². Se o eixo está girando a uma velocidade angular constante $\omega = 2$ rad/s, determine o torque **T** que deverá ser aplicado ao eixo para manter o movimento. Suponha que o perfil de velocidade dentro do óleo seja linear.

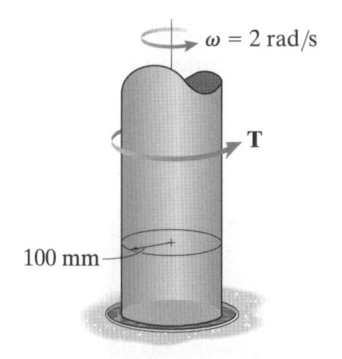

PROBLEMAS 1.57 e 1.58

1.59. O rolamento cônico é colocado em um fluido lubrificante newtoniano com uma viscosidade μ. Determine o torque **T** necessário para girar o rolamento com uma velocidade angular constante ω. Suponha que o perfil de velocidade ao longo da espessura t do fluido seja linear.

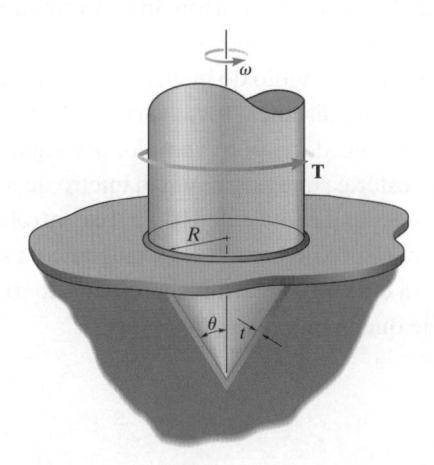

PROBLEMA 1.59

Seções 1.9 e 1.10

*__1.60.__ A cidade de Denver, no Colorado, está a uma elevação de 1610 m acima do nível do mar. Determine com que temperatura pode-se ferver a água para preparar uma xícara de chá.

1.61. Com que temperatura você pode preparar uma xícara de chá se subir ao topo do Monte Everest (29.000 pés) e tentar ferver a água?

1.62. As lâminas de uma turbina estão girando na água com uma temperatura de 30°C. Qual é a menor pressão absoluta da água que pode ser desenvolvida nas lâminas para que não haja cavitação?

1.63. À medida que a água a 40°C escoa pela contração, sua pressão começa a diminuir. Determine a menor pressão absoluta que ela pode ter sem causar cavitação.

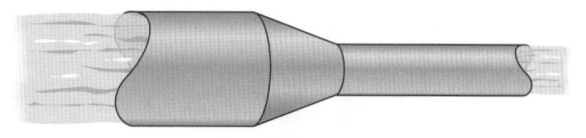

PROBLEMA 1.63

*__1.64.__ A água a 70°F está fluindo por uma mangueira de jardim. Se a mangueira for dobrada, um ruído semelhante a um assobio poderá ser ouvido. Aqui, houve cavitação na mangueira porque a velocidade do fluxo aumentou no ponto dobrado, e a pressão caiu. Qual seria a mais alta pressão absoluta na mangueira nesse local?

PROBLEMA 1.64

1.65. A água a 25°C está fluindo por uma mangueira de jardim. Se a mangueira for dobrada, um ruído semelhante a um assobio poderá ser ouvido. Aqui, houve cavitação na mangueira porque a velocidade do fluxo aumentou no ponto dobrado, e a pressão caiu. Qual seria a mais alta pressão absoluta na mangueira nesse local?

PROBLEMA 1.65

1.66. Um filete de água possui um diâmetro de 0,4 pol. quando começa a sair do tubo. Determine a diferença na pressão entre um ponto localizado imediatamente dentro e um ponto imediatamente fora do filete devido ao efeito da tensão superficial. Considere $\sigma = 0,005$ lb/pé.

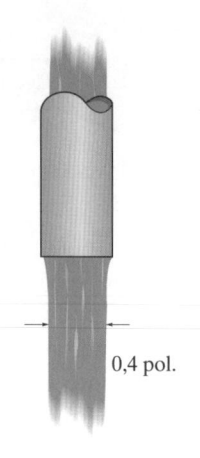

PROBLEMA 1.66

0,4 pol.

1.67. Partículas de aço são ejetadas de um esmeril e caem dentro de um tanque de água. Determine o maior diâmetro médio de uma partícula que flutuará sobre a água com um ângulo de contato de $\theta = 180°$, se a temperatura for 80°F. Considere $\gamma_{aço} = 490$ lb/pés^3 e $\sigma = 0{,}00492$ lb/pé. Suponha que cada partícula tenha a forma de uma esfera, onde $V = \frac{4}{3}\pi r^2$.

*1.68.** Quando uma lata de refrigerante é aberta, pequenas bolhas de gás são produzidas dentro dela. Determine a diferença na pressão entre o interior e o exterior de uma bolha com um diâmetro de 0,02 pol. A temperatura em torno dela é 60°F. Considere $\sigma = 0{,}00503$ lb/pé.

1.69. Determine a distância h que uma coluna de mercúrio no tubo será rebaixada quando o tubo for inserido no mercúrio a uma temperatura ambiente de 68°F. Considere $D = 0{,}12$ pol.

1.70. Determine a distância h que uma coluna de mercúrio no tubo será rebaixada quando o tubo for inserido no mercúrio a uma temperatura ambiente de 68°F. Faça um gráfico dessa relação de h (eixo vertical) *versus D* para 0,05 pol. $\leq D \leq$ 0,150 pol. Dê os valores para incrementos de $\Delta D = 0{,}025$ pol. Discuta esse resultado.

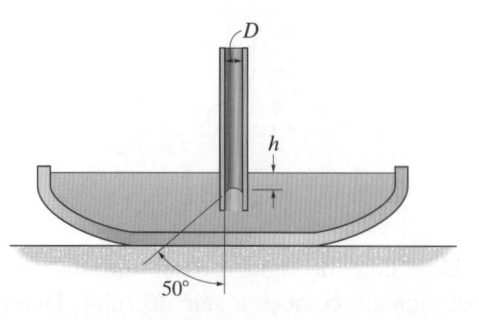

PROBLEMAS 1.69 e 1.70

1.71. A água no tubo de vidro está em uma temperatura de 40°C. Faça um gráfico da altura h da água em função do diâmetro interno D do tubo para 0,5 mm $\leq D \leq$ 3 mm. Use incrementos de 0,5 mm. Considere que $\sigma = 69{,}6$ mN/m.

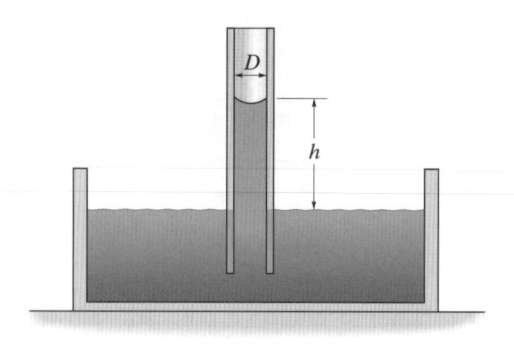

PROBLEMA 1.71

*1.72.** Muitos telefones com câmera agora utilizam lentes líquidas como um meio de fornecer um autofoco rápido. Essas lentes funcionam controlando eletricamente a pressão interna dentro de uma gota líquida, afetando assim o ângulo do menisco da gota e, portanto, criando uma distância focal variável. Para analisar esse efeito, considere, por exemplo, um segmento de uma gota esférica que possui um diâmetro de 3 mm na base. A pressão da gota é de 105 Pa e é controlada por um pequeno furo no centro. Se a tangente na superfície da gota é de 30°, determine a tensão superficial na superfície que mantém a gota no lugar.

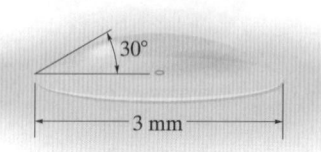

PROBLEMA 1.72

1.73. O tubo possui um diâmetro interno d e está imerso na água com um ângulo θ a partir da vertical. Determine o comprimento médio L ao qual a água subirá ao longo do tubo devido à ação da capilaridade. A tensão superficial da água é σ e sua densidade é ρ.

1.74. O tubo possui um diâmetro interno $d = 2$ mm e está imerso na água. Determine o comprimento médio L ao qual a água subirá ao longo do tubo devido à ação da capilaridade em função do ângulo de inclinação, θ. Desenhe um gráfico da relação entre L (eixo vertical) e θ para $10° \leq \theta \leq 30°$. Mostre os valores para incrementos de $\Delta\theta = 5°$. A tensão superficial da água é $\sigma = 75{,}4$ mN/m, e sua densidade é $\rho = 1000$ kg/m^3.

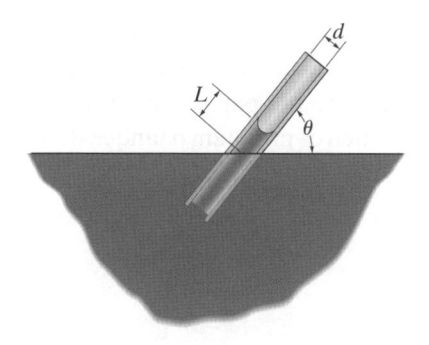

PROBLEMAS 1.73 e 1.74

1.75. O esqueitista dos mares, *Halobates*, possui uma massa de 0,36 g. Se ele possui seis pernas delgadas, determine o comprimento de contato mínimo de todas as suas pernas combinadas para que se apoie sobre a água a uma temperatura de $T=20°C$. Considere $\sigma = 72,7$ mN/m e suponha que as pernas sejam finos cilindros que repelem a água.

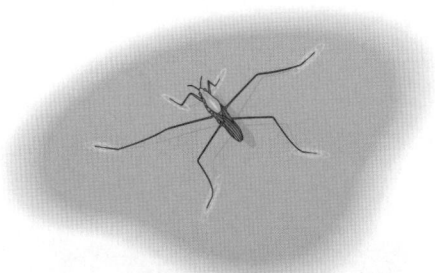

PROBLEMA 1.75

*****1.76.** O anel possui um peso de 0,2 N e está suspenso na superfície da água, para a qual $\sigma = 73,6$ mN/m. Determine a força vertical **P** necessária para soltar o anel da superfície. *Nota:* este método normalmente é usado para medir a tensão superficial.

1.77. O anel possui um peso de 0,2 N e está suspenso na superfície da água. Se for necessária uma força de $P = 0,245$ N para soltar o anel da superfície, determine a tensão superficial da água.

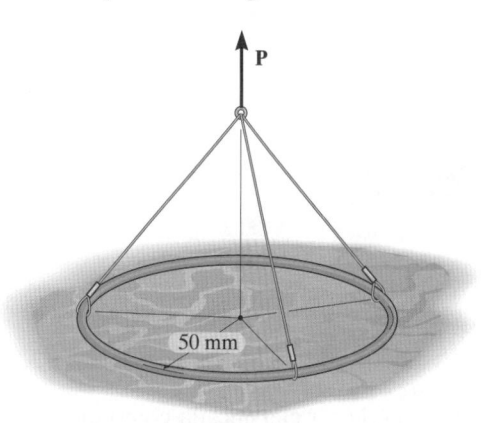

PROBLEMAS 1.76 e 1.77

Problemas conceituais

P1.1. A pressão do ar para um pneu de bicicleta é de 32 psi. Supondo que o volume de ar no pneu permaneça constante, determine a diferença de pressão que ocorre entre um dia típico de verão e inverno. Discuta as forças que são responsáveis por suportar o pneu e a bicicleta quando um ciclista está assentado nela.

P1.1

P1.2. A água jorrada desta caneca de vidro tende a grudar no seu lado de baixo. Explique por que isso acontece e sugira o que pode ser feito para impedir isso.

P1.2

P1.3. Se uma gota de óleo for colocada em uma superfície d'água, então o óleo tenderá a se espalhar pela superfície, como mostra a figura. Explique por que isso acontece.

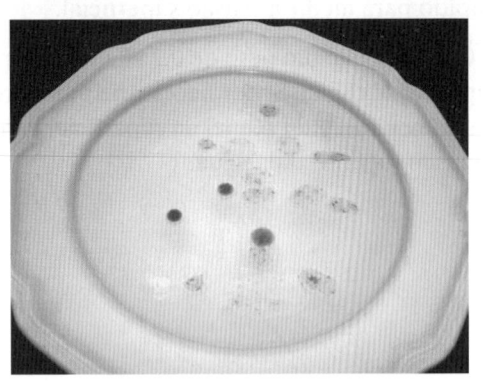

P1.3

P1.4. Esse tanque de água municipal tem a forma de uma gota de água apoiada sobre uma superfície não absorvente, como um papel manteiga. Explique por que os engenheiros projetam o tanque dessa maneira.

P1.4

Revisão do capítulo

A matéria pode ser classificada como um sólido, que mantém sua forma; um líquido, que assume a forma de seu recipiente; ou como um gás, que preenche o recipiente inteiro.

Unidades FPS medem o comprimento em pés, o tempo em segundos, a massa em slugs, a força em libras e a temperatura em graus Fahrenheit ou em graus Rankine.

As unidades do SI medem o comprimento em metros, o tempo em segundos, a massa em quilogramas, a força em newtons e a temperatura em graus Celsius ou em kelvins.

A densidade é uma medida da massa por volume unitário.

$$\rho = \frac{m}{V}$$

O peso específico é uma medida do peso por unidade de volume.

$$\gamma = \frac{W}{V}$$

A densidade relativa é a razão entre a densidade de um líquido ou do seu peso específico e a densidade ou peso específico da água, onde $\rho_{água} = 1000$ kg/m³ e $\gamma_{água} = 62,4$ lb/pés³.

$$S = \frac{\rho}{\rho_{água}} = \frac{\gamma}{\gamma_{água}}$$

A lei dos gases perfeitos relaciona a *pressão absoluta* do gás com sua densidade e a *temperatura absoluta*.

$$p = \rho R T$$

O módulo de elasticidade volumétrico é uma medida da resistência de um fluido à compressão.

$$E_V = -\frac{dp}{dV/V}$$

A viscosidade de um fluido é uma medida de sua resistência ao cisalhamento. Quanto maior a viscosidade, mais alta é a resistência.

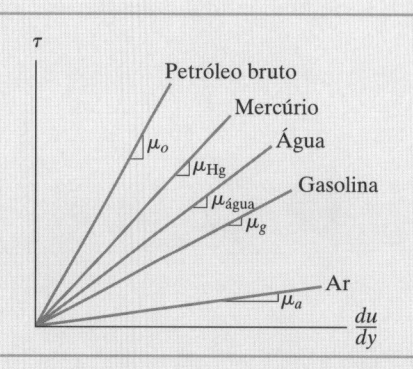

Para os fluidos newtonianos, a tensão de cisalhamento em um fluido é diretamente proporcional à taxa temporal de variação de sua deformação por cisalhamento, que é definida pelo gradiente de velocidade, *du/dy*. A constante de proporcionalidade, μ, é chamada de viscosidade dinâmica ou simplesmente viscosidade.

$$\tau = \mu \frac{du}{dy}$$

A viscosidade cinemática é a razão entre a viscosidade do fluido e sua densidade.

$$\nu = \frac{\mu}{\rho}$$

A viscosidade é medida indiretamente com o uso de um viscosímetro rotativo, um viscosímetro de Ostwald ou outro dispositivo semelhante.

Um líquido entrará em ebulição se a pressão acima ou dentro dele for igual ou menor que sua pressão de vapor. Isso pode ocasionar a cavitação, que produz bolhas que podem migrar para regiões de pressão mais alta e depois se romperem.

A tensão superficial sobre a superfície de um líquido se desenvolve devido às forças coesivas (atrativas) entre suas moléculas. Ela é medida como uma força por unidade de comprimento.

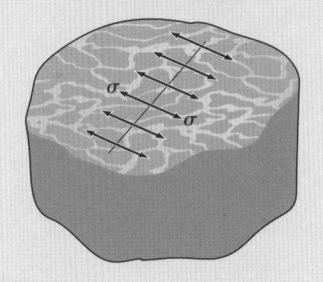

A capilaridade de um líquido depende das forças comparativas de adesão e coesão. Os líquidos umectantes possuem maior força de adesão à sua superfície de contato do que a força de coesão do líquido. O efeito contrário ocorre para os líquidos não umectantes, onde a força de coesão é maior que a força de adesão.

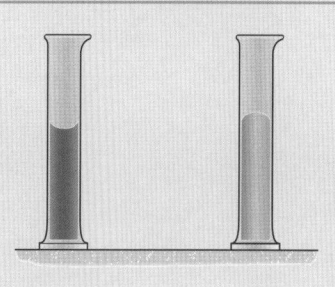

CAPÍTULO 2

Estática dos fluidos

Estas comportas altamente reforçadas foram projetadas para resistir às cargas hidrostáticas dentro de um canal. Junto com outro conjunto de comportas, elas formam uma eclusa, controlando o nível de água dentro da região confinada, permitindo assim que os navios passem de uma elevação para outra.

(© Jim Lipschutz/Shutterstock)

2.1 Pressão

Em geral, os fluidos podem exercer forças normais e de cisalhamento sobre suas superfícies de contato. Porém, se o fluido estiver *em repouso* com relação à superfície, então a viscosidade do fluido não terá efeito de cisalhamento sobre a superfície. Em vez disso, a única força que o fluido exerce é uma força normal, e o efeito dessa força é chamado de *pressão*. Do ponto de vista da física, a pressão de um fluido sobre a superfície é o resultado dos impulsos exercidos pela vibração das moléculas do fluido quando elas entram em contato e ricocheteiam na superfície.

A ***pressão*** é definida como a força que atua na direção normal a uma área dividida por essa área. Se considerarmos o fluido como um meio contínuo, então *em um ponto* dentro do fluido a área pode se aproximar de zero (Figura 2.1a) e, portanto, a pressão torna-se

$$p = \lim_{\Delta A \to 0} \frac{\Delta F}{\Delta A} = \frac{dF}{dA} \qquad (2.1)$$

Se a superfície possui uma área finita e a pressão é *uniformemente distribuída* sobre essa área (Figura 2.1b), então a *pressão média* é

$$\boxed{p_{\text{méd}} = \frac{F}{A}} \qquad (2.2)$$

A pressão pode ter unidades de pascais Pa (N/m^2), psf ($lb/pés^2$) ou psi ($lb/pol.^2$).

Lei de Pascal

No século XVII, o matemático francês Blaise Pascal conseguiu mostrar que *a intensidade da pressão atuando em um ponto em um fluido é a mesma*

Objetivos

- Discutir sobre pressão e mostrar como ela varia dentro de um fluido estático.
- Apresentar as diversas formas de medir a pressão em um fluido estático usando barômetros, manômetros e medidores de pressão.
- Mostrar como calcular a força hidrostática resultante e encontrar sua localização em uma superfície submersa.
- Apresentar os tópicos de flutuação e estabilidade.
- Mostrar como calcular a pressão dentro de um líquido sujeito a uma aceleração constante e a uma rotação constante em torno de um eixo fixo.

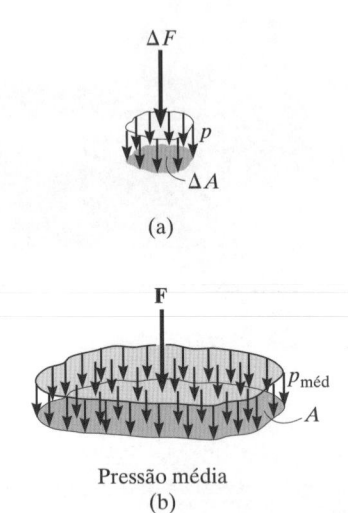

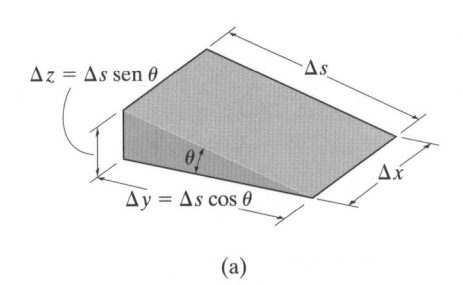

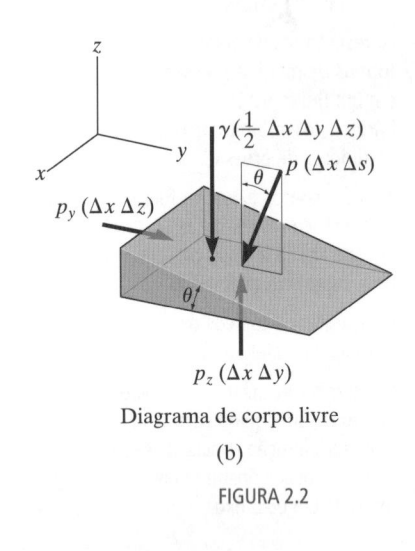

em todas as direções. Essa afirmação normalmente é conhecida como a **lei de Pascal**, embora Giovanni Benedetti e Simon Stevin a tivessem deduzido anteriormente, no final do século XVI.

A lei de Pascal parece ser intuitiva, pois se a pressão no ponto fosse maior em uma direção do que na direção oposta, o desequilíbrio causaria movimento ou agitação do fluido, algo que não é observado. Podemos provar a lei de Pascal formalmente considerando o equilíbrio de um pequeno elemento triangular localizado dentro de um fluido (Figura 2.2*a*). Conquanto o fluido esteja em repouso (ou movendo-se com velocidade constante), as únicas forças que atuam sobre seu diagrama de corpo livre devem-se à pressão e à gravidade (Figura 2.2*b*). A força da gravidade é o resultado do peso específico γ do fluido multiplicado pelo volume do elemento. De acordo com a Equação 2.1, a *força* criada pela pressão é determinada multiplicando a pressão pela área da face do elemento sobre a qual ela atua. No plano *y-z*, existem três forças de pressão. Considerando que a face inclinada tenha um comprimento Δs, as dimensões das outras faces são $\Delta y = \Delta s \cos\theta$ e $\Delta z = \Delta s \,\text{sen}\, \theta$ (Figura 2.2*a*). Portanto, aplicando as equações de equilíbrio da força nas direções *y* e *z*, temos

$$\Sigma F_y = 0; \qquad p_y(\Delta x)(\Delta s \,\text{sen}\,\theta) - [p(\Delta x \Delta s)] \,\text{sen}\,\theta = 0$$

$$\Sigma F_z = 0; \qquad p_z(\Delta x)(\Delta s \cos\theta) - [p(\Delta x \Delta s)] \cos\theta$$
$$- \gamma\left[\frac{1}{2}\Delta x(\Delta s \cos\theta)(\Delta s \,\text{sen}\,\theta)\right] = 0$$

Dividindo por $\Delta x \Delta s$ e considerando $\Delta s \to 0$, de modo que o elemento seja reduzido em tamanho, obtemos

$$p_y = p$$
$$p_z = p$$

Por um argumento semelhante, o elemento pode ser girado em 90° em torno do eixo *z*, e $\Sigma F_x = 0$ pode ser aplicado para mostrar que $p_x = p$. Como o ângulo θ da face inclinada é *arbitrário*, isso realmente mostra que a pressão em um ponto é a *mesma em todas as direções* para qualquer fluido que não tenha movimento relativo entre suas camadas adjacentes.*

Como a pressão em um ponto é transmitida através do fluido por ação, força de reação igual, mas oposta, a cada um de seus pontos vizinhos, então, pela lei de Pascal, segue-se que qualquer *aumento de pressão* Δp em um ponto no fluido causará o *mesmo aumento* em todos os outros pontos dentro do fluido. Esse princípio possui aplicação generalizada para o projeto de maquinário hidráulico, conforme observado no exemplo a seguir.

EXEMPLO 2.1

A mecânica de um macaco pneumático usado em uma oficina pode ser vista na Figura 2.3. Se o carro e o macaco pesam 5000 lb, determine a força que precisa ser desenvolvida pelo compressor de ar em *B* para subir o macaco a uma velocidade constante. Ar preenche a tubulação, de *B* para *A*. A tubulação de ar em *B* tem um diâmetro interno de 1 pol., e o poste em *A* tem um diâmetro de 12 pol.

---

* Também é possível mostrar que a lei de Pascal se aplica até mesmo se o fluido estiver acelerando. Veja o Problema 2.1.

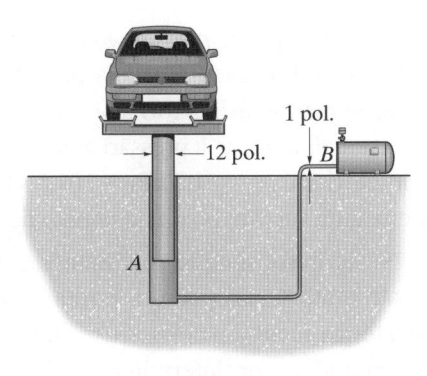

FIGURA 2.3

Solução

Descrição do fluido

O peso do ar pode ser desconsiderado.

Análise

Devido ao equilíbrio, a força criada pela pressão do ar em A é igual e oposta ao peso do carro e do elevador. A pressão média em A é, portanto,

$$p_A = \frac{F_A}{A_A}; \qquad \frac{5000 \text{ lb}}{\pi(6 \text{ pol.})^2} = 44,21 \text{ lb/pol.}^2$$

Como o peso do ar é desconsiderado, a pressão em cada ponto é a mesma em todas as direções (lei de Pascal), e essa mesma pressão é transmitida a B. Portanto, a força em B é

$$p_B = \frac{F_B}{A_B}; \qquad 44,21 \text{ lb/pol.}^2 = \frac{F_B}{\pi(0,5 \text{ pol.})^2}$$

$$F_B = 34,7 \text{ lb} \qquad \qquad \textit{Resposta}$$

Essa *força* de 34,7 lb levantará a carga de 5000 lb, embora a pressão em A e em B seja a mesma.

Os princípios nos quais este exemplo se baseia também se estendem a muitos sistemas hidráulicos, onde o fluido de acionamento é o óleo. As aplicações mais comuns são em macacos, equipamento de construção, prensas e elevadores. As pressões nesses sistemas normalmente variam de 8 MPa (1,16 ksi) quando usadas com pequenos veículos, até 60 MPa (8,70 ksi) para macacos hidráulicos. Qualquer compressor (ou bomba) usado para essas aplicações precisa ser projetado para que suas juntas e retentores mantenham essas altas pressões por um período de tempo estendido.

2.2 Pressão absoluta e manométrica

Se um fluido como o ar fosse removido do seu recipiente, haveria um vácuo e a pressão dentro do recipiente seria zero. Isso normalmente é conhecido como **pressão absoluta zero**. Qualquer pressão que seja medida acima desse valor é conhecida como a **pressão absoluta**, p_{abs}. Por exemplo, **pressão atmosférica padrão** é a pressão absoluta medida no nível do mar, a uma temperatura de 15°C (59°F). Seu valor é

$$p_{atm} = 101,3 \text{ kPa } (14,70 \text{ psi})$$

Qualquer pressão medida acima ou abaixo da pressão atmosférica é chamada de **pressão manométrica**, p_m, pois os manômetros normalmente são usados para medir a pressão relativa à pressão atmosférica. A pressão absoluta e a pressão manométrica, portanto, são relacionadas por

$$\boxed{p_{abs} = p_{atm} + p_m} \qquad (2.3)$$

$p_{abs} = p_{atm} + p_m$

p_{atm} —— $(p_m = 0)$

$p_{abs} = p_{atm} - p_m$

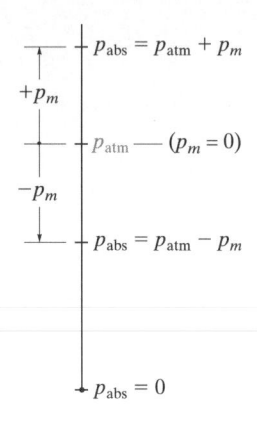

$p_{abs} = 0$

Escala de pressão

FIGURA 2.4

Observe que a *pressão manométrica* pode ser positiva ou negativa (Figura 2.4). Por exemplo, se a pressão absoluta é $p_{abs} = 301,3$ kPa, então a pressão manométrica torna-se $p_m = 301,3$ kPa $- 101,3$ kPa $= 200$ kPa. De modo semelhante, se a pressão absoluta for $p_{abs} = 51,3$ kPa, então a pressão manométrica é $p_m = 51,3$ kPa $- 101,3$ kPa $= -50$ kPa, um valor negativo que produz uma sucção, pois está *abaixo* da pressão atmosférica.

Neste livro, sempre mediremos a pressão manométrica em relação à pressão atmosférica padrão; porém, para obter maior precisão, a pressão atmosférica *local* deverá ser usada, e a partir disso a pressão manométrica local poderá ser determinada. Além disso, a menos que indicado de outra forma, todas as pressões expressas no texto e nos problemas serão consideradas como pressões manométricas. Se for desejada a pressão absoluta, ela será indicada especificamente como, por exemplo, 5 Pa (abs.) ou 5 psia.

EXEMPLO 2.2

A pressão do ar dentro do pneu de bicicleta é determinada por um manômetro como sendo 10 psi (Figura 2.5). Se a pressão atmosférica local é 12,6 psi, determine a pressão absoluta no pneu. Informe sua resposta em pascais.

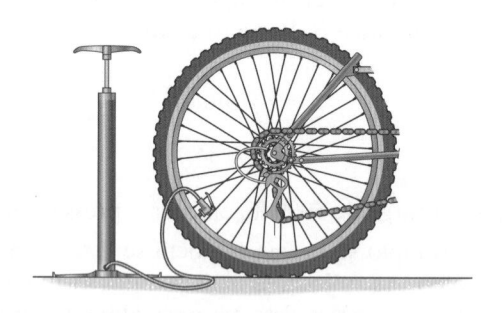

FIGURA 2.5

Solução

Descrição do fluido

O ar permanece estático sob pressão constante.

Análise

Antes que o pneu seja completado com ar, a pressão dentro dele era a atmosférica, 12,6 psi. Portanto, depois que o pneu está cheio, a pressão absoluta no pneu é

$$p_{abs} = p_{atm} + p_m$$
$$p_{abs} = 12,6 \text{ lb/pol.}^2 + 10 \text{ lb/pol.}^2$$
$$= \frac{22,6 \text{ lb}}{\text{pol.}^2} \left(\frac{12 \text{ pol.}}{1 \text{ pé}}\right)^2 \left(\frac{1 \text{ pé}}{0,3048 \text{ m}}\right)^2 \left(\frac{4,4482 \text{ N}}{1 \text{ lb}}\right)$$
$$= 155,82(10^3) \text{ N/m}^2 = 156 \text{ kPa} \qquad \textit{Resposta}$$

Observe a importância de arrumar as unidades e seus fatores de conversão de modo que se cancelem. Essa prática deverá ser seguida sempre que se convertem unidades. Outro ponto a ser lembrado é que um newton é aproximadamente o peso de uma maçã; então, quando esse peso é distribuído por um metro quadrado, um pascal é, na realidade, uma pressão muito pequena (Pa = N/m^2). Por esse motivo, para o trabalho na engenharia, as pressões medidas em pascais quase sempre são acompanhadas de um prefixo.

2.3 Variação da pressão estática

Nesta seção, determinaremos como a pressão varia dentro de um fluido estático devido ao *peso* do fluido. Para fazer isso, vamos considerar elementos fluidos pequenos e delgados, horizontais e verticais, com seções transversais ΔA de comprimentos de Δy e Δz, respectivamente. Os diagramas de corpo livre, mostrando apenas as forças que atuam nas direções y e z sobre cada elemento, aparecem na Figura 2.6. Para o elemento que se estende na direção z, o peso está incluído. Ele é o produto do peso específico do fluido γ e do volume do elemento, $\Delta V = \Delta A\, \Delta z$.

Considera-se que o gradiente ou a variação na pressão de um lado de cada elemento para o lado oposto *aumenta* nos sentidos *positivos* de y e z, sendo expresso por $(\partial p/\partial y)\, \Delta y$ e $(\partial p/\partial z)\, \Delta z$, respectivamente.[*] Se aplicarmos a equação do equilíbrio de forças ao elemento horizontal (Figura 2.6a), obtemos

$$\Sigma F_y = 0; \qquad p(\Delta A) - \left(p + \frac{\partial p}{\partial y}\Delta y\right)\Delta A = 0$$

$$\partial p = 0$$

Esse mesmo resultado também ocorrerá na direção x, e como a variação na pressão é zero, isso indica que a *pressão permanece constante no plano horizontal*. Em outras palavras, a pressão será *apenas* uma função de z, $p = p(z)$; portanto, agora podemos expressar sua variação como uma derivada total. Pela Figura 2.6b,

$$\Sigma F_z = 0; \qquad p(\Delta A) - \left(p + \frac{\partial p}{dz}\Delta z\right)\Delta A - \gamma(\Delta A\, \Delta z) = 0$$

$$dp = -\gamma dz \qquad (2.4)$$

O sinal negativo indica que a pressão *diminuirá enquanto se move para cima no fluido*, no sentido positivo de z.

Os dois resultados anteriores se aplicam a fluidos incompressíveis e compressíveis, e nas próximas duas seções iremos tratar de cada um desses tipos de fluidos separadamente.

(a)

(b)

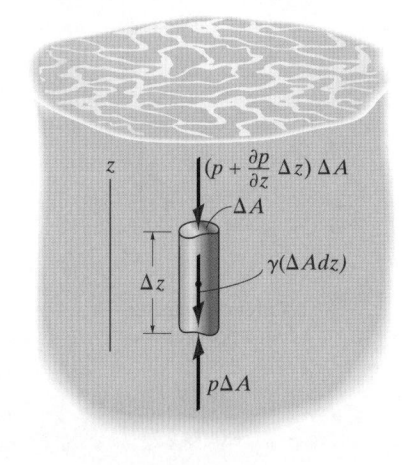

FIGURA 2.6

2.4 Variação de pressão para fluidos incompressíveis

Se um fluido é considerado *incompressível*, como no caso de um líquido, então seu peso específico γ é constante, pois seu volume não varia. Consequentemente, a Equação 2.4, $dp = -\gamma dz$, pode ser integrada verticalmente a partir de um nível de referência $z = z_0$, onde $p = p_0$, para um nível mais alto z, onde a pressão é p (Figura 2.7a). Logo,

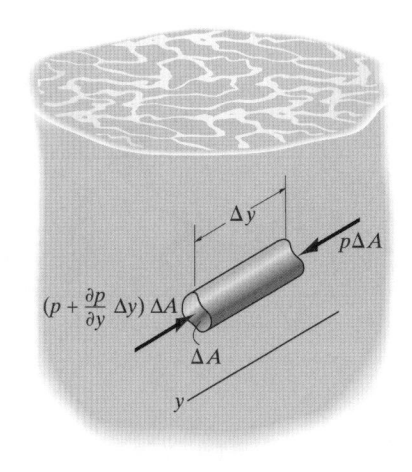

Reservatórios de água são usados em muitos municípios para fornecer uma pressão constante dentro do sistema de distribuição de água. Isso é especialmente importante quando a demanda é alta no início da manhã e no início da noite.

---

[*] Isso é o resultado da expansão em série de Taylor em torno de um ponto, para a qual omitimos os termos de ordem mais alta, $\frac{1}{2}\left(\frac{\partial^2 p}{\partial y^2}\right)\Delta y^2 + \cdots$ e $\frac{1}{2}\left(\frac{\partial^2 p}{\partial z^2}\right)\Delta z^2 + \cdots$, pois eles serão desprezados quando $\Delta y \to 0$ e $\Delta z \to 0$. Além disso, a derivada parcial é usada aqui porque a pressão é *considerada* variando na direção de cada coordenada, ou seja, a pressão é considerada diferente em cada ponto, portanto, $p = p(x,y,z)$.

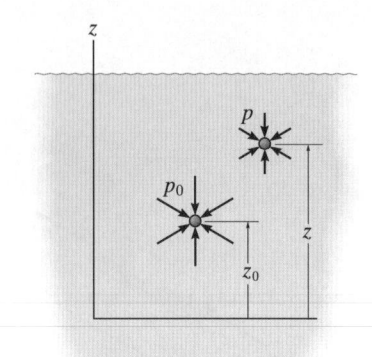

$$\int_{p_0}^{p} dp = -\gamma \int_{z_0}^{z} dz$$

$$p = p_0 + \gamma(z_0 - z)$$

Por conveniência, o nível de referência normalmente é estabelecido na *superfície livre do líquido*, $z_0 = 0$, e a coordenada z é direcionada como sendo *positiva para baixo* (Figura 2.7b). Se isso acontece, então a pressão a uma distância h *abaixo* da superfície torna-se

$$p = p_0 + \gamma h \tag{2.5}$$

Se a pressão na superfície é a pressão atmosférica, $p_0 = p_{atm}$, então o termo γh representa a *pressão manométrica* no líquido. Portanto,

$$\boxed{p = \gamma h} \tag{2.6}$$

Fluido incompressível

Assim como ao mergulhar em uma piscina, esse resultado indica que o peso da água fará com que a pressão manométrica *aumente linearmente* quando se desce pela profundidade da água.

Carga de pressão

Se resolvermos a Equação 2.6 para h, obteremos

$$\boxed{h = \frac{p}{\gamma}} \tag{2.7}$$

Aqui, h é chamado de **carga de pressão**, pois indica a altura de uma coluna de líquido que produz a pressão (manométrica) p. Por exemplo, se a pressão manométrica for 50 kPa, então as cargas de pressão para a água ($\gamma_{\text{água}} = 9{,}81$ kN/m^3) e o mercúrio ($\gamma_{\text{Hg}} = 133$ kN/m^3) serão

$$h_a = \frac{p}{\gamma_{\text{água}}} = \frac{50(10^3)\ \text{N/m}^2}{9{,}81(10^3)\ \text{N/m}^3} = 5{,}10\ \text{m}$$

$$h_{\text{Hg}} = \frac{p}{\gamma_{\text{Hg}}} = \frac{50(10^3)\ \text{N/m}^2}{133(10^3)\ \text{N/m}^3} = 0{,}376\ \text{m}$$

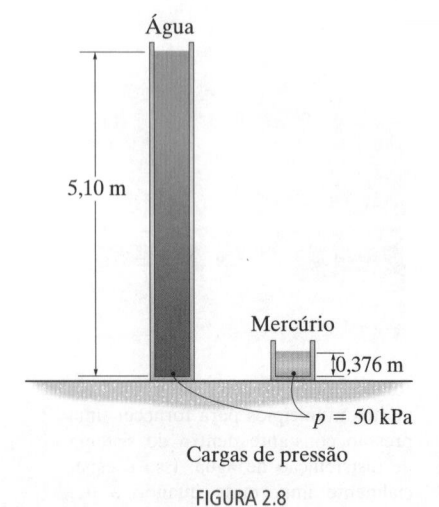

Como mostra a Figura 2.8, existe uma diferença significativa nessas cargas de pressão, pois as densidades (ou pesos específicos) desses líquidos são muito diferentes.

(a)

(b)

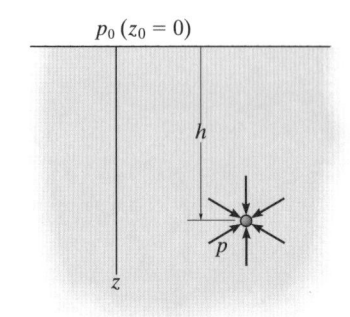

A pressão aumenta com a profundidade
$p = \gamma h$

FIGURA 2.7

Cargas de pressão
FIGURA 2.8

EXEMPLO 2.3

O tanque e o dreno na Figura 2.9 estão cheios de gasolina e glicerina até as profundidades mostradas. Determine a pressão sobre a torneira do dreno em C. Indique a resposta como uma carga de pressão em pés de água. Considere $\gamma_{ga} = 45{,}3$ lb/pés³ e $\gamma_{gl} = 78{,}7$ lb/pés³.

Solução

Descrição do fluido

Cada um dos líquidos é considerado incompressível.

Análise

Observe que a gasolina "flutuará" sobre a glicerina, pois possui um peso específico mais baixo. Para obter a pressão em C, precisamos determinar a pressão na profundidade B causada pela gasolina e depois somá-la à pressão adicional de B para C causada pela glicerina. A pressão *manométrica* em C é, portanto,

$$p_C = \gamma_{ga} h_{AB} + \gamma_{gl} h_{BC}$$

$$= (45{,}3 \text{ lb/pés}^3)(2 \text{ pés}) + (78{,}7 \text{ lb/pés}^3)(3 \text{ pés}) = 326{,}7 \text{ lb/pés}^2 = 2{,}27 \text{ psi}$$

Esse resultado *independe* da *forma* ou do tamanho do tanque; na verdade, ele só depende da *profundidade* de cada líquido. Em outras palavras, em qualquer plano horizontal, a pressão é constante.

Como o peso específico da água é $\gamma_{água} = 62{,}4$ lb/pés³, a coluna de pressão d'água em C, em pés, é

$$h = \frac{p_C}{\gamma_{água}} = \frac{326{,}7 \text{ lb/pés}^2}{62{,}4 \text{ lb/pés}^3} = 5{,}24 \text{ pés} \qquad \textit{Resposta}$$

Em outras palavras, o tanque teria de ser preenchido com água até essa profundidade para criar a *mesma pressão* em C causada pela gasolina e pela glicerina.

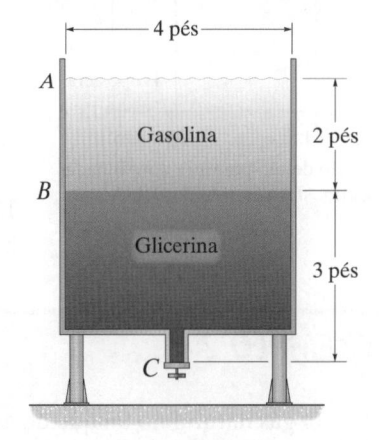

FIGURA 2.9

2.5 Variação de pressão para fluidos compressíveis

Quando o fluido é *compressível*, como no caso de um gás, então seu peso específico γ não será constante por todo o fluido. Portanto, para obter a pressão, temos de integrar a Equação 2.4, $dp = -\gamma \, dz$. Isso exige que expressemos γ como uma função de p. Usando a lei dos gases perfeitos, Equação 1.11, $p = \rho RT$, onde $\gamma = \rho g$, temos $\gamma = pg/RT$. Logo,

$$dp = -\gamma \, dz = -\frac{pg}{RT} dz$$

ou

$$\frac{dp}{p} = -\frac{g}{RT} dz$$

46 MECÂNICA DOS FLUIDOS

Lembre-se de que, aqui, p e T precisam representar a *pressão absoluta* e a *temperatura absoluta*. A integração agora pode ser executada, desde que possamos expressar T em função de z.

Temperatura constante

Se a temperatura por todo o gás permanece constante (isotérmica) em $T = T_0$, então, supondo que a pressão em um local de referência $z = z_0$ seja $p = p_0$ (Figura 2.10), teremos

$$\int_{p_0}^{p} \frac{dp}{p} = -\int_{z_0}^{z} \frac{g}{RT_0} dz$$

$$\ln \frac{p}{p_0} = -\frac{g}{RT_0}(z - z_0)$$

ou

$$p = p_0 e^{-\left(\frac{g}{RT_0}\right)(z-z_0)} \qquad (2.8)$$

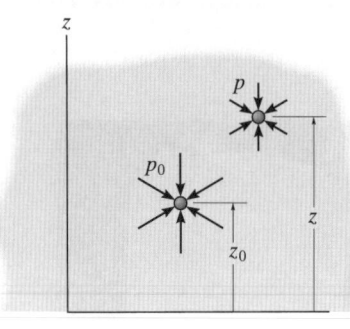

FIGURA 2.10

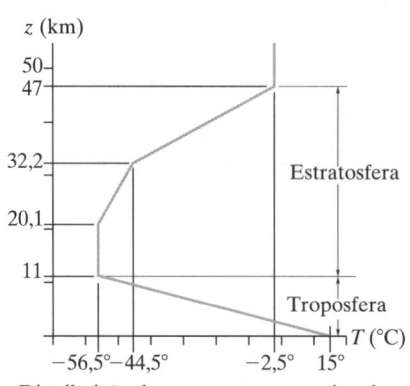

Distribuição de temperatura aproximada na atmosfera padrão dos EUA.

FIGURA 2.11

Essa equação normalmente é usada para calcular a pressão dentro da região mais baixa da estratosfera. Como vemos no gráfico da atmosfera padrão dos EUA (Figura 2.11), essa região começa a uma elevação de cerca de 11,0 km e atinge uma elevação de aproximadamente 20,1 km. Aqui, a temperatura é praticamente *constante*, em −56,5°C (216,5 K).

EXEMPLO 2.4

O gás natural no tanque de armazenamento está contido dentro de uma membrana flexível e mantido sob *pressão constante* por meio de um topo pesado que pode subir ou descer à medida que o gás entra ou sai do tanque (Figura 2.12a). Determine o peso exigido do topo se a pressão (manométrica) na abertura A for 600 kPa. O gás possui uma temperatura de 20°C.

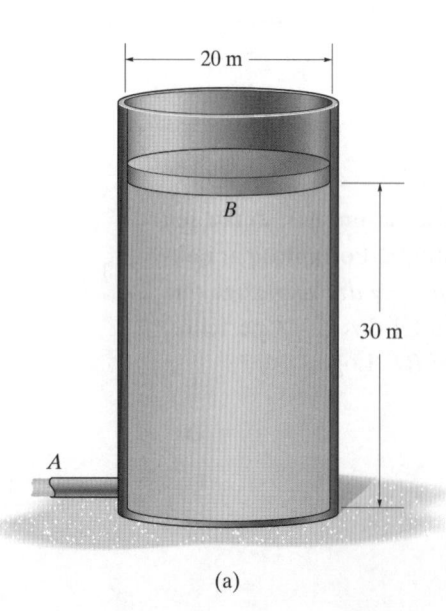

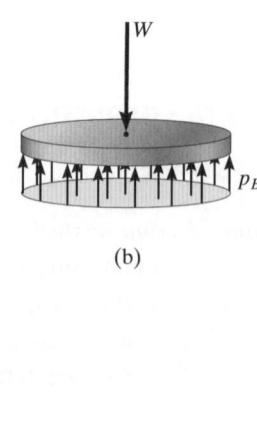

FIGURA 2.12

Solução

Descrição do fluido

Vamos comparar os resultados de quando consideramos o gás incompressível e compressível.

Análise

Aqui, a pressão em A é uma pressão manométrica, portanto, existem duas forças que atuam sobre o diagrama de corpo livre do topo (Figura 2.12b). Elas são a pressão p_B do gás no tanque e o peso do topo W. É preciso que

$$+\uparrow \Sigma F_y = 0; \qquad p_B A_B - W = 0$$

$$p_B\left[\pi(10 \text{ m})^2\right] - W = 0$$

$$W = \left[314{,}16 \, p_B\right] \text{ N} \qquad (1)$$

Gás incompressível

Se o gás for considerado *incompressível*, a pressão na abertura A poderá ser relacionada à pressão em B usando a Equação 2.5. Pelo Apêndice A, para o gás natural, $\rho_g = 0{,}665$ kg/m³, e como $\gamma_g = \rho_g g$, temos

$$p_A = p_B + \gamma_g h$$

$$600(10^3) \text{ N/m}^2 = p_B + (0{,}665 \text{ kg/m}^3)(9{,}81 \text{ m/s}^2)(30 \text{ m})$$

$$p_B = 599804 \text{ Pa}$$

Substituindo na Equação 1, temos

$$W = [314{,}16(599804)] \text{ N} = 188{,}4 \text{ MN} \qquad \textit{Resposta}$$

Gás compressível

Se o gás for considerado compressível, então, como sua temperatura é constante, a Equação 2.8 se aplica. Pelo Apêndice A, para o gás natural, $R = 518{,}3$ J / (kg · K), e a temperatura absoluta é $T_0 = 20 + 273 = 293$ K. Assim,

$$p_B = p_A e^{-\left(\frac{g}{RT_0}\right)(z_B - z_A)}$$

$$= 600(10^3) e^{-\left(\frac{9{,}81}{[518{,}3(293)]}\right)(30-0)}$$

$$= 598838 \text{ Pa}$$

Pela Equação 1,

$$W = [314{,}16(598838)] \text{ N} = 188{,}1 \text{ MN} \qquad \textit{Resposta}$$

Por comparação, existe uma diferença de menos de 0,2% entre esses dois resultados. Além disso, observe que a diferença de pressão entre o topo B e o fundo A do tanque é realmente *muito pequena*. Para um gás incompressível, (600 kPa − 599,8 kPa) = 0,2 kPa, e para um gás compressível, (600 kPa − 598,8 kPa) = 1,2 kPa. Por esse motivo, geralmente é satisfatório *desconsiderar* a variação de pressão devido ao peso do gás e considerar que a pressão dentro de qualquer gás é *basicamente constante* por todo o seu volume. Se fizermos isso, então $p_B = p_A = 600$ kPa e, pela Equação 1, $W = 188{,}5$ MN.

2.6 Medição da pressão estática

Existem várias maneiras usadas pelos engenheiros para medir as pressões absoluta e manométrica em pontos dentro de um fluido estático. Aqui, vamos discutir algumas das mais importantes.

Barômetro

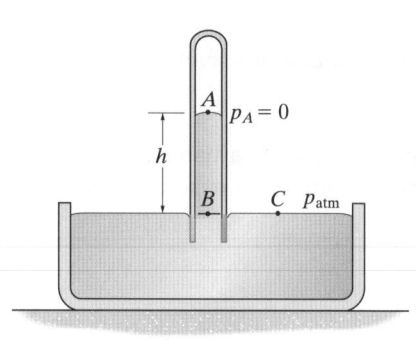

A pressão atmosférica pode ser medida usando um dispositivo simples, chamado **barômetro**. Ele foi inventado em meados do século XVII por Evangelista Torricelli, usando mercúrio como fluido preferido, pois possui uma alta densidade e uma pressão de vapor muito pequena. Em princípio, o barômetro consiste em um tubo de vidro fechado que primeiro é totalmente enchido com mercúrio. O tubo é então submerso em um recipiente de mercúrio e depois virado de cabeça para baixo (Figura 2.13). Isso faz com que uma pequena quantidade de mercúrio seja esvaziada da extremidade fechada, criando assim um pequeno volume de vapor de mercúrio nessa região. No entanto, para temperaturas sazonais moderadas, a pressão de vapor criada é praticamente zero, de modo que o nível de mercúrio, $p_A = 0$.*

À medida que a pressão atmosférica, p_{atm}, atua sobre a superfície do mercúrio no recipiente, isso faz com que a pressão nos pontos B e C seja a mesma, pois estão no mesmo nível horizontal. Se a altura h da coluna de mercúrio no tubo for medida, a pressão atmosférica pode ser determinada aplicando-se a Equação 2.5 entre A e B.

$$p_B = p_A + \gamma_{Hg} h$$

$$p_{atm} = 0 + \gamma_{Hg} h = \gamma_{Hg} h$$

Normalmente, a altura h é indicada em milímetros ou em polegadas de mercúrio. Por exemplo, a pressão atmosférica padrão, 101,3 kPa, fará com que a coluna de mercúrio ($\gamma_{Hg} = 133290$ N/m^3) suba em $h \approx 760$ mm (ou 29,9 pol.) no tubo.

Barômetro simples
FIGURA 2.13

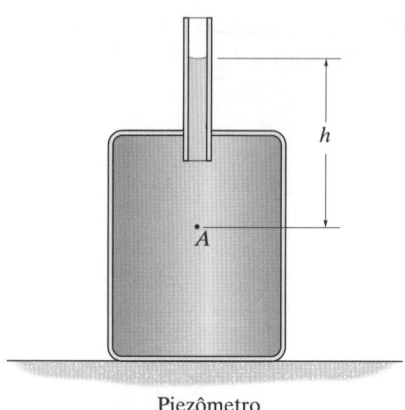

Manômetro

Um **manômetro** consiste em um tubo transparente que é usado para determinar a pressão manométrica em um líquido. O tipo de manômetro mais simples é chamado de **piezômetro**. O tubo é aberto em uma extremidade para a atmosfera, enquanto a outra extremidade é inserida em um vaso, onde a pressão de um líquido deve ser medida (Figura 2.14). Qualquer pressão dentro do vaso empurrará o líquido tubo acima. Se o líquido tem um peso específico γ, e a coluna de pressão h for medida, então a pressão no ponto A será $p_A = \gamma h$. Os piezômetros não funcionam bem para a medição de grandes pressões manométricas, pois h seria grande. Além disso, eles não são eficazes na medição de altas pressões manométricas negativas (sucção), pois o ar poderá vazar para dentro do vaso, através do ponto de inserção.

Piezômetro
FIGURA 2.14

Quando forem encontradas pressões manométricas negativas ou pressões moderadamente altas, pode-se usar um **manômetro de tubo em U** simples, como aquele mostrado na Figura 2.15. Aqui, uma extremidade do tubo é conectada ao vaso contendo um fluido de peso específico γ, e a outra extremidade é aberta para a atmosfera. Para medir pressões

---

* Para aumentar a precisão, a pressão do vapor do mercúrio que existe dentro desse espaço deverá ser determinada na temperatura registrada quando a medição é feita.

relativamente altas, um líquido com um peso específico γ', como o mercúrio, é colocado no tubo em forma de U. A pressão no ponto A do vaso é a mesma que no ponto B do tubo, pois os dois pontos estão no mesmo nível. A pressão em C, portanto, é $p_C = p_A + \gamma h_{BC}$. Essa é a mesma pressão de D, novamente, porque C e D estão no mesmo nível. Por fim, como $p_C = p_D = \gamma' h_{DE}$, então

$$\gamma' h_{DE} = p_A + \gamma h_{BC}$$

ou

$$p_A = \gamma' h_{DE} - \gamma h_{BC}$$

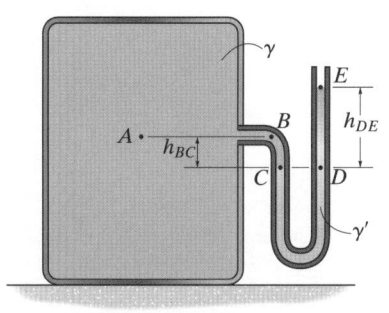

Manômetro simples

FIGURA 2.15

Observe que, se o fluido no vaso for um gás, então seu peso específico será muito pequeno em comparação com o do líquido no manômetro, de modo que $\gamma \approx 0$ e a equação anterior torna-se $p_A = \gamma' h_{DE}$.

Para *reduzir erros* ao usar um manômetro, é melhor usar um fluido manométrico que tenha uma baixa densidade relativa, como a água, quando a pressão antecipada for baixa. Desse modo, o fluido é empurrado mais para cima no manômetro, de modo que a leitura da coluna de pressão seja mais sensível a diferenças de pressão. Além disso, como indicamos na Seção 1.10, os erros podem ser reduzidos na leitura do menisco, ou seja, a superfície curva causada pela atração capilar, se o tubo geralmente tiver um diâmetro de 10 mm (cerca de meia polegada) ou mais. Por fim, para um resultado mais sensível, um peso específico mais exato do fluido poderá ser especificado se a temperatura for conhecida.

Regra do manômetro

O resultado anterior também poderá ser determinado de uma maneira mais direta usando a **regra do manômetro**, algo que funciona para todos os tipos de manômetros. Ela pode ser enunciada da seguinte forma:

Comece em um ponto no fluido onde a pressão deve ser determinada e prossiga para somar a ele, algebricamente, as pressões de uma interface de fluido vertical para a seguinte, até atingir a superfície do líquido na outra extremidade do manômetro.

Como em qualquer sistema de fluido, um termo de pressão será *positivo* se estiver *abaixo* de um ponto, pois isso causará um *aumento*, e será *negativo* se estiver *acima* de um ponto, pois isso causará uma *diminuição*. Assim, para o manômetro na Figura 2.15, começamos com p_A no ponto A, depois somamos γh_{BC}, e por fim subtraímos $\gamma' h_{DE}$. Esse cálculo algébrico é igual à pressão em E, que é zero; ou seja, $p_A + \gamma h_{BC} - \gamma' h_{DE} = 0$. Portanto, $p_A = \gamma' h_{DE} - \gamma h_{BC}$, conforme obtido anteriormente.

Aumentar a pressão, pressionando o bulbo em A, fará com que a diferença de elevação BC seja a mesma em cada tubo, independentemente de sua forma.

Como outro exemplo, considere o manômetro na Figura 2.16. Começando em A, e observando que a pressão em C é zero, temos

$$p_A - \gamma h_{AB} - \gamma' h_{BC} = 0$$

de modo que

$$p_A = \gamma h_{AB} + \gamma' h_{BC}$$

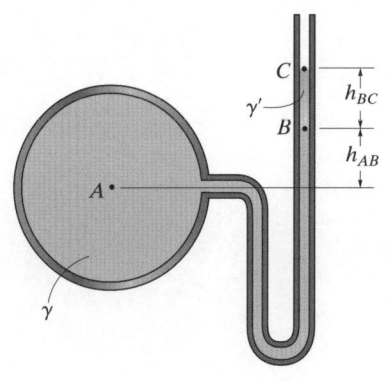

FIGURA 2.16

Manômetro diferencial

Um *manômetro diferencial* é usado para determinar a diferença de pressão entre dois pontos em um sistema de fluido *fechado*. Por exemplo, o manômetro diferencial da Figura 2.17 mede a diferença na pressão estática entre os pontos A e D na tubulação contendo um líquido que está fluindo através dela. Seguindo o caminho pelo manômetro de A até B até C até D, e somando as pressões conforme a regra do manômetro, temos

$$p_A + \gamma h_{AB} - \gamma' h_{BC} - \gamma h_{CD} = p_D$$

$$\Delta p = p_D - p_A = \gamma h_{AB} - \gamma' h_{BC} - \gamma h_{CD}$$

Visto que $h_{BC} = h_{AB} - h_{CD}$, então

$$\Delta p = -(\gamma - \gamma') h_{BC}$$

Esse resultado representa a diferença nas pressões absoluta ou manométrica entre os pontos A e D. Observe que, se γ' for escolhido próximo de γ, então a diferença $(\gamma - \gamma')$ será bem pequena, e haverá um valor grande de h_{BC}, tornando mais precisa a detecção de Δp.

Pequenas diferenças na pressão também podem ser detectadas por meio de um manômetro de tubo U invertido, como na Figura 2.18. Aqui, o fluido do manômetro tem um peso específico γ' menor do que aquele do fluido contido γ. Um exemplo seria o óleo e a água. Começando do ponto A e passando para o ponto D, temos

$$p_A - \gamma h_{AB} + \gamma' h_{BC} + \gamma h_{CD} = p_D$$

$$\Delta p = p_D - p_A = -\gamma h_{AB} + \gamma' h_{BC} + \gamma h_{CD}$$

Visto que $h_{BC} = h_{AB} - h_{CD}$, então

$$\Delta p = -(\gamma - \gamma') h_{BC}$$

Se o ar for usado como o fluido mais leve, então ele pode ser bombeado para a parte superior do tubo e a válvula fechada para criar um nível adequado do líquido. Neste caso, $\gamma' \approx 0$ e $\Delta p = -\gamma h_{BC}$.

Naturalmente, nenhum desses resultados deverá ser memorizado. Em vez disso, o princípio da escrita de pressões em diferentes níveis no circuito do manômetro deverá ser compreendido.

Tem havido muitas outras modificações no manômetro de tubo U, que melhoraram sua precisão para a medição de pressões ou suas diferenças. Por exemplo, uma modificação comum é inclinar um dos tubos, cujos princípios são discutidos no Exemplo 2.7. Outra é usar um micromanômetro, conforme discutimos no Problema 2.55.

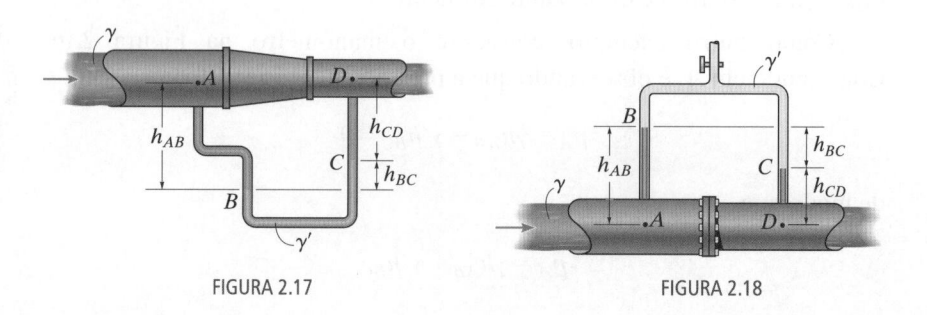

FIGURA 2.17

FIGURA 2.18

Manômetro de Bourdon

Se as pressões manométricas forem *muito altas*, então um manômetro comum pode não ser eficaz; portanto, a medição pode ser feita usando um **manômetro de Bourdon** (Figura 2.19). Basicamente, esse medidor consiste em um tubo de metal enrolado que é conectado em uma extremidade ao vaso onde a pressão deve ser medida. A outra extremidade do tubo é fechada, de modo que, quando a pressão no vaso aumenta, o tubo começa a desenrolar e responder elasticamente. Usando a ligação mecânica presa à extremidade do tubo, o mostrador do medidor mostra uma leitura direta da pressão, que pode ser calibrada em diversas unidades, como kPa ou psi.

Transdutores de pressão

Um dispositivo eletromecânico chamado **transdutor de pressão** pode ser usado para medir a pressão com uma leitura digital. Ele tem a vantagem de produzir uma resposta rápida a variações de pressão e fornecer uma leitura contínua com o passar do tempo. A Figura 2.20 ilustra o modo como ele funciona. Quando a extremidade A é conectada a um vaso de pressão, a pressão do fluido deformará o diafragma fino. A deformação resultante no diafragma é então medida por meio do medidor elétrico de deformação conectado. Basicamente, o comprimento variável dos fios finos que compõem o medidor de deformação mudará sua resistência, produzindo uma mudança na corrente elétrica. Como essa mudança na corrente é diretamente proporcional à deformação causada pela pressão, a corrente pode ser convertida em uma leitura direta da pressão.

Os transdutores de pressão também podem ser usados para oferecer uma leitura direta da pressão absoluta, se o volume B atrás do diafragma estiver *selado*, de modo que esteja em um vácuo. Se esse volume for aberto à atmosfera, então a pressão do medidor será registrada. Por fim, se as regiões A e B forem conectadas a duas pressões de fluido diferentes, então a pressão diferencial poderá ser registrada.

Outros manômetros

Além dos manômetros discutidos anteriormente, existem vários outros métodos para medir a pressão. Um dos manômetros mais precisos já projetados é o **tubo de Bourdon de quartzo fundido de compensação forçada**. Dentro dele, a pressão causa a deformação elástica de um tubo curvado, que é detectada opticamente. O tubo é então restaurado a uma posição original por um campo magnético, que é medido e correlacionado à pressão que causou a deformação. De modo semelhante, os **manômetros piezoelétricos**, como um cristal de quartzo, podem mudar seu potencial elétrico quando sujeitados a pequenas variações de pressão, portanto, a pressão pode ser correlacionada a essa variação de potencial e apresentada como uma leitura digital. O mesmo tipo de manômetro também pode ser construído usando finas camadas de silício. Sua deformação causa uma variação medida na capacitância ou frequência de vibração que oferece resposta imediata a variações repentinas na pressão. Para obter outros detalhes sobre esses manômetros e outros semelhantes, juntamente com suas aplicações específicas, consulte a literatura ou procure as referências [5] a [11].

Manômetro de Bourdon

FIGURA 2.19

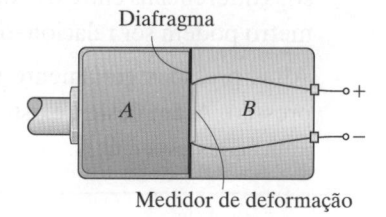

Transdutor de pressão

FIGURA 2.20

Pontos importantes

- A pressão em um ponto de um fluido é *a mesma em todas as direções*, desde que o fluido não tenha um movimento relativo. Essa é a lei de Pascal. Como consequência, qualquer *aumento na pressão* Δp em um ponto no fluido causará *o mesmo aumento na pressão* Δp em algum outro ponto.

- A pressão absoluta é a pressão acima daquela no vácuo. A pressão atmosférica padrão, que é medida no nível do mar e a uma temperatura de 15°C (59°F), é 101,3 kPa, ou 14,7 psi.

- A pressão manométrica é medida como a pressão que está acima (positiva) ou abaixo (negativa) da pressão atmosférica.

- Quando o peso de um fluido estático é considerado, *a pressão na direção horizontal é constante*; porém, na *direção vertical*, ela aumenta com a profundidade.

- Se um fluido é basicamente *incompressível*, como no caso de um líquido, então seu peso específico é constante, e a pressão pode ser determinada usando $p = \gamma h$.

- Se um fluido é considerado *compressível*, como no caso de um gás, então a variação do peso específico do fluido (ou densidade) com a pressão deverá ser considerada para se obter uma medição precisa da pressão.

- Para pequenas variações na elevação, a *pressão de gás* estática em um tanque, vaso, manômetro, tubulação e semelhantes pode ser considerada *constante* por todo o seu volume, pois o peso específico de um gás é muito pequeno.

- A pressão p em um ponto pode ser representada por sua *carga de pressão*, que é a altura h de uma coluna de fluido necessária para produzir a pressão, $h = p / \gamma$.

- A pressão atmosférica pode ser medida por meio de um *barômetro*.

- Os manômetros podem ser usados para medir pequenas pressões em tubulações ou tanques, ou pressões diferenciais entre os pontos em duas tubulações. As pressões em dois pontos quaisquer no manômetro podem ser relacionadas por meio da regra do manômetro.

- Altas pressões geralmente são medidas usando um manômetro de Bourdon ou um transdutor de pressão. Além destes, existem muitos outros tipos de manômetros de pressão que são utilizados para aplicações específicas.

EXEMPLO 2.5

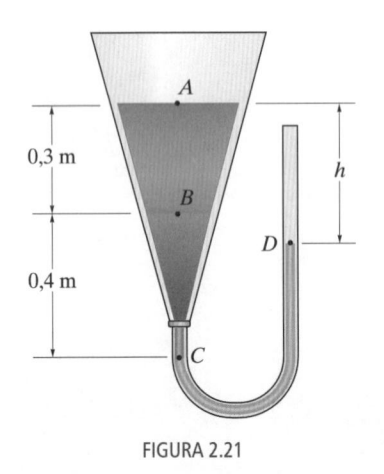

FIGURA 2.21

O funil na Figura 2.21 está cheio de óleo e água até os níveis mostrados, enquanto a parte CD do tubo contém mercúrio. Determine a distância h que o nível do mercúrio está do topo da superfície de óleo para que haja equilíbrio. Considere $\rho_o = 880$ kg/m^3, $\rho_{água} = 1000$ kg/m^3, $\rho_{Hg} = 13550$ kg/m^3.

Solução

Descrição do fluido

Os fluidos são líquidos, portanto, vamos considerá-los incompressíveis.

Análise

Podemos tratar o sistema de fluidos como um "manômetro" e escrever uma equação usando a regra do manômetro de A para D, observando que as pressões (manométricas) em A e D são ambas zero. Temos

$$0 + \rho_o g h_{AB} + \rho_{\text{água}} g h_{BC} - \rho_{\text{Hg}} g h_{CD} = 0$$

$$0 + (880 \text{ kg/m}^3)(9{,}81 \text{ m/s}^2)(0{,}3 \text{ m}) + (1000 \text{ kg/m}^3)(9{,}81 \text{ m/s}^2)(0{,}4 \text{ m})$$

$$- (13550 \text{ kg/m}^3)(9{,}81 \text{ m/s}^2)(0{,}3 \text{ m} + 0{,}4 \text{ m} - h) = 0$$

Logo,

$$h = 0{,}651 \text{ m} \qquad \textit{Resposta}$$

EXEMPLO 2.6

Determine a diferença de pressão entre os pontos da linha de centro A e B nos dois tubos da Figura 2.22 se o líquido do manômetro CD estiver na posição mostrada. A densidade do líquido em AC e DB é $\rho = 800 \text{ kg/m}^3$ e, em CD, $\rho_{CD} = 1100 \text{ kg/m}^3$.

Solução

Descrição do fluido

Os líquidos são considerados incompressíveis.

Análise

Começando no ponto B e percorrendo o manômetro até o ponto A, usando a regra do manômetro, temos

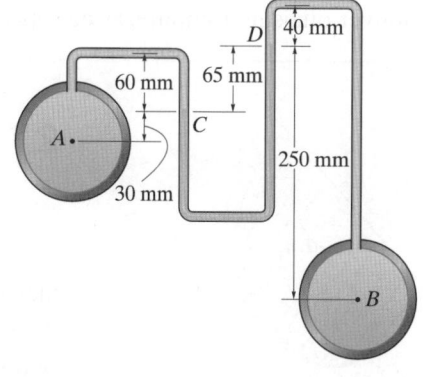

FIGURA 2.22

$$p_B - \rho g h_{BD} + \rho_{CD} g h_{DC} + \rho g h_{CA} = p_A$$

$$p_B - (800 \text{ kg/m}^3)(9{,}81 \text{ m/s}^2)(0{,}250 \text{ m}) + (1100 \text{ kg/m}^3)(9{,}81 \text{ m/s}^2)(0{,}065 \text{ m})$$

$$+ (800 \text{ kg/m}^3)(9{,}81 \text{ m/s}^2)(0{,}03 \text{ m}) = p_A$$

Logo,

$$\Delta p = p_A - p_B = -1{,}03 \text{ kPa} \qquad \textit{Resposta}$$

Como o resultado é negativo, a pressão em A é menor que aquela em B.

EXEMPLO 2.7

O *manômetro de tubo inclinado* mostrado na Figura 2.23 é usado para medir pequenas variações de pressão. Determine a diferença em pressão entre os pontos A e E se o líquido do manômetro, mercúrio, estiver na posição indicada. O tubo em A contém água, e aquele em E contém gás natural. Para o mercúrio, $\gamma_{\text{Hg}} = 846 \text{ lb/pés}^3$.

Solução

Descrição do fluido

Vamos considerar que os fluidos sejam incompressíveis e desprezar o peso específico do gás natural. Como resultado, a pressão em E é basicamente a mesma que aquela em D.

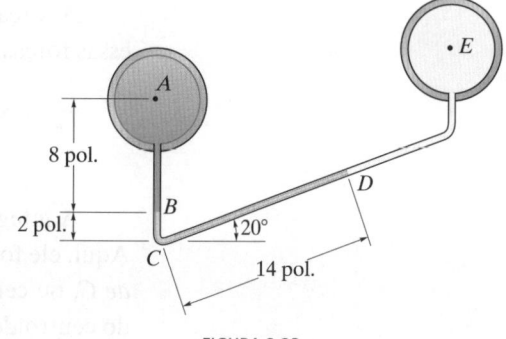

FIGURA 2.23

Análise

Aplicando a regra do manômetro entre os pontos A e D, temos

$$p_A + \gamma_{\text{água}} h_{AB} + \gamma_{Hg} h_{BC} - \gamma_{Hg} h_{CD} = p_E$$

$$p_A + (62{,}4 \text{ lb/pés}^3)\left(\frac{8}{12}\text{ pés}\right) + 846 \text{ lb/pés}^3\left(\frac{2}{12}\text{ pés}\right) - (846 \text{ lb/pés}^3)\left(\frac{14}{12}\text{ pés}\right)(\text{sen } 20°) = p_E$$

$$p_A - p_E = 155 \text{ lb/pés}^2 \qquad \textit{Resposta}$$

Observe que esse dispositivo é sensível a pequenas variações de pressão, devido à inclinação do tubo *CD*. Qualquer ligeira variação de pressão fará com que a distância Δ_{CD} seja significativamente alterada, pois a variação de elevação Δh_{CD} depende do fator (sen 20°). Em outras palavras, $\Delta_{CD} = \Delta h_{CD}/\text{sen } 20° = 2{,}92 \Delta h_{CD}$. Na prática, ângulos menores que cerca de 5° não são práticos. Isso porque, em ângulos tão pequenos, o local exato do menisco é difícil de detectar, e o efeito da tensão na superfície será ampliado se houver quaisquer impurezas na superfície dentro do tubo.

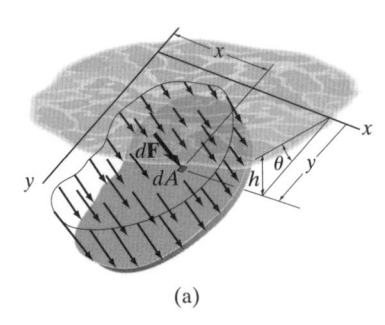

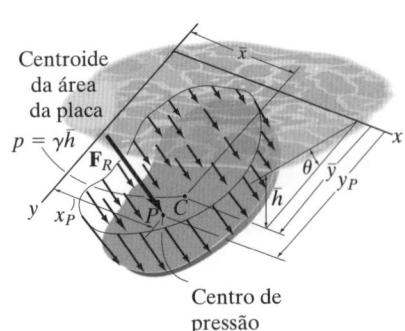

2.7 Força hidrostática sobre uma superfície plana — Método da fórmula

Ao projetar comportas, vasos, diques ou outros corpos que ficam submersos em um líquido, é importante poder obter a força resultante causada pelo carregamento de pressão do líquido e especificar a localização dessa força sobre o corpo. Nesta seção, mostraremos como isso é feito em uma *superfície plana* usando uma fórmula derivada.

Para generalizar o desenvolvimento, vamos considerar a superfície como sendo uma placa plana de forma variável, que é submersa no líquido e orientada em um ângulo θ com a horizontal (Figura 2.24*a*). A origem do sistema de coordenadas *x*, *y* está localizada na superfície do líquido, de modo que o eixo *y* positivo se estende para baixo, ao longo do plano da placa.

Força resultante

A força resultante sobre a placa pode ser encontrada primeiro considerando a área diferencial *dA* que se encontra a uma profundidade *h* da superfície do líquido. Como a pressão nessa profundidade é $p = \gamma h$, a força diferencial que atua sobre a área é

$$dF = p\, dA = (\gamma h)\, dA = \gamma\,(y \text{ sen } \theta)\, dA$$

A força resultante que atua sobre a placa é equivalente à soma de todas essas forças. Portanto, integrando sobre a área *A* inteira, temos

$$F_R = \Sigma F; \qquad F_R = \int_A \gamma\, y \text{ sen}\theta\, dA = \gamma \text{ sen}\theta \int_A y\, dA = \gamma \text{ sen}\theta\, (\bar{y}A)$$

A integral $\int_A y\, dA$ representa o "momento da área" em torno do eixo *x*. Aqui, ele foi substituído por $\bar{y}A$, onde $\bar{y}$ é a distância do eixo *x* até o *centroide C*, ou centro geométrico da área (Figura 2.24*b*).[*] Como a profundidade do centroide é $\bar{h} = \bar{y} \text{ sen } \theta$, podemos escrever a equação acima como

---

[*] Veja: HIBBELER, R. C. *Mecânica para Engenharia:* Estática. 12. ed. Pearson Education.

$$F_R = \gamma \bar{h} A \qquad (2.9)$$

Esse resultado indica que *a magnitude da força resultante sobre a placa é o produto da pressão que atua no centroide da placa*, $\gamma\bar{h}$, *e a área A da placa*. Essa força tem uma *direção perpendicular* à placa, pois a distribuição de pressão inteira atua nessa direção.

Localização da força resultante

A força resultante da distribuição de pressão atua através de um ponto na placa chamado de **centro de pressão**, *P*, mostrado na Figura 2.24*b*. O local desse ponto, (x_P, y_P), é determinado por um equilíbrio de momentos que exige que o momento do carregamento de pressão inteiro em torno do eixo *y* e em torno do eixo *x* (Figura 2.24*a*) seja igual ao momento da força resultante em torno de cada um desses eixos (Figura 2.24*b*).

A coordenada y_P

Estas comportas de eclusa foram projetadas para resistir à pressão hidrostática da água no canal.

É preciso que

$$(M_R)_x = \Sigma M_x; \qquad y_P F_R = \int_A y\, dF$$

Visto que $F_R = \gamma \sen \theta\, (\bar{y} A)$ e $dF = \gamma\, (y \sen \theta)\, dA$, então

$$y_P[\gamma \sen \theta (\bar{y} A)] = \int_A y\, [\gamma (y \sen \theta)\, dA]$$

Cancelando $\gamma \sen \theta$, obtemos

$$y_P\, \bar{y} A = \int_A y^2\, dA$$

Aqui, a integral representa o *momento de inércia da área* I_x para a área em torno do eixo x.[*] Logo,

$$y_P = \frac{I_x}{\bar{y} A}$$

Os valores para o momento de inércia da área normalmente são referenciados a partir de um eixo que passa pelo *centroide* da área, denominado $\bar{I}_x$. Exemplos para algumas formas mais comuns, juntamente com o local de seus centroides, são dados nas páginas finais deste livro. Com esses valores, podemos então usar o *teorema dos eixos paralelos*[**] para obter I_x, ou seja, $I_x = \bar{I}_x + A\bar{y}^2$, e escrever a equação acima como

$$\boxed{y_P = \frac{\bar{I}_x}{\bar{y} A} + \bar{y}} \qquad (2.10)$$

Observe que o termo $\bar{I}_x/\bar{y}A$ sempre será positivo, portanto, a distância y_P até o centro de pressão sempre será *abaixo* de $\bar{y}$, a distância até o centroide da placa (Figura 2.24*b*).

---

[*] Ibid.
[**] Ibid.

A coordenada x_P

A posição lateral do centro de pressão, x_P, pode ser determinada por um equilíbrio de momentos em torno do eixo y (figuras 2.24a e 2.24b). É preciso que

$$(M_R)_y = \Sigma M_y; \qquad x_P F_R = \int_A x \, dF$$

A porta de acesso circular desse tanque industrial está sujeita à pressão do fluido dentro do tanque. A força resultante e sua localização podem ser determinadas por meio das equações 2.9 e 2.10.

Novamente, usando $F_R = \gamma \operatorname{sen} \theta \, (\bar{y}A)$ e $dF = \gamma \, (y \operatorname{sen} \theta) \, dA$, temos

$$x_P[\gamma \operatorname{sen} \theta (\bar{y}A)] = \int_A x \, [\gamma (y \operatorname{sen} \theta) \, dA]$$

Cancelando $\gamma \operatorname{sen} \theta$, obtemos

$$x_P \bar{y} A = \int_A xy \, dA$$

Essa integral é conhecida como o *produto de inércia* I_{xy} para a área.* Assim,

$$x_P = \frac{I_{xy}}{\bar{y}A}$$

Se aplicarmos o *teorema dos planos paralelos*,** $I_{xy} = \bar{I}_{xy} + A\bar{x}\bar{y}$, onde $\bar{x}$ e $\bar{y}$ localizam o centroide da área, então esse resultado também poderá ser expresso como

$$\boxed{x_P = \frac{\bar{I}_{xy}}{\bar{y}A} + \bar{x}} \qquad (2.11)$$

Para a maioria das aplicações da engenharia, a área submersa será *simétrica* em torno de um eixo x ou y passando por seu centroide. Se isso acontecer, como no caso da placa retangular na Figura 2.25, então $\bar{I}_{xy} = 0$ e $\bar{x} = 0$. O resultado acima, então, torna-se $x_P = 0$, que simplesmente indica que o centro de pressão P se encontrará no eixo do centroide $\bar{y}$, como mostra a figura.

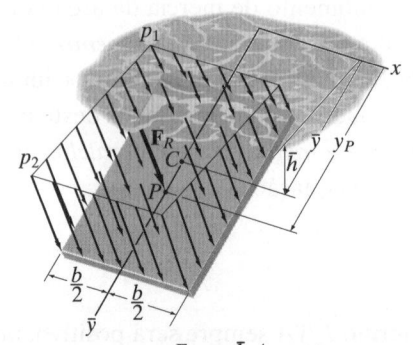

$F_R = \gamma \bar{h} A$
$\mathbf{F}_R$ atua através do centro de pressão

FIGURA 2.25

---

* Ibid.
** Ibid.

Pontos importantes

- Um líquido cria uma carga de pressão que atua perpendicularmente a uma superfície submersa. Como o líquido é considerado incompressível, então a intensidade da pressão aumenta linearmente com a profundidade, $p = \gamma h$.
- A força resultante da pressão sobre uma *superfície plana* tendo uma área A e submersa em um líquido pode ser determinada a partir de $F_R = \gamma \bar{h} A$, onde $\bar{h}$ é a profundidade do centroide C da área, medido a partir da superfície do líquido.
- A força resultante atua através do centro de pressão P, determinado a partir de $x_P = \bar{I}_{xy}/(\bar{y}A) + \bar{x}$ e $y_P = \bar{I}_x/(\bar{y}A) + \bar{y}$. Se a área submersa tiver um eixo de simetria ao longo do eixo y, então $\bar{I}_{xy} = 0$, e, portanto, $x_P = 0$. Nesse caso, P está localizado no eixo do centroide $\bar{y}$ da área.

EXEMPLO 2.8

Determine a força que a pressão d'água exerce sobre a placa com lado inclinado $ABDE$ do tanque de armazenamento e determine sua localização medida a partir de AB (Figura 2.26a).

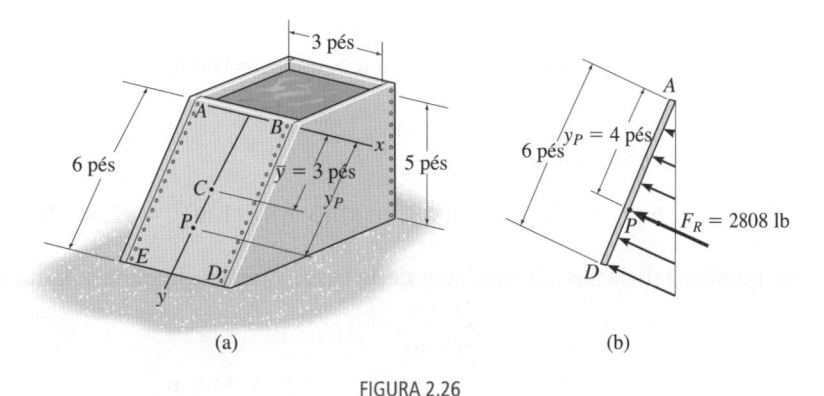

FIGURA 2.26

Solução

Descrição do fluido

Consideramos a água como incompressível, onde $\gamma_a = 62,4$ lb/pés^3.

Análise

O centroide da área da placa está localizado em seu *ponto intermediário*, $\bar{y} = 3$ pés a partir do seu topo AB (Figura 2.26a). A *profundidade* da água nesse ponto é, portanto, a profundidade média, $\bar{h} = 2,5$ pés. Assim,

$$F_R = \gamma_{\text{água}} \bar{h} A = (62{,}4 \text{ lb/pés}^3)(2{,}5 \text{ pés})[(3 \text{ pés})(6 \text{ pés})] = 2808 \text{ lb} \qquad \textit{Resposta}$$

Pelo material nas páginas finais deste livro, para uma área retangular, $\bar{I}_x = \dfrac{1}{12} ba^3$. Aqui, $b = 3$ pés e $a = 6$ pés. Assim,

$$y_P = \frac{\bar{I}_x}{\bar{y}A} + \bar{y} = \frac{\frac{1}{12}(3 \text{ pés})(6 \text{ pés})^3}{(3 \text{ pés})(3 \text{ pés})(6 \text{ pés})} + 3 \text{ pés} = 4 \text{ pés} \qquad \textit{Resposta}$$

Como o retângulo é simétrico em torno do seu eixo de centroide y (Figura 2.26a), então $\bar{I}_{xy} = 0$ e a Equação 2.11 resulta em

$$x_P = \frac{\bar{I}_{xy}}{\bar{y}A} + \bar{x} = 0 + 0 = 0 \qquad \textit{Resposta}$$

Os resultados aparecem em uma visão de corte da placa na Figura 2.26b.

EXEMPLO 2.9

A caixa na Figura 2.27a contém água. Determine a força resultante que a pressão d'água exerce sobre a placa circular e determine seu local.

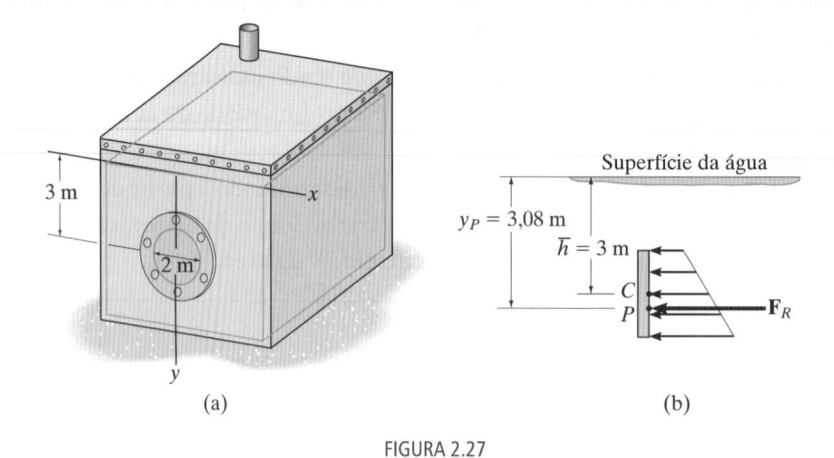

FIGURA 2.27

Solução

Descrição do fluido

Consideramos que a água seja incompressível. Para a água, $\rho_a = 1000$ kg/m³.

Análise

Pela Figura 2.27b, a força resultante é

$$F_R = \gamma_{\text{água}} \, \overline{h} \, A = (1000 \text{ kg/m}^3)(9{,}81 \text{ m/s}^2)(3 \text{ m})[\pi(1 \text{ m})^2] = 92{,}46 \text{ kN}$$

Para um círculo, usando a tabela nas páginas finais deste livro, o local da força resultante é determinado por

$$y_P = \frac{\overline{I}_x}{\overline{y}A} + \overline{y} = \frac{\frac{\pi}{4}(1 \text{ m})^4}{(3 \text{ m})[\pi(1 \text{ m})^2]} + 3 \text{ m} = 3{,}08 \text{ m} \qquad \textit{Resposta}$$

Visto que $I_{xy} = 0$, devido à simetria,

$$x_P = \frac{\overline{I}_{xy}}{\overline{y}A} + \overline{x} = 0 + 0 = 0 \qquad \textit{Resposta}$$

EXEMPLO 2.10

Determine a magnitude e o local da força resultante que atua sobre a placa na extremidade triangular do tanque de decantação da Figura 2.28a. O tanque contém querosene.

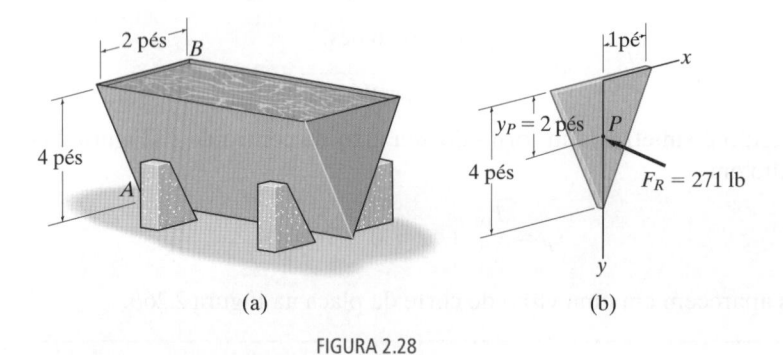

FIGURA 2.28

Solução

Descrição do fluido

O querosene é considerado um fluido incompressível para o qual $\gamma_k = \rho_k g = (1{,}58 \text{ slug/pé}^3)(32{,}2 \text{ pés/s}^2) = 50{,}88 \text{ lb/pés}^3$ (Apêndice A).

Análise

Pelo conteúdo nas páginas finais deste livro, para um triângulo,

$$\bar{y} = \bar{h} = \frac{1}{3}(4 \text{ pés}) = 1{,}333 \text{ pé}$$

$$\bar{I}_x = \frac{1}{36} ba^3 = \frac{1}{36}(2 \text{ pés})(4 \text{ pés})^3 = 3{,}556 \text{ pés}^4$$

Portanto,

$$F_R = \gamma_k \bar{h} A = (50{,}88 \text{ lb/pés}^3)(1{,}333 \text{ pé})\left[\frac{1}{2}(2 \text{ pés})(4 \text{ pés})\right] = 271 \text{ lb} \qquad \textit{Resposta}$$

$$y_P = \frac{\bar{I}_x}{\bar{y}A} + \bar{y} = \frac{3{,}556 \text{ pés}^4}{(1{,}333 \text{ pé})\left[\frac{1}{2}(2 \text{ pés})(4 \text{ pés})\right]} + 1{,}333 \text{ pé} = 2 \text{ pés} \qquad \textit{Resposta}$$

O triângulo é simétrico em torno do eixo y, de modo que $I_{xy} = 0$. Assim,

$$x_P = \frac{\bar{I}_x}{\bar{y}A} + \bar{x} = 0 + 0 = 0 \qquad \textit{Resposta}$$

Esses resultados aparecem na Figura 2.28b.

2.8 Força hidrostática sobre uma superfície plana — Método geométrico

Em vez de usar as equações da seção anterior, a força resultante e sua localização na placa submersa plana também podem ser determinadas usando um método geométrico. Para mostrar como isso é feito, considere a placa plana mostrada na Figura 2.29a.

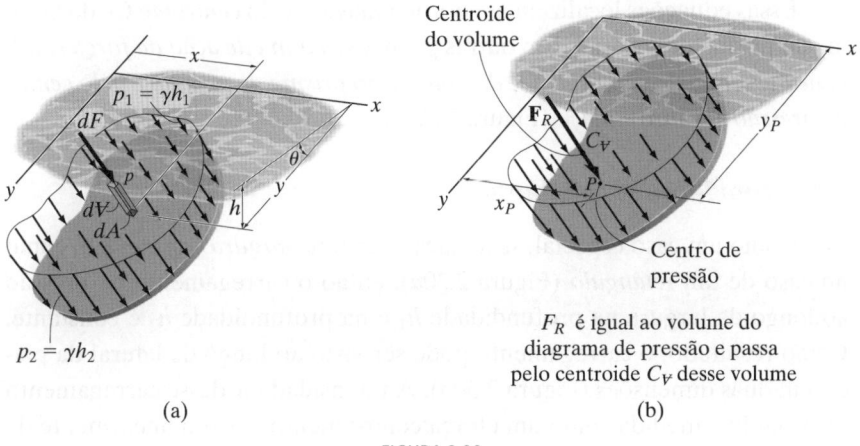

(a)

(b)

F_R é igual ao volume do diagrama de pressão e passa pelo centroide C_V desse volume

FIGURA 2.29

Força resultante

Se o elemento dA da placa estiver na profundidade h, onde a pressão é p, então a força nesse elemento é $dF = p\,dA$. Como vemos na figura, essa força representa geometricamente um elemento de volume diferencial $d\mathcal{V}$ da distribuição de pressão. Ele possui uma altura p e base dA, portanto, $dF = d\mathcal{V}$. A força resultante pode ser obtida integrando esses elementos pelo volume inteiro delimitado pela distribuição de pressão; assim, temos

$$F_R = \Sigma F; \qquad F_R = \int_A p\,dA = \int_\mathcal{V} d\mathcal{V} = \mathcal{V} \qquad (2.12)$$

Portanto, *a magnitude da força resultante é igual ao volume total do "prisma de pressão"*. A base desse prisma é a área da placa, e a altura varia linearmente de $p_1 = \gamma h_1$ até $p_2 = \gamma h_2$ (Figura 2.29a).

Localização

Para localizar a força resultante na placa, precisamos que o momento da força resultante em torno do eixo y e em torno do eixo x (Figura 2.29b) seja igual ao momento criado pela distribuição de pressão inteira em torno desses eixos (Figura 2.29a); ou seja,

$$(M_R)_y = \Sigma M_y; \qquad x_P F_R = \int x\,dF$$

$$(M_R)_x = \Sigma M_x; \qquad y_P F_R = \int y\,dF$$

Como $F_R = \mathcal{V}$ e $dF = d\mathcal{V}$, temos

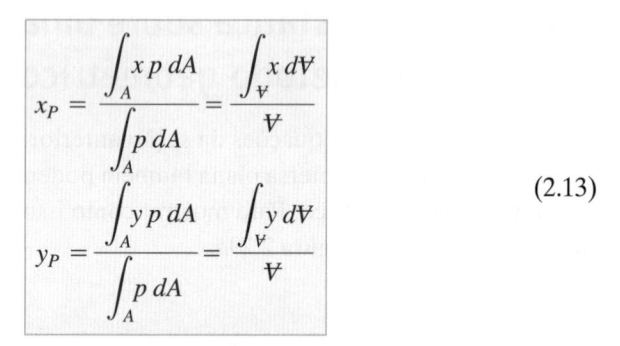

$$\begin{aligned} x_P &= \dfrac{\displaystyle\int_A x p\,dA}{\displaystyle\int_A p\,dA} = \dfrac{\displaystyle\int_\mathcal{V} x\,d\mathcal{V}}{\mathcal{V}} \\[2ex] y_P &= \dfrac{\displaystyle\int_A y p\,dA}{\displaystyle\int_A p\,dA} = \dfrac{\displaystyle\int_\mathcal{V} y\,d\mathcal{V}}{\mathcal{V}} \end{aligned} \qquad (2.13)$$

Essas equações localizam as coordenadas x e y do *centroide* $C_\mathcal{V}$ do volume do prisma de pressão. Em outras palavras, *a linha de ação da força resultante passará pelo centroide $C_\mathcal{V}$ do volume do prisma de pressão e pelo centro da pressão P sobre a placa* (Figura 2.29b).

Placa com largura constante

Como um caso especial, se a placa tiver uma *largura constante b*, como no caso de um *retângulo* (Figura 2.30a), então o carregamento de pressão ao longo da largura na profundidade h_1 e na profundidade h_2 é constante. Como resultado, o carregamento pode ser visto ao longo da lateral da placa, em duas dimensões (Figura 2.30b). A intensidade w desse carregamento distribuído é medida como uma força/comprimento, e varia linearmente de

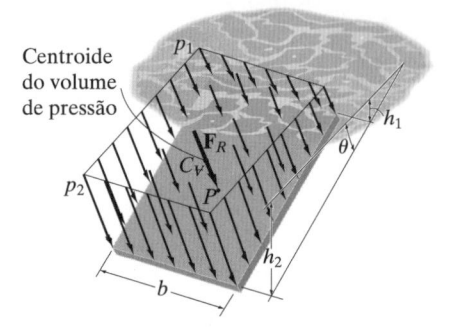

F_R é igual ao volume do diagrama de pressão e atravessa o centroide desse volume
(a)

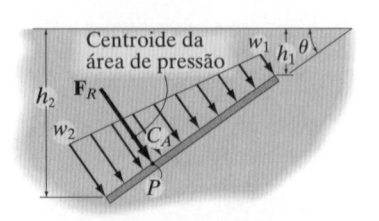

F_R é igual à área do diagrama w e atravessa o centroide dessa área
(b)

FIGURA 2.30

$w_1 = p_1 b = (\gamma h_1)b$ até $w_2 = p_2 b = (\gamma h_2)b$. A magnitude de $\mathbf{F}_R$ é então equivalente à *área trapezoidal* que define a carga distribuída, e $\mathbf{F}_R$ possui uma *linha de ação* que passa pelo *centroide* C_A dessa área e o centro de pressão P na placa. Naturalmente, esses resultados são equivalentes a encontrar o volume trapezoidal do prisma de pressão, F_R, e a localização do centroide do volume C_V, como mostra a Figura 2.30a.

Pontos importantes

- A *força resultante* sobre uma *superfície plana* pode ser determinada graficamente encontrando o *volume* V do prisma de pressão, $F_R = V$. A linha de ação da força resultante passa pelo *centroide desse volume*. Ela intersecta a superfície no centro de pressão P.
- Se a superfície submersa possui uma largura constante, então o prisma de pressão pode ser visto de lado e representado como um carregamento distribuído planar w. A força resultante é igual à *área* desse diagrama de carregamento, e atua cruzando o centroide dessa área.

EXEMPLO 2.11

O tanque mostrado na Figura 2.31a contém água até a profundidade de 3 m. Determine a força resultante e sua localização, que a pressão d'água cria tanto no lado $ABCD$ do tanque quanto no seu fundo.

Solução

Descrição do fluido

A água é considerada incompressível, com $\rho_{\text{água}} = 1000$ kg/m³.

Análise I

Carregamento

A pressão no fundo do tanque é

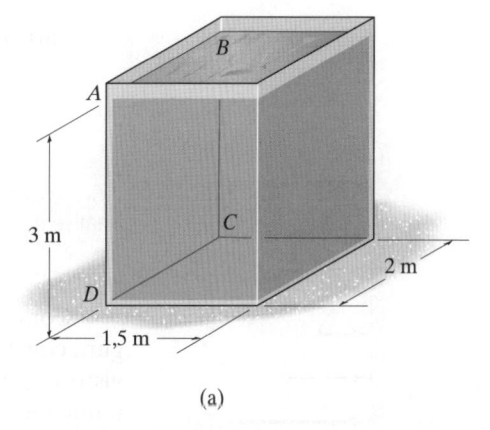

FIGURA 2.31 (continua)

$p = \rho_{\text{água}} g h = (1000 \text{ kg/m}^3)(9{,}81 \text{ m/s}^2)(3 \text{ m}) = 29{,}43 \text{ kPa}$

Usando esse valor, a distribuição de pressão ao longo da lateral e do fundo do tanque aparece na Figura 2.31b.

Forças resultantes

As magnitudes das forças resultantes são iguais aos *volumes* dos prismas de pressão.

$(F_R)_s = \dfrac{1}{2}(3 \text{ m})(29{,}43 \text{ kN/m}^2)(2 \text{ m}) = 88{,}3 \text{ kN}$ *Resposta*

$(F_R)_b = (29{,}43 \text{ kN/m}^2)(2 \text{ m})(1{,}5 \text{ m}) = 88{,}3 \text{ kN}$ *Resposta*

Essas resultantes atuam atravessando os centroides de seus respectivos volumes, e definem a localização do centro de pressão P para cada placa (Figura 2.31).

Localização

Usando o material nas páginas finais deste livro, para a placa lateral, z_P na Figura 2.31b é determinado para um triângulo como sendo $\frac{1}{3}a$, portanto

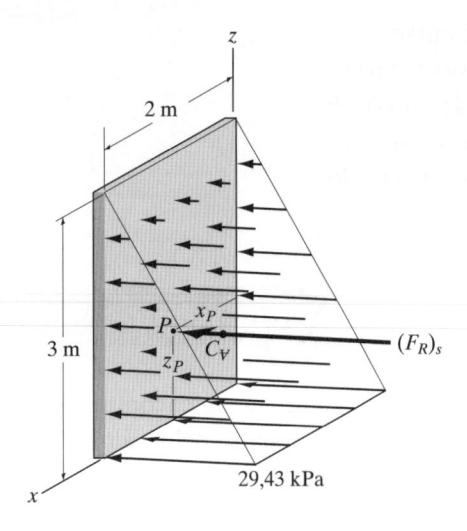

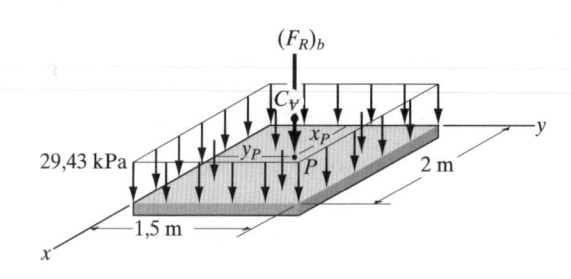

FIGURA 2.31 (cont.)

$$x_P = 1 \text{ m} \qquad \textit{Resposta}$$

$$z_P = \frac{1}{3}(3 \text{ m}) = 1 \text{ m} \qquad \textit{Resposta}$$

Para a placa inferior,

$$x_p = 1 \text{ m} \qquad \textit{Resposta}$$

$$y_p = 0,75 \text{ m} \qquad \textit{Resposta}$$

Análise II

Carregamento

Como as placas lateral e inferior da Figura 2.31a possuem uma largura constante de $b = 2$ m, o carregamento de pressão também pode ser visto em duas dimensões. A magnitude do carregamento no fundo do tanque é

$$w = (\rho_{\text{água}} g h) b$$

$$= (1000 \text{ kg/m}^3)(9{,}81 \text{ m/s}^2)(3 \text{ m})(2 \text{ m}) = 58{,}86 \text{ kN/m}$$

As distribuições podem ser vistas na Figura 2.31c.

Forças resultantes

Aqui, as forças resultantes são iguais às *áreas* dos diagramas de carga.

$$(F_R)_s = \frac{1}{2}(3 \text{ m})(58{,}86 \text{ kN/m}) = 88{,}3 \text{ kN} \qquad \textit{Resposta}$$

$$(F_R)_b = (1{,}5 \text{ m})(58{,}86 \text{ kN/m}) = 88{,}3 \text{ kN} \qquad \textit{Resposta}$$

Localização

Esses resultados atravessam os centroides de suas respectivas áreas, como mostra a Figura 2.31c.

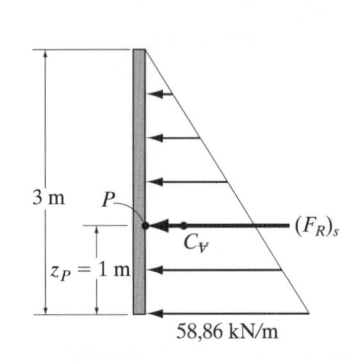

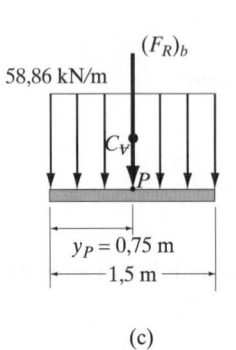

EXEMPLO 2.12

O tanque de armazenamento contém óleo e água nas profundidades mostradas na Figura 2.32a. Determine a força resultante que esses dois líquidos exercem juntos sobre a lateral ABC do tanque se a lateral possui uma largura $b = 1,25$ m. Além disso, determine a localização dessa resultante, medida a partir do topo do tanque. Considere $\rho_o = 900$ kg/m³, $\rho_{água} = 1000$ kg/m³.

Solução

Descrição do fluido

Tanto a água quanto o óleo são considerados incompressíveis.

Carregamento

Como a lateral do tanque possui uma largura constante, as intensidades da carga distribuída em B e C (Figura 2.32b) são

$w_B = \rho_o g h_{AB} b = (900 \text{ kg/m}^3)(9,81 \text{ m/s}^2)(0,75 \text{ m})(1,25 \text{ m}) = 8,277$ kN/m

$w_C = w_B + \rho_{água} g h_{BC} b = 8,277$ kN/m $+ (1000 \text{ kg/m}^3)(9,81 \text{ m/s}^2)(1,5 \text{ m})(1,25 \text{ m})$

$= 26,67$ kN/m

Força resultante

A força resultante pode ser determinada somando-se as três áreas sombreadas (uma retangular e duas triangulares) mostradas na Figura 2.32c.

$F_R = F_1 + F_2 + F_3$

$= \frac{1}{2}(0,75 \text{ m})(8,277 \text{ kN/m}) + (1,5 \text{ m})(8,277 \text{ kN/m})$

$+ \frac{1}{2}(1,5 \text{ m})(18,39 \text{ kN/m})$

$= 3,104$ kN $+ 12,42$ kN $+ 13,80$ kN $= 29,32$ kN $= 29,3$ kN   *Resposta*

Localização

Como mostramos, cada um desses três resultantes paralelos atua atravessando o centroide de sua respectiva área.

$y_1 = \frac{2}{3}(0,75 \text{ m}) = 0,5$ m

$y_2 = 0,75 \text{ m} + \frac{1}{2}(1,5 \text{ m}) = 1,5$ m

$y_3 = 0,75 \text{ m} + \frac{2}{3}(1,5 \text{ m}) = 1,75$ m

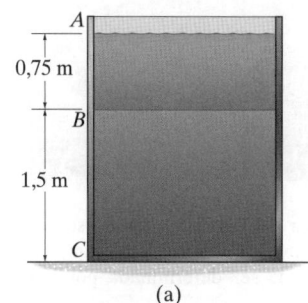

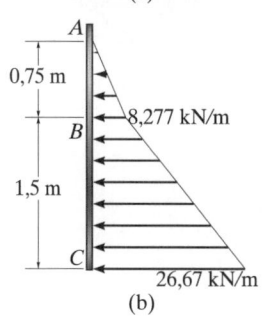

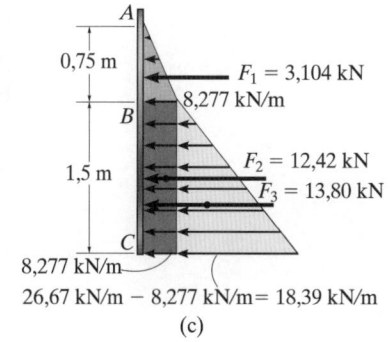

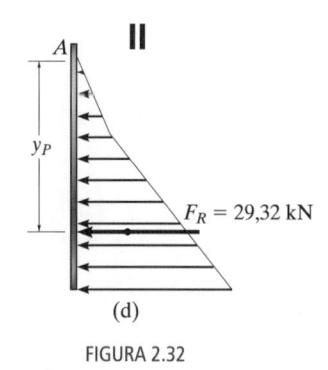

A localização da força resultante é determinada igualando-se o momento da resultante em torno de A (Figura 2.32d) à soma dos momentos de todas as forças componentes em torno de A (Figura 2.32c). Temos

$y_P F_R = \Sigma \tilde{y} F;$ $y_P (29,32 \text{ kN}) = (0,5 \text{ m})(3,104 \text{ kN})$

$+ (1,5 \text{ m})(12,42 \text{ kN}) + (1,75 \text{ m})(13,80 \text{ kN})$

$y_P = 1,51$ m   *Resposta*

FIGURA 2.32

2.9 Força hidrostática sobre uma superfície plana — Método da integração

Se a borda da placa plana na Figura 2.33a pode ser definida em termos de suas coordenadas x e y como $y = f(x)$, então a força resultante F_R e sua localização P na placa podem ser determinadas por integração direta.

A força hidrostática atuando sobre a placa traseira elíptica desse caminhão pipa pode ser determinada por integração.

Força resultante

Se considerarmos uma tira de área diferencial dA da placa, localizada a uma profundidade h, onde a pressão é p, então a força que atua sobre essa tira é $dF = p\, dA$ (Figura 2.33a). A força resultante sobre a área inteira é, portanto,

$$F_R = \Sigma F; \qquad \boxed{F_R = \int_A p\, dA} \qquad (2.14)$$

Localização

Aqui, é preciso que o momento de $\mathbf{F}_R$ em torno dos eixos y e x iguale o momento da distribuição de pressão em torno desses eixos. Desde que dF passe pelo centro (centroide) de dA, tendo coordenadas $(\tilde{x}, \tilde{y})$, então, pela Figura 2.33a e pela Figura 2.33b,

$$(M_R)_y = \Sigma M_y; \qquad x_P F_R = \int_A \tilde{x}\, dF$$

$$(M_R)_x = \Sigma M_x; \qquad y_P F_R = \int_A \tilde{y}\, dF$$

Ou, escrito em termos de p e dA, temos

$$\boxed{x_P = \frac{\int_A \tilde{x}\, p\, dA}{\int_A p\, dA} \qquad y_P = \frac{\int_A \tilde{y}\, p\, dA}{\int_A p\, dA}} \qquad (2.15)$$

A aplicação dessas equações é dada nos exemplos a seguir.

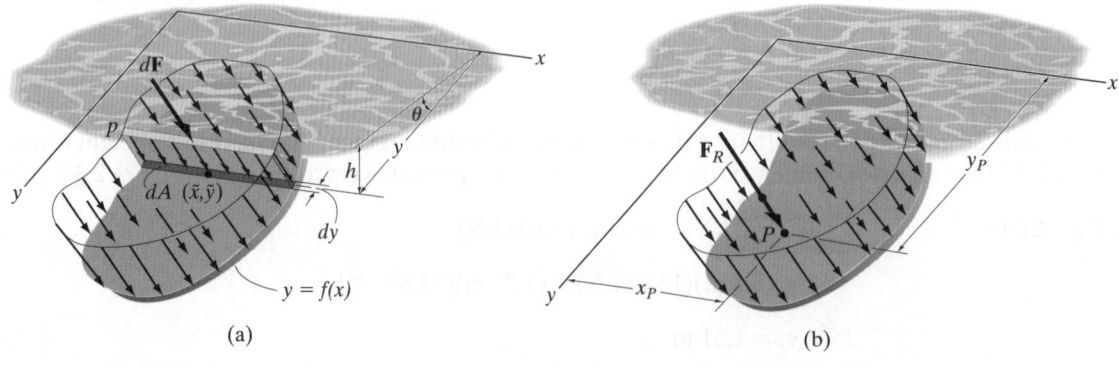

(a)   (b)

FIGURA 2.33

EXEMPLO 2.13

O reservatório na Figura 2.34a contém água. Determine a força resultante, e sua localização, que a pressão d'água exerce sobre a placa circular.

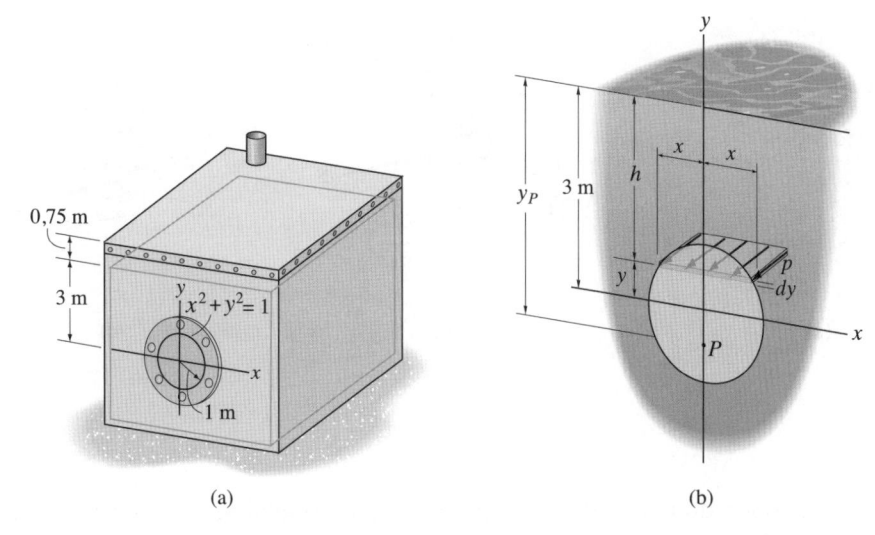

FIGURA 2.34

Solução

Descrição do fluido

Consideramos que a água seja incompressível. Para a água, $\rho_{água} = 1000$ kg/m³.

Força resultante

Podemos determinar a força resultante sobre a placa usando a integração, pois a borda circular pode ser definida a partir do centro da placa em termos das coordenadas x, y mostradas na Figura 2.34a. A equação é $x^2 + y^2 = 1$. A tira horizontal retangular mostrada na Figura 2.34b possui uma área $dA = 2x\,dy = 2(1-y^2)^{1/2}dy$. Ela está na profundidade $h = 3 - y$, onde a pressão é $p = \gamma_{água}h = \gamma_{água}(3-y)$. Aplicando a Equação 2.14, para obter a força resultante, temos

$$F = \int_A p\,dA = \int_{-1}^{1}\left[(1000\text{ kg})(9{,}81\text{ m/s}^2)(3-y)\right](2)(1-y^2)^{1/2}\,dy$$

$$= 19620\int_{-1}^{1}\left[3(1-y^2)^{1/2} - y(1-y^2)^{1/2}\right]dy$$

$$= 92{,}46\text{ kN} \qquad\qquad Resposta$$

Localização

A localização P do centro de pressão (Figura 2.34b) pode ser determinada aplicando a Equação 2.15. Aqui, $dF = p\,dA$ está localizado em $\tilde{x} = 0$ e $\tilde{y} = 3 - y$; portanto,

$$x_P = 0 \qquad\qquad Resposta$$

$$y_P = \frac{\int_A (3-y)p\,dA}{\int_A p\,dA} = \frac{\int_{-1}^{1}(3-y)(1000\text{ kg})(9{,}81\text{ m/s}^2)(3-y)(2)(1-y^2)^{1/2}dy}{\int_{-1}^{1}(1000\text{ kg})(9{,}81\text{ m/s}^2)(3-y)(2)(1-y^2)^{1/2}dy} = 3{,}08\text{ m} \qquad Resposta$$

Por comparação, este problema também foi resolvido no Exemplo 2.9.

EXEMPLO 2.14

Determine a magnitude e a localização da força resultante que atua sobre a placa na extremidade triangular do tanque de decantação da Figura 2.35a. O tanque contém querosene.

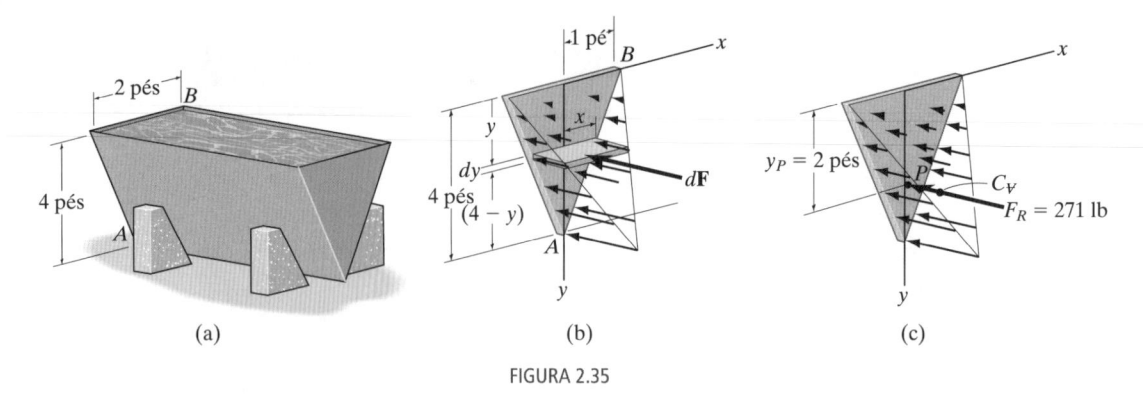

FIGURA 2.35

Solução

Descrição do fluido

O querosene é considerado um fluido incompressível, para o qual $\gamma_k = (1{,}58 \text{ slug/pé}^3)(32{,}2 \text{ pés/s}^2) = 50{,}88 \text{ lb/pés}^3$ (Apêndice A).

Força resultante

A distribuição de pressão que atua sobre a placa na extremidade é ilustrada na Figura 2.32b. Usando as coordenadas x e y, e escolhendo a tira da área diferencial mostrada na figura, temos

$$dF = p\, dA = (\gamma_k y)(2x\, dy) = 101{,}76 yx\, dy$$

A equação da linha AB pode ser determinada por meio de semelhança de triângulos:

$$\frac{x}{4-y} = \frac{1}{4}$$

$$x = 0{,}25(4-y)$$

Logo, a aplicação da Equação 2.14 e a integração com relação a y, de $y = 0$ até $y = 4$ pés, resulta em

$$F = \int_A p\, dA = \int_0^4 101{,}76 y[0{,}25(4-y)]\, dy$$

$$= 271{,}36 \text{ lb} = 271 \text{ lb} \qquad Resposta$$

Localização

Devido à simetria ao longo do eixo y, $\tilde{x} = 0$, portanto,

$$x_P = 0 \qquad Resposta$$

Aplicando a Equação 2.15, com $\tilde{y} = y$, temos

$$y_P = \frac{\int_A \tilde{y}\, p\, dA}{\int_A p\, dA} = \frac{\int_0^4 y(101{,}76 y)[0{,}25(4-y)]dy}{271{,}36} = 2{,}00 \text{ pés} \qquad Resposta$$

Os resultados aparecem na Figura 2.35c. Eles também foram obtidos no Exemplo 2.10 usando o método da fórmula.

2.10 Força hidrostática sobre um plano inclinado ou superfície curva determinada pela projeção

Se uma superfície submersa for curva, então a pressão que atua sobre a superfície mudará não apenas sua intensidade, mas também sua direção, pois *sempre* deverá atuar na direção normal à superfície. Para esse caso, geralmente é melhor determinar os *componentes* horizontal e vertical da força causada pela pressão, e depois usar a adição vetorial para encontrar a resultante. Agora, vamos descrever o método utilizado para fazer isso com referência à placa curva submersa da Figura 2.36a. Observe que esse método também funciona para uma placa plana inclinada, como na Figura 2.30.

Componente horizontal

A força mostrada atuando sobre o elemento diferencial dA na Figura 2.36a é $dF = p\, dA$, portanto, seu componente horizontal é $dF_h = (p\, dA)\,\text{sen}\,\theta$ (Figura 2.36b). Se integrarmos esse resultado sobre a *área* inteira da placa, obteremos o componente horizontal da resultante

$$F_h = \int_A p\,\text{sen}\,\theta\, dA$$

Visto que $dA\,\text{sen}\,\theta$ é a *área diferencial projetada no plano vertical* (Figura 2.36b) e a pressão p em um ponto deverá ser a mesma em todas as direções, então a integração acima sobre a área inteira da placa pode ser interpretada da seguinte forma: *o componente da força horizontal resultante atuando sobre a placa é igual à força resultante do carregamento de pressão atuando sobre a área da projeção vertical da placa* (Figura 2.36c). Como essa área vertical é plana, ou "planar", qualquer um dos métodos das três seções anteriores poderá ser usado para determinar F_h e sua localização na área projetada.

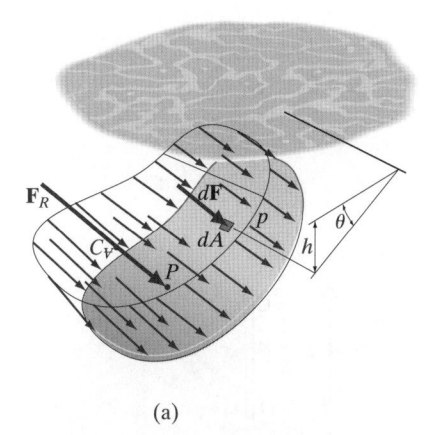

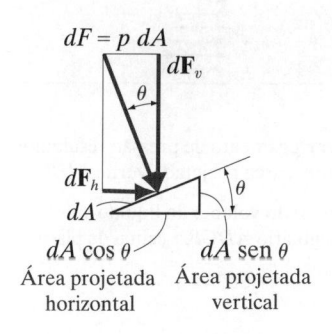

$\mathbf{F}_h$ = o carregamento de pressão resultante sobre a área vertical projetada

$\mathbf{F}_v$ = o peso do volume de líquido acima da placa

FIGURA 2.36

Componente vertical

O componente vertical da força resultante que atua sobre o elemento dA na Figura 2.36b é $dFv = (p\, dA)\cos\theta$. Esse mesmo resultado também pode ser obtido observando que a projeção horizontal de dA é $dA\cos\theta$, portanto

$$dFv = p(dA\cos\theta) = \gamma h(dA\cos\theta)$$

Como uma coluna vertical de líquido acima de dA tem um volume de $d\forall = h(dA\cos\theta)$, então $dFv = \gamma d\forall$. Portanto, o componente vertical da resultante é

$$F_\forall = \int_\forall \gamma\, d\forall = \gamma\forall$$

Em outras palavras, *a força vertical resultante que atua sobre a placa é equivalente ao peso do volume do líquido que atua acima da placa* (Figura 2.36c). Essa força atua através do centroide $C_\forall$ do volume, que tem o mesmo local do centro de gravidade para o peso do líquido, pois o peso específico do líquido é constante.

Quando os componentes horizontal e vertical da força são conhecidos, a magnitude da força resultante, sua direção e sua linha de ação podem ser estabelecidas. Como vemos na Figura 2.36c, essa força atuará através do centro de pressão P na superfície da placa.

Esse mesmo tipo de análise também pode ser aplicado em casos onde o líquido está *abaixo* da placa, ao invés de acima dela. Por exemplo, considere a placa curva AD de espessura constante na Figura 2.37. O componente horizontal de $\mathbf{F}_R$ é determinado descobrindo-se a força $\mathbf{F}_h$ que atua sobre a área projetada, DE. O componente vertical de $\mathbf{F}_R$, no entanto, atuará *para cima*. Para ver o motivo, imagine que o líquido também esteja presente dentro do volume $ABCD$. Se isso acontecesse, então a *força vertical resultante* causada pela pressão acima e abaixo de AD seria zero. Em outras palavras, os componentes da pressão vertical nas superfícies superior e inferior da placa serão iguais, mas opostos, e terão as mesmas linhas de ação. Portanto, se determinarmos o peso do líquido imaginário contido dentro do volume $ABCD$, e *revertermos o sentido desse peso*, poderemos então estabelecer $\mathbf{F}v$ atuando de baixo para cima em AD.

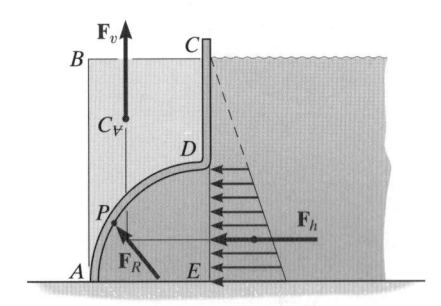

$\mathbf{F}_h$ = o carregamento de pressão resultante sobre a área projetada vertical DE

$\mathbf{F}_v$ = o peso do volume do líquido imaginário $ADCBA$ acima da placa

FIGURA 2.37

Gás

Se o fluido é um *gás*, então *seu peso geralmente poderá ser desprezado*, portanto, a pressão dentro do gás é constante. Os componentes horizontal e vertical da força resultante são então determinados projetando a área da superfície curva nos planos vertical e horizontal e determinando os componentes conforme mostra a Figura 2.38.

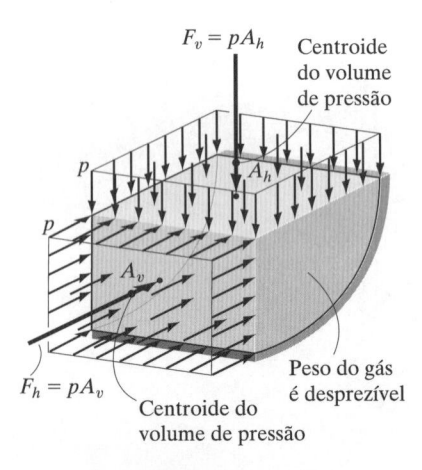

A pressão do gás é constante

FIGURA 2.38

Pontos importantes

- O *componente horizontal* da força resultante atuando sobre uma superfície inclinada plana ou curva é equivalente à força que atua sobre a *projeção* da área da superfície sobre um *plano vertical*. A magnitude desse componente e o local do seu ponto de aplicação podem ser determinados usando os métodos esboçados nas seções de 2.7 a 2.9.

- O *componente vertical* da força resultante atuando sobre uma superfície plana submersa inclinada ou curva é equivalente ao peso do volume de líquido atuando acima da superfície. Esse componente atravessa o centroide desse volume. Se o líquido estiver confinado *abaixo* da superfície plana inclinada ou curva, então o componente vertical é *igual, porém oposto*, ao peso do líquido imaginário localizado dentro do volume que se estende *acima* da superfície até o nível do líquido.

- A pressão devida a um gás é *uniforme em todas as direções*, pois o peso do gás geralmente é desconsiderado. Como resultado, os componentes horizontal e vertical da força resultante da pressão atuando sobre uma superfície plana inclinada ou curva podem ser determinados multiplicando a pressão por suas áreas projetadas vertical e horizontal associadas, respectivamente. Esses componentes atuam através dos centroides dessas áreas projetadas.

Os métodos da fórmula, geométrico ou da integração podem ser usados para determinar a força de pressão resultante que atua sobre uma superfície, como as placas nas extremidades desse reservatório de água ou do tanque de óleo.

EXEMPLO 2.15

A barreira marítima na Figura 2.39a está na forma de uma semiparábola. Determine a força resultante atuando sobre 1 m do seu comprimento. Onde essa força atua na parede? Considere $\rho_{\text{água}} = 1050$ kg/m³.

Solução

Descrição do fluido

Tratamos a água como um fluido incompressível.

Componente de força horizontal

A projeção vertical da muralha é AB (Figura 2.39b). A intensidade do carregamento distribuído causada pela pressão da água no ponto A é

$$w_A = (\rho_{\text{água}}gh)(1 \text{ m}) = (1050 \text{ kg/m}^3)(9{,}81 \text{ m/s}^2)(8 \text{ m})(1 \text{ m})$$
$$= 82{,}40 \text{ kN/m}$$

Logo,

$$F_x = \frac{1}{2}(8 \text{ m})(82{,}40 \text{ kN/m}) = 329{,}62 \text{ kN}$$

Usando a tabela nas páginas finais deste livro para um triângulo, a partir da superfície da água, esse componente atua em

$$\bar{y} = \frac{2}{3}(8 \text{ m}) = 5{,}33 \text{ m} \qquad \textit{Resposta}$$

Componente de força vertical

A força vertical é equivalente ao peso da água contida dentro do volume do segmento exparabólico ABC (Figura 2.39b). Pelas páginas finais deste livro, a área desse segmento é $A_{ABC} = \frac{1}{3}ba$. Logo,

$$F_y = (\rho_{\text{água}}g)A_{ABC}(1 \text{ m})$$
$$= \left[1050 \text{ kg/m}^3(9{,}81 \text{ m/s}^2)\right]\left[\frac{1}{3}(2 \text{ m})(8 \text{ m})\right](1 \text{ m}) = 54{,}94 \text{ kN}$$

Essa força atua através do centroide do volume (área); ou seja, pelo material nas páginas finais deste livro,

$$\bar{x} = \frac{3}{4}(2 \text{ m}) = 1{,}5 \text{ m} \qquad \textit{Resposta}$$

Força resultante

A força resultante é, portanto,

$$F_R = \sqrt{(329{,}62 \text{ kN})^2 + (54{,}94 \text{ kN})^2} = 334 \text{ kN} \qquad \textit{Resposta}$$

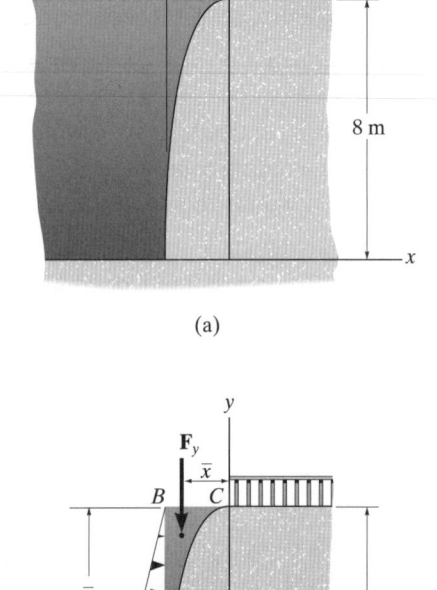

FIGURA 2.39

EXEMPLO 2.16

A placa semicircular na Figura 2.40a possui 4 pés de comprimento e atua como uma comporta em um canal. Determine a força resultante que a pressão da água exerce sobre a placa e depois determine os componentes da reação da dobradiça (pino) B e no suporte liso A. Desconsidere o peso da placa.

Solução

Descrição do fluido

A água é considerada um fluido incompressível, para o qual $\gamma_{água} = 62,4$ lb/pés³.

Análise I

Primeiro, determinaremos os componentes horizontal e vertical da força resultante que atua sobre a placa.

Componente de força horizontal

A área projetada vertical de AB aparece na Figura 2.40b. A intensidade da carga distribuída em B (ou E) é

$$w_B = \gamma_{água} h_B b = (62,4 \text{ lb/pés}^3)(6 \text{ pés})(4 \text{ pés}) = 1497,6 \text{ lb/pés}$$

Portanto, o componente horizontal é

$$F_x = \frac{1}{2}(1497,6 \text{ lb/pés})(6 \text{ pés}) = 4,493 \text{ kip}$$

Aqui, 1 kip (quilolibra) = 1000 lb. Essa força atua em $h = \frac{1}{3}(6 \text{ pés}) = 2$ pés.

Componente de força vertical

Pela Figura 2.40b, observe que a força *empurrando para cima* no segmento BC deve-se à pressão da água *sob* esse segmento. Ela é igual ao peso imaginário da água contida dentro de BCDAB (Figura 2.40c). E a força vertical *empurrando para baixo* no segmento AC da Figura 2.40b deve-se ao peso da água contida dentro de CDAC (Figura 2.40d). A força vertical *resultante* que atua sobre a placa inteira é, portanto, a *diferença* nesses dois pesos, a saber, uma força para cima equivalente ao volume de água contido dentro da região semicircular BCAB da Figura 2.40b. Logo,

$$F_y = \gamma_{água} V_{BCAB} = (62,4 \text{ lb/pés}^3)\left(\frac{1}{2}\right)\left[\pi(3 \text{ pés})^2\right] 4 \text{ pés} = 3,529 \text{ kip}$$

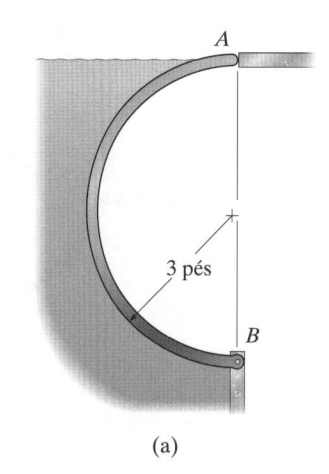

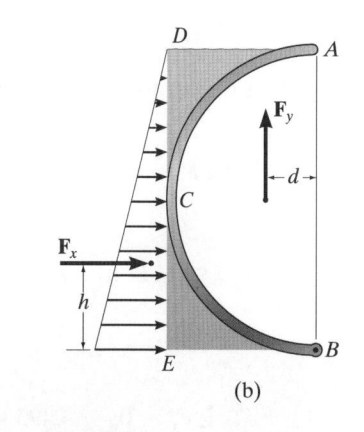

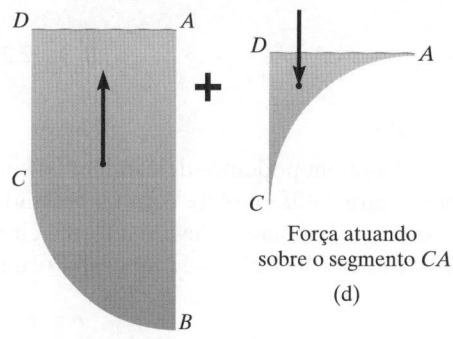

FIGURA 2.40 (continua)

O centroide desse volume semicircular de água pode ser encontrado no material das páginas finais deste livro.

$$d = \frac{4r}{3\pi} = \frac{4(3 \text{ pés})}{3\pi} = 1,273 \text{ pé}$$

Força resultante

A magnitude da força resultante é, portanto,

$$F_R = \sqrt{F_x^2 + F_y^2} = \sqrt{(4,493 \text{ kip})^2 + (3,529 \text{ kip})^2} = 5,71 \text{ kip}$$

Resposta

(e)

(f)

FIGURA 2.40 (cont.)

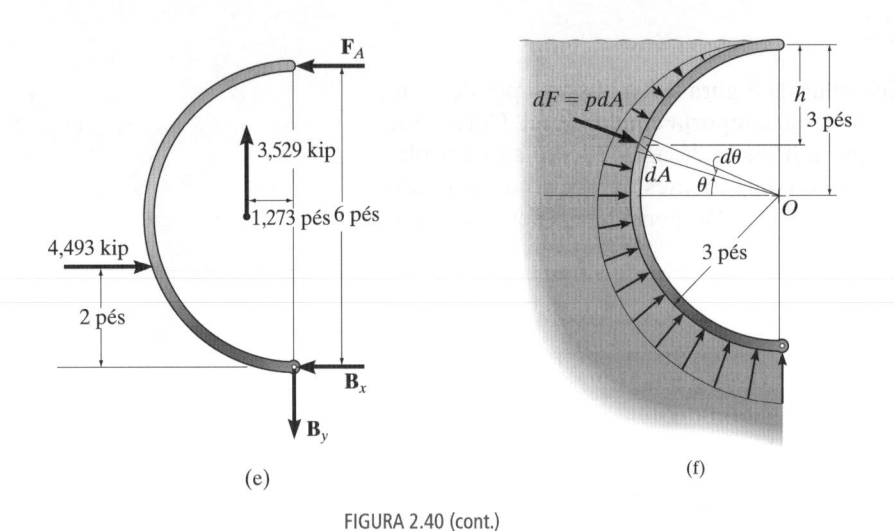

Reações

O diagrama de corpo livre da placa aparece na Figura 2.40e. Aplicando as equações do equilíbrio, temos

$+\uparrow \Sigma F_y = 0;\quad -B_y + 3{,}529\ \text{kip} = 0$

$B_y = 3{,}529\ \text{kip} = 3{,}53\ \text{kip}$ *Resposta*

$\zeta + \Sigma M_B = 0;\quad F_A(6\ \text{pés}) - 4{,}493\ \text{kip}\ (2\ \text{pés}) - 3{,}529\ \text{kip}\ (1{,}273\ \text{pé}) = 0$

$F_A = 2{,}246\ \text{kip} = 2{,}25\ \text{kip}$ *Resposta*

$\xrightarrow{+} \Sigma F_x = 0\quad 4{,}493\ \text{kip} - 2{,}246\ \text{kip} - B_x = 0$

$B_x = 2{,}25\ \text{kip}$ *Resposta*

Análise II

Também podemos determinar os componentes de força resultantes usando diretamente a integração. Na Figura 2.40f, observe como a pressão varia pela seção transversal. Para simplificar a análise, usaremos coordenadas polares, devido à forma circular. A tira elementar de espessura b possui uma área de $dA = b\ ds = (4\ \text{pés})(3\ d\theta\ \text{pés}) = 12\ d\theta\ \text{pés}^2$. Portanto, a pressão atuando sobre ela é

$$p = \gamma h = (62{,}4\ \text{lb/pés}^3)\ (3 - 3\ \text{sen}\ \theta)\ \text{pés}$$

$$= 187{,}2\ (1 - \text{sen}\ \theta)\ \text{lb/pés}^2$$

Para o componente de força horizontal, $dF_x = p\ dA \cos \theta$, portanto

$$F_x = \int_A p \cos \theta\ dA = 187{,}2 \int_{-\pi/2}^{\pi/2} (1 - \text{sen}\theta)(\cos \theta) 12\ d\theta = 4{,}493\ \text{kip}$$

De modo semelhante, o componente y pode ser encontrado por $dF_y = p\ dA\ \text{sen}\ \theta$. Você pode querer avaliar isso para verificar nosso resultado anterior para F_y.*

---

* Saiba que esse método só pode ser usado para determinar os *componentes* da força resultante. A força resultante *não poderá* ser calculada por $F_R = \int_A p\ dA$, pois isso *não* considera a *mudança de direção* da força.

EXEMPLO 2.17

O tampão na Figura 2.41*a* tem 50 mm de comprimento e possui uma área transversal trapezoidal. Se o tanque estiver cheio de petróleo bruto, determine a força vertical resultante que atua sobre o tampão devido à pressão do petróleo.

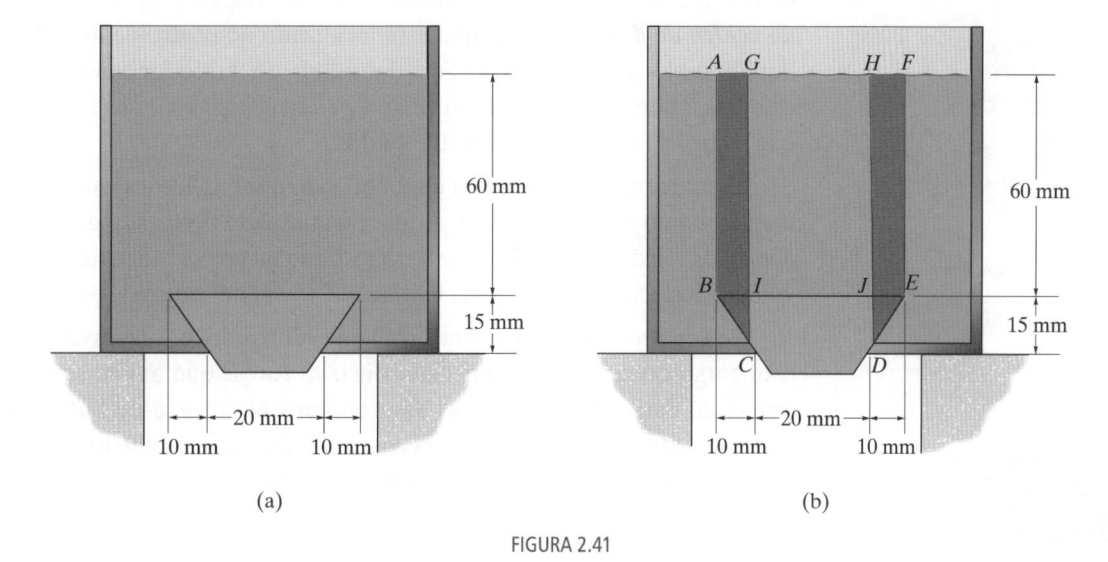

FIGURA 2.41

Solução

Descrição do fluido

Consideramos o óleo como incompressível e, pelo Apêndice A, $\rho_o = 880$ kg/m^3.

Análise

Com referência à Figura 2.41*b*, a força *empurrando para baixo* no tampão deve-se ao peso do petróleo contido dentro da região *ABEFA*. A força *empurrando para cima* ocorre devido à pressão nas laterais *BC* e *ED*, sendo equivalente ao peso do petróleo dentro das tiras escuras acima dessas laterais, *ABCGA* e *FEDHF*. Temos

$$+\downarrow F_R = \rho_o g [\forall_{ABEFA} - 2\forall_{ABCGA}]$$

$$= 880 \text{ kg/m}^3 (9{,}81 \text{ m/s}^2) \left[(0{,}06 \text{ m})(0{,}04 \text{ m})(0{,}05 \text{ m}) \right.$$

$$\left. - 2\left[(0{,}06 \text{ m})(0{,}01 \text{ m}) + \frac{1}{2}(0{,}01 \text{ m})(0{,}015 \text{ m}) \right](0{,}05 \text{ m}) \right]$$

$$= 0{,}453 \text{ N} \qquad \qquad \textit{Resposta}$$

Como o resultado é positivo, essa força atua *de cima para baixo* no tampão.

2.11 Flutuação

O cientista grego Arquimedes (287–212 a.C.) descobriu o **princípio da flutuação**, que declara que, *quando um corpo é colocado em um fluido estático, ele é empurrado para cima por uma força que é igual ao peso do fluido que é deslocado pelo corpo*. Para mostrar por que isso acontece, considere o corpo submerso na Figura 2.42*a*. Devido à pressão do fluido, a força resultante vertical *que atua de baixo para cima* na superfície inferior do corpo, *ABC*, é equivalente ao peso do fluido contido acima dessa superfície, ou

Este cargueiro possui uma distribuição de peso uniforme e está vazio, conforme observado pela altura com que ele flutua nivelado na água em relação à sua linha d'água.

74 MECÂNICA DOS FLUIDOS

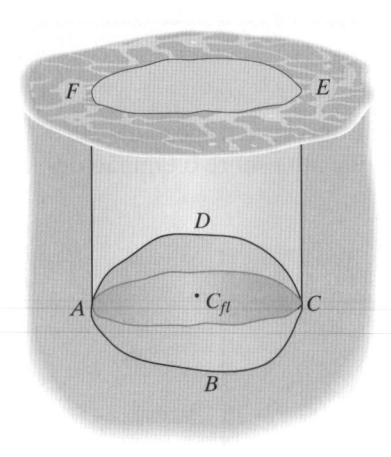

Corpo submerso

(a)

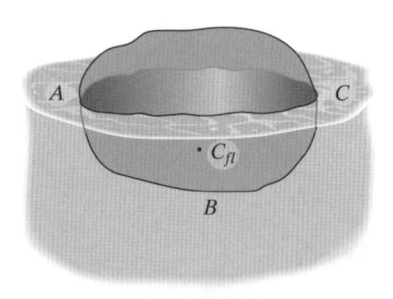

Corpo flutuando

(b)

FIGURA 2.42

seja, dentro do volume $ABCEFA$. De modo semelhante, a força resultante devida à pressão que atua *de cima para baixo* sobre a superfície superior do corpo, ADC, é equivalente ao peso do fluido contido dentro do volume $ADCEFA$. A diferença nessas forças atua de baixo para cima, e é a **força de flutuação**. Ela é equivalente ao peso de uma quantidade imaginária de fluido contida dentro do volume do corpo, $ABCDA$. Essa força $\mathbf{F}_{fl}$ atua através do **centro de flutuação**, C_{fl}, que está localizado no centroide do volume de líquido deslocado pelo corpo. Se a densidade do fluido for constante, então essa força permanecerá constante, *independentemente da profundidade* em que o corpo é colocado dentro do fluido.

Esses mesmos argumentos também podem ser aplicados a um corpo flutuando, como na Figura 2.42b. Aqui, a quantidade deslocada de fluido está dentro da região ABC, a força de flutuação é igual ao peso do fluido dentro do volume deslocado e o centro de flutuação C_{fl} está no centroide desse volume.

Se for preciso resolver um problema hidrostático que envolva flutuação, então pode ser necessário investigar as forças que atuam sobre o diagrama de corpo livre do corpo. Isso requer que a força de flutuação seja mostrada atuando para cima no centro de flutuação, enquanto o peso do corpo atua para baixo, através do seu centro de gravidade.

Densímetro

O princípio de flutuação pode ser usado de uma maneira prática para medir a densidade relativa de um líquido usando um dispositivo chamado **densímetro**. Como pode ser visto na Figura 2.43a, ele consiste em um tubo de vidro oco que é pesado em uma extremidade. Se o densímetro for colocado em um líquido como a água pura, ele flutuará em equilíbrio quando seu peso W for igual ao peso da água deslocada, ou seja, quando $W = \gamma_{\text{água}} V_0$, onde V_0 é o volume de água deslocado. Se a haste for marcada no nível da água como 1,0 (Figura 2.43a), então essa posição poderá indicar a densidade relativa da água, pois para a água, $S_{\text{água}} = \gamma_{\text{água}}/\gamma_{\text{água}} = 1,0$ (Equação 1.10).

(a)   (b)

Densímetro

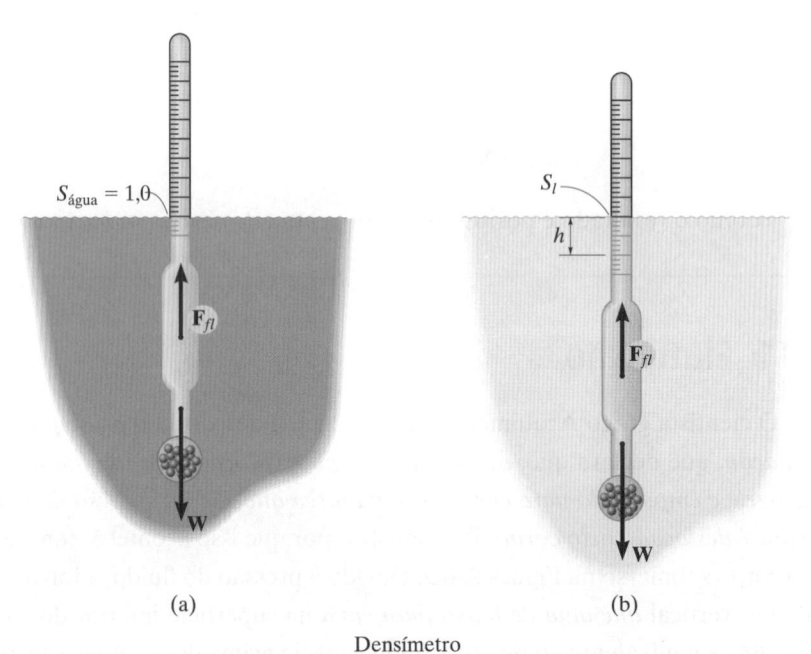

FIGURA 2.43

Quando o densímetro é colocado em outro líquido, ele flutua e fica mais alto ou mais baixo, dependendo do peso específico do líquido γ_l em relação à água. Se o líquido for mais leve que a água, como o querosene, então um volume maior do líquido deverá ser deslocado a fim de que o densímetro flutue. Considere que esse volume deslocado seja $V_0 + Ah$, onde A é a área da seção transversal da haste (Figura 2.43b). Agora, $W = \gamma_l(V_0 + Ah)$. Se S_l é a densidade relativa do líquido, então $\gamma_l = S_l \gamma_{água}$; portanto, para o equilíbrio do densímetro, é preciso que

$$W = \gamma_{água} V_0 = S_l \gamma_{água}(V_0 + Ah)$$

Isolando S_l, obtemos

$$S_l = \left(\frac{V_0}{V_0 + Ah}\right)$$

Usando esta equação, para cada profundidade h, marcas de calibragem podem ser colocadas na haste para indicar as densidades relativas, S_l, para diversos tipos de líquidos. No passado, os densímetros eram bastante usados para testar o peso específico de ácido nas baterias de automóveis. Quando uma bateria está totalmente carregada, o densímetro flutua mais alto no ácido do que quando a bateria está descarregada.

EXEMPLO 2.18

O recipiente de fundo plano de 135 lb da Figura 2.44a tem 2,5 pés de largura e 6 pés de comprimento. Determine a profundidade em que o recipiente flutuará na água: (a) quando ele contém um bloco de aço de 150 lb e (b) quando o bloco é suspenso diretamente abaixo do recipiente (Figura 2.44b). Considere $\gamma_{aço} = 490$ lb/pés^3.

Solução

Descrição do fluido

A água é considerada incompressível e possui um peso específico de $\gamma_{água} = 62,4$ lb/pés^3.

Análise

Em cada caso, para haver equilíbrio, o peso do recipiente e do bloco precisa ser igual ao peso da água deslocada, o que cria a força de flutuação.

Parte (a)

Pelo diagrama de corpo livre na Figura 2.44c, é preciso que

$+\uparrow \Sigma F_y = 0;$ $\qquad -W_{rec.} - W_{bloco} + (F_{fl})_{rec.} = 0$

-135 lb $- 150$ lb $+ 62,4$ lb/pés^3(2,5 pés)(6 pés)$d = 0$

$d = 0,304$ pé $< 1,5$ pé OK $\qquad$ *Resposta*

Parte (b)

Nesse caso (Figura 2.44d), primeiro temos de encontrar o volume de aço usado para fabricar o bloco. Como o peso específico do aço é dado, então $V_{aço} = W_{aço}/\gamma_{aço}$. A partir disso, a força de flutuação pode ser determinada. Logo,

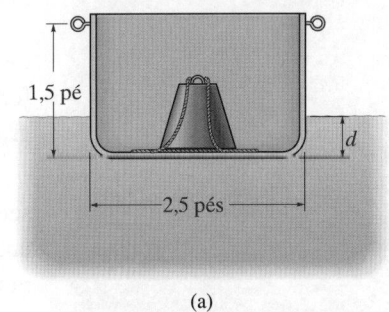

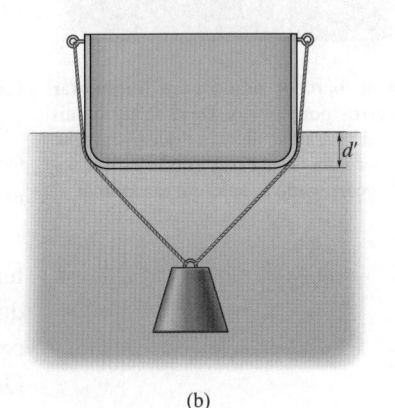

FIGURA 2.44 (continua)

$+\uparrow \Sigma F_y = 0;$

$$-W_{rec.} - W_{bloco} + (F_{fl})_{rec.} + (F_{fl})_{bloco} = 0$$

$$-135 \text{ lb} - 150 \text{ lb} + 62,4 \text{ lb/pés}^3 [(2,5 \text{ pés})(6 \text{ pés})d']$$

$$+ 62,4 \text{ lb/pés}^3 (150 \text{ lb}/490 \text{ lb/pés}^3) = 0$$

$$d' = 0,284 \text{ pé} \qquad \qquad Resposta$$

Observe que aqui o recipiente flutua mais alto na água, pois quando o bloco é suspenso sob a água, sua força de flutuação reduz a força necessária para apoiá-lo. Além disso, observe que a resposta independe da profundidade com que o bloco está suspenso na água.

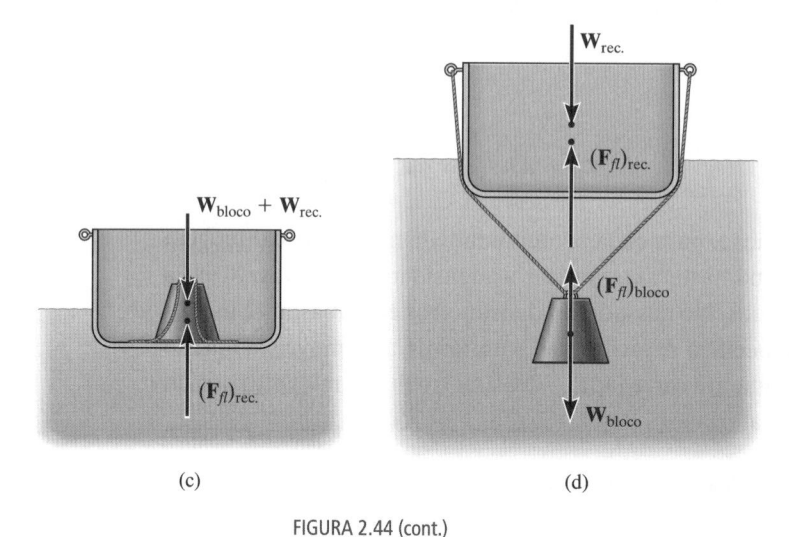

(c)   (d)

FIGURA 2.44 (cont.)

Este barco é usado para transportar carros por um rio. Deve-se ter o cuidado para que ele não fique instável se fizer uma volta brusca ou se estiver sobrecarregado apenas em um lado.

2.12 Estabilidade

Um corpo pode flutuar em um líquido (ou gás) com equilíbrio estável, instável ou neutro. Para ilustrar isso, considere uma barra de peso leve uniforme com um peso unido à sua extremidade, de modo que seu centro de gravidade esteja em G (Figura 2.45).

Equilíbrio estável. Se a barra for colocada em um líquido de modo que seu centro de gravidade (G) esteja abaixo do seu centro de flutuação (C_{fl}), então um pequeno deslocamento angular da barra (Figura 2.45a) criará um momento binário entre o peso e a força de flutuação, que fará com que a barra seja restaurada para a posição vertical. Esse é um estado de *equilíbrio estável*.

Equilíbrio instável. Se a barra for colocada no líquido de modo que seu centro de gravidade esteja acima do centro de flutuação (Figura 2.45b), então um pequeno deslocamento angular criará um momento binário que fará com que a barra gire para *mais distante* do seu ponto de equilíbrio. Este é o *equilíbrio instável*.

Equilíbrio neutro. Se o peso for removido e a barra for feita de um material pesado o suficiente para se tornar completamente submersa no líquido, para que o peso e a força de flutuação estejam *equilibrados*, então seu centro de gravidade e seu centro de flutuação coincidirão (Figura 2.45c). Qualquer rotação da barra fará com que ela *permaneça* na posição de equilíbrio recém-encontrada. Esse é um estado de *equilíbrio neutro*.

Equilíbrio estável
(a)

Equilíbrio instável
(b)

Equilíbrio neutro
(c)

FIGURA 2.45

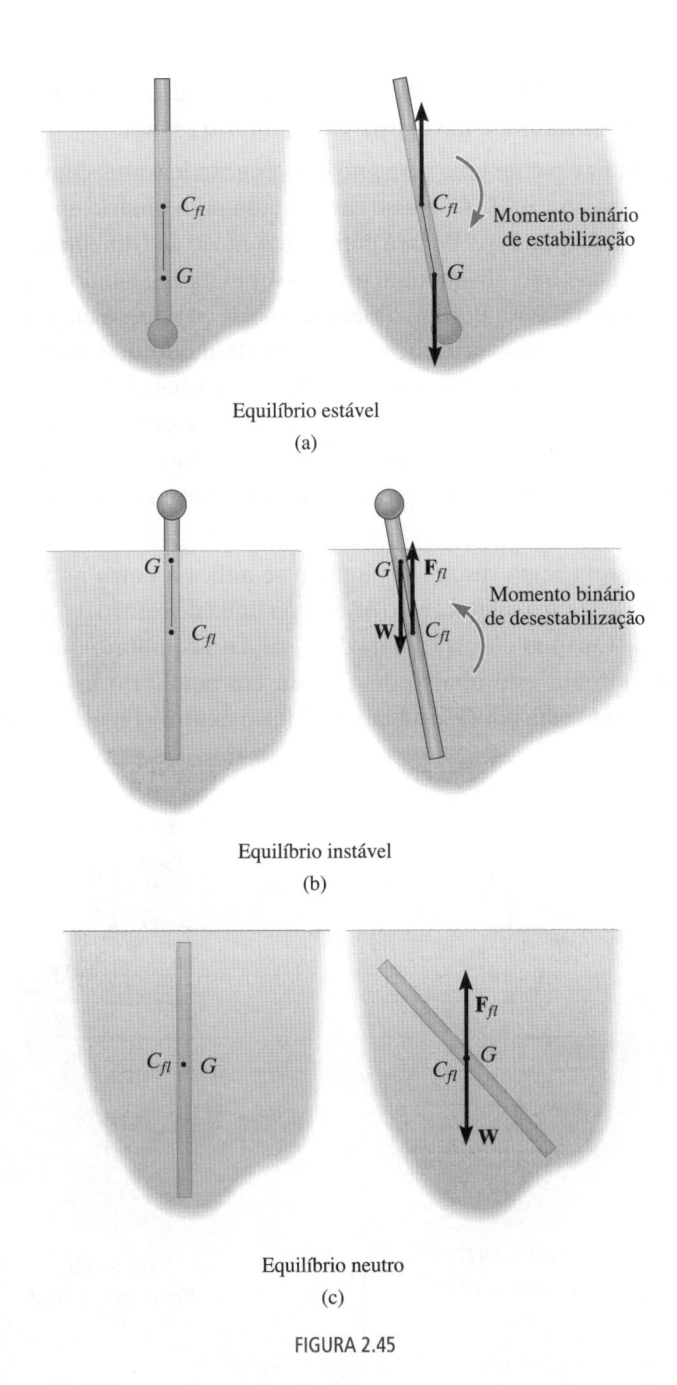

Embora a barra na Figura 2.45*b* esteja em equilíbrio instável, alguns corpos flutuantes podem manter o equilíbrio estável quando seu centro de gravidade está *acima* do seu centro de flutuação. Por exemplo, considere o navio na Figura 2.46*a*, que tem seu centro de gravidade em G e seu centro de flutuação em C_{fl}. Quando o navio está ligeiramente adernado, o que ocorre no nível da água em torno do ponto O (Figura 2.46*b*), o novo centro de flutuação C_{fl}' estará *à esquerda* de G. Isso acontece porque uma parte da água deslocada é ganha à esquerda, $OABO$, enquanto uma parte equivalente $ODEO$ é perdida à direita. Esse novo volume de fluido deslocado, $ABFDOA$, é usado para localizar C_{fl}'. Se estabelecermos uma linha vertical atravessando C_{fl}' (a linha de ação de $\mathbf{F}_{fl}$), ela cruzará a linha de centro do navio no ponto M, que é chamado de **metacentro**. Se M estiver *acima* de G (Figura 2.46*b*), o momento binário em sentido horário criado pela força de flutuação e o peso do navio tenderá a restaurar o navio para a sua posição de equilíbrio. Portanto, o navio está em *equilíbrio estável*.

Para um navio com uma carga no convés grande e alta, como na Figura 2.46c, M estará *abaixo de G*. Nesse caso, o momento binário em sentido anti-horário criado por $\mathbf{F}_{fl}$ e $\mathbf{W}$ fará com que o navio se torne *instável* e tombe, uma condição que obviamente precisa ser evitada quando se projeta ou carrega qualquer navio. Porém, observando esse perigo, os engenheiros navais projetam os navios cruzeiros modernos de modo que seus centros de gravidade sejam os mais altos possíveis, acima de seus centros de flutuação. Isso fará com que o navio tombe de um lado para outro muito lentamente na água. Quando esses dois pontos estão próximos, o movimento para um lado e para outro é mais rápido, o que pode causar desconforto para os passageiros.

Essa mesma regra discutida também se aplica à barra na Figura 2.45. Como a barra é *fina*, o metacentro M está na linha de centro da barra e *coincide* com C_{fl}. Quando ela está acima de G, está no equilíbrio estável (Figura 2.45a); quando ela está abaixo de G, está em equilíbrio instável (Figura 2.45b); e quando está em G, está em equilíbrio neutro (Figura 2.45c).

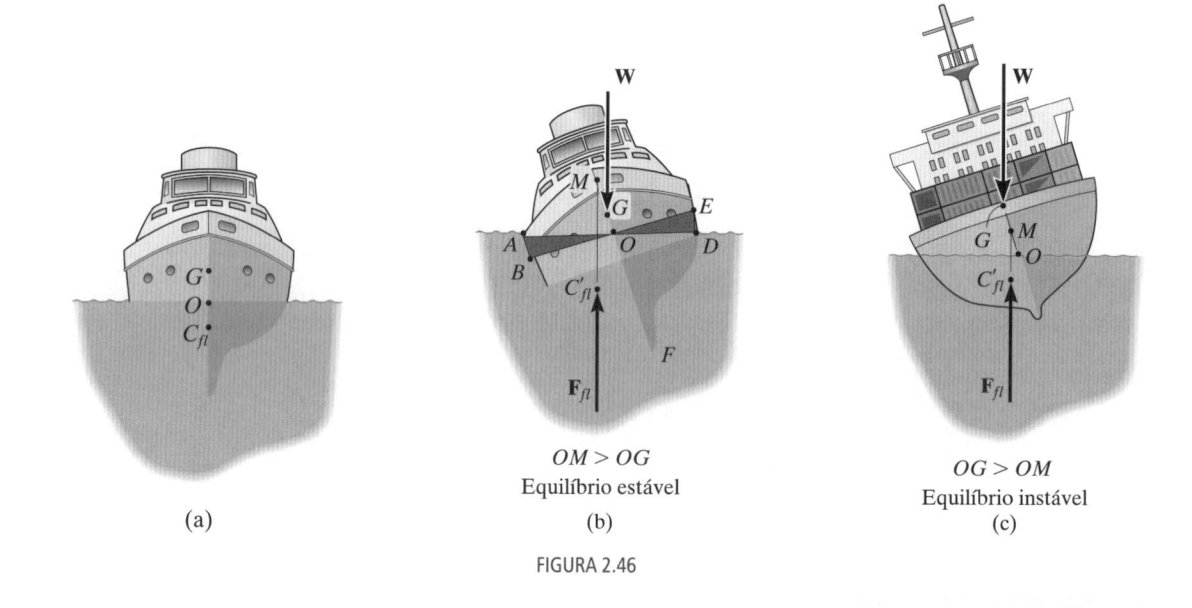

$OM > OG$
Equilíbrio estável
(b)

$OG > OM$
Equilíbrio instável
(c)

FIGURA 2.46

Pontos importantes

- A força de flutuação sobre um corpo é igual ao peso do fluido que o corpo desloca. Ele atua para cima através do centro de flutuação, que está localizado no centroide do volume de fluido deslocado.
- Um densímetro usa o princípio de flutuação para medir a densidade relativa de um líquido.
- Um corpo flutuando pode estar em equilíbrio estável, instável ou neutro. Se seu metacentro M estiver acima do centro de gravidade G do corpo, então o corpo flutuará em equilíbrio estável. Se M estiver abaixo de G, então o corpo estará instável.

EXEMPLO 2.19

O bloco de madeira (cubo) da Figura 2.47a tem 0,2 m em cada lado. A força vertical **F** é aplicada no centro de um de seus lados e empurra a aresta do bloco para a superfície da água, de modo que seja mantida em um ângulo de 20°. Determine a força de flutuação no bloco e mostre que o bloco estará em equilíbrio estável quando a força **F** for removida.

Solução

Descrição do fluido

A água é considerada incompressível, e possui uma densidade de $\rho_{água} = 1000$ kg/m³.

Análise

Para determinar a força de flutuação, primeiro devemos encontrar o *volume submerso* do bloco, mostrado no diagrama de corpo livre na Figura 2.47b. Ele é

$$V_{sub} = (0{,}2 \text{ m})^3 - \frac{1}{2}(0{,}2 \text{ m})(0{,}2 \text{ tg } 20°)(0{,}2 \text{ m}) = 6{,}544(10^{-3}) \text{ m}^3$$

Então

$$F_{fl} = \rho_{água} g V_{sub} = 1000(9{,}81) \text{ N/m}^3 [6{,}5441(10^{-3}) \text{ m}^3]$$

$$= 64{,}2 \text{ N} \qquad \textit{Resposta}$$

Essa força atua através do centroide desse volume V_{sub} (ou área) tendo coordenadas medidas a partir dos eixos x, y de

$$\bar{x} = \frac{\Sigma \tilde{x} A}{\Sigma A} = \frac{0{,}1 \text{ m}(0{,}2 \text{ m})^2 - \frac{2}{3}(0{,}2 \text{ m})\left(\frac{1}{2}\right)(0{,}2 \text{ m})(0{,}2 \text{ m tg } 20°)}{(0{,}2 \text{ m})^2 - \left(\frac{1}{2}\right)(0{,}2 \text{ m})(0{,}2 \text{ m tg } 20°)}$$

$$= 0{,}0926 \text{ m}$$

$$\bar{y} = \frac{\Sigma \tilde{y} A}{\Sigma A} = \frac{0{,}1 \text{ m}(0{,}2 \text{ m})^2 - \left[(0{,}2 \text{ m}) - \left(\frac{1}{3}\right)(0{,}2 \text{ m tg } 20°)\right]\left(\frac{1}{2}\right)(0{,}2 \text{ m})(0{,}2 \text{ m tg } 20°)}{(0{,}2 \text{ m})^2 - \left(\frac{1}{2}\right)(0{,}2 \text{ m})(0{,}2 \text{ m tg } 20°)}$$

$$= 0{,}0832 \text{ m}$$

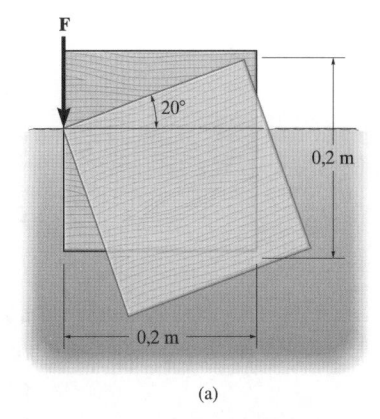

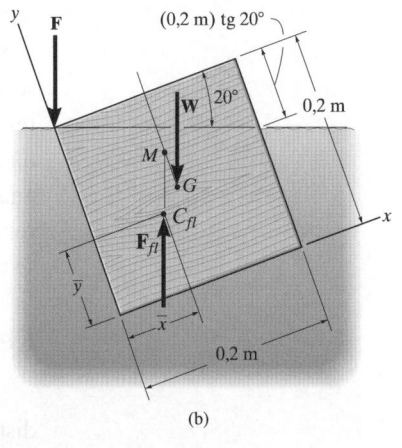

FIGURA 2.47

Essa localização para $\mathbf{F}_{fl}$ estará à *esquerda* do centro de gravidade do bloco (0,1 m, 0,1 m), portanto, o momento no sentido horário de $\mathbf{F}_{fl}$ em torno de G restaurará o bloco quando a força **F** for removida. Logo, o bloco está em *equilíbrio estável*. Em outras palavras, o metacentro M estará acima de G (Figura 2.47b).

Embora não faça parte deste problema, a força **F** e o peso **W** do bloco podem ser determinados aplicando-se ao bloco as equações da força vertical e do equilíbrio do momento.

2.13 Aceleração translacional constante de um líquido

Nesta seção, discutiremos o movimento acelerado constante horizontal e vertical de um recipiente de líquido, e estudaremos como a pressão varia dentro do líquido para esses dois movimentos.

Aceleração horizontal constante

Se o recipiente do líquido na Figura 2.48a possui uma *velocidade constante*, v_c, então a superfície do líquido *permanecerá horizontal*, pois ocorre equilíbrio. Como resultado, a pressão exercida sobre as paredes do recipiente pode ser determinada da maneira normal usando $p = \gamma h$. No entanto, se o recipiente sofrer uma *aceleração constante*, a_c, então a superfície do líquido começará a girar no sentido horário em torno do centro do recipiente e por fim manterá uma posição inclinada fixa θ (Figura 2.48b). Depois desse ajuste, todo o líquido se comportará como se fosse um sólido. Nenhuma tensão de cisalhamento será desenvolvida entre as camadas do líquido, pois não existe movimento relativo entre as camadas. Agora, vamos fazer uma análise de força usando um diagrama de corpo livre dos elementos diferenciais verticais e horizontais do líquido, para estudarmos os efeitos desse movimento.

Elemento vertical

Para este caso, o elemento diferencial se estende para baixo por uma distância h a partir da superfície do líquido e possui uma área transversal ΔA (Figura 2.48c). As duas forças verticais atuando sobre ele são o peso do líquido contido, $\Delta W = \gamma \Delta V\!\!\!/ = \gamma(h\Delta A)$, e a força da pressão que atua de baixo para cima a partir do seu fundo, $p\Delta A$. Existe equilíbrio na direção vertical, pois nenhuma aceleração ocorre nessa direção.

$$+\uparrow \Sigma F_y = 0; \qquad p\Delta A - \gamma(h\Delta A) = 0$$
$$p = \gamma h \qquad (2.16)$$

Esse resultado indica que *a pressão em qualquer profundidade a partir da superfície líquida inclinada é a mesma como se o líquido estivesse estático*.

Velocidade constante
(a)

Recipiente aberto com aceleração constante
(b)

Aceleração constante
(c)

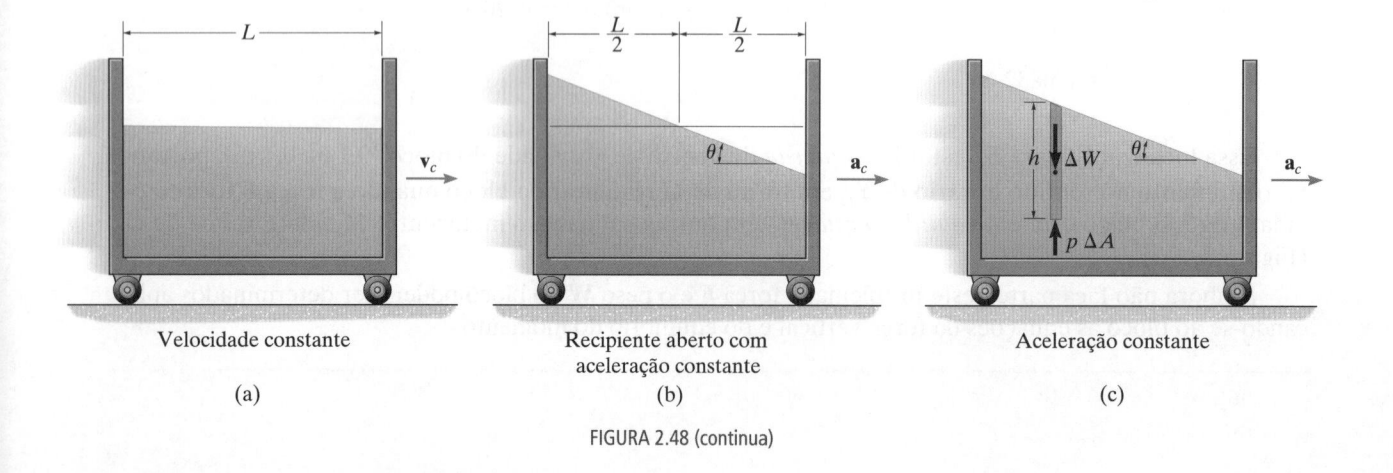

FIGURA 2.48 (continua)

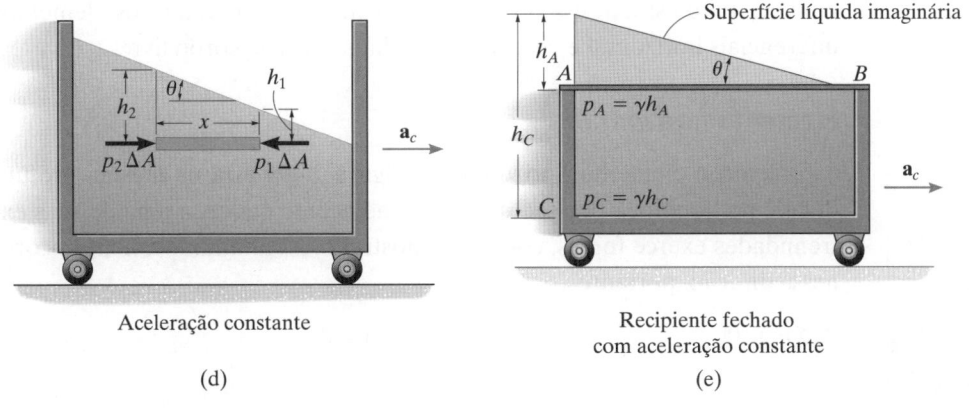

Aceleração constante
(d)

Recipiente fechado
com aceleração constante
(e)

FIGURA 2.48 (cont.)

Elemento horizontal

Aqui, o elemento diferencial tem um comprimento x e uma área transversal ΔA (Figura 2.48d). As únicas forças horizontais que atuam sobre ele são causadas pela pressão do líquido adjacente sobre cada uma de suas extremidades. Como a massa do elemento é $\Delta m = \Delta W/g = \gamma(x\Delta A)/g$, a equação do movimento torna-se

$$\xrightarrow{\pm} \Sigma F_x = ma_x; \qquad p_2\Delta A - p_1\Delta A = \frac{\gamma(x\,\Delta A)}{g}a_c$$

$$p_2 - p_1 = \frac{\gamma x}{g}a_c \qquad (2.17)$$

Vagões-tanque transportam diversos líquidos. Suas extremidades precisam ser projetadas para resistir à pressão hidrostática do líquido dentro do vagão, causada por qualquer aceleração antecipada do vagão.

Usando $p_1 = \gamma h_1$ e $p_2 = \gamma h_2$, também podemos escrever essa expressão como

$$\frac{h_2 - h_1}{x} = \frac{a_c}{g} \qquad (2.18)$$

Conforme observamos na Figura 2.48d, o termo à esquerda representa a *inclinação* da superfície livre do líquido. Como isso é igual a tg θ, então

$$\boxed{\operatorname{tg}\theta = \frac{a_c}{g}} \qquad (2.19)$$

Se o recipiente estiver completamente cheio de líquido e tiver uma *tampa fechada* no topo, como na Figura 2.48e, então o líquido não poderá girar em torno do centro do recipiente. Em vez disso, a tampa restringe o líquido, de modo que a pressão de baixo para cima sobre a tampa força sua "superfície *imaginária*" a bascular a partir do canto B. Nesse caso, ainda podemos encontrar o ângulo θ usando a Equação 2.19. Quando a superfície é estabelecida, a pressão em qualquer ponto no líquido pode ser determinada localizando a distância vertical a partir dessa superfície imaginária até o ponto. Por exemplo, em A, $p_A = \gamma h_A$. Além disso, no fundo do recipiente em C, a pressão é $p_C = \gamma h_C$.

Aceleração vertical constante

Quando o recipiente é acelerado para cima em $\mathbf{a}_c$, a superfície do líquido mantém sua posição horizontal; porém, a pressão dentro do líquido

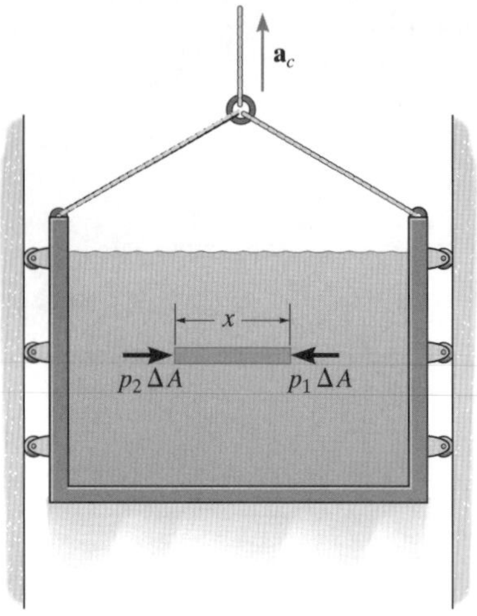

82 MECÂNICA DOS FLUIDOS

mudará. Para estudar esse efeito, novamente selecionaremos os elementos diferenciais horizontal e vertical e seus diagramas de corpo livre.

Elemento horizontal

Como o elemento horizontal na Figura 2.49a está na mesma profundidade no líquido, a pressão do líquido adjacente em cada uma de suas extremidades exerce forças, conforme mostrado. Nenhum movimento ocorre nessa direção, portanto

$$\xrightarrow{+} \Sigma F_x = 0; \qquad p_2 \Delta A - p_1 \Delta A = 0$$

$$p_2 = p_1$$

Logo, assim como no caso estático, para a aceleração vertical, a pressão é a mesma nos pontos que se encontram no mesmo plano horizontal.

Aceleração constante

(a)

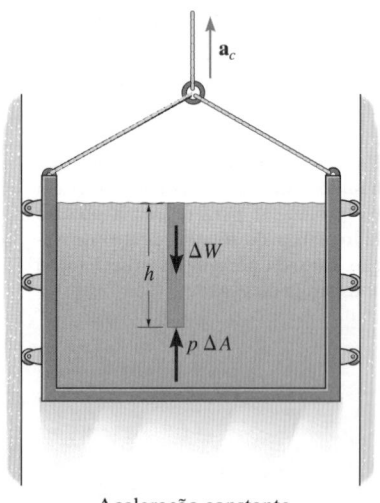

Elemento vertical

As forças que atuam sobre o elemento vertical de profundidade h e seção transversal ΔA (Figura 2.49b) consistem no peso do elemento $\Delta W = \gamma \Delta V = \gamma(h \Delta A)$ e na força de pressão sobre seu fundo. Como a massa do elemento é $\Delta m = \Delta W/g = \gamma(h \Delta A)/g$, a aplicação da equação do movimento resulta em

$$+\uparrow \Sigma F_y = ma_y; \qquad p \Delta A - \gamma(h \Delta A) = \frac{\gamma(h \Delta A)}{g} a_c$$

$$\boxed{p = \gamma h \left(1 + \frac{a_c}{g}\right)} \qquad (2.20)$$

Assim, a pressão dentro do líquido *aumentará* em $\gamma h(a_c/g)$ quando o recipiente for acelerado *de baixo para cima*. Se ele tiver uma *aceleração de cima para baixo*, a pressão *diminuirá* por essa grandeza. Se houver queda livre, então $a_c = -g$ e a pressão (manométrica) através do líquido será zero.

Aceleração constante

(b)

FIGURA 2.49

EXEMPLO 2.20

O tanque no caminhão da Figura 2.50a está cheio até o seu topo com gasolina. Se o caminhão possui uma aceleração constante de 4 m/s², determine a pressão nos pontos A, B, C e D dentro do tanque.

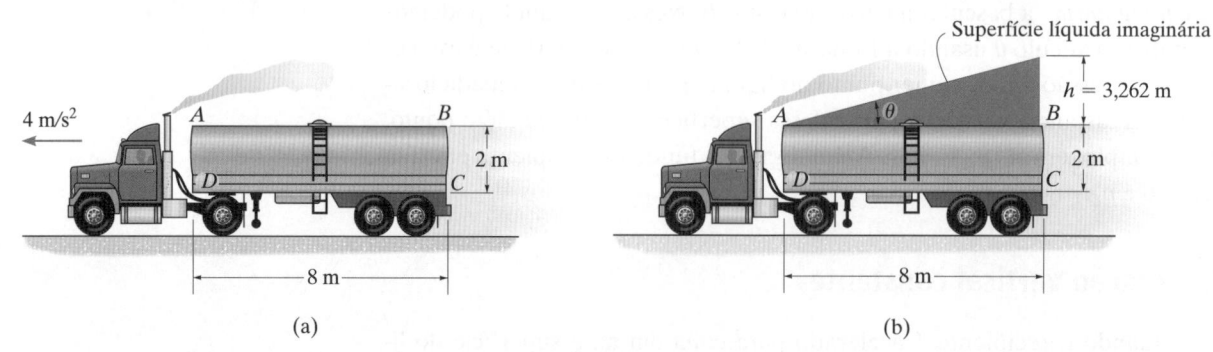

(a)

(b)

FIGURA 2.50

Solução

Descrição do fluido

Consideramos que a gasolina é incompressível e, pelo Apêndice A, ela possui uma densidade de $\rho_g = 729$ kg/m³.

Análise

Quando o caminhão está em repouso ou movendo-se com uma velocidade constante, as pressões (manométricas) em A e B são zero, pois a superfície da gasolina permanece horizontal. Quando o caminhão acelera, imagina-se que a superfície gira com um pivô em A e inclina de volta (Figura 2.50b). Podemos determinar a altura h usando a Equação 2.18.

$$\frac{h_2 - h_1}{x} = \frac{a_c}{g}$$

$$\frac{h - 0}{8 \text{ m}} = \frac{4 \text{ m/s}^2}{9{,}81 \text{ m/s}^2}$$

$$h = 3{,}262 \text{ m}$$

O topo do tanque impede a formação dessa superfície inclinada, portanto, a superfície imaginária da gasolina exerce uma pressão sobre o topo. Essa pressão pode ser obtida por meio da Equação 2.16, $p = \gamma h$. Logo,

$p_A = \gamma h_A = (726 \text{ kg/m}^3)(9{,}81 \text{ m/s}^2)(0) = 0$ *Resposta*

$p_B = \gamma h_B = (726 \text{ kg/m}^3)(9{,}81 \text{ m/s}^2)(3{,}262 \text{ m}) = 23{,}2 \text{ kPa}$ *Resposta*

$p_C = \gamma h_C = (726 \text{ kg/m}^3)(9{,}81 \text{ m/s}^2)(3{,}262 \text{ m} + 2 \text{ m}) = 37{,}5 \text{ kPa}$ *Resposta*

$p_D = \gamma h_D = (726 \text{ kg/m}^3)(9{,}81 \text{ m/s}^2)(2 \text{ m}) = 14{,}2 \text{ kPa}$ *Resposta*

EXEMPLO 2.21

O recipiente na Figura 2.51a tem 3,5 pés de largura e está cheio de petróleo bruto até uma altura de 4 pés. Determine a força resultante que o petróleo exerce sobre a lateral do recipiente e sobre seu fundo se um guindaste começar a içá-lo para cima com uma aceleração de 8 pés/s².

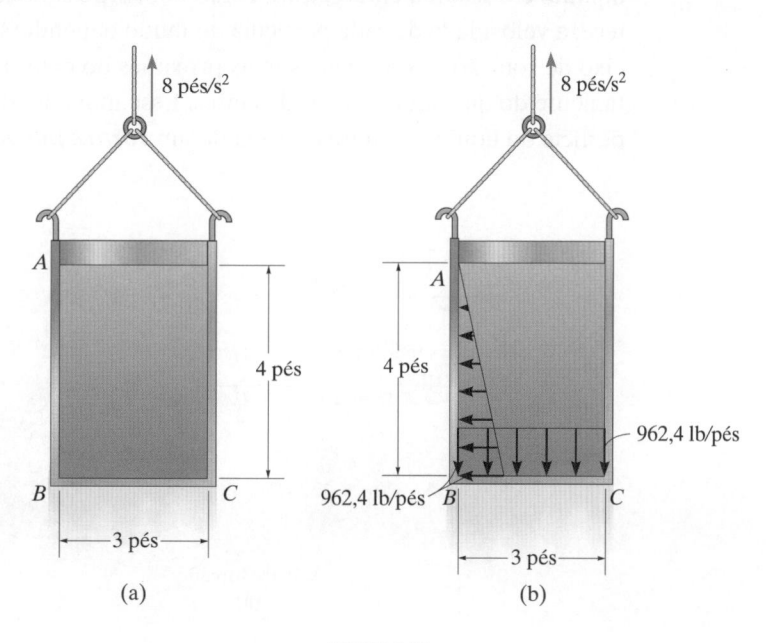

FIGURA 2.51

Solução

Descrição do fluido

O petróleo é considerado incompressível e, pelo Apêndice A, seu peso específico é $\gamma_o = \rho_o g = (1{,}71 \text{ slug/pé}^3)(32{,}2 \text{ pés/s}^2) = 55{,}06 \text{ lb/pé}^3$.

Análise

A pressão (manométrica) em A é zero, portanto, a pressão em B e em C pode ser determinada usando a Equação 2.20. Como $a_c = +8$ pés/s^2, temos

$$p = \gamma_o h\left(1 + \frac{a_c}{g}\right) = 55{,}06 \text{ lb/pé}^3 (4 \text{ pés})\left(1 + \frac{8 \text{ pés/s}^2}{32{,}2 \text{ pés/s}^2}\right) = 275{,}0 \text{ lb/pé}^2$$

Como o tanque possui uma largura de 3,5 pés, a intensidade do carregamento distribuído no fundo do tanque (Figura 2.51b) é

$$w = pb = (275{,}0 \text{ lb/pé}^2)(3{,}5 \text{ pés}) = 962{,}4 \text{ lb/pés}$$

Lateral do tanque

Para a carga triangular distribuída que atua sobre o lado AB, temos

$$(F_R)_s = \frac{1}{2}(962{,}4 \text{ lb/pés})(4 \text{ pés}) = 1925 \text{ lb} = 1{,}92 \text{ kip} \qquad \textit{Resposta}$$

Fundo do tanque

O fundo do tanque está sujeito a uma carga distribuída uniforme. Sua força resultante é

$$(F_R)_b = (962{,}4 \text{ lb/pés})(3 \text{ pés}) = 2887 \text{ lb} = 2{,}89 \text{ kip} \qquad \textit{Resposta}$$

2.14 Rotação constante de um líquido

Se um líquido é colocado em um recipiente cilíndrico que gira a uma velocidade angular constante ω (Figura 2.52a), a tensão de cisalhamento desenvolvida dentro do líquido começará a fazer com que o líquido gire com o recipiente. Por fim, não ocorrerá qualquer movimento relativo dentro do líquido, e o sistema então girará como um corpo sólido. Quando isso acontece, a velocidade de cada partícula do fluido dependerá de sua distância do eixo de rotação. As partículas mais próximas do eixo se moverão mais lentamente do que aquelas mais distantes. Esse movimento fará com que a superfície do líquido adquira a forma de um *vórtice forçado*.

Vórtice forçado
(a)

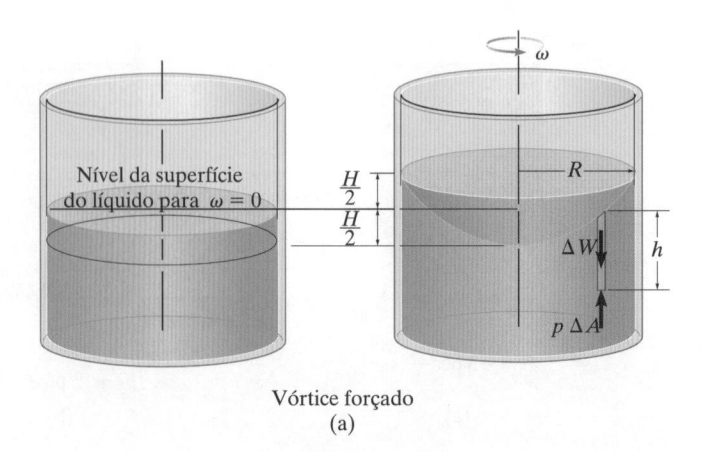

FIGURA 2.52 (continua)

Se considerarmos o diagrama de corpo livre de um elemento diferencial vertical de altura h e seção transversal ΔA (Figura 2.52a), então, como na prova da Equação 2.16, a pressão no líquido aumentará com a profundidade a partir da superfície livre, ou seja, $p = \gamma h$. Isso acontece porque não existe aceleração nessa direção.

Entretanto, a rotação angular constante ω do sistema cilindro-líquido produz uma diferença ou gradiente de pressão na direção radial, devido à *aceleração radial* das partículas do líquido. Essa aceleração é o resultado da *direção variável* da *velocidade* de cada partícula. Se uma partícula estiver a uma distância radial r do eixo de rotação, então, pela dinâmica (ou física), sua aceleração possui uma magnitude $a_r = \omega^2 r$, e ela atua em direção ao centro de rotação. Para estudar o gradiente de pressão radial, vamos considerar um elemento de anel contendo um raio r, espessura Δr e altura Δh (Figura 2.52b). As pressões nos lados interno e externo do anel são p e $p + (\partial p/\partial r) \Delta r$, respectivamente.*

Como a massa do anel é $\Delta m = \Delta W/g = \gamma \Delta V/g = \gamma(2\pi r) \Delta r \Delta h/g$, a equação do movimento na direção radial resulta em

$$\Sigma F_r = ma_r; \quad -\left[p + \left(\frac{\partial p}{\partial r}\right)\Delta r\right](2\pi r \Delta h) + p(2\pi r \Delta h) = -\frac{\gamma(2\pi r)\Delta r \Delta h}{g}\omega^2 r$$

$$\frac{\partial p}{\partial r} = \left(\frac{\gamma \omega^2}{g}\right) r$$

Integrando, obtemos

$$p = \left(\frac{\gamma \omega^2}{2g}\right) r^2 + C$$

Podemos determinar a constante de integração desde que conheçamos a pressão no fluido em um ponto específico. Considere o ponto no eixo vertical na superfície livre, onde $r = 0$ e $p_0 = 0$ (Figura 2.52c). Então, $C = 0$, portanto

$$p = \left(\frac{\gamma \omega^2}{2g}\right) r^2 \qquad (2.21)$$

A pressão aumenta com o quadrado do raio. Como $p = \gamma h$, a equação da superfície livre do líquido (Figura 2.52c) torna-se

$$\boxed{h = \left(\frac{\omega^2}{2g}\right) r^2} \qquad (2.22)$$

Essa é a equação de uma parábola. Especificamente, o líquido como um todo forma uma superfície que descreve uma **paraboloide de rotação**. Como o raio interno do recipiente é R, a altura dessa paraboloide é $H = \omega^2 R^2/2g$ (Figura 2.52c). O volume dessa paraboloide é metade da área de sua base πR^2 vezes sua altura, H. Como resultado, durante a rotação, os pontos alto e baixo da superfície do líquido estarão na metade da distância da superfície do líquido quando este estiver em repouso (Figura 2.52a).

---

* A derivada parcial é usada aqui porque a pressão é uma função da profundidade e do raio.

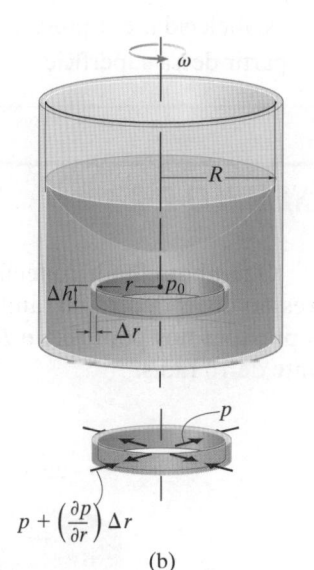

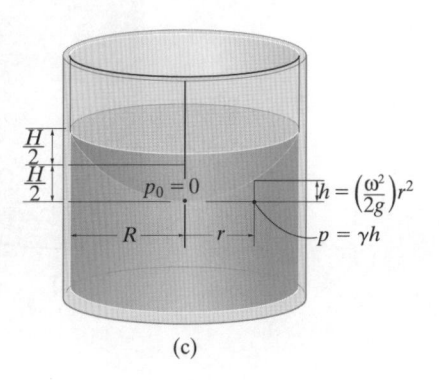

FIGURA 2.52 (cont.)

86 MECÂNICA DOS FLUIDOS

Se o recipiente girando possui uma tampa fechada, então uma superfície livre imaginária da paraboloide poderá ser estabelecida acima da tampa, e a pressão em qualquer ponto no líquido é determinada medindo a profundidade h a partir dessa superfície.

Pontos importantes

- Quando um recipiente aberto com líquido é *acelerado horizontal e uniformemente*, a superfície do líquido estará inclinada em um ângulo θ determinado por tg $\theta = a_c/g$. A pressão varia linearmente com a profundidade dessa superfície, $p = \gamma h$. Se houver uma tampa no recipiente, então deverá ser estabelecida uma *superfície imaginária*, e a pressão em qualquer ponto poderá ser determinada usando $p = \gamma h$, onde h é a distância vertical a partir da superfície imaginária até esse ponto.

- Quando um recipiente com líquido é *acelerado vertical e uniformemente*, a superfície do líquido permanece horizontal. Se essa aceleração for *de baixo para cima*, a pressão a uma profundidade h é *aumentada* em $\gamma h(a_c/g)$; e se a aceleração for *de cima para baixo*, a pressão é *diminuída* nessa mesma grandeza.

- Quando um recipiente cilíndrico com líquido possui uma *rotação constante em torno de um eixo fixo*, a superfície do líquido forma um *vórtice forçado* com a forma de uma paraboloide. O volume dessa paraboloide é metade do volume de um cilindro circunscrito. Quando a superfície do líquido em rotação é estabelecida, usando $h = (\omega^2/2g)r^2$, a pressão varia com a profundidade a partir dessa superfície, $p = \gamma h$. Se houver uma tampa no recipiente, então uma *superfície imaginária do líquido* deverá ser estabelecida, e a pressão em qualquer ponto poderá ser determinada usando a distância vertical a partir dessa superfície.

EXEMPLO 2.22

O tambor cilíndrico fechado da Figura 2.53a está cheio de petróleo bruto até o nível indicado. Se a pressão do ar dentro do tambor permanecer atmosférica devido ao furo no centro da tampa, determine as pressões nos pontos A e B quando o tambor e o petróleo alcançarem uma velocidade angular constante de 16 rad/s.

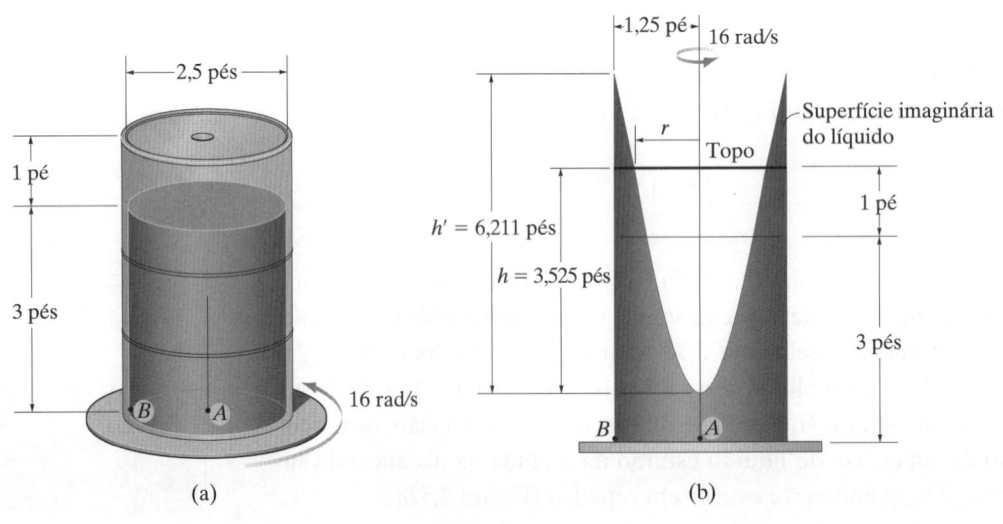

FIGURA 2.53

Solução

Descrição do fluido

O petróleo é considerado incompressível e, pelo Apêndice A, ele possui um peso específico de

$$\gamma_o = \rho_o g = (1{,}71 \text{ slug/pé}^3)(32{,}2 \text{ pés/s}^2) = 55{,}06 \text{ lb/pés}^3.$$

Análise

Antes de descobrir qual é a pressão, temos de definir a forma da superfície do petróleo. À medida que o tambor gira, o petróleo toma a forma mostrada na Figura 2.53b. Como o volume de espaço aberto *dentro* do tambor deverá permanecer constante, esse volume deverá ser equivalente ao volume da paraboloide formada com raio desconhecido r e altura h. Como o volume de uma paraboloide é metade daquele de um cilindro com o mesmo raio e altura, é preciso que

$$\mathcal{V}_{cil} = \mathcal{V}_{parab}$$

$$\pi(1{,}25 \text{ pé})^2(1 \text{ pé}) = \frac{1}{2}\pi r^2 h$$

$$r^2 h = 3{,}125 \tag{1}$$

Além disso, pela Equação 2.22, para esta paraboloide contida dentro do tambor,

$$h = \left(\frac{\omega^2}{2g}\right)r^2 = \left(\frac{(16 \text{ rad/s})^2}{2(32{,}2 \text{ pés/s}^2)}\right)r^2$$

$$h = 0{,}2484 r^2 \tag{2}$$

Resolvendo as equações 1 e 2 simultaneamente, obtemos

$$r = 0{,}9416 \text{ pé}, \qquad h = 3{,}525 \text{ pés}$$

Sem a tampa, o petróleo subiria até o nível h' (Figura 2.53b), que é

$$h' = \left(\frac{\omega^2}{2g}\right)R^2 = \left(\frac{(16 \text{ rad/s})^2}{2(32{,}2 \text{ pés/s}^2)}\right)(1{,}25 \text{ pé})^2 = 6{,}211 \text{ pés}$$

Como a superfície livre do petróleo agora foi definida, as pressões em A e B são

$$p_A = \gamma h_A = (55{,}06 \text{ lb/pés}^3)(4 \text{ pés} - 3{,}525 \text{ pés})\left(\frac{1 \text{ pé}}{12 \text{ pol.}}\right)^2$$

$$= 0{,}182 \text{ psi} \qquad\qquad\qquad Resposta$$

$$p_B = \gamma h_B = (55{,}06 \text{ lb/pés}^3)(4 \text{ pés} - 3{,}525 \text{ pés} + 6{,}211 \text{ pés})\left(\frac{1 \text{ pé}}{12 \text{ pol.}}\right)^2$$

$$= 2{,}56 \text{ psi} \qquad\qquad\qquad Resposta$$

Embora não fazendo parte deste problema, observe que, se uma tampa fosse colocada no furo do tambor, e a pressão do ar dentro do tambor fosse aumentada para 4 psi, então essa pressão simplesmente seria somada às pressões em A e B.

Referências

1. KHAN, I. *Fluid Mechanics*. Nova York: Holt, Rinehart and Winston, 1987.
2. PARR, A. *Hydraulics and Pneumatics*. Woburn, MA: Butterworth-Heinemann, 2005.
3. *The U.S. Standard Atmosphere*. U.S Government Printing Office. Washington, D.C.
4. RAWSON, K. J.; TUPPER, E. *Basic Ship Theory*. 2. ed. Londres: Longman, 1975.
5. TAVOULARIS, S. *Measurements in Fluid Mechanics*. Nova York: Cambridge University Press, 2005.
6. BAKER, R. C. *Introductory Guide to Flow Measurement*. Nova York: John Wiley, 2002.
7. MILLER, R. W. *Flow Measurement Engineering Handbook*. 3. ed. Nova York: McGraw-Hill, 1996.
8. BENEDICT, R. P. *Fundamentals of Temperature, Pressure, and Flow Measurement*. 3. ed. Nova York: John Wiley, 1984.
9. DALLY, J. W. et al. *Instrumentation for Engineering Measurements*. 2. ed. Nova York: John Wiley, 1993.
10. LIPTAK, B. G. *Instrument Engineer's Handbook: Process Measurement and Analysis*. 4. ed. Boca Raton: CRC Press, 2003.
11. DURST, F. et al. *Principles and Practice of Laser-Doppler Anemometry*. 2. ed. Nova York: Academic Press, 1981.

Problemas fundamentais

As soluções de todos os problemas fundamentais são apresentadas ao final do livro.

Seções 2.1 a 2.5

F2.1. A água enche a tubulação AB de modo que a pressão absoluta em A é 400 kPa. Se a pressão atmosférica for 101 kPa, determine a força resultante que a água e o ar ao redor exercem sobre o tampão em B. O diâmetro interno do tubo é 50 mm.

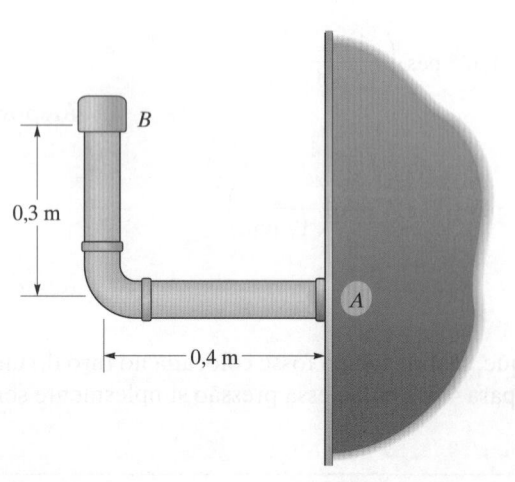

F2.2. O recipiente está parcialmente cheio de óleo, água e ar. Determine as pressões em A, B e C. Considere $\gamma_{\text{água}} = 62{,}4 \text{ lb/pés}^3$, $\gamma_o = 55{,}1 \text{ lb/pés}^3$.

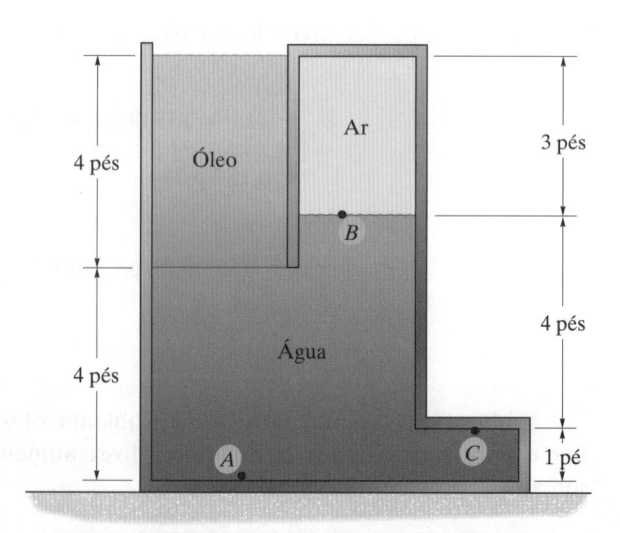

F 2.1

F 2.2

Seção 2.6

F2.3. O tubo em forma de U está cheio de mercúrio, com uma densidade de $\rho_{Hg} = 13500$ kg/m³. Determine a altura diferencial h do mercúrio quando o tanque estiver cheio de água.

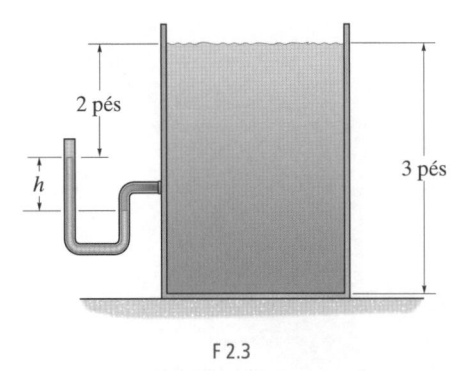

F 2.3

F2.4. O tubo está cheio de mercúrio de A para B, e de água de B para C. Determine a altura h da coluna d'água para que haja equilíbrio.

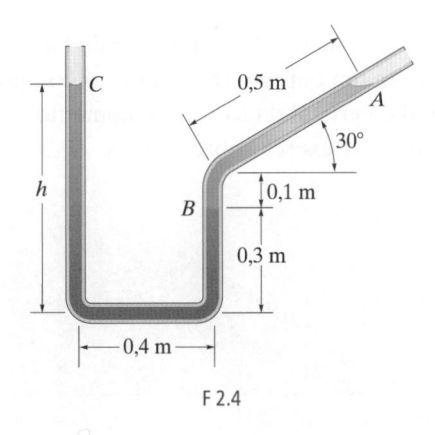

F 2.4

F2.5. A pressão de ar na tubulação em A é de 300 kPa. Determine a pressão d'água na tubulação em B.

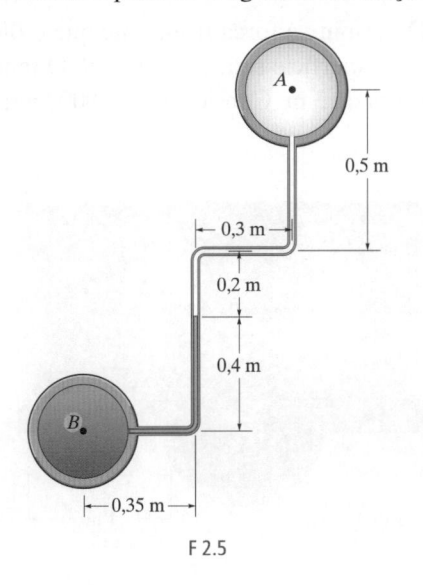

F 2.5

F2.6. Determine a pressão d'água absoluta na tubulação em B se o tanque estiver cheio de petróleo bruto à profundidade de 1,5 m. $p_{atm} = 101$ kPa.

F 2.6

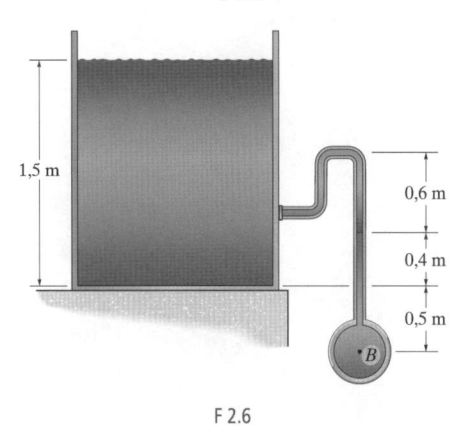

Seções 2.7 a 2.9

F2.7. O reservatório tem 1,5 m de largura e está cheio de água até o nível mostrado. Determine a força resultante na lateral AB e no fundo BC.

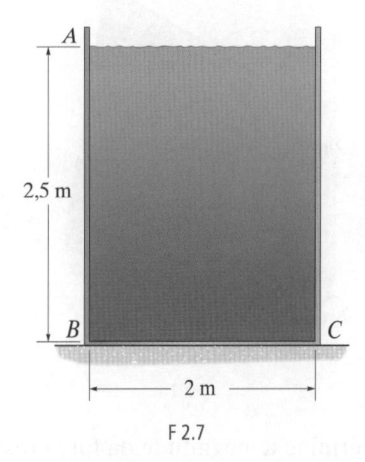

F 2.7

F2.8. O reservatório tem 2 m de largura e está cheio de óleo até a profundidade mostrada. Determine a força resultante que atua sobre a lateral inclinada AB. Considere $\rho_o = 900$ kg/m³.

F 2.8

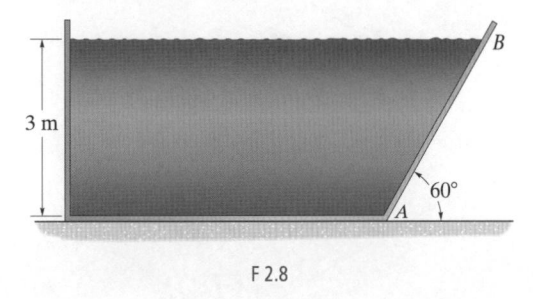

F2.9. O recipiente com 2 m de largura está cheio de água até a profundidade mostrada. Determine a força resultante nos painéis laterais A e B. Até que distância cada resultante atua a partir da superfície da água?

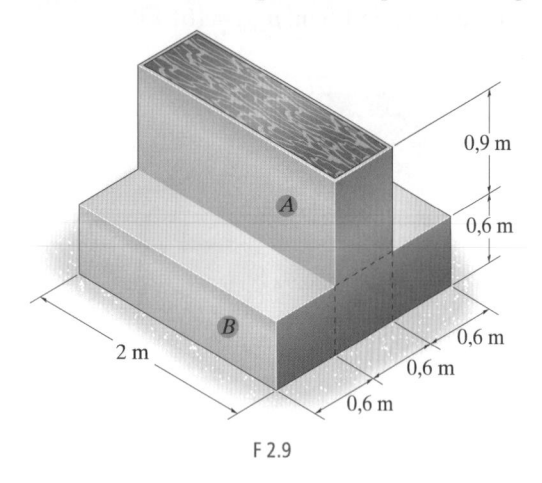

F2.10. Determine a magnitude da força resultante da água que atua sobre a placa triangular A na extremidade do recipiente. Desconsidere a largura da abertura no topo. Até que distância essa força atua a partir da superfície da água?

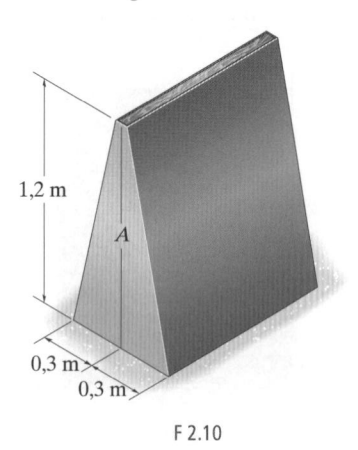

F2.11. Determine a magnitude da força resultante da água que atua sobre a placa de vidro circular que está aparafusada no painel lateral do tanque. Além disso, determine o local do centro de pressão ao longo dessa lateral inclinada, medida a partir do topo.

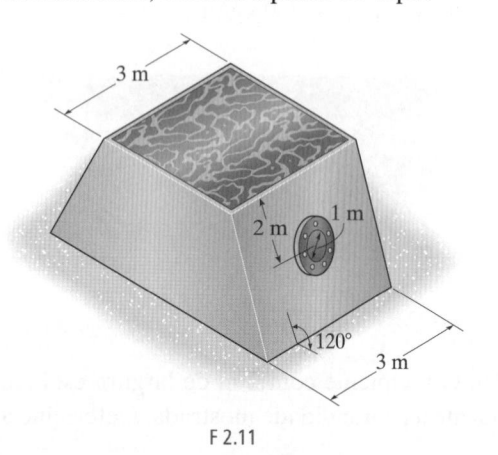

F2.12. O tanque está cheio de água e querosene até as profundidades mostradas. Determine a força resultante total que os líquidos exercem sobre a lateral AB do tanque. O tanque possui uma largura de 2 m. Considere $\rho_{\text{água}} = 1000$ kg/m^3, $\rho_k = 814$ kg/m^3.

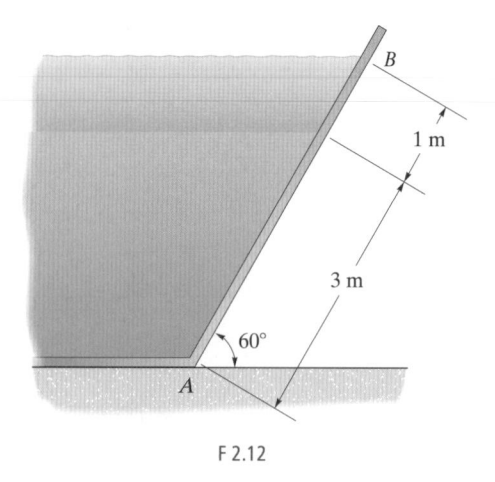

F2.13. A placa inclinada com 0,5 m de largura mantém água em um tanque. Determine os componentes horizontal e vertical da força e o momento que o suporte fixo em A exerce sobre a placa.

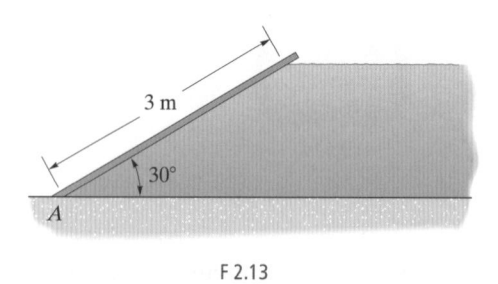

F2.14. Determine a força resultante que o óleo exerce sobre a superfície semicircular AB. O tanque tem uma largura de 3 m. Considere $\rho_o = 900$ kg/m^3.

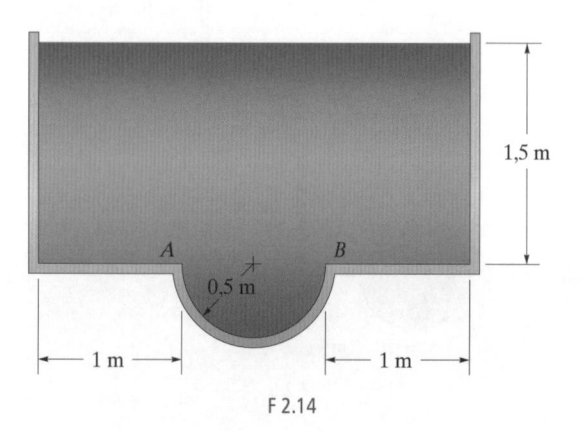

F2.15. Determine a força que a água exerce sobre a lateral AB e sobre a lateral CD da parede inclinada. O muro tem 0,75 m de largura.

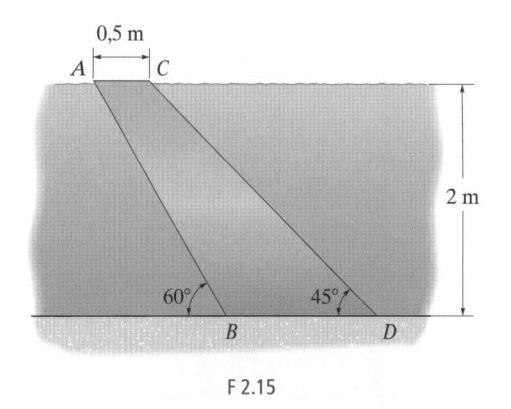

F 2.15

F 2.18

Seção 2.10

F2.16. O tanque possui uma largura de 2 m e está cheio de água. Determine os componentes horizontal e vertical da força resultante que atua sobre a placa AB.

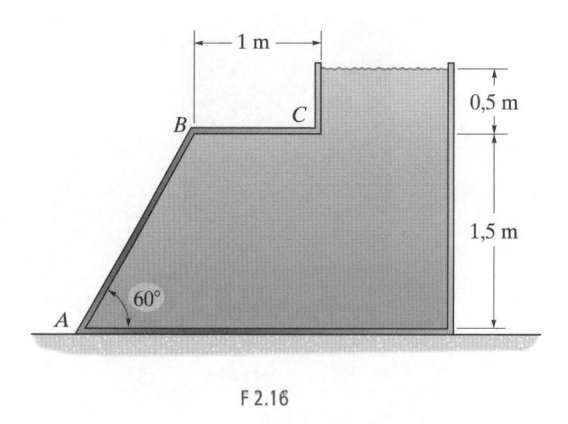

F 2.16

F2.17. Determine os componentes horizontal e vertical da força resultante que a água exerce sobre a placa AB e sobre a placa BC. A largura de cada placa é de 1,5 m.

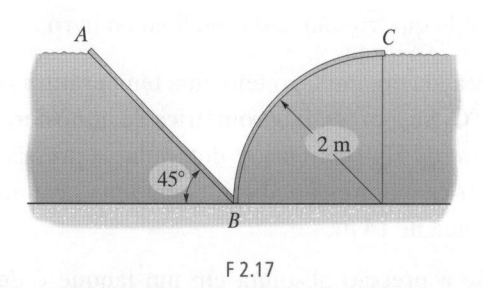

F 2.17

F2.18. A placa ABC tem 2 m de largura. Determine o ângulo θ de modo que a reação normal em C seja zero. A placa é apoiada por um pino em A.

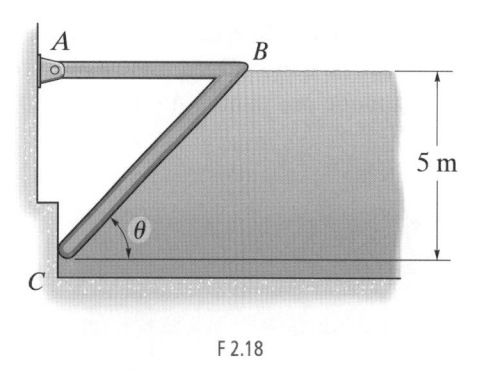

Seções 2.11 e 2.12

F2.19. O copo cilíndrico A com peso desprezível contém um bloco B de 2 kg. Se o nível da água do tanque cilíndrico é $h = 0,5$ m antes que o copo seja colocado no tanque, determine h quando A flutuar na água.

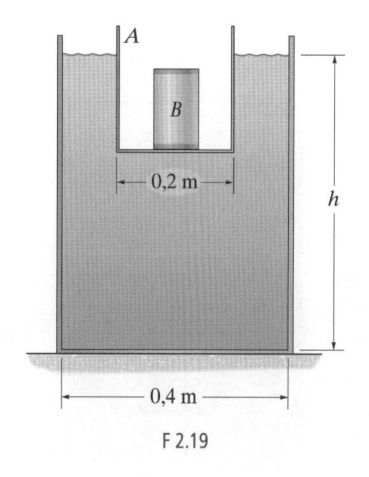

F 2.19

F2.20. O carrinho com 3 m de largura está cheio de água até o nível da linha tracejada. Se o carrinho recebe uma aceleração de 4 m/s², determine o ângulo θ da superfície da água e a força resultante que a água exerce sobre a parede AB.

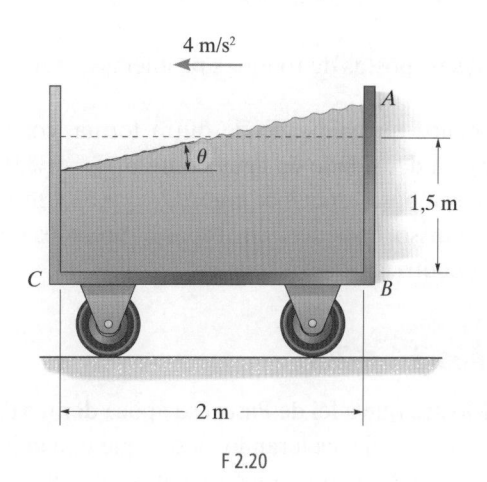

F 2.20

92 MECÂNICA DOS FLUIDOS

F2.21. O tanque fechado está cheio de óleo e recebe uma aceleração de 6 m/s². Determine a pressão sobre o fundo do tanque nos pontos A e B. $\rho_o = 880$ kg/m³.

F 2.21

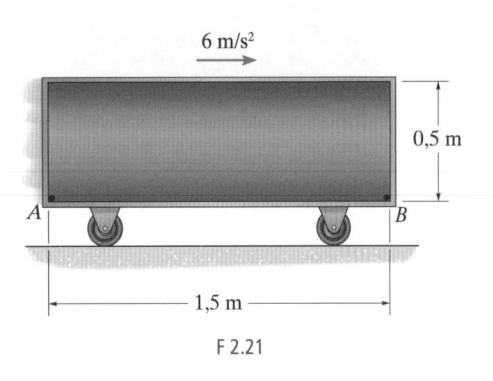

F2.22. O recipiente cilíndrico aberto está cheio de água até o nível mostrado. Determine a menor velocidade angular que fará com que a água derrame sobre as laterais.

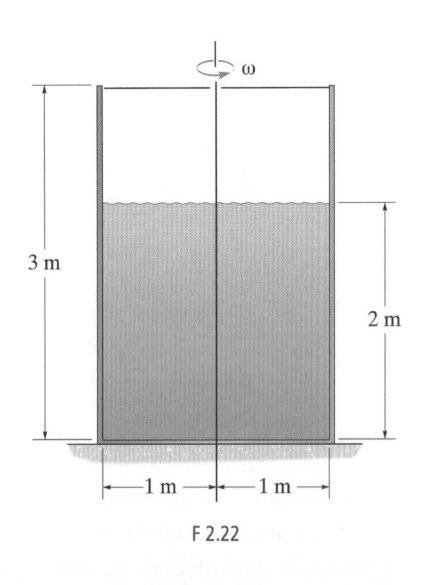

F 2.22

F2.23. Se o recipiente cilíndrico aberto gira a $\omega = 8$ rad/s, determine as pressões máxima e mínima da água que atua sobre o fundo do recipiente.

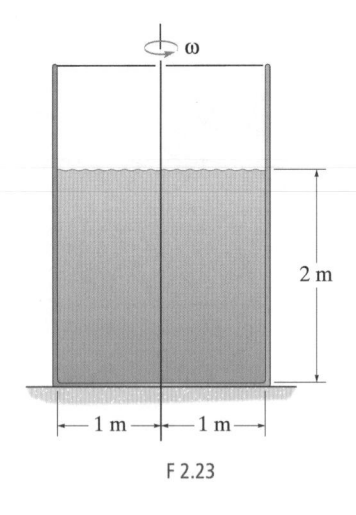

F 2.23

F2.24. O tambor fechado está cheio de petróleo bruto. Determine a pressão sobre a tampa em A quando o tambor está girando a uma taxa constante de 4 rad/s.

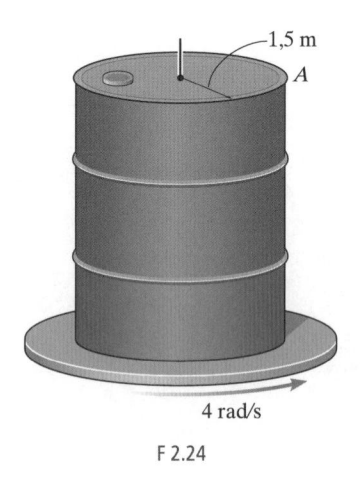

F 2.24

Problemas

As respostas de todos os problemas, menos cada múltiplo de quatro, são dadas no final do livro.

A menos que indicado de outra forma, consideramos a densidade da água como $\rho_{água} = 1000$ kg/m³ e seu peso específico como $\gamma_{água} = 62,4$ lb/pés³. Além disso, considere que todas as pressões sejam manométricas.

Seções 2.1 a 2.5

2.1. Mostre que a lei de Pascal se aplica dentro de um fluido que esteja acelerando, desde que não haja tensões de cisalhamento atuando dentro do fluido.

2.2. A água em um lago tem uma temperatura média de 15°C. Se a pressão barométrica da atmosfera é de 720 mm de Hg (mercúrio), determine a pressão manométrica e a pressão absoluta em uma profundidade d'água de 14 m.

2.3. Se a pressão absoluta em um tanque é de 140 kPa, determine a coluna de pressão em mm de mercúrio. A pressão atmosférica é de 100 kPa.

*2.4. A torre de perfuração de petróleo perfurou 5 km no solo antes de alcançar um reservatório de petróleo bruto. Quando isso acontece, a pressão na coluna do poço A passa para 25 MPa. Uma "lama" de perfuração deve ser colocada em toda a extensão do tubo para deslocar o óleo e equilibrar essa pressão. Qual deverá ser a densidade da lama para que a pressão em A se torne zero?

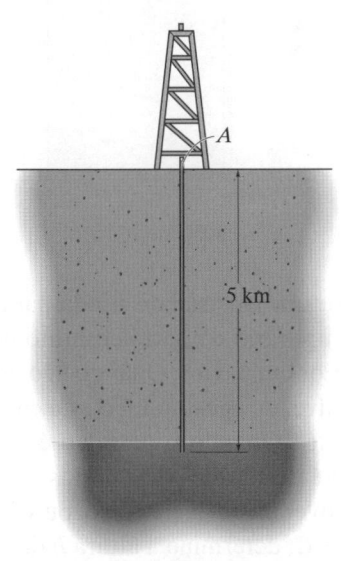

PROBLEMA 2.4

2.5. Em 1896, S. Riva-Rocci desenvolveu o protótipo do esfigmomanômetro atual, um dispositivo usado para medir a pressão sanguínea. Quando vestido como um punho em torno do braço superior e inflado, a pressão de ar dentro do punho era conectada a um manômetro de mercúrio. Se a leitura para a pressão alta (ou sistólica) for 120 mm e a pressão baixa (ou diastólica) for 80 mm, determine essas pressões em psi e pascais.

2.6. Mostre por que a água não seria um bom fluido para usar com um barômetro pelo cálculo da altura à qual a pressão atmosférica a elevaria em um tubo de vidro. Compare esse resultado com o do mercúrio. Considere $\gamma_{água} = 62{,}4$ lb/pés^3, $\gamma_{Hg} = 846$ lb/pés^3.

2.7. O tanque de armazenamento subterrâneo em um posto de combustível contém gasolina até o nível A. Determine a pressão em cada um dos cinco pontos identificados. Observe que o ponto B está localizado no tubo, e o ponto C está logo abaixo dele, no tanque. Considere $\rho_g = 730$ kg/m^3.

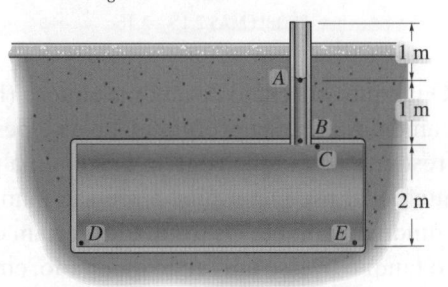

PROBLEMA 2.7

***2.8.** O tanque de armazenamento subterrâneo contém gasolina até o nível A. Se a pressão atmosférica é 101,3 kPa, determine a pressão absoluta em cada um dos cinco pontos identificados. Observe que o ponto B está localizado no tubo, e o ponto C está logo abaixo dele, no tanque. Considere $\rho_g = 730$ kg/m^3.

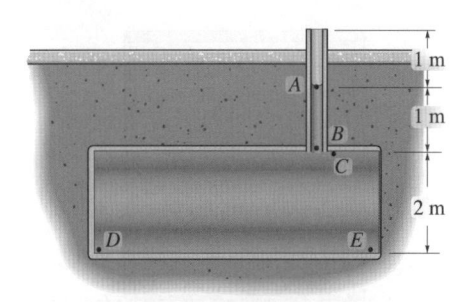

PROBLEMA 2.8

2.9. O tanque de armazenamento está cheio de um óleo. A tubulação está conectada ao tanque em C, e o sistema está aberto à atmosfera em B e E. Determine a pressão máxima no tanque em psi se o óleo atingir um nível de F na tubulação. Além disso, em que nível o óleo deveria estar no tanque para que ocorra a pressão máxima no tanque? Qual é esse valor? Considere $\rho_o = 1{,}78$ slug/pé^3.

2.10. O tanque de armazenamento está cheio de um óleo. A tubulação está conectada ao tanque em C, e o sistema está aberto à atmosfera em E. Determine a pressão máxima no tanque em psi se o óleo tem uma densidade de 1,78 slug/pé^3. Onde ocorre a pressão máxima? Suponha que não haja ar preso no tanque e que o topo do tanque esteja fechado em B.

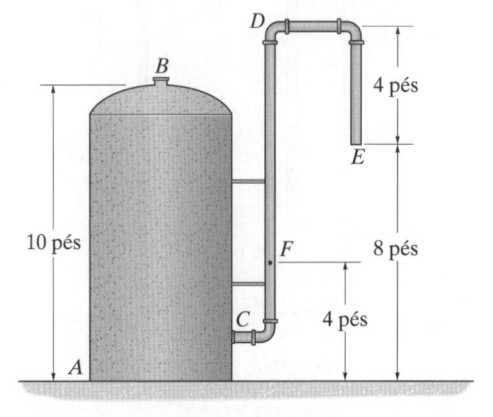

PROBLEMAS 2.9 e 2.10

2.11. O tanque fechado foi completamente cheio de tetracloreto de carbono quando a válvula em B foi aberta, permitindo que o nível de tetracloreto de carbono caísse lentamente, conforme mostrado. Se a válvula for então fechada e o espaço dentro de A for um vácuo, determine a pressão no líquido perto da válvula B quando h = 25 pés. Além disso, determine em que nível h o tetracloreto de carbono deixará de sair quando a válvula for aberta. A pressão atmosférica é de 14,7 psi.

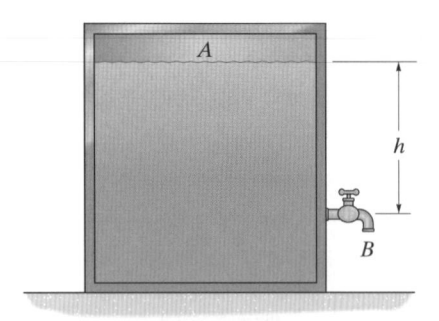

PROBLEMA 2.11

*2.12. O tanque de imersão contém álcool etílico usado para a limpeza de peças de automóvel. Se h = 7 pés, determine a pressão desenvolvida no ponto A e na superfície de ar B dentro da parte fechada. Considere $\gamma_{alc} = 49,3$ lb/pés^3.

2.13. O tanque de imersão contém álcool etílico usado para a limpeza de peças de automóvel. Se a pressão manométrica na parte fechada é $p_B = 0,5$ psi, determine a pressão desenvolvida no ponto A e a altura h do nível de álcool etílico no tanque. Considere $\gamma_{alc} = 49,3$ lb/pés^3.

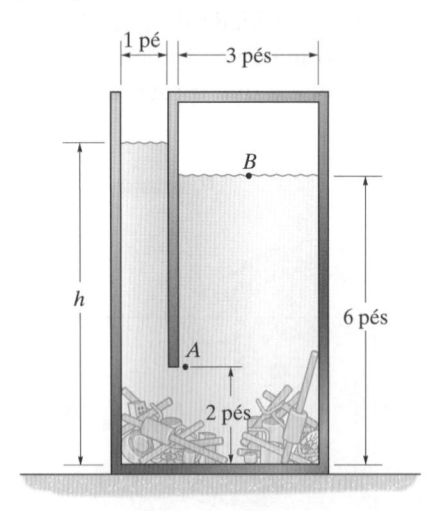

PROBLEMAS 2.12 e 2.13

2.14. Os tubos conectados ao tanque fechado estão completamente cheios de água. Se a pressão absoluta em A é 300 kPa, determine a força que atua no interior dos tampões das extremidades em B e C se o tubo possui um diâmetro interno de 60 mm.

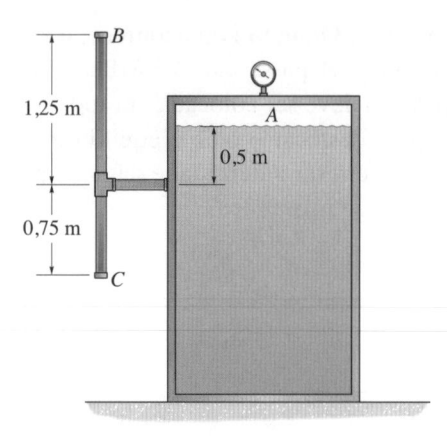

PROBLEMA 2.14

2.15. A estrutura mostrada é usada para o armazenamento temporário de petróleo bruto no mar para carga posterior em navios. Quando não está cheio de petróleo, o nível de água no tubo está em B (nível do mar). Por quê? Quando o petróleo é carregado no tubo, a água é deslocada pelas portas de saída em E. Se o tubo estiver cheio de petróleo, ou seja, até a profundidade de C, determine a altura h do nível de petróleo acima do nível do mar. Considere $\rho_o = 900$ kg/m^3, $\rho_{água} = 1020$ kg/m^3.

*2.16. Se a água na estrutura do Problema 2.15 for deslocada com o petróleo bruto até o nível D no fundo do cone, então até que altura h o óleo se estenderá acima do nível do mar? Considere $\rho_o = 900$ kg/m^3, $\rho_{água} = 1020$ kg/m^3.

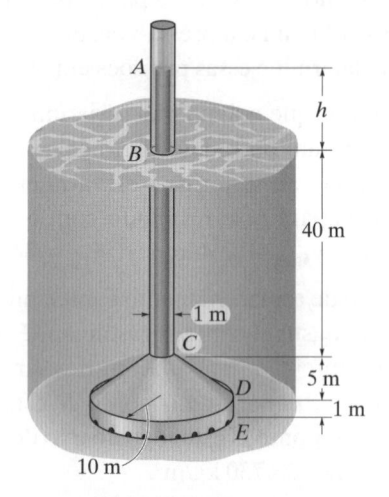

PROBLEMAS 2.15 e 2.16

2.17. O tanque está cheio de amônia aquosa (hidróxido de amônia) até uma profundidade de 3 pés. O volume restante do tanque contém ar sob uma pressão absoluta de 20 psi. Determine a pressão manométrica no fundo do tanque. Os resultados seriam diferentes se o tanque tivesse um fundo quadrado, em vez de curvo? Considere $\rho_{am} = 1{,}75$ slug/pé^3. A pressão atmosférica é $p_{atm} = 14{,}7$ lb/pol.^{2}

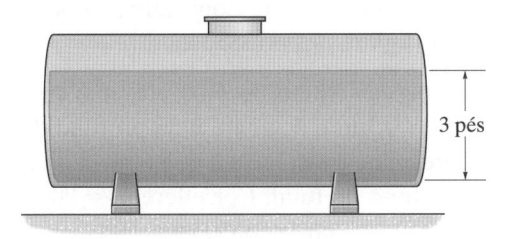

PROBLEMA 2.17

2.18. Uma bolha de 0,5 pol. de diâmetro de gás metano é liberada do fundo de um lago. Determine o diâmetro da bolha quando ela atingir a superfície. A temperatura da água é 68°F e a pressão atmosférica é 14,7 lb/pol.^{2}

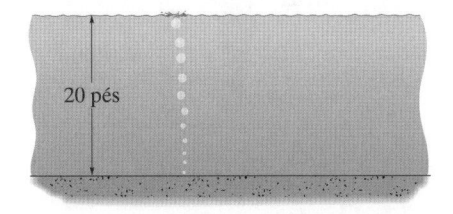

PROBLEMA 2.18

2.19. O Burj Khalifa, em Dubai, é atualmente o prédio mais alto do mundo. Se o ar a 40°C está em uma pressão atmosférica de 105 kPa no andar térreo (nível do mar), determine a pressão absoluta no topo do prédio, que tem uma elevação de 828 m. Suponha que a temperatura seja constante e que o ar seja compressível. Refaça o problema considerando que o ar seja incompressível.

*2.20. O Burj Khalifa, em Dubai, é atualmente o prédio mais alto do mundo. Se o ar a 100°F está em uma pressão atmosférica de 14,7 psi no andar térreo (nível do mar), determine a pressão absoluta no topo do prédio, que tem uma elevação de 2717 pés. Suponha que a temperatura seja constante e que o ar seja compressível. Refaça o problema considerando que o ar seja incompressível.

2.21. A densidade ρ de um fluido varia com a profundidade h, embora seu módulo de elasticidade volumétrico $E_{\mathcal{V}}$ possa ser considerado constante. Determine como a pressão varia com h. A densidade na superfície do fluido é ρ_0.

2.22. Devido à sua ligeira compressibilidade, a densidade da água varia com a profundidade, embora seu módulo de elasticidade volumétrico $E_{\mathcal{V}} = 2{,}20$ GPa (absoluto) possa ser considerado constante. Considerando essa compressibilidade, determine a pressão na água a uma profundidade de 300 m, se a densidade na superfície da água é $\rho_0 = 1000$ kg/m^3. Compare esse resultado com a suposição de que a água seja incompressível.

2.23. À medida que o balão sobe, as medições indicam que a temperatura começa a diminuir a uma taxa constante, de $T = 20°C$ em $z = 0$ a $T = 16°C$ em $z = 500$ m. Se a pressão absoluta e a densidade do ar em $z = 0$ são $p = 101$ kPa e $\rho = 1{,}23$ kg/m^3, determine esses valores em $z = 500$ m.

*2.24. À medida que o balão sobe, as medições indicam que a temperatura começa a diminuir a uma taxa constante, de $T = 20°C$ em $z = 0$ a $T = 16°C$ em $z = 500$ m. Se a pressão absoluta do ar em $z = 0$ é $p = 101$ kPa, represente graficamente a variação de pressão (eixo vertical) contra a altitude para $0 \leq z \leq 3000$ m. Dê valores para incrementos de $\Delta z = 500$ m.

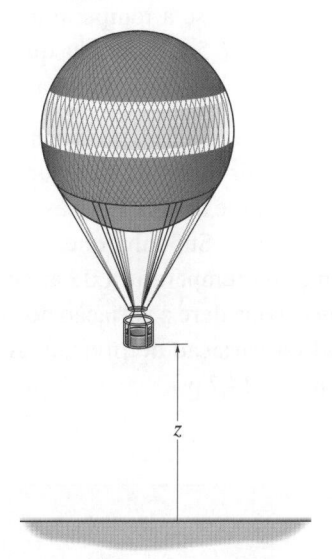

PROBLEMAS 2.23 e 2.24

2.25. Na troposfera, a temperatura absoluta do ar varia com a elevação de modo que $T = T_0 - Cz$, onde C é uma constante. Se $p = p_0$ em $z = 0$, determine a pressão absoluta em função da elevação.

2.26. Na troposfera, a temperatura absoluta do ar varia com a elevação de modo que $T = T_0 - Cz$, onde C é uma constante. Usando a Figura 2.11, determine as constantes, T_0 e C. Se $p_0 = 101$ kPa em $z_0 = 0$, determine a pressão absoluta no ar a uma elevação de 5 km.

2.27. A densidade de um líquido não homogêneo varia em função da profundidade h, de modo que $\rho = (850 + 0{,}2h)$ kg/m^3, onde h está em metros. Determine a pressão quando $h = 20$ m.

*2.28. A densidade de um líquido não homogêneo varia em função da profundidade h, de modo que $\rho = (635 + 60h)$ kg/m^3, onde h está em metros. Represente graficamente a variação da pressão (eixo vertical) contra a profundidade para $0 \leq h < 10$ m. Indique valores para incrementos de 2 m.

2.29. Na troposfera, que se estende desde o nível do mar até 11 km, descobre-se que a temperatura diminui com a altitude, de modo que $dT/dz = -C$, onde C é a taxa de intervalo constante. Se a temperatura e a pressão em $z = 0$ são T_0 e p_0, determine a pressão em função da altitude.

2.30. Na parte inferior da estratosfera, considera-se que a temperatura permanece constante a $T = T_0$. Se a pressão for $p = p_0$, onde a elevação é $z = z_0$, deduza uma expressão para a pressão em função da elevação.

2.31. Determine a pressão a uma elevação de $z = 20$ km na estratosfera se a temperatura permanecer constante em $T_0 = -56,5°$C. Suponha que a estratosfera comece em $z = 11$ km, como mostra a Figura 2.11.

*2.32. A lata, que pesa 0,2 lb, possui uma extremidade aberta. Ser ela for invertida e empurrada para baixo na água, determine a força **F** necessária para mantê-la sob a superfície. Suponha que o ar na lata permaneça na mesma temperatura da atmosfera, e que seja 70ºF. *Dica:* considere a variação no volume do ar na lata devido à variação de pressão. A pressão atmosférica é $p_{atm} = 14,7$ psi.

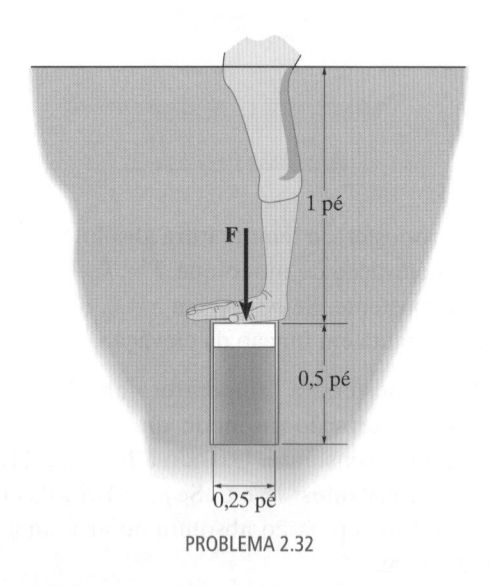

PROBLEMA 2.32

Seção 2.6

2.33. O funil está cheio de óleo e água até os níveis mostrados. Determine a profundidade do óleo h' que deverá estar no funil para que a água permaneça a uma profundidade C, e o mercúrio esteja em $h = 0,8$ m a partir do topo do funil. Considere $\rho_o = 900$ kg/m^3, $\rho_{água} = 1000$ kg/m^3, $\rho_{Hg} = 13550$ kg/m^3.

2.34. O funil está cheio de óleo até uma profundidade de $h' = 0,3$ m e água até uma profundidade de 0,4 m. Determine a distância h que o nível do mercúrio está do topo do funil. Considere $\rho_o = 900$ kg/m^3, $\rho_{água} = 1000$ kg/m^3, $\rho_{Hg} = 13550$ kg/m^3.

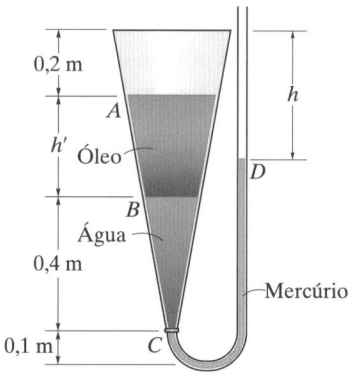

PROBLEMAS 2.33 e 2.34

2.35. O recipiente com 150 mm de diâmetro está cheio de glicerina até o topo, e um tubo fino com 50 mm de diâmetro é inserido dentro dele até uma profundidade de 300 mm. Se 0,00075 m^3 de querosene forem colocados no tubo, determine a altura h à qual o querosene sobe a partir do topo da glicerina.

*2.36. O recipiente com 150 mm de diâmetro está cheio de glicerina até o topo, e um tubo fino com 50 mm de diâmetro é inserido dentro dele até uma profundidade de 300 mm. Determine o volume máximo de querosene que pode ser colocado no tubo de modo que ele não saia pela extremidade inferior. A que altura h o querosene sobe acima da glicerina?

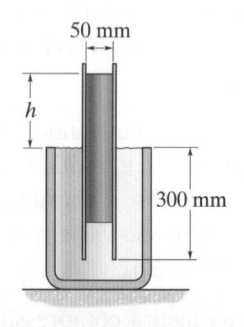

PROBLEMAS 2.35 e 2.36

2.37. Determine as pressões nos pontos A e B. Os recipientes estão cheios de água.

2.38. Determine a pressão no ponto C. Os recipientes estão cheios de água.

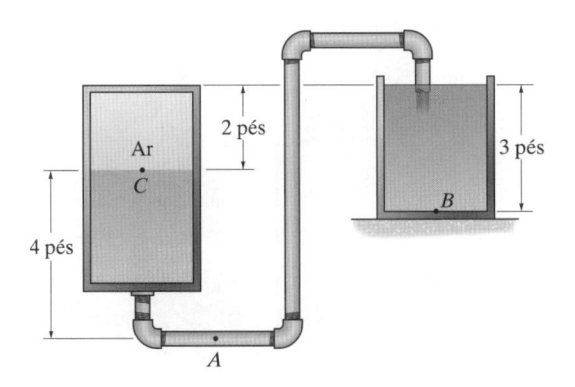

PROBLEMAS 2.37 e 2.38

2.39. O butil carbitol, usado na produção de plásticos, está armazenado em um tanque contendo o manômetro com tubo em forma de U. Se o tubo estiver cheio de mercúrio até o nível E, determine a pressão no tanque no ponto A. Considere $S_{Hg} = 13{,}55$ e $S_{bc} = 0{,}957$.

*__2.40.__ O butil carbitol, usado na produção de plásticos, está armazenado em um tanque contendo o manômetro com tubo em forma de U. Se o tubo estiver cheio de mercúrio até o nível E, determine a pressão no tanque no ponto B. Considere $S_{Hg} = 13{,}55$ e $S_{bc} = 0{,}957$.

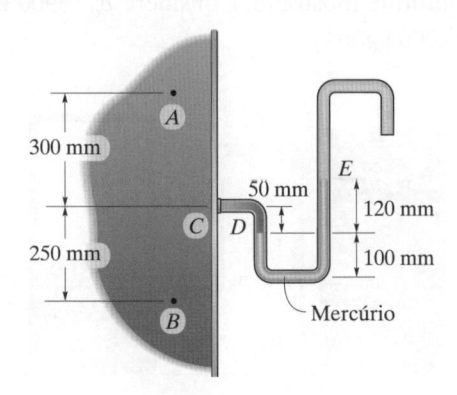

PROBLEMAS 2.39 e 2.40

2.41. A água no reservatório é usada para controlar a pressão d'água no tubo em A. Se $h = 200$ mm, determine essa pressão quando o mercúrio estiver na elevação mostrada. Considere $\rho_{Hg} = 13550$ kg/m^3. Desconsidere o diâmetro do tubo.

2.42. Se a pressão d'água no tubo em A tiver de ser 25 kPa, determine a altura h de água necessária no reservatório. O mercúrio no tubo tem a elevação mostrada. Considere $\rho_{Hg} = 13550$ kg/m^3. Desconsidere o diâmetro do tubo.

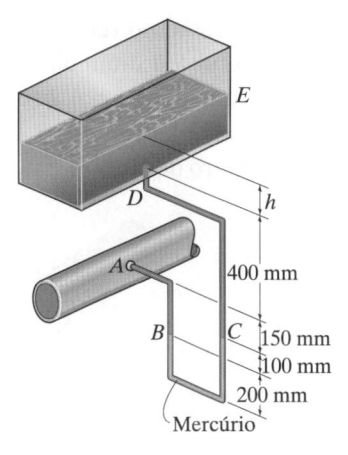

PROBLEMAS 2.41 e 2.42

2.43. Um solvente usado para a fabricação de plásticos consiste em ciclo-hexano no tubo A e lactato de etila no tubo B, que está sendo transportado para um tanque de mistura. Determine a pressão no tubo A se a pressão no tubo B for 15 psi. O mercúrio no manômetro está na posição mostrada, onde $h = 1$ pé. Desconsidere o diâmetro dos tubos. Considere $S_c = 0{,}953$, $S_{Hg} = 13{,}55$ e $S_{el} = 1{,}03$.

*__2.44.__ Um solvente usado para a fabricação de plásticos consiste em ciclo-hexano no tubo A e lactato de etila no tubo B, que está sendo transportado para um tanque de mistura. Se a pressão no tubo A for 18 psi, determine a altura h do mercúrio no manômetro de modo que uma pressão de 25 psi é desenvolvida no tubo B. Desconsidere o diâmetro dos tubos. Considere $S_c = 0{,}953$, $S_{Hg} = 13{,}55$ e $S_{el} = 1{,}03$.

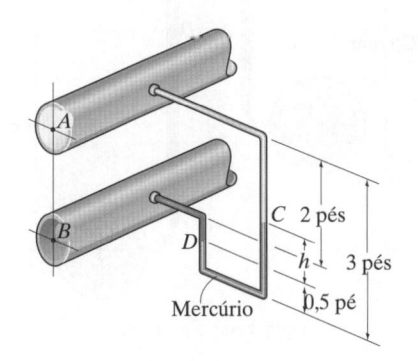

PROBLEMAS 2.43 e 2.44

2.45. Os dois tubos contêm hexilenoglicol, que faz com que o nível do mercúrio no manômetro esteja em $h = 0{,}3$ m. Determine a pressão diferencial nos tubos, $p_A - p_B$. Considere $\rho_{hgl} = 923$ kg/m^3, $\rho_{Hg} = 13550$ kg/m^3. Desconsidere o diâmetro dos tubos.

2.46. Os dois tubos contêm hexilenoglicol, que faz com que a leitura do mercúrio no manômetro esteja em $h = 0{,}3$ m. Se a pressão no tubo A aumentar em 6 kPa e a pressão no tubo B diminuir em 2 kPa, determine a nova leitura diferencial h do manômetro. Considere $\rho_{hgl} = 923$ kg/m^3, $\rho_{Hg} = 13550$ kg/m^3. Desconsidere o diâmetro dos tubos.

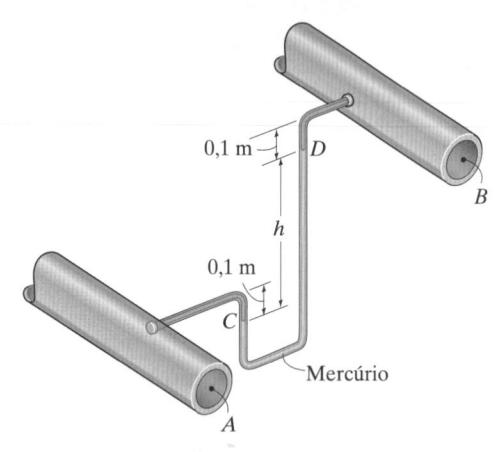

PROBLEMAS 2.45 e 2.46

2.47. O manômetro com tubo em U invertido é usado para medir a diferença na pressão entre a água fluindo nos tubos em A e B. Se o segmento superior estiver cheio de ar e os níveis de água em cada segmento forem conforme indicados, determine essa diferença de pressão entre A e B. $\rho_{\text{água}} = 1000$ kg/m^3.

*****2.48.** Resolva o Problema 2.47 se o segmento superior estiver cheio de um óleo para o qual $\rho_o = 800$ kg/m^3.

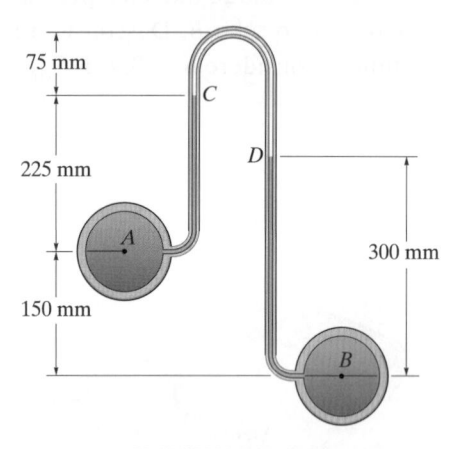

PROBLEMAS 2.47 e 2.48

2.49. A pressão no tanque na válvula fechada A é 300 kPa. Se a elevação diferencial no nível de óleo em $h = 2{,}5$ m, determine a pressão no tubo em B. Considere $\rho_o = 900$ kg/m^3.

2.50. A pressão no tanque em B é 600 kPa. Se a elevação diferencial do óleo for $h = 2{,}25$ m, determine a pressão na válvula fechada A. Considere $\rho_o = 900$ kg/m^3.

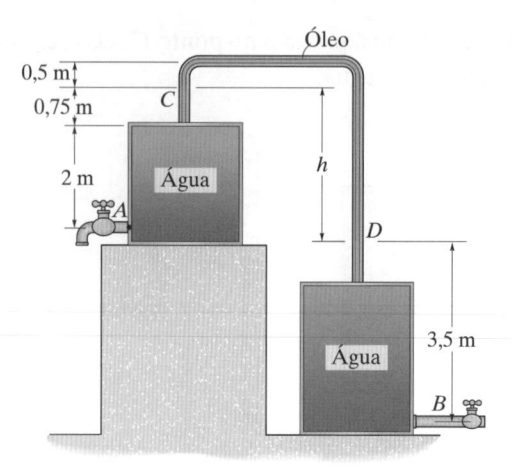

PROBLEMAS 2.49 e 2.50

2.51. Os dois tanques A e B estão conectados por meio de um manômetro. Se uma quantidade de óleo queimado for colocada no tanque A a uma profundidade de $h = 0{,}6$ m, determine a pressão do ar capturado no tanque B. O ar também é capturado na linha CD, conforme mostrado. Considere $\rho_o = 900$ kg/m^3, $\rho_{\text{água}} = 1000$ kg/m^3.

*****2.52.** Os dois tanques A e B estão conectados por meio de um manômetro. Se uma quantidade de óleo queimado for colocada no tanque A a uma profundidade de $h = 1{,}25$ m, determine a pressão do ar capturado no tanque B. O ar também é capturado na linha CD, conforme mostrado. Considere $\rho_o = 900$ kg/m^3, $\rho_{\text{água}} = 1000$ kg/m^3.

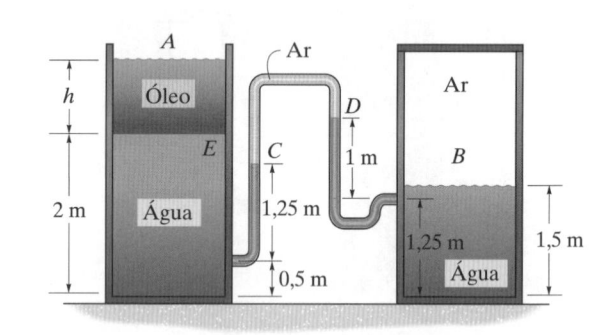

PROBLEMAS 2.51 e 2.52

2.53. O ar é bombeado para o tanque d'água em A de modo que o manômetro de pressão tenha uma leitura de 20 psi. Determine a pressão no ponto B no fundo do tanque de amônia. Considere $\rho_{am} = 1{,}75$ slug/pé^3.

2.54. Determine a pressão que deve ser fornecida pela bomba para que o ar no tanque em A gere uma pressão de 50 psi em B no tanque de amônia. Considere $\rho_{am} = 1{,}75$ slug/pé^3.

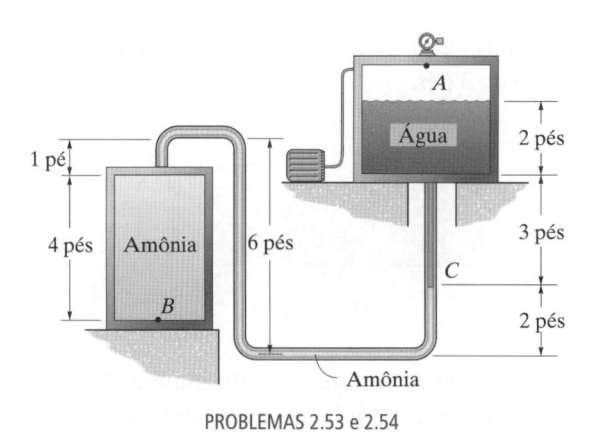

PROBLEMAS 2.53 e 2.54

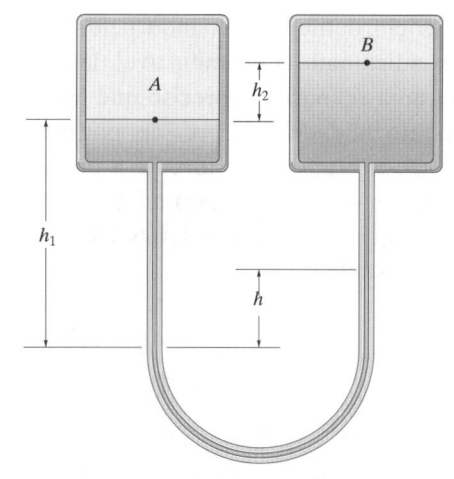

PROBLEMA 2.56

2.55. O *micromanômetro* é usado para medir pequenas diferenças na pressão. Os reservatórios R e a parte superior dos tubos inferiores estão cheios de um líquido com um peso específico de γ_R, enquanto a parte inferior está cheia de um líquido com um peso específico de γ_t (Figura 2.55a). Quando o líquido flui pelo medidor tipo Venturi, os níveis dos líquidos com relação aos níveis originais aparecem na Figura 2.55b. Se a área transversal de cada reservatório é A_R e a área transversal do tubo em forma de U é A_t, determine a diferença de pressão $p_A - p_B$. O líquido no medidor tipo Venturi possui um peso específico de γ_L.

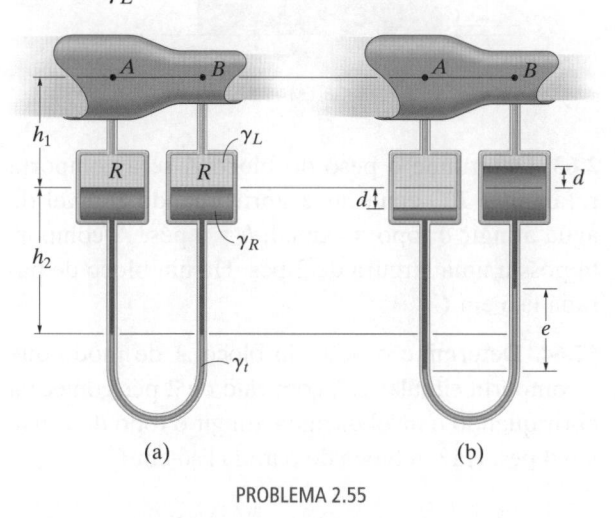

2.57. Determine a diferença na pressão $p_B - p_A$ entre os centros A e B dos tubos, que estão cheios de água. O mercúrio no manômetro do tubo inclinado possui o nível mostrado $S_{Hg} = 13,55$.

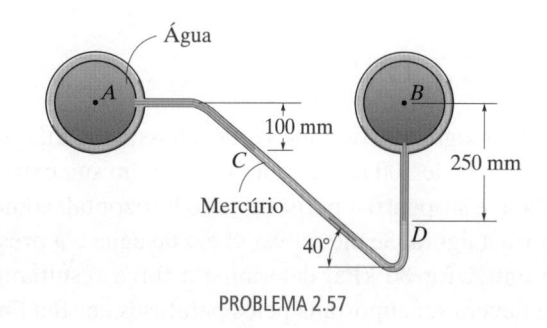

PROBLEMA 2.57

2.58. O tricloroetileno, escoando pelos dois tubos, deve ser adicionado ao combustível de jato produzido em uma refinaria. É preciso que haja um monitoramento cuidadoso da pressão, por meio de um manômetro no tubo inclinado. Se a pressão em A for 30 psi e a pressão em B for 25 psi, determine a posição s que define o nível de mercúrio no manômetro do tubo inclinado. Considere $S_{Hg} = 13,55$ e $S_t = 1,466$. Desconsidere o diâmetro dos tubos.

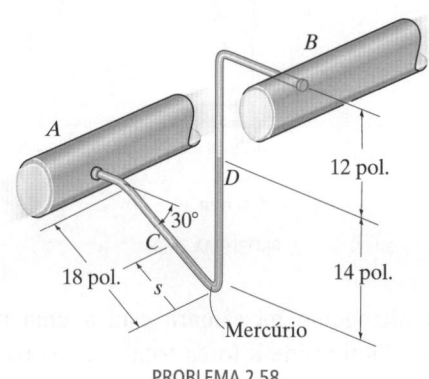

PROBLEMA 2.55

***2.56.** A Morgan Company fabrica um micromanômetro que funciona com base nos princípios mostrados na figura. Aqui, existem dois reservatórios cheios de querosene, cada um com uma área transversal de 300 mm². O tubo de conexão tem uma área transversal de 15 mm² e contém mercúrio. Determine h se a diferença de pressão $p_A - p_B = 40$ Pa. Qual seria o valor de h se a água fosse usada no lugar do mercúrio? $\rho_{Hg} = 13550$ kg/m³, $\rho_{que} = 814$ kg/m³. *Dica*: tanto h_1 quanto h_2 podem ser eliminados da análise.

PROBLEMA 2.58

2.59. O tricloroetileno, escoando pelos dois tubos, deve ser adicionado ao combustível de jato produzido em uma refinaria. É preciso que haja um monitoramento cuidadoso da pressão, por meio de um manômetro no tubo inclinado. Se a pressão em A for 30 psi e $s = 7$ pol., determine a pressão em B. Considere $S_{Hg} = 13,55$ e $S_t = 1,466$. Desconsidere o diâmetro dos tubos.

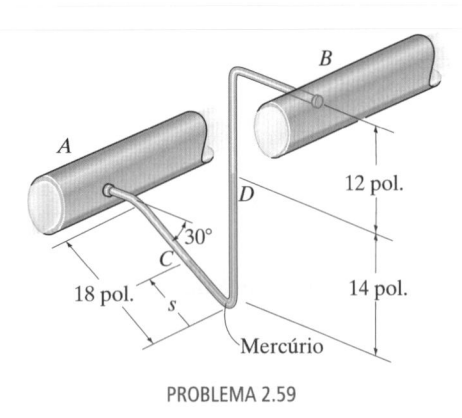

PROBLEMA 2.59

Seções 2.7 a 2.9

*2.60. O segmento do tubo vertical possui um diâmetro interno de 100 mm e está tampado em sua extremidade e suspenso a partir do tubo horizontal, como mostra a figura. Se ele estiver cheio de água e a pressão em A for 80 kPa, determine a força resultante que deverá ser suportada pelos parafusos em B a fim de manter os flanges unidos. Desconsidere o peso do tubo, mas não a água dentro dele.

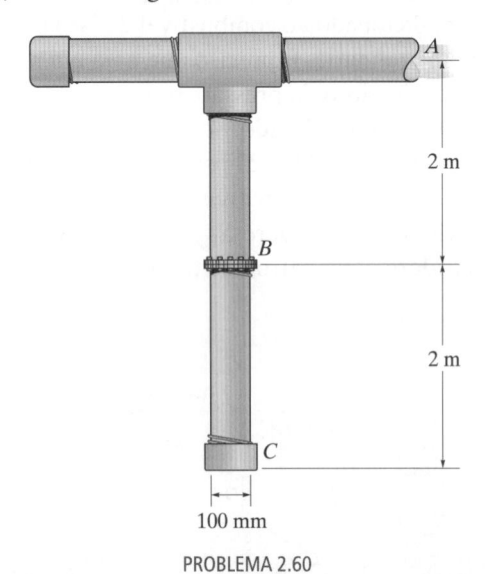

PROBLEMA 2.60

2.61. O nitrogênio na câmara está a uma pressão de 60 psi. Determine a força total que os parafusos nas juntas A e B deverão resistir a fim de manter a pressão. Há uma placa de vedação em B com um diâmetro de 3 pés.

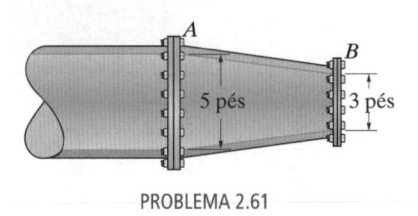

PROBLEMA 2.61

2.62. O tanque de armazenamento contém óleo e água atuando nas profundidades mostradas. Determine a força resultante que esses dois líquidos exercem na lateral ABC do tanque se ela tiver uma largura de $b = 1,25$ m. Além disso, determine o local dessa resultante, medido a partir do topo do tanque. Considere $\rho_o = 900$ kg/m^3.

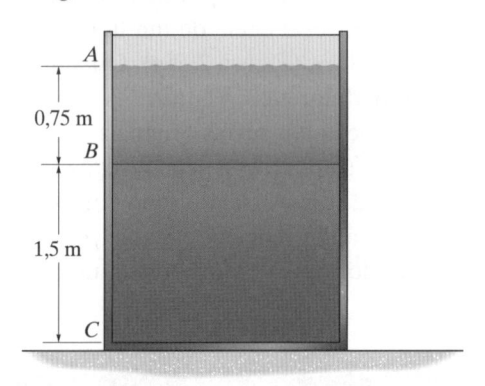

PROBLEMA 2.62

2.63. Determine o peso do bloco A se a comporta retangular BC começar a abrir quando o nível da água atingir o topo do canal, $h = 4$ pés. A comporta possui uma largura de 2 pés. Há um bloco de parada liso em C.

*2.64. Determine o peso do bloco A de modo que a comporta circular BC com raio de 2 pés comece a abrir quando o nível da água atingir o topo do canal, $h = 4$ pés. Há um bloco de parada liso em C.

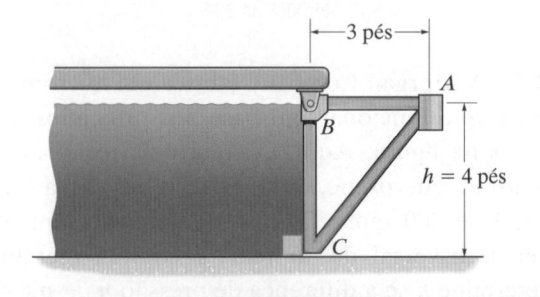

PROBLEMAS 2.63 e 2.64

2.65. Uma comporta de segurança retangular AB tem um peso de 8000 lb e uma largura de 4 pés. Determine a profundidade mínima h da água dentro do canal necessária para abri-la. A comporta é fixada em B e apoia sobre uma vedação de borracha em A.

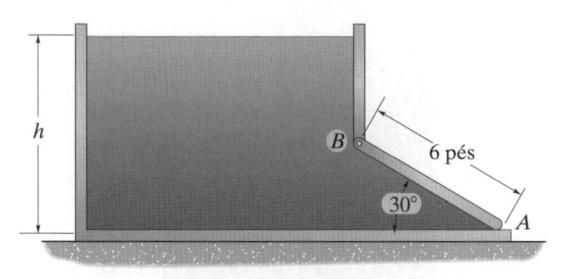

PROBLEMA 2.65

2.66. A comporta de sobrecarga uniforme possui uma massa de 4 Mg e uma largura de 1,5 m. Determine o ângulo de equilíbrio θ se a água subir até uma profundidade de $d = 1,5$ m.

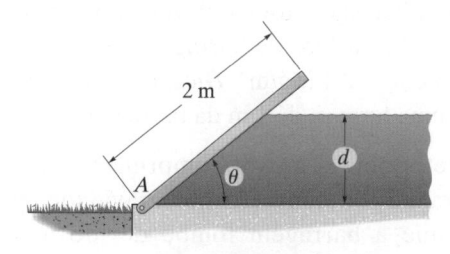

PROBLEMA 2.66

2.67. A comporta de sobrecarga uniforme tem uma massa de 3 Mg e uma largura de 1,5 m. Determine a profundidade da água d se a comporta estiver mantida em equilíbrio em um ângulo $\theta = 60°$.

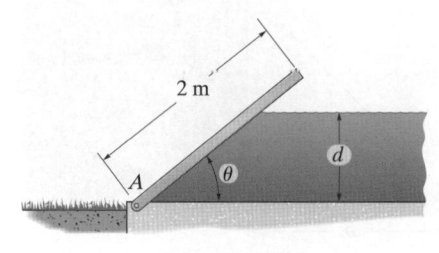

PROBLEMA 2.67

*2.68. Determine a altura crítica h do nível da água antes que a barragem de concreto por gravidade comece a tombar devido à pressão da água atuando sobre sua face vertical. O peso específico do concreto é $\gamma_c = 150$ lb/pés³. *Dica:* resolva o problema usando uma largura de 1 pé da barragem.

2.69. Determine a altura crítica h do nível da água antes que a barragem de concreto por gravidade comece a tombar devido à pressão da água atuando sobre sua face vertical. Considere que a água também se infiltre sob a base da barragem. O peso específico do concreto é $\gamma_c = 150$ lb/pés³. *Dica:* resolva o problema usando uma largura de 1 pé da barragem.

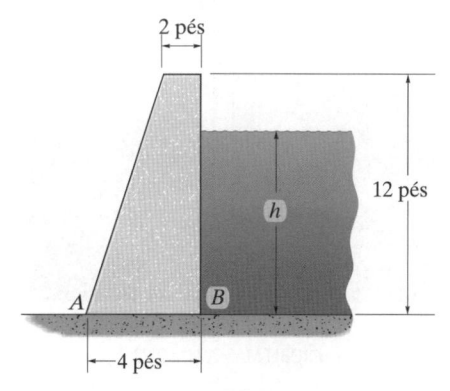

PROBLEMAS 2.68 e 2.69

2.70. A comporta tem 2 pés de largura e tem um pino localizado em A, sendo mantida no local por um parafuso de trinco em B, que exerce uma força normal à comporta. Determine essa força causada pela água e a força resultante sobre o pino para que haja equilíbrio.

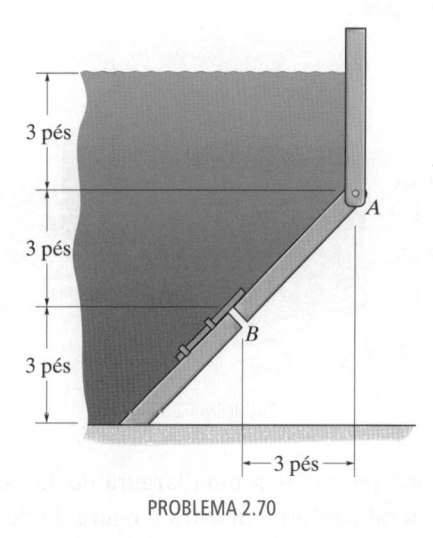

PROBLEMA 2.70

2.71. A cancela de maré se abre automaticamente quando a água da maré em B se acomoda, permitindo que o pântano em A seja drenado. Para o nível de água $h = 4$ m, determine a reação horizontal na trave lisa C. A cancela possui uma largura de 2 m. Em que altura h a cancela estará prestes a abrir?

*2.72. A cancela de maré se abre automaticamente quando a água da maré em B se acomoda, permitindo que o pântano em A seja drenado. Determine a reação horizontal na trave lisa C em função da profundidade h do nível da água. Começando em $h = 6$ m, represente graficamente os valores de h para cada incremento de 0,5 m até que a cancela comece a abrir. A cancela tem uma largura de 2 m.

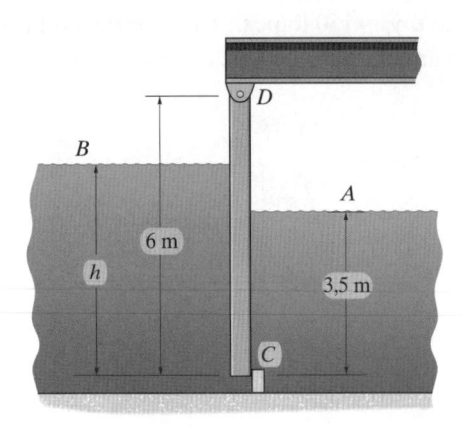

PROBLEMAS 2.71 e 2.72

2.73. O reservatório é usado para armazenar tetracloreto de carbono, um agente de limpeza para peças de metal. Se ele estiver cheio até o topo, determine a magnitude da força resultante que esse líquido exerce sobre cada uma das duas placas laterais, *AFEB* e *BEDC*, e o local do centro de pressão em cada placa, medido a partir de *BE*. Considere $\rho_{tc} = 3{,}09$ slug/pés^3.

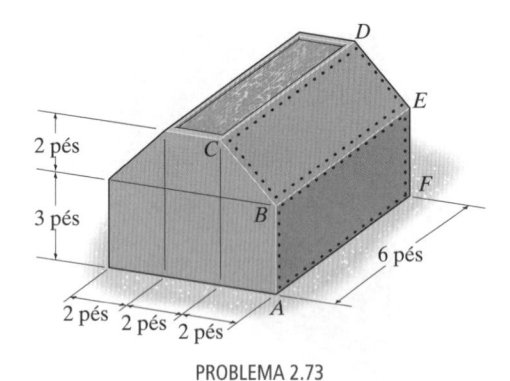

PROBLEMA 2.73

2.74. Uma piscina tem uma largura de 12 pés e um perfil lateral conforme mostra a figura. Determine a força resultante que a pressão d'água exerce sobre as paredes *AB* e *DB*, e sobre o fundo *BC*.

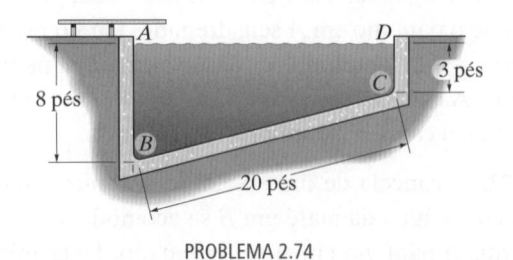

PROBLEMA 2.74

2.75. A pressão do ar em *A* dentro do tanque fechado é de 200 kPa. Determine a força resultante, que atua sobre as placas *BC* e *CD*, causada pela água. O tanque possui uma largura de 1,75 m.

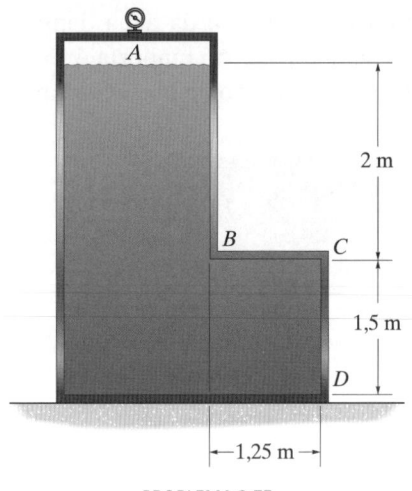

PROBLEMA 2.75

*2.76. Determine o menor comprimento de base *b* da barragem de concreto por gravidade que impedirá que a barragem tombe devido à pressão d'água atuando sobre a face da barragem. A densidade do concreto é $\rho_c = 2{,}4$ Mg/m^3. *Dica:* resolva o problema usando uma largura de 1 m da barragem.

2.77. Determine o menor comprimento de base *b* da barragem de concreto por gravidade que impedirá que a barragem tombe devido à pressão d'água atuando sobre a face da barragem. Suponha que a água também se infiltre sob a base da barragem. A densidade do concreto é $\rho_c = 2{,}4$ Mg/m^3. *Dica:* resolva o problema usando uma largura de 1 m da barragem.

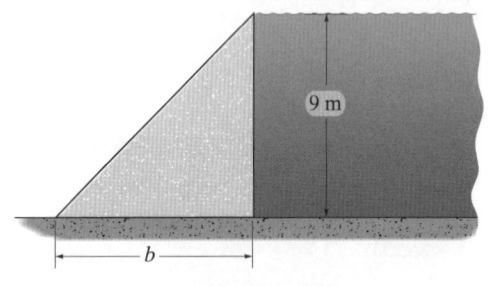

PROBLEMAS 2.76 e 2.77

2.78. Determine a posição *d* do pino na comporta retangular de 2 pés de largura de modo que comece a girar em sentido horário (aberta) quando a água residual atingir uma altura $h = 10$ pés. Qual é a força resultante que atua sobre a comporta?

2.79. Determine a posição *d* do pino na comporta retangular de 3 pés de largura de modo que comece a girar em sentido horário (aberta) quando a água residual atingir uma altura $h = 10$ pés. Qual é a força resultante que atua sobre a comporta? Use o método da fórmula.

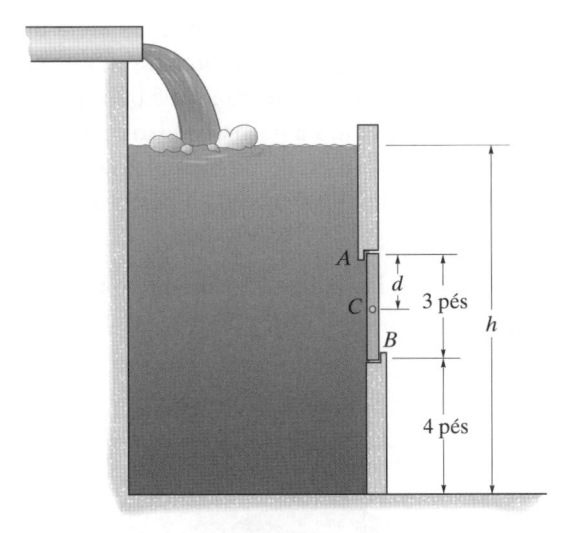

PROBLEMAS 2.78 e 2.79

*2.80. O recipiente em uma planta química contém tetracloreto de carbono, $\rho_{tc} = 1593$ kg/m³, e benzeno, $\rho_b = 875$ kg/m³. Determine a altura h do tetracloreto de carbono no lado esquerdo de modo que a placa de separação, com um pino em A, permanecerá vertical.

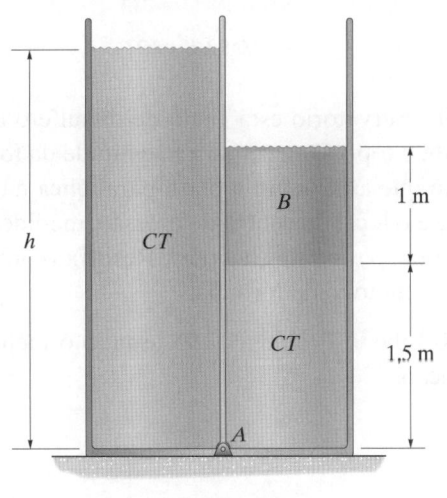

PROBLEMA 2.80

2.81. O tanque de decantação afunilado está cheio de óleo. Determine a força resultante que o óleo exerce sobre a placa trapezoidal de saída para limpeza em sua extremidade. A que altura a partir do topo do tanque essa força atua sobre a placa? Use o método da fórmula. Considere $\rho_o = 900$ kg/m³.

2.82. O tanque de decantação afunilado está cheio de óleo. Determine a força resultante que o óleo exerce sobre a placa trapezoidal de saída para limpeza em sua extremidade. A que altura a partir do topo do tanque essa força atua sobre a placa? Use o método da integração. Considere $\rho_o = 900$ kg/m³.

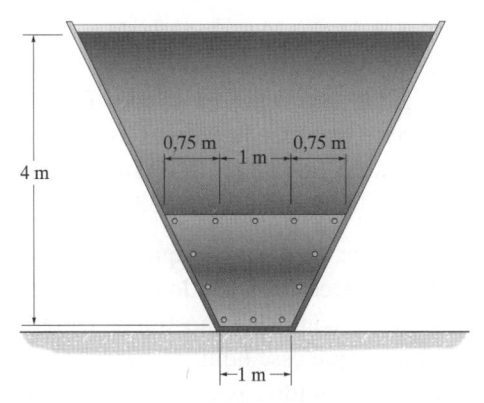

PROBLEMAS 2.81 e 2.82

2.83. O álcool etílico é bombeado para o tanque, que possui a forma de uma pirâmide com quatro lados. Quando o tanque estiver completamente cheio, determine a força resultante que atua sobre cada lado e seu local medido a partir do topo A ao longo da lateral. Use o método da fórmula. $\rho_{ae} = 789$ kg/m³.

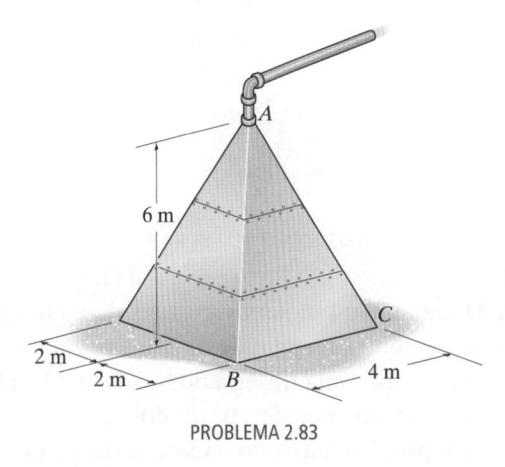

PROBLEMA 2.83

*2.84. O tanque está cheio até o seu topo com um solvente industrial, o éter etílico. Determine a força resultante que atua sobre a placa ABC e seu local na placa, medido a partir da base AB do tanque. Use o método da fórmula. Considere $\gamma_{ee} = 44{,}5$ lb/pés³.

2.85. Resolva o Problema 2.84 usando o método da integração.

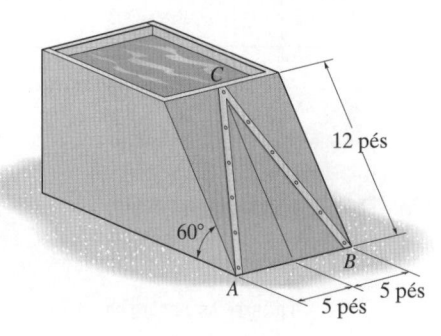

PROBLEMAS 2.84 e 2.85

2.86. As placas de acesso no tanque de contenção industrial são aparafusadas quando o tanque está cheio de óleo vegetal, conforme mostrado. Determine a força resultante que esse líquido exerce sobre a placa A e seu local, medido a partir do fundo do tanque. Use o método da fórmula. $\rho_o v = 932$ kg/m^3.

2.87. As placas de acesso no tanque de contenção industrial são aparafusadas quando o tanque está cheio de óleo vegetal, conforme mostrado. Determine a força resultante que esse líquido exerce sobre a placa B e seu local, medido a partir do fundo do tanque. Use o método da fórmula. $\rho_o v = 932$ kg/m^3.

*** 2.88.** Resolva o Problema 2.87 usando o método da integração.

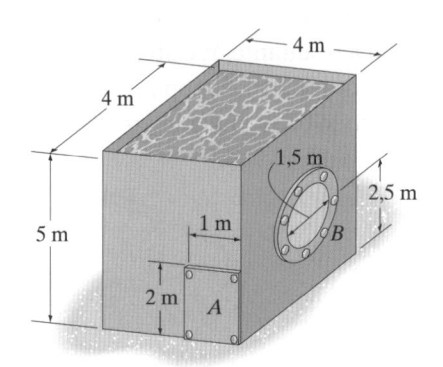

PROBLEMAS 2.86, 2.87 e 2.88

2.89. O caminhão-tanque está cheio de água até o topo. Determine a magnitude da força resultante sobre a placa elíptica na traseira do tanque e o local do centro de pressão, medido a partir do topo do tanque. Resolva o problema usando o método da fórmula.

2.90. Resolva o Problema 2.89 usando o método da integração.

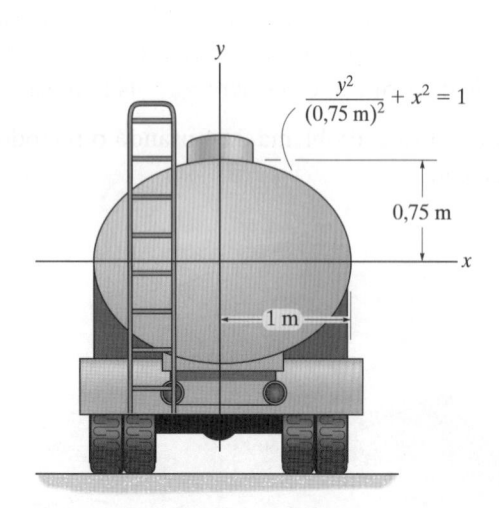

PROBLEMAS 2.89 e 2.90

2.91. O caminhão-tanque está com água até a metade. Determine a magnitude da força resultante sobre a placa elíptica na traseira do tanque e o local do centro de pressão, medido a partir do eixo x. Resolva o problema usando o método da fórmula. *Dica:* o centroide de uma semielipse medida a partir do eixo x é $\overline{y} = \frac{4b}{3\pi}$.

*** 2.92.** Resolva o Problema 2.91 usando o método da integração.

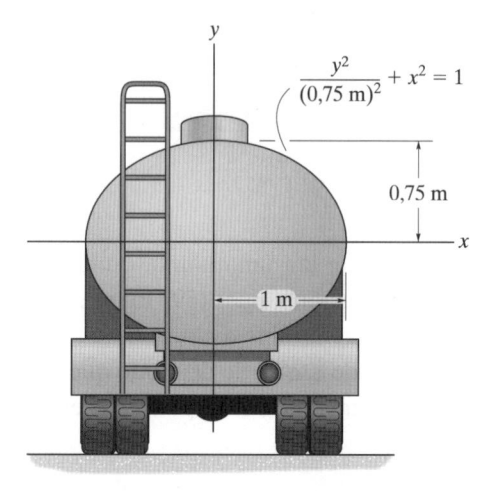

PROBLEMAS 2.91 e 2.92

2.93. O reservatório está cheio de dissulfeto de carbono até o topo. Determine a magnitude da força resultante que atua sobre a placa parabólica na extremidade e o local do centro de pressão, medido a partir do topo. $\rho_{dc} = 2,46$ slug/pés^3. Resolva o problema usando o método da fórmula.

2.94. Resolva o Problema 2.93 usando o método da integração.

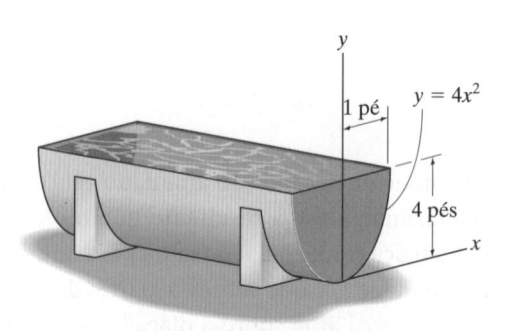

PROBLEMAS 2.93 e 2.94

2.95. O tanque está cheio de água. Determine a força resultante que atua sobre a placa triangular A e o local do centro de pressão, medido a partir do topo do tanque. Resolva o problema usando o método da fórmula.

*2.96. Resolva o Problema 2.95 usando o método da integração.

2.97. O tanque está cheio de água. Determine a força resultante que atua sobre a placa semicircular B e o local do centro de pressão, medido a partir do topo do tanque. Resolva o problema usando o método da fórmula.

2.98. Resolva o Problema 2.97 usando o método da integração.

2.99. O tanque está cheio de água. Determine a força resultante que atua sobre a placa trapezoidal C e o local do centro de pressão, medido a partir do topo do tanque. Resolva o problema usando o método da fórmula.

*2.100. Resolva o Problema 2.99 usando o método da integração.

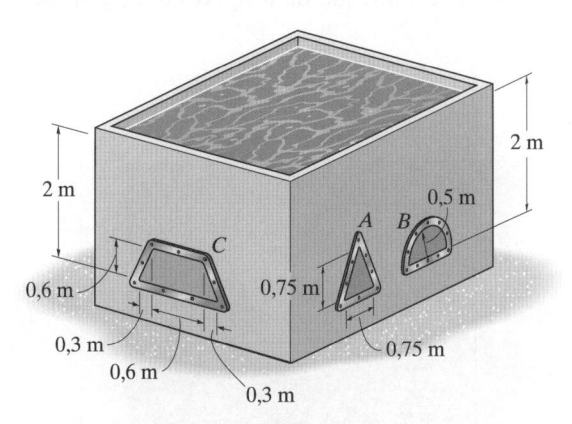

PROBLEMAS 2.95, 2.96, 2.97, 2.98, 2.99 e 2.100

2.101. O tanque de lavagem aberto está cheio até o topo com álcool butílico, um solvente industrial. Determine a magnitude da força resultante sobre a placa $ABCD$ na extremidade e o local do centro de pressão, medido a partir de AB. Resolva o problema usando o método da fórmula. Considere $\gamma_{ab} = 50{,}1$ lb/pés^3.

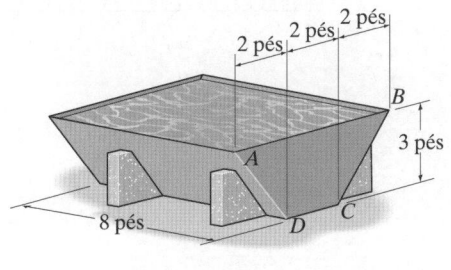

PROBLEMA 2.101

2.102. A comporta de controle ACB tem um pino em A e apoia sobre a superfície lisa em B. Determine a quantidade de peso que deverá ser colocada em C para manter a profundidade do reservatório de $h = 10$ pés. A comporta tem uma largura de 3 pés. Desconsidere seu peso.

2.103. A comporta de controle ACB tem um pino em A e apoia sobre a superfície lisa em B. Se o contrapeso C tem 2000 lb, determine a profundidade máxima de água h no reservatório antes que a comporta comece a abrir. A comporta tem uma largura de 3 pés. Desconsidere seu peso.

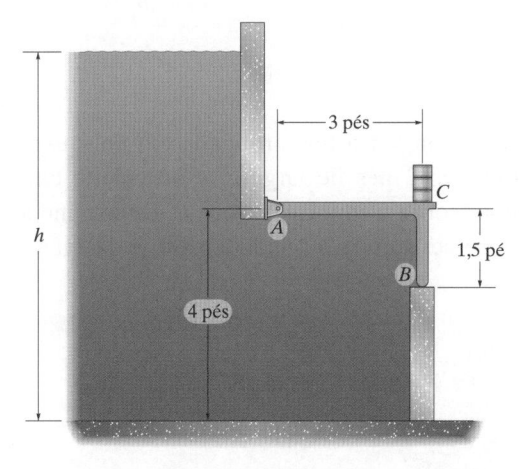

PROBLEMAS 2.102 e 2.103

*2.104. A placa uniforme, articulada em C, é usada para controlar o nível da água em A para manter sua profundidade constante de 12 pés. Se a placa possui uma largura de 8 pés e um peso de $50(10^3)$ lb, determine a altura mínima h da água em B de modo que não ocorra infiltração em D.

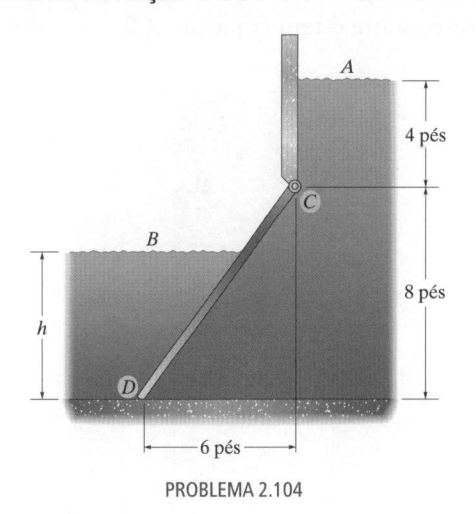

PROBLEMA 2.104

Seção 2.10

2.105. A placa dobrada tem 1,5 m de largura e é articulada em A, apoiando-se sobre um suporte liso em B. Determine os componentes horizontal e vertical da reação em A e a reação vertical no suporte liso B para haver equilíbrio. O fluido é a água.

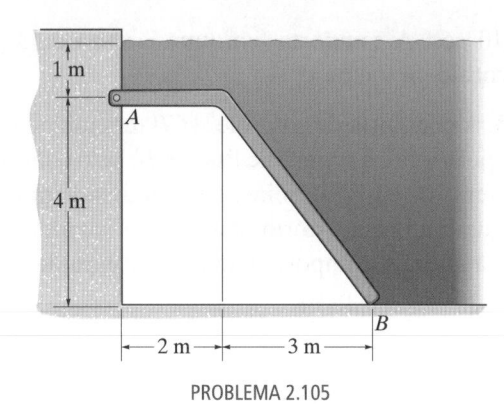

PROBLEMA 2.105

2.106. A comporta fina arqueada em um quarto de círculo tem 3 pés de largura, é articulada em A e apoia-se sobre o suporte liso em B. Determine as reações nesses suportes devido à pressão da água.

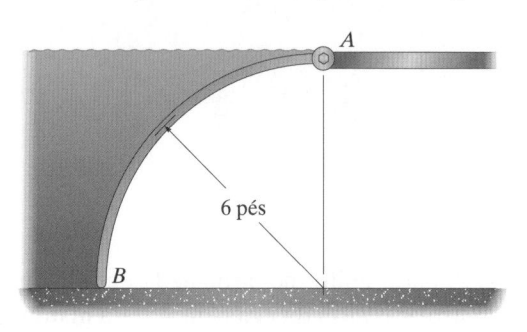

PROBLEMA 2.106

2.107. A água está confinada na câmara vertical, que tem 2 m de largura. Determine a força resultante que ela exerce sobre o teto arqueado AB.

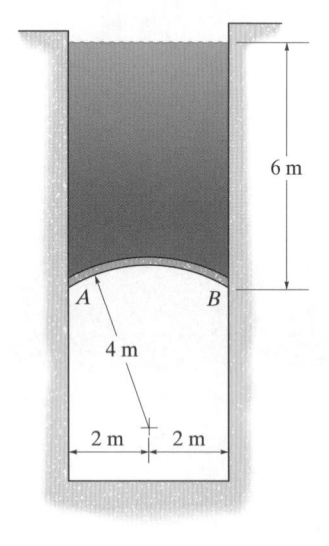

PROBLEMA 2.107

*__2.108.__ Determine os componentes horizontal e vertical da reação na dobradiça A e a reação normal em B causada pela pressão da água. A comporta tem uma largura de 3 m.

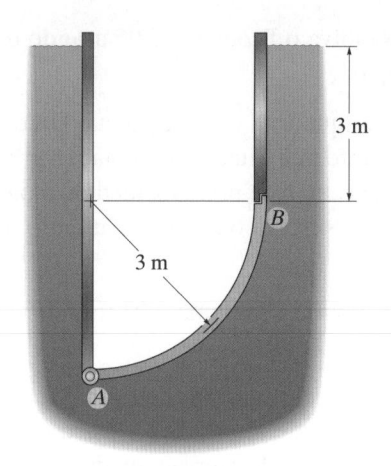

PROBLEMA 2.108

2.109. A peça suspensa de 5 m de largura tem a forma de uma parábola, como mostra a figura. Determine a magnitude e a direção da força resultante da peça.

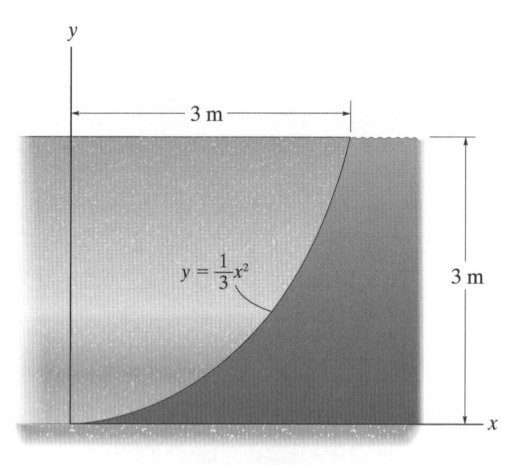

PROBLEMA 2.109

2.110. Determine a força resultante que a água exerce sobre o muro suspenso ao mar ao longo de ABC. O muro tem 2 m de largura.

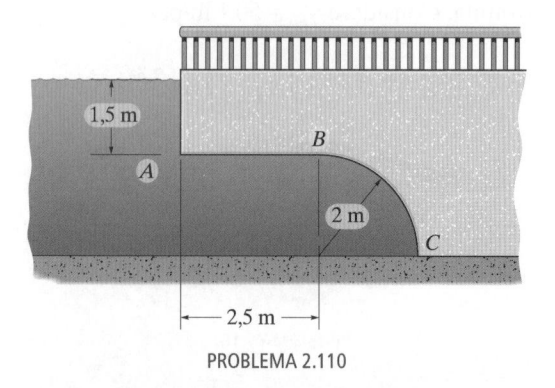

PROBLEMA 2.110

2.111. Determine a magnitude e a direção da força hidrostática resultante que a água exerce sobre a face AB suspensa se ela possui 2 m de largura.

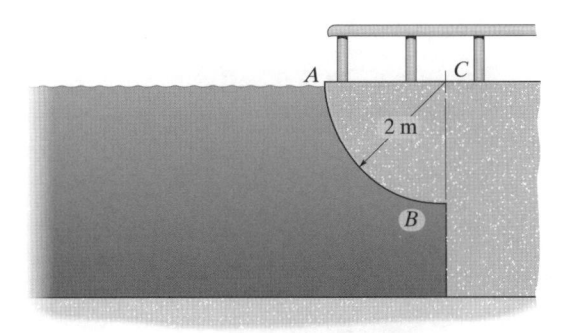

PROBLEMA 2.111

*2.112. O muro com 5 m de largura tem a forma de uma parábola. Se a profundidade da água é $h = 4$ m, determine a magnitude e a direção da força resultante sobre a parede.

2.113. O muro com 5 m de largura tem a forma de uma parábola. Determine a magnitude da força resultante sobre o muro em função da profundidade h da água. Represente graficamente os resultados da força (eixo vertical) contra a profundidade h para $0 \leq h \leq 4$ m. Mostre valores para incrementos de $\Delta h = 0{,}5$ m.

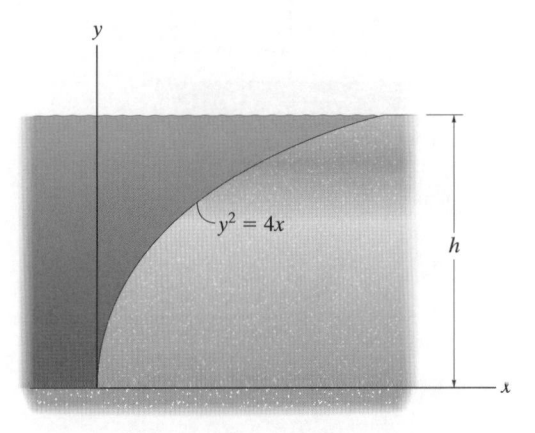

PROBLEMAS 2.112 e 2.113

2.114. Determine a força resultante que a água exerce sobre AB, BC e CD do cercado, que tem 3 m de largura.

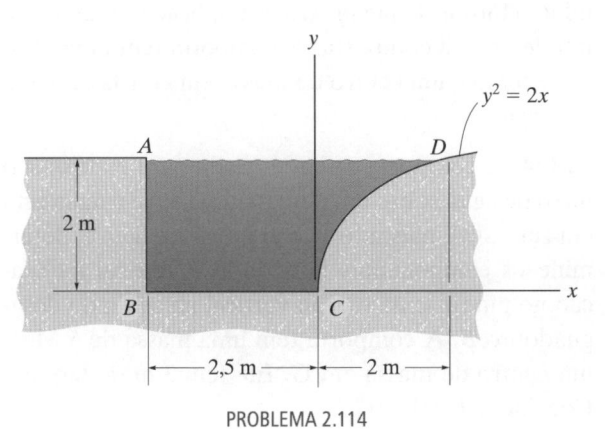

PROBLEMA 2.114

2.115. Determine a magnitude da força resultante que a água exerce sobre o muro vertical curvo. O muro tem 2 m de largura.

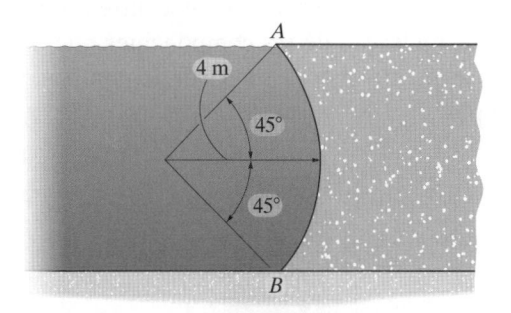

PROBLEMA 2.115

*2.116. A comporta AB tem uma largura de 0,5 m e um raio de 1 m. Determine os componentes horizontal e vertical da reação no pino A e a reação horizontal na trave lisa B devido à pressão da água.

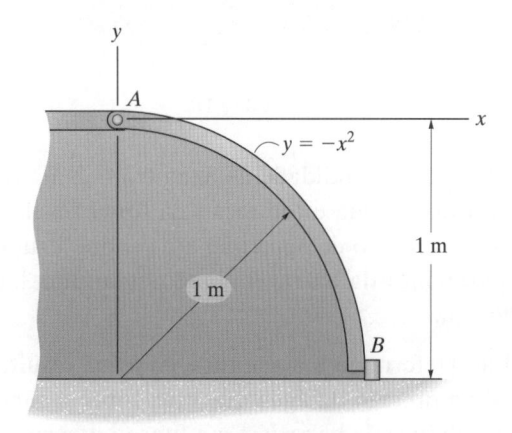

PROBLEMA 2.116

2.117. Uma placa circular de um quarto de volta é articulada em A e está presa à parede do tanque usando o cabo BC. Se o tanque e a placa possuem 4 pés de largura, determine os componentes horizontal e vertical da reação em A, e a tensão no cabo devido à pressão da água.

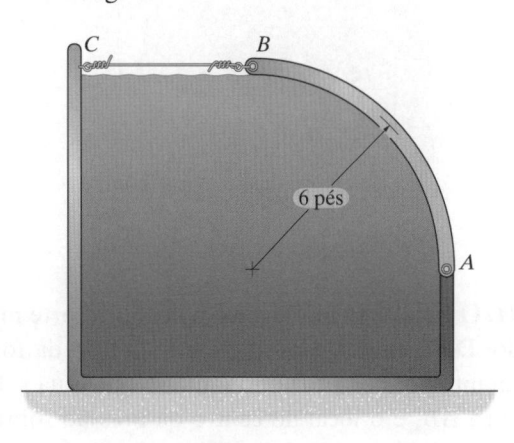

PROBLEMA 2.117

2.118. O recipiente tem 4 pés de largura e está cheio de óleo de linhaça. Determine os componentes horizontal e vertical da força que o óleo exerce sobre o segmento curvo AB. Além disso, encontre o local dos pontos de aplicação desses componentes que atuam sobre o segmento, medidos a partir do ponto A. γ_{ol} = 58,7 lb/pés^3.

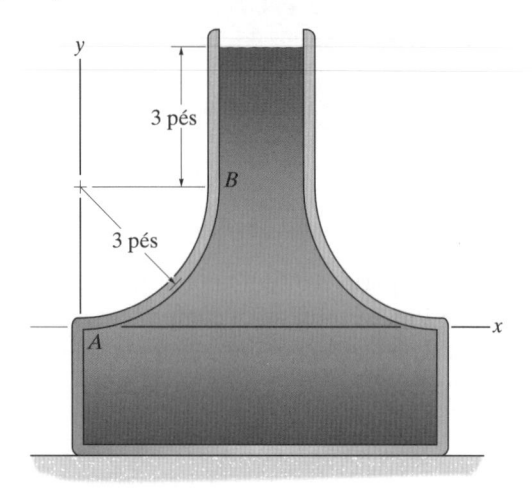

PROBLEMA 2.118

2.119. Se a profundidade da água é $h = 2$ m, determine a magnitude e a direção da força resultante, devido à pressão da água que atua sobre a superfície parabólica da barragem, que possui uma largura de 5 m.

*2.120. Determine a magnitude da força resultante devido à pressão da água que atua sobre a superfície parabólica da barragem em função da profundidade h da água. Represente graficamente os resultados da força (eixo vertical) contra a profundidade h para $0 \leq h \leq 2$ m. Dê valores para incrementos de $\Delta h = 0,5$ m. A barragem possui uma largura de 5 m.

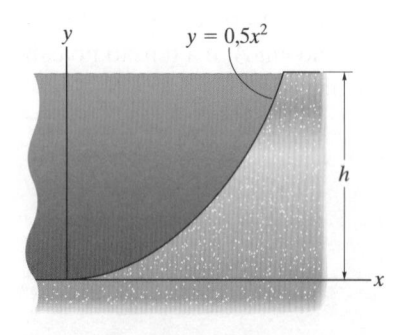

PROBLEMAS 2.119 e 2.120

2.121. O canal transporta água e possui o corte mostrado. Determine a magnitude e a direção da força resultante por comprimento unitário que atua sobre o muro AB, e o local do centro de pressão sobre o muro, medido em relação aos eixos x e y.

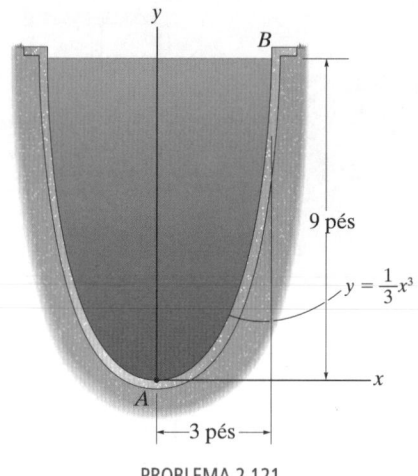

PROBLEMA 2.121

2.122. O tanque de decantação tem 3 m de largura e contém aguarrás com uma densidade de 860 kg/m^3. Se a forma parabólica é definida por $y = (x^2)$ m, determine a magnitude e a direção da força resultante que a aguarrás exerce sobre o lado AB do tanque.

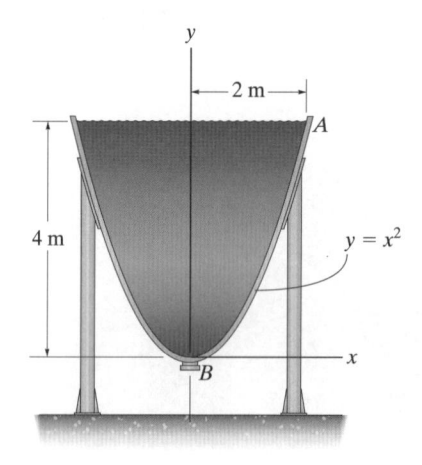

PROBLEMA 2.122

2.123. A comporta radial é usada para controlar o fluxo de água sobre um desaguadouro. Se a água está em seu nível mais alto, como mostra a figura, determine o torque **T** que precisa ser aplicado no pino A a fim de abrir a comporta. A comporta tem uma massa de 5 Mg e um centro de massa em G. Ela tem 3 m de largura.

*2.124. A comporta radial é usada para controlar o fluxo de água sobre um desaguadouro. Se a água está em seu nível mais alto, como mostra a figura, determine os componentes horizontal e vertical da reação no pino A e da reação vertical na crista do desaguadouro B. A comporta tem uma massa de 5 Mg e um centro de massa em G. Ela tem 3 m de largura. Considere $T = 0$.

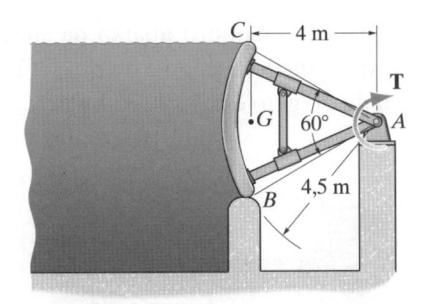

PROBLEMAS 2.123 e 2.124

2.125. A placa de 6 pés de largura na forma de um arco com um quarto de círculo é usada como uma comporta de drenagem. Determine a magnitude e a direção da força resultante da água no rolamento O da comporta. Qual é o momento dessa força em torno do rolamento?

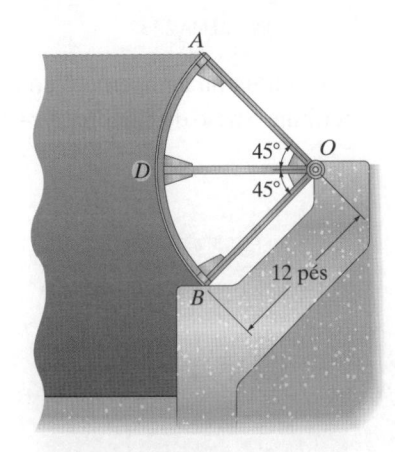

PROBLEMA 2.125

2.126. As placas curva e plana estão conectadas por pinos em A, B e C. Elas estão submersas em água nas profundidades mostradas. Determine os componentes horizontal e vertical da reação no pino B. As placas possuem uma largura de 4 m.

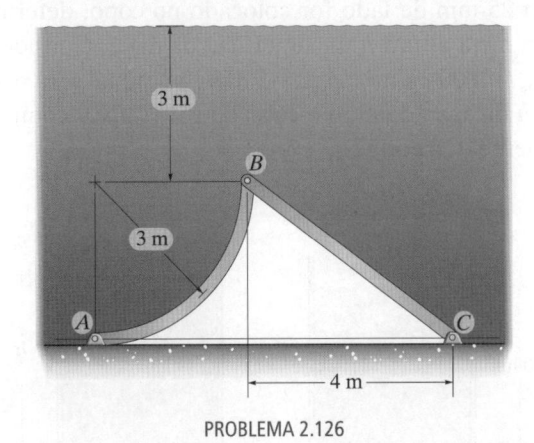

PROBLEMA 2.126

2.127. A trava em forma de uma rolha é usada para tampar o furo com 100 mm de diâmetro no tanque que contém acetato de amila. Se a maior força vertical que a trava pode resistir é 100 N, determine a profundidade d antes que ela seja destampada. Considere $\rho_{aa} = 863$ kg/m^3. *Dica*: o volume do cone é $V = \frac{1}{3}\pi r^2 h$.

*__2.128.__ A trava em forma de uma rolha é usada para tampar o furo com 100 mm de diâmetro no tanque que contém acetato de amila. Determine a força vertical que esse líquido exerce sobre a trava. Considere $d = 0,6$ m e $\rho_{aa} = 863$ kg/m^3. *Dica*: o volume do cone é $V = \frac{1}{3}\pi r^2 h$.

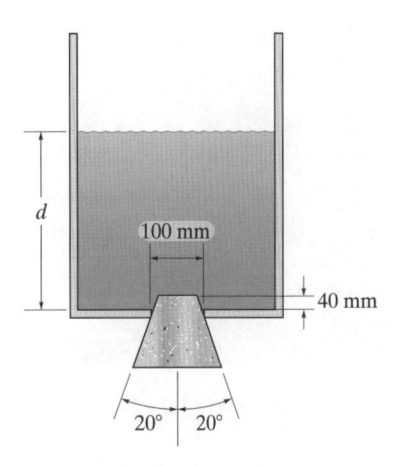

PROBLEMAS 2.127 e 2.128

2.129. O cilindro de aço possui um peso específico de 490 lb/pés^3 e atua como um tampão para o encaixe de 1 pé de extensão no tanque. Determine a força resultante que o fundo do tanque exerce sobre o cilindro quando a água no tanque está a uma profundidade de $h = 2$ pés.

2.130. O cilindro de aço possui um peso específico de 490 lb/pés^3 e atua como um tampão para o encaixe de 1 pé de extensão no tanque. Determine a força resultante que o fundo do tanque exerce sobre o cilindro quando a água no tanque simplesmente cobre o topo do cilindro, $h = 0$.

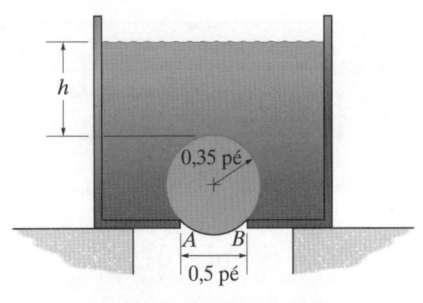

PROBLEMAS 2.129 e 2.130

2.131. A comporta de drenagem para um canal d'água tem 1,5 m de largura e está na posição fechada, como mostra a figura. Determine a magnitude da força resultante da água atuando sobre a comporta. Resolva o problema considerando o fluido que atua sobre as projeções horizontal e vertical da comporta. Determine o menor torque **T** que deve ser aplicado para abrir a comporta se o seu peso for 30 kN e seu centro de gravidade estiver em *G*.

***2.132.** Resolva a primeira parte do Problema 2.131 pelo método da integração, usando coordenadas polares.

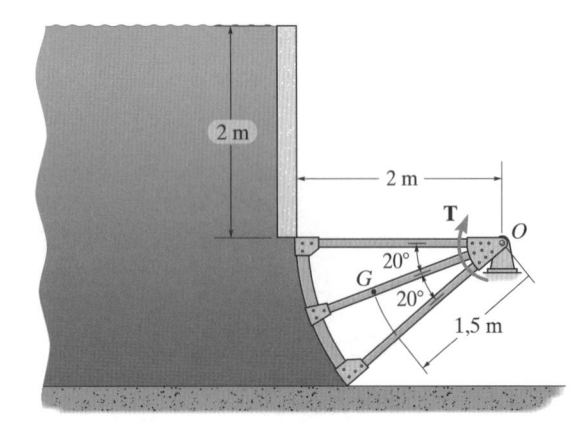

PROBLEMAS 2.131 e 2.132

Seções 2.11 e 2.12

2.133. Um barco com fundo plano possui laterais verticais e uma superfície no fundo de 0,75 m². Ele flutua na água de modo que seu calado (profundidade abaixo da superfície) é de 0,3 m. Determine a massa do barco. Qual é o calado quando um homem de 50 kg sobe no centro do barco?

2.134. A jangada consiste em uma plataforma uniforme contendo uma massa de 2 Mg e quatro flutuadores, cada um com uma massa de 120 kg e comprimento de 4 m. Determine a altura h em que a plataforma flutua a partir da superfície da água. Considere $\rho_{água} = 1$ Mg/m³.

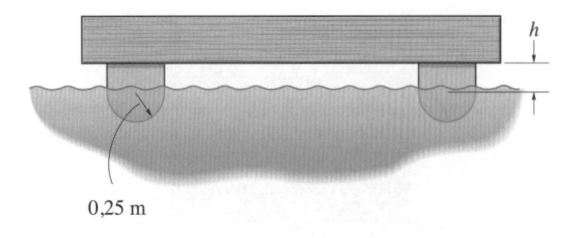

PROBLEMA 2.134

2.135. Considere que um dado *iceberg* tem a forma de um cilindro com um diâmetro qualquer e flutua no oceano conforme mostrado. Se o cilindro se estende por 2 m acima da superfície do oceano, determine a profundidade do cilindro abaixo da superfície. A densidade da água do oceano é de $\rho_{água} = 1024$ kg/m³ e a densidade do gelo é $\rho_{gelo} = 935$ kg/m³.

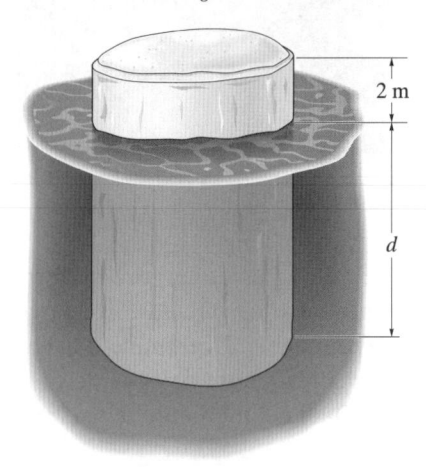

PROBLEMA 2.135

*****2.136.** O cilindro flutua na água e no óleo até o nível mostrado. Determine o peso do cilindro. $\rho_o = 910$ kg/m³.

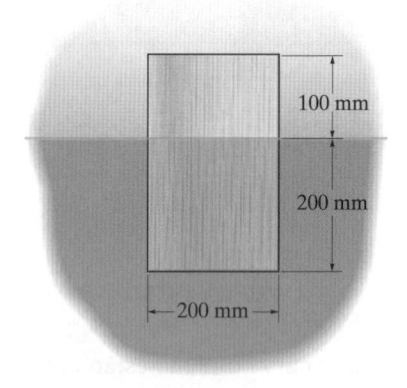

PROBLEMA 2.136

2.137. Um copo com um diâmetro de 50 mm é enchido de água até o nível mostrado. Se um cubo de gelo com 25 mm de lado for colocado no copo, determine a nova altura h da superfície da água. Considere $\rho_{água} = 1000$ kg/m³ e $\rho_{gelo} = 920$ kg/m³. Qual será o nível h da água quando o cubo de gelo estiver completamente derretido?

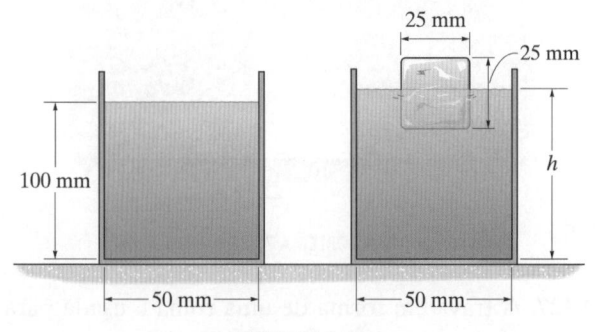

PROBLEMA 2.137

2.138. O bloco de madeira tem um peso específico de 45 lb/pés³. Determine a profundidade h em que ele flutua no sistema óleo-água. O bloco tem 1 pé de largura. Considere $\rho_o = 1{,}75$ slug/pé³.

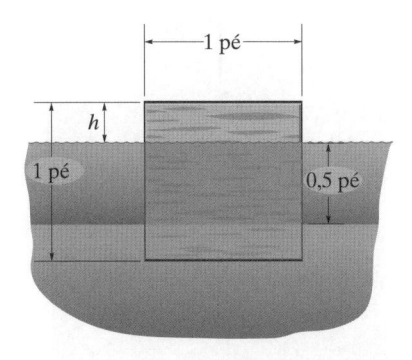

PROBLEMA 2.138

2.139. A água no recipiente está originalmente a uma altura de $h = 3$ pés. Se um bloco com um peso específico de 50 lb/pés³ for colocado na água, determine o novo nível h da água. A base do bloco é quadrada, com 1 pé, e a base do recipiente é quadrada, com 2 pés.

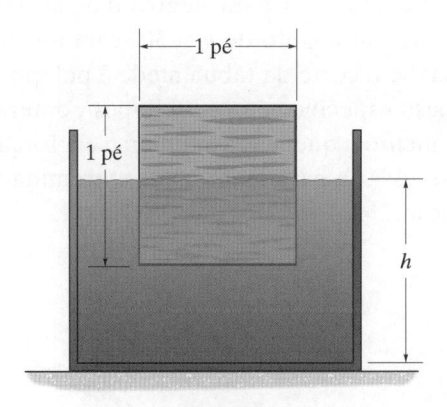

PROBLEMA 2.139

*__2.140.__ A seção transversal da frente de uma balsa é mostrada na figura. Determine a força de flutuação que atua por pé de comprimento do casco quando o nível da água está na profundidade indicada.

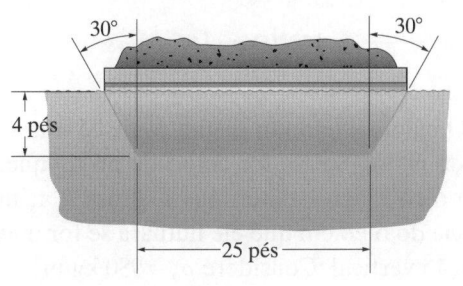

PROBLEMA 2.140

2.141. O cone é feito de madeira com densidade de $\rho_{mad} = 650$ kg/m³. Determine a tensão na corda AB se o cone estiver submerso na água à profundidade mostrada. Essa força aumentará, diminuirá ou permanecerá igual se a corda for encurtada? Por quê? *Dica:* o volume de um cone é $V = \frac{1}{3}\pi r^2 h$.

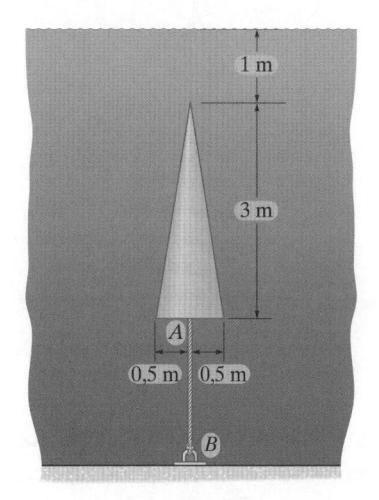

PROBLEMA 2.141

2.142. O balão de ar quente contém ar com uma temperatura de 180°F, enquanto o ar ao redor tem uma temperatura de 60°F. Determine o peso máximo da carga que o balão pode levantar se o volume de ar que ele contém é $120(10^3)$ pés³. O peso do balão vazio é de 200 lb.

PROBLEMA 2.142

2.143. O recipiente com água no interior tem uma massa de 30 kg. O bloco B tem uma densidade de 8500 kg/m³ e uma massa de 15 kg. Se as molas C e D possuem um comprimento em repouso de 200 mm e 300 mm, respectivamente, determine o comprimento de cada mola quando o bloco for submerso na água.

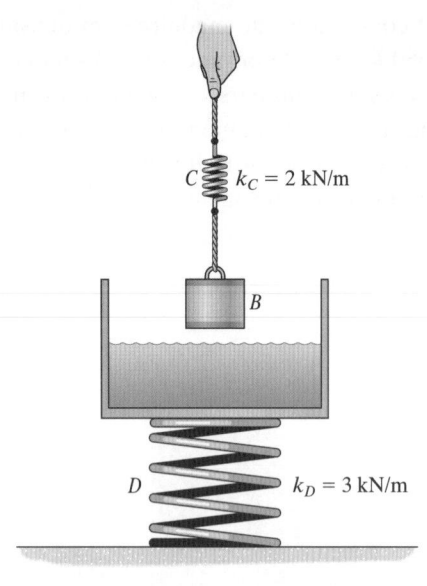

PROBLEMA 2.143

Desconsidere a massa do ar e do balão para o cálculo exigido para o levantamento. O volume de uma esfera é $V = \frac{4}{3}\pi r^3$.

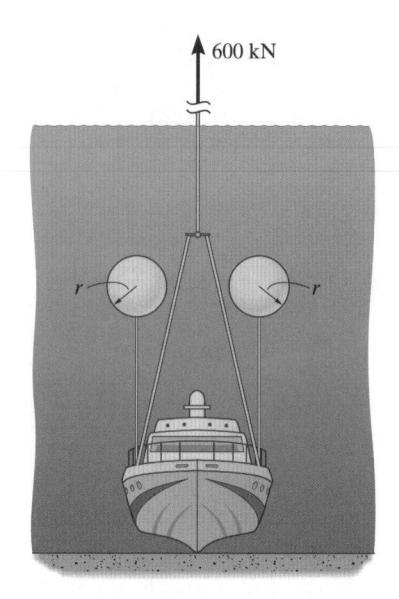

PROBLEMA 2.145

*2.144. Um tubo com extremidades abertas e um raio interno r é colocado em um líquido umectante A com uma densidade ρ_A. O topo do tubo está imediatamente abaixo da superfície de um líquido B ao seu redor, que possui uma densidade ρ_B, onde $\rho_A > \rho_B$. Se a tensão superficial σ fizer com que o líquido A forme um ângulo umectante θ com a parede do tubo, conforme mostra a figura, determine a altura h do líquido A dentro do tubo. Mostre que o resultado independe da profundidade d do líquido B.

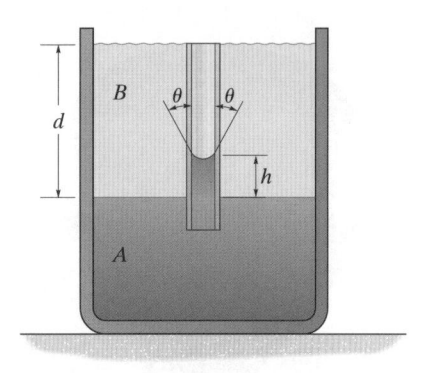

2.146. Uma tábua uniforme de 8 pés de comprimento é empurrada para dentro d'água de modo que forme um ângulo de $\theta = 30°$ com a superfície da água. Se o corte da tábua mede 3 pol. por 9 pol. e seu peso específico é $\gamma_t = 30$ lb/pés^3, determine o comprimento a que ficará submerso e a força vertical **F** necessária para manter sua extremidade nessa posição.

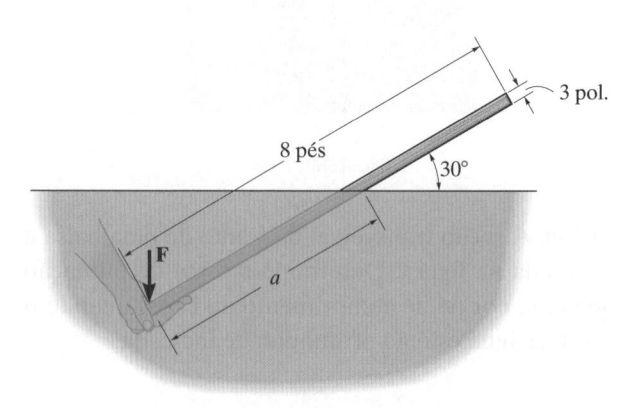

PROBLEMA 2.144

2.145. Um barco com massa de 80 Mg apoia-se sobre o fundo do lago e desloca 10,25 m³ de água. Como a capacidade de levantamento do guindaste é de apenas 600 kN, dois balões são amarrados às laterais do barco e enchidos com ar. Determine o menor raio r de cada balão esférico que é necessário para erguer o barco. Qual é a massa de ar em cada balão se a temperatura do ar e da água é de 12°C? Os balões estão a uma profundidade média de 20 m.

PROBLEMA 2.146

2.147. O cilindro tem um diâmetro de 75 mm e uma massa de 600 g. Se ele for colocado no tanque, que contém óleo e água, determine a altura h acima da superfície do óleo em que ele flutuará se for mantido na posição vertical. Considere $\rho_o = 980$ kg/m³.

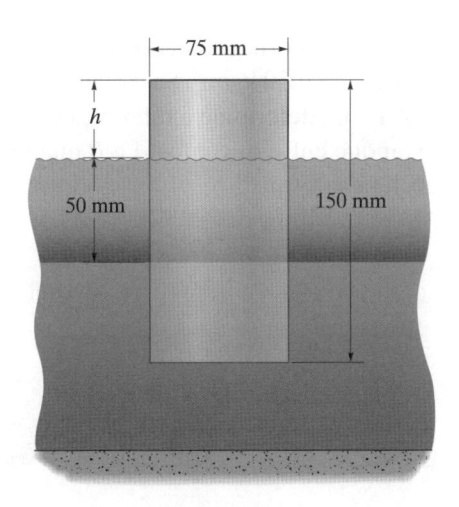

Seções 2.13 e 2.14

2.150. O barril de óleo está sobre a superfície da empilhadeira. Determine a pressão máxima desenvolvida no óleo se a empilhadeira estiver levantando com: (a) uma velocidade constante de 4 m/s e (b) uma aceleração de 2 m/s². Considere $\rho_o = 900$ kg/m³. O topo do barril está aberto para a atmosfera.

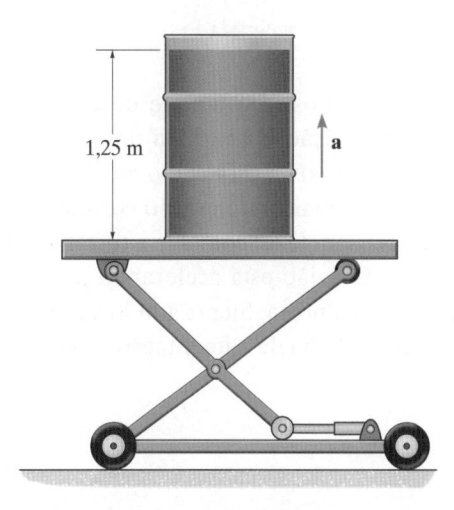

PROBLEMA 2.150

PROBLEMA 2.147

*2.148. Quando carregada com cascalho, a balsa flutua na água à profundidade mostrada. Se o seu centro de gravidade estiver localizado em G, determine se a balsa será restaurada à posição inicial quando uma onda a fizer tombar ligeiramente a 9°.

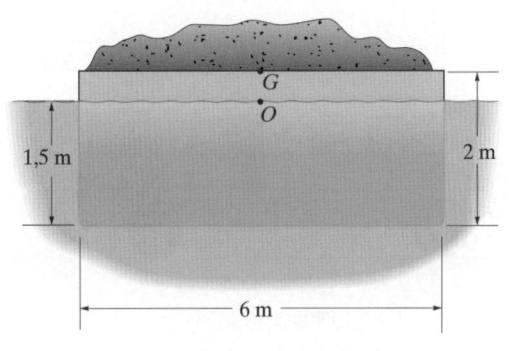

PROBLEMA 2.148

2.149. Quando carregada de cascalho, a balsa flutua na água à profundidade mostrada. Se o seu centro de gravidade estiver localizado em G, determine se a balsa será restaurada à posição inicial quando uma onda a fizer virar ligeiramente.

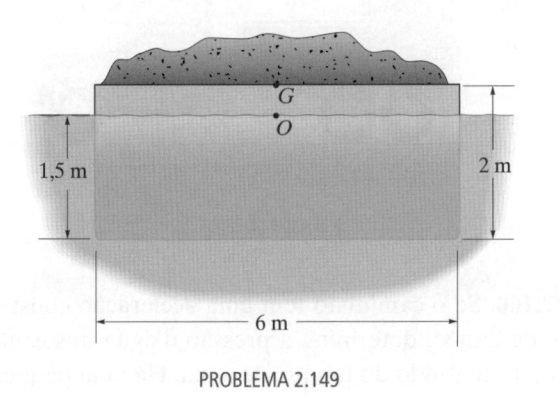

PROBLEMA 2.149

2.151. O caminhão transporta um recipiente aberto com água, como mostra a figura. Se ele possui uma aceleração constante de 2 m/s², determine o ângulo de inclinação da superfície da água e a pressão nos cantos A e B do fundo.

*2.152. O caminhão transporta um recipiente aberto com água, como mostra a figura. Determine a aceleração constante máxima que ele pode ter sem fazer com que a água derrame do recipiente.

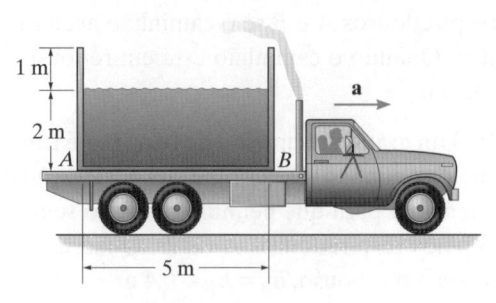

PROBLEMAS 2.151 e 2.152

2.153. O vagão aberto possui 6 pés de largura e está cheio de água até o nível mostrado. Determine a pressão que atua no ponto B quando o vagão está em repouso e quando possui uma aceleração constante de 10 pés/s². Quanta água é derramada do vagão?

2.154. A figura mostra o tanque de combustível, a linha de alimentação e a turbina de um avião. Se o tanque de combustível está cheio até o nível indicado, determine a maior aceleração constante a que o avião pode ter sem fazer com que a turbina fique sem combustível. O avião está acelerando para a direita para que isso aconteça. Sugira um local mais seguro para conectar a linha de alimentação de combustível.

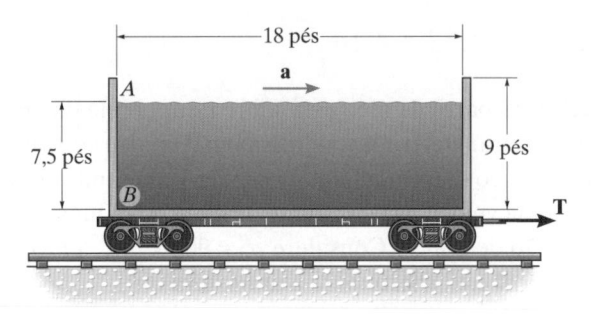

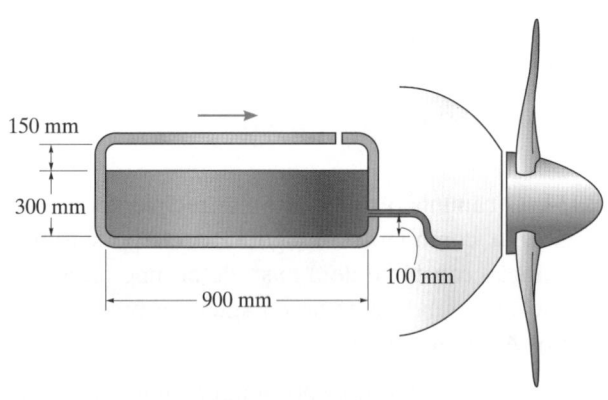

PROBLEMA 2.153

PROBLEMA 2.154

2.155. Um grande recipiente de benzeno é transportado no caminhão. Determine o nível em cada um dos respiradouros A e B se o caminhão acelera a $a = 1,5$ m/s^2. Quando o caminhão está em repouso, $h_A = h_B = 0,4$ m.

*2.156. Um grande recipiente de benzeno é transportado pelo caminhão. Determine sua aceleração constante máxima para que nenhum benzeno seja derramado pelos respiradouros A ou B. Quando o caminhão está em repouso, $h_A = h_B = 0,4$ m.

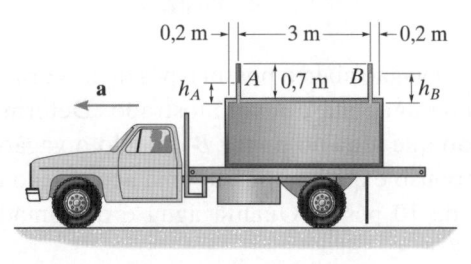

PROBLEMAS 2.155 e 2.156

2.157. O tanque cilíndrico fechado está cheio de leite, para o qual $\rho_l = 1030$ kg/m^3. Se o diâmetro interno do tanque é 1,5 m, determine a diferença em pressão dentro do tanque entre os cantos A e B quando o caminhão acelera a 0,8 m/s^2.

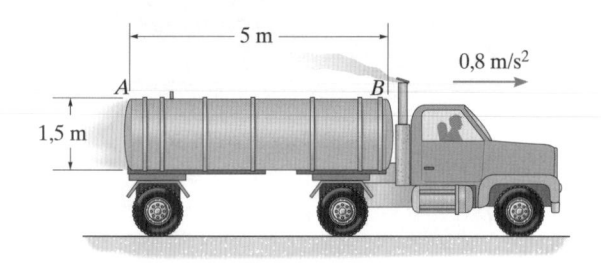

PROBLEMA 2.157

2.158. Determine a pressão d'água nos pontos B e C do tanque se o caminhão possui uma aceleração constante $a_c = 2$ m/s^2. Quando o caminhão está em repouso, o nível da água no respiradouro A está em $h_A = 0,3$ m.

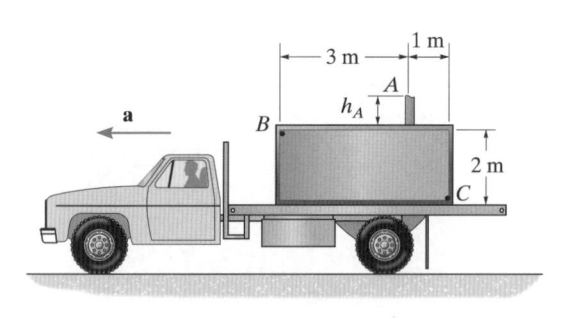

PROBLEMA 2.158

2.159. Se o caminhão possui uma aceleração constante de 2 m/s^2, determine a pressão d'água nos cantos A e B do fundo do tanque de água.

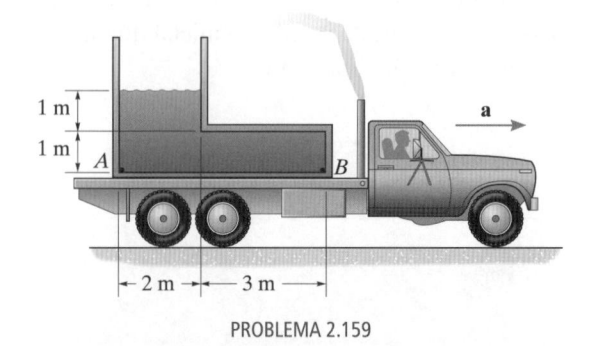

PROBLEMA 2.159

*2.160. Se o caminhão tem uma aceleração constante de 2 m/s^2, determine a pressão d'água nos cantos B e C do fundo do tanque de água. Há uma pequena abertura em A.

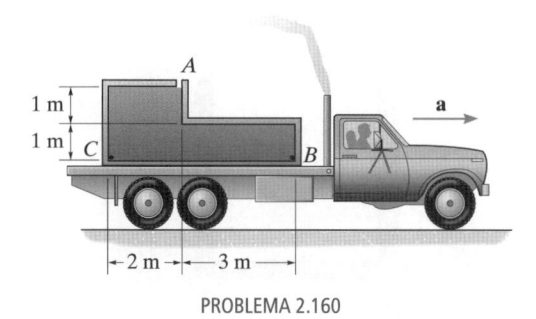

PROBLEMA 2.160

2.161. O carrinho pode descer livremente pelo plano inclinado devido ao seu peso. Mostre que a inclinação da superfície do líquido, θ, durante o movimento é $\theta = \phi$.

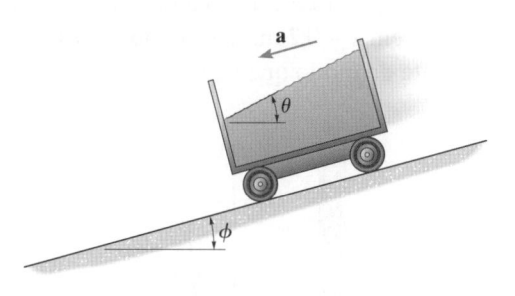

PROBLEMA 2.161

2.162. O carrinho recebe uma aceleração constante **a** subindo o plano, conforme mostrado na figura. Mostre que as linhas de pressão constante *dentro* do líquido têm uma inclinação de tg $\theta = (a \cos \phi)/(a \operatorname{sen} \phi + g)$.

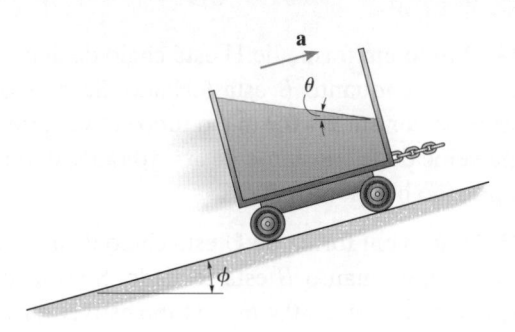

PROBLEMA 2.162

2.163. O vagão aberto é usado para transportar água por uma inclinação de 20°. Quando o vagão está em repouso, o nível da água é aquele mostrado na figura. Determine a aceleração máxima que o vagão pode ter quando for puxado inclinação acima de modo que nenhuma água seja derramada para fora.

*****2.164.** O vagão aberto é usado para transportar água por uma inclinação de 20°. Quando o vagão está em repouso, o nível da água é aquele mostrado na figura. Determine a desaceleração máxima que o vagão pode ter quando for puxado inclinação acima de modo que nenhuma água seja derramada para fora.

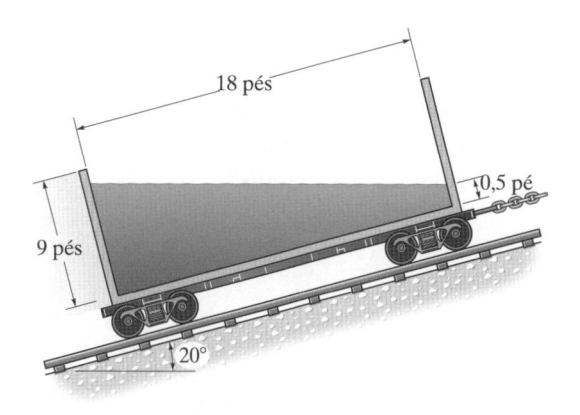

PROBLEMAS 2.163 e 2.164

2.165. Uma mulher está sobre uma plataforma horizontal que está girando a 1,5 rad/s. Se ela estiver segurando uma xícara de café e o centro da xícara estiver a 4 m do eixo de rotação, determine o ângulo de inclinação da superfície do café. Desconsidere o tamanho da xícara.

2.166. O tambor está cheio de óleo até o topo e é colocado sobre a plataforma. Se a plataforma receber uma rotação de $\omega = 12$ rad/s, determine a pressão que o óleo exercerá sobre o lacre em A. Considere $\rho_o = 900$ kg/m³.

2.167. O tambor está cheio de óleo até o topo e é colocado sobre a plataforma. Determine a rotação máxima da plataforma se a pressão máxima que o lacre em A pode suportar antes de abrir for 40 kPa. Considere $\rho_o = 900$ kg/m³.

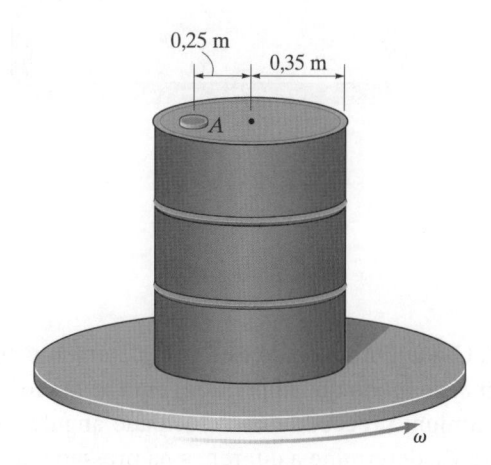

PROBLEMAS 2.166 e 2.167

*****2.168.** A caneca está cheia de querosene até uma altura de $h = 0,1$ m e é colocada sobre a plataforma. Qual é a velocidade angular ω que ela pode ter de modo que nenhum querosene seja derramado da caneca?

2.169. A caneca está cheia de querosene até uma altura de $h = 0,1$ m e é colocada sobre a plataforma. Até que altura $h = h'$ o querosene subirá contra a parede da caneca quando a plataforma tiver uma velocidade angular de $\omega = 15$ rad/s?

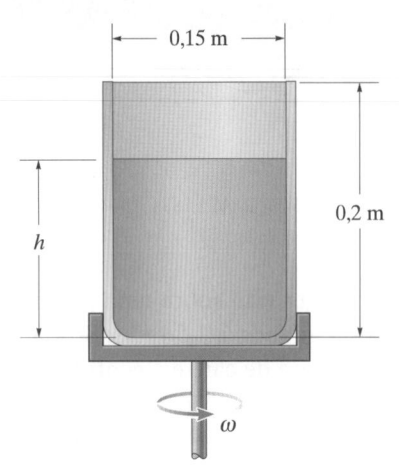

PROBLEMAS 2.168 e 2.169

2.170. O tubo está cheio de água até o nível $h = 1$ pé. Determine a pressão no ponto O quando o tubo tiver uma velocidade angular de $\omega = 8$ rad/s.

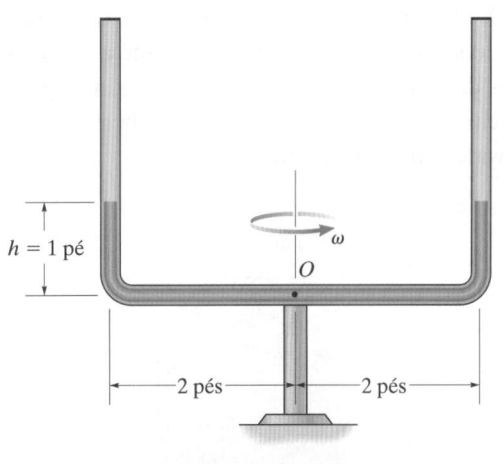

PROBLEMA 2.170

2.171. O conjunto lacrado está completamente cheio de água, de modo que as pressões em C e D são zero. Se o conjunto receber uma velocidade angular de $\omega = 15$ rad/s, determine a diferença na pressão entre os pontos C e D.

*****2.172.** O conjunto lacrado está completamente cheio de água, de modo que as pressões em C e D são zero. Se o conjunto receber uma velocidade angular de $\omega = 15$ rad/s, determine a diferença na pressão entre os pontos A e B.

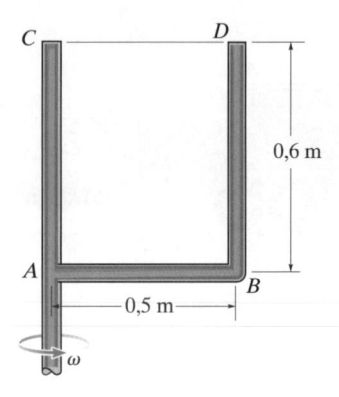

PROBLEMAS 2.171 e 2.172

2.173. O tubo em forma de U está cheio de água e A está aberto, enquanto B está fechado. Se o eixo de rotação estiver em $x = 0,2$ m, determine a taxa de rotação constante de modo que a pressão em B seja zero.

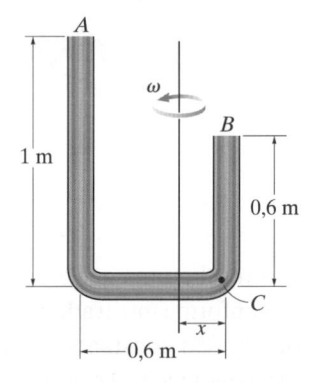

PROBLEMA 2.173

2.174. O tubo em forma de U está cheio de água e A está aberto, enquanto B está fechado. Se o eixo de rotação estiver em $x = 0,2$ m e o tubo estiver girando a uma velocidade constante de $\omega = 10$ rad/s, determine a pressão nos pontos B e C.

2.175. O tubo em forma de U está cheio de água e A está aberto, enquanto B está fechado. Se o eixo de rotação estiver em $x = 0,4$ m e o tubo estiver girando a uma velocidade constante de $\omega = 10$ rad/s, determine a pressão nos pontos B e C.

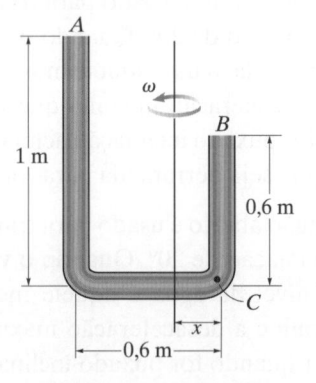

PROBLEMAS 2.174 e 2.175

*2.176. O recipiente cilíndrico tem uma altura de 3 pés e um diâmetro de 2 pés. Se ele estiver cheio de água até o furo em seu centro, determine a pressão máxima que a água exerce sobre o recipiente quando ela sofre o movimento indicado.

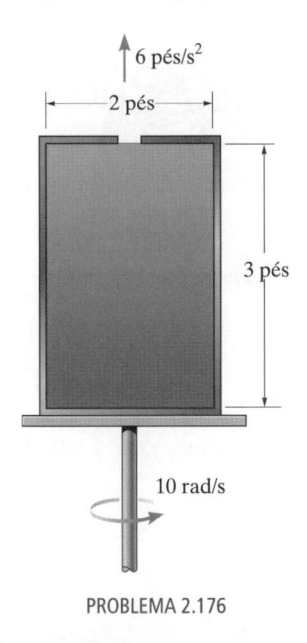

PROBLEMA 2.176

2.177. O tambor tem um furo no centro de sua tampa e contém querosene até um nível de 400 mm quando $\omega = 0$. Se o tambor for colocado na plataforma e alcançar uma velocidade angular de 12 rad/s, determine a força resultante que o querosene exerce sobre a tampa.

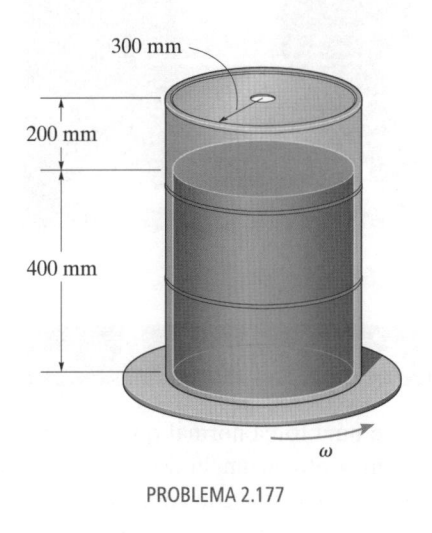

PROBLEMA 2.177

Problemas conceituais

P2.1. Movendo a alça para cima e para baixo nesta bomba manual, pode-se bombear água de um reservatório. Faça alguma pesquisa para explicar como a bomba funciona e mostre um cálculo que indica a altura máxima à qual ela pode elevar uma coluna d'água.

P2.2. Em 1656, Otto Von Guericke juntou as duas metades de uma esfera oca com diâmetro de 300 mm e bombeou o ar do interior para fora. Ele prendeu uma corda em *A* a uma árvore e a outra a um conjunto de oito cavalos. Supondo que um vácuo perfeito fosse desenvolvido dentro da esfera, você acha que os cavalos poderiam separar os dois hemisférios? Explique. Se ele usasse dezesseis cavalos, oito em cada lado, isso faria alguma diferença? Explique.

P 2.1

P 2.2

118 MECÂNICA DOS FLUIDOS

P2.3. O gelo flutua no copo quando este está cheio de água. Explique o que acontece com o nível da água quando o gelo é derretido. Ele sobe, desce, ou permanece o mesmo?

P2.4. A vasilha de água está sobre a balança. O valor mostrado aumentará, diminuirá ou permanecerá igual se você colocar seu dedo dentro da água? Explique.

P 2.3

P 2.4

Revisão do capítulo

A pressão é uma força normal que atua por unidade de área. Em um ponto de um fluido, ela é a mesma em todas as direções. Isso é conhecido como lei de Pascal.

A pressão absoluta é igual à pressão atmosférica mais a pressão manométrica.

$$p_{abs} = p_{atm} + p_m$$

Em um fluido estático, a pressão é constante nos pontos que se encontram no mesmo plano horizontal. Se o fluido é incompressível, então a pressão depende do peso específico do fluido, e ela aumenta linearmente com a profundidade.

$$p = \gamma h$$

Se a profundidade não for grande, a pressão dentro de um gás pode ser considerada constante.

A pressão atmosférica é medida por meio de um barômetro.

Um manômetro pode ser usado para medir a pressão manométrica em um líquido. A pressão é determinada aplicando a regra do manômetro. A pressão também pode ser medida usando outros dispositivos, como um manômetro de Bourdon ou um transdutor de pressão.

A força hidrostática resultante que atua sobre uma superfície plana possui uma magnitude de $F_R = \gamma \bar{h} A$, onde $\bar{h}$ é a profundidade do *centroide* da área. O local de $\mathbf{F}_R$ é no centro de pressão $P(x_P, y_P)$.

$$x_P = \frac{\bar{I}_{xy}}{\bar{y}A} + \bar{x}$$

$$y_P = \frac{\bar{I}_x}{\bar{y}A} + \bar{y}$$

A força hidrostática resultante que atua sobre uma superfície plana também pode ser determinada encontrando o *volume* do seu prisma de pressão. Se a superfície possui uma largura constante, pode-se então visualizar o prisma de pressão perpendicular à sua largura e encontrar a *área* da distribuição de carga que é causada pela pressão. A força resultante atua através do centroide do volume ou área.

A integração direta da distribuição de pressão também pode ser usada para determinar a força resultante e seu local em uma área com superfície plana.

Se a superfície for inclinada ou curva, a força hidrostática resultante pode ser determinada primeiro encontrando seus componentes horizontal e vertical.

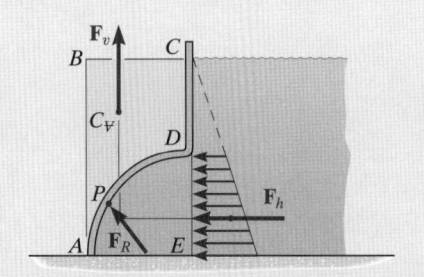

O *componente horizontal* é encontrado projetando a superfície no plano vertical e encontrando a força que atua nessa área projetada.

O *componente vertical* é igual ao peso do volume de líquido acima da superfície inclinada ou curva. Se o líquido estiver *abaixo* dessa superfície, então o peso do líquido imaginário *acima* da superfície é determinado. O componente vertical, então, atua *de baixo para cima* na superfície, pois representa a força de pressão equivalente do líquido abaixo da superfície.

$\mathbf{F}_h$ = o carregamento de pressão resultante sobre a área vertical projetada DE

$\mathbf{F}_v$ = o peso do volume de líquido $ADCBA$ acima da placa

O princípio da flutuação afirma que a força de flutuação que atua sobre um corpo imerso em um fluido é igual ao peso do fluido deslocado pelo corpo.

Um corpo flutuando pode estar em equilíbrio estável, instável ou neutro. O corpo será estável se o seu metacentro estiver localizado acima do seu centro de gravidade.

Se um recipiente aberto com líquido tiver uma aceleração horizontal constante a_c, a superfície do líquido ficará inclinada em um ângulo dado por tg $\theta = a_c/g$. Se houver uma tampa no recipiente, então uma superfície líquida imaginária deverá ser estabelecida. De qualquer forma, a pressão em qualquer ponto no líquido é determinada por $p = \gamma h$, onde h é a profundidade, medida a partir da superfície do líquido.

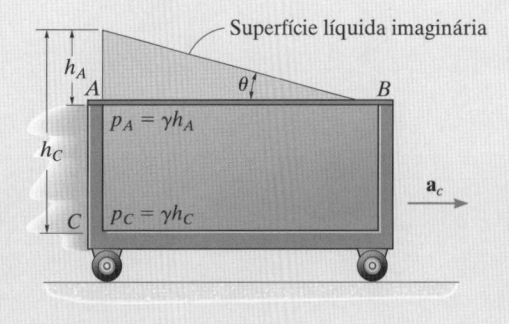

Se um recipiente com líquido tiver uma aceleração vertical constante a_c de baixo para cima, então a pressão dentro do líquido a uma profundidade h será aumentada em $\gamma h(a_c/g)$. Ela é diminuída por esse valor se a aceleração for de cima para baixo.

Se um recipiente possui uma rotação constante em torno de um eixo fixo, a superfície do líquido forma um vórtice forçado com a forma de uma paraboloide. A superfície é definida por $h = (\omega^2/2g)r^2$. Se houver uma tampa no recipiente, então uma superfície líquida imaginária poderá ser estabelecida. A pressão em qualquer ponto dentro do líquido é então determinada a partir de $p = \gamma h$, onde h é a profundidade medida a partir da superfície do líquido.

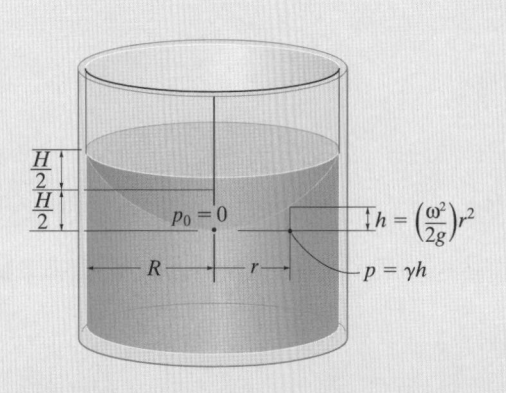

CAPÍTULO 3
Cinemática do movimento de fluidos

O escoamento de exaustão que sai dos motores desse jato é modelado usando um programa de computador que envolve a dinâmica computacional dos fluidos.

(© NASA Ames Research Center/Science Source)

3.1 Descrições de escoamentos de fluidos

Na maior parte dos casos, os fluidos não permanecem estáticos, mas escoam. Neste capítulo, vamos considerar a cinemática desse escoamento. Especificamente, **cinemática** é o estudo da geometria do escoamento; ou seja, ela oferece a descrição da posição, da velocidade e da aceleração de um sistema de partículas de fluido. Um **sistema** na realidade consiste em uma quantidade específica do fluido que está contido em uma região do espaço, separado do fluido que está fora dessa região, nos **arredores** (Figura 3.1a).

É muito importante conhecer a cinemática de um escoamento de fluido, porque quando o padrão de escoamento é estabelecido, a pressão ou as forças que atuam sobre uma estrutura ou máquina submersa no fluido podem então ser determinadas. Para definir completamente o padrão de escoamento, é preciso especificar a velocidade e a aceleração de cada partícula do fluido em *cada ponto* dentro do sistema e *em cada instante* do tempo. Na mecânica dos fluidos, existem duas maneiras de fazer isso.

Objetivos

- Definir a velocidade e a aceleração de partículas de fluidos usando uma descrição lagrangeana ou euleriana.
- Classificar os diversos tipos de escoamento de fluidos e discutir as formas como esses padrões de escoamento são visualizados experimentalmente.
- Mostrar como expressar a velocidade e a aceleração das partículas de fluidos em termos de seus componentes cartesianos e de linha de corrente.

(a)

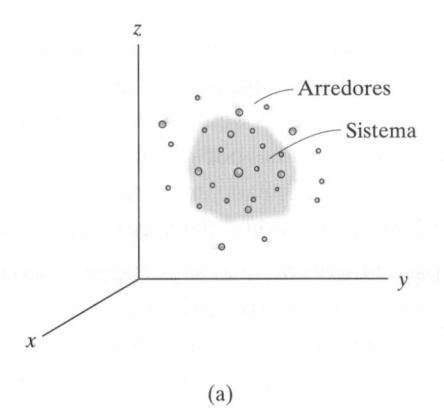

FIGURA 3.1 (continua)

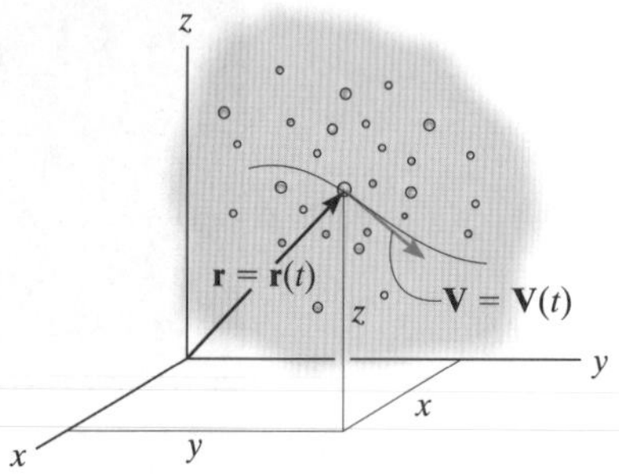

A descrição lagrangeana do movimento acompanha uma *única* partícula do fluido enquanto se move pelo sistema.

(b)

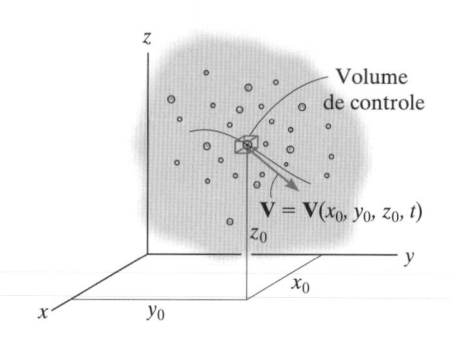

A descrição euleriana do movimento especifica um ponto ou região dentro do sistema e mede a velocidade das partículas que passam por esse ponto ou volume de controle.

(c)

FIGURA 3.1 (cont.)

Descrição lagrangeana — método do sistema

O escoamento dentro de um sistema de fluido pode ser definido "etiquetando-se" *cada partícula do fluido* e depois especificando sua velocidade e aceleração em função do tempo à medida que a partícula se move de uma posição para a seguinte. Esse método normalmente é usado na dinâmica de partículas, e é conhecido como uma **descrição lagrangeana**, em homenagem ao matemático italiano Joseph Lagrange.

Se a posição de uma partícula de fluido for especificada por um vetor posicional **r** (Figura 3.1*b*), então **r** será uma função do tempo, portanto, sua derivada temporal resulta na velocidade da partícula, ou seja,

$$\mathbf{V} = \mathbf{V}(t) = \frac{d\mathbf{r}(t)}{dt} \qquad (3.1)$$

Aqui, a velocidade é *apenas uma função temporal*. Em outras palavras, o movimento é *medido na partícula* e é calculado como a *taxa de variação da posição da partícula no tempo*. A velocidade *não* é uma função da posição da partícula: em vez disso, a própria posição é conhecida como uma função temporal, **r** = **r**(*t*) (Figura 3.1*b*).

Descrição euleriana — método do volume de controle

A velocidade das partículas de fluido dentro de um sistema também pode ser descrita considerando-se um ponto fixo (x_0, y_0, z_0) rodeado por um volume diferencial de espaço. A velocidade de todas as partículas que passam por esse ponto ou volume pode então ser medida nesse ponto (Figura 3.1*c*). Esse método foi nomeado em homenagem ao matemático suíço Leonard Euler, e é conhecido como **descrição euleriana**.

O volume de espaço através do qual as partículas escoam é chamado de **volume de controle**, e o limite ou fronteira desse volume é a **superfície de controle**. Para obter informações sobre o *sistema inteiro*, volumes de controle com tamanho diferencial precisam ser estabelecidos em *cada ponto* (*x*, *y*, *z*), e as velocidades das partículas que passam por esses volumes de controle

Descrição lagrangeana: partículas de fumaça desta chaminé podem ser etiquetadas, e o movimento de cada uma é medido a partir de uma origem comum.

Descrição euleriana: um volume de controle é colocado em um ponto específico, e o movimento de partículas que passam por ele é medido.

são então medidas com o passar do tempo. Fazendo isso, temos então um *campo de velocidade* para o sistema, que é definido em função *tanto* do espaço, onde cada volume de controle está localizado, *quanto* do tempo. Ou seja,

$$\mathbf{V} = \mathbf{V}(x, y, z, t) \qquad (3.2)$$

Esse "campo vetorial" também pode ser expresso em termos de seus componentes cartesianos.

$$\mathbf{V}(x, y, z, t) = u(x, y, z, t)\mathbf{i} + v(x, y, z, t)\mathbf{j} + w(x, y, z, t)\mathbf{k}$$

onde u, v, w são os componentes x, y, z da velocidade, e $\mathbf{i}$, $\mathbf{j}$, $\mathbf{k}$ são os vetores unitários que definem os sentidos positivos dos eixos x, y, z.

Na mecânica dos fluidos, geralmente é mais fácil usar uma descrição euleriana do que uma descrição lagrangeana para definir o escoamento. Isso porque todas as partículas que compõem o fluido podem ter movimento bastante errático, e o sistema de fluido pode não manter uma forma constante. Uma descrição euleriana é localizada, pois especifica um ponto e mede o movimento das partículas que passam por esse ponto. Por um ponto de vista lagrangeano, é muito difícil considerar a posição de *todas as partículas* no sistema, de um instante a outro, e depois medir as velocidades de todas essas partículas à medida que se movimentam e a forma do sistema é alterada. Uma descrição lagrangeana, porém, funciona bem na dinâmica de corpos rígidos. Aqui, o corpo *mantém uma forma fixa*, portanto, o local e o movimento das partículas que compõem o corpo podem ser prontamente especificados, um em relação ao outro.

3.2 Tipos de escoamentos de fluidos

Além das duas maneiras de descrever o movimento das partículas de fluido, há também diversas formas de classificar o escoamento de um sistema de fluidos. Aqui, vamos considerar três dessas formas.

Classificação do escoamento em relação aos seus efeitos viscosos

Quando um fluido altamente viscoso, como o óleo, escoa muito lentamente por uma tubulação, as linhas de trajetória que as partículas seguem são uniformes e sem perturbação. Em outras palavras, a lâmina ou as camadas finas de fluido são "organizadas" e, portanto, uma camada cilíndrica desliza suavemente em relação a uma camada adjacente. Esse comportamento é conhecido como **escoamento laminar** (Figura 3.2a). Aumente a velocidade ou diminua a viscosidade, e as partículas de fluido podem então seguir linhas de trajetória erráticas, causando uma alta taxa de mistura dentro do fluido. Chamamos isso de **escoamento turbulento** (Figura 3.2b). Entre esses dois tipos, temos o **escoamento transicional**, ou seja, um estado onde coexistem regiões de escoamento laminar e turbulento.

No Capítulo 9, veremos que um dos motivos mais importantes para a classificação do escoamento dessa maneira é para determinar a quantidade de energia que o fluido perde devido aos efeitos viscosos. A obtenção dessa perda de energia é necessária quando se projetam bombas e redes de tubulação para o transporte do fluido.

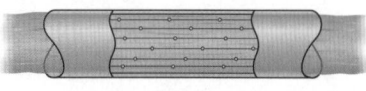

(a)
Escoamento laminar
Partículas do fluido seguem linhas de trajetória retilíneas, pois o fluido escoa em camadas finas

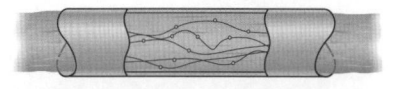

Escoamento turbulento
Partículas do fluido seguem linhas de trajetória erráticas, que mudam de direção no espaço e no tempo

FIGURA 3.2

Os perfis de velocidade para o escoamento laminar e turbulento entre duas superfícies podem ser vistos na Figura 3.3. Observe como o escoamento laminar é moldado totalmente pela viscosidade das camadas deslizantes do fluido, enquanto o escoamento turbulento "mistura" o fluido horizontal e verticalmente, o que faz com que seu perfil de velocidade médio fique aplainado, ou torne-se mais uniforme.

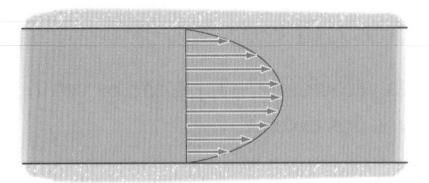

Perfil de velocidade médio para escoamento laminar

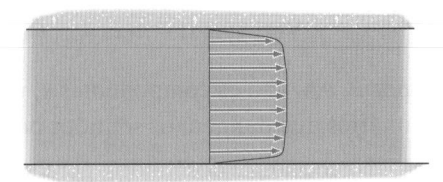

Perfil de velocidade médio para escoamento turbulento

FIGURA 3.3

Classificação do escoamento com base no número de dimensões

Um escoamento também pode ser classificado por quantas coordenadas espaciais são necessárias para descrevê-lo. Se todas as três coordenadas espaciais forem necessárias, então ele é chamado *escoamento tridimensional*. Alguns exemplos são o escoamento de água ao redor de um submarino e o escoamento de ar em torno de um automóvel. Os escoamentos tridimensionais são bastante complexos e, portanto, difíceis de analisar. Eles geralmente são estudados por meio de um computador, ou experimentalmente por meio de modelos.

Para muitos problemas na engenharia, podemos simplificar a análise considerando que o escoamento seja bidimensional, unidimensional ou mesmo adimensional. Por exemplo, o escoamento através do tubo convergente na Figura 3.4a é um *escoamento bidimensional*. A velocidade de qualquer partícula depende apenas de suas coordenadas axial e radial, x e r.

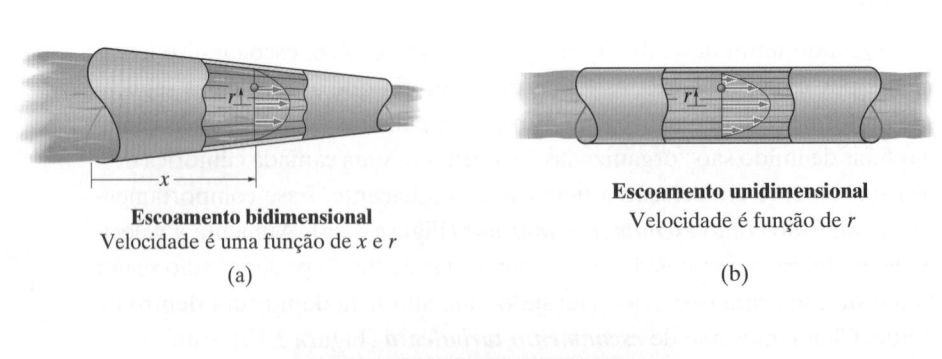

Escoamento bidimensional
Velocidade é uma função de x e r
(a)

Escoamento unidimensional
Velocidade é função de r
(b)

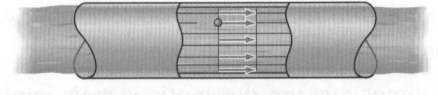

Escoamento adimensional
Velocidade é constante
(c)

FIGURA 3.4

Outra simplificação pode ser feita no caso do escoamento inalterável através de um tubo reto uniforme (Figura 3.4b). Esse é um caso de *escoamento unidimensional*. Seu perfil de velocidade muda apenas na direção radial.

Por fim, se considerarmos o escoamento inalterável de um *fluido ideal*, onde a viscosidade é zero e o fluido é incompressível, então seu perfil de velocidade é *constante* em toda a parte e, portanto, independe de sua localização coordenada (Figura 3.3c). Ele se torna um *escoamento adimensional*.

Classificação do escoamento com base no espaço e no tempo

Quando a velocidade de um fluido em um ponto *não muda com o tempo*, o escoamento é considerado um *escoamento em regime permanente*, e quando a velocidade *não muda de uma posição para a seguinte*, ele é considerado um *escoamento uniforme*. Em geral, existem quatro combinações possíveis desses dois tipos de escoamento, e um exemplo de cada uma pode ser visto na Figura 3.5.

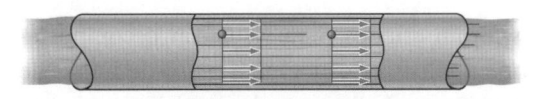

Escoamento uniforme em regime permanente
Um fluido ideal mantém a mesma
velocidade no tempo e em cada ponto
(a)

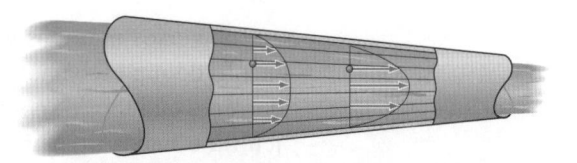

Escoamento não uniforme em regime permanente
A velocidade permanece constante com o tempo,
mas é diferente de um local para o seguinte
(c)

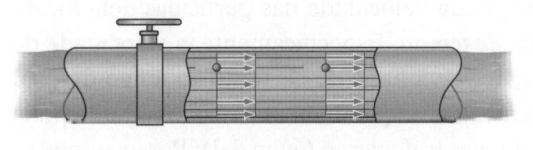

Tempo t

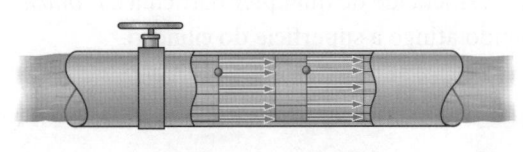

Tempo t

Tempo $t + \Delta t$

Tempo $t + \Delta t$

Escoamento uniforme transitório
A válvula é lentamente aberta, portanto,
em qualquer instante a velocidade de um fluido
ideal é a mesma em todos os pontos,
mas ela muda com o tempo
(b)

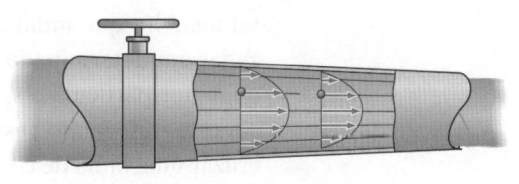

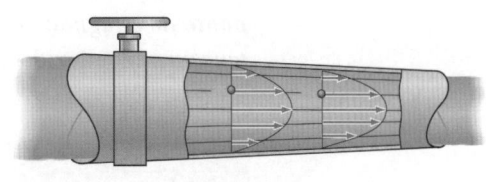

Escoamento não uniforme transitório
A válvula é lentamente aberta e, devido à variação
na seção transversal do tubo, a velocidade será
diferente no tempo e em cada ponto
(d)

FIGURA 3.5

A maior parte das aplicações da mecânica dos fluidos na engenharia envolve o escoamento em regime permanente e, felizmente, ele é o mais fácil de analisar. Além disso, geralmente é razoável considerar que qualquer escoamento transitório que *varia* por um curto tempo pode, em longo prazo, ser considerado um caso de escoamento em regime permanente. Por exemplo, o escoamento pelas partes móveis de uma bomba é transitório, mas a operação da bomba é cíclica ou repetitiva, de modo que podemos considerar o escoamento na entrada e na saída da bomba como "em regime permanente na média". Também pode ser possível estabelecer o escoamento em regime permanente em relação a um observador em movimento. Considere o caso de um carro passando por um ar parado e com fumaça. O escoamento de ar parece estar em regime permanente para o motorista enquanto o carro passa pelo ar a uma velocidade constante em uma estrada reta. Porém, para um observador parado ao lado da estrada, o ar parece ter um escoamento transitório durante o tempo em que o carro passa.

3.3 Descrições gráficas do escoamento de fluidos

Diversos métodos gráficos foram criados para visualizar o comportamento de um escoamento. Para a análise, estes incluem o uso de linhas de corrente ou tubos de corrente, e para o trabalho experimental, linhas de trajetória e linhas de emissão, além dos métodos óticos que frequentemente são utilizados. A seguir, vamos abordar cada um desses métodos.

Linhas de corrente

A **linha de corrente** é uma curva que é desenhada através do fluido de tal maneira que indique a direção da velocidade das partículas nele localizadas em determinado *instante de tempo*. Especificamente, a velocidade de qualquer partícula é sempre *tangente* à linha de corrente ao longo da qual ela está trafegando nesse instante. Consequentemente, nenhum fluido pode cruzar uma linha de corrente, apenas trafegar *ao longo* dela. Por exemplo, as linhas de corrente para o escoamento em regime permanente de um *fluido ideal* em torno de um cilindro dentro de um duto retangular podem ser vistas na Figura 3.6a. Em particular, observe a linha de corrente no centro do campo de escoamento. Ela cruza o cilindro em A. Esse ponto é denominado **ponto de estagnação**, pois aqui a velocidade de qualquer partícula é *momentaneamente* reduzida a zero quando atinge a superfície do cilindro.

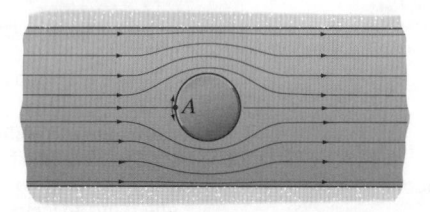

Linhas de corrente para o escoamento de um fluido ideal em torno de um cilindro

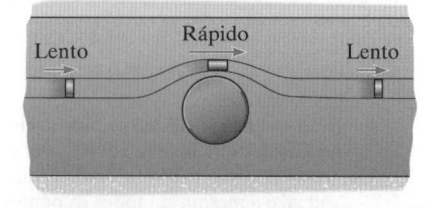

(a)

O fluido escoa mais rapidamente dentro de um tubo de corrente estreito

(b)

FIGURA 3.6

É importante lembrar que as linhas de corrente são usadas para representar o campo de escoamento durante cada *instante de tempo*. No exemplo que acabamos de ver, a direção das linhas de corrente é *mantida* à medida que o tempo passa e as partículas do fluido se movem ao longo delas; porém, às vezes as linhas de corrente podem ser uma função *tanto* do espaço *como* do tempo. Por exemplo, isso ocorre quando o fluido escoa por um tubo rotativo. Aqui, as linhas de corrente *mudam de posição* de um instante para outro, portanto, as partículas de fluido não se movem ao longo de qualquer linha de corrente com posição fixa.

Como a velocidade da partícula é *sempre tangente* à sua linha de corrente, então, se a velocidade for conhecida, a equação que define a linha de corrente em determinado instante sempre poderá ser determinada. Por exemplo, no caso do escoamento bidimensional, a velocidade da partícula terá dois componentes, u na direção x e v na direção y. Conforme observamos na Figura 3.7, é preciso que

$$\boxed{\frac{dy}{dx} = \frac{v}{u}} \tag{3.3}$$

A integração dessa equação dará a *equação das linhas de corrente*, $y = f(x) + C$. Para determinar a linha de corrente que passa por um ponto em particular (x_0, y_0), podemos substituir essas coordenadas nessa equação para avaliar a constante C. Esse processo é demonstrado nos exemplos 3.1 e 3.2.

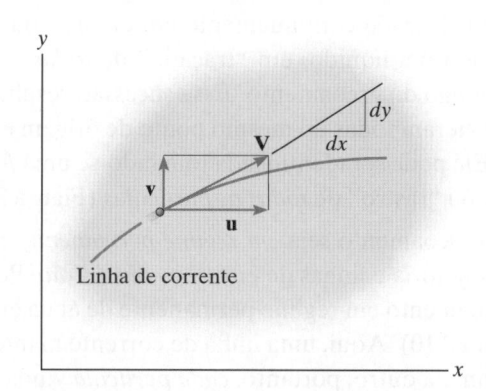

A velocidade é sempre tangente à linha de corrente
FIGURA 3.7

Tubos de corrente

Para alguns tipos de análise, é conveniente considerar um *grupo de linhas de corrente* que cercam uma região de escoamento (Figura 3.8). Esse agrupamento circunferencial é chamado de **tubo de corrente**. Aqui, o fluido escoa pelo tubo de corrente como se estivesse contido em um conduto curvo.

Em duas dimensões, os tubos de corrente podem ser formados entre duas linhas de corrente quaisquer. Por exemplo, considere o tubo de corrente na Figura 3.6*b* para o escoamento em torno do cilindro. Observe que um pequeno elemento do fluido trafegando ao longo desse tubo de corrente se moverá *mais lentamente* quando as linhas de corrente estiverem *mais afastadas* (ou o tubo de corrente for mais largo), e se moverá *mais rapidamente* quando elas estiverem *mais próximas* (ou o tubo de corrente for estreito). Isso é uma consequência da conservação de massa, algo que discutiremos no próximo capítulo.

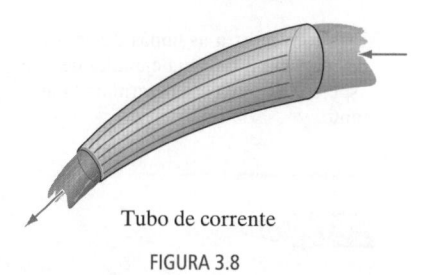

Tubo de corrente
FIGURA 3.8

Linhas de trajetória

A *linha de trajetória* para uma partícula de fluido define o "caminho" pelo qual a partícula trafega por um *período de tempo*. Para obter a trajetória experimentalmente, uma *única partícula* com flutuação neutra pode ser liberada dentro da corrente de escoamento e uma *fotografia de longa exposição* é tirada. A linha na fotografia representa então a linha de trajetória para essa partícula (Figura 3.9a).

A linha de trajetória mostra o caminho de uma *única partícula* usando uma fotografia de longa exposição para $0 \leq t \leq t_1$
(a)

A linha de emissão mostra o caminho de muitas partículas no *instante* $t = t_1$
(b)

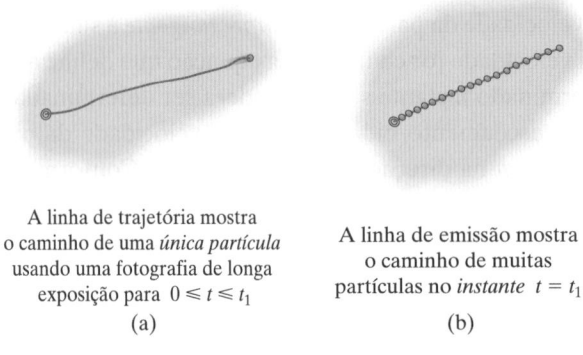

FIGURA 3.9

Linhas de emissão

Se fumaça for liberada continuamente em um gás, ou uma tinta colorida for liberada em um líquido, um "traçado" de *todas as partículas* será transportado ao longo do escoamento. Essa sucessão resultante de partículas marcadas que vieram todas do mesmo ponto de origem é chamada de *linha de emissão*. Ela pode ser identificada tomando-se uma *fotografia instantânea* do traçado, ou "rastro" de *todas as partículas* (Figura 3.9b).

Desde que o escoamento seja *em regime permanente*, as linhas de corrente, linhas de trajetória e linhas de emissão *coincidirão*. Por exemplo, isso ocorre para o escoamento em regime permanente de água ejetada de um esguicho *fixo* (Figura 3.10). Aqui, uma linha de corrente manterá a mesma direção de um instante a outro, portanto, *cada partícula* vinda do esguicho seguirá essa mesma linha de corrente, produzindo assim uma linha de trajetória e uma linha de emissão coincidentes.

Métodos óticos

Se o fluido é transparente, como o ar e a água pura, então o escoamento pode ser visualizado indiretamente por meio de um método de definição de sombras ou *shadowgraph*. Em termos simples, um **método de definição de sombras** é o resultado dos raios de luz refratados ou desviados que interagem com o fluido e então geram uma sombra em uma tela próxima. Talvez você já tenha notado uma sombra de uma pluma de ar aquecido subindo de uma vela, ou a sombra da exaustão de uma turbina de avião contra a superfície. Nesses dois casos, o calor sendo produzido muda a densidade local do ar, e a luz que passa por esse ar é desviada. Quanto maior a mudança na densidade do fluido, mais os raios de luz são desviados. Os métodos de definição de sombras têm sido usados na indústria para visualizar o escoamento de ar em torno de aviões a jato e foguetes, bem como para estudar o escoamento em torno de dispositivos que produzem calor.

Esta foto mostra as linhas de emissão das partículas de água ejetadas de um aspersor de água em determinado instante.

Linhas de corrente, linhas de trajetória e linhas de emissão coincidem para o escoamento em regime permanente

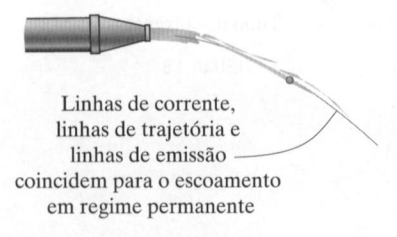

FIGURA 3.10

Outra técnica ótica que é usada para visualizar o escoamento de um fluido transparente é a **fotografia Schlieren**. Ela também é baseada na detecção de gradientes de densidade dentro de um fluido produzidos pelo escoamento. Neste caso, um feixe de luz colimado ou paralelo brilha sobre o objeto. A luz é focalizada com uma lente, e um prisma afiado é colocado perpendicular ao feixe em seu ponto focal. Isso bloqueia cerca de metade da luz e o fluido causa uma distorção no feixe devido às variações de densidade dentro do escoamento. A distorção emitirá regiões claras e escuras sobre uma superfície próxima ao fundo. Um exemplo pode ser visto na foto a seguir, com uma fonte aquecida gerando um fluxo de ar quente usado para suspender uma bola. A fotografia Schlieren tem sido bastante usada na engenharia aeronáutica para visualizar a formação de ondas de choque e ondas de expansão em torno de aeronaves e mísseis. Para obter mais detalhes sobre essas duas técnicas óticas, consulte a Referência [5].

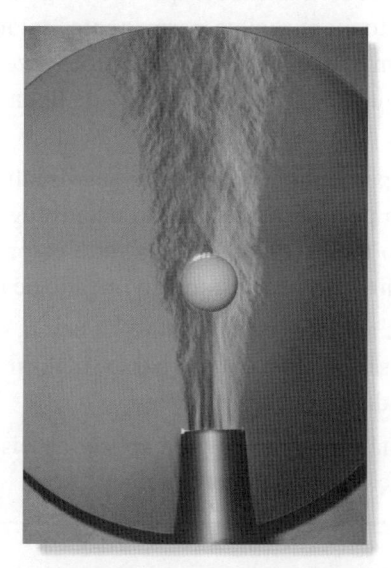

Uma fotografia Schlieren mostrando uma bola suspensa por uma corrente de ar produzida por um jato de ar quente.
(© Ted Kinsman/Science Source)

Dinâmica dos fluidos computacional

Embora as técnicas experimentais que acabamos de discutir tenham desempenhado um papel importante no estudo de padrões de escoamento complicados, elas têm sido cada vez mais substituídas por técnicas numéricas que aplicam as leis da dinâmica de fluidos usando computadores de alta velocidade. Isso é conhecido como **dinâmica dos fluidos computacional** (DFC, ou CFD de *Computational Fluid Dynamics*). Existem muitos tipos de programas de DFC disponíveis comercialmente, e com alguns deles o engenheiro pode estender uma análise para incluir transferência de calor e escoamento multifásico. Geralmente, os programas entregam um gráfico das linhas de corrente ou linhas de trajetória, com o campo de velocidade exibido em um padrão de codificação em cores. Pode haver padrões do escoamento desenhados digitalmente em regime permanente ou, se o escoamento for transitório, então um vídeo poderá ser produzido. Discutiremos mais detalhes sobre esse importante campo na Seção 7.12.

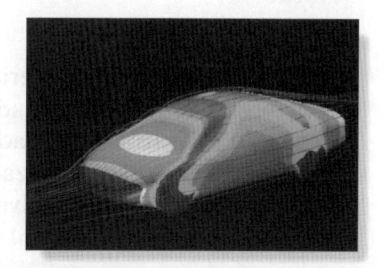

Um padrão de escoamento desenhado digitalmente através de DFC mostrando o escoamento em torno de um modelo de um carro. Com base nos resultados, o modelo pode ser reformulado para melhorar o projeto. (© Hank Morgan/Science Source)

Pontos importantes

- Existem duas maneiras de descrever o movimento de partículas de fluido dentro de um escoamento. Uma *descrição lagrangeana*, ou técnica de sistema, possui uso limitado, pois requer o rastreamento da localização de *cada partícula* no escoamento e o relato de seu movimento. Uma *descrição euleriana*, ou técnica de volume de controle, é mais prática, pois considera uma região ou ponto específico no escoamento, e mede o movimento de quaisquer partículas do fluido que passam por essa região ou ponto.

- O escoamento de fluidos pode ser descrito de diversas maneiras. Ele pode ser classificado como o resultado do cisalhamento viscoso, que pode ser laminar, transicional ou turbulento. Ele pode ser classificado como adimensional, unidimensional, bidimensional ou tridimensional. Por fim, para uma classificação temporal e espacial, o escoamento é *em regime permanente* se não variar com o tempo, e *uniforme* se não variar com o espaço.

- Uma *linha de corrente* contém partículas que possuem velocidades que são tangentes à linha de corrente em cada instante do tempo. Se o escoamento é em regime permanente, então as partículas se movem ao longo de linhas de corrente fixas. Porém, se o escoamento transitório fizer com que a direção das linhas de corrente mude, então as partículas se moverão ao longo de linhas de corrente que possuem uma orientação diferente de um instante para o seguinte.

- Experimentalmente, o escoamento de uma *única* partícula marcada pode ser visualizado usando uma *linha de trajetória*, que mostra o percurso tomado pela partícula usando uma fotografia de longa exposição. *Linhas de emissão* são formadas quando uma fumaça ou uma tinta colorida é liberada no escoamento a partir do mesmo ponto, e uma foto instantânea é tirada do traçado de *muitas* partículas.

- Os métodos óticos, como métodos de definição de sombras e fotografias Schlieren, são úteis para observar o escoamento em fluidos transparentes causado pelo calor, ou para visualizar ondas de choque e expansão criadas em escoamentos de alta velocidade.

- A dinâmica dos fluidos computacional utiliza a análise numérica para aplicar as leis da dinâmica dos fluidos, e, portanto, produz dados para a visualização de escoamentos complexos.

EXEMPLO 3.1

A velocidade para o escoamento bidimensional mostrado na Figura 3.11 é definida por $\mathbf{V} = \{6y\mathbf{i} + 3\mathbf{j}\}$ m/s, onde y está em metros. Determine a equação da linha de corrente que passa pelo ponto (1 m, 2 m).

Solução

Descrição do fluido

Esta é uma descrição euleriana, pois a velocidade é informada em termos de suas coordenadas espaciais. Em outras palavras, a descrição informa a velocidade das partículas que passam por um volume de controle localizado no ponto (x, y) dentro do escoamento. Como não se envolve o tempo, temos um escoamento em regime permanente, onde $u = (6y)$ m/s e $v = 3$ m/s.

Análise

Para descobrir as equações das linhas de corrente, devemos usar a Equação 3.3,

$$\frac{dy}{dx} = \frac{v}{u} = \frac{3}{6y}$$

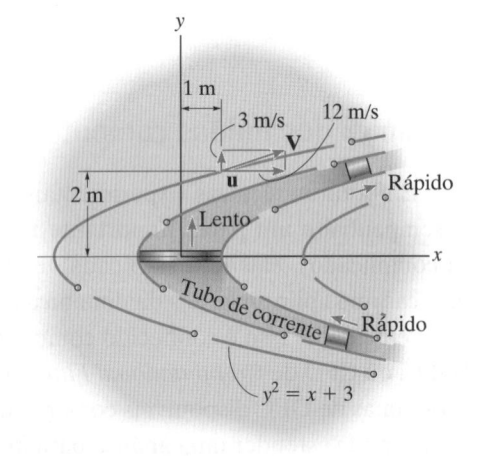

FIGURA 3.11

Separando as variáveis e integrando, obtemos

$$\int 6y\, dy = \int 3\, dx$$

$$3y^2 = 3x + C$$

Esta é a equação para uma parábola. Cada constante selecionada C produzirá uma linha de corrente exclusiva. Para aquela passando pelo ponto (1 m, 2 m), é preciso que $3(2)^2 = 3(1) + C$, ou $C = 9$. Portanto,

$$y^2 = x + 3 \qquad \textit{Resposta}$$

Um gráfico dessa equação (linha de corrente) aparece na Figura 3.11. Aqui, as partículas que passam por um volume de controle de tamanho diferencial localizado no ponto (1 m, 2 m) terão a velocidade $\mathbf{V} = \{12\mathbf{i} + 3\mathbf{j}\}$ m/s, conforme indicado. Selecionando outros pontos para avaliar a constante de integração C, podemos estabelecer a representação gráfica de todo o campo de escoamento, uma parte do qual também aparece na Figura 3.11. Quando isso for estabelecido, observe como o elemento do fluido contido no tubo de corrente selecionado escoa rapidamente, diminui a velocidade quando passa no eixo x e depois ganha velocidade novamente.

Nota: se a velocidade também fosse uma função temporal, então ocorreria escoamento transitório, e as linhas de corrente poderiam mudar de local de um instante para outro. Para obtê-las, primeiro teríamos de avaliar $\mathbf{V}$ em determinado instante no tempo, e depois aplicar a Equação 3.3 da mesma maneira como explicamos aqui para estabelecer as linhas de corrente ou o campo de escoamento para esse instante.

EXEMPLO 3.2

Os componentes de velocidade de uma partícula no campo de escoamento são definidos por $u = 3$ m/s e $v = (6t)$ m/s, onde t está em segundos. Desenhe a linha de trajetória para a partícula se ela for liberada da origem quando $t = 0$. Desenhe também a linha de corrente para essa partícula quando $t = 2$ s.

Solução

Descrição do fluido

Como a velocidade é apenas uma função do tempo, esta é uma descrição lagrangeana do movimento da partícula. Temos um escoamento não uniforme.

Linha de trajetória

A linha de trajetória descreve o local da partícula em diversos momentos. Como a partícula está em (0, 0) quando $t = 0$, então

$$u = \frac{dx}{dt} = 3 \qquad\qquad v = \frac{dy}{dt} = 6t$$

$$\int_0^x dx = \int_0^t 3\, dt \qquad\qquad \int_0^y dy = \int_0^t 6t\, dt$$

$$x = (3t)\text{ m} \qquad\qquad y = (3t^2)\text{ m} \qquad\qquad (1)$$

Eliminando o tempo entre essas duas equações paramétricas, obtemos nosso resultado

$$y = 3\left(\frac{x}{3}\right)^2 \quad \text{ou} \quad y = \frac{1}{3}x^2 \qquad \textit{Resposta}$$

A linha de trajetória ou caminho percorrido pela partícula é uma parábola, mostrada na Figura 3.12.

Linha de corrente

A linha de corrente mostra a direção da velocidade de uma partícula em determinado instante do tempo. No instante $t = 2$ s, usando a Equação 1, a partícula está localizada em $x = 3(2) = 6$ m, $y = 3(2)^2 = 12$ m. Além disso, ela possui componentes de velocidade de $u = 3$ m/s, $v = 6(2) = 12$ m/s (Figura 3.12). Aplicando a Equação 3.3 para obter a equação da linha de corrente nesse instante, temos

$$\frac{dy}{dx} = \frac{v}{u} = \frac{12}{3} = 4$$

$$\int dy = \int 4\,dx$$

$$y = 4x + C$$

Visto que $x = 6$ m e $y = 12$ m, então $C = -12$ m. Portanto,

$$y = 4x - 12$$

Esta linha de corrente aparece na Figura 3.12. Observe que tanto a linha de corrente quanto a linha de trajetória têm a mesma inclinação em (6 m, 12 m). Isso era esperado, pois ambas deverão dar a mesma direção para a velocidade quando $t = 2$ s. Em outro instante, a partícula move-se ao longo da linha de trajetória, e possui outra linha de corrente (tangente).

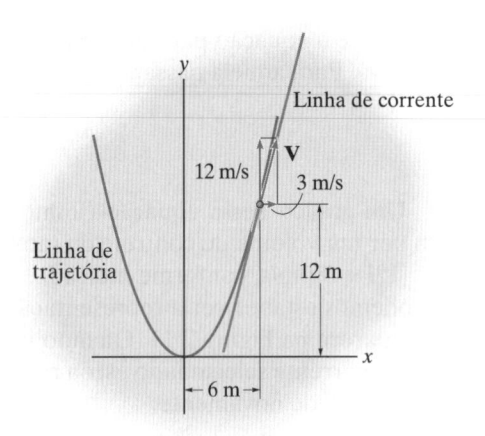

FIGURA 3.12

EXEMPLO 3.3

A velocidade das partículas de gás que fluem ao longo do centro do tubo na Figura 3.13 é definida por $x \geq 1$ m, pelo campo de velocidade $V = (t/x)$ m/s, onde t está em segundos e x está em metros.* Se a partícula está em $x = 1$ m quando $t = 0$, determine sua velocidade quando ela está em $x = 2$ m.

FIGURA 3.13

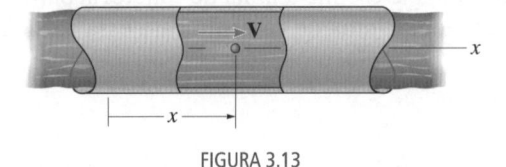

Solução

Descrição do fluido

Como a velocidade é função do tempo, o escoamento é transitório, e por ser uma função da posição, ele é não uniforme. Esse campo de escoamento $V = V(x, t)$ é uma descrição euleriana. Aqui, *todas as partículas* passando pelo local x têm uma velocidade que muda com o tempo, e é medida como $V = (t/x)$.

Análise

Para achar a velocidade em $x = 2$ m, primeiro devemos descobrir o tempo para que a partícula trafegue de $x = 1$ m até $x = 2$ m, ou seja, devemos descobrir $x = x(t)$. Esta é uma descrição lagrangeana, pois devemos seguir o movimento de uma única partícula.

A posição da partícula pode ser determinada a partir do campo de velocidade, observando que, para uma descrição lagrangeana, a Equação 3.1 resulta em

$$V = \frac{dx}{dt} = \frac{t}{x}$$

---

* Observe que a substituição de t em segundos e x em metros gera unidades de s/m; no entanto, aqui deve haver uma constante 1 m^2/s^2 (não mostrado), que converte essas unidades para velocidade, m/s, conforme indicado.

Separando as variáveis e integrando, obtemos

$$\int_1^x x\,dx = \int_0^t t\,dt$$

$$\frac{x^2}{2} - \frac{1}{2} = \frac{1}{2}t^2$$

$$x = \sqrt{t^2 + 1} \tag{1}$$

A descrição lagrangeana da velocidade da partícula pode agora ser determinada. Aqui, a velocidade só precisa ser uma função do tempo.

$$V = \frac{dx}{dt} = \frac{1}{2}\left(t^2 + 1\right)^{-1/2}(2t)$$

$$= \frac{t}{\sqrt{t^2 + 1}} \tag{2}$$

Usando esses resultados, agora podemos acompanhar a partícula à medida que percorre o caminho durante cada instante do tempo. Sua posição a qualquer instante é determinada a partir da Equação 1, e sua velocidade nesse instante é determinada pela Equação 2. Portanto, quando a partícula está localizada em $x = 2$ m, o tempo é

$$2 = \sqrt{t^2 + 1}$$

$$t = 1{,}732 \text{ s}$$

E neste momento, a partícula está trafegando em

$$V = \frac{1{,}732}{\sqrt{(1{,}732)^2 + 1}}$$

$$V = 0{,}866 \text{ m/s} \qquad\qquad Resposta$$

Podemos verificar esse resultado usando a descrição euleriana. Como exigimos que a partícula esteja localizada em $x = 2$ m, quando $t = 1{,}732$ s, sua velocidade é

$$V = \frac{t}{x} = \frac{1{,}723}{2} = 0{,}866 \text{ m/s} \qquad\qquad Resposta$$

como era esperado.

Nota: neste exemplo, o campo de velocidade tem apenas um componente, $V = u = t/x$, $v = 0$, $w = 0$. Em outras palavras, ele é um escoamento unidimensional, de modo que a linha de corrente não muda de direção, mas permanece na direção x.

3.4 Aceleração de fluidos

Quando o campo de velocidade $\mathbf{V} = \mathbf{V}(x, y, z, t)$ é estabelecido, então é possível determinar o campo de aceleração para o escoamento. Um motivo para fazer isso é aplicar a segunda lei de Newton do movimento, $\Sigma \mathbf{F} = m\mathbf{a}$, para relacionar a aceleração das partículas de fluido às forças produzidas pelo escoamento. Como o campo de velocidade é função do espaço *e* do tempo (descrição euleriana), a taxa de variação de velocidade com o *tempo* (aceleração) deve levar em conta as mudanças feitas em suas variáveis *tanto no espaço quanto no tempo*. Para mostrar como obter essas mudanças, vamos considerar o escoamento transitório, não uniforme, de um fluido através do bocal da Figura 3.14. Por simplicidade, estudaremos o movimento de uma única partícula à medida que se move através de um volume de controle. Aqui, a velocidade é definida por $V = V(x, t)$ ao longo da linha de corrente do centro. Quando a partícula está na posição x, onde está localizada a primeira superfície de controle para o volume de controle, ela terá uma velocidade que será *menor* do que quando está na posição $x + \Delta x$, onde sai da outra superfície de controle aberta do volume de controle. Isso porque o bocal restringe o escoamento e, portanto, faz com que a partícula tenha uma velocidade maior em $x + \Delta x$. Assim, a velocidade da partícula mudará devido à sua *variação Δx na posição* (escoamento não uniforme). Se a válvula for aberta, então a velocidade da partícula *também pode variar dentro* do volume de controle devido a uma *variação temporal Δt* (escoamento transitório). Como resultado, a variação total em $V = V(x, t)$ será

$$\Delta V = \underbrace{\frac{\partial V}{\partial t}\Delta t}_{\substack{\text{Variação de } V \\ \text{com o tempo} \\ \text{(escoamento} \\ \text{transitório)}}} + \underbrace{\frac{\partial V}{\partial x}\Delta x}_{\substack{\text{Variação de } V \\ \text{com a posição} \\ \text{(escoamento} \\ \text{não uniforme)}}}$$

Como Δx é a distância coberta no intervalo de tempo Δt, a aceleração da partícula torna-se

$$a = \lim_{\Delta t \to 0} \frac{\Delta V}{\Delta t} = \frac{\partial V}{\partial t} + \frac{\partial V}{\partial x}\frac{dx}{dt}$$

Outra forma de determinar esse resultado é usar a *regra da cadeia* do cálculo. Como $V = V(x, t)$, devemos usar derivadas parciais para encontrar cada mudança em V, ou seja, $a = \partial V/\partial t (dt/dt) + \partial V/\partial x (dx/dt)$. Observando que $dx/dt = V$, de qualquer forma, obtemos

$$a = \frac{DV}{Dt} = \underbrace{\frac{\partial V}{\partial t}}_{\substack{\text{Aceleração} \\ \text{local}}} + \underbrace{V\frac{\partial V}{\partial x}}_{\substack{\text{Aceleração} \\ \text{convectiva}}} \qquad (3.4)$$

A notação $D(\ )/Dt$ é conhecida como **derivada material**, pois fornece a taxa de variação temporal de uma propriedade do fluido (neste caso, a velocidade) à medida que a partícula de fluido (material) passa pelo volume de controle. Vamos resumir nosso resultado.

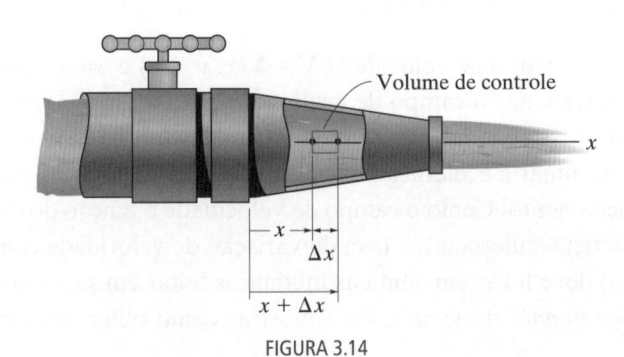

FIGURA 3.14

Aceleração local

O primeiro termo do lado direito, $\partial V/\partial t$, indica a *taxa de variação temporal* da velocidade da partícula, que ocorre *dentro* do volume de controle. Por esse motivo, é chamado de **aceleração local**. A abertura da válvula na Figura 3.14 faz com que o escoamento aumente, produzindo essa variação local. Para o *escoamento em regime permanente*, esse termo será zero, pois o escoamento não mudará com o tempo.

Aceleração convectiva

O último termo no lado direito, $V(\partial V/\partial x)$, é chamado de **aceleração convectiva**, pois mede a variação na velocidade da partícula à medida que ela se move pela entrada do volume de controle, e depois por sua saída. A forma cônica do bocal na Figura 3.14 causa essa mudança. Somente quando o escoamento é *uniforme*, como no caso de um tubo com seção transversal constante, é que esse termo será zero.

Escoamento tridimensional

Agora, vamos generalizar esses resultados e considerar o caso do escoamento tridimensional (Figura 3.15). Aqui, a partícula passa pelo volume de controle localizado no ponto x, y, z, onde tem a velocidade

$$\mathbf{V}(x, y, z, t) = u(x, y, z, t)\mathbf{i} + v(x, y, z, t)\mathbf{j} + w(x, y, z, t)\mathbf{k} \tag{3.5}$$

A velocidade da partícula pode aumentar (ou diminuir) devido a uma mudança em sua posição dx, dy, dz ou uma mudança no tempo dt. Para determinar essas mudanças, temos de usar a regra da cadeia para obter um resultado semelhante à Equação 3.4. Temos

$$\mathbf{a} = \frac{D\mathbf{V}}{Dt} = \frac{\partial \mathbf{V}}{\partial t} + \frac{\partial \mathbf{V}}{\partial x}\frac{dx}{dt} + \frac{\partial \mathbf{V}}{\partial y}\frac{dy}{dt} + \frac{\partial \mathbf{V}}{\partial z}\frac{dz}{dt}$$

Visto que $u = dx/dt$, $v = dy/dt$ e $w = dz/dt$, então

$$\underbrace{\mathbf{a} = \frac{D\mathbf{V}}{Dt}}_{\text{Aceleração total}} = \underbrace{\frac{\partial \mathbf{V}}{\partial t}}_{\text{Aceleração local}} + \underbrace{\left(u\frac{\partial \mathbf{V}}{\partial x} + v\frac{\partial \mathbf{V}}{\partial y} + w\frac{\partial \mathbf{V}}{\partial z}\right)}_{\text{Aceleração convectiva}} \tag{3.6}$$

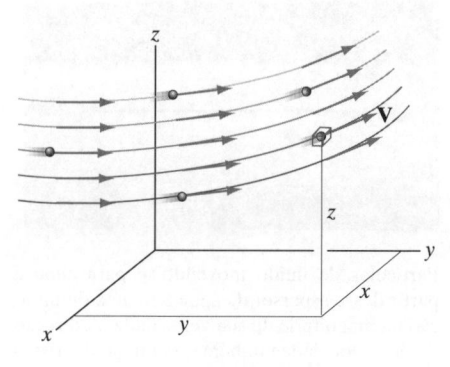

FIGURA 3.15

Se substituirmos a Equação 3.5 nessa expressão, a expansão resulta nos componentes *x, y, z* da aceleração, ou seja,

$$a_x = \frac{\partial u}{\partial t} + u\frac{\partial u}{\partial x} + v\frac{\partial u}{\partial y} + w\frac{\partial u}{\partial z}$$

$$a_y = \frac{\partial v}{\partial t} + u\frac{\partial v}{\partial x} + v\frac{\partial v}{\partial y} + w\frac{\partial v}{\partial z} \qquad (3.7)$$

$$a_z = \frac{\partial w}{\partial t} + u\frac{\partial w}{\partial x} + v\frac{\partial w}{\partial y} + w\frac{\partial w}{\partial z}$$

Derivada material

Além do campo de velocidade $\mathbf{V} = \mathbf{V}(x, y, z, t)$, outras propriedades do fluido também podem ser descritas usando uma descrição euleriana. Por exemplo, enquanto um líquido é aquecido em um *boiler*, haverá um aumento de temperatura desigual do líquido em cada ponto. Isso cria um campo de temperatura escalar $T = T(x, y, z, t)$ que varia com a posição *e* com o tempo. Além disso, como consideramos que um fluido é contínuo, então em *cada ponto* a pressão e a densidade do líquido *também* podem ser descritas pelos campos de pressão e densidade escalar, $p = p(x, y, z, t)$ e $\rho = \rho(x, y, z, t)$. A taxa de variação temporal de cada um desses campos produz mudanças locais e convectivas relacionadas a cada volume de controle. Por exemplo, no caso do campo de temperatura, $T = T(x, y, z, t)$,

$$\frac{DT}{Dt} = \underbrace{\frac{\partial T}{\partial t}}_{\text{Variação local}} + \underbrace{u\frac{\partial T}{\partial x} + v\frac{\partial T}{\partial y} + w\frac{\partial T}{\partial z}}_{\text{Variação convectiva}} \qquad (3.8)$$

Em geral, a derivada material pode ser escrita de forma mais compacta usando a notação vetorial. Ela é

$$\frac{D(\ )}{Dt} = \frac{\partial(\ )}{\partial t} + (\mathbf{V} \cdot \nabla)(\ ) \qquad (3.9)$$

Aqui, o produto ponto entre o vetor velocidade, $\mathbf{V} = u\mathbf{i} + v\mathbf{j} + w\mathbf{k}$, e o operador gradiente nabla, $\nabla = (\partial(\ )/\partial x)\mathbf{i} + (\partial(\ )/\partial y)\mathbf{j} + (\partial(\ )/\partial z)\mathbf{k}$, resulta em $\mathbf{V} \cdot \nabla = u(\partial(\ )/\partial x)\mathbf{i} + v(\partial(\ )/\partial y)\mathbf{j} + w(\partial(\ )/\partial z)\mathbf{k}$. Você pode querer mostrar que a expansão da Equação 3.9 resulta nas equações 3.7 quando $D(\mathbf{V})/Dt$ é determinado.

Partículas de fluido movendo-se para cima a partir desse aspersor de água têm uma diminuição na magnitude de sua velocidade. A direção de sua velocidade também está mudando. Esses dois efeitos produzem aceleração.

EXEMPLO 3.4

Quando a válvula na Figura 3.16 está sendo fechada, partículas de óleo que escoam pelo bocal ao longo da linha de corrente central possuem uma velocidade de $V = [6(1 + 0{,}4x^2)(1 - 0{,}5t)]$ m/s, onde x está em metros e t em segundos. Determine a aceleração de uma partícula de óleo em $x = 0{,}25$ m quando $t = 1$ s.

Solução

Descrição do fluido

O escoamento ao longo da linha de corrente é não uniforme e transitório, pois sua descrição euleriana é uma função de x e de t.

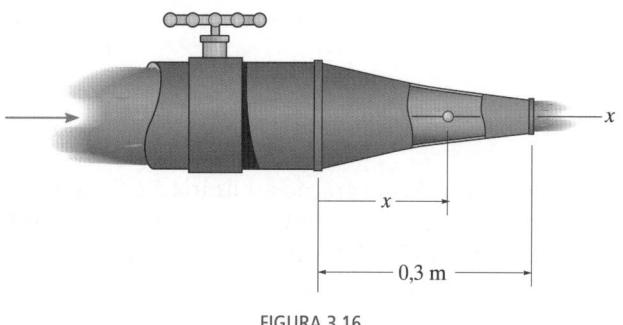

FIGURA 3.16

Análise

Aqui, $V = u$. Aplicando a Equação 3.4 ou a primeira das equações 3.7, temos

$$a = \frac{\partial V}{\partial t} + V\frac{\partial V}{\partial x} = \frac{\partial}{\partial t}\left[6(1 + 0{,}4x^2)(1 - 0{,}5t)\right]$$

$$+ \left[6(1 + 0{,}4x^2)(1 - 0{,}5t)\right]\frac{\partial}{\partial x}\left[6(1 + 0{,}4x^2)(1 - 0{,}5t)\right]$$

$$= \left[6(1 + 0{,}4x^2)(0 - 0{,}5)\right] + \left[6(1 + 0{,}4x^2)(1 - 0{,}5t)\right]\left[6(0 + 0{,}4(2x))(1 - 0{,}5t)\right]$$

Avaliando essa expressão em $x = 0{,}25$ m, $t = 1$ s, obtemos

$$a = -3{,}075 \text{ m/s}^2 + 1{,}845 \text{ m/s}^2 = -1{,}23 \text{ m/s}^2 \qquad \textit{Resposta}$$

O componente de aceleração local ($-3{,}075$ m/s^2) está diminuindo a velocidade da partícula em $x = 0{,}25$ m, pois a válvula está sendo fechada para diminuir o escoamento. O componente de aceleração convectiva ($1{,}845$ m/s^2) está aumentando a velocidade da partícula, pois o bocal se restringe enquanto x aumenta, e isso causa o aumento da velocidade. Porém, o resultado disso é que a partícula desacelera a $1{,}23$ m/s^2.

EXEMPLO 3.5

A velocidade para um escoamento bidimensional é definida por $\mathbf{V} = \{2x\mathbf{i} - 2y\mathbf{j}\}$ m/s, onde x e y estão em metros. Desenhe as linhas de corrente para o campo de escoamento e determine a magnitude da velocidade e a aceleração de uma partícula localizada no ponto $x = 1$ m, $y = 2$ m.

Solução

Descrição do escoamento

A velocidade não depende do tempo, de modo que o escoamento é em regime permanente e as linhas de corrente permanecerão em posições fixas.

Análise

Aqui, $u = (2x)$ m/s e $v = (-2y)$ m/s. Para obter as equações das linhas de corrente, devemos usar a Equação 3.3.

$$\frac{dy}{dx} = \frac{v}{u} = \frac{-2y}{2x}$$

Separando as variáveis e integrando, obtemos

$$\int \frac{dx}{x} = -\int \frac{dy}{y}$$
$$\ln x = -\ln y + C$$
$$\ln(xy) = C$$
$$xy = C'$$

A constante de integração arbitrária é C'. Usando diversos valores dessa constante, a equação anterior representa uma família de linhas de corrente que são hipérboles, conforme o campo de escoamento mostrado na Figura 3.17a. Para encontrar a linha de corrente passando pelo ponto (1 m, 2 m), exigimos que (1)(2) = C', de modo que $xy = 2$.

Velocidade

A velocidade de uma partícula passando pelo volume de controle localizado no ponto (1 m, 2 m) possui componentes de

$$u = 2(1) = 2 \text{ m/s}$$
$$v = -2(2) = -4 \text{ m/s}$$

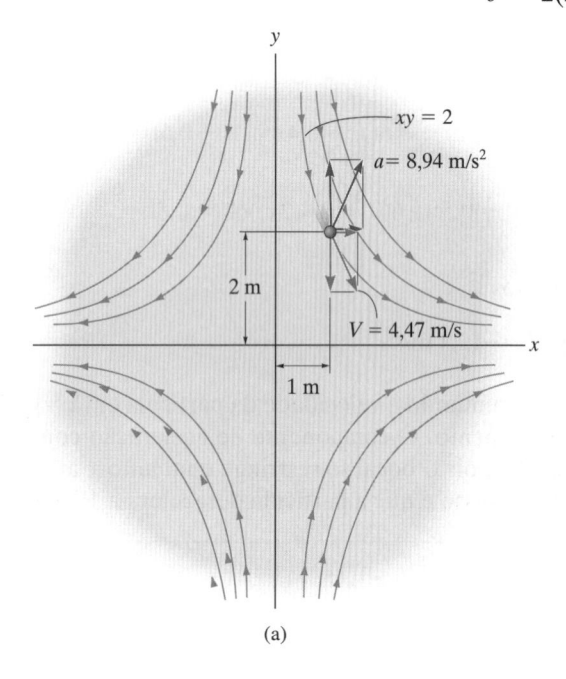

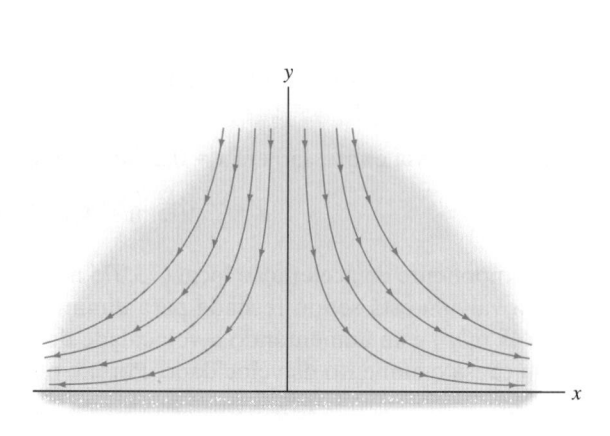

(a)

(b) Escoamento atingindo uma superfície fixa

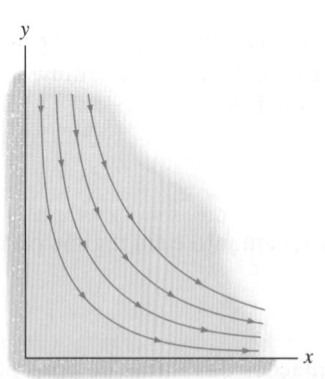

(c) Escoamento ao longo de duas superfícies perpendiculares

(d) Escoamento entre um canto e uma superfície hiperbólica

FIGURA 3.17

Portanto,

$$V = \sqrt{(2 \text{ m/s})^2 + (-4 \text{ m/s})^2} = 4{,}47 \text{ m/s} \qquad \textit{Resposta}$$

Pela direção de seus componentes, essa velocidade aparece na Figura 3.17a. Ela indica a direção do escoamento ao longo de sua linha de corrente hiperbólica. O escoamento ao longo de outras hipérboles pode ser determinado da mesma maneira, ou seja, selecionando um ponto e depois mostrando a adição vetorial dos componentes de velocidade de uma partícula nesse ponto.

É interessante observar que podemos usar uma parte desse padrão de escoamento para descrever, por exemplo, um escoamento que atinge uma superfície fixa, como na Figura 3.17b, um escoamento em um canto (Figura 3.17c) ou um escoamento restrito entre um canto e um limite hiperbólico definido por uma das linhas de corrente (Figura 3.17d). Em todos esses casos, existe um *ponto de estagnação* na origem (0, 0), pois a velocidade é zero nesse ponto, ou seja, $u = 2(0) = 0$ e $v = -2(0) = 0$. Como resultado, se o fluido tivesse fragmentos, eles tenderiam a se acumular dentro da região em torno da origem.

Aceleração

Os componentes da aceleração são determinados por meio das equações 3.7. Devido ao escoamento em regime permanente, não existe aceleração local, apenas aceleração convectiva.

$$a_x = \frac{\partial u}{\partial t} + u\frac{\partial u}{\partial x} + v\frac{\partial u}{\partial y} = 0 + 2x(2) + (-2y)(0)$$
$$= 4x$$

$$a_y = \frac{\partial v}{\partial t} + u\frac{\partial v}{\partial x} + v\frac{\partial v}{\partial y} = 0 + 2x(0) + (-2y)(-2)$$
$$= 4y$$

No ponto (1 m, 2 m), uma partícula, portanto, terá componentes de aceleração

$$a_x = 4(1) = 4 \text{ m/s}^2$$
$$a_y = 4(2) = 8 \text{ m/s}^2$$

A magnitude da aceleração da partícula, mostrada na Figura 3.17a, é portanto

$$a = \sqrt{(4 \text{ m/s}^2)^2 + (8 \text{ m/s}^2)^2} = 8{,}94 \text{ m/s}^2 \qquad \textit{Resposta}$$

EXEMPLO 3.6

A velocidade das partículas de gás fluindo ao longo do centro da tubulação na Figura 3.18 é definida para $x \geq 1$ m pelo campo de velocidade como $V = (t/x)$ m/s, onde t está em segundos e x está em metros. Se uma partícula dentro desse escoamento estiver em $x = 1$ m quando $t = 0$, determine sua aceleração quando ela estiver em $x = 2$ m.

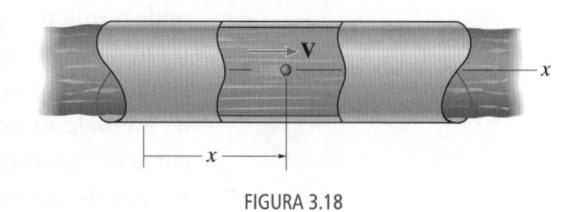

FIGURA 3.18

Solução

Descrição do fluido

Como observado, visto que $V = V(x, t)$, o escoamento é transitório e não uniforme.

Análise

No Exemplo 3.3, obtivemos as descrições lagrangeanas da posição e da velocidade da partícula, a saber

$$x = \sqrt{t^2 + 1}$$

portanto,

$$V = \frac{t}{x} = \frac{t}{\sqrt{t^2 + 1}}$$

Além disso, quando a partícula atingiu $x = 2$ m, descobriu-se que o tempo é $t = 1{,}732$ s. Pelo ponto de vista lagrangeano, a aceleração é simplesmente a derivada da velocidade com o tempo,

$$a = \frac{dV}{dt} = \frac{(t^2 + 1)^{1/2}(1) - t\left[\frac{1}{2}(t^2 + 1)^{-1/2}(2t)\right]}{t^2 + 1} = \frac{1}{(t^2 + 1)^{3/2}}$$

Assim, quando $t = 1{,}732$ s,

$$a = \frac{1}{((1{,}732)^2 + 1)^{3/2}} = 0{,}125 \text{ m/s}^2 \qquad \textit{Resposta}$$

Agora, vamos verificar nosso trabalho aplicando a derivada material do campo de velocidade (descrição euleriana). Como este é um escoamento unidimensional, aplicando a Equação 3.4, temos

$$a = \frac{DV}{Dt} = \frac{\partial V}{\partial t} + V\frac{\partial V}{\partial x} = \frac{1}{x} + \frac{t}{x}\left(-\frac{t}{x^2}\right)$$

No volume de controle, localizado em $x = 2$ m, a partícula, definida por sua descrição lagrangeana, aparecerá quando $t = 1{,}732$ s. Aqui, sua aceleração será

$$a = \frac{1}{2} + \frac{(1{,}732)^2}{2}\left(-\frac{1}{(2)^2}\right) = 0{,}125 \text{ m/s}^2 \qquad \textit{Resposta}$$

que concorda com nosso resultado anterior.

3.5 Coordenadas de linha de corrente

Quando a trajetória ou linha de corrente das partículas do fluido for *conhecida*, como quando o escoamento é através de um conduto fixo, coordenadas de linha de corrente podem ser usadas para descrever o movimento. Para mostrar como essas coordenadas são estabelecidas, considere a partícula do fluido que se move ao longo da linha de corrente na Figura 3.19a. A *origem* dos eixos de coordenadas é colocada no *ponto* da linha de corrente onde o volume de controle está localizado. O eixo s é *tangente* à linha de corrente nesse ponto, e é positivo na direção em que as partículas estão trafegando. Vamos designar essa direção positiva com o vetor unitário $\mathbf{u}_s$. Antes de estabelecermos o *eixo normal*, observe que, geometricamente, *qualquer* curva da linha de corrente pode ser construída a partir de uma série de segmentos de arco diferenciais ds, como na Figura 3.19b. Cada segmento é formado a partir de um comprimento de arco ds sobre um círculo associado, tendo um *raio de curvatura R* e *centro de curvatura* em O'. Para o caso na Figura 3.19a, o eixo n normal é perpendicular ao eixo s no volume de controle, com o sentido positivo do eixo n direcionado *para* o centro de curvatura O' a partir do arco ds. Essa direção positiva, que é *sempre no lado côncavo da curva*, será designada pelo vetor unitário $\mathbf{u}_n$. Quando os eixos s e n são estabelecidos dessa maneira, podemos expressar a velocidade e a aceleração da partícula passando pelo volume de controle em termos dessas coordenadas.

FIGURA 3.19

(a) Coordenadas de linha de corrente
(b) Raio de curvatura em diversos pontos ao longo da linha de corrente
(c)
(d)
(e)

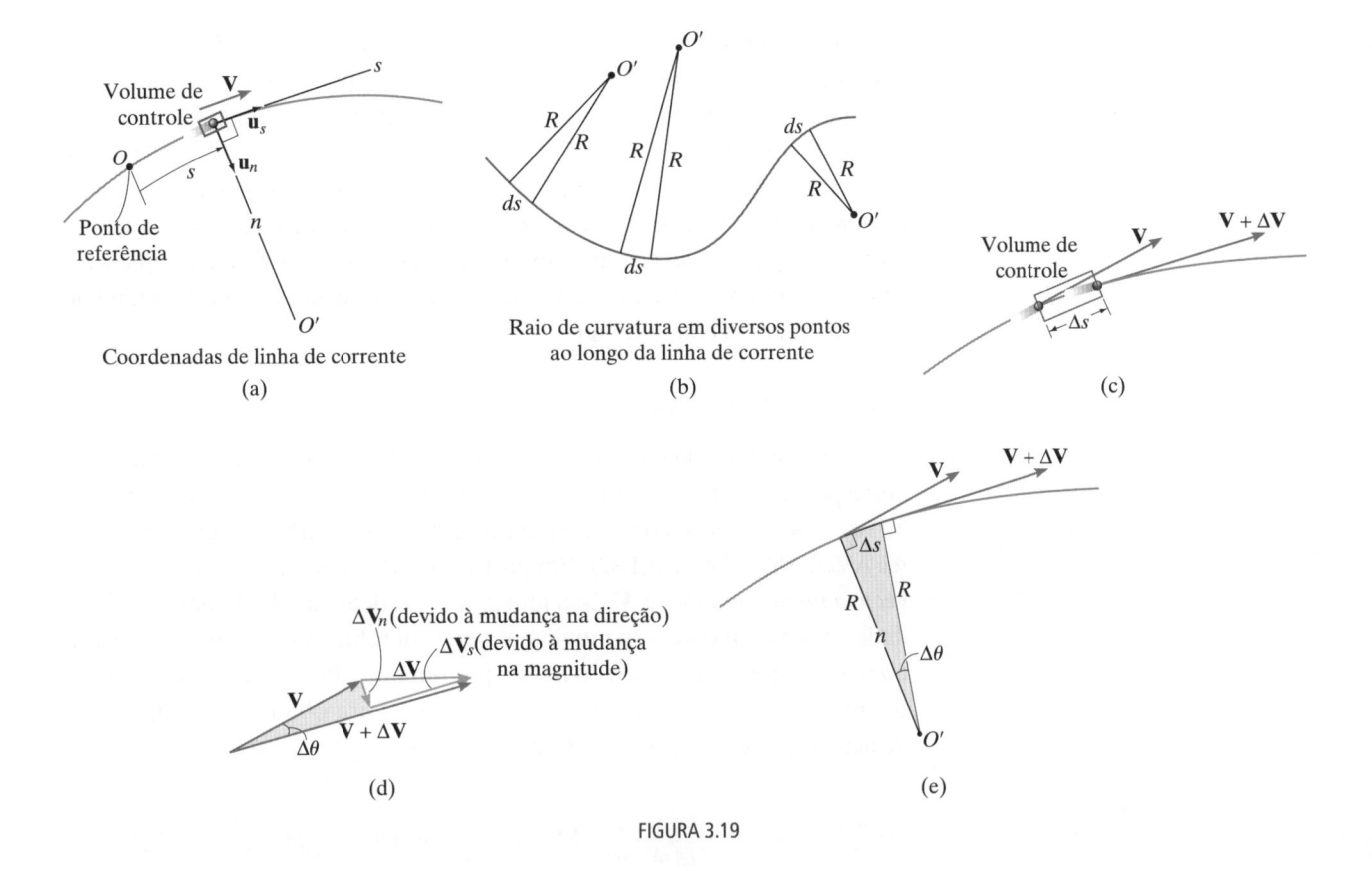

Velocidade

Como a direção da velocidade da partícula **V** é *sempre tangente ao percurso* que está na direção *s* positiva (Figura 3.19a), temos

$$\mathbf{V} = V\mathbf{u}_s \tag{3.10}$$

onde $V = V(s, t)$.

Aceleração

A aceleração da partícula é a taxa de variação da velocidade com o tempo, portanto, para determiná-la usando a derivada material, devemos levar em consideração as variações locais e convectivas da velocidade, pois a partícula se move por uma distância Δs através do volume de controle (Figura 3.19c).

Variação local

Se houver uma condição de *escoamento transitório*, então, durante o tempo dt, pode haver variações locais na velocidade da partícula *dentro* do volume de controle. A variação local produz os componentes da aceleração

$$a_s\Big|_{\text{local}} = \left(\frac{\partial V}{\partial t}\right)_s \quad \text{e} \quad a_n\Big|_{\text{local}} = \left(\frac{\partial V}{\partial t}\right)_n$$

Por exemplo, um componente *de aceleração tangencial local* $(\partial V/\partial t)_s$ pode ocorrer se a *velocidade* do escoamento em um tubo for aumentada ou diminuída pela abertura ou pelo fechamento de uma válvula. Aqui, a *magnitude* da velocidade da partícula dentro do volume de controle aumenta ou diminui em função do tempo. Além disso, um *componente de aceleração normal local* $(\partial V/\partial t)_n$ pode ocorrer no volume de controle se o tubo estiver *girando*, como no caso de um aspersor de água, pois isso fará com que a *direção* da linha de corrente *e* a velocidade da partícula *dentro* do volume de controle mudem com o tempo.

Variação convectiva

A velocidade da partícula também pode variar enquanto a partícula se *move* por Δs a partir da entrada até a superfície de controle na saída (Figura 3.19c). Essa variação convectiva, representada como $\Delta \mathbf{V}$, possui componentes $\Delta \mathbf{V}_s$ e $\Delta \mathbf{V}_n$ (Figura 3.19d). Em particular, $\Delta \mathbf{V}_s$ representa a *variação convectiva na magnitude* de $\mathbf{V}$. Isso indica se a partícula do fluido ganha velocidade, como quando ela se movimenta por um tubo convergente (ou bocal), ou perde velocidade, como ao passar por um tubo divergente. Esses dois casos representam o *escoamento não uniforme*. Para obter esse componente de aceleração convectiva na direção s, temos

$$a_s\bigg|_{\text{conv}} = \lim_{\Delta t \to 0} \frac{\Delta V_s}{\Delta t} = \lim_{\Delta t \to 0} \frac{\Delta s}{\Delta t}\frac{\Delta V_s}{\Delta s} = V\frac{\partial V}{\partial s}$$

O componente normal $\Delta \mathbf{V}_n$ na Figura 3.19d deve-se à *variação na direção* de $\mathbf{V}$, pois indica como o vetor de velocidade "balança" enquanto a partícula se move ou é *transportada* através do volume de controle. Como $\mathbf{V}$ é sempre tangente ao percurso, a variação no ângulo $\Delta\theta$ entre $\mathbf{V}$ e $\mathbf{V} + \Delta\mathbf{V}$ (Figura 3.19d) deverá ser o mesmo ângulo $\Delta\theta$ mostrado na Figura 3.19e. E, como $\Delta\theta$ é muito pequeno, então $\Delta\theta = \Delta s/R$ (Figura 3.19e) e também $\Delta\theta = \Delta V_n / V$ (Figura 3.19d). Igualando esses resultados, obtemos $\Delta V_n = (V/R)\Delta s$. Portanto, o componente da aceleração convectiva na direção n torna-se

$$a_n\bigg|_{\text{conv}} = \lim_{\Delta t \to 0} \frac{\Delta V_n}{\Delta t} = \frac{V}{R}\lim_{\Delta t \to 0}\frac{\Delta s}{\Delta t} = \frac{V^2}{R}$$

Um exemplo típico desse componente de aceleração ocorre em um tubo curvo, pois a direção da velocidade da partícula mudará à medida que ela se move da entrada para a superfície de controle de saída.

Aceleração resultante

Se agora combinarmos as variações locais e convectivas usando os resultados obtidos, os componentes de aceleração tangencial e normal à linha de corrente tornam-se

$$a_s = \left(\frac{\partial V}{\partial t}\right)_s + V\frac{\partial V}{\partial s} \qquad (3.11)$$

$$a_n = \left(\frac{\partial V}{\partial t}\right)_n + \frac{V^2}{R} \qquad (3.12)$$

Resumindo, os primeiros termos da direita são as *variações locais* na magnitude e direção da velocidade, causadas pelo *escoamento transitório*, e os segundos termos são as *variações convectivas* na magnitude e direção da velocidade, causadas pelo *escoamento não uniforme*.

Pontos importantes

- A derivada material é usada para determinar a aceleração de uma partícula quando o campo de velocidade for conhecido. Ela consiste em duas partes, a variação *local* ou temporal, que ocorre dentro do controle de volume, e a variação *convectiva* ou posicional, feita enquanto a partícula se move para dentro e para fora das superfícies de controle.

- As coordenadas da linha de corrente estão localizadas em um ponto em uma linha de corrente. Elas consistem em um eixo de *coordenada s* que é tangente à linha de corrente, positiva na direção do escoamento, e um eixo de *coordenada n* que é normal ao eixo *s*. Ela é positiva se atuar em direção ao centro de curvatura da linha de corrente no ponto.

- A velocidade de uma partícula do fluido sempre atua na direção +*s*.

- O *componente s da aceleração* de uma partícula consiste na *variação de magnitude na velocidade*. Esse é o resultado da taxa de variação no tempo local, $(\partial V/\partial t)_s$, e da variação convectiva, $V(\partial V/\partial s)$.

- O *componente n da aceleração* de uma partícula consiste na *variação direcional da velocidade*. Esse é o resultado da taxa de variação no tempo local, $(\partial V/\partial t)_n$, e da variação convectiva, V^2/R.

Usando partículas de fumaça, linhas de corrente oferecem um método para visualizar o escoamento de ar sobre o corpo deste automóvel. (© Frank Herzog/Alamy)

EXEMPLO 3.7

À medida que um fluido escoa pelo conduto curvo fixo da Figura 3.20, a velocidade das partículas na linha de corrente é descrita por $V = (0{,}4s^2)e^{-0{,}4t}$ m/s, onde s está em metros e t está em segundos. Determine a magnitude da aceleração da partícula do fluido localizada no ponto A, onde $s = 0{,}6$ m, quando $t = 1$ s. O raio de curvatura da linha de corrente em A é $R = 0{,}5$ m.

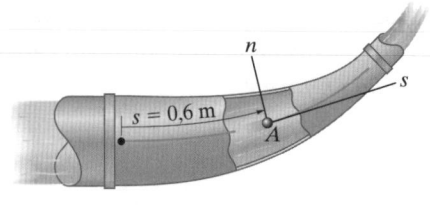

FIGURA 3.20

Solução

Descrição do fluido

Como essa descrição euleriana do movimento é uma função do espaço e do tempo, o escoamento é não uniforme e transitório.

Análise

As coordenadas da linha de corrente são estabelecidas no ponto A.

Componente da aceleração da linha de corrente

Aplicando a Equação 3.11, para determinar a variação de magnitude na velocidade, temos

$$a_s = \left(\frac{\partial V}{\partial t}\right)_s + V\frac{\partial V}{\partial s}$$

$$= \frac{\partial}{\partial t}\left[(0{,}4s^2)e^{-0{,}4t}\right] + \left[(0{,}4s^2)e^{-0{,}4t}\right]\frac{\partial}{\partial s}\left[(0{,}4s^2)e^{-0{,}4t}\right]$$

$$a_s = 0{,}4s^2(-0{,}4e^{-0{,}4t}) + (0{,}4s^2)e^{-0{,}4t}(0{,}8s\,e^{-0{,}4t})$$

$$= 0{,}4(0{,}6\text{ m})^2\left[-0{,}4e^{-0{,}4(1\text{ s})}\right] + (0{,}4)(0{,}6\text{ m})^2 e^{-0{,}4(1\text{ s})}\left[0{,}8(0{,}6\text{ m})e^{-0{,}4(1\text{ s})}\right]$$

$$= -0{,}00755 \text{ m/s}^2$$

Componente da aceleração normal

Como o tubo não está girando, então a linha de corrente não está girando, portanto, o eixo n permanece em uma *direção fixa* em A. Portanto, não há mudança local na *direção* da velocidade dentro do volume de controle ao longo do eixo n. Aplicando a Equação 3.12, só temos uma variação convectiva na direção n.

$$a_n = \left(\frac{\partial V}{\partial t}\right)_n + \frac{V^2}{R} = 0 + \frac{\left[0{,}4(0{,}6\text{ m})^2 e^{-0{,}4(1\text{ s})}\right]^2}{0{,}5}$$

$$= 0{,}01863 \text{ m/s}^2$$

Aceleração

A magnitude da aceleração é, portanto,

$$a = \sqrt{a_s^2 + a_n^2} = \sqrt{(-0{,}00755 \text{ m/s}^2)^2 + (0{,}01863 \text{ m/s}^2)^2}$$

$$= 0{,}0201 \text{ m/s}^2 = 20{,}1 \text{ mm/s}^2 \qquad \textit{Resposta}$$

Referências

1. HALLIDAY, D. et al. *Fundamentals of Physics*. 7. ed. New Jersey: Wiley, 2005.
2. MERZKIRCH, W. *Flow Visualization*. 2. ed. Nova York: Academic Press, 1987.
3. BAKER, R. C. *An Introductory Guide to Flow Measurement*. 2. ed. Nova York: Wiley, 2002.
4. MILLER, R. W. *Flow Measurement Engineering Handbook*. 3. ed. Nova York: McGraw-Hill, 1996.
5. SETTLES, G. S. *Schlieren and Shadowgraph Techniques*: Visualizing Phenomena in Transport Media. Berlim: Springer, 2001.

Problemas fundamentais

Seções 3.1 a 3.3

F3.1. O campo de velocidade de um campo de escoamento bidimensional é definido por $u = (\frac{1}{4}x)$ m/s e $v = (2t)$ m/s, onde x está em metros e t em segundos. Determine a posição (x, y) de uma partícula quando $t = 2$ s, se a partícula passa pelo ponto (2 m, 6 m) quando $t = 0$.

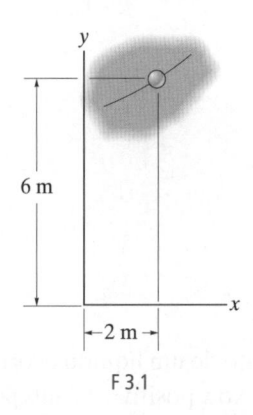

F 3.1

F3.2. Um campo de escoamento é definido pelos componentes de velocidade $u = (2x^2)$ m/s e $v = (8y)$ m/s, onde x e y estão em metros. Determine a equação da linha de corrente passando pelo ponto (2 m, 3 m).

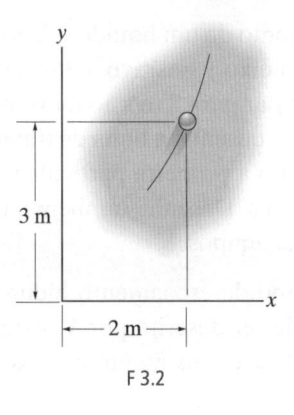

F 3.2

Seção 3.4

F3.3. O escoamento de água pelo bocal faz com que a velocidade das partículas ao longo da linha de corrente do centro seja $V = (200x^3 + 10t^2)$ m/s, onde t está em segundos e x em metros. Determine a aceleração de uma partícula em $x = 0,1$ m quando $t = 0,2$ s.

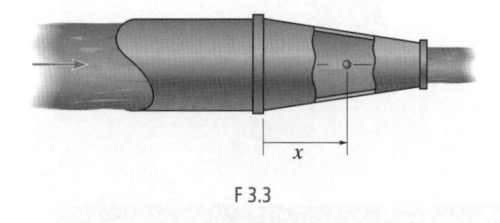

F 3.3

F3.4. A velocidade do dioxitol pelo eixo x é dada por $u = 3(x + 4)$ m/s, onde x está em metros. Determine a aceleração de uma partícula localizada a $x = 100$ mm. Qual é a posição de uma partícula quando $t = 0,02$ s se ela parte de $x = 0$ quando $t = 0$?

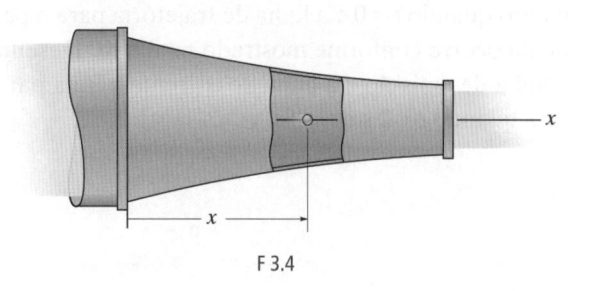

F 3.4

F3.5. Um campo de escoamento tem componentes de velocidade de $u = (3x + 2t^2)$ m/s e $v = (2y^3 + 10t)$ m/s, onde x e y estão em metros e t está em segundos. Determine as magnitudes das acelerações local e convectiva de uma partícula no ponto $x = 3$ m, $y = 1$ m quando $t = 2$ s.

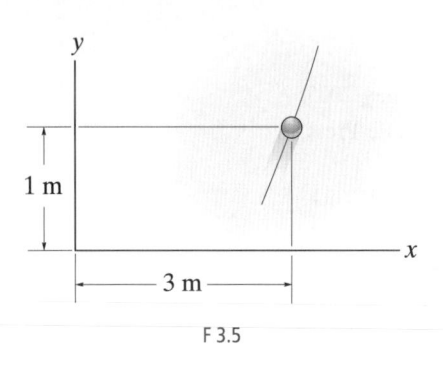

F 3.5

F3.7. Um fluido escoa pela tubulação curva com uma velocidade média constante de 3 m/s. Determine a magnitude da aceleração das partículas de água na linha de corrente ao longo da linha de centro da tubulação.

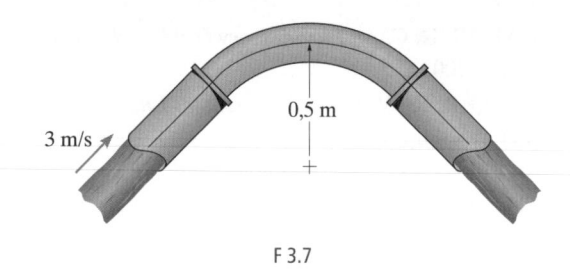

F 3.7

Seção 3.5

F3.6. Um fluido escoa pela tubulação curva em regime permanente. Se a velocidade de uma partícula ao longo da linha de corrente central é $V = (20s^2 + 4)$ m/s, onde s está em metros, determine a magnitude da aceleração de uma partícula no ponto A.

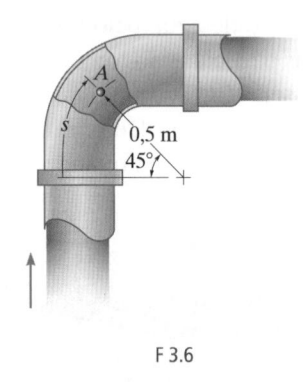

F3.8. Um fluido escoa pela tubulação curva de modo que, ao longo da linha de corrente central $V = (20s^2 + 1000t^{3/2} + 4)$ m/s, onde s está em metros e t em segundos. Determine a magnitude da aceleração de uma partícula no ponto A, onde $s = 0{,}3$ m, quando $t = 0{,}02$ s.

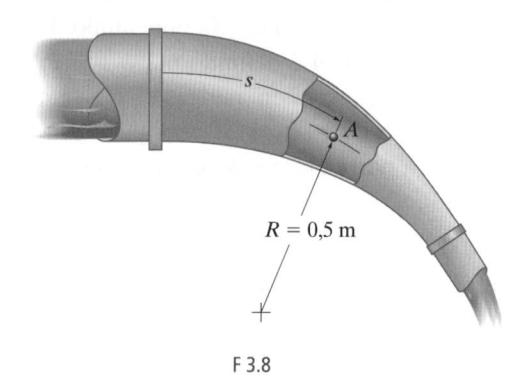

F 3.6

F 3.8

Problemas

Seções 3.1 a 3.3

3.1. Uma partícula marcada é lançada em um escoamento quando $t = 0$ e a linha de trajetória para a partícula ocorre conforme mostrado na figura. Desenhe a linha de emissão e a linha de corrente para a partícula quando $t = 2$ s e $t = 4$ s.

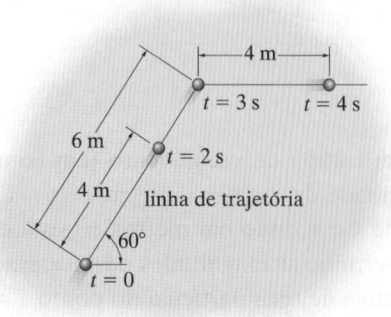

3.2. O escoamento de um líquido ocorre originalmente ao longo do eixo x positivo a 2 m/s por 3 s. Se ele de repente mudar para 4 m/s ao longo do eixo y positivo para $t > 3$ s, desenhe a linha de trajetória e a linha de corrente para a primeira partícula marcada quando $t = 1$ s e $t = 4$ s. Desenhe também a linha de emissão nesses dois tempos.

3.3. O escoamento de um líquido é feito originalmente ao longo do eixo y positivo a 3 m/s por 4 s. Se ele de repente mudar para 2 m/s ao longo do eixo x positivo para $t > 4$ s, desenhe a linha de trajetória e a linha de corrente para a primeira partícula marcada quando $t = 2$ s e $t = 6$ s. Desenhe também a linha de emissão nesses dois tempos.

*3.4. Um campo de escoamento bidimensional para um fluido pode ser descrito por $\mathbf{V} = \{(2x + 1)\mathbf{i} - (y + 3x)\mathbf{j}\}$ m/s, onde x e y estão em metros. Determine a

PROBLEMA 3.1

magnitude da velocidade de uma partícula localizada em (2 m, 3 m) e sua direção medida em sentido anti-horário a partir do eixo x.

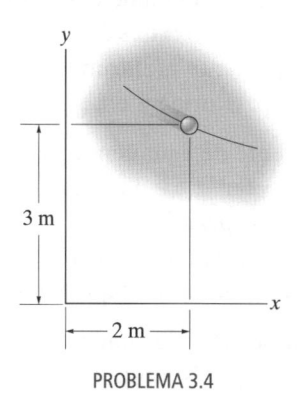

PROBLEMA 3.4

3.5. Um campo de escoamento bidimensional para um líquido pode ser descrito por $\mathbf{V} = \{(5y^2 - x)\mathbf{i} + (3x + y)\mathbf{j}\}$ m/s, onde x e y estão em metros. Determine a magnitude da velocidade de uma partícula localizada em (5 m, −2 m) e sua direção medida em sentido anti-horário a partir do eixo x.

3.6. A bolha de sabão é solta no ar e sobe com uma velocidade de $\mathbf{V} = \{(0,8x)\mathbf{i} + 0,06t^2)\mathbf{j}\}$ m/s, onde x está em metros e t em segundos. Determine a magnitude da velocidade da bolha e sua direção medida em sentido anti-horário a partir do eixo x, quando $t = 5$ s, momento em que $x = 2$ m e $y = 3$ m. Desenhe sua linha de corrente nesse instante.

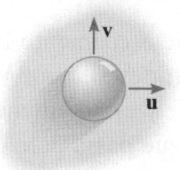

PROBLEMA 3.6

3.7. Um campo de escoamento para um fluido é descrito por $u = (2 + y)$ m/s e $v = (2y)$ m/s, onde y está em metros. Determine a equação da linha de corrente que passa pelo ponto (3 m, 2 m) e ache a velocidade de uma partícula localizada nesse ponto. Desenhe essa linha de corrente.

*3.8. Um campo de escoamento é descrito por $u = (x^2 + 5)$ m/s e $v = (-6xy)$ m/s, onde x e y estão em metros. Determine a equação da linha de corrente que passa pelo ponto (5 m, 1 m) e ache a velocidade de uma partícula localizada nesse ponto. Desenhe essa linha de corrente.

3.9. Partículas trafegam dentro de um campo de escoamento definido por $\mathbf{V} = \{2y^2\mathbf{i} + 4\mathbf{j}\}$ m/s, onde x e y estão em metros. Determine a equação da linha de corrente que passa pelo ponto (1 m, 2 m) e ache a velocidade de uma partícula localizada nesse ponto. Desenhe essa linha de corrente.

3.10. Um balão é solto no ar a partir da origem e é levado pelo vento, que sopra a uma taxa constante de $u = 0,5$ m/s. Além disso, a flutuação e os ventos térmicos fazem com que o balão suba com uma velocidade de $v = (0,8 + 0,6y)$ m/s, onde y está em metros. Determine a equação da linha de corrente para o balão e desenhe essa linha de corrente.

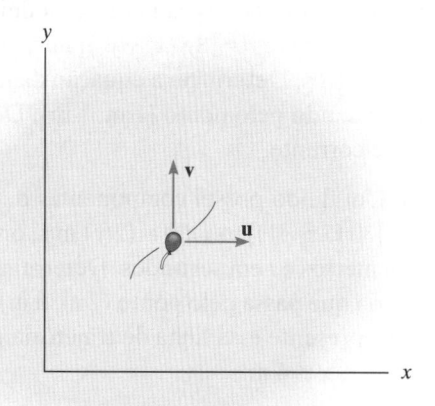

PROBLEMA 3.10

3.11. Um balão é solto no ar a partir do ponto (1 m, 0) e é levado pelo vento, que sopra a uma velocidade de $u = (0,8x)$ m/s, onde x está em metros. Além disso, a flutuação e os ventos térmicos fazem com que o balão suba a uma velocidade de $v = (1,6 + 0,4y)$ m/s, onde y está em metros. Determine a equação da linha de corrente para o balão e desenhe essa linha de corrente.

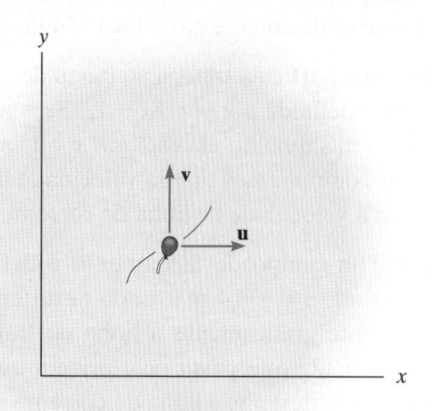

PROBLEMA 3.11

*3.12. Um campo de escoamento é definido por $u = (8y)$ m/s e $v = (6x)$ m/s, onde x e y estão em metros.

Determine a equação da linha de corrente que passa pelo ponto (1 m, 2 m). Desenhe essa linha de corrente.

3.13. Um campo de escoamento é definido por $u = (3x)$ pés/s e $v = (6y)$ pés/s, onde x e y estão em pés. Determine a equação da linha de corrente passando pelo ponto (3 pés, 1 pé). Desenhe essa linha de corrente.

3.14. Um escoamento de água é definido por $u = 5$ m/s e $v = 8$ m/s. Se flocos de metal forem lançados na origem do escoamento (0, 0), desenhe a linha de corrente e a linha de trajetória para essas partículas.

3.15. Um campo de escoamento é definido por $u = [8x/(x^2+y^2)]$ m/s e $v = [8y/(x^2+y^2)]$ m/s, onde x e y estão em metros. Determine a equação da linha de corrente passando pelo ponto (1 m, 1 m). Desenhe essa linha de corrente.

*3.16. Um fluido possui componentes de velocidade de $u = [30(2x+1)]$ m/s e $v = (2ty)$ m/s, onde x e y estão em metros e t em segundos. Determine a linha de trajetória que passa pelo ponto (2 m, 6 m) no tempo $t = 2$ s. Represente essa linha de trajetória graficamente para $0 \le x \le 4$ m.

3.17. Um fluido tem componentes de velocidade de $u = [30/(2x+1)]$ m/s e $v = (2ty)$ m/s, onde x e y estão em metros e t está em segundos. Determine as linhas de corrente que passam pelo ponto (1 m, 4 m) nos tempos $t = 1$ s, $t = 2$ s e $t = 3$ s. Represente cada uma dessas linhas de corrente graficamente para $0 \le x \le 4$ m.

3.18. Um fluido possui componentes de velocidade de $u = [30/(2x+1)]$ m/s e $v = (2ty)$ m/s, onde x e y estão em metros e t está em segundos. Determine as linhas de corrente que passam pelo ponto (2 m, 6 m) nos tempos $t = 2$ s e $t = 5$ s. Represente essas linhas de corrente graficamente para $0 \le x \le 4$ m.

3.19. Uma partícula trafega ao longo de uma linha de corrente definida por $y^3 = 8x - 12$. Se a sua velocidade for 5 m/s quando ela está em $x = 1$ m, determine os dois componentes de sua velocidade nesse ponto. Esboce a velocidade na linha de corrente.

*3.20. Um campo de escoamento é definido por $u = (0{,}8t)$ m/s e $v = 0{,}4$ m/s, onde t está em segundos. Represente graficamente a linha de trajetória para uma partícula que passa pela origem quando $t = 0$. Além disso, desenhe a linha de corrente para a partícula quando $t = 4$ s.

3.21. A velocidade para um escoamento de óleo é definida por $\mathbf{V} = \{3y^2\mathbf{i} + 8\mathbf{j}\}$ m/s, onde y está em metros. Qual é a equação da linha de corrente que passa pelo ponto (2 m, 1 m)? Se uma partícula está nesse ponto quando $t = 0$, em que ponto ela estará localizada quando $t = 1$ s?

3.22. A circulação de um fluido é definida pelo campo de velocidade $u = (6-3x)$ m/s e $v = 2$ m/s, onde x está em metros. Represente graficamente a linha de corrente que passa pela origem para $0 \le x < 2$ m.

3.23. Uma corrente de água tem componentes de velocidade de $u = -2$ m/s, $v = 3$ m/s para $0 \le t < 10$ s; e $u = 5$ m/s, $v = -2$ m/s para 10 s $< t \le 15$ s. Represente a linha de trajetória e a linha de corrente para uma partícula lançada no ponto (0, 0) quando $t = 0$ s.

*3.24. Um campo de velocidade é definido por $u = (4x)$ m/s e $v = (2t)$ m/s, onde t está em segundos e x está em metros. Determine a equação da linha de corrente que passa pelo ponto (2 m, 6 m) quando $t = 1$ s. Represente essa linha de corrente graficamente para $0{,}25$ m $\le x \le 4$ m.

3.25. Um campo de velocidade é definido por $u = (4x)$ m/s e $v = (2t)$ m/s, onde t está em segundos e x está em metros. Determine a linha de trajetória que passa pelo ponto (2 m, 6 m) quando $t = 1$ s. Represente essa linha de trajetória graficamente para $0{,}25$ m $\le x \le 4$ m.

3.26. O campo de velocidade de um fluido é definido por $u = (\tfrac{1}{2}x)$ m/s, $v = (\tfrac{1}{8}y^2)$ m/s para $0 \le t < 5$ s e por $u = (-\tfrac{1}{4}x^2)$ m/s, $v = (\tfrac{1}{4}y)$ m/s para 5 s $< t \le 10$ s, onde x e y estão em metros. Represente a linha de corrente e a linha de trajetória para uma partícula lançada no ponto (1 m, 1 m) quando $t = 0$ s.

3.27. Um campo de escoamento bidimensional para um líquido pode ser descrito por $\mathbf{V} = \{(6y^2 - 1)\mathbf{i} + (3x + 2)\mathbf{j}\}$ m/s, onde x e y estão em metros. Determine a linha de corrente que passa pelo ponto (6 m, 2 m) e determine a velocidade nesse ponto. Esboce a velocidade na linha de corrente.

*3.28. Um campo de escoamento para um líquido é descrito por $\mathbf{V} = \{(2x+1)\mathbf{i} - y\mathbf{j}\}$ m/s, onde x e y estão em metros. Determine a magnitude da velocidade de uma partícula localizada no ponto (3 m, 1 m). Esboce a velocidade na linha de corrente.

Seção 3.4

3.29. O ar flui uniformemente pelo centro de um duto horizontal com uma velocidade de $V = (6t^2 + 5)$ m/s, onde t está em segundos. Determine a aceleração do escoamento quando $t = 2$ s.

3.30. O óleo escoa pela redução de modo que as partículas ao longo de sua linha de centro possuem uma velocidade de $V = (4xt)$ pol./s, onde x está em polegadas e t está em segundos. Determine a aceleração de uma partícula em $x = 16$ pol. quando $t = 2$ s.

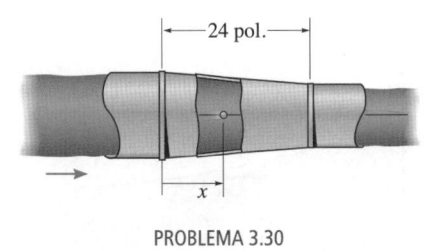

PROBLEMA 3.30

3.31. Um fluido possui componentes de velocidade de $u = (6y + t)$ pés/s e $v = (2tx)$ pés/s, onde x e y estão em pés e t está em segundos. Determine a magnitude da aceleração de uma partícula passando pelo ponto (1 pé, 2 pés) quando $t = 1$ s.

*3.32. A velocidade para o escoamento de um gás ao longo da linha de corrente de centro da tubulação é definida por $u = (10x^2 + 200t + 6)$ m/s, onde x está em metros e t está em segundos. Determine a aceleração de uma partícula quando $t = 0{,}01$ s e ela está em A, imediatamente antes de sair do bocal.

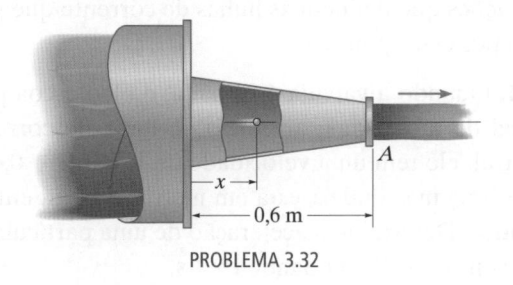

PROBLEMA 3.32

3.33. Um fluido possui componentes de velocidade de $u = (2x^2 - 2y^2 + y)$ m/s e $v = (y + xy)$ m/s, onde x e y estão em metros. Determine a magnitude da velocidade e da aceleração de uma partícula localizada no ponto (2 m, 4 m).

3.34. Um fluido possui componentes de velocidade de $u = (5y^2 - x)$ m/s e $v = (4x^2)$ m/s, onde x e y estão em metros. Determine a velocidade e a aceleração de uma partícula passando pelo ponto (2 m, 1 m).

3.35. Um fluido possui componentes de velocidade de $u = (5y^2)$ m/s e $v = (4x - 1)$ m/s, onde x e y estão em metros. Determine a equação da linha de corrente passando pelo ponto (1 m, 1 m). Ache os componentes da aceleração de uma partícula localizada nesse ponto e esboce a aceleração na linha de corrente.

*3.36. Ar escoando pelo centro do duto tem sua velocidade diminuída de $V_A = 8$ m/s para $V_B = 2$ m/s de uma maneira linear. Determine a velocidade e a aceleração de uma partícula que se move horizontalmente pelo duto em função de sua posição x. Além disso, ache a posição da partícula em função do tempo se $x = 0$ quando $t = 0$.

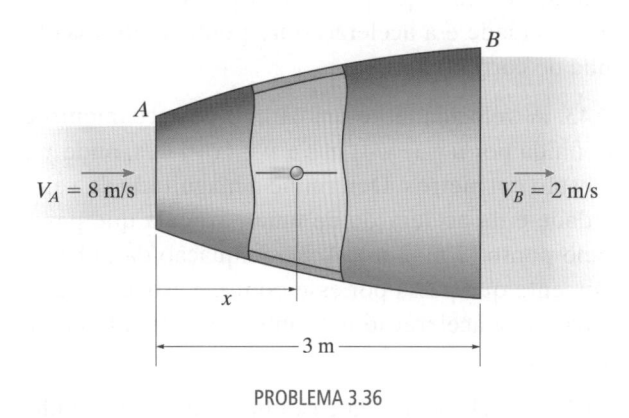

PROBLEMA 3.36

3.37. Um fluido possui componentes de velocidade de $u = (8t^2)$ m/s e $v = (7y + 3x)$ m/s, onde x e y estão em metros e t está em segundos. Determine a velocidade e a aceleração de uma partícula passando pelo ponto (1 m, 1 m) quando $t = 2$ s.

3.38. Um fluido possui componentes de velocidade de $u = (8x)$ pés/s e $v = (8y)$ pés/s, onde x e y estão em pés. Determine a equação da linha de corrente que passa pelo ponto (2 pés, 1 pé). Além disso, ache a aceleração de uma partícula localizada nesse ponto. O escoamento é em regime permanente ou transitório?

3.39. Um fluido possui componentes de velocidade de $u = (2y^2)$ m/s e $v = (8xy)$ m/s, onde x e y estão em metros. Determine a equação da linha de corrente que passa pelo ponto (1 m, 2 m). Além disso, qual é a aceleração de uma partícula nesse ponto? O escoamento é em regime permanente ou transitório?

*3.40. A velocidade de um campo de escoamento é definida por $\mathbf{V} = \{4y\mathbf{i} + 2x\mathbf{j}\}$ m/s, onde x e y estão em metros. Determine a magnitude da velocidade e da aceleração de uma partícula que passa pelo ponto (2 m, 1 m). Ache a equação da linha de corrente que passa por esse ponto e esboce a velocidade e a aceleração no ponto nessa linha de corrente.

3.41. A velocidade de um campo de escoamento é definida por $\mathbf{V} = \{4x\mathbf{i} + 2\mathbf{j}\}$ m/s, onde x está em metros. Determine a magnitude da velocidade e da aceleração de uma partícula que passa pelo ponto (1 m, 2 m). Ache a equação da linha de corrente que passa por esse ponto e esboce a velocidade e a aceleração no ponto dessa linha de corrente.

3.42. A velocidade de um campo de escoamento é definida por $u = (2x^2 - y^2)$ m/s e $v = (-4xy)$ m/s, onde x e y estão em metros. Determine a magnitude da velocidade e da aceleração de uma partícula que passa pelo ponto (1 m, 1 m). Ache a equação da linha de corrente que passa por esse ponto, e esboce a velocidade e a aceleração no ponto sobre essa linha de corrente.

3.43. A velocidade de um campo de escoamento é definida por $u = (-y/4)$ m/s e $v = (x/9)$ m/s, onde x e y estão em metros. Determine a magnitude da velocidade e da aceleração de uma partícula que passa pelo ponto (3 m, 2 m). Ache a equação da linha de corrente que passa por esse ponto, e esboce a velocidade e a aceleração no ponto sobre essa linha de corrente.

*3.44. A velocidade da gasolina, junto com a linha de centro de um tubo afunilado, é dada por $u = (4tx)$ m/s, onde t está em segundos e x está em metros. Determine a aceleração de uma partícula quando $t = 0{,}8$ s se $u = 0{,}8$ m/s quando $t = 0{,}1$ s.

3.45. O campo de velocidade para um escoamento de água é definido por $u = (2x)$ m/s, $v = (6tx)$ m/s e $w = (3y)$ m/s, onde t está em segundos e x, y, z estão em metros. Determine a aceleração e a posição de uma partícula quando $t = 0{,}5$ s se essa partícula estiver no ponto (1 m, 0, 0) quando $t = 0$.

3.46. Um campo de escoamento tem componentes de velocidade de $u = -(4x + 6)$ m/s e $v = (10y + 3)$ m/s, onde x e y estão em metros. Determine a equação para a linha de corrente que passa pelo ponto (1 m, 1 m) e ache a aceleração de uma partícula nesse ponto.

3.47. O campo de velocidade para o óleo é definido por $u = (100y)$ m/s, e $v = (0{,}03t^2)$ m/s, onde t está em segundos e y está em metros. Determine a aceleração e a posição de uma partícula quando $t = 0{,}5$ s. A partícula está na origem quando $t = 0$.

*3.48. Se $u = (2x^2)$ m/s e $v = (-y)$ m/s, onde x e y estão em metros, determine a equação da linha de corrente que passa pelo ponto (2 m, 6 m) e determine a aceleração de uma partícula nesse ponto. Esboce essa linha de corrente para $x > 0$ e determine as equações que definem os componentes x e y da aceleração da partícula em função do tempo se $x = 2$ m e $y = 6$ m quando $t = 0$.

3.49. O escoamento de ar pelo duto é definido pelo campo de velocidade $u = (2x^2 + 8)$ m/s e $v = (-8x)$ m/s, onde x está em metros. Determine a aceleração de uma partícula de fluido na origem (0, 0) e no ponto (1 m, 0). Além disso, esboce as linhas de corrente que passam por esses pontos.

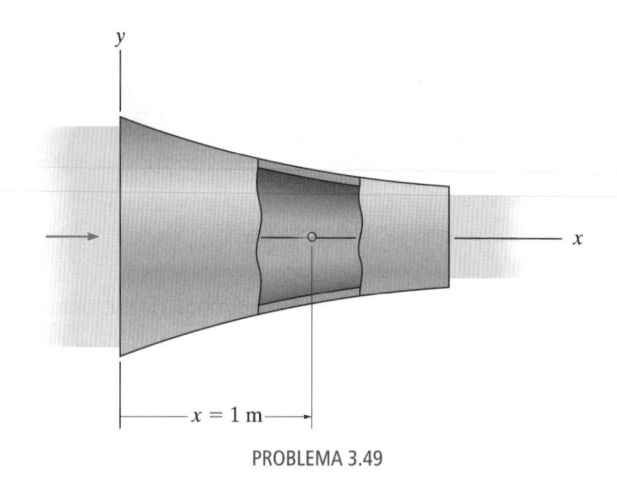

PROBLEMA 3.49

3.50. O campo de velocidade para um fluido é definido por $u = [y/(x^2 + y^2)]$ m/s e $v = [4x/(x^2 + y^2)]$ m/s, onde x e y estão em metros. Determine a aceleração de uma partícula localizada no ponto (2 m, 0) e uma partícula localizada no ponto (4 m, 0). Esboce as equações que definem as linhas de corrente que passam por esses pontos.

3.51. Quando a válvula é fechada, o óleo escoa pelo bocal de modo que, ao longo da linha de corrente central, ele tem uma velocidade de $V = [6(1 + 0{,}4x^2)(1 - 0{,}5t)]$ m/s, onde x está em metros e t está em segundos. Determine a aceleração de uma partícula de óleo em $x = 0{,}25$ m quando $t = 1$ s.

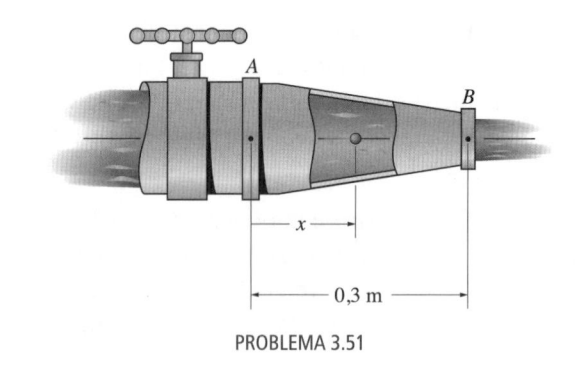

PROBLEMA 3.51

Seção 3.5

*3.52. À medida que a água escoa uniformemente pelo vertedouro, uma de suas partículas segue uma linha de corrente que possui um raio de curvatura de 16 m. Se sua velocidade no ponto A é 5 m/s, que está aumentando a 3 m/s^2, determine a magnitude da aceleração da partícula.

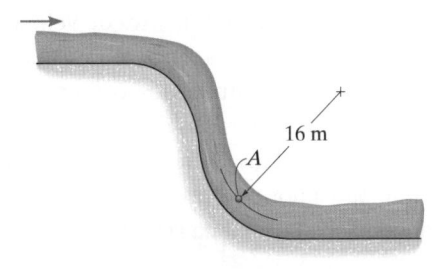

PROBLEMA 3.52

3.53. A água escoa para o dreno de modo que só possui um componente de velocidade radial $V = (-3/r)$ m/s, onde r está em metros. Determine a aceleração de uma partícula localizada no ponto $r = 0,5$ m, $\theta = 20°$. Em $s = 0, r = 1$ m.

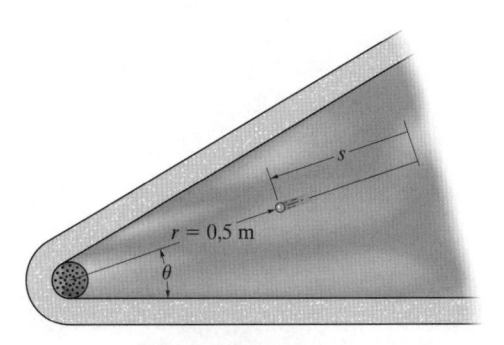

PROBLEMA 3.53

3.54. Uma partícula localizada em um ponto dentro de um escoamento de fluido tem componentes de velocidade de $u = 4$ m/s e $v = -3$ m/s, e componentes de aceleração de $a_x = 2$ m/s^2 e $a_y = 8$ m/s^2. Determine a magnitude dos componentes tangencial e normal da aceleração da partícula.

3.55. Uma partícula se move ao longo da linha de corrente circular, de modo que possui uma velocidade de 3 m/s, que está aumentando a 3 m/s^2. Determine a aceleração da partícula e mostre a aceleração na linha de corrente.

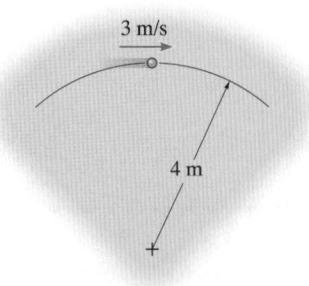

PROBLEMA 3.55

*3.56. O movimento de um tornado pode, em parte, ser descrito por um vórtice livre, $V = k/r$, onde k é uma constante. Considere o movimento em regime permanente na distância radial $r = 3$ m, onde $V = 18$ m/s. Determine a magnitude da aceleração de uma partícula trafegando na linha de corrente com um raio de $r = 9$ m.

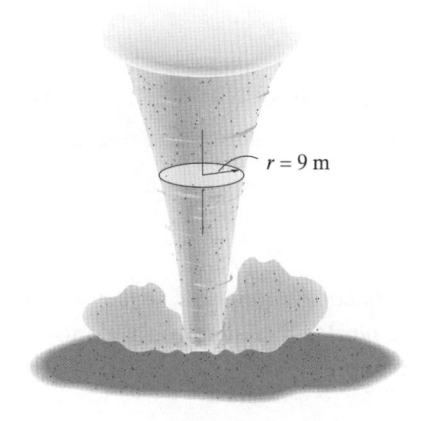

PROBLEMA 3.56

3.57. O ar flui em torno da superfície circular frontal. Se a velocidade da corrente livre em regime permanente é 4 m/s a montante da superfície, e a velocidade ao longo da superfície é definida por $V = (16$ sen $\theta)$ m/s, determine a magnitude dos componentes tangencial e normal da aceleração de uma partícula localizada em $\theta = 30°$.

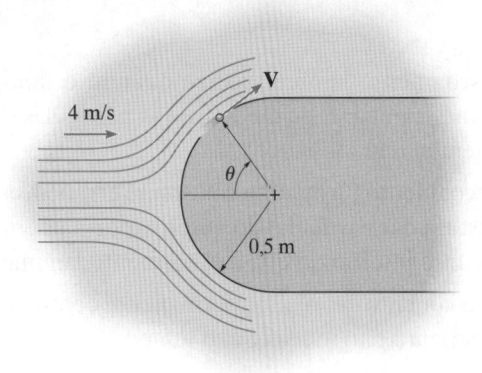

PROBLEMA 3.57

3.58. As partículas de fluido possuem componentes de velocidade de $u = (8y)$ m/s e $v = (6x)$ m/s, onde x e y estão em metros. Determine a magnitude dos componentes tangencial e normal da aceleração de uma partícula localizada no ponto (1 m, 2 m).

3.59. As partículas de fluido possuem componentes de velocidade de $u = (8y)$ m/s e $v = (6x)$ m/s, onde x e y estão em metros. Determine a aceleração de uma partícula localizada no ponto (1 m, 1 m). Determine a equação da linha de corrente que passa por esse ponto.

*3.60. Um fluido possui componentes de velocidade de $u = (2y^2)$ m/s e $v = (8xy)$ m/s, onde x e y estão em metros. Determine a magnitude dos componentes tangencial e normal da aceleração de uma partícula localizada no ponto (1 m, 2 m).

3.61. Um fluido possui componentes de velocidade de $u = (2y^2)$ m/s e $v = (8xy)$ m/s, onde x e y estão em metros. Determine a magnitude dos componentes tangencial e normal da aceleração de uma partícula localizada no ponto (1 m, 1 m). Ache a equação da linha de corrente que passa por esse ponto e esboce os componentes tangencial e normal da aceleração nesse ponto.

Revisão do capítulo

Uma descrição lagrangeana segue o movimento de uma *única partícula* enquanto ela se move pelo campo de escoamento.

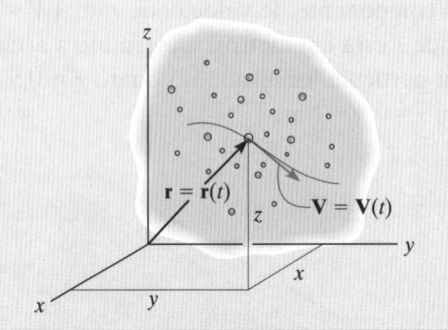

Uma descrição euleriana considera uma região específica (ou volume de controle) no escoamento, e mede o movimento ou uma propriedade do fluido de todas as partículas que passam por essa região.

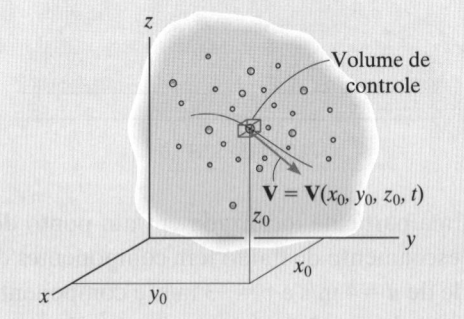

O escoamento laminar ocorre quando o fluido escoa em finas camadas, de modo que as partículas de fluido seguem percursos lisos.

O escoamento turbulento é bastante errático, causando a mistura das partículas do fluido e, portanto, mais cisalhamento interno do que o escoamento laminar.

O escoamento em regime permanente ocorre quando o escoamento não muda com o tempo.

O escoamento uniforme ocorre quando o escoamento não muda com o local.

Uma *linha de corrente* é uma curva que indica a direção da velocidade das partículas localizadas nela em determinado *instante do tempo*.

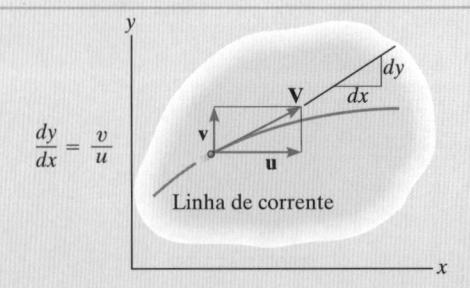

$$\frac{dy}{dx} = \frac{v}{u}$$

Uma *linha de trajetória* mostra o percurso de uma partícula durante um período de tempo especificado. Ela é determinada usando uma fotografia de longa exposição.

Linhas de emissão são formadas quando fumaça ou a tinta colorida é lançada no escoamento a partir do mesmo ponto, e uma fotografia instantânea é tirada do traçado de todas as partículas marcadas.

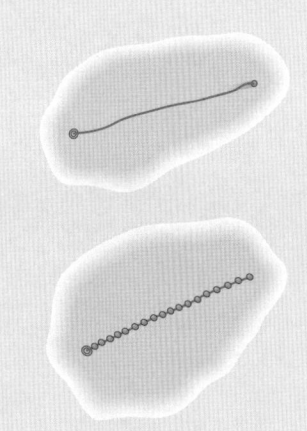

Se o escoamento é em regime permanente, as linhas de corrente, linhas de trajetória e linhas de emissão coincidirão.

O movimento de fluido em torno de objetos com uma alta velocidade, ou aqueles produzindo calor, pode ser visualizado por meio de um método de definição de sombras ou uma fotografia Schlieren. Além disso, escoamentos complexos podem ser visualizados por meio de um programa de dinâmica dos fluidos computacional.

Se for usada uma descrição euleriana para definir o campo de velocidade $\mathbf{V} = \mathbf{V}(x, y, z, t)$, então a aceleração terá componentes locais e convectivos. A *aceleração local* leva em conta a *taxa no tempo de variação* da velocidade dentro do volume de controle, e a *aceleração convectiva* leva em conta sua *variação espacial*, do ponto onde a partícula entra em uma superfície de controle até o ponto onde ela sai de outra superfície.

$$\mathbf{a} = \frac{D\mathbf{V}}{Dt} = \frac{\partial \mathbf{V}}{\partial t} + \left(u\frac{\partial \mathbf{V}}{\partial x} + v\frac{\partial \mathbf{V}}{\partial y} + w\frac{\partial \mathbf{V}}{\partial z} \right)$$

Aceleração total   Aceleração local   Aceleração convectiva

As coordenadas *s, n* de linha de corrente têm sua origem em um ponto de uma linha de corrente. A coordenada *s* é tangente à linha de corrente e é positiva na direção do escoamento. A coordenada normal *n* é positiva em direção ao centro de curvatura da linha de corrente no ponto.

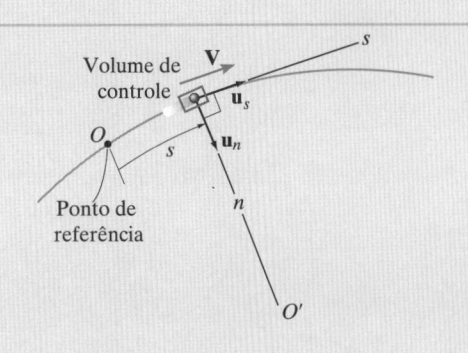

CAPÍTULO 4

Conservação de massa

A análise do escoamento através de vários dutos e vasos nesta planta de processamento químico depende da conservação de massa.

(©wu kailiang/Alamy)

4.1 Volumes de controle finitos

Na Seção 3.1, definimos volume de controle como um volume de espaço diferencial selecionado dentro de um sistema de partículas, através do qual escoam algumas das partículas do fluido. Lembre-se de que a fronteira desse volume é a *superfície de controle*. Uma parte da superfície desse volume pode estar *aberta*, onde as partículas do fluido escoam para dentro ou para fora do volume de controle, e a parte restante é uma superfície *fechada*. Embora nas seções anteriores tenhamos considerado um volume de controle de *tamanho diferencial* fixo, podemos também considerar volumes de controle que possuem um *tamanho finito*, como aquele mostrado na Figura 4.1.

Objetivos

- Definir o conceito de volume de controle finito e então mostrar como uma descrição lagrangeana e uma descrição euleriana do comportamento do fluido podem ser relacionadas usando o teorema de transporte de Reynolds.

- Mostrar como determinar a vazão volumétrica e a vazão mássica, e a velocidade média em um conduto.

- Usar o teorema de transporte de Reynolds para derivar a equação da continuidade, que representa a conservação de massa.

- Demonstrar a aplicação da equação da continuidade aos problemas que envolvem volumes de controle finitos fixos, variáveis e deformáveis.

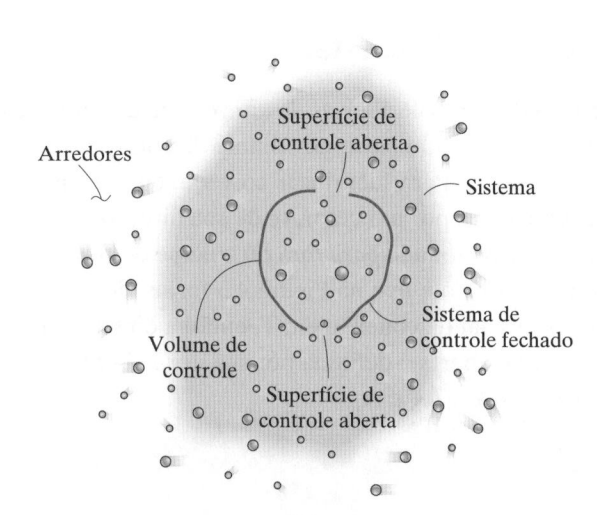

FIGURA 4.1

Na realidade, dependendo do problema, um volume de controle pode ser *fixo*, pode se *mover* ou pode *mudar de forma*. Além disso, ele pode incluir partes sólidas de um objeto dentro do seu limite. Por exemplo, um volume de controle fixo dentro da tubulação na Figura 4.2a é indicado pelo limite cinza escuro. O volume de controle que destaca o motor de foguete e o fluido dentro dele (Figura 4.2b) move-se com o foguete enquanto ele viaja para cima. Por fim, o volume de controle na estrutura inflável na Figura 4.2c muda sua forma enquanto o ar é bombeado por sua superfície de controle aberta.

Como vimos, o uso de um volume de controle é fundamental para a aplicação da descrição euleriana do escoamento. É por esse motivo que uma abordagem de volume de controle será usada neste capítulo para resolver problemas que envolvem a continuidade do escoamento. Mais adiante, estenderemos sua aplicação a problemas que envolvem energia (Capítulo 5) e quantidade de movimento (Capítulo 6). Em todos esses casos, será necessário definir com clareza as fronteiras de um volume de controle selecionado, além de especificar o tamanho e a orientação de suas superfícies de controle abertas.

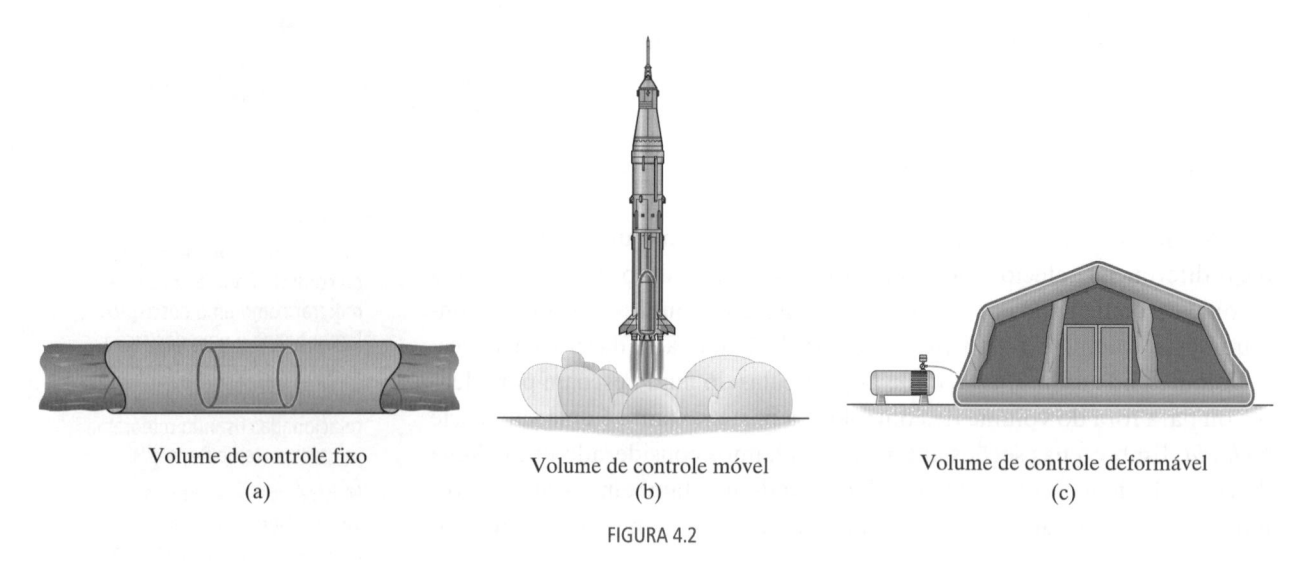

Volume de controle fixo
(a)

Volume de controle móvel
(b)

Volume de controle deformável
(c)

FIGURA 4.2

Superfícies de controle abertas

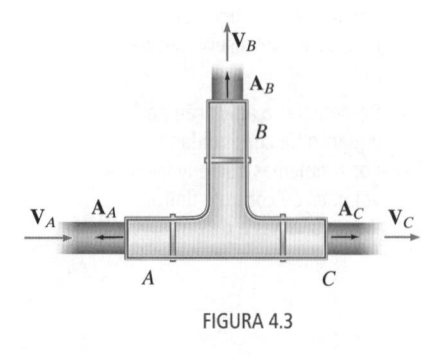

As superfícies de controle abertas de um volume de controle terão uma área que permite que o fluido entre no volume de controle, $A_{entrada}$, ou que o fluido saia dele, $A_{saída}$. Para identificar corretamente essas áreas, vamos expressar cada uma delas por um vetor, onde sua direção é normal em relação à área e *sempre* direcionado *para fora* do volume de controle. Por exemplo, se o volume de controle fixo na Figura 4.3 for usado para estudar o escoamento que entra e sai da conexão em T, então a direção da *área* de cada superfície de controle aberta é definida por sua normal para fora, e é representada pelos vetores $\mathbf{A}_A$, $\mathbf{A}_B$ e $\mathbf{A}_C$.

FIGURA 4.3

Velocidade

Ao usar um volume de controle, também teremos de especificar a velocidade tanto do escoamento que entra quanto do que sai da superfície de controle. Como a normal *para fora* para cada área da superfície de controle é positiva, então o escoamento que *entra* em uma superfície de controle será *negativo*, e o escoamento que *sai* de uma superfície de controle será *positivo*. Por essa convenção, $\mathbf{V}_A$ na Figura 4.4 está na direção negativa, e $\mathbf{V}_B$ e $\mathbf{V}_C$ estão na direção positiva.

Escoamento em regime permanente

Em alguns problemas, será vantajoso selecionar um volume de controle em movimento a fim de observar o escoamento em regime permanente, e assim simplificar a análise. Por exemplo, considere a palheta que se move com uma velocidade $\mathbf{V}_p$, mostrada na Figura 4.4a. Para um *observador fixo*, o escoamento em A parecerá ser $\mathbf{V}_f$ no instante t; porém, quando a palheta avança, a velocidade em A torna-se então $\mathbf{V}_f'$ no instante $t + \Delta t$. Este é um caso de *escoamento transitório*, pois muda com o tempo. Se selecionarmos um volume de controle que contenha o fluido na palheta, e depois movermos esse volume de controle e o observador *com a palheta* em $\mathbf{V}_{vc} = \mathbf{V}_p$, então o escoamento em A parecerá ser um *escoamento em regime permanente* (Figura 4.4b). Como a velocidade da corrente de fluido a partir do bocal é $\mathbf{V}_f$, a velocidade do escoamento em regime permanente do fluido em relação à superfície de controle aberta, $\mathbf{V}_{f/sc}$, é determinada a partir da *equação da velocidade relativa*, $\mathbf{V}_f = \mathbf{V}_{sc} + \mathbf{V}_{f/sc}$, ou

$$\mathbf{V}_{f/sc} = \mathbf{V}_f - \mathbf{V}_{sc} \tag{4.7}$$

onde $\mathbf{V}_{sc} = \mathbf{V}_p$. Em forma escalar, essa equação torna-se

$$(\stackrel{+}{\rightarrow}) \qquad V_{f/sc} = V_f - (-V_{sc}) = V_f + V_{sc}$$

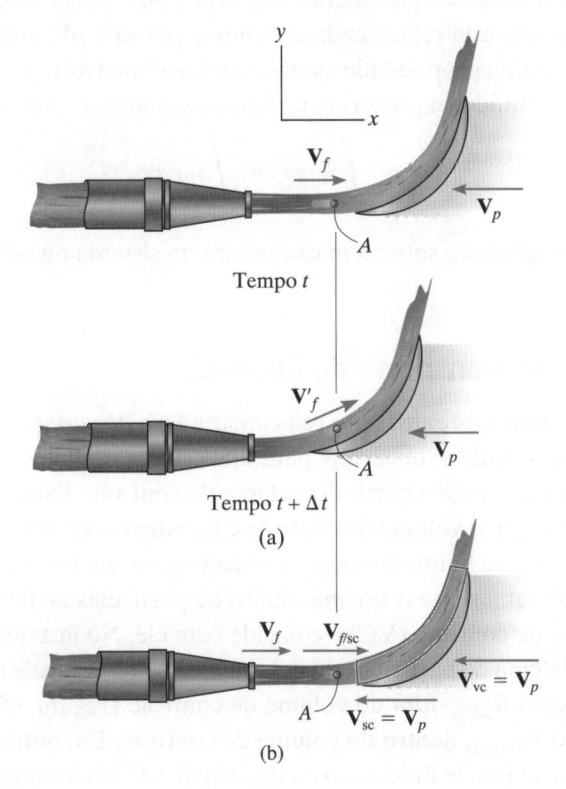

FIGURA 4.4

4.2 O teorema de transporte de Reynolds

Grande parte do comportamento de um fluido é baseada na conservação de massa, no princípio da conservação da energia e no princípio da conservação da quantidade de movimento. Essas leis foram formuladas originalmente para uma *partícula*, e foram descritas usando uma abordagem lagrangeana. Porém, para a aplicação na mecânica dos fluidos, precisamos ter um meio de *converter* essas leis de sua descrição lagrangeana para uma descrição euleriana. Essa conversão para um sistema de partículas é feita por meio do teorema de transporte de Reynolds. Nesta seção, iremos formalizar esse teorema, e depois o usaremos na próxima seção para desenvolver a equação da continuidade, e mais adiante, nos capítulos 5 e 6, o usaremos para desenvolver as equações da energia e da quantidade de movimento. Porém, antes de estabelecermos esse teorema, primeiro discutiremos como descrever melhor cada propriedade do fluido em termos da massa e do volume desse fluido.

Descrição de propriedade do fluido

Qualquer propriedade do fluido que *dependa da quantidade de volume ou massa* em um sistema é chamada de **propriedade extensiva**, N, pois o volume ou a massa se "estende" através do sistema. Por exemplo, a quantidade de movimento é uma propriedade extensiva, pois representa massa vezes velocidade, $N = mV$. As propriedades do fluido que são independentes da massa do sistema são chamadas **propriedades intensivas**, η (eta). Alguns exemplos incluem temperatura e pressão.

Podemos representar uma propriedade extensiva N como uma propriedade intensiva η simplesmente expressando-a por unidade de massa, ou seja, $\eta = N/m$. Como a quantidade de movimento é $N = mV$, então $\eta = V$. De modo semelhante, a energia cinética é $N = (1/2)mV^2$, e, portanto, $\eta = (1/2)V^2$. Como a massa está relacionada ao volume por $m = \rho \forall$, então, em geral, a relação entre uma propriedade extensiva e uma intensiva, para um sistema de partículas do fluido, expressa em termos de sua massa ou de seu volume, é

$$N = \int_m \eta \, dm = \int_\forall \eta \rho \, d\forall \tag{4.1}$$

As integrações são sobre a massa inteira do sistema ou sobre o volume que ela cobre.

O teorema de transporte de Reynolds

Agora, estamos prontos para relacionar a *taxa de variação no tempo* de qualquer propriedade extensiva N para um sistema de fluido a sua taxa de variação no tempo vista a partir do volume de controle. Para fazer isso, vamos considerar que o volume de controle é fixo dentro de um conduto, conforme indicado pelo limite do contorno cinza escuro na Figura 4.5*a*. No instante t, consideramos que o *sistema* inteiro de partículas de fluido está dentro do volume de controle (VC) e coincide com ele. No instante $t + \Delta t$, uma parte desse sistema de partículas sai pela superfície de controle aberta e agora está na região $R_{saída}$, *fora* do volume de controle (Figura 4.5*b*). Isso deixará um vazio $R_{entrada}$ dentro do volume de controle. Em outras palavras, o sistema de partículas de fluido deixou de ocupar VC, no instante t, para ocupar [VC + ($R_{saída} - R_{entrada}$)], no instante $t + \Delta t$.

Capítulo 4 – Conservação de massa **159**

FIGURA 4.5

(a) Tempo t — Sistema, Volume de controle

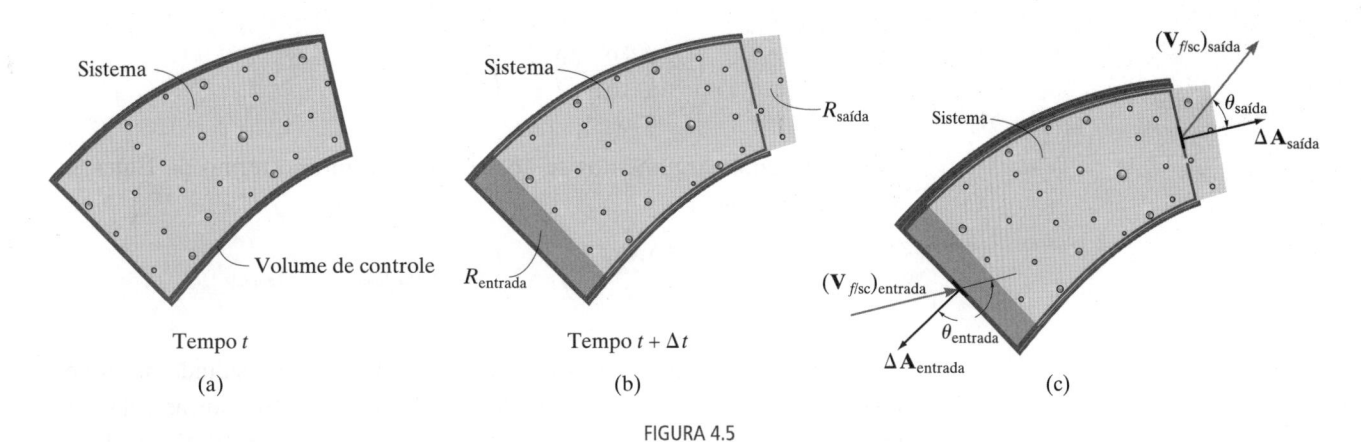

(b) Tempo $t + \Delta t$ — Sistema, $R_{\text{saída}}$, R_{entrada}

(c) Sistema, $(\mathbf{V}_{f/sc})_{\text{saída}}$, $\theta_{\text{saída}}$, $\Delta\mathbf{A}_{\text{saída}}$, $(\mathbf{V}_{f/sc})_{\text{entrada}}$, θ_{entrada}, $\Delta\mathbf{A}_{\text{entrada}}$

Como essa mudança na localização do sistema de partículas ocorre durante o instante Δt, então a propriedade extensiva do fluido N dentro desse sistema também mudará. Pela definição da derivada, podemos escrever essa mudança como

$$\left(\frac{dN}{dt}\right)_{\text{sist}} = \lim_{\Delta t \to 0} \frac{(N_{\text{sist}})_{t+\Delta t} - (N_{\text{sist}})_t}{\Delta t}$$

Se representarmos essas mudanças do ponto de vista do volume de controle, então, pela discussão anterior, temos

$$\left(\frac{dN}{dt}\right)_{\text{sist}} = \lim_{\Delta t \to 0}\left[\frac{(N_{\text{vc}})_{t+\Delta t} + (\Delta N_{\text{saída}} - \Delta N_{\text{entrada}}) - (N_{\text{vc}})_t}{\Delta t}\right]$$

$$= \lim_{\Delta t \to 0}\left[\frac{(N_{\text{vc}})_{t+\Delta t} - (N_{\text{vc}})_t}{\Delta t}\right] + \lim_{\Delta t \to 0}\left[\frac{\Delta N_{\text{saída}}}{\Delta t}\right] - \lim_{\Delta t \to 0}\left[\frac{\Delta N_{\text{entrada}}}{\Delta t}\right] \quad (4.2)$$

O primeiro termo à direita representa a *derivada local*, pois é a variação de N dentro do volume de controle em relação ao tempo. Usando a Equação 4.1, para expressar esse resultado em termos da propriedade intensiva correspondente η, temos

$$\lim_{\Delta t \to 0}\left[\frac{(N_{\text{vc}})_{t+\Delta t} - (N_{\text{vc}})_t}{\Delta t}\right] = \frac{\partial N_{\text{vc}}}{\partial t} = \frac{\partial}{\partial t}\int_{\text{vc}} \eta\rho\, d\mathcal{V} \quad (4.3)$$

O segundo termo no lado direito da Equação 4.2 é uma *derivada convectiva* da propriedade extensiva, pois o sistema sai da superfície de controle. Visto que, em geral, $\Delta N/\Delta t = \eta\Delta m/\Delta t$ e $\Delta m = \rho\Delta\mathcal{V}$, então

$$\frac{\Delta N}{\Delta t} = \eta\rho\frac{\Delta\mathcal{V}}{\Delta t}$$

Conforme mostra a Figura 4.5c, a taxa em que um pequeno *volume* de partículas do fluido sairá da superfície de controle, tendo uma área $\Delta A_{\text{saída}}$, é $(\Delta\mathcal{V})_{\text{saída}}/\Delta t = \Delta A_{\text{saída}}\,[(V_{f/sc})_{\text{saída}}\cos\theta_{\text{saída}}]$. Visto que $\Delta A_{\text{saída}}$ pode ser expresso como um vetor, então, usando a notação do produto escalar,[*] também podemos escrever $\Delta\mathcal{V}_{\text{saída}}/\Delta t = (\mathbf{V}_{f/sc})_{\text{saída}} \cdot \Delta\mathbf{A}_{\text{saída}}$. Portanto, a equação anterior torna-se $(\Delta N/\Delta t)_{\text{saída}} = \eta\rho\,(\mathbf{V}_{f/sc})_{\text{saída}} \cdot \Delta\mathbf{A}_{\text{saída}}$. Para a superfície de controle de saída *inteira*,

---

[*] Lembre-se de que o produto escalar $\mathbf{V}_{f/sc} \cdot \Delta\mathbf{A} = V_{f/sc}\,\Delta A\cos\theta$, onde o ângulo θ ($0° \leq \theta \leq 180°$) é medido entre as *caudas* dos vetores.

$$\lim_{\Delta t \to 0} \left(\frac{\Delta N_{\text{saída}}}{\Delta t} \right) = \int \eta \rho (\mathbf{V}_{f/\text{sc}})_{\text{saída}} \cdot d\mathbf{A}_{\text{saída}}$$

Os mesmos argumentos se aplicam para o último termo da Equação 4.9, de modo que

$$\lim_{\Delta t \to 0} \left(\frac{\Delta N_{\text{entrada}}}{\Delta t} \right) = \int \eta \rho (\mathbf{V}_{f/\text{sc}})_{\text{entrada}} \cdot d\mathbf{A}_{\text{entrada}}$$

Observe que, aqui, o produto escalar produzirá um resultado negativo, pois $(\mathbf{V}_{f/\text{sc}})_{\text{entrada}}$ é para dentro e $d\mathbf{A}_{\text{entrada}}$ é para fora. Em outras palavras, $(\mathbf{V}_{f/\text{sc}})_{\text{entrada}} \cdot d\mathbf{A}_{\text{entrada}} = (V_{f/\text{sc}})_{\text{entrada}} \, d\mathbf{A}_{\text{entrada}} \cos \theta$, onde $\theta > 90°$ (Figura 4.5c).

Se combinarmos os dois termos apresentados e expressarmos isso como um escoamento "resultante" através do volume de controle, então, com a Equação 4.3, a Equação 4.2 torna-se

$$\boxed{\left(\frac{dN}{dt} \right)_{\text{sist}} = \underbrace{\frac{\partial}{\partial t} \int_{\text{vc}} \eta \rho \, dV}_{\text{Variação local}} + \underbrace{\int_{\text{sc}} \eta \rho \mathbf{V} \cdot d\mathbf{A}}_{\text{Variação convectiva}}} \quad (4.4)$$

Esse resultado é conhecido como o **teorema de transporte de Reynolds**, pois foi desenvolvido inicialmente pelo cientista britânico Osborne Reynolds. Em suma, ele relaciona a taxa de variação no tempo de *qualquer* propriedade extensiva N de um sistema de partículas de fluido, definida a partir de uma descrição lagrangeana, às variações da mesma propriedade do ponto de vista do volume de controle, ou seja, conforme definida a partir de uma descrição euleriana. O primeiro termo no lado direito é a *variação local*, pois representa a taxa de variação no tempo na propriedade intensiva *dentro* do volume de controle. O segundo termo à direita é a *variação convectiva*, pois representa o *escoamento resultante* da propriedade intensiva através das superfícies de controle.

Os dois termos no lado direito da Equação 4.4 formam a derivada material de N, e é por isso que simbolizamos o lado esquerdo da equação com esse operador. Na Seção 3.4, discutimos como a derivada material era usada para determinar a taxa de variação no tempo da velocidade para uma única partícula do fluido, quando a velocidade é expressa como um campo de velocidade (descrição euleriana). O teorema de transporte de Reynolds faz a mesma coisa; porém, aqui ele relaciona essas mudanças para uma propriedade do fluido tendo um número contínuo de partículas dentro do sistema.

Aplicações

Ao aplicar o teorema de transporte de Reynolds, é *necessário primeiro* especificar o volume de controle que contém uma parte selecionada do sistema de fluido. Quando isso for feito, as variações locais da propriedade do fluido *dentro* do volume de controle podem ser determinadas, bem como as variações convectivas que ocorrem através de suas superfícies de controle abertas. Alguns exemplos ilustrarão como isso é feito.

- Como vemos na Figura 4.6a, um fluido incompressível escoa pela transição da tubulação em *regime permanente*. Se considerarmos o volume contornado em cinza escuro como o volume de controle fixo, então *não* haverá variações locais do fluido dentro dele, pois o escoamento da massa é em regime permanente e a massa do fluido dentro do volume de controle permanece constante. As variações convectivas ocorrem em cada uma das duas superfícies de controle abertas, pois existe um escoamento de massa de fluido através dessas superfícies.

- O ar está sendo bombeado para dentro do tanque na Figura 4.6*b*. Se o volume de controle for considerado como o volume inteiro dentro do tanque, então ocorrem variações locais, pois a massa do ar no tanque está *aumentando* com o tempo. Além disso, as variações convectivas ocorrem na superfície de controle aberta ou na conexão do tubo.

- À medida que o ar escoa a uma taxa constante pelo tubo da Figura 4.6*c*, ele está sendo aquecido. Se considerarmos a região contornada dentro do recipiente como o volume de controle, então, embora o aquecimento afete a densidade do ar, a massa dentro do volume de controle é constante, de modo que *não haverá taxa de variação local com o tempo* na massa dentro do volume de controle. No entanto, a densidade mudará, fazendo o ar expandir e a velocidade do ar aumentar na saída. Temos um escoamento não uniforme. As variações convectivas ocorrem na entrada e na saída, pois o ar está se movendo através dessas superfícies.

- Um líquido incompressível vaza do carrinho em movimento na Figura 4.6*d*. O volume de controle que contém esse líquido no carrinho está se movendo e é deformável. Ocorrem variações locais porque a massa no volume de controle está diminuindo com o tempo. A variação convectiva ocorre na superfície de controle aberta (saída).

- O líquido na lâmina móvel da Figura 4.6*e* é considerado como um volume de controle. Se observarmos o movimento a partir da lâmina, o escoamento será em regime permanente, portanto, nenhuma variação local ocorrerá com a massa do fluido dentro desse volume de controle. As variações convectivas ocorrem através das superfícies de controle abertas.

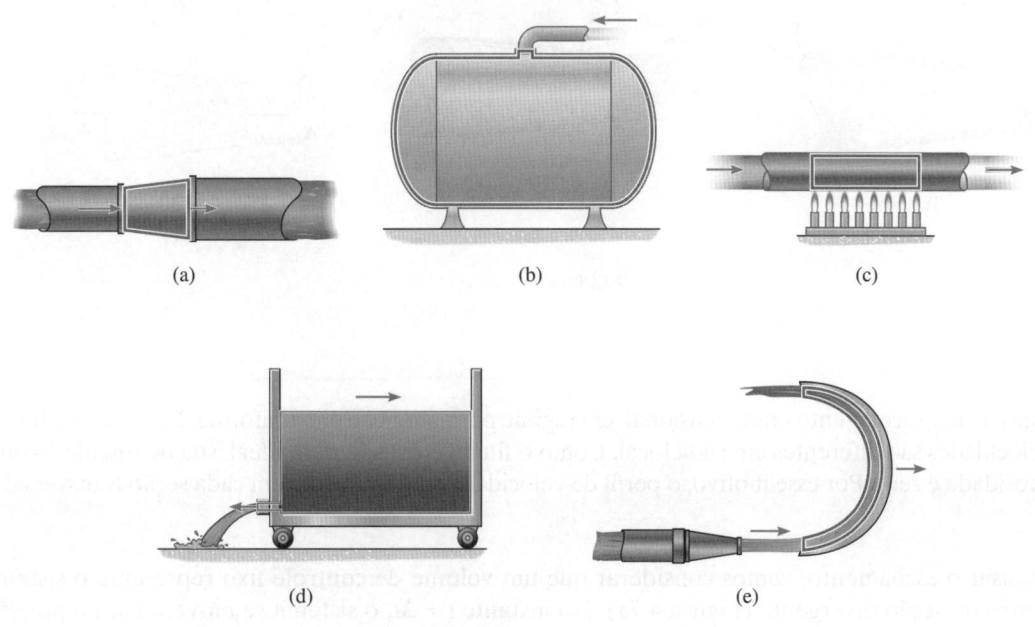

FIGURA 4.6

162 MECÂNICA DOS FLUIDOS

Outros exemplos de como selecionar um volume de controle apropriado e de como especificar as variações locais e convectivas que ocorrem serão apresentados no decorrer do texto sempre que usarmos o teorema de transporte de Reynolds em relação à conservação de massa, o princípio da conservação da energia e o princípio de conservação da quantidade de movimento.

Pontos importantes

- Uma descrição lagrangeana é usada para descrever o movimento de uma partícula de fluido dentro de um *sistema* de partículas, enquanto uma descrição euleriana utiliza um volume de controle fixo, móvel ou deformável para descrever o escoamento de partículas que entram e saem de suas superfícies de controle abertas.
- As propriedades do fluido que dependem do volume ou da massa, como energia e quantidade de movimento, são chamadas de *propriedades extensivas*, ou N. Aquelas propriedades que são independentes da massa, como temperatura e pressão, são chamadas de *propriedades intensivas*, η. Qualquer propriedade extensiva pode se tornar intensiva se for dividida pela massa do fluido, $\eta = N/m$.
- O teorema de transporte de Reynolds oferece um meio de relacionar a taxa de variação no tempo de uma propriedade extensiva N de um fluido, medida para um sistema, com a taxa de variação no tempo medida a partir de um volume de controle. A variação no volume de controle consiste em duas partes: uma *variação local*, que mede a variação da propriedade extensiva *dentro* do volume de controle, e uma *variação convectiva*, que mede a variação na quantidade resultante dessa propriedade que entra e sai das superfícies de controle abertas. Essa quantidade resultante precisa ser medida em relação às superfícies de controle, se estiverem se movendo.

EXEMPLO 4.1

Um fluido ideal escoa pela seção divergente da tubulação na Figura 4.7a, de modo que entra com uma velocidade V_1. Se o escoamento é em regime permanente, determine a velocidade V_2 na saída.

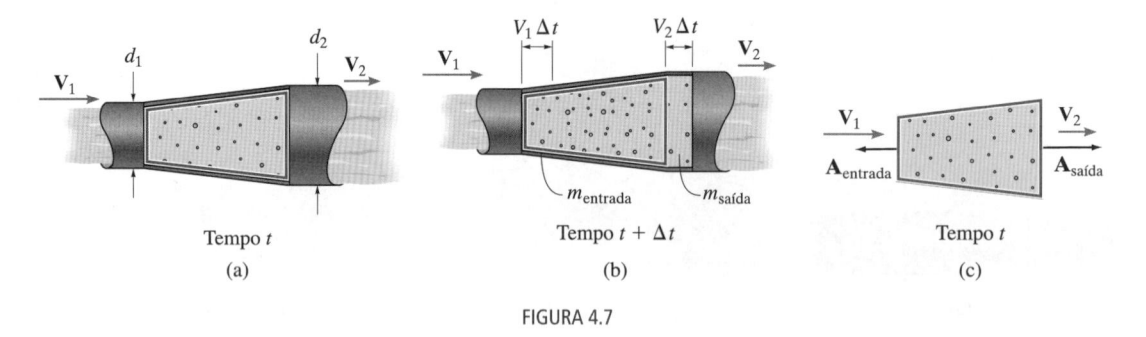

FIGURA 4.7

Solução

Descrição do fluido

Este é um caso de escoamento unidimensional, em regime permanente e não uniforme. Ele é não uniforme porque as velocidades são diferentes em cada local. Como o fluido é considerado ideal, sua densidade é constante e a viscosidade é zero. Por esse motivo, o perfil de velocidade será uniforme em cada seção transversal.

Análise I

Para analisar o escoamento, vamos considerar que um volume de controle fixo represente o sistema de fluido dentro da seção divergente (Figura 4.7a). No instante $t + \Delta t$, o sistema se moverá para a posição mostrada na Figura 4.7b. Portanto, a quantidade de massa saindo da tubulação de diâmetro d_2 durante o instante Δt é $m_{saída} = \rho \Delta \mathcal{V}_{saída} = \rho\,(V_2 \Delta t)(\tfrac{1}{4}\pi\,d_2^2)$, e a quantidade de massa perdida na entrada é equivalente à quantidade de massa que passaria pela tubulação de diâmetro d_1. Isso significa $m_{entrada} = \rho \Delta \mathcal{V}_{entrada} = \rho(V_1 \Delta t)\,(\tfrac{1}{4}\pi\,d_1^2)$. Devido ao escoamento em regime permanente, a massa do fluido *dentro* do volume de controle permanece constante. Portanto, como a quantidade total da massa do sistema é constante, é necessário que

$$m_{saída} - m_{entrada} = 0$$

$$\rho(V_2 \Delta t)\left(\frac{1}{4}\pi d_2^2\right) - \rho(V_1 \Delta t)\left(\frac{1}{4}\pi d_1^2\right) = 0$$

$$V_2 = V_1 \left(\frac{d_1}{d_2}\right)^2 \qquad \textit{Resposta}$$

O resultado indica que a velocidade diminui, $V_2 < V_1$, algo que era de se esperar, pois o escoamento sai por uma área maior.

Análise II

Agora, vejamos como podemos obter o mesmo resultado aplicando o teorema de transporte de Reynolds. Aqui, a propriedade extensiva é a massa $N = m$, de modo que $\eta = m/m = 1$. Aplicando a Equação 4.4, temos

$$\left(\frac{Dm}{Dt}\right)_{sist} = \frac{\partial}{\partial t}\int_{vc} \rho\,d\mathcal{V} + \int_{sc} \rho \mathbf{V}_{f/sc} \cdot d\mathbf{A}$$

O termo da esquerda é zero, pois a massa do sistema não muda com o tempo. Além disso, o primeiro termo da direita é zero, pois o escoamento é *em regime permanente*, ou seja, não existe variação local da massa dentro do volume de controle (Figura 4.7c). Como tanto a densidade quanto a velocidade em cada superfície de controle aberta são *constantes*, elas podem ser colocadas para fora da integral do último termo, e a integração então resulta nas áreas da superfície de controle de entrada e saída, $A_{entrada}$ e $A_{saída}$. Essas áreas possuem direções positivas em direção à saída, como mostra a Figura 4.7c; portanto, a avaliação do produto escalar do último termo na equação anterior se reduz a

$$0 = 0 + \rho V_2 A_{saída} - \rho V_1 A_{entrada}$$

$$0 = 0 + V_2\left(\frac{1}{4}\pi\,d_2^2\right) - V_1\left(\frac{1}{4}\pi d_1^2\right)$$

$$V_2 = V_1 \left(\frac{d_1}{d_2}\right)^2 \qquad \textit{Resposta}$$

Estenderemos ainda mais essa aplicação do teorema de transporte de Reynolds na Seção 4.4.

4.3 Vazão volumétrica, vazão mássica e velocidade média

Devido à viscosidade, a *velocidade* das partículas individuais do fluido que escoam por um conduto pode variar substancialmente. Para simplificar a análise, especialmente para problemas que envolvem o escoamento unidimensional, às vezes podemos considerar o fluido como tendo uma velocidade média, ou descrever o escoamento em termos de seu volume ou massa por unidade de tempo. Agora, vamos definir esses termos formalmente.

Vazão volumétrica

A taxa na qual um *volume* de fluido escoa por uma seção transversal A é chamada de **vazão volumétrica**, ou simplesmente **vazão** ou **descarga**. Ela pode ser determinada desde que saibamos o perfil de velocidade para o escoamento através dessa área. Por exemplo, considere o escoamento de um fluido viscoso através de um tubo, de modo que seu perfil de velocidade tenha a forma axissimétrica mostrada na Figura 4.8. Se as partículas que passam pela área diferencial dA tiverem uma velocidade v, então, durante o tempo dt, um elemento volumétrico do fluido com comprimento $v\,dt$ passará pela área. Como o volume é $d\forall = (v\,dt)(dA)$, então a *vazão volumétrica* dQ que passa pela área é determinada dividindo-se o volume por dt, que resulta em $dQ = d\forall/dt = v\,dA$. Se integrarmos isso pela área transversal inteira A, teremos

$$Q = \int_A v\,dA$$

Aqui, Q pode ser medida em m^3/s ou pés^3/s.

A integração é possível se a velocidade puder ser expressa em função das coordenadas que descrevem a área. Por exemplo, mostraremos no Capítulo 9 que o perfil de velocidade na Figura 4.8 é uma paraboloide, desde que o escoamento seja laminar. Às vezes, porém, o perfil de velocidade precisa ser determinado experimentalmente, como para os escoamentos turbulentos, em que uma integração gráfica do perfil de velocidade pode ser realizada. De qualquer forma, a integral na equação representa *geometricamente* o *volume* dentro do diagrama de velocidade mostrado na Figura 4.8.

Ao calcular Q, é importante lembrar que a velocidade precisa ser *normal* à área transversal através da qual o fluido escoa. Se isso não acontecer, como na Figura 4.9, então devemos considerar o *componente normal* da velocidade $v\cos\theta$ para o cálculo. Considerando a área como um vetor, $d\mathbf{A}$, onde sua normal é *positiva para fora*, podemos usar o produto escalar, $\mathbf{v}\cdot d\mathbf{A} = v\cos\theta\,dA$, para expressar a integral na equação anterior de uma forma mais geral, a saber

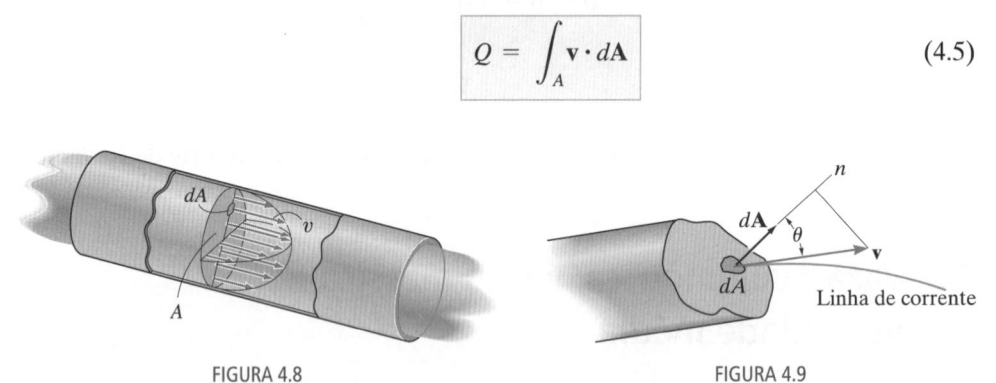

$$Q = \int_A \mathbf{v}\cdot d\mathbf{A} \tag{4.5}$$

FIGURA 4.8   FIGURA 4.9

Velocidade média

Quando o fluido é considerado perfeito, então seus efeitos viscosos ou de atrito podem ser desconsiderados. Como resultado, o perfil de velocidade do fluido pela seção transversal será *uniforme*, como mostra a Figura 4.10. Esse tipo de perfil também é muito semelhante ao caso do escoamento turbulento, onde vimos (na Figura 3.3) como a mistura turbulenta do fluido tende a *achatar* o perfil de velocidade para algo uniformemente distribuído. Para o caso de $\mathbf{v} = \mathbf{V}$, a Equação 4.5 resulta em

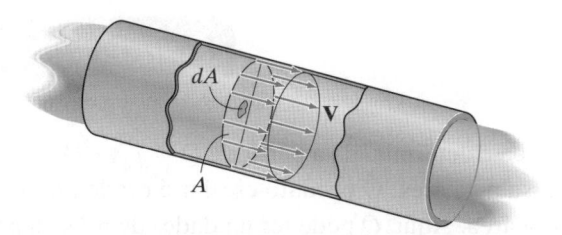

Fluidos invíscidos ou ideais produzem
uma distribuição de velocidade média.

FIGURA 4.10

$$Q = \mathbf{V} \cdot \mathbf{A} \tag{4.6}$$

Aqui, **V** é a *velocidade média* e **A** é a área da seção transversal.

Para qualquer fluido real, a velocidade média pode ser determinada exigindo que o escoamento seja equivalente para as distribuições de velocidade real e média (Figura 4.8 e Figura 4.10), de modo que

$$Q = VA = \int_A \mathbf{v} \cdot d\mathbf{A}$$

Portanto, a velocidade média é

$$V = \frac{\int_A \mathbf{v} \cdot d\mathbf{A}}{A} \tag{4.7}$$

Frequentemente, porém, a *velocidade média* do escoamento é determinada se conhecermos Q através da área transversal A. Combinando as equações 4.5 e 4.7, ela é

$$V = \frac{Q}{A} \tag{4.8}$$

Vazão mássica

Como a massa do elemento na Figura 4.8 é $dm = \rho d\forall = \rho(v\,dt)dA$, a **vazão mássica** ou **descarga de massa** do fluido pela seção transversal inteira torna-se

$$\dot{m} = \frac{dm}{dt} = \int_A \rho \mathbf{v} \cdot d\mathbf{A} \tag{4.9}$$

As medições podem ser feitas em kg/s ou em slug/s.

Se um fluido é incompressível, então ρ é constante e, para o caso especial de um perfil de velocidade uniforme, a Equação 4.9 resulta em

$$\dot{m} = \rho \mathbf{V} \cdot \mathbf{A} \tag{4.10}$$

O escoamento de massa do ar através desse duto deverá ser determinado por meio da área aberta do duto e do componente de velocidade que é perpendicular a essa área.

- A *vazão volumétrica* ou *descarga* por uma área é determinada a partir de $Q = \int_A \mathbf{v} \cdot d\mathbf{A}$, onde **v** é a velocidade de cada partícula de fluido que passa pela área. O produto escalar é usado porque o cálculo requer que a velocidade seja perpendicular à área. Aqui, Q pode ter unidades de m³/s ou pés³/s.
- Em muitos problemas envolvendo o escoamento unidimensional, a velocidade média **V** poderá ser usada. Se o escoamento for conhecido, então ele pode ser determinado a partir de $V = Q/A$.
- A *vazão mássica* é determinada por $\dot{m} = \int \rho \mathbf{v} \cdot d\mathbf{A}$ ou, para um fluido incompressível tendo uma velocidade média, $\dot{m} = \rho\, \mathbf{V} \cdot \mathbf{A}$. Aqui, $\dot{m}$ pode ter unidades de kg/s ou slug/s.

EXEMPLO 4.2

O perfil de velocidade para o escoamento laminar em regime permanente de água através de um tubo com 0,4 m de diâmetro é definido por $v = 3(1 - 25r^2)$ m/s, onde r está em metros (Figura 4.11a). Determine a vazão volumétrica pelo tubo e a velocidade média do escoamento.

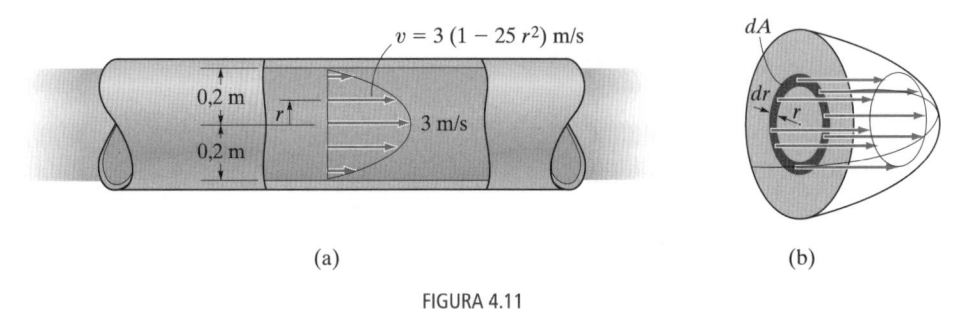

(a)   (b)

FIGURA 4.11

Solução

Descrição do fluido

Aqui ocorre um escoamento em regime permanente unidimensional.

Análise

A vazão volumétrica é determinada por meio da Equação 4.5. O elemento anular diferencial de espessura dr é selecionado (Figura 4.11b), de modo que $dA = 2\pi r\, dr$. Assim,

$$Q = \int_A \mathbf{v} \cdot d\mathbf{A} = \int_0^{0,2\,\text{m}} 3(1 - 25r^2)\, 2\pi r\, dr$$

$$= 6\pi \left[\left(\frac{r^2}{2}\right) - \left(\frac{25 r^4}{4}\right) \right]_0^{0,2\,\text{m}}$$

$$= 0{,}1885 \text{ m}^3/\text{s} = 0{,}188 \text{ m}^3/\text{s} \qquad \text{Resposta}$$

Para evitar essa integração, Q também pode ser determinado calculando o *volume* sob a "paraboloide de velocidade" de raio 0,2 m e altura 3 m/s. Ele é

$$Q = \frac{1}{2} \pi r^2 h = \frac{1}{2} \pi (0{,}2 \text{ m})^2 (3 \text{ m/s}) = 0{,}188 \text{ m}^3/\text{s} \qquad \text{Resposta}$$

A velocidade média é determinada pela Equação 4.4.

$$V = \frac{Q}{A} = \frac{0{,}1885 \text{ m}^3/\text{s}}{\pi (0{,}2 \text{ m})^2} = 1{,}5 \text{ m/s} \qquad \text{Resposta}$$

4.4 Conservação da massa

A conservação da massa declara que, dentro de uma região, fora de qualquer processo nuclear, a matéria não pode ser criada nem destruída. De um ponto de vista lagrangeano, a massa de todas as partículas em um sistema de partículas deverá ser *constante* com o tempo; portanto, precisamos que a variação na massa seja $(dm/dt)_{sist} = 0$. Para desenvolver um enunciado semelhante, que esteja relacionado a um volume de controle, devemos usar o teorema de transporte de Reynolds (Equação 4.4). Aqui, a propriedade extensiva $N = m$, portanto, a propriedade intensiva correspondente é massa por unidade de massa, ou $\eta = m/m = 1$. Portanto, a conservação de massa requer que

$$\boxed{\frac{\partial}{\partial t}\int_{vc} \rho\, d\mathcal{V} + \int_{sc} \rho\, \mathbf{V}\cdot d\mathbf{A} = 0} \qquad (4.12)$$

Mudança de   Vazão mássica
massa local   resultante convectiva

Essa equação normalmente é chamada de *equação da continuidade*. Ela declara que a *taxa local* de variação de massa *dentro* do volume de controle, mais a *taxa convectiva resultante* da massa que entra e sai pelas superfícies de controle abertas, deverá ser igual a zero (Figura 4.12).

Casos especiais

Desde que tenhamos um volume de controle com um tamanho fixo que esteja completamente cheio de um fluido incompressível, então não haverá mudança local da massa do fluido dentro do volume de controle. Nesse caso, o primeiro termo na Equação 4.12 é zero, e, portanto, a vazão mássica *resultante* que entra e sai das superfícies de controle abertas deverá ser zero. Em outras palavras, "o que escoa para dentro deve escoar para fora". Assim, para o escoamento em regime permanente e transitório,

$$\int_{sc} \rho \mathbf{V}\cdot d\mathbf{A} = \Sigma \dot{m}_{saída} - \Sigma \dot{m}_{entrada} = 0 \qquad (4.13)$$

Escoamento incompressível

Supondo que a *velocidade média* ocorra através de cada superfície de controle, então V será constante, e a integração resulta em

$$\Sigma \rho \mathbf{V}\cdot \mathbf{A} = \Sigma \dot{m}_{saída} - \Sigma \dot{m}_{entrada} = 0 \qquad (4.14)$$

Escoamento incompressível

Por fim, se o *mesmo fluido* estiver escoando a uma *taxa constante* para dentro e para fora do volume de controle, então a densidade poderá ser eliminada, e temos

$$\Sigma \mathbf{V}\cdot \mathbf{A} = \Sigma Q_{saída} - \Sigma Q_{entrada} = 0 \qquad (4.15)$$

Escoamento em regime permanente incompressível

Uma aplicação conceitual dessa equação aparece na Figura 4.13. Por nossa convenção de sinais, observe que sempre que o fluido *sai* de uma superfície de controle, $\mathbf{V}$ e $\mathbf{A}_{saída}$ são *ambos* direcionados para fora e, pelo produto escalar, esse termo é *positivo*. Se o fluido *entra* em uma superfície de controle, $\mathbf{V}$ é direcionado para dentro e $\mathbf{A}_{entrada}$ é direcionado para fora, portanto, o produto escalar será *negativo*.

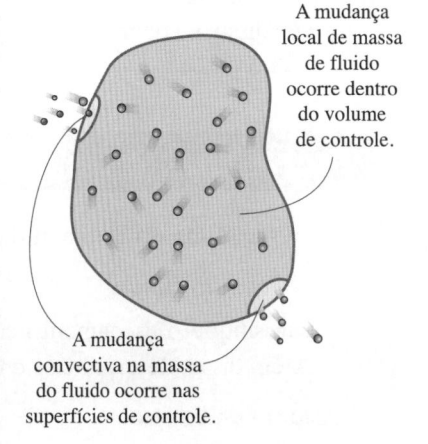

FIGURA 4.12

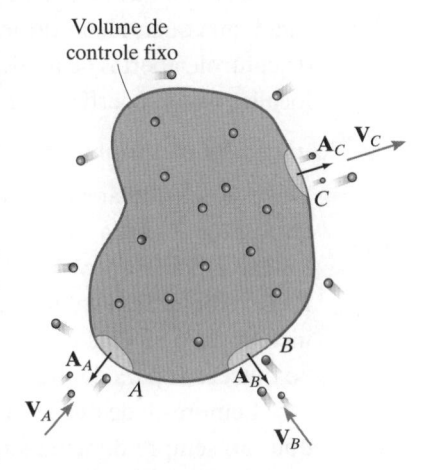

$$\Sigma \mathbf{V}\cdot \mathbf{A} = 0$$
$$-V_A A_A - V_B A_B + V_C A_C = 0$$

Escoamento em regime permanente de um fluido incompressível

FIGURA 4.13

A vazão mássica de ar através desse conjunto de dutos deverá ser calculada para equilibrar a vazão de ar que sai de cada uma dessas saídas de ventilação do recinto.

Pontos importantes

- A equação da continuidade é baseada na conservação de massa, que declara que a massa de todas as partículas dentro de um sistema permanece constante.
- Se o volume de controle estiver totalmente cheio de um fluido incompressível, então não haverá variação local no volume de controle enquanto o fluido escoa por sua superfície de controle aberta. Em vez disso, só ocorrem mudanças convectivas.

Procedimento para análise

O seguinte procedimento pode ser usado ao se aplicar a equação da continuidade.

Descrição do fluido

- Classifique o escoamento como em regime permanente ou transitório, uniforme ou não uniforme. Além disso, determine se o fluido pode ser considerado invíscido e/ou incompressível.

Volume de controle

- Estabeleça o volume de controle e determine de que tipo ele deve ser. Os volumes de controle fixos geralmente são usados para objetos que estão em repouso e possuem uma quantidade fixa de fluido passando por eles, como tubulações. Volumes de controle móveis são usados para objetos, como bombas ou lâminas de turbina, e volumes de controle variáveis podem ser usados para recipientes que possuem uma quantidade variável de fluido dentro deles. Deve-se ter o cuidado de orientar as superfícies de controle abertas de modo que suas áreas planas sejam perpendiculares ao escoamento. Além disso, localize essas superfícies em uma região onde o escoamento é uniforme e bem estabelecido.

Equação da continuidade

- Deve-se considerar a taxa de variação de massa dentro do volume de controle e a taxa em que a massa entra e sai de cada superfície de controle aberta. Para a aplicação, sempre escreveremos a equação fundamental (Equação 4.12) e depois mostraremos como essa equação se reduz a um caso específico. Por exemplo, se o volume de controle não se deformar e estiver completamente cheio de um fluido incompressível, então a variação local da massa dentro do volume de controle será zero, de modo que "o que escoa para dentro deve escoar para fora", conforme indicado pelas equações 4.13 a 4.15.

  Lembre-se de que as áreas planas **A** das superfícies de controle abertas são definidas por vetores que são sempre direcionados *para fora*, normais à superfície de controle. Assim, o escoamento que *entra* em uma superfície de controle será *negativo*, pois **V** e **A** estarão em direções opostas, enquanto o escoamento para *fora* de uma superfície de controle é *positivo*, pois ambos os vetores são de dentro para fora. Se uma superfície de controle estiver se movendo, então, para o escoamento em regime permanente, a velocidade do escoamento que entra ou sai de uma superfície de controle deverá ser medida *em relação* à superfície que se move, ou seja, $\mathbf{V} = \mathbf{V}_{f/sc}$ nas equações anteriores.

EXEMPLO 4.3

A água escoa por um hidrante de incêndio com 6 pol. de diâmetro em $Q_C = 4$ pés³/s (Figura 4.14a). Se a velocidade que sai do esguicho de 2 pol. de diâmetro em A for 60 pés/s, determine a descarga que sai do esguicho de 3 pol. de diâmetro em B.

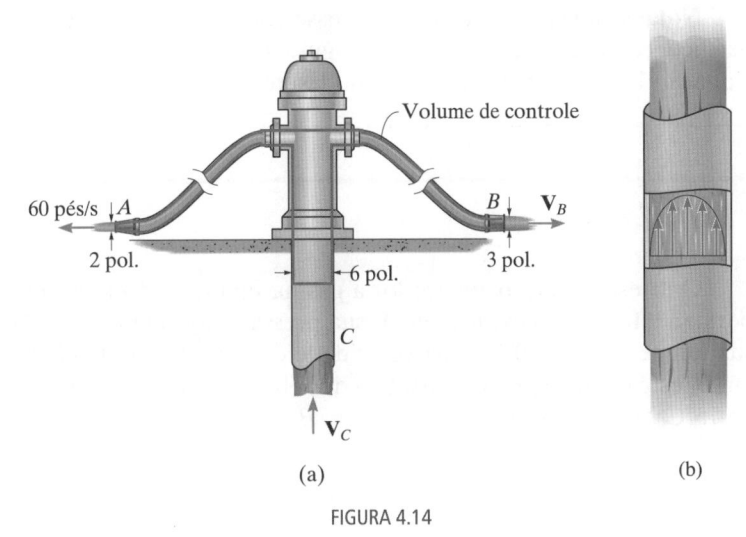

FIGURA 4.14

Solução

Descrição do fluido

Esta é uma condição de *escoamento em regime permanente*, onde a água será considerada um fluido perfeito. Portanto, serão utilizadas velocidades médias.

Volume de controle

Vamos considerar que o volume de controle seja *fixo* e delimitar o volume dentro do hidrante de incêndio e das partes estendidas da mangueira, como mostra a figura. Não existe variação local dentro do volume de controle, pois o escoamento é em regime permanente. As variações convectivas ocorrem através de três superfícies de controle abertas.

Visto que o escoamento em C é conhecido, a velocidade média nesse ponto é

$$V_C = \frac{Q_C}{A_C} = \frac{4 \text{ pés}^3/\text{s}}{\pi \left(\frac{3}{12}\text{pés}\right)^2} = 20{,}37 \text{ pés/s}$$

Equação da continuidade

Para um escoamento em regime permanente e incompressível,

$$\frac{\partial}{\partial t}\int_{vc} \rho \, d\forall + \int_{sc} \rho \mathbf{V} \cdot d\mathbf{A} = 0 \tag{1}$$

$$0 - V_C A_C + V_A A_A + V_B A_B = 0 \tag{2}$$

$$0 - (20{,}37 \text{ pés/s})\left[\pi\left(\frac{3}{12}\text{pés}\right)^2\right] + (60 \text{ pés/s})\left[\pi\left(\frac{1}{12}\text{pé}\right)^2\right] + V_B\left[\pi\left(\frac{1{,}5}{12}\text{pé}\right)^2\right] = 0$$

$$V_B = 54{,}82 \text{ pés/s}$$

A descarga em B é, portanto,

$$Q_B = V_B A_B = (54{,}82 \text{ pés/s}) \left[\pi \left(\frac{1{,}5}{12} \text{ pé} \right)^2 \right] = 2{,}69 \text{ pés}^3/\text{s} \qquad \textit{Resposta}$$

Esta solução é, na realidade, uma aplicação direta da Equação 4.15, representada aqui pela Equação 2. Além disso, observe que, como $Q_C = V_C A_C$ e $Q_B = V_B A_B$, na realidade não foi necessário calcular V_C e V_B como uma etapa intermediária. Mas tenha o cuidado de reconhecer que, se Q_C for usado na Equação 2, então ele é um termo negativo, ou seja, a Equação 2 torna-se $0 - Q_C + V_A A_A + Q_B = 0$.

Nota: se a viscosidade da água fosse considerada, e se fosse estabelecido um perfil de velocidade específico, como aquele mostrado na Figura 4.14b, então a solução exigiria integração do segundo termo na Equação 1. (Veja a primeira etapa no Exemplo 4.1.)

EXEMPLO 4.4

O ar escoa para o aquecedor a gás na Figura 4.15 em regime permanente, de modo que, em A, sua pressão absoluta é 203 kPa, sua temperatura é 20°C e sua velocidade é 15 m/s. Quando ele sai em B, está em uma pressão absoluta de 150 kPa e uma temperatura de 75°C. Determine sua velocidade em B.

Solução

Descrição do fluido

Como foi dito, temos um escoamento em regime permanente. Vamos desprezar a viscosidade e usar as velocidades médias pela tubulação. Devido às variações de pressão e temperatura dentro do aquecedor, o ar muda de densidade, portanto, precisamos incluir os efeitos da compressibilidade.

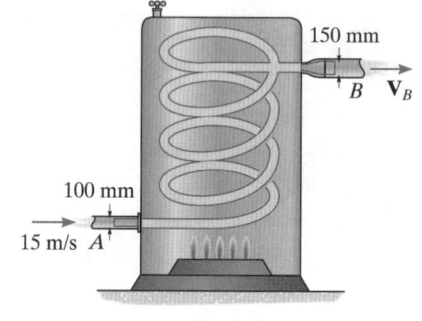

FIGURA 4.15

Volume de controle

Como vemos, o volume de controle é fixo e consiste na região da tubulação dentro do aquecedor, junto com curtas extensões a partir dele. Aqui não existem variações locais *da massa* dentro do volume de controle, pois o escoamento permanece *em regime permanente*. Porém, ocorrem variações convectivas, devido ao escoamento através das superfícies de controle abertas em A e B.

Equação da continuidade

A pressão e a temperatura afetam a densidade de ar nas superfícies de controle abertas. O escoamento de ar que *entra* em A é negativo.

$$\frac{\partial}{\partial t} \int_{vc} \rho \, d\forall + \int_{sc} \rho \mathbf{V} \cdot d\mathbf{A} = 0$$

$$0 - \rho_A V_A A_A + \rho_B V_B A_B = 0$$

$$-\rho_A (15 \text{ m/s})[\pi(0{,}05 \text{ m})^2] + \rho_B V_B [\pi(0{,}075 \text{ m})^2] = 0$$

$$V_B = 6{,}667 \left(\frac{\rho_A}{\rho_B} \right) \qquad (1)$$

Lei dos gases perfeitos

As densidades em A e B são obtidas a partir da lei dos gases perfeitos. Temos

$p_A = \rho_A R T_A;$ $\qquad 203(10^3) \text{ N/m}^2 = \rho_A R (20 + 273) \text{ K}$

$p_B = \rho_B R T_B;$ $\qquad 150(10^3) \text{ N/m}^2 = \rho_B R (75 + 273) \text{ K}$

O valor de R para o ar está listado no Apêndice A, embora aqui ele possa ser eliminado pela divisão.

Capítulo 4 – Conservação de massa   **171**

$$1{,}607 = \frac{\rho_A}{\rho_B}$$

Substituindo isso na Equação 1, obtemos

$$V_B = 6{,}667(1{,}607) = 10{,}7 \text{ m/s} \quad \textit{Resposta}$$

EXEMPLO 4.5

O tanque na Figura 4.16 tem um volume de 1,5 m³ e está sendo enchido de ar, que é bombeado para dentro dele a uma velocidade média de 8 m/s através de uma mangueira com um diâmetro de 10 mm. À medida que o ar entra no tanque, sua temperatura é 30°C e sua pressão absoluta é 500 kPa. Determine a taxa em que a densidade do ar dentro do tanque está variando nesse instante.

Solução

Descrição do fluido

Devido à mistura, vamos considerar que o ar possui uma densidade uniforme dentro do tanque. Essa densidade está variando porque o ar é compressível. O escoamento para dentro do tanque é em regime permanente.

Volume de controle

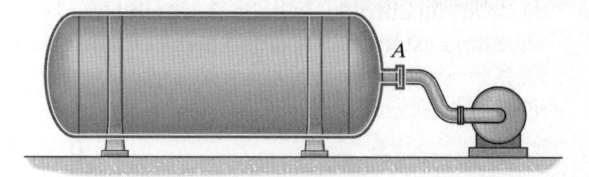

FIGURA 4.16

Vamos considerar que o volume de controle fixo seja o ar contido dentro do tanque. Variações locais ocorrem dentro desse volume de controle, pois a *massa do ar* dentro do tanque está *variando com o tempo*. A velocidade média da corrente de ar será considerada na superfície de controle aberta, em *A*.

Equação da continuidade

Aplicando a equação da continuidade, observando que o volume de controle (tanque) possui um volume constante, e supondo que a densidade dentro dele está variando de maneira uniforme, temos

$$\frac{\partial}{\partial t}\int_{vc} \rho \, d\forall + \int_{sc} \rho \mathbf{V} \cdot d\mathbf{A} = 0$$

$$\frac{\partial \rho_a}{\partial t} \forall_t - \rho_A V_A A_A = 0 \quad (1)$$

Lei dos gases perfeitos

A densidade do ar que entra no tanque é determinada por meio da lei dos gases perfeitos. Pelo Apêndice A, $R = 286{,}9$ J/(kg · K), portanto

$p_A = \rho_A R T_A;$ $\quad 500(10^3) \text{ N/m}^2 = \rho_A[286{,}9 \text{ J/(kg · K)}](30 + 273) \text{ K}$

$$\rho_A = 5{,}752 \text{ kg/m}^3$$

Logo,

$$\frac{\partial \rho_a}{\partial t}\left(1{,}5 \text{ m}^3\right) - \left[(5{,}752 \text{ kg/m}^3)(8 \text{ m/s})\right]\left[\pi(0{,}005 \text{ m})^2\right] = 0$$

$$\frac{\partial \rho_a}{\partial t} = 2{,}41\left(10^{-3}\right) \text{ kg/(m}^3 \cdot \text{s)} \quad \textit{Resposta}$$

Esse resultado positivo indica que a densidade do ar dentro do tanque está aumentando, o que era esperado.

EXEMPLO 4.6

O foguete sobre trilhos da Figura 4.17 é impulsionado por um motor a jato que queima combustível a uma taxa de 60 kg/s. O duto de ar em A possui uma abertura de 0,2 m² e recebe ar com uma densidade de 1,20 kg/m³. Se o motor expele o gás relativo ao bocal exaustor em B com uma velocidade média de 300 m/s, determine a densidade da exaustão. O foguete está movendo-se para a frente a uma velocidade constante de 80 m/s e o bocal exaustor tem uma área transversal de 0,35 m².

Solução
Descrição do combustível

O sistema ar-combustível é compressível, portanto, sua densidade será diferente na entrada A e no bocal exaustor B. Usaremos as velocidades médias.

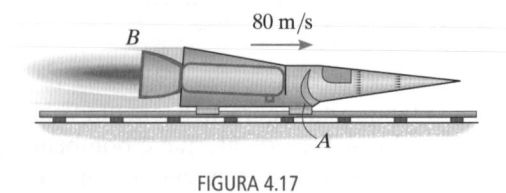

FIGURA 4.17

Volume de controle

O volume de controle é representado pela região delimitada dentro do motor que recebe o ar e o combustível, queima-o e expulsa-o. Vamos considerar que ele se mova com o foguete. Por esse ponto de vista (de um passageiro), o escoamento é *em regime permanente*, de modo que não há taxa de variação local no tempo da massa de ar-combustível dentro do volume de controle. Variações convectivas ocorrem na entrada de ar, na entrada da linha de combustível e no bocal exaustor. Além disso, considerando que o ar na saída esteja estacionário, então a velocidade relativa do fluxo de ar na entrada A é

$$\xrightarrow{+} V_A = V_{sc} + V_{A/sc}$$
$$0 = 80 \text{ m/s} + V_{A/sc}$$
$$V_{A/sc} = -80 \text{ m/s} = 80 \text{ m/s} \leftarrow$$

Em B, $V_{B/sc}$ = 300 m/s porque a velocidade do gás que escapa é medida em relação à superfície de controle.

Equação da continuidade

A vazão mássica do combustível é $\dot{m}_f$ = 60 kg/s, e como não existe variação local, temos

$$\frac{\partial}{\partial t}\int_{vc} \rho \, d\mathcal{V} + \int_{sc} \rho \mathbf{V}_{f/sc} \cdot d\mathbf{A} = 0$$

$$0 - \rho_a V_{A/sc} A_A + \rho_g V_{B/sc} A_B - \dot{m}_f = 0$$

$$-1,20 \text{ kg/m}^3 (80 \text{ m/s})(0,2 \text{ m}^2) + \rho_g(300 \text{ m/s})(0,35 \text{ m}^2) - 60 \text{ kg/s} = 0$$

$$\rho_g = 0,754 \text{ kg/m}^3 \qquad \textit{Resposta}$$

Observe que, se o volume de controle selecionado estivesse em um *local fixo* no espaço, e o foguete sobre trilhos estivesse passando nesse local, então as variações locais *ocorreriam* dentro do volume de controle enquanto o foguete passasse. Em outras palavras, o escoamento pelo volume de controle seria um *escoamento transitório*.

EXEMPLO 4.7

O tanque com 2 pés de diâmetro na Figura 4.18a está sendo enchido de água usando um tubo com 1 pé de diâmetro, que possui uma descarga de 4 pés³/s. Determine a taxa em que o nível de água está subindo no tanque.

Solução
Descrição do fluido

Este é um caso de escoamento em regime permanente. Consideramos que a água seja um fluido incompressível, de modo que $\rho_{\text{água}}$ é constante.

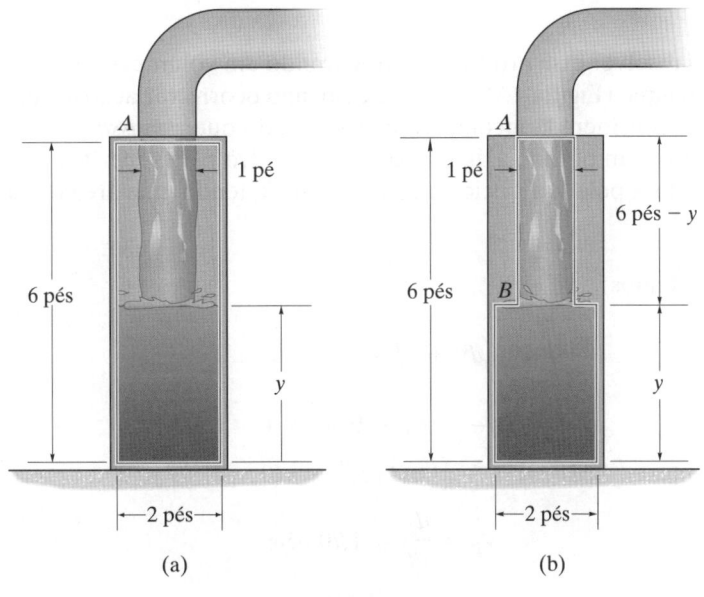

FIGURA 4.18

Volume de controle I

Escolheremos um *volume de controle fixo*, que consiste no volume do *tanque inteiro* (Figura 4.18a). Embora tenhamos um escoamento em regime permanente adentrando esse volume de controle, ocorrem *variações locais*, porque o volume de controle não está totalmente cheio de água. Em outras palavras, a quantidade de *massa* dentro do volume de controle varia com o tempo. *Variações convectivas* ocorrem na superfície de controle aberta em A. Vamos excluir a variação total da massa de ar dentro do tanque, que é igual à sua vazão mássica saindo pelo topo do tanque. Para calcular o volume de água dentro do tanque, vamos supor que, quando a água cai, ela mantém um diâmetro constante de 1 pé, conforme mostrado.*

Equação da continuidade

Aplicando a equação da continuidade, observando que $Q_A = V_A A_A$, temos

$$\frac{\partial}{\partial t}\int_{vc} \rho_{água} dV + \int_{sc} \rho_{água} \mathbf{V} \cdot d\mathbf{A} = 0$$

$$\rho_{água}\frac{dV}{dt} - \rho_{água}Q_A = 0$$

Aqui, V é o volume total de água *dentro* do volume de controle no instante em que a profundidade é y. Removendo $\rho_{água}$, temos

$$\frac{d}{dt}\left[\pi(1\,\text{pé})^2 y + \pi(0{,}5\,\text{pé})^2(6\,\text{pés} - y)\right] - \left(4\,\text{pés}^3/\text{s}\right) = 0$$

$$\pi\frac{d}{dt}(0{,}75y + 1{,}5) = 4$$

$$0{,}75\frac{dy}{dt} + 0 = \frac{4}{\pi}$$

$$\frac{dy}{dt} = 1{,}70\,\text{pé/s} \qquad \textit{Resposta}$$

---

* Se esta coluna d'água se dispersasse, o mesmo volume cairia para dentro do tanque.

Volume de controle II

Também podemos resolver esse problema considerando um volume de controle fixo, consistindo apenas na água dentro do tanque (Figura 4.18b). Nesse caso, não ocorre variação local, pois a água dentro desse volume de controle é considerada incompressível, de modo que a *massa* permanece constante. Mas as variações convectivas ocorrem porque a água escoa para dentro pela superfície de controle de área $\pi(0,5 \text{ pé})^2$ em A, e escoa para fora pela superfície de controle em B, tendo uma área de $[\pi (1 \text{ pé})^2 - \pi (0,5 \text{ pé})^2]$.

Equação da continuidade

Como $Q_A = V_A A_A$, temos

$$\frac{\partial}{\partial t}\int_{vc} \rho_{\text{água}} dV + \int_{sc} \rho_{\text{água}} \mathbf{V} \cdot d\mathbf{A} = 0$$

$$0 - V_A A_A + V_B A_B = 0$$

$$-(4 \text{ pés}^3/\text{s}) + V_B[(\pi(1\text{ pé})^2 - \pi(0,5\text{ pé})^2)] = 0$$

$$V_B = \frac{dy}{dt} = 1,70 \text{ pé/s} \qquad Resposta$$

Referências

1. ASME. *Flow Meters*. 6. ed. Nova York: ASME, 1971.
2. VOGEL, S. *Comparative Biomechanics*. Princeton, New Jersey: Princeton University Press, 2003.
3. GLASSTONE, S.; SESONSKE, A. *Nuclear Reactor Engineering*. Princeton, New Jersey: D. van Nostrand, 2001.

Problemas fundamentais

Seção 4.3

F4.1. A água flui para o tanque através de um tubo retangular. Se a velocidade média do escoamento é 16 m/s, determine o escoamento da massa. Considere $\rho_{\text{água}} = 1000 \text{ kg/m}^3$.

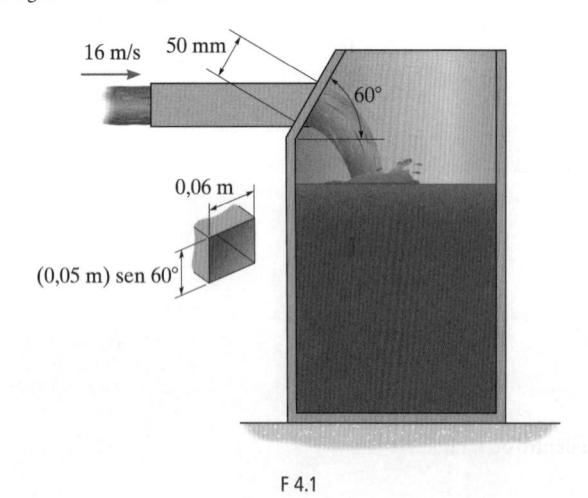

F 4.1

F4.2. O ar escoa pelo duto triangular em 0,7 kg/s quando a temperatura é 15°C e a pressão manométrica é 70 kPa. Determine a velocidade média. Considere $\rho_{\text{atm}} = 101 \text{ kPa}$.

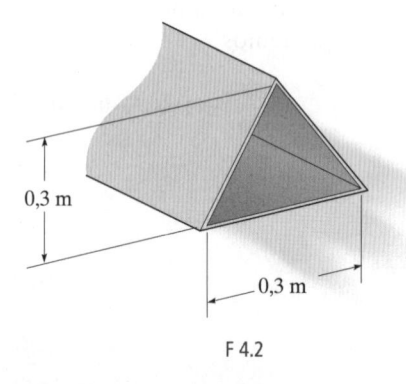

F 4.2

F4.3. A água tem uma velocidade média de 8 m/s através do tubo. Determine a vazão volumétrica e a vazão mássica.

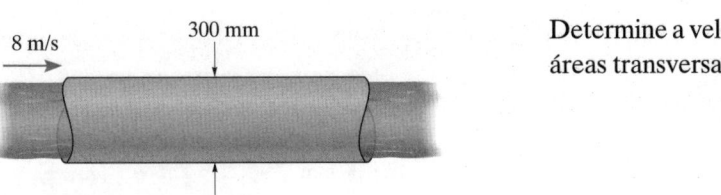

F 4.3

F4.4. O petróleo bruto escoa pela tubulação a 0,02 m³/s. Se o perfil de velocidade é considerado conforme mostra a figura, determine a velocidade máxima V_0 do petróleo e a velocidade média.

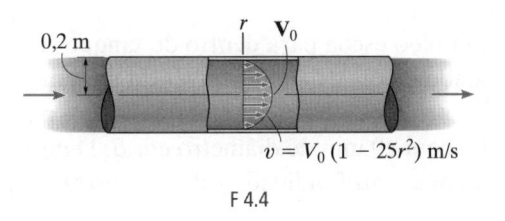

$v = V_0(1 - 25r^2)$ m/s

F 4.4

F4.5. Determine a vazão mássica do ar que possui uma temperatura de 20°C e pressão de 80 kPa à medida que passa pelo duto circular com uma velocidade média de 3 m/s.

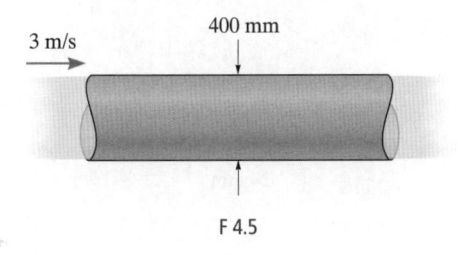

F 4.5

F4.6. Se o perfil de velocidade para um líquido bastante viscoso enquanto escoa por um canal retangular de 0,5 m de largura é aproximado como $u = (6y^2)$ m/s, onde y está em metros, determine a vazão volumétrica.

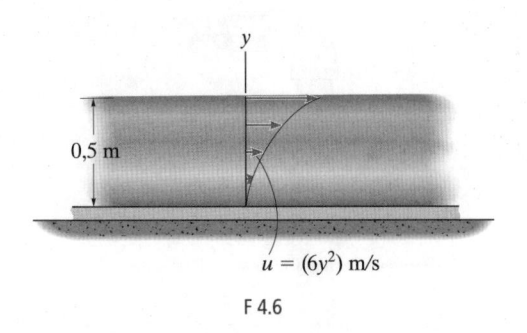

$u = (6y^2)$ m/s

F 4.6

Seção 4.4

F4.7. A velocidade média do escoamento em regime permanente em A e B é aquela indicada na figura. Determine a velocidade média em C. Os tubos possuem áreas transversais de $A_A = A_C = 0,1$ m² e $A_B = 0,2$ m².

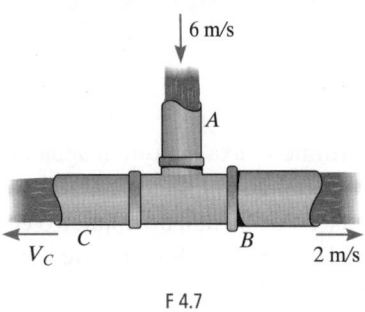

F 4.7

F4.8. Um líquido entra no tanque em A a 4 m/s. Determine a taxa, dy/dt, em que o nível do líquido está subindo no tanque. A área transversal da tubulação em A é $A_A = 0,1$ m².

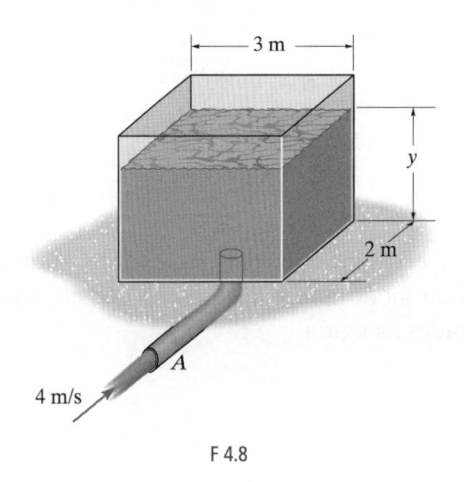

F 4.8

F4.9. À medida que o ar sai do tanque a 0,05 kg/s, ele é misturado com água a 0,002 kg/s. Determine a velocidade média da mistura quando ela sai do tubo de 20 mm de diâmetro se a densidade da mistura é de 1,45 kg/m³.

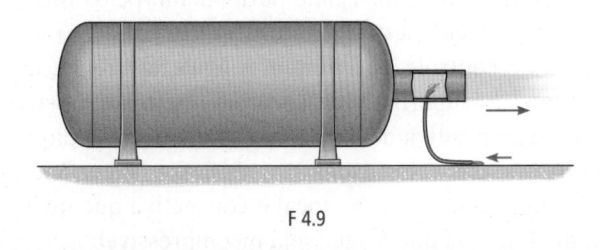

F 4.9

F4.10. O ar a uma temperatura de 16°C e pressão manométrica de 200 kPa escoa pela tubulação a 12 m/s quando está em A. Determine sua velocidade média quando ele sai da tubulação em B se sua temperatura lá é 70°C.

F 4.10

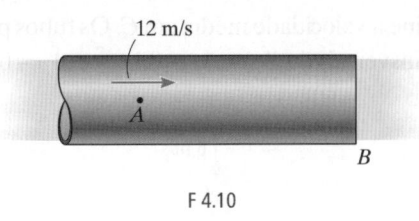

F4.11. Determine a taxa em que a água está subindo no recipiente triangular quando $t = 10$ s se a água escoa da tubulação de 50 mm de diâmetro com uma velocidade média de 6 m/s. O recipiente tem 1 m de extensão. Em $t = 0$ s, $h = 0,1$ m.

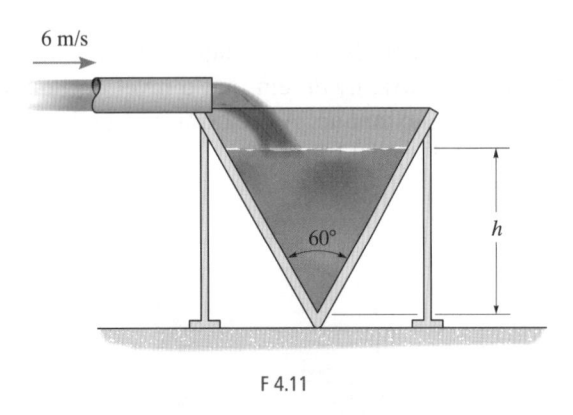

F 4.11

F4.12. Determine o diâmetro requerido da tubulação em C de modo que a água escoe por ela nas taxas mostradas na figura.

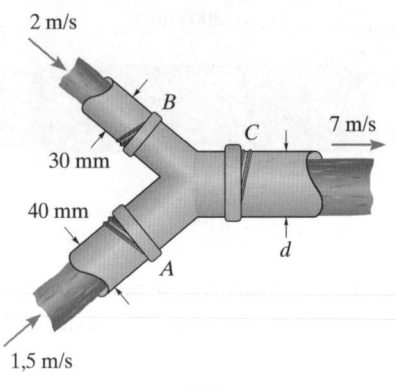

F 4.12

F4.13. O óleo escoa para dentro do tanque com uma velocidade média de 4 m/s através do tubo de 50 mm de diâmetro em A. Ele sai do tanque a 2 m/s por meio do tubo com 20 mm de diâmetro em B. Determine a taxa em que a profundidade y do óleo no tanque está mudando.

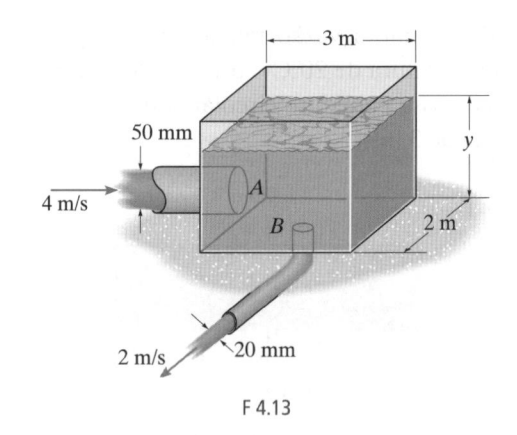

F 4.13

Problemas

Seções 4.1 e 4.2

4.1. Água escoa em regime permanente pelos tubos com as velocidades médias mostradas. Esboce o volume de controle que contém a água na tubulação. Indique as superfícies de controle abertas e mostre a direção positiva de suas áreas. Além disso, indique a direção das velocidades através dessas superfícies. Identifique as variações local e convectiva que ocorrem. Suponha que a água seja incompressível.

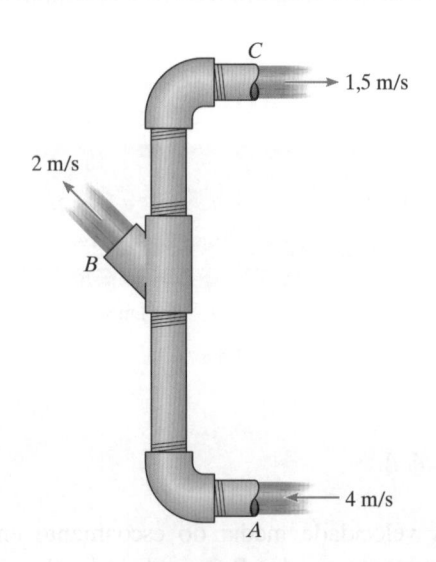

PROBLEMA 4.1

4.2. Água é retirada uniformemente através da bomba. As velocidades médias são as indicadas na figura. Selecione um volume de controle que contenha a água na bomba e se estenda ligeiramente após ela. Indique as superfícies de controle abertas e mostre a direção positiva de suas áreas. Além disso, indique a direção das velocidades através dessas superfícies. Identifique as variações locais e convectivas que ocorrem. Suponha que a água seja incompressível.

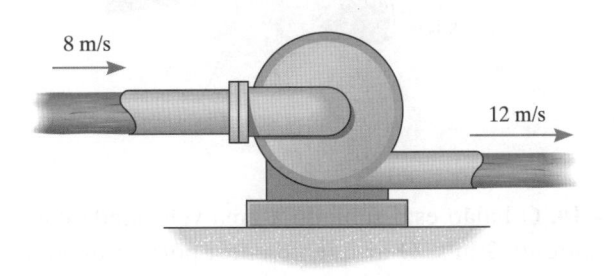

PROBLEMA 4.2

4.3. As velocidades médias da água fluindo em regime permanente pelo bocal são as indicadas. Se o bocal estiver preso à extremidade da mangueira, contorne o volume de controle para incluir o bocal inteiro e a água dentro dele. Além disso, selecione outro volume de controle para incluir apenas a água dentro do bocal. Em cada caso, indique as superfícies de controle abertas e mostre a direção positiva de suas áreas. Especifique a direção das velocidades através dessas superfícies. Identifique o local e as variações convectivas que ocorrem. Suponha que a água seja incompressível.

PROBLEMA 4.3

*__4.4.__ O ar escoa através do duto afunilado, e durante esse momento está sendo adicionado calor que muda a densidade do ar dentro do duto. As velocidades médias são aquelas indicadas na figura. Selecione um volume de controle que contenha o ar no duto. Indique as superfícies de controle abertas e mostre a direção positiva de suas áreas. Além disso, indique a direção das velocidades através dessas superfícies. Identifique o local e as variações convectivas que ocorrem. Suponha que o ar seja incompressível.

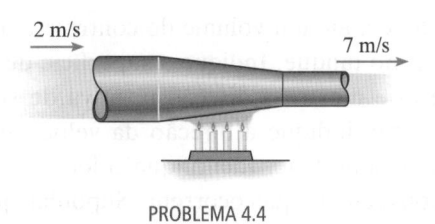

PROBLEMA 4.4

4.5. O tanque está sendo enchido de água em A a uma taxa mais rápida do que é esvaziado em B; as velocidades médias são aquelas mostradas na figura. Selecione um volume de controle que inclua apenas a água no tanque. Indique as superfícies de controle abertas e mostre a direção positiva de suas áreas. Além disso, indique a direção das velocidades através dessas superfícies. Identifique as variações local e convectiva que ocorrem. Suponha que a água seja incompressível.

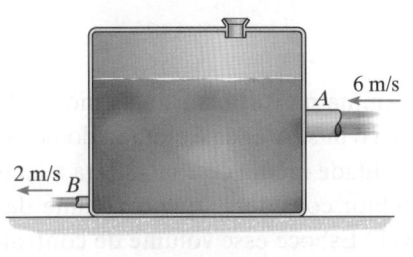

PROBLEMA 4.5

4.6. O balão de festa está cheio de ar e é liberado. No instante mostrado, o ar está escapando a uma velocidade média de 4 m/s, medido em relação ao balão, enquanto o balão está acelerando. Para uma análise, por que é melhor considerar que o volume de controle está mudando? Selecione esse volume de controle de modo que contenha o ar no balão. Indique a superfície de controle aberta e mostre a direção positiva de sua área. Além disso, indique a direção da velocidade através dessa superfície. Identifique o local e as variações convectivas que ocorrem. Suponha que o ar seja incompressível.

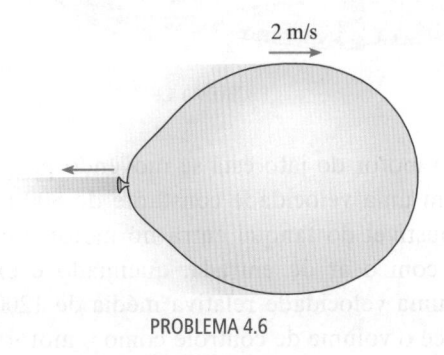

PROBLEMA 4.6

4.7. Ar comprimido está sendo liberado do tanque e, no instante mostrado, ele tem uma velocidade de

3 m/s. Selecione um volume de controle que contenha o ar no tanque. Indique a superfície de controle aberta e mostre a direção positiva de sua área. Além disso, indique a direção da velocidade através dessa superfície. Identifique o local e as variações convectivas que ocorrem. Suponha que o ar seja compressível.

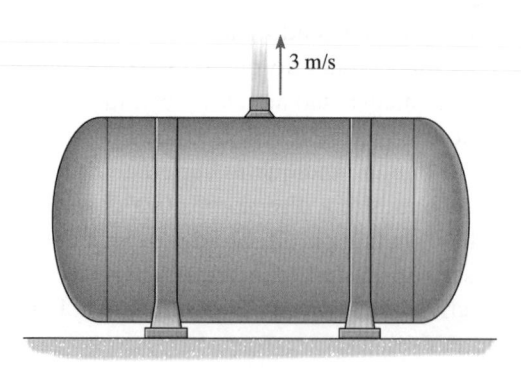

PROBLEMA 4.7

*__4.8.__ A lâmina na turbina está se movendo para a esquerda a 6 m/s. A água é ejetada do bocal em A a uma velocidade média de 2 m/s. Para a análise, por que é melhor considerar que o volume de controle é móvel? Esboce esse volume de controle móvel que contém a água na lâmina. Indique as superfícies de controle abertas e mostre a direção positiva de suas áreas através das quais ocorre o escoamento. Além disso, indique as intensidades das velocidades relativas e suas direções através dessas superfícies. Identifique as variações locais e convectivas que ocorrem. Suponha que a água seja incompressível.

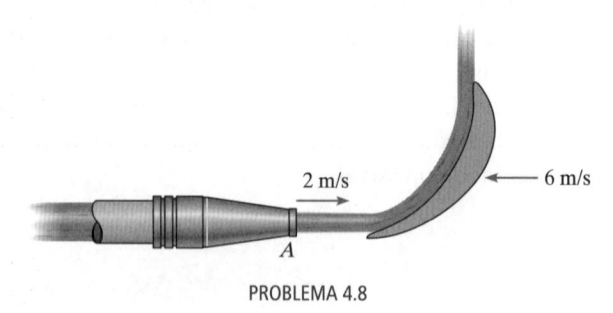

PROBLEMA 4.8

4.9. O motor do jato está se movendo para a frente com uma velocidade constante de 800 km/h. O combustível do tanque entra no motor e é misturado com o ar de entrada, queimado e exaurido com uma velocidade relativa média de 1200 km/h. Esboce o volume de controle como o motor do jato e o ar e combustível dentro dele. Para a análise, por que é melhor considerar que o volume de controle é móvel? Indique as superfícies de controle abertas e mostre a direção positiva de suas áreas. Além disso, indique as intensidades das velocidades relativas e suas direções através dessas superfícies. Identifique o local e as variações convectivas que ocorrem. Suponha que o combustível seja incompressível e o ar seja compressível.

PROBLEMA 4.9

4.10. O balão está subindo a uma velocidade constante de 3 m/s. O ar quente entra por um queimador e escoa para dentro do balão em A, a uma velocidade média de 1 m/s, medida em relação ao balão. Para a análise, por que é melhor considerar que o volume de controle é móvel? Esboce esse volume de controle móvel que contém o ar no balão. Indique a superfície de controle aberta e mostre a direção positiva de sua área. Além disso, indique a intensidade da velocidade relativa e sua direção através dessa superfície. Identifique as variações locais e convectivas que ocorrem. Suponha que o ar seja incompressível.

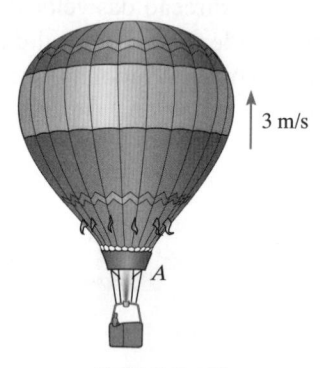

PROBLEMA 4.10

4.11. A bacia hemisférica é suspensa no ar pelo jato de água que entra e depois sai da bacia nas velocidades médias indicadas. Esboce um volume de controle que contenha a bacia e a água que entra e sai dela. Indique as superfícies de controle abertas e mostre a direção positiva de suas áreas. Além disso, indique a direção das velocidades através dessas superfícies. Identifique as variações locais e convectivas que ocorrem. Suponha que a água seja incompressível.

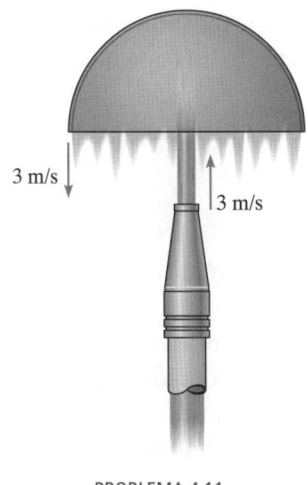

4.14. O ar entra na turbina de um motor de jato a uma velocidade de 40 kg/s. Se ele é descarregado a uma pressão absoluta de 750 kPa e uma temperatura de 120°C, determine sua velocidade média na saída. A saída tem um diâmetro de 0,3 m.

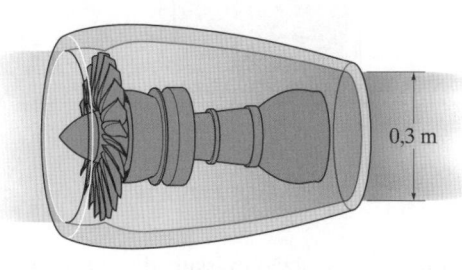

PROBLEMA 4.11

PROBLEMA 4.14

Seção 4.3

***4.12.** A água escoa ao longo de um canal retangular com uma largura de 0,75 m. Se a velocidade média é de 2 m/s, determine a descarga volumétrica.

4.15. Determine a vazão mássica do gás CO_2 em um duto com diâmetro de 4 pol. se ele possui uma velocidade média de 20 pés/s. O gás tem uma temperatura de 70°F e a pressão é de 6 psi.

***4.16.** O gás dióxido de carbono escoa por um duto com diâmetro de 4 pol. Se ele possui uma velocidade média de 10 pés/s e a pressão manométrica é mantida a 8 psi, desenhe a variação de vazão mássica (eixo vertical) contra a temperatura para a faixa de temperaturas de 0°F ≤ T ≤ 100°F. Indique valores para incrementos de $\Delta T = 20°$.

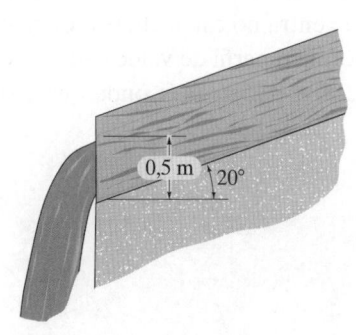

PROBLEMA 4.12

4.13. A água escoa ao longo de um canal triangular com uma velocidade média de 5 m/s. Determine a descarga volumétrica e a vazão mássica se a profundidade vertical da água for 0,3 m.

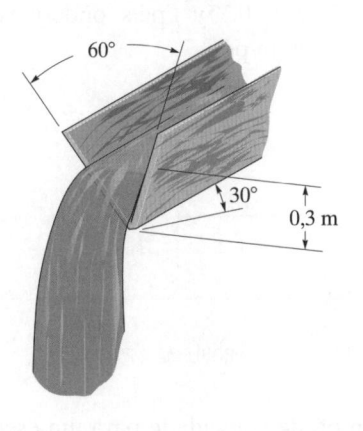

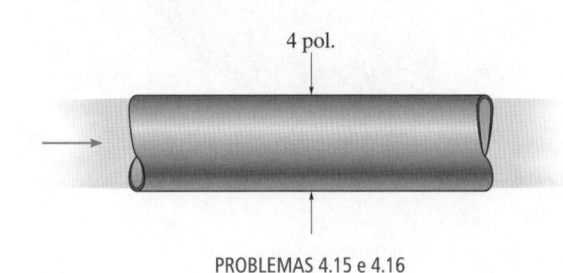

PROBLEMAS 4.15 e 4.16

4.17. A água escoando a uma taxa constante enche o tanque até uma altura de h = 3 m em 5 minutos. Se o tanque possui uma largura de 1,5 m, determine a velocidade média do escoamento a partir do tubo de 0,2 m de diâmetro em A.

4.18. A água escoa pelo tubo a uma velocidade média constante de 0,5 m/s. Determine a relação entre o tempo necessário para encher o tanque a uma profundidade de h = 3 m e o diâmetro D do tubo em A. O tanque tem uma largura de 1,5 m. Desenhe o tempo em minutos (eixo vertical) contra o diâmetro 0,05 m ≤ D ≤ 0,25 m. Indique valores para incrementos de ΔD = 0,05 m.

PROBLEMA 4.13

180 MECÂNICA DOS FLUIDOS

PROBLEMAS 4.17 e 4.18

4.19. Determine a vazão mássica de ar no duto se ele possui uma velocidade média de 15 m/s. O ar tem uma temperatura de 30°C e a pressão (manométrica) é de 50 kPa.

***4.20.** O ar passa pelo duto com uma velocidade média de 20 m/s. Se a temperatura for mantida a 20°C, represente graficamente a variação da vazão mássica (eixo vertical) contra a pressão (manométrica) para o intervalo de $0 \leq p \leq 100$ kPa. Indique valores para incrementos de $\Delta p = 20$ kPa. A pressão atmosférica é de 101,3 kPa.

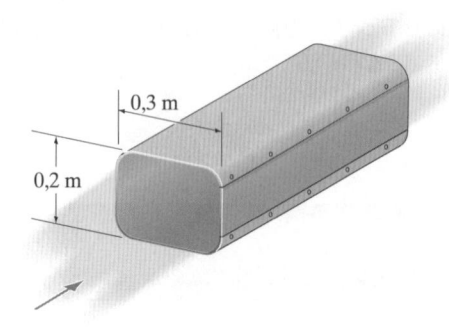

PROBLEMAS 4.19 e 4.20

4.21. Um fluido escoando entre duas placas tem um perfil de velocidade considerado linear, conforme mostrado na figura. Determine a velocidade média e a descarga volumétrica em termos de $U_{máx}$. As placas possuem uma largura igual a w.

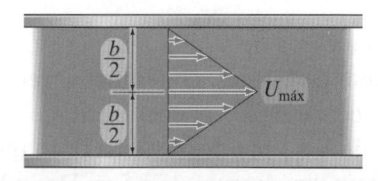

PROBLEMA 4.21

4.22. O perfil de velocidade de um líquido que escoa pelo tubo é aproximado pela distribuição cônica truncada, conforme mostrado na figura. Determine a velocidade média do escoamento. *Dica:* o volume do cone é $V = \frac{1}{3}\pi r^2 h$.

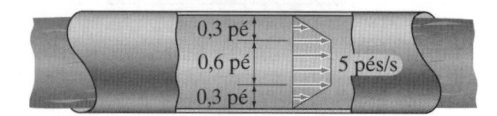

PROBLEMA 4.22

4.23. O perfil de velocidade de um líquido que escoa pelo tubo é aproximado pela distribuição cônica truncada, conforme mostrado na figura. Determine a vazão mássica se o líquido possui um peso específico de $\gamma = 54{,}7$ lb/pés^3. *Dica*: o volume de um cone é $V = \frac{1}{3}\pi r^2 h$.

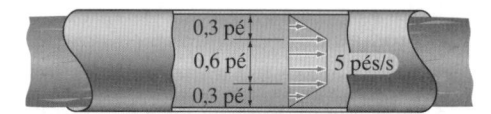

PROBLEMA 4.23

***4.24.** Determine a velocidade média V de um fluido muito viscoso que entra no canal aberto retangular de 8 pés e por fim forma o perfil de velocidade aproximado por $u = 0{,}8(1{,}25y + 0{,}25y^2)$ pé/s, onde y está em pés.

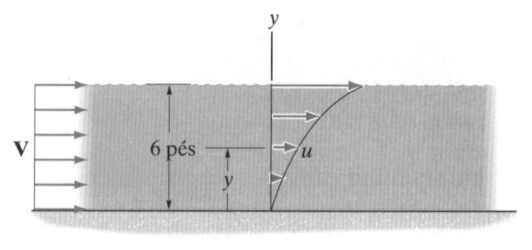

PROBLEMA 4.24

4.25. Determine a vazão mássica de um fluido muito viscoso que entra no canal aberto retangular de 3 pés e por fim forma o perfil de velocidade aproximado por $u = 0{,}8(1{,}25y + 0{,}25y^2)$ pé/s, onde y está em pés. Considere $\gamma = 40$ lb/pés^3.

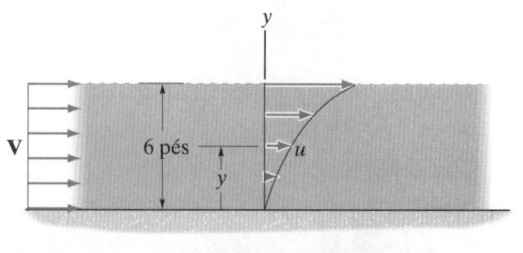

PROBLEMA 4.25

4.26. O campo de velocidade para um escoamento é definido por $u = (6x)$ m/s e $v = (4y^2)$ m/s, onde x e y

estão em metros. Determine a descarga através das superfícies em A e em B.

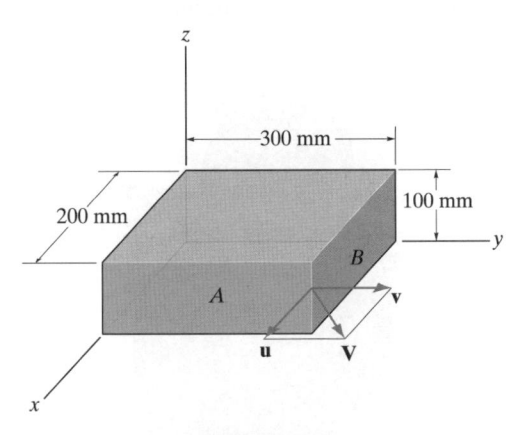

PROBLEMA 4.26

4.27. O perfil de velocidade em um canal transportando um líquido muito viscoso é aproximado por $u = 3(e^{0,2y} - 1)$ m/s, onde y está em metros. Se o canal tiver 1 m de largura, determine a descarga volumétrica a partir do canal.

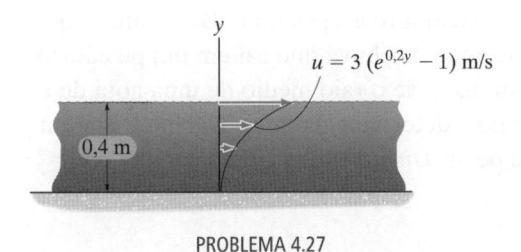

PROBLEMA 4.27

*4.28. O perfil de velocidade em um canal transportando um líquido muito viscoso é aproximado por $u = 3(e^{0,2y} - 1)$ m/s, onde y está em metros. Determine a velocidade média do escoamento. O canal tem uma largura de 1 m.

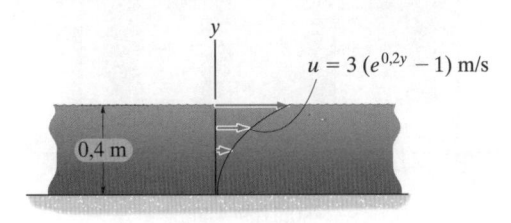

PROBLEMA 4.28

4.29. O perfil de velocidade para um fluido dentro do tubo circular para o escoamento turbulento totalmente desenvolvido é modelado usando a lei de potência um sétimo de Prandtl com $u = U(y/R)^{1/7}$. Determine a velocidade média para este caso.

4.30. O perfil de velocidade para um fluido dentro do tubo circular para o escoamento turbulento totalmente desenvolvido é modelado usando a lei de potência um sétimo de Prandtl, $u = U(y/R)^{1/7}$. Determine a vazão mássica do fluido se ele possui uma densidade ρ.

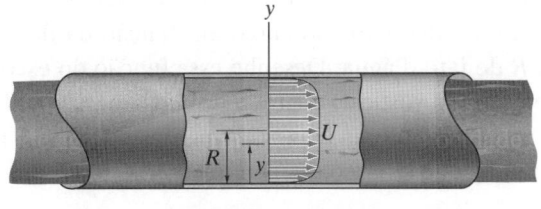

PROBLEMAS 4.29 e 4.30

4.31. O perfil de velocidade para um líquido no canal é determinado experimentalmente e descobriu-se que se ajusta à equação $u = (8y^{1/3})$ m/s, onde y está em metros. Determine a descarga volumétrica se a largura do canal é 0,5 m.

*4.32. O perfil de velocidade para um líquido no canal é determinado experimentalmente e descobriu-se que se ajusta à equação $u = (8y^{1/3})$ m/s, onde y está em metros. Determine a velocidade média do líquido. O canal possui uma largura de 0,5 m.

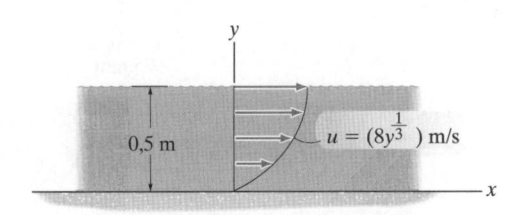

PROBLEMAS 4.31 e 4.32

4.33. Um líquido muito viscoso desce pelo canal retangular inclinado de modo que seu perfil de velocidade seja aproximado por $u = 4(0,5y^2 + 1,5y)$ pés/s, onde y está em pés. Determine a vazão mássica se a largura do canal for 2 pés. Considere $\gamma = 60$ lb/pés^3.

4.34. Um líquido muito viscoso desce pelo canal retangular inclinado de modo que seu perfil de velocidade seja aproximado por $u = 4(0,5y^2 + 1,5y)$ pés/s, onde y está em pés. Determine a velocidade média do líquido se a largura do canal for 2 pés.

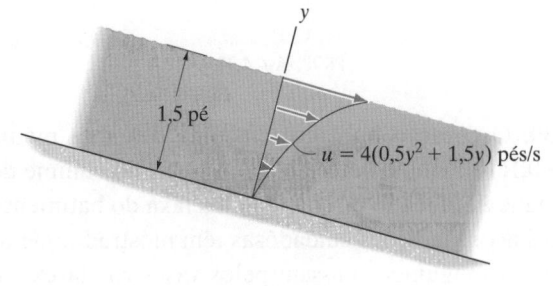

PROBLEMAS 4.33 e 4.34

4.35. Determine a vazão volumétrica pelo bocal de 50 mm de diâmetro do barco se o jato d'água alcança o ponto B, que está a R = 24 m do barco. Suponha que o barco esteja imóvel.

*4.36. Determine a vazão volumétrica pelo bocal de 50 mm de diâmetro do barco em função da distância R do jato d'água. Desenhe essa função do escoamento (eixo vertical) contra a distância para $0 \le R \le 25$ m. Dê os valores para incrementos de $\Delta R = 5$ m. Suponha que o barco esteja imóvel.

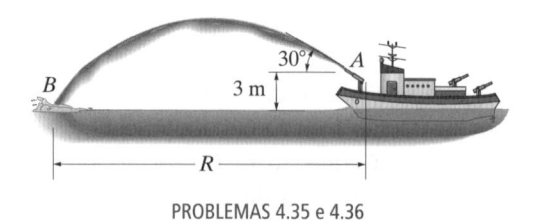

PROBLEMAS 4.35 e 4.36

4.37. Por um curto tempo, o escoamento de tetracloreto de carbono pela transição de tubo circular pode ser expresso como $Q = (0{,}8t + 5)(10^{-3})$ m³/s, onde t está em segundos. Determine a velocidade média e a aceleração média de uma partícula localizada em A e B quando $t = 2$ s.

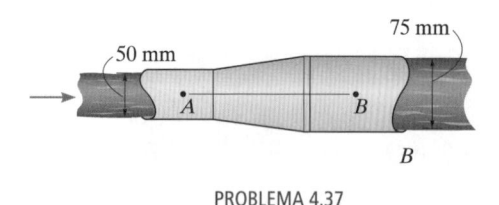

PROBLEMA 4.37

4.38. O ar flui através de uma lacuna entre as placas a 0,75 m³/s. Determine a velocidade média do ar que passa pela entrada A e a saída B. As placas possuem uma largura de 400 mm e a distância vertical entre elas é 200 mm.

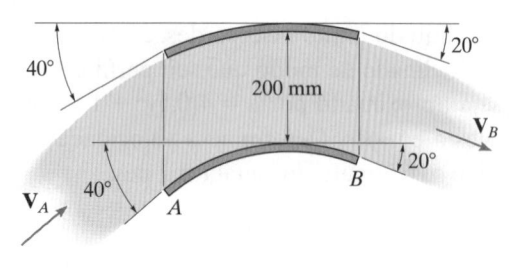

PROBLEMA 4.38

4.39. O coração humano tem uma descarga média de $0{,}1(10^{-3})$ m³/s, determinada a partir do volume de sangue bombeado por batida e da taxa do batimento cardíaco. Medições cuidadosas têm mostrado que as células sanguíneas passam pelos vasos capilares em cerca de 0,5 mm/s. Se o diâmetro médio de um vaso capilar é 6 μm, estime o número de vasos capilares que deverão existir no corpo humano.

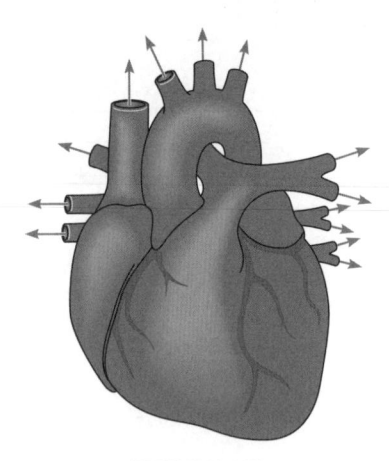

PROBLEMA 4.39

*4.40. A chuva cai verticalmente sobre o telhado da casa com uma velocidade média de 12 pés/s. Em um lado, o telhado tem uma largura de 15 pés e possui a inclinação indicada. A água se acumula na calha e sai pelo escoadouro a 6 pés³/min. Determine a quantidade de água da chuva que cai em um pé cúbico de ar. Além disso, se o raio médio de uma gota de chuva é 0,16 pol., determine o número de gotas em um pé cúbico de ar. *Dica:* o volume de uma gota é $V = \frac{4}{3}\pi r^3$.

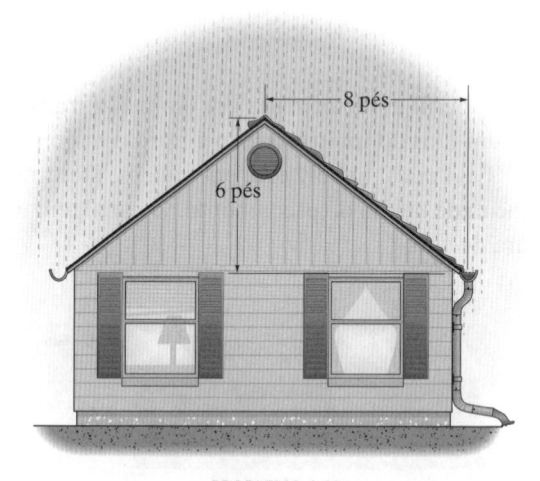

PROBLEMA 4.40

4.41. O acetato escoa pelo bocal a 2 pés³/s. Determine o tempo gasto para que uma partícula no eixo x passe pelo bocal, de $x = 0$ até $x = 6$ pol. se $x = 0$ em $t = 0$. Represente o gráfico da distância *versus* tempo para a partícula.

4.42. O acetato escoa pelo bocal a 2 pés³/s. Determine a velocidade e a aceleração de uma partícula no eixo x em $x = 3$ pol. Quando $t = 0$, $x = 0$.

4.43. O tubo afunilado transfere álcool etílico para um tanque de mistura de modo que uma partícula em A tem uma velocidade em A de 2 m/s. Determine a velocidade e a aceleração de uma partícula em B, onde $x = 75$ mm.

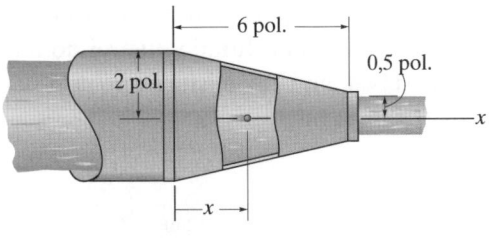

***4.44.** O tubo afunilado transfere álcool etílico para um tanque de mistura de modo que, quando uma válvula é aberta, uma partícula em A tem uma velocidade em A de 2 m/s, que está aumentando em 4 m/s^2. Determine a velocidade da mesma partícula quando ela chegar em B, onde $x = 75$ mm.

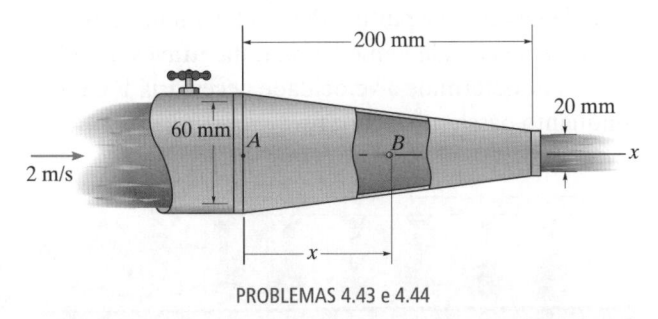

4.45. O raio do duto circular varia como $r = (0{,}05e^{-3x})$ m, onde x está em metros. O escoamento de um fluido em A é $Q = 0{,}004$ m^3/s em $t = 0$, e está aumentando em $dQ/dt = 0{,}002$ m^3/s^2. Se uma partícula de fluido está localizada originalmente em $x = 0$ quando $t = 0$, determine o tempo para que essa partícula chegue em $x = 100$ mm.

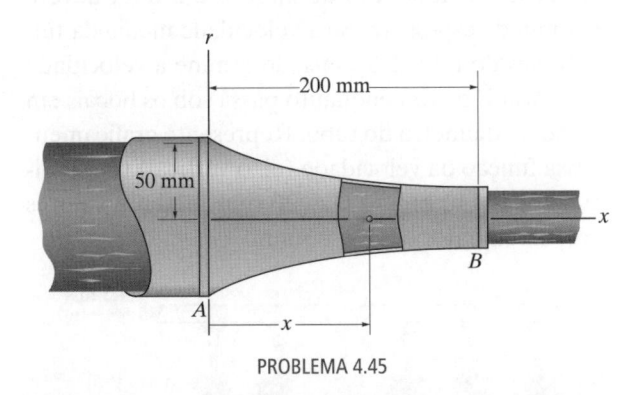

4.46. O raio do duto circular varia como $r = (0{,}05e^{-3x})$ m, onde x está em metros. Se o escoamento do fluido em A é $Q = 0{,}004$ m^3/s em $t = 0$, e está aumentando em $dQ/dt = 0{,}002$ m^3/s^2, determine o tempo para que essa partícula chegue em $x = 200$ mm.

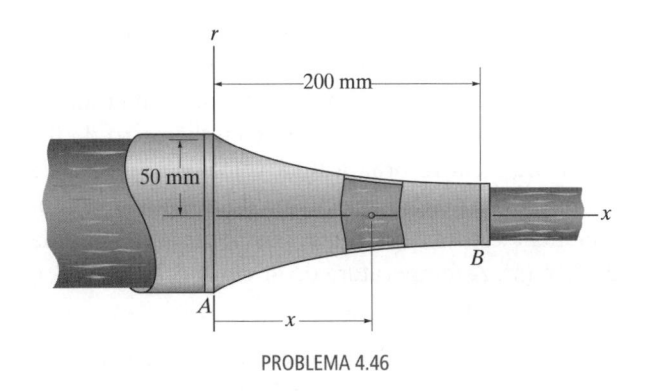

Seção 4.4

4.47. A água escoa pelo tubo em A a 300 kg/s, e depois sai pela derivação com uma velocidade média de 3 m/s através de B e uma velocidade média de 2 m/s através de C. Determine a velocidade média em que ela flui por D.

***4.48.** Se a água escoa a 150 kg/s através da derivação em B, a 50 kg/s através de C e a 150 kg/s através de D, determine a velocidade média do escoamento através do tubo em A.

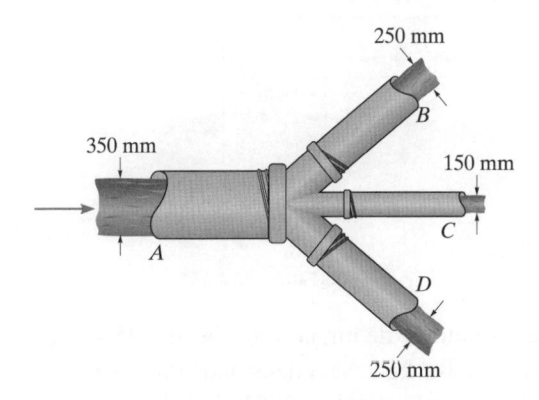

4.49. O ar com um peso específico de 0,0795 lb/pé^3 entra no duto em A com uma velocidade média de 5 pés/s. Se sua densidade em B é 0,00206 slug/pé^3, determine sua velocidade média em B.

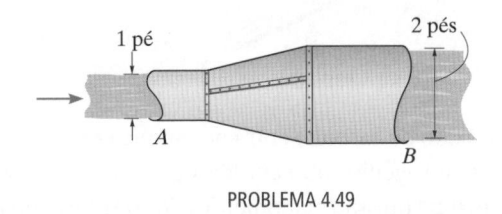

4.50. Uma coluna d'água oscilante é um dispositivo para produzir energia criada por ondas do oceano. Conforme observado, uma onda empurrará água para dentro da câmara de ar, forçando o ar a passar por uma turbina, produzindo energia. Quando a onda recua, o ar entra na câmara, revertendo a direção da rotação da turbina, mas ainda criando mais energia. Supondo que uma onda atinja uma altura média de $h = 0,5$ m na câmara com diâmetro de 0,8 m em B, e ela retorna a uma velocidade média de 1,5 m/s, determine a velocidade do ar enquanto movimenta a turbina em A, que possui uma área líquida de 0,26 m². A temperatura do ar em A é $T_A = 20°C$, e em B é $T_B = 10°C$.

4.51. Uma coluna d'água oscilante é um dispositivo para produzir energia criada por ondas do oceano. Conforme observado, uma onda empurrará água para dentro da câmara de ar, forçando o ar a passar por uma turbina, produzindo energia. Quando a onda recua, o ar entra na câmara, revertendo a direção da rotação da turbina, mas ainda criando mais energia. Determine a velocidade do ar enquanto movimenta a turbina em A, que tem uma área aberta líquida de 0,26 m², se a velocidade da água na câmara de 0,8 m de diâmetro é 5 m/s. A temperatura do ar em A é $T_A = 20°C$, e em B é $T_B = 10°C$.

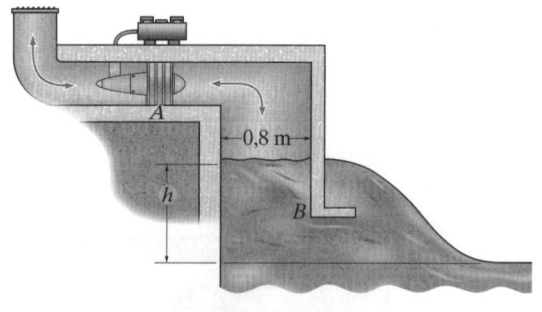

PROBLEMAS 4.50 e 4.51

*4.52. O motor de um jato recebe ar a 25 kg/s e combustível a 0,2 kg/s. Se a densidade da mistura expelida de ar-combustível é 1,356 kg/m³, determine a velocidade média da exaustão em relação à aeronave. O escapamento da turbina tem um diâmetro de 0,4 m.

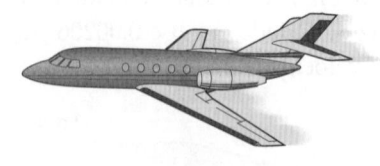

PROBLEMA 4.52

4.53. O dióxido de carbono entra no tanque em A a $V_A = 4$ m/s, e o nitrogênio entra em B a $V_B = 3$ m/s. Ambos entram em uma pressão manométrica de 300 kPa e uma temperatura de 250°C. Determine a vazão mássica em regime permanente do gás misturado em C.

4.54. O dióxido de carbono entra no tanque em A a $V_A = 10$ m/s, e o nitrogênio entra em B a $V_B = 6$ m/s. Ambos entram em uma pressão manométrica de 300 kPa e uma temperatura de 250°C. Determine a velocidade média do gás misturado que sai do tanque a uma taxa estável em C. A mistura tem uma densidade de $\rho = 1,546$ kg/m³.

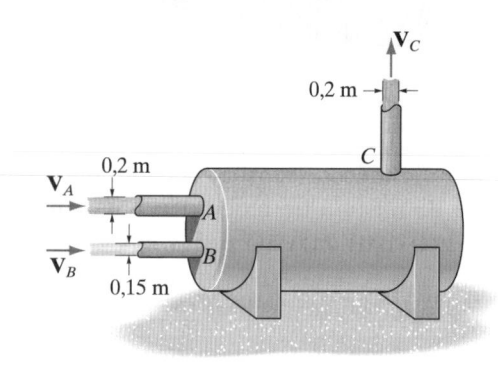

PROBLEMAS 4.53 e 4.54

4.55. A tira plana recebe tinta usando seis bocais, cada um tendo um diâmetro de 2 mm. Eles estão presos a um tubo com 20 mm de diâmetro. A tira tem 50 mm de largura, e a pintura deverá ter 1 mm de espessura. Se a velocidade média da tinta através do tubo é 1,5 m/s, determine a velocidade necessária V da tira enquanto passa sob os bocais.

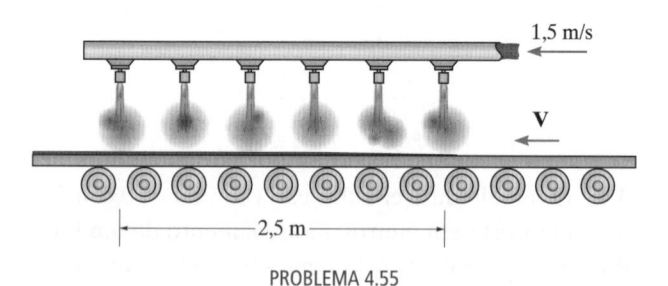

PROBLEMA 4.55

*4.56. A tira plana recebe tinta usando seis bocais, que estão presos ao tubo com um diâmetro de 20 mm. A tira tem 50 mm de largura e a tinta deverá ter 1 mm de espessura. Se a velocidade média da tinta através do tubo é 1,5 m/s, determine a velocidade necessária V da tira enquanto passa sob os bocais em função do diâmetro do tubo. Represente graficamente essa função da velocidade (eixo vertical) *versus* diâmetro para 10 mm $\leq D \leq$ 30 mm. Indique valores para incrementos de $\Delta D = 5$ mm.

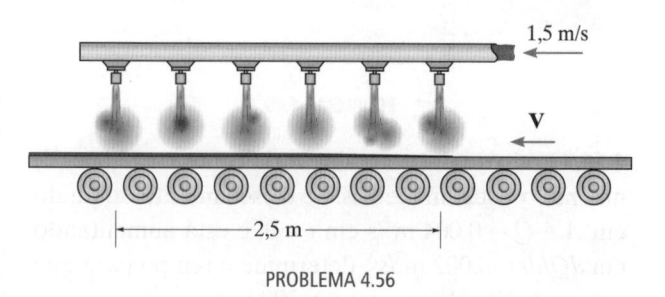

PROBLEMA 4.56

4.57. O ar pressurizado no poço de um prédio sai pela porta parcialmente aberta com uma velocidade média de 4 pés/s. Determine a velocidade média do ar enquanto desce do topo do poço do prédio. Suponha que a porta tenha 3 pés de largura e $\theta = 30°$.

4.58. O ar pressurizado no poço de um prédio sai pela porta parcialmente aberta com uma velocidade média de 4 pés/s. Determine a velocidade média do ar enquanto desce do topo do poço do prédio em função da abertura da porta θ. Desenhe essa função da velocidade (eixo vertical) *versus* θ para $0° \leq \theta \leq 50°$. Indique valores para incrementos de $\Delta\theta = 10°$.

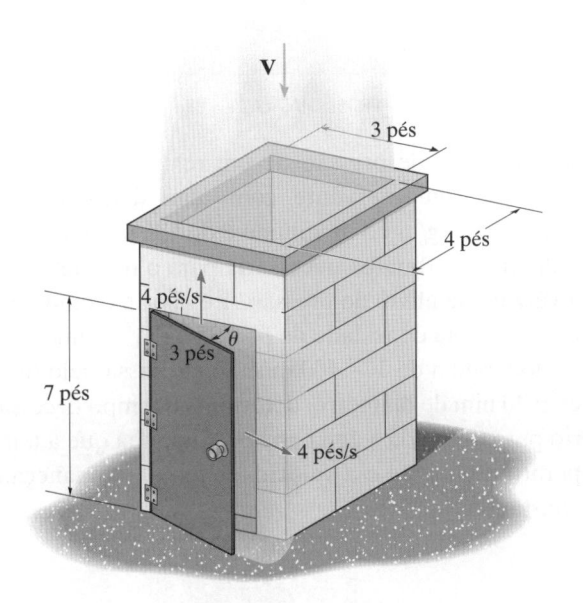

PROBLEMAS 4.57 e 4.58

4.59. Um fluido de perfuração é bombeado pelo tubo central de um poço e depois sobe dentro do ânulo. Determine o diâmetro d do tubo interno de modo que a velocidade média do fluido permaneça igual nas duas regiões. Além disso, qual é essa velocidade média se a descarga é de 0,02 m³/s? Desconsidere a espessura dos tubos.

***4.60.** Um fluido de perfuração é bombeado pelo tubo central de um poço e depois sobe dentro do ânulo. Determine a velocidade do fluido forçado para fora do poço em função do diâmetro d do tubo interno, se a velocidade do fluido forçado para dentro do poço for mantida em $V_{entrada} = 2$ m/s. Desconsidere a espessura dos tubos. Represente essa velocidade graficamente (eixo vertical) *versus* o diâmetro para 50 mm $\leq d \leq$ 150 mm. Indique valores para incrementos de $\Delta d = 25$ mm.

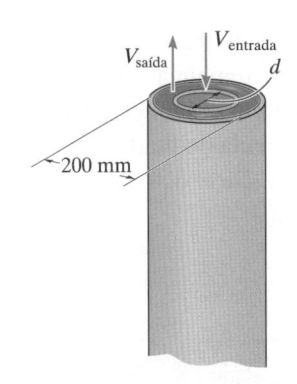

PROBLEMAS 4.59 e 4.60

4.61. O escoamento transitório de glicerina pelo redutor é tal que, em A, sua velocidade é $V_A = (0,8\, t^2)$ m/s, onde t está em segundos. Determine sua velocidade média em B, e sua aceleração média em A, quando $t = 2$ s. Os tubos possuem os diâmetros mostrados na figura.

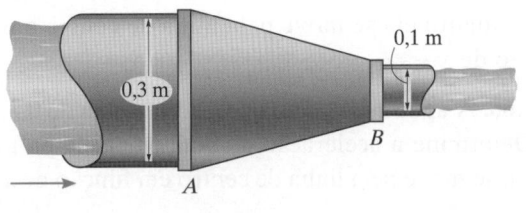

PROBLEMA 4.61

4.62. O óleo entra no tubo em A com uma velocidade média de 0,2 m/s e atravessa B com uma velocidade média de 0,15 m/s. Determine a velocidade máxima $V_{máx}$ do óleo enquanto emerge de C se a distribuição de velocidade for parabólica, definida por $v_C = V_{máx}(1 - 100r^2)$, onde r está em metros medidos a partir da linha de centro do tubo.

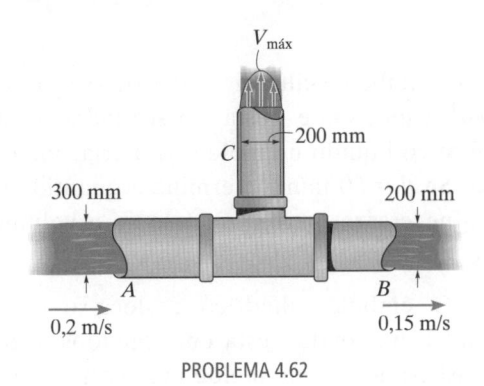

PROBLEMA 4.62

4.63. O escoamento transitório de óleo de linhaça é tal que, em A, ele tem uma velocidade de $V_A = (0,7t + 4)$ m/s, onde t está em segundos. Determine a aceleração de uma partícula do fluido localizada em $x = 0,2$ m quando $t = 1$ s. *Dica:* determine $V = V(x, t)$, depois use a Equação 3.4.

***4.64.** O escoamento transitório de óleo de linhaça é tal que, em A, ele tem uma velocidade de $V_A = (0{,}4t^2)$ m/s, onde t está em segundos. Determine a aceleração de uma partícula do fluido localizada em $x = 0{,}25$ m quando $t = 2$ s. *Dica:* determine $V = V(x, t)$, depois use a Equação 3.4.

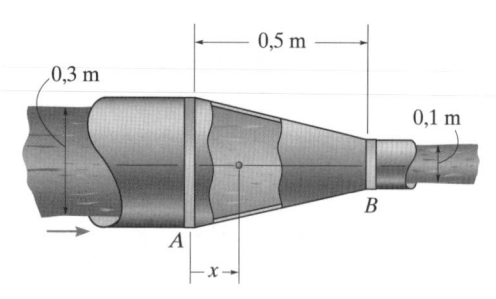

PROBLEMAS 4.63 e 4.64

4.65. A água escoa pelo bocal a uma taxa de 0,2 m³/s. Determine a velocidade V de uma partícula enquanto ela se move pela linha de centro em função de x.

4.66. A água escoa pelo bocal a uma taxa de 0,2 m³/s. Determine a aceleração de uma partícula enquanto ela se move pela linha de centro em função de x.

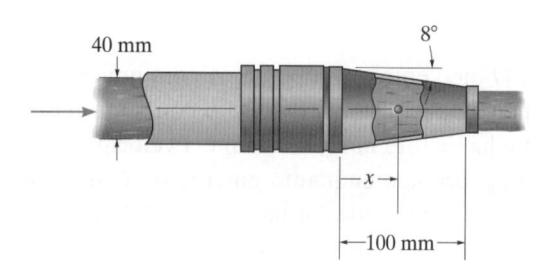

PROBLEMAS 4.65 e 4.66

4.67. O êmbolo cilíndrico desloca-se a $V_p = (0{,}004t^{1/2})$ m/s, onde t está em segundos, e injeta um plástico líquido no molde para criar uma bola sólida. Se $d = 50$ mm, determine a quantidade de tempo necessária para fazer isso se o volume da bola é $V = \frac{4}{3}\pi r^3$.

*4.68. O êmbolo cilíndrico desloca-se a $V_p = (0{,}004t^{1/2})$ m/s, onde t está em segundos, e injeta um plástico líquido no molde para criar uma bola sólida. Determine o tempo necessário para encher o molde em função do diâmetro d do êmbolo. Represente graficamente o tempo necessário para encher o molde (eixo vertical) *versus* o diâmetro do êmbolo para 10 mm $\leq d \leq$ 50 mm. Indique valores para incrementos de $\Delta d = 10$ mm. O volume da bola é $V = \frac{4}{3}\pi r^3$.

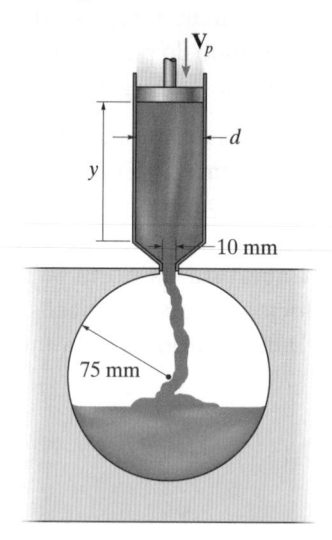

PROBLEMAS 4.67 e 4.68

4.69. O vaso de pressão de um reator nuclear está cheio de água fervente com uma densidade de $\rho_{\text{água}} = 850$ kg/m³. Seu volume é de 185 m³. Devido à falha de uma bomba necessária para o resfriamento, a válvula de alívio de pressão A é aberta e emite vapor com uma densidade de $\rho_v = 35$ kg/m³ e uma velocidade média de $V = 400$ m/s. Se ele passa pelo tubo com 40 mm de diâmetro, determine o tempo necessário para que toda a água escape. Suponha que a temperatura da água e a velocidade em A permaneçam constantes.

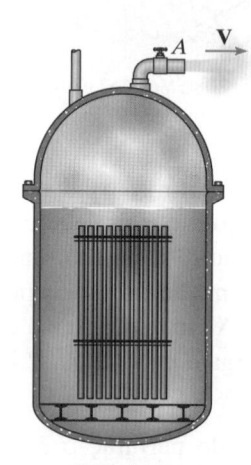

PROBLEMA 4.69

4.70. O vaso de pressão de um reator nuclear está cheio de água fervente com uma densidade de $\rho_{\text{água}} = 850$ kg/m³. Seu volume é de 185 m³. Devido à falha de uma bomba necessária para o resfriamento, a válvula de alívio de pressão A é aberta e emite vapor com uma densidade de $\rho_v = 35$ kg/m³. Se o vapor passa pelo tubo com 40 mm de diâmetro, determine a velocidade média através do tubo em função do tempo necessário para que toda a água escape. Represente graficamente a velocidade (eixo vertical) *versus* o tempo para $0 \leq t \leq 3$ h. Indique valores para incrementos de $\Delta t = 0,5$ h. Suponha que a temperatura da água permaneça constante.

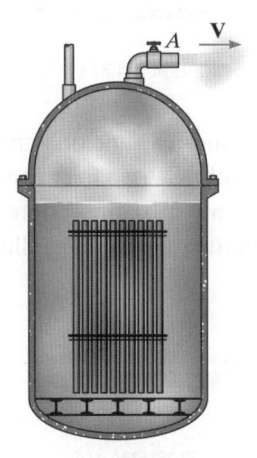

PROBLEMA 4.70

4.71. O túnel de vento é projetado de modo que a pressão inferior fora da região de teste dirija o ar para fora a fim de reduzir a camada de limite ou os efeitos cisalhantes ao longo da parede interna do tubo de teste. Dentro da região B existem 2000 furos, cada um com 3 mm de diâmetro. Se a pressão for ajustada de modo que a velocidade média do ar através de cada furo seja 40 m/s, determine a velocidade média do ar que sai do túnel em C. Suponha que o ar seja incompressível.

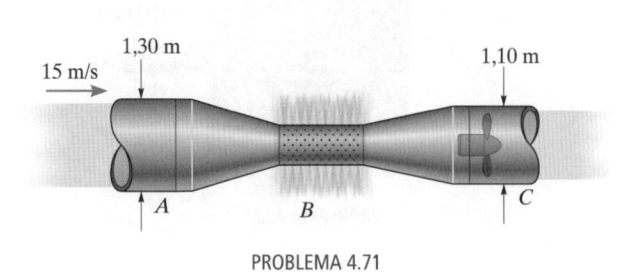

PROBLEMA 4.71

*****4.72.** A água escoa pelo tubo de modo que possui um perfil de velocidade parabólico $V = 3(1 - 100r^2)$ m/s, onde r está em metros. Determine o tempo necessário para preencher o tanque até uma profundidade de $h = 1,5$ m se $h = 0$ quando $t = 0$. A largura do tanque é de 3 m.

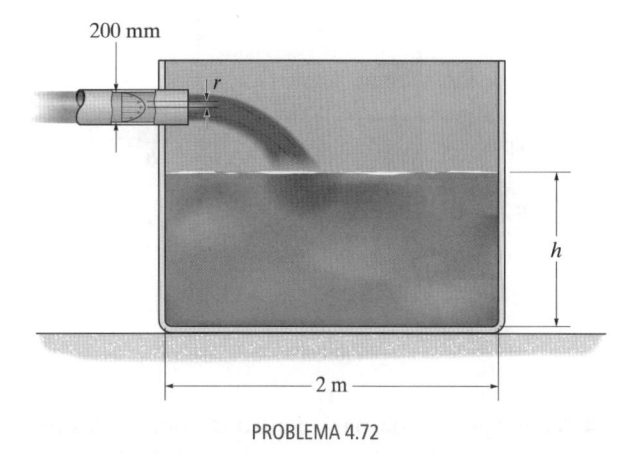

PROBLEMA 4.72

4.73. O álcool etílico escoa pelo tubo A com uma velocidade média de 4 pés/s, e o óleo escoa pelo tubo B a 2 pés/s. Determine a densidade média em que a mistura escoa pelo tubo em C. Considere que uma mistura uniforme dos fluidos ocorre dentro de um volume de 200 pol.^{3} do conjunto de tubos. Considere $\rho_{ae} = 1,53$ slug/pé^3 e $\rho_o = 1,70$ slug/pé^3.

4.74. O álcool etílico escoa pelo tubo A a 0,05 pé^3/s, e o óleo escoa pelo tubo B a 0,03 pé^3/s. Determine a densidade média dos dois fluidos enquanto a mistura escoa pelo tubo em C. Considere que uma mistura uniforme dos fluidos ocorre dentro de um volume de 200 pol.^{3} do conjunto de tubos. Considere $\rho_{ae} = 1,53$ slug/pé^3 e $\rho_o = 1,70$ slug/pé^3.

PROBLEMAS 4.73 e 4.74

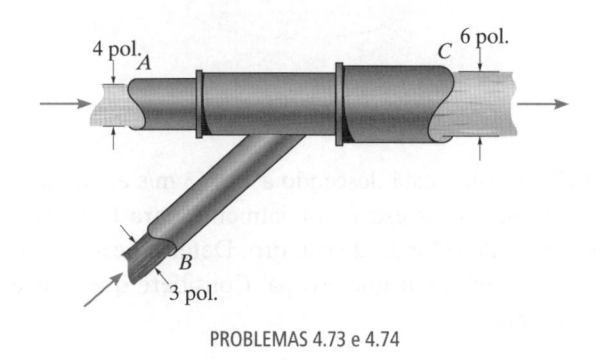

4.75. A água escoa para dentro do tanque através de dois tubos. Em A, o escoamento é de 400 gal/h e em B é de 200 gal/h, quando $d = 6$ pol. Determine a taxa em que o nível de água está subindo no tanque. Existem 7,48 gal/pés^3.

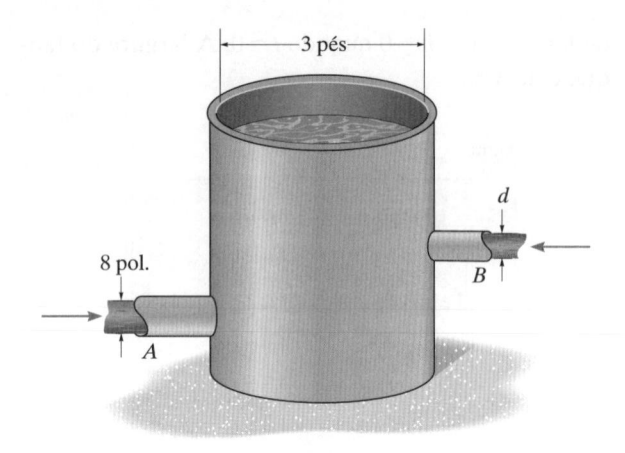

PROBLEMA 4.75

*4.76. A água escoa para dentro do tanque através de dois tubos. Em A, o escoamento é de 400 gal/h. Determine a taxa em que o nível de água está subindo no tanque em função da descarga do tubo de entrada B. Represente graficamente essa taxa (eixo vertical) *versus* a descarga para $0 \leq Q_B \leq 300$ gal/h. Indique valores para incrementos de $\Delta Q_B = 50$ gal/h. Existem 7,48 gal/pés^3.

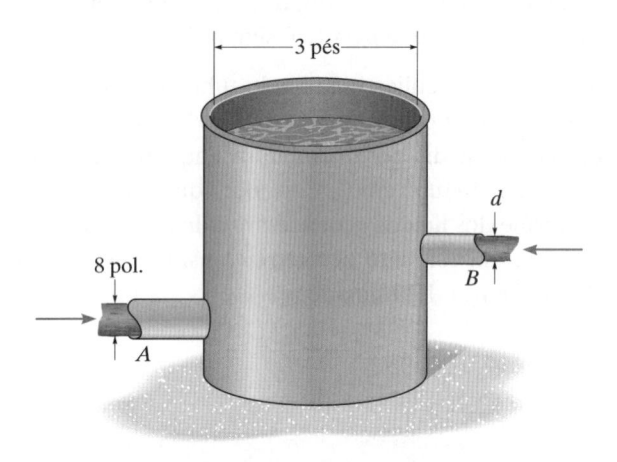

PROBLEMA 4.76

4.77. O pistão está descendo a $V_p = 3$ m/s e, enquanto faz isso, o ar escapa radialmente para fora através de todo o fundo do cilindro. Determine a velocidade média do ar que escapa. Considere que o ar é incompressível.

4.78. O pistão está descendo a uma velocidade V_p e, enquanto faz isso, o ar escapa radialmente para fora através de todo o fundo do cilindro. Determine a velocidade média do ar no fundo em função de V_p. Represente graficamente essa velocidade média do ar escapando (eixo vertical) *versus* a velocidade do pistão para $0 \leq V_p \leq 5$ m/s. Indique valores para incrementos de $\Delta V_p = 1$ m/s. Considere que o ar é incompressível.

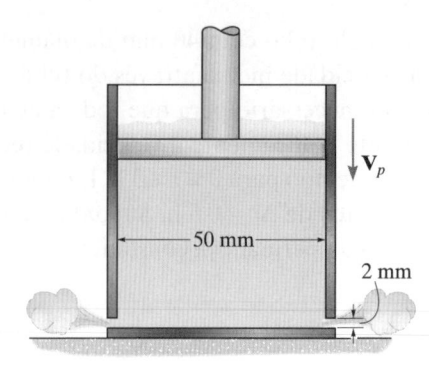

PROBLEMAS 4.77 e 4.78

4.79. A seringa cilíndrica funciona aplicando-se uma força sobre o êmbolo. Se isso fizer com que o êmbolo se mova para a frente a 10 mm/s, determine a velocidade média do fluido que sai da agulha.

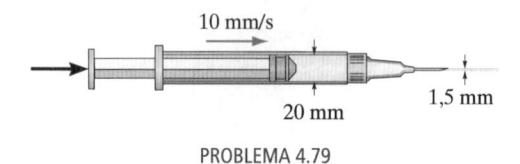

PROBLEMA 4.79

*4.80. A água entra no tanque cilíndrico em A com uma velocidade média de 2 m/s, e o óleo sai do tanque em B com uma velocidade média de 1,5 m/s. Determine as taxas em que o nível superior C e o nível de interface D estão se movendo. Considere $\rho_o = 900$ kg/m^3.

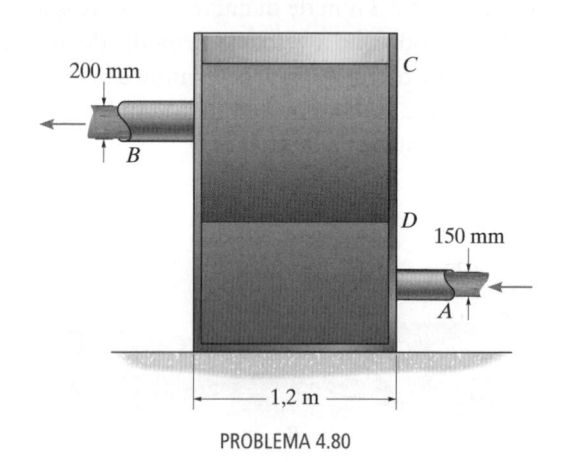

PROBLEMA 4.80

4.81. O tanque contém ar a uma temperatura de 20°C e pressão absoluta de 500 kPa. Usando uma válvula, o ar escapa com uma velocidade média de 120 m/s através de um bocal com 15 mm de diâmetro. Se o volume do tanque for 1,25 m^3, determine a taxa de variação na densidade do ar dentro do tanque nesse instante. O escoamento é em regime permanente ou transitório?

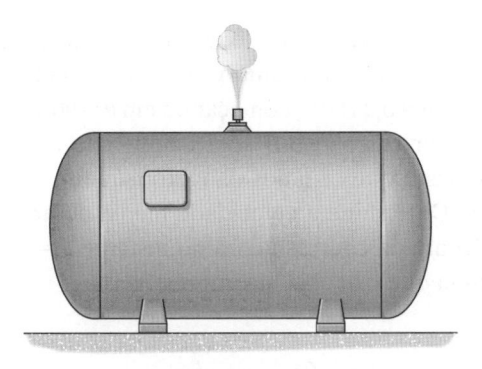

PROBLEMA 4.81

4.82. A mistura de gás natural (metano) e petróleo bruto entra no separador em A a 6 pés³/s e passa pelo extrator misto em B. O petróleo bruto sai a 800 gal/min através do tubo em C, e o gás natural sai pelo tubo com 2 pol. de diâmetro em D a V_D = 300 pés/s. Determine o peso específico da mistura que entra no separador em A. O processo ocorre a uma temperatura constante de 68°F. Considere $\rho_o = 1{,}71$ slug/pé³, $\rho_{me} = 1{,}29(10^{-3})$ slug/pé³. Observe que 1 pé³ = 7,48 gal.

4.83. A mistura de gás natural (metano) e petróleo bruto com uma densidade de 0,51 slug/pé³ entra no separador em A a 6 pés³/s, e o petróleo bruto sai pelo tubo em C a 800 gal/min. Determine a velocidade média do gás natural que deixa o tubo com 2 pol. de diâmetro em D. O processo ocorre a uma temperatura constante de 68°F. Considere $\rho_o = 1{,}71$ slug/pé³, $\rho_{me} = 1{,}29(10^{-3})$ slug/pé³. Observe que 1 pé³ = 7,48 gal.

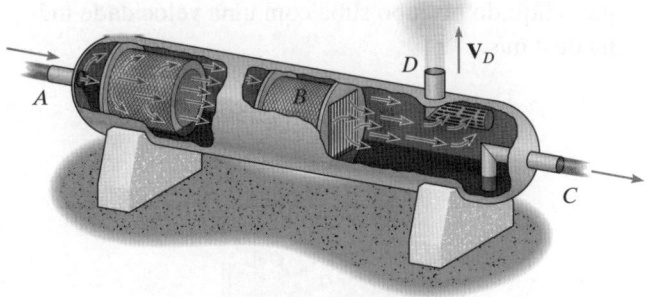

PROBLEMAS 4.82 e 4.83

*__4.84.__ O tanque de armazenamento cilíndrico está sendo enchido por meio de um tubo com diâmetro de 3 pol. Determine a taxa em que o nível no tanque está subindo se o escoamento para dentro do tanque em A é de 40 gal/min. Observe que 1 pé³ = 7,48 gal.

4.85. O tanque de armazenamento cilíndrico está sendo enchido por meio de um tubo com diâmetro D. Determine a taxa em que o nível está subindo em função de D se a velocidade do escoamento para dentro do tanque é de 6 pés/s. Represente graficamente essa taxa (eixo vertical) *versus* o diâmetro para $0 \leq D \leq 6$ pol. Indique valores para incrementos de $\Delta D = 1$ pol.

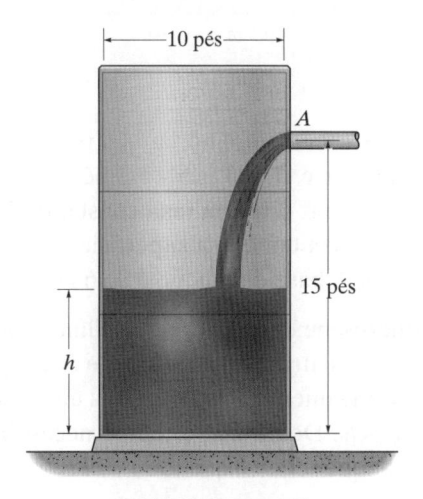

PROBLEMAS 4.84 e 4.85

4.86. O ar é bombeado para dentro do tanque por meio de uma mangueira com um diâmetro interno de 6 mm. Se o ar entra no tanque com uma velocidade média de 6 m/s e possui uma densidade de 1,25 kg/m³, determine a taxa de variação inicial na densidade do ar dentro do tanque. O tanque tem um volume de 0,04 m³.

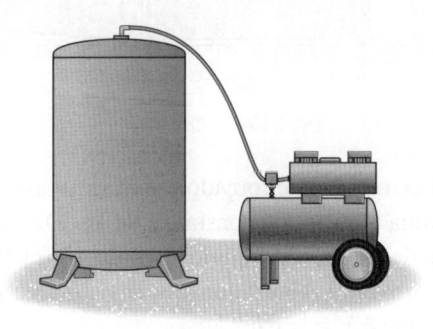

PROBLEMA 4.86

4.87. Enquanto o ar escala sobre a placa, os efeitos do atrito em sua superfície tendem a formar uma camada de limite em que o perfil de velocidade muda daquele que é uniforme para um que é parabólico, definido por $u = [1000y - 83{,}33(10^3)y^2]$ m/s, onde y está em metros, $0 \leq y < 6$ mm. Se a placa tem 0,2 m de largura e essa mudança na velocidade ocorre dentro da distância de 0,5 m, determine a vazão mássica através das seções AB e CD. Como esses resultados não serão os mesmos, como você pode levar em conta a diferença da vazão mássica? Considere $\rho = 1{,}226$ kg/m³.

PROBLEMA 4.87

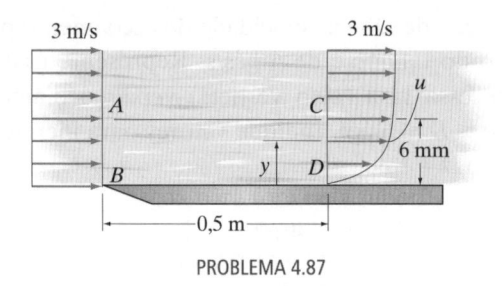

*4.88. O querosene entra no tanque retangular através dos tubos A e B, a 3 pés/s e 2 pés/s, respectivamente. Ele sai em C a uma taxa constante de 1 pé/s. Determine a taxa em que a superfície do querosene está subindo. A base do tanque é de 6 pés por 4 pés.

4.89. O querosene entra no tanque cilíndrico com diâmetro de 4 pés através dos tubos A e B, a 3 pés/s e 2 pés/s, respectivamente. Ele sai em C a uma taxa constante de 1 pé/s. Determine o tempo necessário para encher o tanque se $y = 0$ quando $t = 0$.

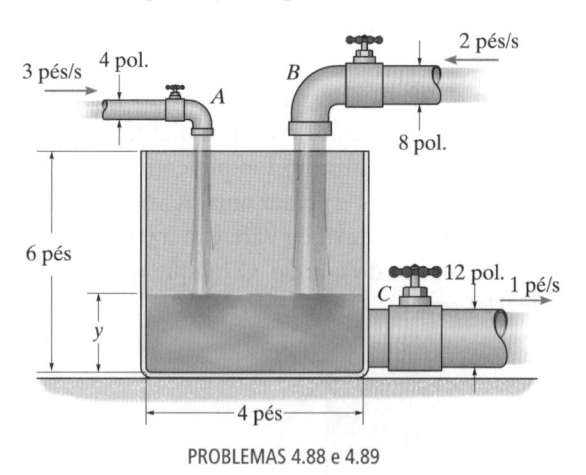

PROBLEMAS 4.88 e 4.89

4.90. O eixo cônico é forçado a entrar no assento cônico a uma velocidade constante de V_0. Determine a velocidade média do líquido quando for ejetado da seção horizontal AB em função de y. *Dica:* o volume de um cone é $V = \frac{1}{3}\pi r^2 h$.

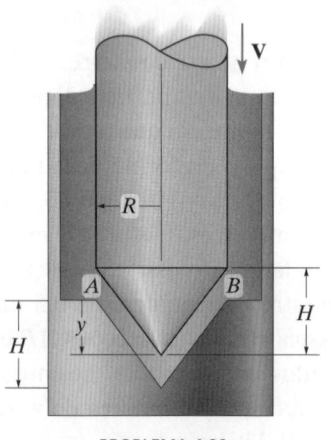

PROBLEMA 4.90

4.91. A tampa de 0,5 m de largura na churrasqueira está sendo fechada a uma velocidade angular constante de $\omega = 0,2$ rad/s, começando em $\theta = 90°$. No processo, o ar entre A e B será empurrado na *direção radial*, visto que os lados da churrasqueira estão cobertos. Determine a velocidade média do ar que sai pela frente da churrasqueira no instante $\theta = 45°$ rad. Suponha que o ar seja incompressível.

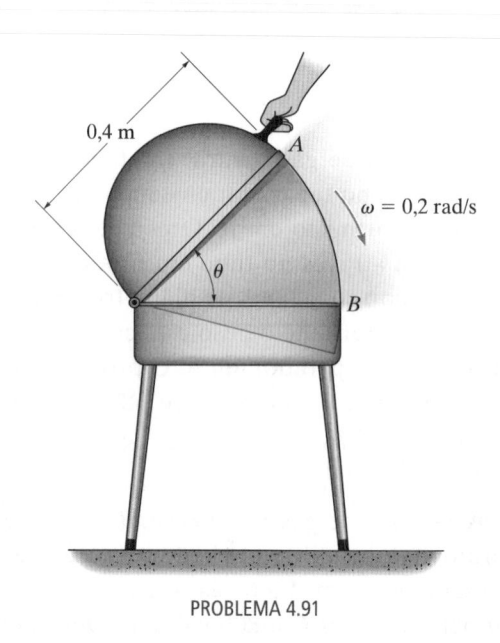

PROBLEMA 4.91

*4.92. O cilindro é empurrado para baixo no tubo a uma taxa de $V = 5$ m/s. Determine a velocidade média do líquido quando ele sobe no tubo.

4.93. Determine a velocidade V na qual o cilindro precisa ser empurrado para baixo no tubo de modo que o líquido no tubo suba com uma velocidade média de 4 m/s.

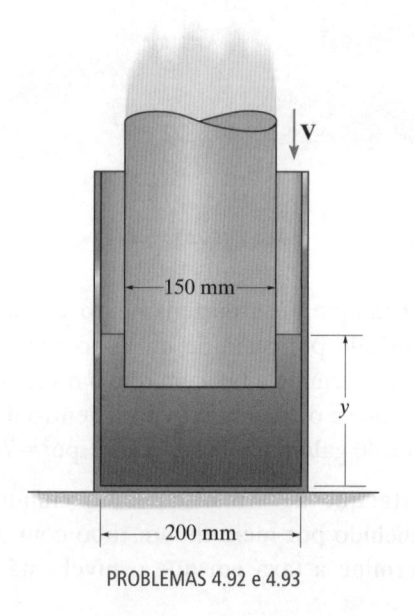

PROBLEMAS 4.92 e 4.93

4.94. O tanque originalmente contém óleo. Se o querosene com uma vazão mássica de 0,2 kg/s entra no tanque em A e se mistura com o óleo, determine a taxa de variação da densidade da mistura no tanque se 0,28 kg/s da mistura sair do tanque pelo ladrão B. O tanque tem 3 m de largura.

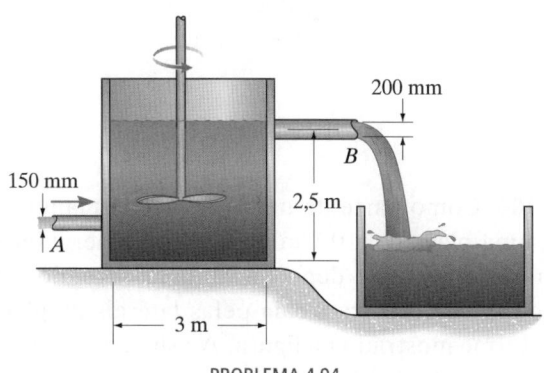

PROBLEMA 4.94

4.95. O benzeno escoa pelo tubo em A com uma velocidade média de 4 pés/s, e o querosene escoa pelo tubo em B com uma velocidade média de 6 pés/s. Determine a velocidade média necessária V_C da mistura do tanque em C de modo que o nível da mistura dentro do tanque permaneça constante em $y = 3$ pés. O tanque tem uma largura de 3 pés. Qual é a densidade da mistura que sai do tanque em C? Considere $\rho_b = 1{,}70$ slug/pés³ e $\rho_{que} = 1{,}59$ slug/pé³.

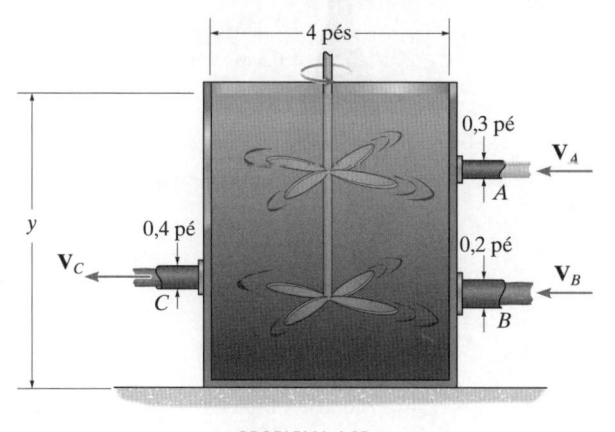

PROBLEMA 4.95

***4.96.** O benzeno escoa pelo tubo em A com uma velocidade média de 4 pés/s, e o querosene escoa pelo tubo em B com uma velocidade média de 6 pés/s. Se a velocidade média da mistura que sai do tanque em C é $V_C = 5$ pés/s, determine a taxa em que o nível no tanque está variando. O tanque tem uma largura de 3 pés. O nível está subindo ou descendo? Qual é a densidade da mistura que sai do tanque em C? Considere $\rho_b = 1{,}70$ slug/pé³ e $\rho_{que} = 1{,}59$ slug/pé³.

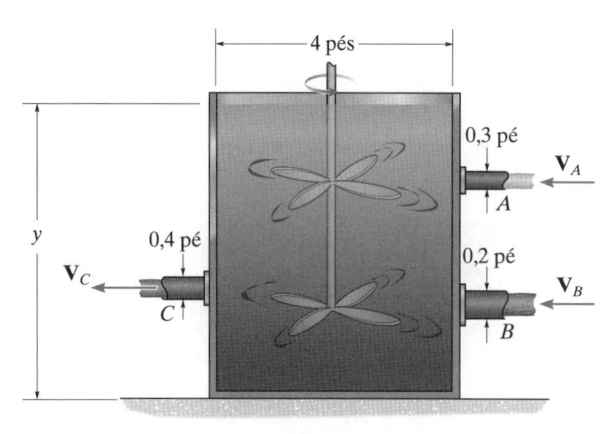

PROBLEMA 4.96

4.97. Os três tubos estão conectados ao tanque d'água. Se as velocidades médias da água escoando pelos tubos forem $V_A = 4$ pés/s, $V_B = 6$ pés/s e $V_C = 2$ pés/s, determine a taxa em que o nível da água no tanque varia. O tanque tem uma largura de 3 pés.

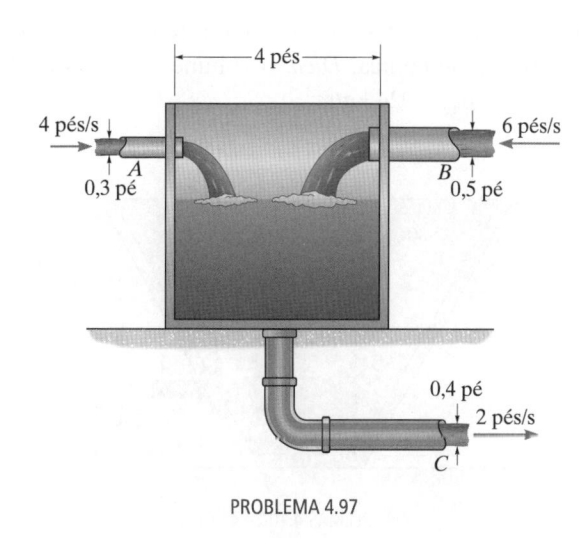

PROBLEMA 4.97

4.98. O tanque de emulsão cilíndrico com 2 m de diâmetro está sendo enchido em A com ciclohexanol a uma taxa média de $V_A = 4$ m/s e em B com tiofeno a uma taxa média de $V_B = 2$ m/s. Determine a taxa em que a profundidade aumenta em função da profundidade h.

4.99. O tanque de emulsão cilíndrico com 2 m de diâmetro está sendo enchido em A com ciclohexanol a uma taxa média de $V_A = 4$ m/s e em B com tiofeno a uma taxa média de $V_B = 2$ m/s. Determine a taxa em que a profundidade da mistura aumenta quando $h = 1$ m. Além disso, qual é a densidade média da mistura? Considere $\rho_{ci} = 779$ kg/m³ e $\rho_t = 1051$ kg/m³.

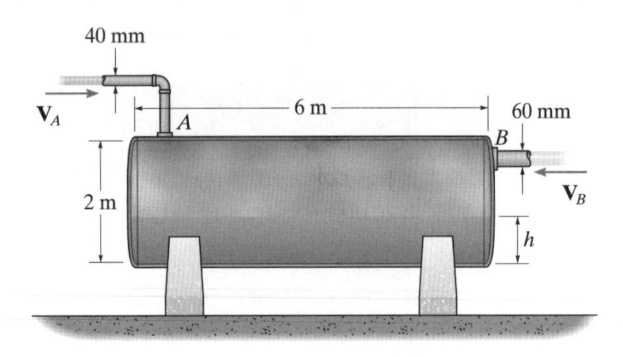

PROBLEMAS 4.98 e 4.99

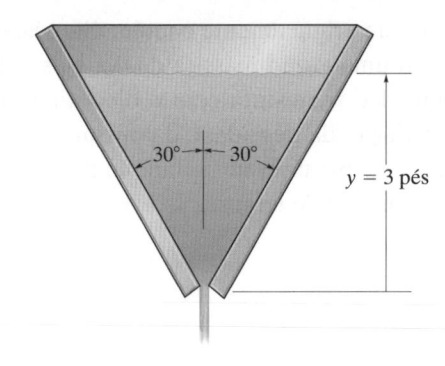

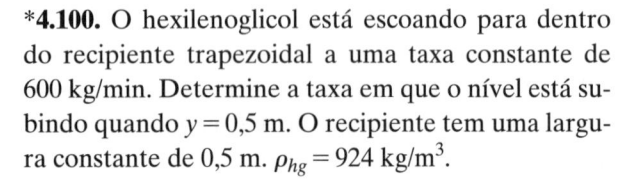

PROBLEMAS 4.102 e 4.103

***4.100.** O hexilenoglicol está escoando para dentro do recipiente trapezoidal a uma taxa constante de 600 kg/min. Determine a taxa em que o nível está subindo quando $y = 0,5$ m. O recipiente tem uma largura constante de 0,5 m. $\rho_{hg} = 924$ kg/m^3.

4.101. O hexilenoglicol está escoando para dentro do recipiente trapezoidal a uma taxa constante de 600 kg/min. Determine a taxa em que o nível está subindo quando $y = 0,5$ m. O recipiente tem a forma de uma pirâmide cônica. *Dica:* o volume de um cone é $V = \frac{1}{3}\pi r^2 h$. $\rho_{hg} = 924$ kg/m^3.

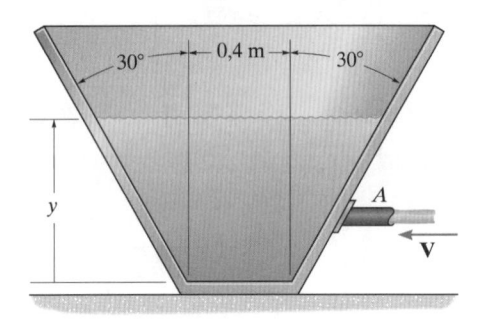

***4.104.** Como parte de um processo de manufatura, uma placa com 0,1 m de largura é mergulhada em piche quente e depois levantada, fazendo com que o piche escorra e saia pelas laterais da placa, conforme mostrado na figura. A espessura w do piche no fundo da placa diminui com o tempo t, mas ainda se considera que mantenha uma variação linear ao longo da altura da placa, conforme mostrado. Se o perfil de velocidade no fundo da placa for aproximadamente parabólico, de modo que $u = [0,5(10^{-3})(x/w)^{1/2}]$ m/s, onde x e w estão em metros, determine w em função do tempo. Inicialmente, quando $t = 0$, $w = 0,02$ m.

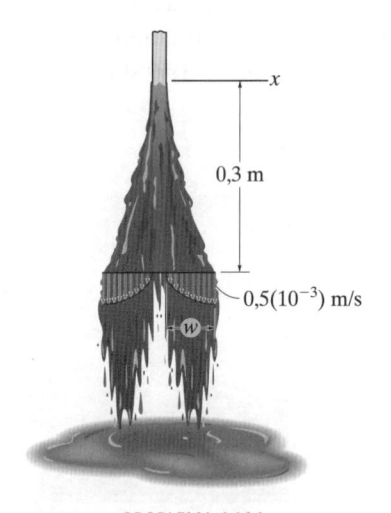

PROBLEMAS 4.100 e 4.101

PROBLEMA 4.104

4.102. A água na calha triangular tem uma profundidade de $y = 3$ pés. Se o dreno estiver aberto no fundo e a água escorrer a uma taxa de $V = (8,02y^{1/2})$ pés/s, onde y está em pés, determine o tempo necessário para drenar a calha totalmente. A calha tem uma largura de 2 pés. A fenda no fundo tem uma área transversal de 24 pol.^{2}

4.103. A água na calha triangular tem uma profundidade de $y = 3$ pés. Se o dreno estiver aberto no fundo e a água escorrer a uma taxa de $V = (8,02y^{1/2})$ pés/s, onde y está em pés, determine o tempo necessário para que a água atinja uma profundidade de $y = 2$ pés. A calha tem uma largura de 2 pés. A fenda no fundo tem uma área transversal de 24 pol.^{2}

4.105. O tanque cilíndrico em uma fábrica de processamento de alimentos está cheio de uma solução concentrada de açúcar com uma densidade inicial de $\rho_a = 1400$ kg/m^3. A água é canalizada para o tanque em A a 0,03 m^3/s e se mistura com a solução de açúcar. Se um escoamento igual da solução diluída sair em B, determine a quantidade de água que deve ser adicionada ao tanque para que a densidade da solução de açúcar seja reduzida em 10% do seu valor original.

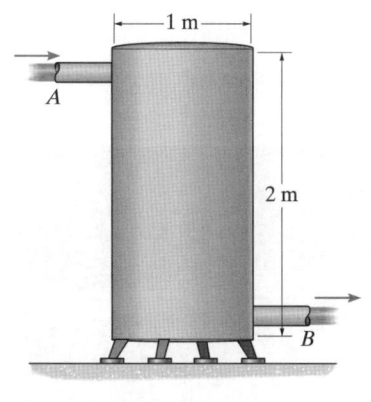

PROBLEMA 4.105

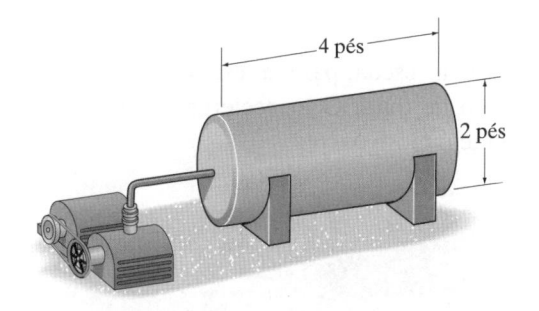

PROBLEMAS 4.108 e 4.109

Suponha que inicialmente haja 0,5 slug de nitrogênio no tanque.

4.106. O vaso de pressão cilíndrico contém metano a uma pressão absoluta inicial de 2 MPa. Se o bocal for aberto, a vazão mássica depende da pressão absoluta e é $\dot{m} = 3{,}5(10^{-6})p$ kg/s, onde p está em pascais. Supondo que a temperatura permaneça constante em 20°C, determine o tempo necessário para que a pressão caia para 1,5 MPa.

4.107. O vaso de pressão cilíndrico contém metano a uma pressão absoluta inicial de 2 MPa. Se o bocal for aberto, a vazão mássica depende da pressão absoluta e é $\dot{m} = 3{,}5(10^{-6})p$ kg/s, onde p está em pascais. Supondo que a temperatura permaneça constante em 20°C, determine a pressão no tanque em função do tempo. Represente graficamente essa pressão (eixo vertical) *versus* o tempo para $0 \leq t \leq 15$ s. Indique valores para incrementos de $\Delta t = 3$ s.

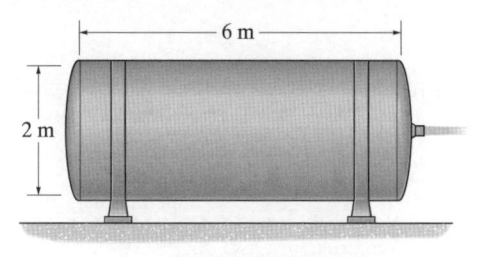

PROBLEMAS 4.106 e 4.107

*__*4.108.__ Enquanto o nitrogênio é bombeado para dentro do tanque cilíndrico, a vazão mássica pelo tubo é $\dot{m} = (0{,}8\rho^{-1/2})$ slug/s. Determine a densidade do nitrogênio dentro do tanque quando $t = 5$ s desde o momento em que a bomba é ligada. Suponha que inicialmente haja 0,5 slug de nitrogênio no tanque.

4.109. Enquanto o nitrogênio é bombeado para dentro do tanque cilíndrico, a vazão mássica pelo tubo é $\dot{m} = (0{,}8\rho^{-1/2})$ slug/s. Determine a densidade do nitrogênio dentro do tanque quando $t = 10$ s desde o momento em que a bomba é ligada.

4.110. A água sai do fundo do funil a uma velocidade média de $V = (3e^{-0{,}05t})$ m/s, onde t está em segundos. Determine a velocidade média em que o nível de água está caindo no instante $y = 100$ mm. Em $t = 0$, $y = 200$ mm.

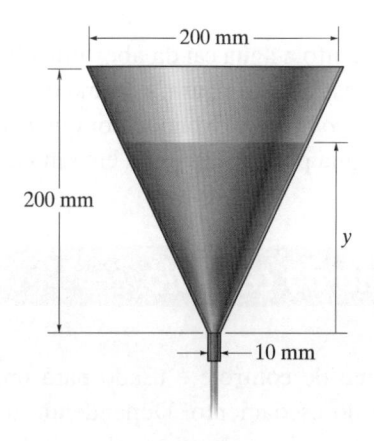

PROBLEMA 4.110

4.111. Uma peça é fabricada colocando-se um plástico derretido em um recipiente trapezoidal e depois movendo-se o molde cilíndrico dentro dele a uma velocidade constante de 20 mm/s. Determine a velocidade média em que o plástico derretido sobe na forma em função de y_c. O recipiente tem uma largura de 150 mm.

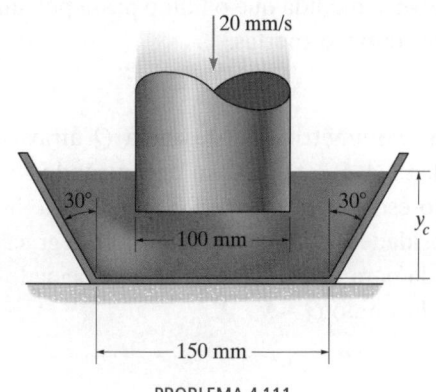

PROBLEMA 4.111

Problemas conceituais

P4.1. O ar escoa para a esquerda através dessa transição de duto. O ar acelerará ou desacelerará? Explique o motivo.

P 4.1

P4.2. Enquanto a água cai da abertura, ela se estreita, como mostrado na figura, e forma o que denominamos *vena contracta*. Explique por que isso ocorre e por que a água permanece junta em um jato.

P 4.2

Revisão do capítulo

Um volume de controle é usado para uma descrição euleriana do escoamento. Dependendo do problema, esse volume pode ser fixo, móvel ou pode ter uma forma variável.

Usando o teorema de transporte de Reynolds, podemos relacionar a taxa de variação no tempo de uma propriedade do fluido N para um sistema de partículas à sua taxa de variação no tempo medida a partir de um volume de controle. A determinação da mudança do volume de controle requer a medição de uma *variação local* dentro do volume de controle, e uma *variação convectiva*, à medida que o fluido passa por suas superfícies de controle abertas.

A vazão volumétrica ou descarga Q através de uma área plana A é determinada encontrando-se a velocidade do escoamento *perpendicular* à área. Se o perfil de velocidade for conhecido, então a integração deverá ser usada para determinar Q. Se a velocidade média V for usada, então $Q = \mathbf{V} \cdot \mathbf{A}$.

$$Q = \int_A \mathbf{v} \cdot d\mathbf{A}$$

A vazão mássica depende da densidade do fluido e do perfil de velocidade passando pela área. Se a velocidade média V for usada, então $\dot{m} = \rho \mathbf{V} \cdot \mathbf{A}$.

$$\dot{m} = \int_A \rho \mathbf{V} \cdot d\mathbf{A}$$

A equação da continuidade é baseada na conservação de massa, que requer que a massa de um sistema fluido permaneça constante em relação ao tempo. Em outras palavras, sua taxa de variação no tempo é zero.

Podemos usar um volume de controle fixo, móvel ou variável para aplicar a equação da continuidade. Em particular, se o volume de controle for completamente preenchido com um fluido e o escoamento for em regime permanente, então nenhuma variação local ocorrerá dentro do volume de controle, de modo que apenas as variações convectivas precisam ser consideradas.

$$\frac{\partial}{\partial t} \int_{vc} \rho \, d\mathcal{V} + \int_{sc} \rho \mathbf{V} \cdot d\mathbf{A} = 0$$

Se o volume de controle for anexado a um corpo, movendo-se com velocidade constante, então haverá escoamento em regime permanente, e, portanto, na superfície de controle, $\mathbf{V} = \mathbf{V}_{f/sc}$ deve ser usado quando se aplica a equação da continuidade.

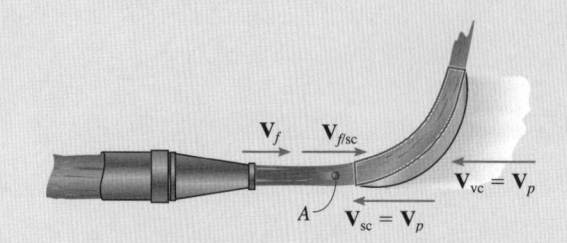

CAPÍTULO 5
Trabalho e energia dos fluidos em movimento

O projeto de chafarizes requer a aplicação dos princípios de trabalho e energia. Aqui, a velocidade do escoamento dos esguichos é transformada em levantamento da água até a sua altura máxima.

(© Don Andreas/Fotolia)

5.1 Equações eulerianas do movimento

Nesta seção, aplicaremos a segunda lei de Newton do movimento para estudar o movimento de uma partícula isolada de um fluido enquanto ela atravessa uma linha de corrente em um escoamento em regime permanente (Figura 5.1a). Aqui, a coordenada s da linha de corrente está na direção do movimento e tangente à linha de corrente. A coordenada normal n é direcionada no sentido positivo em direção ao centro de curvatura da linha de corrente. A partícula tem um comprimento Δs, altura Δn e largura Δx. Como o escoamento é *em regime permanente*, a linha de corrente permanecerá fixa, e como ela é curva, a partícula terá *dois* componentes de aceleração. Lembre-se, como vimos na Seção 3.4, de que o componente *tangencial* ou da linha de corrente a_s mede a taxa de variação no tempo da *magnitude* da velocidade da partícula. Ela é determinada a partir de $a_s = V(dV/ds)$. O componente *normal* a_n mede a taxa de variação no tempo na *direção* da velocidade. Ela é determinada a partir de $a_n = V^2/R$, onde R é o raio de curvatura da linha de corrente no ponto onde a partícula está localizada.

Objetivos

- Desenvolver as equações eulerianas do movimento e a equação de Bernoulli para coordenadas da linha de corrente e ilustrar algumas aplicações importantes.
- Mostrar como estabelecer a linha de energia e a linha piezométrica para um sistema de fluidos.
- Desenvolver a equação da energia a partir da primeira lei da termodinâmica e mostrar como resolver problemas que incluem bombas, turbinas e perda por cisalhamento.

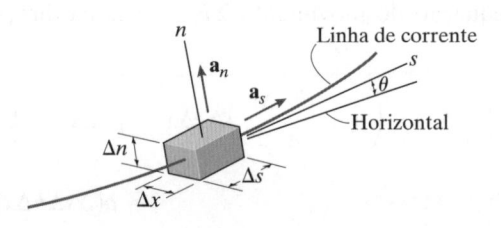

Partícula de fluido perfeito

(a)

FIGURA 5.1 (continua)

Diagrama de corpo livre
(b)

(c)

(d)

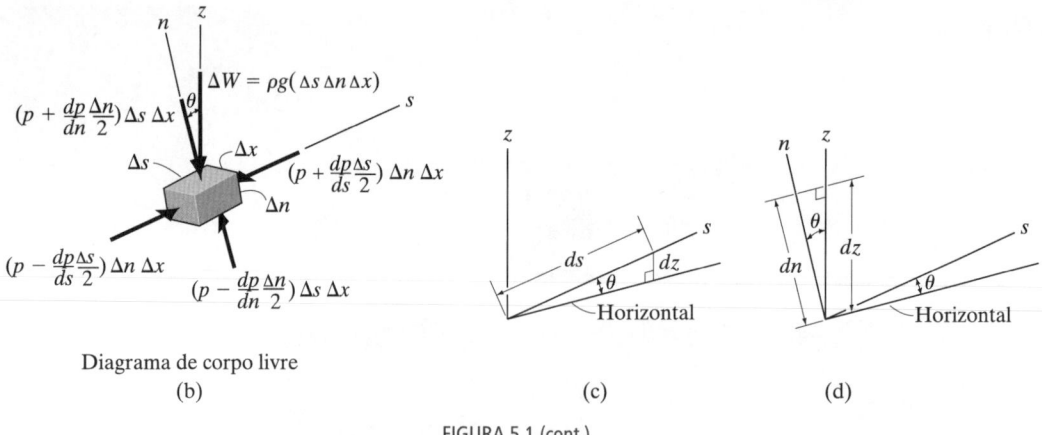

FIGURA 5.1 (cont.)

O diagrama de corpo livre da partícula aparece na Figura 5.1b. Se considerarmos que o fluido é *invíscido*, então as forças de cisalhamento devido à viscosidade não estão presentes, e apenas as forças causadas pelo peso e pela pressão atuam sobre a partícula. Se a pressão no centro da partícula for p, então haverá uma variação na pressão, conforme observado em cada face da partícula, devido ao seu tamanho finito.* Por fim, o peso da partícula é $\Delta W = \rho g \Delta \forall = \rho g (\Delta s \Delta n \Delta x)$, e sua massa é $\Delta m = \rho \Delta \forall = \rho(\Delta s \Delta n \Delta x)$.

Direção s

Aplicando a equação do movimento $\Sigma F_s = m a_s$ na direção s, obtemos

$$\left(p - \frac{dp}{ds}\frac{\Delta s}{2}\right)\Delta n \Delta x - \left(p + \frac{dp}{ds}\frac{\Delta s}{2}\right)\Delta n \Delta x - \rho g(\Delta s \Delta n \Delta x)\text{sen}\theta$$

$$= \rho(\Delta s \Delta n \Delta x)V\left(\frac{dV}{ds}\right)$$

Dividindo tudo pela massa, $\rho(\Delta s \Delta n \Delta x)$, e reorganizando os termos, obtemos

$$\frac{1}{\rho}\frac{dp}{ds} + V\left(\frac{dV}{ds}\right) + g\,\text{sen}\theta = 0 \qquad (5.1)$$

Conforme observado na Figura 5.1c, sen $\theta = dz/ds$. Logo,

$$\frac{dp}{\rho} + V\,dV + g\,dz = 0 \qquad (5.2)$$

Direção n

Aplicando a equação do movimento $\Sigma F_n = m a_n$ na direção n (Figura 5.1b), temos

$$\left(p - \frac{dp}{dn}\frac{\Delta n}{2}\right)\Delta s \Delta x - \left(p + \frac{dp}{dn}\frac{\Delta n}{2}\right)\Delta s \Delta x - \rho g(\Delta s \Delta n \Delta x)\cos\theta$$

$$= \rho(\Delta s \Delta n \Delta x)\left(\frac{V^2}{R}\right)$$

---

* Para essa variação, consideramos apenas o *primeiro termo* em uma expansão da série de Taylor nesse ponto, pois os termos de ordem mais alta se cancelarão, ao passo que o tamanho da partícula se torna infinitesimal. (Veja a nota de rodapé na página 43.)

Usando cos $\theta = dz/dn$ (Figura 5.1d) e dividindo pelo volume, ($\Delta s \Delta n \Delta x$), essa equação se reduz a

$$-\frac{dp}{dn} - \rho g \frac{dz}{dn} = \frac{\rho V^2}{R} \quad (5.3)$$

As equações 5.2 e 5.3 são formas diferenciais das equações do movimento, que foram desenvolvidas originalmente pelo matemático suíço Leonhard Euler. Por esse motivo, elas normalmente são conhecidas como *equações diferenciais do movimento de Euler*. Elas só se aplicam nas direções s e n, ao *escoamento em regime permanente* de uma partícula de *fluido invíscido* que se *move ao longo* de uma linha de corrente. Vamos considerar agora algumas aplicações importantes.

Escoamento horizontal em regime permanente de um fluido perfeito

A Figura 5.2 mostra condutos horizontais retos aberto e fechado, onde um *fluido perfeito* escoa com *velocidade constante*. Nos dois casos, a pressão em A é p_A, e queremos determinar a pressão nos pontos B e C. Como A e B se encontram na *mesma linha de corrente*, podemos aplicar a equação de Euler na direção s (Equação 5.2) e integrá-la para uma partícula atravessando esses dois pontos. Aqui, $V_A = V_B = V$, e como não existe mudança de elevação, $dz = 0$. Além disso, como a densidade do fluido é constante, temos

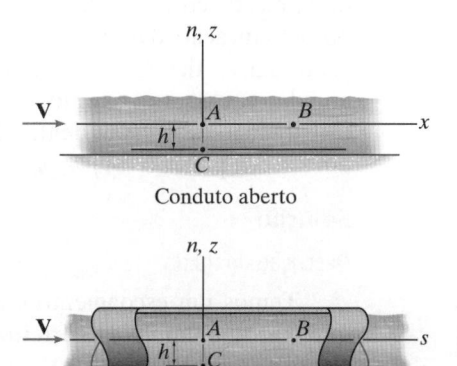

$$\frac{dp}{\rho} + V dV + g dz = 0$$

$$\frac{1}{\rho}\int_{p_A}^{p_B} dp + \int_V^V V dV + 0 = 0$$

$$\frac{1}{\rho}(p_B - p_A) + 0 + 0 = 0 \quad \text{ou} \quad p_B = p_A$$

Conduto aberto

Conduto fechado

FIGURA 5.2

Assim, para um fluido perfeito, a pressão ao longo dos condutos aberto e fechado *permanece constante na direção horizontal*. Esse resultado é o esperado, pois nenhuma força de cisalhamento viscoso precisa ser vencida pela pressão que empurra o fluido para a frente.

Para determinar a pressão em C, observe que A e C se encontram em *diferentes linhas de corrente* ou eixos s (Figura 5.2). Porém, C está no eixo n, que tem sua origem em A. Como o raio de curvatura da linha de corrente horizontal em A é $R \to \infty$, a Equação 5.3 torna-se

$$-\frac{dp}{dn} - \rho g \frac{dz}{dn} = \frac{\rho V^2}{R} = 0$$

$$-dp - \rho g dz = 0$$

Integrando de A até C, observando que C está em $z = -h$ a partir de A, temos

$$-\int_{p_A}^{p_C} dp - \rho g \int_0^{-h} dz = 0$$

$$-p_C + p_A - \rho g(-h - 0) = 0$$

$$p_C = p_A + \rho g h$$

Esse resultado indica que, *na direção vertical, a pressão é a mesma, como se o fluido fosse estático*; ou seja, esse é o mesmo resultado da Equação 2.5. O termo "*pressão estática*" é usado aqui com frequência, pois é uma medida da pressão *relativa ao escoamento*, caso em que o fluido parecerá estar em repouso.

Observe que, se o conduto e, portanto, as linhas de corrente fossem *curvas*, então não teríamos esse resultado, pois as partículas em A e C se moveriam ao longo das linhas de corrente com raios de curvatura *diferentes*, de modo que *mudariam as direções de suas velocidades* em diferentes taxas. Em outras palavras, o termo $\rho V^2/R \neq 0$, portanto, quanto menor for R, *maior* é a pressão necessária para alterar a direção das partículas do fluido e mantê-las em sua linha de corrente. O exemplo a seguir ajudará a ilustrar esse ponto.

EXEMPLO 5.1

Um furacão possui ventos que basicamente se movem ao longo de linhas de corrente circulares horizontais (Figura 5.3a). Dentro do olho do furacão, $0 \leq r \leq r_0$, a velocidade do vento é $V = \omega r$, que representa um vórtice forçado, ou seja, o escoamento girando a uma taxa angular constante ω, conforme descrito na Seção 2.14. Determine a distribuição de pressão dentro do olho do furacão em função de r, se em $r = r_0$ a pressão for $p = p_0$.

Solução

Descrição do fluido

Temos um escoamento em regime permanente e vamos supor que o ar seja um fluido perfeito, ou seja, ele é invíscido e possui uma densidade constante ρ.

Análise

A linha de corrente para uma partícula do fluido possuindo um raio r aparece na Figura 5.3b. Para determinar a distribuição de pressão em função de r (positivo para fora), temos de aplicar a equação de Euler na direção n (positiva para dentro).

$$-\frac{dp}{dn} - \rho g \frac{dz}{dn} = \frac{\rho V^2}{R}$$

Como o trajeto é horizontal, $dz = 0$. Além disso, para a linha de corrente escolhida, $R = r$ e $dn = -dr$. Visto que a velocidade da partícula é $V = \omega r$ (Figura 5.3b), a equação anterior torna-se

$$\frac{dp}{dr} - 0 = \frac{\rho(\omega r)^2}{r}$$

$$dp = \rho \omega^2 r \, dr$$

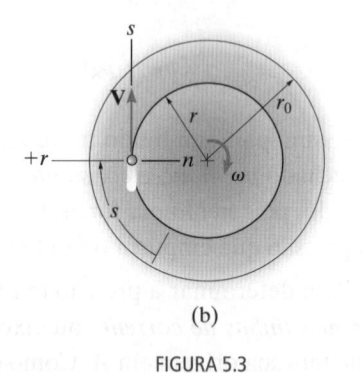

FIGURA 5.3

Observe que a pressão aumenta, $+dp$, à medida que afastamos $+dr$ do centro. Essa pressão é necessária para mudar a direção da velocidade das partículas de ar e mantê-las em seu trajeto circular. Por comparação, esse mesmo efeito ocorre em uma corda que mantém o movimento de uma bola girando em um percurso circular horizontal. Quanto maior a corda, maior a força que a corda deve exercer sobre a bola para manter a mesma rotação.

Visto que $p = p_0$ em $r = r_0$, então

$$\int_p^{p_0} dp = \rho\omega^2 \int_r^{r_0} r\, dr$$

$$p = p_0 - \frac{\rho\omega^2}{2}(r_0^2 - r^2) \qquad \textit{Resposta}$$

5.2 A equação de Bernoulli

Como vimos, as equações de Euler representam a aplicação da segunda lei do movimento de Newton ao escoamento em regime permanente de uma partícula de fluido invíscido, expressa em termos das coordenadas s e n da linha de corrente. Como o movimento da partícula *só ocorre* na direção s, podemos integrar a Equação 5.2 ao longo de uma linha de corrente e, com isso, obter uma relação entre o movimento de uma partícula e a pressão e as forças gravitacionais que atuam sobre ela. Temos

$$\int \frac{dp}{\rho} + \int V\, dV + \int g\, dz = 0$$

Desde que a densidade do fluido possa ser expressa em função da pressão, a integração do primeiro termo pode ser executada. Porém, o caso mais comum é considerar o fluido como *perfeito*, ou seja, tanto invíscido quanto incompressível. Como anteriormente consideramos que o fluido era invíscido, agora temos um *fluido perfeito*. Para esse caso, a integração resulta em

$$\frac{p}{\rho} + \frac{V^2}{2} + gz = \text{constante} \qquad (5.4)$$

Aqui, z é a *elevação* da partícula, medida a partir de um plano horizontal *fixo* escolhido *arbitrariamente,* ou *datum* (Figura 5.4). Para qualquer partícula *acima* desse datum, z é positivo, e para qualquer partícula *abaixo* dele, z é negativo. Para uma partícula no datum, $z = 0$.

A Equação 5.4 é conhecida como **equação de Bernoulli**, que recebe o nome de Daniel Bernoulli, que a enunciou por volta de meados do século XVIII. No entanto, algum tempo depois, ela foi expressa como uma fórmula por Leonhard Euler. Quando ela é aplicada entre dois pontos quaisquer, 1 e 2, localizados na *mesma linha de corrente* (Figura 5.4), ela pode ser escrita na forma

$$\boxed{\frac{p_1}{\rho} + \frac{V_1^2}{2} + gz_1 = \frac{p_2}{\rho} + \frac{V_2^2}{2} + gz_2} \qquad (5.5)$$

escoamento em regime permanente,
fluido perfeito, mesma linha de corrente

FIGURA 5.4

Se o fluido é um gás, como o ar, os termos de elevação geralmente podem ser desprezados, pois a densidade de um gás é pequena. Em outras palavras, seu peso não é considerado uma força significativa em comparação com aquela causada pela pressão dentro do gás.

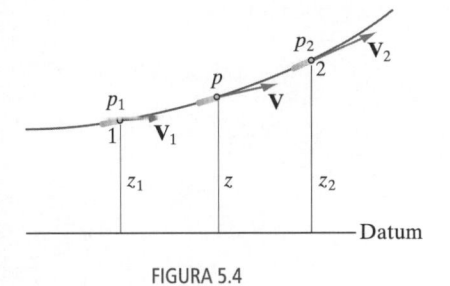

Interpretação de termos

Conforme observado na sua derivação, a equação de Bernoulli na realidade é uma forma integrada da segunda lei do movimento de Newton, escrita para o escoamento em regime permanente de um fluido perfeito na direção *s*. Porém, ela pode ser interpretada como um enunciado do princípio do trabalho e energia, pois se aplica a uma partícula que representa uma *unidade de massa do fluido*. Para mostrar isso, primeiro a reescrevemos como

$$\left(\frac{V_2^2}{2} - \frac{V_1^2}{2}\right) = \left(\frac{p_1}{\rho} - \frac{p_2}{\rho}\right) + g(z_1 - z_2)$$

Aqui, cada um dos termos entre parênteses possui unidades de energia ou trabalho por unidade de massa, J/kg ou pés · lb/slug. Na forma mostrada, essa equação declara que a variação na energia cinética da partícula de massa unitária é igual ao trabalho realizado pelas forças de pressão e gravitacional, enquanto a partícula se move da posição 1 à posição 2. Lembre-se de que trabalho é o produto do componente da força na direção do deslocamento vezes o deslocamento. O trabalho da força de pressão é denominado **trabalho de escoamento**, e sempre é direcionado ao longo da linha de corrente (Figura 5.5). O trabalho gravitacional é feito na direção vertical (z), pois o peso é nessa direção. Discutiremos esses conceitos com mais detalhes na Seção 5.5, onde mostraremos que a equação de Bernoulli é, na realidade, um caso especial da equação da energia.

Limitações

É muito importante lembrar que a equação de Bernoulli só pode ser aplicada quando tivermos *escoamento em regime permanente* de um *fluido perfeito* — aquele que é incompressível (ρ é constante) e invíscido ($\mu = 0$). Conforme explicamos aqui, sua aplicação ocorre entre dois pontos quaisquer que se encontram na *mesma linha de corrente*. Se essas condições não puderem ser justificadas, então a aplicação dessa equação produzirá resultados errôneos. Com referência à Figura 5.6, veja a seguir uma lista de algumas situações comuns em que a equação de Bernoulli *não deverá ser usada*.

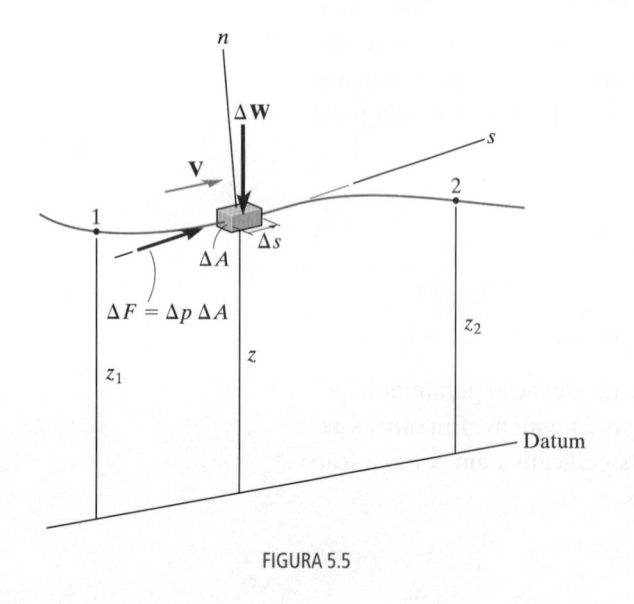

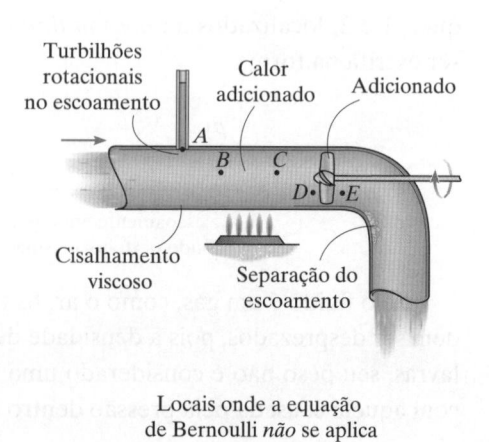

FIGURA 5.5

Locais onde a equação de Bernoulli *não* se aplica

FIGURA 5.6

- Muitos fluidos, como o ar e a água, possuem viscosidades um tanto baixas, de modo que, em algumas situações, eles podem ser considerados como fluidos perfeitos. Porém, observe que, em certas regiões do escoamento, os efeitos da viscosidade não podem ser ignorados. Por exemplo, o escoamento viscoso sempre será predominante perto de uma fronteira sólida, como as paredes do tubo na Figura 5.6. Essa região é chamada de *camada limite*, e discutiremos mais sobre ela no Capítulo 11. Aqui, o gradiente de velocidade é alto, e o "atrito" do fluido, ou cisalhamento, que causa a formação da camada limite, produzirá calor e, com isso, removerá energia do escoamento. A equação de Bernoulli *não pode* ser aplicada dentro da camada limite, devido a essa perda de energia resultante.

- Mudanças repentinas na direção de uma fronteira sólida podem fazer com que a camada limite se torne mais espessa e resultam na separação do escoamento da fronteira. Isso ocorreu na Figura 5.6 ao longo da parede interna do tubo na curva. Aqui, a mistura turbulenta do fluido não apenas produz perda de calor por cisalhamento, mas afeta bastante o perfil de velocidade e causa uma queda de pressão severa. As linhas de corrente dentro dessa região não são bem definidas, portanto, a equação de Bernoulli não se aplica. O escoamento através de conexões, como aquelas em "T" e válvulas, pode produzir perdas de energia semelhantes, devido à separação do escoamento. Além disso, a separação do escoamento e o desenvolvimento de turbulência dentro do escoamento também ocorrem na interface *A* entre a tubulação principal e o tubo menor, na Figura 5.6. Logo, a equação de Bernoulli *não* se aplica nessa interface.

- Mudanças de energia dentro do escoamento ocorrem dentro de regiões de remoção ou adição de calor, como entre *B* e *C*. Além disso, bombas ou turbinas podem fornecer ou remover energia do escoamento, como entre *D* e *E*. A equação de Bernoulli *não* considera essas variações de energia, e por isso não pode ser aplicada dentro dessas regiões.

- Se o fluido é um gás, então sua densidade mudará à medida que a velocidade do escoamento aumenta. Normalmente, como uma regra geral para cálculos de engenharia, um gás pode ser considerado incompressível desde que sua velocidade permaneça abaixo de cerca de 30% da velocidade com que o som o atravessa. Por exemplo, a 15°C, a velocidade sônica no ar é 340 m/s, de modo que um valor limitador seria 102 m/s. Para escoamentos mais rápidos, os efeitos da compressibilidade causariam perda por calor, e isso se torna importante. Para essas altas velocidades, a equação de Bernoulli *não* dará resultados aceitáveis.

5.3 Aplicações da equação de Bernoulli

Nesta seção, apresentaremos algumas aplicações básicas da equação de Bernoulli para mostrar como determinar a velocidade ou a pressão em diferentes pontos em uma linha de corrente.

Escoamento a partir de um reservatório grande

Quando a água escoa de um tanque ou reservatório e passa por um dreno (Figura 5.7), o escoamento é na realidade *em regime transitório*. Isso

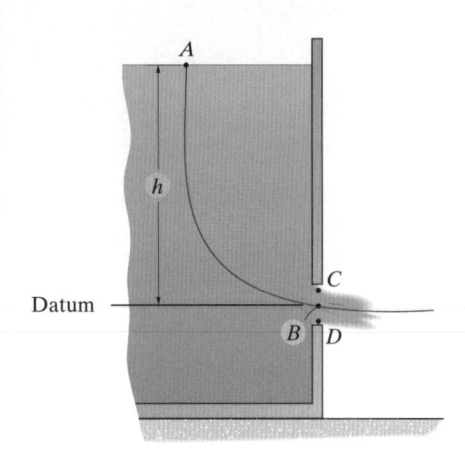

FIGURA 5.7

acontece porque, quando a distância h é grande, então, devido à maior pressão d'água no dreno, o nível da água cairá em uma taxa mais rápida do que quando h é pequeno. Porém, se o reservatório possui um *grande volume* e o dreno possui um diâmetro relativamente pequeno, então o movimento da água dentro do reservatório é muito lento e, portanto, na sua superfície, $V_A \approx 0$ (Figura 5.7). Sob essas circunstâncias, é razoável considerar um *escoamento em regime permanente* através do dreno. Além disso, para aberturas de pequeno diâmetro, a *diferença de elevação* entre C e D é pequena, portanto, $V_C \approx V_D \approx V_B$. Além disso, a pressão na linha de centro B da abertura é *atmosférica*, assim como em C e D.

Se considerarmos que a água é um fluido perfeito, então a equação de Bernoulli poderá ser aplicada entre os pontos A e B, que se encontram na linha de corrente selecionada da Figura 5.7. Definindo o datum gravitacional em B e usando pressões manométricas, onde $p_A = p_B = 0$, temos

$$\frac{p_A}{\rho} + \frac{V_A^2}{2} + gz_A = \frac{p_B}{\rho} + \frac{V_B^2}{2} + gz_B$$

$$0 + 0 + gh = 0 + \frac{V_B^2}{2} + 0$$

$$V_B = \sqrt{2gh}$$

Esse resultado é conhecido como a **lei de Torricelli**, pois foi formulado inicialmente por Evangelista Torricelli, no século XVII. Como um ponto de interesse, pode-se mostrar que V_B é a *mesma* que é obtida por uma partícula do fluido que é simplesmente jogada do repouso na mesma altura h, embora o tempo de trajeto para essa partícula em queda livre seja muito mais curto do que para aquela que escoa pelo tanque.

Escoamento em torno de uma superfície curva

À medida que um fluido contorna um obstáculo liso, a energia do fluido é transformada de uma forma para outra. Por exemplo, considere a linha de corrente horizontal que cruza a frente da superfície curva na Figura 5.8. Como B é um *ponto de estagnação*, as partículas de fluido que se movem de A para B precisam desacelerar enquanto se aproximam da fronteira, de modo que sua velocidade em B se torne momentaneamente zero, antes que o escoamento comece a se dividir e depois se movimentar pelas laterais da superfície. Se aplicarmos a equação de Bernoulli entre os pontos A e B, teremos

$$\frac{p_A}{\rho} + \frac{V_A^2}{2} + gz_A = \frac{p_B}{\rho} + \frac{V_B^2}{2} + gz_B$$

$$\frac{p_A}{\rho} + \frac{V_A^2}{2} + 0 = \frac{p_B}{\rho} + 0 + 0$$

$$p_B = p_A + \rho\frac{V_A^2}{2}$$

Pressão de estagnação | Pressão estática | Pressão dinâmica

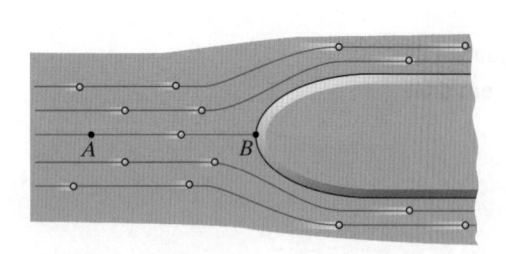

FIGURA 5.8

Essa pressão é conhecida como ***pressão de estagnação***, pois representa a ***pressão total*** exercida pelo fluido no ponto de estagnação, B. Conforme observado na seção anterior, a pressão p_A é uma ***pressão estática***, pois é medida em relação ao escoamento. Por fim, o *aumento* na pressão, $\rho V_A^2/2$, é chamado de ***pressão dinâmica***, pois representa a pressão adicional exigida para levar o fluido até o repouso em B.

Escoamento em um canal aberto

Um método para determinar a velocidade de um líquido em movimento em um *canal aberto*, como um rio, é mergulhar um tubo curvo em uma corrente e observar a altura h atingida pelo líquido dentro do tubo (Figura 5.9). Esse dispositivo é chamado de ***tubo de estagnação***, ou ***tubo de Pitot***, em homenagem a Henri Pitot, que o inventou no início do século XVIII.

Para mostrar como isso funciona, considere os dois pontos A e B localizados na linha de corrente horizontal. O ponto A está a montante dentro do fluido, onde a velocidade do escoamento é V_A e a pressão é $p_A = \rho g d$. O ponto B está na abertura do tubo. Esse é o ponto de estagnação, pois a velocidade do escoamento foi momentaneamente reduzida a zero devido ao seu impacto com o líquido dentro do tubo. O líquido nesse ponto produz tanto uma *pressão estática*, que faz com que o líquido no tubo suba até um nível d, quanto uma *pressão dinâmica*, que força o líquido adicional mais para cima no segmento vertical, até uma altura h acima da superfície livre do líquido. Assim, a pressão total do líquido em B é $p_B = \rho g(d + h)$. Aplicando a equação de Bernoulli com o datum gravitacional na linha de corrente, temos

$$\frac{p_A}{\rho} + \frac{V_A^2}{2} + g z_A = \frac{p_B}{\rho} + \frac{V_B^2}{2} + g z_B$$

$$\frac{\rho g d}{\rho} + \frac{V_A^2}{2} + 0 = \frac{\rho g(d + h)}{\rho} + 0 + 0$$

$$V_A = \sqrt{2gh}$$

Daí, medindo h no tubo de Pitot, pode-se determinar a velocidade do escoamento.

Tubo de Pitot

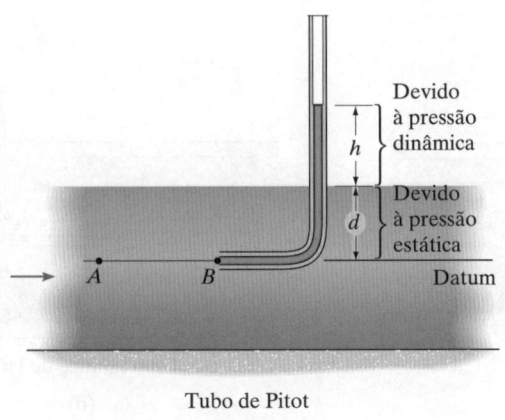

FIGURA 5.9

Escoamento em um conduto fechado

Se o líquido estiver escoando em um *conduto fechado* ou tubulação (Figura 5.10*a*), então será necessário usar tanto um piezômetro quanto um tubo de Pitot para determinar a velocidade do escoamento. O **piezômetro** mede a *pressão estática* em *A*. Essa pressão é causada pela pressão interna no tubo, $\rho g h$, e a pressão hidrostática $\rho g d$ é causada pelo peso do fluido. A pressão total em *A* é, portanto, $\rho g(h + d)$. A pressão total no ponto de estagnação *B* será maior que isso, devido à pressão dinâmica $\rho V_A^2/2$. Se aplicarmos a equação de Bernoulli nos pontos *A* e *B* na linha de corrente, usando as medições h e $(l + h)$ desses dois tubos, a velocidade V_A poderá ser obtida.

$$\frac{p_A}{\rho} + \frac{V_A^2}{2} + gz_A = \frac{p_B}{\rho} + \frac{V_B^2}{2} + gz_B$$

$$\frac{\rho g(h + d)}{\rho} + \frac{V_A^2}{2} + 0 = \frac{\rho g(h + d + l)}{\rho} + 0 + 0$$

$$V_A = \sqrt{2gl}$$

Em vez de usar dois tubos separados, da maneira que acabamos de descrever, um único tubo mais elaborado, chamado **tubo de Pitot estático**, é usado com frequência para determinar a velocidade do escoamento em um conduto fechado. Ele é construído usando-se dois tubos concêntricos, como mostra a Figura 5.10*b*. Assim como o tubo de Pitot da Figura 5.10*a*, a pressão de estagnação em *B* pode ser medida a partir da tomada de pressão em *E* no tubo interno. A jusante de *B* existem vários furos abertos *D* no tubo externo. Esse tubo externo atua como o piezômetro da Figura 5.10*a*, de modo que a pressão estática possa ser medida pela tomada de pressão em *C*. Usando essas duas pressões medidas e aplicando a equação de Bernoulli entre os pontos *A* e *B*, desconsiderando quaisquer diferenças de elevação entre *C* e *E*, temos

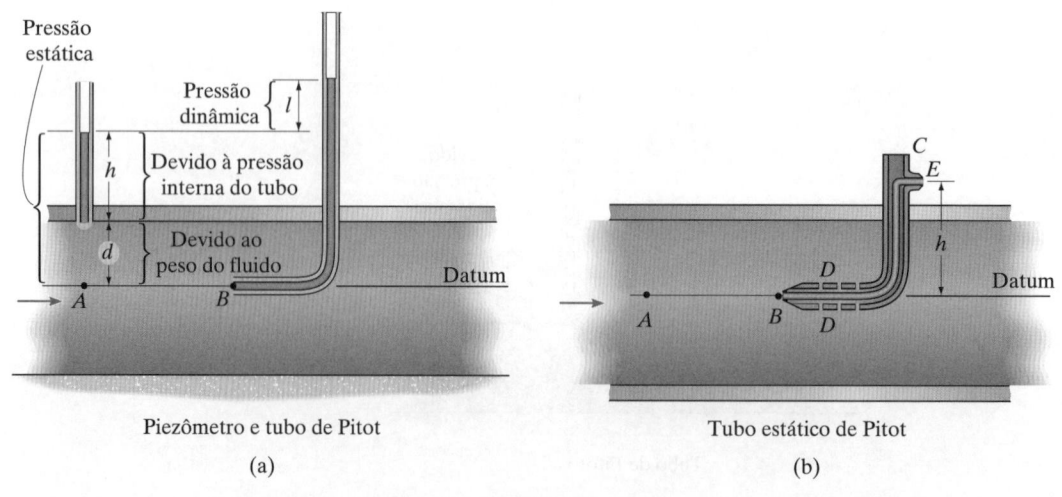

Piezômetro e tubo de Pitot
(a)

Tubo estático de Pitot
(b)

FIGURA 5.10

$$\frac{p_A}{\rho} + \frac{V_A^2}{2} + gz_A = \frac{p_B}{\rho} + \frac{V_B^2}{2} + gz_B$$

$$\frac{p_C + \rho gh}{\rho} + \frac{V_A^2}{2} + 0 = \frac{p_E + \rho gh}{\rho} + 0 + 0$$

$$V_A = \sqrt{\frac{2}{\rho}(p_E - p_C)}$$

Na prática, a *diferença em pressão* pode ser determinada ou usando um manômetro, ligado às tomadas em C e E, e medindo a altura diferencial do líquido do manômetro, ou usando um transdutor de pressão. Às vezes são feitas correções nas leituras, pois o escoamento pode ser ligeiramente alterado nos furos de entrada em D, devido ao seu movimento em torno da frente do tubo em B e após seu segmento vertical.

Medidor de Venturi

Um ***medidor de Venturi*** é um dispositivo que também pode ser usado para medir a velocidade média ou a vazão de um fluido incompressível por um tubo (Figura 5.11). Ele foi concebido por Giovanni Venturi em 1797, mas o princípio só foi aplicado cerca de cem anos depois, pelo engenheiro norte-americano Clemens Herschel. Esse dispositivo consiste em um redutor seguido por um *tubo* ou *garganta de Venturi*, com diâmetro d_2, e depois um segmento de transição gradual de volta ao tubo original. À medida que o fluido passa pelo redutor, o escoamento acelera, causando uma velocidade mais alta e menor pressão a ser desenvolvida dentro da garganta. Aplicando a equação de Bernoulli ao longo da linha de corrente central, entre o ponto 1 no tubo e o ponto 2 na garganta, obtemos

$$\frac{p_1}{\rho} + \frac{V_1^2}{2} + gz_1 = \frac{p_2}{\rho} + \frac{V_2^2}{2} + gz_2$$

$$\frac{p_1}{\rho} + \frac{V_1^2}{2} + 0 = \frac{p_2}{\rho} + \frac{V_2^2}{2} + 0$$

Além disso, a equação da continuidade pode ser aplicada nos pontos 1 e 2. Para um escoamento em regime permanente, temos

$$\frac{\partial}{\partial t}\int_{vc} \rho d\forall + \int_{sc} \rho \mathbf{V} \cdot d\mathbf{A} = 0$$

$$0 - V_1 \pi\left(\frac{d_1^2}{4}\right) + V_2 \pi\left(\frac{d_2^2}{4}\right) = 0$$

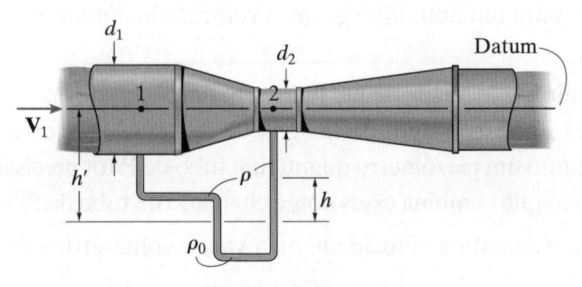

Medidor de Venturi

FIGURA 5.11

Combinando esses dois resultados e isolando V_1, obtemos

$$V_1 = \sqrt{\frac{2(p_2 - p_1)/\rho}{1 - (d_1/d_2)^4}}$$

A diferença de pressão estática $(p_2 - p_1)$ geralmente é medida usando um transdutor de pressão ou um manômetro. Por exemplo, se for usado um manômetro, como na Figura 5.11, e ρ for a densidade do fluido no tubo, e ρ_0 for a densidade para o fluido no manômetro, então, aplicando a regra do manômetro, temos

$$p_1 + \rho g h' - \rho_0 g h - \rho g (h' - h) = p_2$$

$$p_2 - p_1 = (\rho - \rho_0) g h$$

Quando for feita a medição para h, o resultado $(p_2 - p_1)$ é substituído na equação anterior para obter V_1. A vazão volumétrica poderá então ser determinada por $Q = V_1 A_1$.

Pontos importantes

- As equações diferenciais de Euler para o movimento se aplicam a uma partícula do fluido que se move ao longo de uma linha de corrente. Essas equações são baseadas no *escoamento em regime permanente de um fluido invíscido*. Como a viscosidade é desconsiderada, o escoamento é afetado apenas pelas forças de pressão e gravitacionais. Na direção *s*, essas forças causam uma *mudança de magnitude* da velocidade de uma partícula do fluido, dando-lhe uma aceleração tangencial; e na direção *n* essas forças causam uma *mudança na direção* da velocidade, produzindo assim uma aceleração normal.

- Quando as linhas de corrente para o escoamento são *linhas horizontais retas*, as equações de Euler mostram que, para um fluido perfeito (sem cisalhamento) com um escoamento em regime permanente, a pressão p_0 na *direção horizontal* é *constante*. Além disso, como a velocidade não muda de direção, não existe aceleração normal. Consequentemente, em um conduto horizontal aberto ou fechado, a variação de pressão na direção vertical é hidrostática. Em outras palavras, essa é uma medida da *pressão estática*, pois pode ser feita em relação ao fluido em movimento.

- A equação de Bernoulli é uma forma integrada da equação de Euler na direção *s*. Ela pode ser interpretada como um enunciado do trabalho e da energia do fluido. Ela é aplicada em dois pontos localizados na *mesma linha de corrente*, e requer um *escoamento em regime permanente de um fluido perfeito*. Essa equação *não pode* ser aplicada aos fluidos viscosos, ou em transições onde o escoamento se separa e se torna turbulento. Além disso, ela não pode ser aplicada entre pontos onde a energia do fluido é acrescentada ou retirada por fontes externas, como bombas e turbinas, ou em regiões onde se adiciona ou retira calor.

- A equação de Bernoulli indica que, se o escoamento é horizontal, então *z* é constante, e, portanto, $p/\rho + V^2/2$ = constante. Logo, através de um duto ou bocal *convergente*, a *velocidade aumentará* e a *pressão diminuirá*. De modo semelhante, para um duto *divergente*, a velocidade *diminuirá* e a pressão *aumentará*. (Veja a foto a seguir.)

- Um *tubo de Pitot* pode ser usado para medir a velocidade de um fluido em um ponto de um *canal aberto*. O escoamento cria uma pressão dinâmica $\rho V^2/2$ no ponto de estagnação do tubo, que força o fluido a subir no tubo. Para um *conduto fechado*, tanto um piezômetro quanto um tubo de Pitot precisam ser usados para medir a velocidade. Um dispositivo que combina esses dois é chamado de tubo de Pitot estático.

- Um *medidor de Venturi* pode ser usado para medir a velocidade ou a vazão volumétrica de um fluido por um conduto ou tubo fechado.

Procedimento para análise

O procedimento a seguir oferece um meio de aplicar a equação de Bernoulli.

Descrição do fluido

- *Esteja certo* de que o fluido pode ser considerado perfeito, ou seja, incompressível e invíscido. Além disso, deve ocorrer um escoamento em regime permanente.

Equação de Bernoulli

- Selecione dois pontos na *mesma linha de corrente* dentro do escoamento, onde alguns valores de pressão e velocidade sejam conhecidos. A elevação desses pontos é medida a partir de um datum *fixo* estabelecido de forma aleatória. Nas saídas do tubo para a atmosfera, e em superfícies abertas, a pressão pode ser considerada atmosférica, ou seja, a pressão manométrica é zero.
- A velocidade em cada ponto pode ser determinada se a vazão volumétrica e a área transversal de um conduto forem conhecidas, $V = Q/A$.
- Tanques ou reservatórios que são drenados lentamente possuem superfícies líquidas que estão basicamente em repouso; ou seja, $V \approx 0$.
- Quando o fluido perfeito é um gás, variações na elevação, medidas a partir do datum, geralmente podem ser desconsideradas.
- Quando os valores conhecidos e desconhecidos de p, V e z tiverem sido identificados em cada um dos dois pontos, a equação de Bernoulli poderá ser aplicada. Ao substituir os dados, lembre-se de usar um conjunto de unidades coerente.
- Se mais de uma incógnita tiver de ser determinada, tente relacionar as velocidades usando a equação da continuidade, ou as pressões usando a equação do manômetro, se puder ser aplicada.

Conforme observado pelo nível de água nos piezômetros, a pressão da água que escoa por essa tubulação variará de acordo com a equação de Bernoulli. Onde o diâmetro é pequeno, a velocidade é alta e a pressão é baixa; e onde o diâmetro é grande, a velocidade é baixa e a pressão é alta.

EXEMPLO 5.2

O avião a jato na Figura 5.12 é equipado com um piezômetro e um tubo de Pitot. O piezômetro indica uma pressão absoluta de 47,2 kPa, enquanto a leitura no tubo de Pitot em B é uma pressão absoluta de 49,6 kPa. Determine a altitude do avião e sua velocidade.

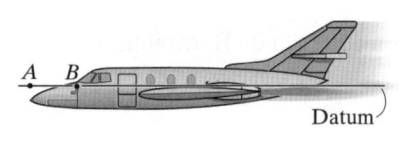

FIGURA 5.12

Solução

O piezômetro mede a pressão estática no ar, portanto, a altitude do avião pode ser determinada pela tabela no Apêndice A. Para uma pressão absoluta de 47,2 kPa, a altitude é aproximadamente

$$h = 6 \text{ km} \qquad \textit{Resposta}$$

Descrição do fluido

Vamos considerar que a velocidade do avião é lenta o suficiente para que o ar possa ser considerado incompressível e invíscido — um fluido perfeito. Fazendo isso, podemos aplicar a equação de Bernoulli, desde que observemos um *escoamento em regime permanente*. Isso pode ser observado se virmos o movimento *a partir do avião*.* Assim, o ar em A, que na realidade está em repouso, terá a mesma velocidade do avião quando observado a partir do avião, $V_A = V_{avião}$. O ar em B, um ponto de estagnação, parecerá estar em repouso quando observado a partir do avião, $V_B = 0$. Pelo Apêndice A, para o ar a uma elevação de 6 km, $\rho_a = 0{,}6601$ kg/m^3.

Equação de Bernoulli

Aplicando a equação de Bernoulli nos pontos A e B na linha de corrente horizontal, temos

$$\frac{p_A}{\rho} + \frac{V_A^2}{2} + gz_A = \frac{p_B}{\rho} + \frac{V_B^2}{2} + gz_B$$

$$\frac{47{,}2(10^3) \text{ N/m}^2}{0{,}6601 \text{ kg/m}^3} + \frac{V_{avião}^2}{2} + 0 = \frac{49{,}6(10^3) \text{ N/m}^2}{0{,}6601 \text{ kg/m}^3} + 0 + 0$$

$$V_{avião} = 85{,}3 \text{ m/s} \qquad \textit{Resposta}$$

Nota: no Capítulo 13, mostraremos que essa velocidade é cerca de 25% da velocidade do som no ar, e como 25% < 30%, nossa suposição de o ar ser incompressível permanece válida. A maioria dos aviões é equipada com um piezômetro e um tubo de Pitot, ou uma combinação de tubo de Pitot estático. As leituras de pressão são convertidas diretamente em altitude e velocidade do ar e mostradas no painel de instrumentos. Se mais precisão for necessária, as correções são feitas levando em conta uma densidade do ar reduzida em grandes altitudes. Por fim, observe que, para uma operação apropriada, a abertura de qualquer tubo de Pitot deve estar livre de resíduos, como aqueles causados por ninho de insetos ou formação de gelo.

---

* Se o escoamento for observado a partir do solo, então o escoamento é *em regime transitório*, pois a velocidade das partículas de ar *mudará com o tempo*, enquanto o avião voa por essas partículas. Lembre-se de que a equação de Bernoulli *não* se aplica ao escoamento em regime transitório.

EXEMPLO 5.3

Determine a velocidade média do escoamento de água no tubo da Figura 5.13 e a pressão estática e dinâmica no ponto B. O nível da água em cada um dos tubos é indicado na figura. Considere $\rho_{água} = 1000$ kg/m^3.

Solução

Descrição do fluido

Temos um escoamento em regime permanente. Além disso, vamos considerar que a água seja um fluido perfeito.

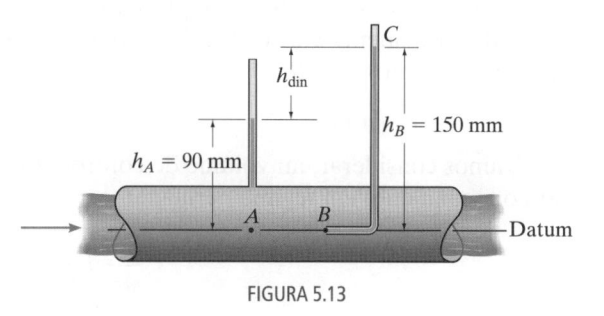

Equação de Bernoulli

Em A, a pressão total é a *pressão estática* encontrada a partir de $p_A = \rho_{\text{água}}gh_A$, e em B a pressão total (ou de estagnação) é uma *combinação* de pressões estáticas e dinâmicas encontradas a partir de $p_B = \rho_{\text{água}}gh_B$. Conhecendo essas pressões, podemos determinar a velocidade média V_A do escoamento usando a equação de Bernoulli, aplicada nos pontos A e B, onde B é um ponto de estagnação na linha de corrente. Temos

$$\frac{p_A}{\rho} + \frac{V_A^2}{2} + gz_A = \frac{p_B}{\rho} + \frac{V_B^2}{2} + gz_B$$

$$\frac{\rho_{\text{água}}gh_A}{\rho_{\text{água}}} + \frac{V_A^2}{2} + 0 = \frac{\rho_{\text{água}}gh_B}{\rho_{\text{água}}} + 0 + 0$$

$$\frac{V_A^2}{2} = g(h_B - h_A) = (9{,}81\,\text{m/s}^2)(0{,}150\,\text{m} - 0{,}090\,\text{m})$$

$$V_A = 1{,}085\,\text{m/s} = 1{,}08\,\text{m/s} \qquad\qquad\qquad\qquad Resposta$$

FIGURA 5.13

A pressão estática em A e em B é determinada a partir da carga piezométrica.

$$(p_A)_{\text{estática}} = (p_B)_{\text{estática}} = \rho_{\text{água}}gh_A = (1000\,\text{kg/m}^3)(9{,}81\,\text{m/s}^3)(0{,}09\,\text{m}) = 883\,\text{Pa} \qquad Resposta$$

A pressão dinâmica em B é determinada por

$$\rho_{\text{água}}\frac{V_A^2}{2} = (1000\,\text{kg/m}^3)\frac{(1{,}085\,\text{m/s})^2}{2} = 589\,\text{Pa} \qquad Resposta$$

Esse valor também pode ser obtido observando que

$$h_{\text{din}} = 0{,}15\,\text{m} - 0{,}09\,\text{m} = 0{,}06\,\text{m}$$

de modo que

$$(p_B)_{\text{din}} = \rho_{\text{água}}gh_{\text{din}} = (1000\,\text{kg/m}^3)(9{,}81\,\text{m/s}^2)(0{,}06\,\text{m}) = 589\,\text{Pa} \qquad Resposta$$

EXEMPLO 5.4

Uma transição é colocada em um duto de ar retangular, como mostra a Figura 5.14. Se 3 lb/s de ar escoam de forma permanente através do duto, determine a variação de pressão que ocorre entre as extremidades da transição. Considere $\gamma_a = 0{,}075\,\text{lb/pé}^3$.

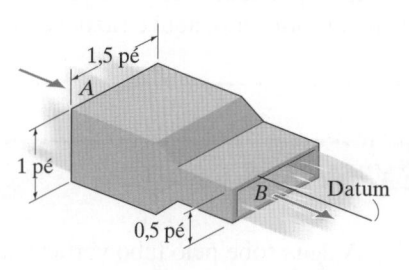

Solução

Descrição do fluido

Temos um escoamento em regime permanente. Em baixas velocidades, o ar que passa pelo duto será considerado um fluido perfeito, ou seja, incompressível e inviscido.

FIGURA 5.14

Análise

Para resolver esse problema, primeiro usaremos a equação da continuidade para obter a velocidade média do escoamento em A e em B. Depois, usaremos a equação de Bernoulli para determinar a diferença de pressão entre A e B.

Equação da continuidade

Vamos considerar um volume de controle fixo que contém o ar dentro do duto (Figura 5.14). Assim, para o escoamento em regime permanente,

$$\frac{\partial}{\partial t}\int_{vc} \rho\, dV + \int_{sc} \rho \mathbf{V} \cdot d\mathbf{A} = 0$$

$$0 - V_A A_A + V_B A_B = 0$$

$$Q = V_A A_A = V_B A_B$$

Mas

$$Q = \frac{\dot{m}}{\rho} = \frac{(3\ \text{lb/s})/32{,}2\ \text{pés/s}^2}{(0{,}075\ \text{lb/pé}^3)/32{,}2\ \text{pés/s}^2} = 40\ \text{pés}^3/\text{s}$$

de modo que

$$V_A = \frac{Q}{A_A} = \frac{40\ \text{pés}^3/\text{s}}{(1{,}5\ \text{pé})(1\ \text{pé})} = 26{,}67\ \text{pés/s}$$

e

$$V_B = \frac{Q}{A_B} = \frac{40\ \text{pés}^3/\text{s}}{(0{,}5\ \text{pé})(1{,}5\ \text{pé})} = 53{,}33\ \text{pés/s}$$

Equação de Bernoulli

Selecionando os pontos A e B na linha de corrente horizontal, temos

$$\frac{p_A}{\rho} + \frac{V_A^2}{2} + gz_A = \frac{p_B}{\rho} + \frac{V_B^2}{2} + gz_B$$

$$\frac{p_A}{\left(\dfrac{0{,}075\ \text{lb/pé}^3}{32{,}2\ \text{pés/s}^2}\right)} + \frac{(26{,}67\ \text{pés/s})^2}{2} + 0 = \frac{p_B}{\left(\dfrac{0{,}075\ \text{lb/pé}^3}{32{,}2\ \text{pés/s}^2}\right)} + \frac{(53{,}33\ \text{pés/s}^2)}{2} + 0$$

$$(p_A - p_B) = (2{,}484\ \text{lb/pés}^2)\left(\frac{1\ \text{pé}}{12\ \text{pol.}}\right)^2 = 0{,}0173\ \text{psi} \qquad \textit{Resposta}$$

Essa pequena queda de pressão, ou as baixas velocidades, não mudarão significativamente a densidade do ar, portanto, aqui é razoável ter considerado que o ar seja incompressível.

EXEMPLO 5.5

A água sobe pelo tubo vertical que está conectado à transição (Figura 5.15). Se a vazão volumétrica for 0,02 m³/s, determine a altura h que a água alcançará no tubo de Pitot. O nível do piezômetro em A é aquele indicado.

FIGURA 5.15

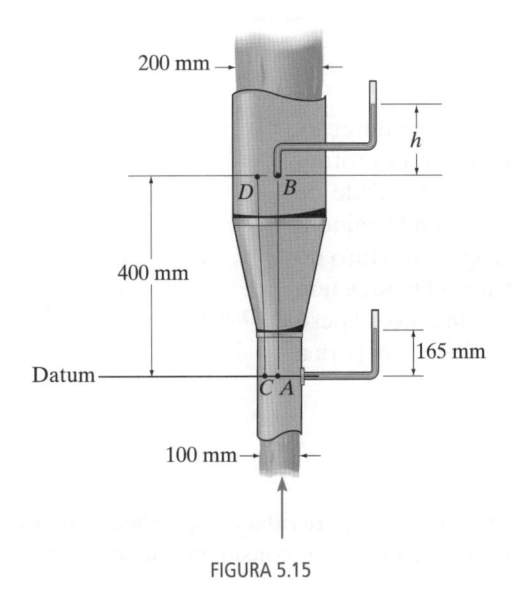

Solução

Descrição do fluido

O escoamento é em regime permanente e a água é considerada um fluido perfeito, onde $\rho_{água} = 1000$ kg/m^3.

Equação de Bernoulli

Pela leitura do piezômetro, a pressão em A é

$$p_A = \rho_{água} g h_A = (1000 \text{ kg/m}^3)(9,81 \text{ m/s}^2)(0,165 \text{ m}) = 1618,65 \text{ Pa}$$

Essa pressão total é causada pela pressão estática na água. Em outras palavras, ela é a pressão dentro do tubo fechado nesse nível.

Como a vazão é conhecida, a velocidade em A pode ser determinada.

$$Q = V_A A_A; \qquad 0,02 \text{ m}^3/\text{s} = V_A[\pi(0,05 \text{ m})^2]$$

$$V_A = 2,546 \text{ m/s}$$

Além disso, como B é um ponto de estagnação, $V_B = 0$. Agora podemos determinar a pressão em B aplicando a equação de Bernoulli nos pontos A e B na linha de corrente vertical da Figura 5.15. O datum é colocado em A, portanto,

$$\frac{p_A}{\rho_{água}} + \frac{V_A^2}{2} + g z_A = \frac{p_B}{\rho_{água}} + \frac{V_B^2}{2} + g z_B$$

$$\frac{1618,65 \text{ N/m}^2}{1000 \text{ kg/m}^3} + \frac{(2,546 \text{ m/s})^2}{2} + 0 = \frac{p_B}{1000 \text{ kg/m}^3} + 0 + (9,81 \text{ m/s}^2)(0,4 \text{ m})$$

$$p_B = 936,93 \text{ Pa}$$

Visto que B é um ponto de estagnação, essa pressão total é causada pelas pressões estática *e* dinâmica em B. Para o tubo de Pitot, é preciso que

$$h = \frac{p_B}{\rho_{água} g} = \frac{936,93 \text{ Pa}}{(1000 \text{ kg/m}^3)(9,81 \text{ m/s}^2)} = 0,09551 \text{ m} = 95,5 \text{ mm} \qquad \textit{Resposta}$$

Nota: embora não fazendo parte deste problema, a pressão em D pode ser obtida ($p_D = 734$ Pa) aplicando a equação de Bernoulli ao longo da linha de corrente CD. Primeiro, porém, a velocidade $V_D = 0,6366$ m/s deverá ser obtida pela aplicação de $Q = V_D A_D$.

EXEMPLO 5.6

Após um armazenamento de longa duração, o tanque de gás contém gasolina a uma profundidade de 6 pol. e água a uma profundidade de 2 pol., como mostra a Figura 5.16. Determine o tempo necessário para drenar a água se o furo do dreno tem um diâmetro de 0,25 pol. O tanque tem 1,5 pé de largura e 3 pés de comprimento. O peso específico da gasolina é $\gamma_g = 45{,}4$ lb/pés³, e, para a água, $\gamma_{água} = 62{,}4$ lb/pés³.

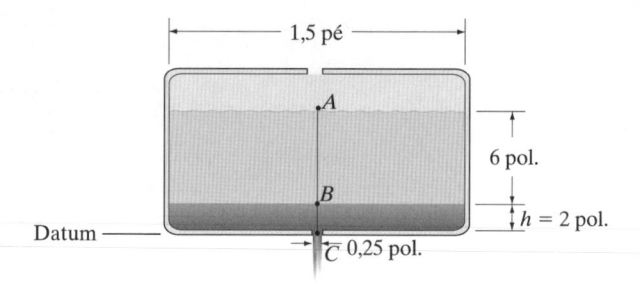

FIGURA 5.16

Solução

Descrição do fluido

A gasolina está sobre a água porque sua gravidade específica é menor do que a da água. Como o tanque é grande em relação ao furo de dreno, vamos considerar um escoamento em regime permanente e que os dois fluidos sejam perfeitos.

Equação de Bernoulli

Aqui, vamos selecionar a linha de corrente vertical contendo os pontos B e C (Figura 5.16). Em qualquer instante, o nível de água é h, medido a partir do datum, portanto, a pressão em B deve-se ao peso da gasolina acima dele, ou seja,

$$p_B = \gamma_g h_{AB} = (45{,}4 \text{ lb/pés}^3)\left[\frac{6}{12} \text{ pés}\right] = 22{,}70 \text{ lb/pés}^2$$

Para simplificar a análise para uso da equação de Bernoulli, vamos desconsiderar a velocidade em B, pois $V_B \approx 0$, portanto, V_B^2 será ainda menor. Como C está aberto para a atmosfera, $p_C = 0$. Logo,

$$\frac{p_B}{\rho} + \frac{V_B^2}{2} + gz_B = \frac{p_C}{\rho} + \frac{V_C^2}{2} + gz_C$$

$$\frac{22{,}70 \text{ lb/pés}^2}{\left(\frac{62{,}4 \text{ lb/pés}^3}{32{,}2 \text{ pés/s}^2}\right)} + 0 + (32{,}2 \text{ pés/s}^2)h = 0 + \frac{V_C^2}{2} + 0$$

$$V_C = 8{,}025\sqrt{0{,}3638 + h} \qquad (1)$$

Equação da continuidade

A continuidade do escoamento em B e C nos permitirá relacionar V_B, que *de fato* é diferente de zero, a V_C. Vamos escolher um volume de controle que contém toda a água até a profundidade h. Como V_B é de cima para baixo e h é positivo de baixo para cima, então, na superfície de controle do topo, $V_B = -dh/dt$. Logo,

$$\frac{\partial}{\partial t}\int_{vc} \rho d\forall + \int_{sc} \rho \mathbf{V} \cdot d\mathbf{A} = 0$$

$$0 - V_B A_B + V_C A_C = 0$$

$$0 - \left(-\frac{dh}{dt}\right)[(1{,}5 \text{ pé})(3 \text{ pés})] + V_C\left[\pi\left(\frac{0{,}125}{12} \text{ pé}\right)^2\right] = 0$$

$$\frac{dh}{dt} = -75{,}752(10^{-6})V_C$$

Agora, usando a Equação 1,

$$\frac{dh}{dt} = -75{,}752(10^{-6})\left[(8{,}025)\sqrt{h + 0{,}3638}\right]$$

ou

$$\frac{dh}{dt} = -607{,}91(10^{-6})\sqrt{h + 0{,}3638} \qquad (2)$$

Observe que, quando $h = 2$ pol. $= 0{,}1667$ pé, $V_B = dh/dt = -0{,}443(10^{-3})$ pé/s, que é muito baixa em comparação com $V_C = 5{,}84$ pés/s, conforme determinado pela Equação 1.

Se t_d é o tempo necessário para drenar o tanque, então, separando as variáveis na Equação 2 e integrando, obtemos

$$\int_{(2/12)\,\text{pés}}^{0}\frac{dh}{\sqrt{h + 0{,}3638}} = -\int_{0}^{t_d} 607{,}91(10^{-6})\,dt$$

$$2\sqrt{h + 0{,}3638}\,\Big|_{(2/12)\,\text{pés}}^{0} = -607{,}91(10^{-6})t_d$$

Avaliando os limites, obtemos

$$-0{,}2504 = -607{,}91\,(10^{-6})t_d$$

$$t_d = 412\ \text{s} = 6{,}87\ \text{min}. \qquad \textit{Resposta}$$

5.4 Linhas de energia e piezométrica

Para algumas aplicações envolvendo líquidos, é conveniente substituir $\gamma = \rho g$ na equação de Bernoulli e reescrevê-la da seguinte forma:

$$\boxed{H = \frac{p}{\gamma} + \frac{V^2}{2g} + z} \qquad (5.6)$$

Aqui, cada termo é expresso como a energia por unidade de peso, tendo unidades de J/N ou pés · lb/lb. No entanto, também podemos considerar esses termos como tendo unidades de comprimento, m ou pés. Então, o primeiro termo à direita representa a **carga de pressão** estática, que é a altura de uma carga de fluido suportada por uma pressão p que atua em sua base. O segundo termo é a **carga cinética** ou de **velocidade**, que indica a distância vertical que uma partícula de fluido deve cair a partir do repouso para alcançar a velocidade V. Por fim, o terceiro termo é a **carga gravitacional**, que é a altura de uma partícula de fluido colocada acima (ou abaixo) de um datum selecionado. A **carga total** H é a soma desses três termos, e um gráfico desse valor ao longo do comprimento de um tubo ou canal que contém o fluido é chamado de **linha de energia** (LE, do inglês, *energy grade line*). Embora cada um dos termos na Equação 5.6 possa mudar, sua soma H *permanecerá constante* em cada ponto ao longo da mesma linha de corrente, desde que não haja perdas por cisalhamento e não haja acréscimo ou remoção de energia por uma fonte externa, como uma bomba ou uma turbina. Experimentalmente, H pode ser obtido em qualquer ponto usando um tubo de Pitot, como mostra a Figura 5.17.

Para os problemas envolvendo o projeto de sistemas de tubulação ou canais, em geral é conveniente desenhar a linha de energia e também sua correspondente, a **linha piezométrica** (LP, do inglês, *hydraulic grade line*). Essa linha mostra como a **carga piezométrica** $p/\gamma + z$ variará ao longo do tubo (ou canal). Aqui, um piezômetro pode ser usado para obter seu valor de modo experimental (Figura 5.17). Por comparação, observe que a LE *sempre ficará acima* da LP a uma distância de $V^2/2g$.

FIGURA 5.17 — Linhas de energia e piezométrica

A Figura 5.18 mostra como a LE varia ao longo da linha de corrente na *linha de centro* de um tubo. Com praticamente nenhuma velocidade, a LP e a LE originalmente coincidem na superfície da água do reservatório A. À medida que a água, considerada aqui como um fluido perfeito, começa a escoar pelo tubo em B, ela é acelerada para uma velocidade V_1. Isso faz com que a LP caia por $V_1^2/2g$. Devido à continuidade do escoamento, essa velocidade precisa ser mantida por todo o tubo $BCDE$. Consequentemente, a carga gravitacional z acompanha a linha de centro do tubo, e a carga de pressão p/γ está acima dela. Especificamente, dentro da seção BC, a LP está em $p_1/\gamma + z_1$, e, ao longo da seção inclinada CD, a carga de pressão aumentará em proporção a uma queda na carga gravitacional. A continuidade, então, requer um *aumento* na velocidade a partir da transição de E para V_2, e essa velocidade é então mantida ao longo da tubulação EF. Essa velocidade aumentada faz com que a carga de pressão caia para zero (ou pressão atmosférica), tanto *dentro* quanto imediatamente fora do tubo em F, de modo que a LP é então definida apenas por sua carga gravitacional z_2 acima do datum.* Em outras palavras, conforme discutimos na Seção 5.1, o escoamento uniforme de um *fluido perfeito* através de um tubo horizontal reto não requer uma diferença de pressão ao longo do comprimento do tubo para empurrar o fluido pelo tubo, pois a pressão *não precisa* vencer uma resistência pelo cisalhamento.

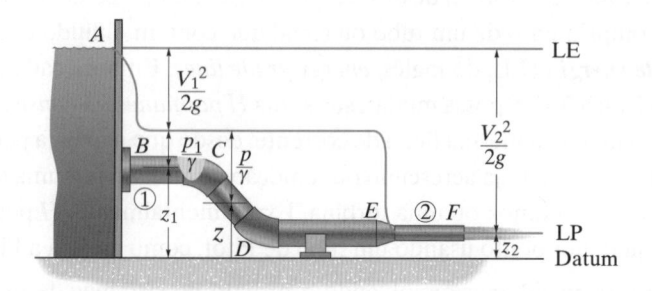

FIGURA 5.18

---

* Na realidade, haverá uma diferença hidrostática na pressão ao longo do diâmetro do tubo, conforme observado na página 199, pois o fluido dentro do tubo é *suportado* pelo tubo. Quando o fluido é ejetado, então ele está em queda livre e na pressão atmosférica.

Pontos importantes

- A equação de Bernoulli pode ser expressa em termos da carga total H do fluido. Essa carga é medida em unidades de comprimento e permanece constante ao longo de uma linha de corrente desde que não ocorram perdas por cisalhamento, e nenhuma energia é adicionada ao fluido ou retirada dele devido a fontes externas. $H = p/\gamma + V^2/2g + z =$ constante.
- Um gráfico da carga total H *versus* a distância na direção do escoamento é chamado de *linha de energia* (LE). Para os casos considerados aqui, essa linha sempre será horizontal, e seu valor pode ser calculado a partir de qualquer ponto ao longo do escoamento, onde p, V e z são conhecidos.
- A *linha piezométrica* (LP) é um gráfico da carga piezométrica, $p/\gamma + z$, *versus* a distância na direção do escoamento. Se a LE for conhecida, então a LP sempre será $V^2/2g$ *abaixo* da LE.

EXEMPLO 5.7

A água escoa por um tubo com diâmetro de 2 pol. a 0,2 pé³/s (Figura 5.19a). Se a pressão em A for 30 psi, determine a pressão em C e construa as linhas de energia e piezométrica de A até D. Considere $\gamma_{água} = 62,4$ lb/pés³.

Solução
Descrição do fluido

Temos um escoamento em regime permanente, e vamos considerar que a água seja um fluido perfeito.

Equação de Bernoulli

A velocidade média do escoamento através do tubo é

$$Q = VA; \qquad 0,2 \text{ pé}^3/\text{s} = V\left[\pi\left(\frac{1}{12}\text{pé}\right)^2\right]$$

$$V = 9,167 \text{ pés/s}$$

FIGURA 5.19

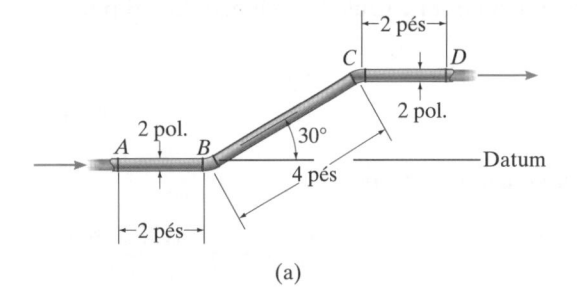

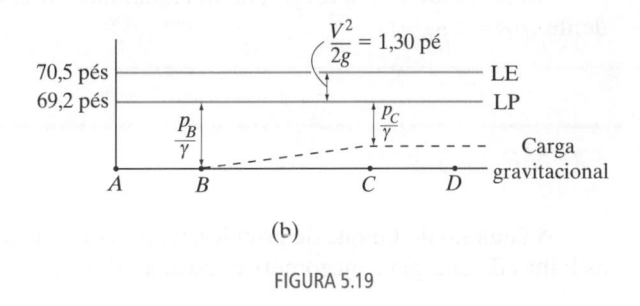

Como o tubo possui um diâmetro constante por seu comprimento, essa velocidade permanece *constante* a fim de satisfazer a equação da continuidade.

A pressão em A e B é a *mesma*, pois o segmento AB é horizontal. Podemos encontrar a pressão em C (e D) aplicando a equação de Bernoulli nos pontos B e C, que se encontram na mesma linha de corrente. Com o datum gravitacional através de AB, observando que $V_B = V_C = V$, temos

$$\frac{p_B}{\gamma_{água}} + \frac{V_B^2}{2g} + z_B = \frac{p_C}{\gamma} + \frac{V_C^2}{2g} + z_C$$

$$\frac{(30 \text{ lb/pol}^2)(12 \text{ pol.}/1 \text{ pé})^2}{62,4 \text{ lb/pés}^3} + \frac{(9,167 \text{ pés/s})^2}{2(32,2 \text{ pés/s}^2)} + 0 =$$

$$\frac{p_C}{62,4 \text{ lb/pés}^3} + \frac{(9,167 \text{ pés/s})^2}{2(32,2 \text{ pés/s}^2)} + (4 \text{ pés})\operatorname{sen}30°$$

$$p_C = p_D = \left(4195,2 \text{ lb/pés}^2\right)\left(\frac{1 \text{ pé}}{12 \text{ pol.}}\right)^2 = 29,1 \text{ psi} \qquad \textit{Resposta}$$

Observe que a pressão em *C* caiu porque a pressão em *B* precisa realizar trabalho para elevar o fluido até *C*.

LE e LP

A carga total permanece constante, pois não existem perdas por cisalhamento. Essa carga pode ser determinada a partir das condições em qualquer ponto ao longo do tubo. Usando o ponto *B*, temos

$$H = \frac{p_B}{\gamma} + \frac{V_B^2}{2g} + z_B = \frac{(30 \text{ lb/pol}^2)(12 \text{ pol./pés})^2}{62,4 \text{ lb/pés}^3} + \frac{(9{,}167 \text{ pés/s})^2}{2(32{,}2 \text{ pés/s}^2)} + 0$$

$$= 70{,}5 \text{ pés}$$

A LE está localizada como mostra a Figura 5.19*b*.

A velocidade através do tubo é constante, portanto, a carga de velocidade é

$$\frac{V^2}{2g} = \frac{(9{,}167 \text{ pés/s})^2}{2(32{,}2 \text{ pés/s}^2)} = 1{,}30 \text{ pé}$$

Agora que isso é conhecido, a LP é desenhada 1,30 pé *abaixo* da LE (Figura 5.19*b*). Observe que a LP também pode ser calculada ao longo de *AB* por

$$\frac{p_B}{\gamma} + z_B = \frac{(30 \text{ lb/pol}^2)(12 \text{ pol./pés})^2}{62,4 \text{ lb/pés}^3} + 0 = 69{,}2 \text{ pés}$$

ou, ao longo de *CD*, por

$$\frac{p_C}{\gamma} + z_C = \frac{4195{,}2 \text{ lb/pés}^2}{62,4 \text{ lb/pés}^3} + (4 \text{ pés})\text{sen}30° = 69{,}2 \text{ pés}$$

Ao longo de *BC*, a carga gravitacional aumenta, e a carga de pressão diminuirá de modo correspondente ($p_C/\gamma < p_B/\gamma$).

EXEMPLO 5.8

A água sai do tanque de grandes proporções e passa pela tubulação mostrada na Figura 5.20. Construa as linhas de energia e piezométrica para a tubulação.

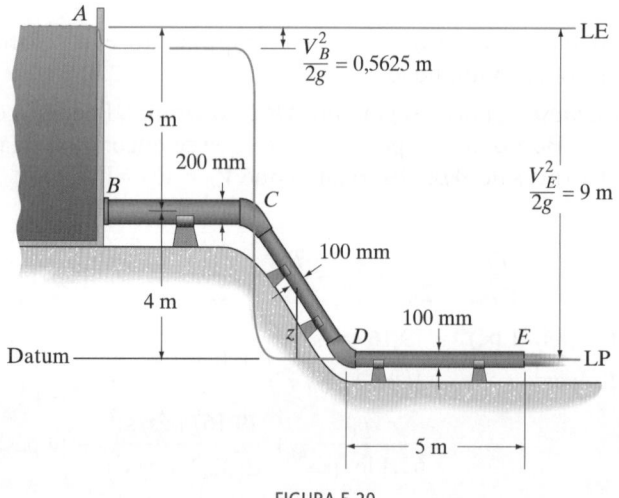

FIGURA 5.20

Solução

Descrição do fluido

Vamos considerar que o nível de água no tanque permaneça basicamente constante, de modo que o escoamento em regime permanente seja mantido. A água é considerada um fluido perfeito.

Linha de energia

Tomaremos o datum gravitacional através de DE. Em A, as cargas de velocidade e de pressão são ambas zero, portanto, a carga total é igual à carga gravitacional, que está em um nível de

$$H = \frac{p_A}{\gamma} + \frac{V_A^2}{2g} + z = 0 + 0 + (4\text{ m} + 5\text{ m}) = 9\text{ m}$$

A LE permanece nesse nível, pois o fluido é perfeito, portanto, não existem perdas de energia devido ao cisalhamento enquanto a água escoa pela tubulação.

Linha piezométrica

Como a pressão (manométrica) em A e E é zero, a velocidade da água que sai do tubo em E pode ser determinada aplicando a equação de Bernoulli nesses pontos, que se encontram na mesma linha de corrente.

$$\frac{p_A}{\gamma} + \frac{V_A^2}{2g} + z_A = \frac{p_E}{\gamma} + \frac{V_E^2}{2g} + z_E$$

$$0 + 0 + 9\text{ m} = 0 + \frac{V_E^2}{2(9{,}81\text{ m/s}^2)} + 0$$

$$V_E = 13{,}29\text{ m/s}$$

A velocidade da água através da tubulação BC agora pode ser determinada a partir da equação da continuidade, considerando que o volume de controle fixo contenha a água dentro da tubulação inteira. Temos

$$\frac{\partial}{\partial t}\int_{vc}\rho\, d\forall + \int_{sc}\rho\mathbf{V}\cdot d\mathbf{A} = 0$$

$$0 - V_B A_B + V_E A_E = 0$$

$$-V_B\left[\pi(0{,}1\text{ m})^2\right] + 13{,}29\text{ m/s}\left[\pi(0{,}05\text{ m})^2\right] = 0$$

$$V_B = 3{,}322\text{ m/s}$$

A LP agora pode ser estabelecida. Ela está localizada *abaixo* da LE, a uma distância definida pela carga de velocidade $V^2/2g$. Para o segmento de tubo BC, essa carga é

$$\frac{V_B^2}{2g} = \frac{(3{,}322\text{ m/s})^2}{2(9{,}81\text{ m/s}^2)} = 0{,}5625\text{ m}$$

A LP é mantida em 9 m − 0,5625 m = 8,44 m, até que a transição em C mude a carga de velocidade dentro de CDE para

$$\frac{V_E^2}{2g} = \frac{(13{,}29\text{ m/s})^2}{2(9{,}81\text{ m/s}^2)} = 9\text{ m}$$

Isso faz com que a LP caia para 9 m − 9 m = 0. Em outras palavras, ao longo do tubo CDE, a LP está *no datum gravitacional*. Ao longo de CD, z é sempre positivo (Figura 5.20) e, portanto, uma carga de pressão *negativa* correspondente $-p/\gamma$ deverá ser desenvolvida dentro do escoamento para manter uma carga piezométrica zero, ou seja, $p/\gamma + z = 0$. Se essa pressão negativa tornar-se grande o bastante, ela poderá causar cavitação, algo que discutiremos no próximo exemplo. Por fim, ao longo de DE, $z = 0$ e também $p_D = p_E = 0$.

EXEMPLO 5.9

O sifão na Figura 5.21a é usado para retirar água do grande tanque aberto. Se a pressão de vapor absoluta para a água é $p_v = 1{,}23$ kPa, determine o menor comprimento de queda L do tubo com diâmetro de 50 mm que causará cavitação no tubo. Desenhe as linhas de energia e piezométrica para o tubo.

Solução

Descrição do fluido

Como no exemplo anterior, vamos considerar que a água seja um fluido perfeito e o nível no tanque permaneça basicamente fixo, de modo que temos um escoamento em regime permanente. $\gamma = 9810$ N/m³.

Equação de Bernoulli

Para obter a velocidade em C, aplicaremos a equação de Bernoulli nos pontos A e C, que se encontram na mesma linha de corrente. Com o datum gravitacional em C, temos

(a)

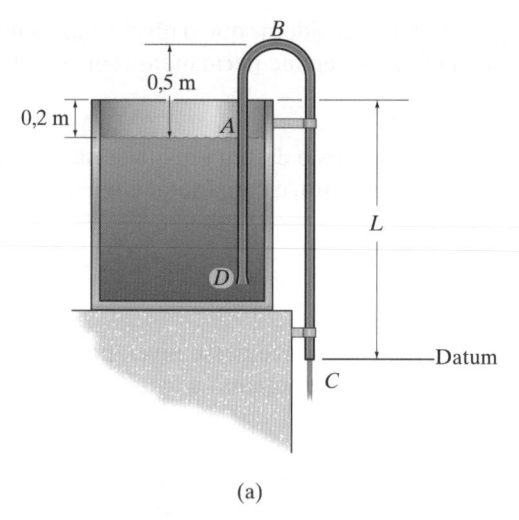

FIGURA 5.21 (Continua)

$$\frac{p_A}{\gamma} + \frac{V_A^2}{2g} + z_A = \frac{p_C}{\gamma} + \frac{V_C^2}{2g} + z_C$$

$$0 + 0 + (L - 0{,}2 \text{ m}) = 0 + \frac{V_C^2}{2(9{,}81 \text{ m/s}^2)} + 0$$

$$V_C = 4{,}429\sqrt{(L - 0{,}2 \text{ m})} \qquad (1)$$

Esse resultado é válido desde que a pressão em qualquer ponto dentro do tubo não caia para a pressão do vapor ou abaixo dela. Se isso acontecer, a água ferverá (sofrerá cavitação), causando um "chiado" e uma perda de energia. Naturalmente, isso invalidará a aplicação da equação de Bernoulli. Como o escoamento é considerado em regime permanente e o tubo possui um diâmetro constante, então, devido à continuidade, $V^2/2g$ é constante através do tubo, portanto, a carga piezométrica ($p/\gamma + z$) também deverá ser constante.

A *menor pressão* no tubo ocorre em B, onde z, medido a partir do datum, é um máximo. Usando a pressão atmosférica padrão de 101,3 kPa, a pressão de vapor manométrica para a água é 1,23 kPa − 101,3 kPa = −100,07 kPa. Considerando que essa pressão negativa se desenvolve em B, aplicando a equação de Bernoulli nos pontos B e C, observando que $V_B = V_C$, temos

$$\frac{p_B}{\gamma} + \frac{V_B^2}{2g} + z_B = \frac{p_C}{\gamma} + \frac{V_C^2}{2g} + z_C$$

$$\frac{-100{,}07(10^3) \text{ N/m}^2}{9810 \text{ N/m}^3} + \frac{V^2}{2g} + (L + 0{,}3 \text{ m}) = 0 + \frac{V^2}{2g} + 0$$

$$L + 0{,}3 \text{ m} = 10{,}20 \text{ m}$$

$$L = 9{,}90 \text{ m} \qquad \textit{Resposta}$$

Pela Equação 1, a velocidade crítica é

$$V_C = 4{,}429\sqrt{(9{,}90 \text{ m} - 0{,}2 \text{ m})} = 13{,}80 \text{ m/s}$$

Se L é maior ou igual a 9,90 m, a cavitação ocorrerá no sifão em B porque, então, a pressão em B será igual ou menor que −100,07 kPa.

Observe que também podemos obter esse resultado aplicando a equação de Bernoulli, primeiro entre A e B, para obter V_B, depois entre B e C, para obter L.

LE e LP

Como $V_B = V_C = 13{,}80$ m/s, a carga de velocidade é*

$$\frac{V^2}{2g} = \frac{(13{,}80 \text{ m/s})^2}{2(9{,}81 \text{ m/s}^2)} = 9{,}70 \text{ m}$$

Usando esse resultado, a carga total pode ser determinada a partir de C,

$$H = \frac{p_C}{\gamma} + \frac{V_C^2}{2g} + z_C = 0 + 9{,}70 \text{ m} + 0 = 9{,}70 \text{ m}$$

Tanto a LE quanto a LP aparecem na Figura 5.21b. Aqui, a LP cai 9,70 m a partir de A, o que é causado pelo aumento brusco correspondente na carga da velocidade. A LP permanece em zero porque a velocidade através do tubo é constante e, assim, $H = V^2/2g$. Ao longo do tubo, a carga de pressão p/γ diminui de zero em A até $p/\gamma = -100{,}07(10^3)\text{N/m}^2/9810 \text{ N/m}^3 = -10{,}2$ m em B, enquanto a carga gravitacional z aumenta de $L = 9{,}70$ m para $9{,}70$ m + $0{,}5$ m = $10{,}2$ m (Figura 5.21b). Depois de arredondar o topo do tubo em B, a carga de pressão aumenta, enquanto a carga gravitacional diminui por uma quantidade correspondente.

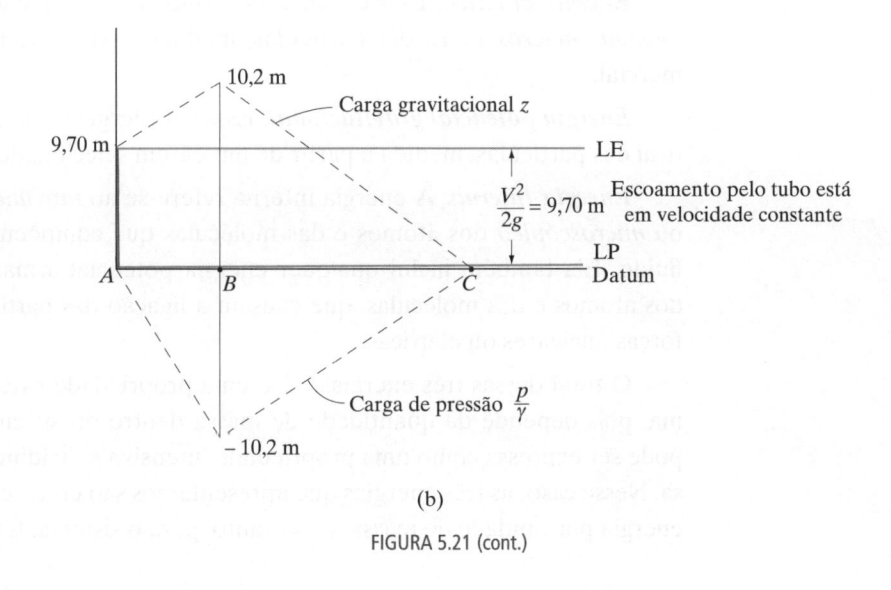

(b)

FIGURA 5.21 (cont.)

---

* A cavitação é impedida quando V_C é, na realidade, ligeiramente menor do que esse valor.

5.5 A equação da energia

Nesta seção, vamos expandir nossa aplicação dos métodos do trabalho e da energia para além da limitação da equação de Bernoulli, incluindo o calor e o escoamento de fluido viscoso, juntamente com a entrada de trabalho de uma bomba e a saída de trabalho para uma turbina. No entanto, antes de começar, primeiro discutiremos sobre as diversas formas de energia que um sistema de fluido pode ter quando está contido no volume de controle mostrado na Figura 5.22.

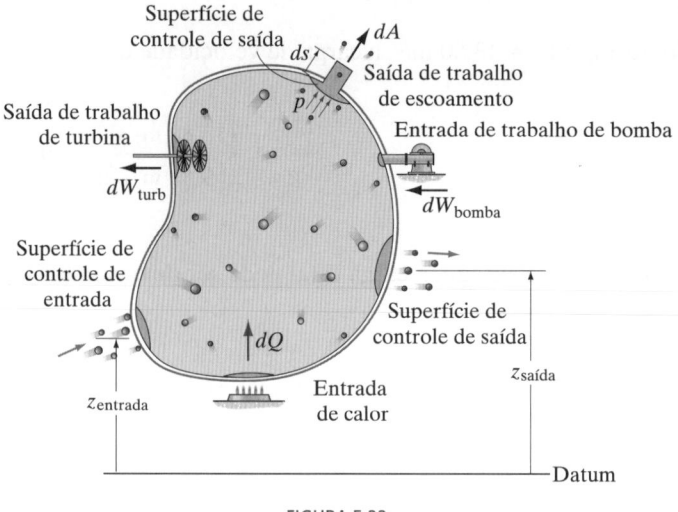

FIGURA 5.22

Energia do sistema

Em um instante qualquer, a energia total E do sistema de fluido consiste em três partes:

Energia cinética. Essa é a energia do movimento, que depende da *velocidade macroscópica* das partículas, medida a partir de um referencial inercial.

Energia potencial gravitacional. Essa é a energia devida à posição vertical das partículas, medida a partir de um datum selecionado.

Energia interna. A energia interna refere-se ao *movimento vibratório* ou *microscópico* dos átomos e das moléculas que compõem o sistema de fluido. Ela também inclui qualquer energia potencial armazenada dentro dos átomos e das moléculas, que causam a ligação das partículas devido a forças nucleares ou elétricas.

O total dessas três energias, E, é uma propriedade extensiva do sistema, pois depende da quantidade de massa dentro do sistema. Porém, ela pode ser expressa como uma propriedade intensiva e dividindo E pela massa. Nesse caso, as três energias que apresentamos são então expressas como energia por unidade de massa, e, portanto, para o sistema, temos

$$e = \frac{1}{2}V^2 + gz + u \tag{5.7}$$

Vamos agora considerar as diversas formas de calor e o trabalho realizado pelo sistema de fluido na Figura 5.22.

Energia do calor

A energia do calor dQ pode ser acrescentada ou retirada por meio de uma superfície de controle aberta, através do processo de condução, convecção ou radiação. Ela *aumenta* a energia total do sistema dentro do volume de controle se *for transferida para dentro* (sistema aquecido) e *diminui* a energia total se ela *for transferida para fora* (sistema resfriado).

Trabalho

O trabalho dW pode ser realizado *pelo sistema fechado* sobre seus arredores através de uma superfície de controle aberta. O trabalho *diminui* a energia total do sistema quando é *feito pelo sistema*, e *aumenta* a energia total do sistema quando é feito *sobre o sistema*. Na mecânica dos fluidos, estaremos interessados em três tipos de trabalho.

Trabalho de escoamento

Quando um fluido está sujeito a uma pressão, ele pode empurrar um volume $d\mathcal{V}$ da massa do sistema para fora da abertura da superfície de controle. Esse é o **trabalho de escoamento**, dW_p. Para calculá-lo, considere o pequeno volume do sistema $d\mathcal{V} = dA\ ds$ na Figura 5.22 sendo empurrado *para fora* pela pressão (manométrica) p dentro do sistema. Visto que dA é a área transversal desse volume, então a força exercida pelo sistema é $dF = p\ dA$. Se a distância que o volume se move para fora é ds, então o trabalho de escoamento para esse pequeno volume é $dW_p = dF\ ds = p(dA\ ds) = p\ d\mathcal{V}$.

Trabalho do eixo

Se o trabalho é realizado sobre uma *turbina* pelo sistema de fluido dentro do volume de controle, então o trabalho *subtrairá* energia do sistema em uma superfície de controle aberta (Figura 5.22). Porém, também é possível que o trabalho seja realizado sobre o sistema por uma *bomba*, acrescentando assim energia externa ao fluido. Nos dois casos, esse tipo de trabalho é denominado **trabalho do eixo**, pois um eixo é usado para a entrada ou extração de trabalho.

Trabalho de cisalhamento

A viscosidade de qualquer fluido real fará com que a tensão de cisalhamento τ se desenvolva tangente à superfície interna do volume de controle. Devido à condição de não deslizamento sobre uma superfície de controle *fixa*, nenhum trabalho pode ser feito sobre a superfície, pois a tensão de cisalhamento *não se move* ao longo da superfície. Somente ao longo de uma superfície de controle aberta é que essa tensão de cisalhamento pode se *mover*, criando assim o *trabalho de cisalhamento* dW_τ. Aqui, porém, vamos *desconsiderar* essa forma de trabalho, pois quaisquer superfícies de controle abertas sempre serão selecionadas *perpendiculares* ao escoamento do fluido entrando e saindo do volume de controle. Por causa disso, não ocorre qualquer deslocamento de fluido tangente à superfície de controle aberta e, portanto, nenhum trabalho devido à tensão de cisalhamento é realizado.*

---

* A tensão viscosa normal pode ocorrer se o escoamento for não uniforme. Porém, qualquer trabalho realizado por essa tensão será zero desde que o fluido seja invíscido; ou então, se ele for considerado viscoso, a tensão normal igualará a pressão se as linhas de corrente forem paralelas. Vamos considerar que este seja o caso neste livro. Além disso, veja a nota de rodapé na página 350.

Equação da energia

A conservação de energia para um sistema de fluido contido dentro do volume de controle é formalizada pela *primeira lei da termodinâmica*. Essa lei declara que a taxa no tempo em que o calor é *adicionado* ou *inserido* no sistema, $\dot{Q}_{\text{entrada}}$, menos a taxa de *saída* de trabalho realizado pelo sistema, é igual à taxa temporal de variação da energia total dentro do sistema.

$$\dot{Q}_{\text{entrada}} - \dot{W}_{\text{saída}} = \left(\frac{dE}{dt}\right)_{\text{sist.}} \quad (5.8)$$

O termo da direita pode ser convertido para a taxa de variação de energia dentro do volume de controle usando o teorema de transporte de Reynolds (Equação 3.17), onde $\eta = e$, definido pela Equação 5.7. Temos agora

$$\dot{Q}_{\text{entrada}} - \dot{W}_{\text{saída}} = \frac{\partial}{\partial t}\int_{\text{vc}} e\rho \, d\forall + \int_{\text{sc}} e\rho \mathbf{V}\cdot d\mathbf{A}$$

Os dois termos da direita indicam a taxa local de variação de energia por unidade de massa *dentro* do volume de controle, mais a quantidade convectiva de energia resultante por unidade de massa atravessando as superfícies de controle abertas. Supondo que o *escoamento seja em regime permanente*, então esse primeiro termo será igual a zero. Substituindo a Equação 5.7 para *e* no último termo, obtemos

$$\dot{Q}_{\text{entrada}} - \dot{W}_{\text{saída}} = 0 + \int_{\text{sc}}\left(\frac{1}{2}V^2 + gz + u\right)\rho\mathbf{V}\cdot d\mathbf{A} \quad (5.9)$$

A taxa temporal de saída de trabalho pode ser representada pelas taxas do seu trabalho de escoamento e trabalho de eixo. Como já dissemos, o trabalho de escoamento é causado por pressão, onde $dW_p = p(dA\,ds)$, e assim a *taxa* de trabalho de escoamento que sai por uma superfície de controle é

$$\dot{W}_p = \frac{dW_p}{dt} = \int_{\text{sc}} p\left(\frac{ds}{dt}dA\right) = \int_{\text{sc}} p\mathbf{V}\cdot d\mathbf{A}$$

Uma turbina produzirá saída de trabalho de eixo (positivo), dW_{turb}, e uma bomba produzirá entrada de trabalho de eixo (negativo), dW_{bomba}. Portanto, a taxa temporal do trabalho total *para fora do sistema* pode ser expressa como

$$\dot{W}_{\text{saída}} = \int_{\text{sc}} p\mathbf{V}\cdot d\mathbf{A} + \dot{W}_{\text{turb}} - \dot{W}_{\text{bomba}}$$

Substituindo esse resultado na Equação 5.9 e rearrumando os termos, obtemos

$$\dot{Q}_{\text{entrada}} - \dot{W}_{\text{turb}} + \dot{W}_{\text{bomba}} = \int_{\text{sc}}\left[\frac{p}{\rho} + \frac{1}{2}V^2 + gz + u\right]\rho\mathbf{V}\cdot d\mathbf{A} \quad (5.10)$$

A integração deve ser executada sobre as superfícies de controle de saída e entrada. Para o nosso caso, vamos considerar que o escoamento seja uniforme e unidimensional, e, portanto, serão usadas velocidades médias. Além disso, vamos supor que a pressão *p* e o local *z* em cada abertura são *constantes* (Figura 5.22). A continuidade requer que vazão mássica que entra seja igual à vazão mássica que sai, de modo que $\dot{m} = \rho_{\text{entrada}}V_{\text{entrada}}A_{\text{entrada}} = \rho_{\text{saída}}V_{\text{saída}}A_{\text{saída}}$, portanto, a Equação 5.10 agora se torna

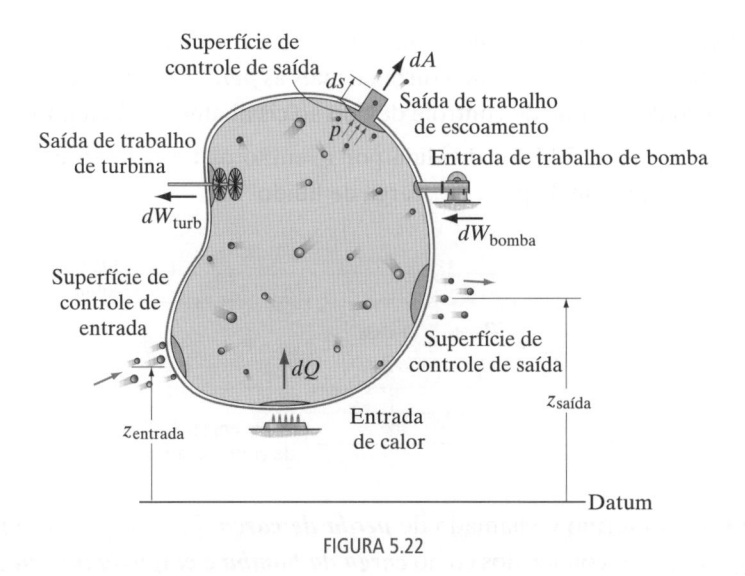

FIGURA 5.22

$$\dot{Q}_{entrada} - \dot{W}_{turb} + \dot{W}_{bomba} =$$

$$\left[\left(\frac{p_{saída}}{\rho_{saída}} + \frac{V_{saída}^2}{2} + gz_{saída} + u_{saída}\right) - \left(\frac{p_{entrada}}{\rho_{entrada}} + \frac{V_{entrada}^2}{2} + gz_{entrada} + u_{entrada}\right)\right]\dot{m} \quad (5.11)$$

Essa é a *equação da energia* para o *escoamento em regime permanente* unidimensional, e aplica-se a fluidos compressíveis e incompressíveis.

Escoamento incompressível

Se considerarmos que o escoamento é em regime permanente e incompressível, então $\rho_{entrada} = \rho_{saída} = \rho$. Além disso, se a Equação 5.11 for dividida por $\dot{m}$, e os termos forem rearranjados, obteremos

$$\frac{p_{entrada}}{\rho} + \frac{V_{entrada}^2}{2} + gz_{entrada} + w_{bomba} = \frac{p_{saída}}{\rho} + \frac{V_{saída}^2}{2} + gz_{saída} + w_{turb} + (u_{saída} - u_{entrada} - q_{entrada})$$

Aqui, cada termo representa a energia por unidade de massa, J/kg ou pé · lb/slug. Especificamente, w_{bomba} e w_{turb} são o trabalho de eixo por unidade de massa, realizado pela bomba e pela turbina, respectivamente; e o termo $q_{entrada}$, um escalar, é a energia de calor por unidade de massa que *entra* no sistema.

Mais adiante, no Capítulo 7, vamos expressar as perdas por cisalhamento que produzem a variação na energia interna ($u_{saída} - u_{entrada}$) em termos dos coeficientes de velocidade. Aqui, vamos simplesmente declarar isso coletivamente como *pc* (perda por cisalhamento). Por fim, se excluirmos problemas envolvendo transferência de calor, então $q_{entrada} = 0$; portanto, para os nossos propósitos, uma expressão geral da equação da energia torna-se

$$\frac{p_{entrada}}{\rho} + \frac{V_{entrada}^2}{2} + gz_{entrada} + w_{bomba} = \frac{p_{saída}}{\rho} + \frac{V_{saída}^2}{2} + gz_{saída} + w_{turb} + pc \quad (5.12)$$

Essa equação declara que a energia total disponível por unidade de massa passando pelas superfícies de controle de *entrada*, mais o trabalho por unidade de massa que é *adicionado* ao fluido dentro do volume de controle por uma bomba, é *igual* à energia total por unidade de massa que passa pelas superfícies de controle de *saída*, mais a energia *removida* do fluido dentro do volume de controle por uma turbina, mais as *perdas de energia* que ocorrem dentro do volume de controle devido ao cisalhamento do fluido.

Se a Equação 5.12 for dividida por *g*, então os termos representam a energia por unidade de peso ou "carga de fluido".

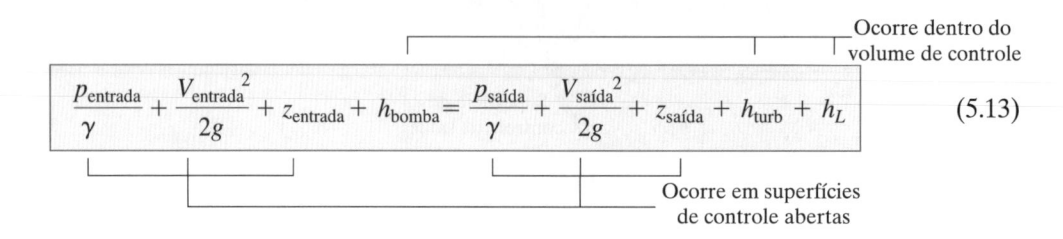

$$\frac{p_{entrada}}{\gamma} + \frac{V_{entrada}^2}{2g} + z_{entrada} + h_{bomba} = \frac{p_{saída}}{\gamma} + \frac{V_{saída}^2}{2g} + z_{saída} + h_{turb} + h_L \quad (5.13)$$

Ocorre dentro do volume de controle

Ocorre em superfícies de controle abertas

O último termo é chamado de **perda de carga**, $h_L = pc/g$, e os termos h_{bomba} e h_{turb} são conhecidos como **carga da bomba** e **carga da turbina**, respectivamente. Portanto, essa forma da equação da energia requer que a carga de entrada total mais a carga da bomba seja igual à carga de saída total mais a carga da turbina mais a perda de carga. Observe que a Equação 5.13 se reduz à equação de Bernoulli se não houver trabalho do eixo e nenhuma variação na energia interna do fluido, $h_L = 0$.

Fluido compressível

Para o escoamento gasoso compressível, a Equação 5.11 geralmente é expressa em termos da entalpia de uma unidade de massa de gás. A **entalpia** *h* é definida como a soma do trabalho de escoamento e da energia interna. Como o trabalho de escoamento para um volume de fluido é $p \, d\forall$, então, para uma unidade de massa, $p \, d\forall / dm = p/\rho$. Portanto,

$$h = p/\rho + u \quad (5.14)$$

Se substituirmos isso na Equação 5.11, obteremos

$$\dot{Q}_{entrada} - \dot{W}_{turb} + \dot{W}_{bomba} = \left[\left(h_{saída} + \frac{V_{saída}^2}{2} + gz_{saída} \right) - \left(h_{entrada} + \frac{V_{entrada}^2}{2} + gz_{entrada} \right) \right] \dot{m} \quad (5.15)$$

A aplicação dessa equação se tornará importante no Capítulo 13, onde discutimos sobre o escoamento compressível.

Potência e eficiência

A potência de saída de uma turbina ou a potência de entrada de uma bomba é definida como sua *taxa temporal* para realizar o trabalho, $\dot{W} = dW/dt$. No sistema SI, a potência é medida em watts (1 W = J/s), e no sistema FPS, ela é medida em pés · lb/s, ou em hp, onde 1 hp = 550 pés · lb/s. Podemos expressar a potência em termos da carga da bomba ou da turbina, onde ambas são chamadas de **carga de eixo**, h_s, observando que $w_s = \dot{W}_s/\dot{m}$ ou $\dot{W}_s = w_s \dot{m}$. Pela derivação da Equação 5.13, lembre-se de que $h_s = w_s/g$, ou $w_s = h_s g$, e como $\dot{m} = \rho Q = \gamma Q/g$, então

$$\boxed{\dot{W}_s = \dot{m} g h_s = Q \gamma h_s} \quad (5.16)$$

Como as bombas (e as turbinas) possuem perdas por cisalhamento, elas nunca serão 100% eficientes. Para as bombas, a *eficiência mecânica* e é a razão entre a potência mecânica oferecida ao fluido $(\dot{W}_s)_{\text{saída}}$ e a potência elétrica exigida para fazer a bomba funcionar, $(\dot{W}_s)_{\text{entrada}}$. Assim,

$$e = \frac{(\dot{W}_s)_{\text{saída}}}{(\dot{W}_s)_{\text{entrada}}} \quad 0 < e < 1 \tag{5.17}$$

Velocidade não uniforme

A integração do termo da velocidade na equação da energia, Equação 5.10, foi possível porque consideramos que ocorre um *escoamento uniforme* ou *constante* pelas superfícies de controle de entrada e saída. Porém, dentro de bombas e turbinas, o escoamento nunca é em regime permanente enquanto o fluido passa pela máquina. Embora isso possa acontecer sob velocidade de rotação constante, o escoamento é *cíclico*, e normalmente esses ciclos são rápidos. Desde que o tempo considerado para observar o escoamento seja maior do que o de um único ciclo, então a média no tempo de uma quantidade de escoamento através das superfícies de controle abertas pode ser razoavelmente determinada usando a equação da energia. Vamos nos referir a esse escoamento passando pelas superfícies de controle abertas como *escoamento quase permanente*.

Além disso, se um perfil de velocidade para o escoamento nas superfícies de controle de entrada e saída for não uniforme, como ocorre em todos os casos de escoamento viscoso, então o perfil de velocidade precisa ser conhecido para executar a integração na Equação 5.10. Uma forma de representar essa integração é usar um *coeficiente de energia cinética* adimensional α, e expressar a integração do perfil de velocidade em termos da velocidade média V do perfil, conforme determinado pela Equação 4.3, ou seja, $V = \int v \, dA / A$. Em outras palavras, o termo da velocidade na Equação 5.10 pode ser escrito como $\int_{\text{sc}} \frac{1}{2} V^2 \rho \mathbf{V} \cdot d\mathbf{A} = \alpha \frac{1}{2} V^2 \dot{m}$, de modo que

$$\alpha = \frac{1}{\dot{m} V^2} \int_{\text{sc}} V^2 \rho \mathbf{V} \cdot d\mathbf{A} \tag{5.18}$$

Portanto, em casos onde possa ser necessário considerar a não uniformidade da velocidade em uma superfície de controle, podemos substituir os termos envolvendo V^2 na equação de energia por αV^2. Por exemplo, mostraremos no Capítulo 9 que, para o escoamento laminar, o perfil de velocidade para o fluido em um tubo é uma *paraboloide* (Figura 5.23a); portanto, para esse caso, a integração resultará em $\alpha = 2$.[*] Para o escoamento turbulento, normalmente basta considerar $\alpha = 1$, pois a mistura turbulenta do fluido fará com que o perfil de velocidade se torne aproximadamente uniforme (Figura 5.23b).

Os exemplos a seguir ilustram diversas aplicações da equação da energia aos problemas que envolvem calor e perdas de carga devido ao cisalhamento viscoso, e o trabalho adicional devido a turbinas e bombas. Outras aplicações dessa importante equação serão dadas em outros capítulos deste livro.

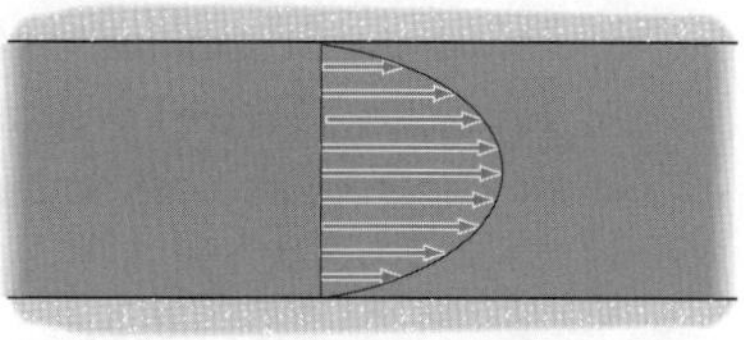

---

* Veja o Problema 5.77.

Perfil de velocidade
para escoamento laminar
(a)

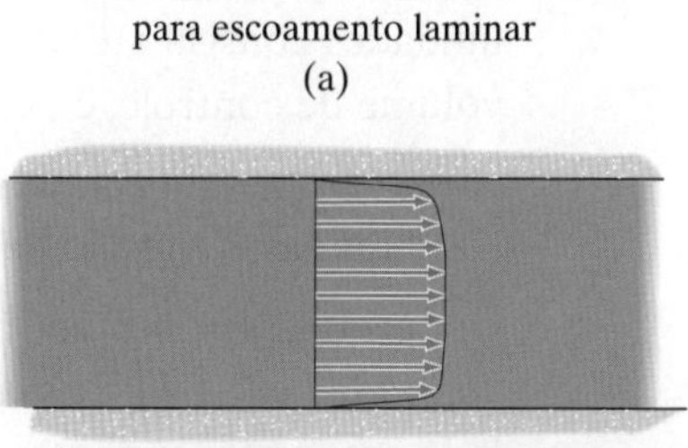

Perfil de velocidade médio
para escoamento turbulento
(b)

FIGURA 5.23

Pontos importantes

- A equação da energia é baseada na primeira lei da termodinâmica, que declara que a taxa de variação no tempo da energia total dentro de um sistema de fluido é igual à taxa em que o calor é *adicionado* ao sistema menos a taxa de trabalho realizado pelo sistema.
- Em geral, a energia total E do sistema dentro de um volume de controle consiste na energia cinética de todas as partículas do fluido, sua energia potencial e suas energias atômicas e moleculares internas.
- O trabalho realizado por um sistema pode ser o *trabalho do escoamento* devido à pressão, o *trabalho do eixo* devido a uma bomba ou turbina ou o *trabalho de cisalhamento* causado pelo cisalhamento viscoso nas laterais de uma superfície de controle aberta. O trabalho de cisalhamento não é considerado aqui, pois o escoamento sempre será *perpendicular* a qualquer superfície de controle aberta.
- A equação da energia é idêntica à equação de Bernoulli quando não ocorre perda por cisalhamento interno e transferência de calor, e nenhum trabalho do eixo é realizado sobre ou pelo sistema de fluido.

Procedimento para análise

O procedimento a seguir pode ser usado ao se aplicarem as diversas formas da equação da energia.

Descrição do fluido

- Conforme desenvolvida aqui, a equação da energia se aplica ao escoamento em regime permanente unidimensional de fluidos compressíveis e incompressíveis.

Volume de controle

- Selecione o volume de controle que contém o fluido e indique as superfícies de controle abertas. Esteja certo de que essas superfícies estejam localizadas em regiões onde o escoamento é uniforme e bem definido.

Estabeleça um datum fixo para medir a elevação (energia potencial) do fluido que entra e sai de cada superfície de controle.

Lembre-se de que, se o fluido for considerado invíscido ou perfeito, então seu perfil de velocidade é uniforme enquanto ele passa por uma superfície de controle aberta. A velocidade média V pode então ser usada. Se um fluido víscido for considerado, então o coeficiente α pode ser determinado usando a Equação 5.17, e αV^2 é usado no lugar de V^2. As velocidades médias "entrada" e "saída" das superfícies de controle abertas podem ser determinadas se a vazão volumétrica for conhecida, $Q = VA$.

Equação da energia

- Escreva a equação da energia e, abaixo dela, substitua os dados numéricos usando um conjunto de unidades consistente. A energia do calor $dQ_{entrada}$ é *positiva* se o calor é transferido para *dentro* do volume de controle, e é *negativa* se o calor é transferido *para fora*.

Reservatórios de grandes proporções, ou grandes tanques que drenam lentamente, possuem superfícies líquidas que estão basicamente em repouso, $V \approx 0$.

Os termos $(p/\gamma + z)$ na Equação 5.13 representam a carga piezométrica nas superfícies de controle "entrada" e "saída". Essa carga permanece constante sobre cada superfície, portanto, pode ser calculada em *qualquer ponto* na superfície. Quando esse ponto é selecionado, sua elevação z é *positiva* se ele estiver *acima* de um datum e *negativa* se estiver *abaixo* de um datum.

Se mais de uma incógnita tiver de ser determinada, pense em relacionar as velocidades usando a equação da continuidade ou relacionar as pressões usando a equação do manômetro, se aplicável.

EXEMPLO 5.10

A turbina na Figura 5.24 é usada em uma pequena usina hidrelétrica, junto com um tubo com diâmetro de 0,3 m. Se a descarga em B for de 1,7 m³/s, determine a quantidade de potência que é transferida da água para as pás da turbina. A perda de carga por cisalhamento através do tubo e da turbina é de 4 m.

Solução

Descrição do fluido

Esse é um caso de escoamento em regime permanente. Aqui, as perdas por cisalhamento viscoso ocorrem dentro do fluido. Consideramos que a água é incompressível, onde $\gamma_{água} = 9810$ N/m³.

Volume de controle

Uma parte do reservatório, junto com a água dentro do tubo, é selecionada para ser o volume de controle fixo. A velocidade média em B pode ser determinada a partir da descarga.

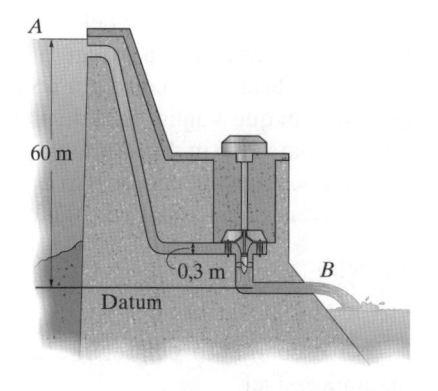

FIGURA 5.24

$$Q = V_B A_B; \qquad 1{,}7 \text{ m}^3/\text{s} = V_B[\pi (0{,}15 \text{ m})^2]$$

$$V_B = 24{,}05 \text{ m/s}$$

Equação da energia

Por conveniência, as medidas verticais z até o datum são feitas a partir da *linha de centro* do tubo.[*] Aplicando a equação da energia entre A (entrada) e B (saída), com o datum gravitacional definido em B, temos

$$\frac{p_A}{\gamma} + \frac{V_A^2}{2g} + z_A + h_{bomba} = \frac{p_B}{\gamma} + \frac{V_B^2}{2g} + z_B + h_{turb} + h_L$$

$$0 + 0 + 60 \text{ m} + 0 = 0 + \frac{(24{,}05 \text{ m/s})^2}{2(9{,}81 \text{ m/s}^2)} + 0 + h_{turb} + 4 \text{ m}$$

$$h_{turb} = 26{,}52 \text{ m}$$

Conforme esperado, o resultado é positivo, indicando que a energia é fornecida pela água (sistema) para a turbina.

Potência

Usando a Equação 5.16, a potência transferida para a turbina é, portanto,

$$\dot{W}_s = Q \gamma_{água} hs = (1{,}7 \text{ m}^3/\text{s})(9810 \text{ N/m}^3)(26{,}52 \text{ m})$$
$$= 442 \text{ kW} \qquad\qquad Resposta$$

Observe que a potência *perdida* devido aos efeitos do cisalhamento é

$$\dot{W}_L = Q \gamma_{água} h_L = (1{,}7 \text{ m}^3/\text{s})(9810 \text{ N/m}^3)(4 \text{ m}) = 66{,}7 \text{ kW}$$

Como um ponto de interesse, a seção do tubo que transfere a água do reservatório para a turbina é chamada de *conduto*.

---

[*] Como a carga piezométrica $H = p/\gamma + z$ é constante sobre a seção transversal do segmento horizontal do tubo, a medição até qualquer ponto na seção transversal pode ser considerada. Veja o Exemplo 5.11.

EXEMPLO 5.11

A água está escoando com uma velocidade média de 6 m/s quando desce pelo vertedouro de uma barragem, como mostra a Figura 5.25. Dentro de uma curta distância, ocorre um ressalto hidráulico, que faz com que a água passe de uma profundidade de 0,8 m para 2,06 m. Determine a perda de energia causada pela turbulência dentro do ressalto. O vertedouro tem uma largura constante de 2 m.

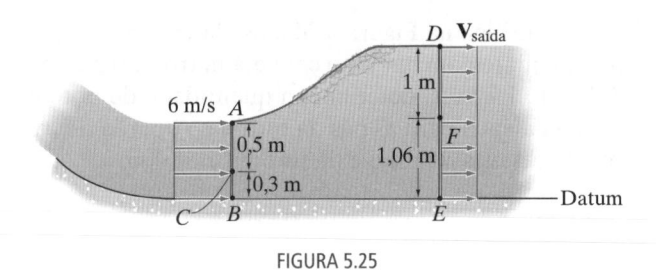

FIGURA 5.25

Solução

Comportamento do fluido

O escoamento em regime permanente ocorre antes e depois do ressalto. A água é considerada incompressível.

Volume de controle

Aqui, vamos considerar um volume de controle fixo, que contém a água dentro do ressalto, e uma curta distância a partir dele (Figura 5.25). O escoamento em regime permanente passa pelas superfícies de controle abertas porque essas superfícies são removidas das regiões dentro do ressalto onde o escoamento não é bem definido.

Equação da continuidade

Como as seções transversais de AB e DE são conhecidas, podemos determinar a velocidade média em DE usando a equação da continuidade.

$$\frac{\partial}{\partial t}\int_{vc} \rho \forall dA + \int_{sc} \rho \mathbf{V} \cdot d\mathbf{A} = 0$$

$$0 - (1000 \text{ kg/m}^3)(6 \text{ m/s})(0,8 \text{ m})(2 \text{ m}) + (1000 \text{ kg/m}^3)V_{saída}(2,06 \text{ m})(2 \text{ m}) = 0$$

$$V_{saída} = 2,3301 \text{ m/s}$$

Equação da energia

Colocaremos o datum na superfície de controle inferior (Figura 5.25). A partir disso, podemos determinar a carga piezométrica $(p/\gamma + z)$ em cada superfície de controle aberta. Se selecionarmos os pontos A e D, então, como $p_{entrada} = p_{saída} = 0$, obteremos

$$\frac{p_{entrada}}{\gamma} + z_{entrada} = 0 + 0,8 \text{ m} = 0,8 \text{ m}$$

$$\frac{p_{saída}}{\gamma} + z_{saída} = 0 + 2,06 \text{ m} = 2,06 \text{ m}$$

Se, em vez disso, considerarmos os pontos B e E, então, como $p = \gamma h$, teremos novamente

$$\frac{p_{entrada}}{\gamma} + z_{entrada} = \frac{\gamma(0,8 \text{ m})}{\gamma} + 0 = 0,8 \text{ m}$$

$$\frac{p_{saída}}{\gamma} + z_{saída} = \frac{\gamma(2,06 \text{ m})}{\gamma} + 0 = 2,06 \text{ m}$$

Por fim, se usarmos os pontos intermediários C e F, então, mais uma vez,

$$\frac{p_{entrada}}{\gamma} + z_{entrada} = \frac{\gamma(0,5 \text{ m})}{\gamma} + 0,3 \text{ m} = 0,8 \text{ m}$$

$$\frac{p_{saída}}{\gamma} + z_{saída} = \frac{\gamma(1 \text{ m})}{\gamma} + 1,06 \text{ m} = 2,06 \text{ m}$$

Em todos os casos, obtemos os *mesmos resultados*, e por isso não importa qual par de pontos na superfície de controle escolhemos. Aqui, escolheremos os pontos A e D. Como nenhum trabalho de eixo é realizado, temos

$$\frac{p_{entrada}}{\gamma} + \frac{V_{entrada}^2}{2g} + z_{entrada} + h_{bomba} = \frac{p_{saída}}{\gamma} + \frac{V_{saída}^2}{2g} + z_{saída} + h_{turb} + h_L$$

$$0 + \frac{(6 \text{ m/s})^2}{2(9{,}81 \text{ m/s}^2)} + 0{,}8 \text{ m} + 0 = 0 + \frac{(2{,}3301 \text{ m/s})^2}{2(9{,}81 \text{ m/s}^2)} + 2{,}06 \text{ m} + 0 + h_L$$

$$h_L = 0{,}298 \text{ m} \qquad\qquad Resposta$$

Essa perda de energia produz turbulência e aquecimento por cisalhamento dentro do ressalto.

EXEMPLO 5.12

A bomba de irrigação na Figura 5.26a é usada para fornecer água ao lago em B a uma taxa de 2 pés³/s. Se o tubo tiver 6 pol. de diâmetro, determine a potência em hp necessária para a bomba. Suponha que a perda de carga por cisalhamento por comprimento em pés do tubo é 0,1 pé/pé. Desenhe as linhas de energia e piezométrica para esse sistema.

Solução

Descrição do fluido

Aqui, temos escoamento em regime permanente. A água é considerada incompressível, mas ocorrem perdas por cisalhamento viscoso. $\gamma_{água} = 62{,}4$ lb/pés³.

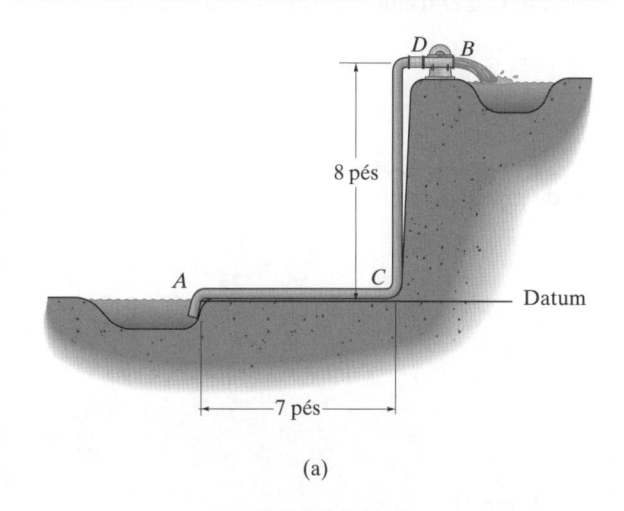

FIGURA 5.26 (continua)

Volume de controle

Vamos selecionar um volume de controle fixo que contém a água dentro do reservatório A, junto com aquela no tubo e na bomba. Para este caso, a velocidade em A é basicamente zero, e a pressão nas superfícies de entrada e saída A e B é zero. Como a vazão volumétrica é conhecida, a velocidade média na saída é

$$Q = V_B A_B; \qquad 2 \text{ pés}^3/\text{s} = V_B \left[\pi \left(\frac{3}{12} \text{ pés}\right)^2 \right]$$

$$V_B = 10{,}186 \text{ pés/s}$$

Equação da energia

Estabelecendo o datum gravitacional em A e aplicando a equação da energia entre A (entrada) e B (saída), temos

$$\frac{p_A}{\gamma} + \frac{V_A^2}{2g} + z_A + h_{bomba} = \frac{p_B}{\gamma} + \frac{V_B^2}{2g} + z_B + h_{turb} + h_L$$

$$0 + 0 + 0 + h_{bomba} = 0 + \frac{(10{,}186 \text{ pés/s})^2}{2(32{,}2 \text{ pés/s}^2)} + 8 \text{ pés} + 0 + (0{,}1 \text{ pé/pé})(15 \text{ pés})$$

$$h_{bomba} = 11{,}11 \text{ pés}$$

Esse resultado positivo indica a carga da bomba ou a energia por peso de água que é transferida *para dentro* do sistema pela bomba.

Potência

A bomba, portanto, precisa ter uma potência de

$$\dot{W}_s = Q\gamma_{\text{água}}h_s = (2\text{ pés}^3/\text{s})(62{,}4\text{ lb/pés}^3)(11{,}11\text{ pés})\left(\frac{1\text{ hp}}{550\text{ pés}\cdot\text{lb/s}}\right)$$

$$= 2{,}52\text{ hp} \qquad \textit{Resposta}$$

Dessa quantidade, a potência necessária para contornar a perda de carga por cisalhamento é

$$\dot{W}_L = Q\gamma_{\text{água}}h_L = (2\text{ pés}^3/\text{s})(62{,}4\text{ lb/pés}^3)(1{,}5\text{ pé})\left(\frac{1\text{ hp}}{550\text{ pés}\cdot\text{lb/s}}\right) = 0{,}340\text{ hp}$$

LE e LP

Lembre-se de que a LE é um gráfico da *carga total* $H = p/\gamma + V^2/2g + z$ ao longo do tubo. A LP se encontra $V^2/2g$ abaixo da LE. Antes de desenharmos essas linhas, primeiro vamos determinar a carga de pressão em C e D usando a equação da energia. Observe que a carga de velocidade é

$$\frac{V^2}{2g} = \frac{(10{,}186\text{ pés/s})^2}{2(32{,}2\text{ pés/s}^2)} = 1{,}61\text{ pé}$$

Ela permanece constante porque o tubo tem o mesmo diâmetro por toda a sua extensão. Em C, a carga de pressão é

$$\frac{p_A}{\gamma} + \frac{V_A^2}{2g} + z_A + h_{\text{bomba}} = \frac{p_C}{\gamma} + \frac{V_C^2}{2g} + z_C + h_{\text{turb}} + h_L$$

$$0 + 0 + 0 + 0 = \frac{p_C}{\gamma} + 1{,}611\text{ pé} + 0 + 0 + (0{,}1\text{ pé/pé})(7\text{ pés})$$

$$\frac{p_C}{\gamma} = -2{,}311\text{ pés}$$

E em D,

$$\frac{p_A}{\gamma} + \frac{V_A^2}{2g} + z_A + h_{\text{bomba}} = \frac{p_D}{\gamma} + \frac{V_D^2}{2g} + z_D + h_{\text{turb}} + h_L$$

$$0 + 0 + 0 + 0 = \frac{p_D}{\gamma} + 1{,}611\text{ pé} + 8 + 0 + (0{,}1\text{ pé/pé})(15\text{ pés})$$

$$\frac{p_D}{\gamma} = -11{,}11\text{ pés}$$

Os sinais indicam uma pressão negativa causada pela sucção da bomba. A carga total em A, C, D e B é, portanto,

$$H = \frac{p}{\gamma} + \frac{V^2}{2g} + z$$

$$H_A = 0 + 0 + 0 = 0$$

$$H_C = -2{,}311\text{ pés} + 1{,}611\text{ pé} + 0 = -0{,}7\text{ pé}$$

$$H_D = -11{,}11\text{ pés} + 1{,}611\text{ pé} + 8\text{ pés} = -1{,}5\text{ pé}$$

$$H_B = 0 + 1{,}611\text{ pé} + 8\text{ pés} = 9{,}61\text{ pés}$$

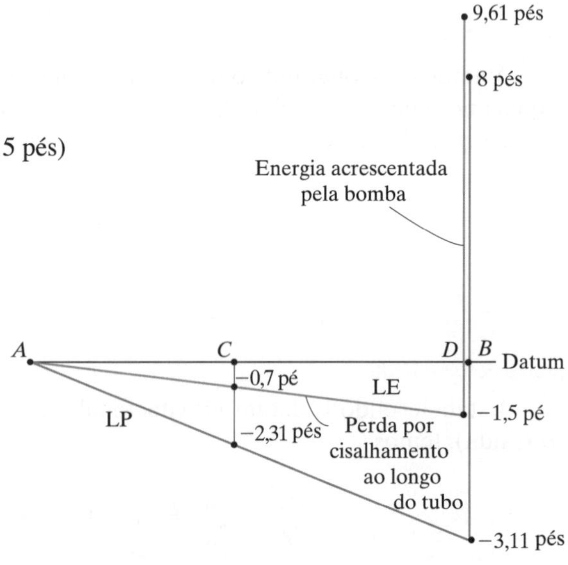

FIGURA 5.26 (cont.)

Esticando o tubo, esses valores são representados na Figura 5.26b para produzir a LE. A LP se encontra 1,61 pé abaixo da LE.

EXEMPLO 5.13

A bomba na Figura 5.27 descarrega água a 4000 gal/h. A pressão em A é 20 psi, enquanto a pressão na saída do tubo em B é 60 psi. O filtro no tubo faz com que a energia interna da água aumente em 400 pés · lb/slug em sua saída, devido ao aquecimento por cisalhamento, enquanto há uma perda por condução de calor proveniente da água de 20 pés · lb/s. Determine a potência em hp que é desenvolvida pela bomba.

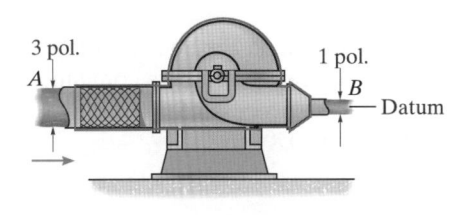

FIGURA 5.27

Solução

Descrição do fluido

Temos um escoamento em regime permanente para dentro e para fora da bomba. A água é considerada incompressível, mas ocorrem perdas por cisalhamento viscoso. $\gamma_{\text{água}} = 62{,}4$ lb/pés³.

Volume de controle

O volume de controle fixo contém a água dentro da bomba, filtro e extensões do tubo. Visto que há 7,48 gal em 1 pé³ de água, os escoamentos volumétrico e de massa são

$$Q = \left(\frac{4000 \text{ gal}}{\text{h}}\right)\left(\frac{1 \text{ h}}{3600 \text{ s}}\right)\left(\frac{1 \text{ pé}^3}{7{,}48 \text{ gal}}\right) = 0{,}1485 \text{ pé}^3/\text{s}$$

e

$$\dot{m} = \rho Q = \left(\frac{62{,}4 \text{ lb/pés}^3}{32{,}2 \text{ pés/s}^2}\right)(0{,}1485 \text{ pé}^3/\text{s}) = 0{,}2879 \text{ slug/s}$$

Portanto, as velocidades em A (entrada) e B (saída) são

$$Q = V_A A_A; \quad 0{,}1485 \text{ pé}^3/\text{s} = V_A\left[\pi\left(\frac{1{,}5}{12} \text{ pé}\right)^2\right]; \quad V_A = 3{,}026 \text{ pés/s}$$

$$Q = V_B A_B; \quad 0{,}1485 \text{ pé}^3/\text{s} = V_B\left[\pi\left(\frac{0{,}5}{12} \text{ pé}\right)^2\right]; \quad V_B = 27{,}235 \text{ pés/s}$$

Equação da energia

Como existe *perda* de condução por calor, $\dot{Q}_{\text{entrada}}$ é negativo; ou seja, o calor é transferido para fora. Além disso, não existe mudança de elevação no escoamento de A para B. Para este problema, aplicaremos a Equação 5.11.

$$\dot{Q}_{\text{entrada}} - \dot{W}_{\text{turb}} + \dot{W}_{\text{bomba}} = \left[\left(\frac{p_B}{\rho} + \frac{V_B^2}{2} + gz_B + u_B\right) - \left(\frac{p_A}{\rho} + \frac{V_A^2}{2} + gz_A + u_A\right)\right]\dot{m}$$

$$-20 \text{ pés} \cdot \text{lb/s} - 0 + \dot{W}_{\text{bomba}}$$

$$= \left[\left(\frac{60 \text{ lb/pol.}^2(12 \text{ pol./pé})^2}{62{,}4 \text{ lb/pés}^3/32{,}2 \text{ pés/s}^2} + \frac{(27{,}235 \text{ pés/s})^2}{2} + 0 + 400 \text{ pés} \cdot \text{lb/slug}\right)\right.$$

$$\left. - \left(\frac{20 \text{ lb/pol.}^2(12 \text{ pol./pé})^2}{62{,}4 \text{ lb/pés}^3/32{,}2 \text{ pés/s}^2} + \frac{(3{,}026 \text{ pés/s})^2}{2} + 0 + 0\right)\right](0{,}2879 \text{ slug/s})$$

$$\dot{W}_{\text{bomba}} = \left(\frac{1096{,}2 \text{ pés} \cdot \text{lb}}{\text{s}}\right)\left(\frac{1 \text{ hp}}{550 \text{ pés} \cdot \text{lb/s}}\right) = 1{,}99 \text{ hp} \qquad \textit{Resposta}$$

O resultado positivo indica que, na verdade, a energia é *adicionada* à água dentro do volume de controle usando a bomba.

EXEMPLO 5.14

A turbina na Figura 5.28 recebe vapor com uma entalpia de $h_A = 2{,}80$ MJ/kg a 40 m/s. Uma mistura de água e vapor sai da turbina com uma entalpia de 1,73 MJ/kg a 15 m/s. Se a perda por calor para os arredores durante esse processo é 500 J/s, determine a potência que o fluido fornece à turbina. A vazão mássica pela turbina é de 0,8 kg/s.

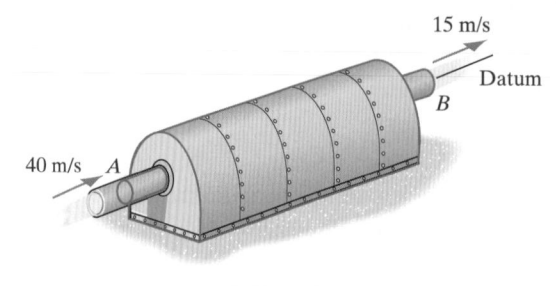

FIGURA 5.28

Solução

Descrição do fluido

Fora da turbina, ocorre escoamento em regime permanente uniforme, pois o vapor está localizado fora das pás móveis da turbina. A compressibilidade e os efeitos do cisalhamento ocorrem e são relatados em termos da variação na entalpia.

Volume de controle

Vamos considerar que o volume de controle contenha o vapor dentro da turbina e dentro de uma parte dos tubos na entrada A (entrada) e na saída B (saída). O escoamento em regime permanente uniforme ocorre através dessas superfícies de controle abertas porque elas estão localizadas fora das partes móveis internas da turbina.

Equação da energia

Como parte da energia é relatada em termos da entalpia do vapor ($h = p/\rho + u$), usaremos a Equação 5.15. Aqui, a mudança de elevação para o vapor é zero. Além disso, o calor escoa *para fora* do volume de controle, de modo que esta é uma quantidade numérica negativa. Assim,

$$\dot{Q}_{entrada} - \dot{W}_{turb} + \dot{W}_{bomba} = \left[\left(h_B + \frac{V_B^2}{2} + gz_B\right) - \left(h_A + \frac{V_A^2}{2} + gz_A\right)\right]\dot{m}$$

$$-500\,\text{J/s} - \dot{W}_{turb} + 0 =$$

$$\left[\left(1{,}73(10^6)\,\text{J/kg} + \frac{(15\,\text{m/s})^2}{2} + 0\right) - \left(2{,}80(10^6)\,\text{J/kg} + \frac{(40\,\text{m/s})^2}{2} + 0\right)\right](0{,}8\,\text{kg/s})$$

$$\dot{W}_{turb} = 856\,\text{kW} \qquad\qquad\qquad Resposta$$

O resultado é positivo, o que indica que a energia ou a potência são realmente retiradas do sistema e transferidas para a turbina.

Referências

1. GHISTA, D. *Applied Biomedical Engineering Mechanics*. Boca Raton, Flórida: CRC Press, 2009.
2. ALEXANDROU, A. *Principles of Fluid Mechanics*. Upper Saddle River, New Jersey: Prentice Hall, 2001.
3. SHAMES, I. H. *Mechanics of Fluids*. Nova York: McGraw Hill, 1962.
4. LANDAU, L. D.; LIFSHITZ, E. M. *Fluid Mechanics*. Reading, MA: Pergamon Press/ Addison-Wesley, 1959.

Seções 5.2 e 5.3

F5.1. A água flui através do tubo em A a 6 m/s. Determine a pressão em A e a velocidade da água quando ela sai do tubo em B.

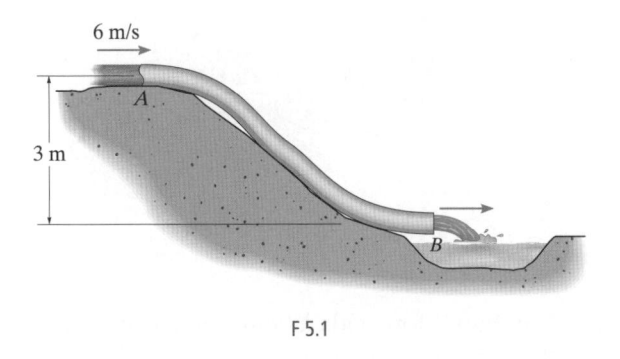

F 5.1

F5.2. O óleo está sujeito a uma pressão de 300 kPa em A, onde sua velocidade é de 7 m/s. Determine sua velocidade e a pressão em B. $\rho_o = 940$ kg/m³.

F 5.2

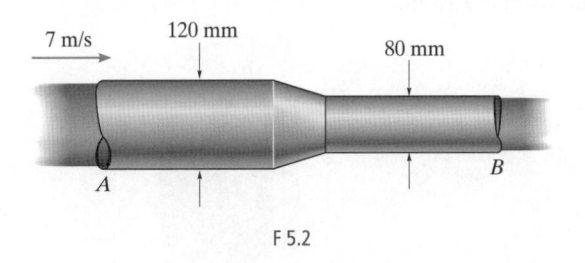

F5.3. O chafariz deve ser projetado de modo que a água seja ejetada do esguicho e atinja uma elevação máxima de 2 m. Determine a pressão necessária da água no tubo em A, a uma curta distância AB da saída do esguicho.

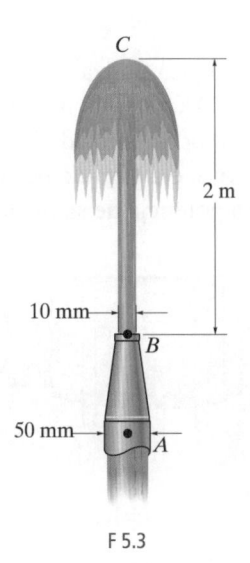

F 5.3

F5.4. A água escoa pelo tubo a 8 m/s. Determine a leitura de pressão no manômetro C se a pressão em A for 80 kPa.

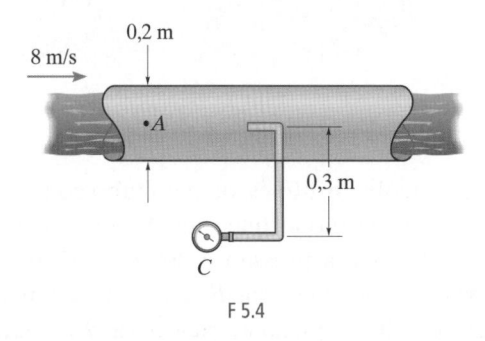

F 5.4

F5.5. O tanque tem uma base quadrada e está cheio de água até a profundidade de $y = 0{,}4$ m. Se o dreno tubular com 20 mm de diâmetro for aberto, determine a vazão volumétrica inicial da água e a vazão volumétrica quando $y = 0{,}2$ m.

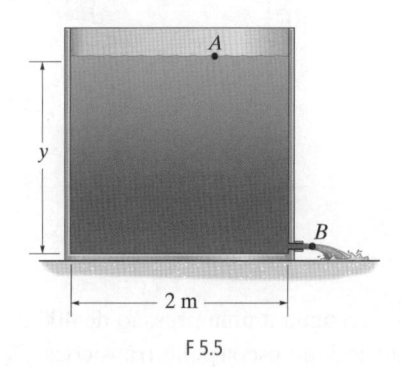

F 5.5

F5.6. O ar em uma temperatura de 80°C escoa pelo tubo. Em A, a pressão é 20 kPa, e a velocidade média é 4 m/s. Determine a leitura de pressão em B. Suponha que o ar seja incompressível.

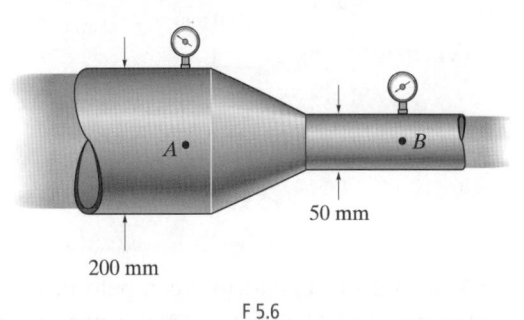

F 5.6

Seções 5.4 e 5.5

F5.7. A água escoa do reservatório através do tubo com 100 mm de diâmetro. Determine a descarga em

B. Desenhe a linha de energia e a linha piezométrica para o escoamento de *A* até *B*.

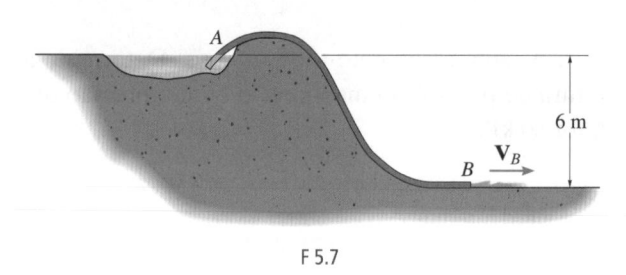

F 5.7

F5.8. O petróleo bruto escoa pelo tubo com 50 mm de diâmetro de modo que, em *A*, sua velocidade média é 4 m/s e a pressão é 300 kPa. Determine a pressão do petróleo em *B*. Desenhe a linha de energia e a linha piezométrica para o escoamento de *A* até *B*.

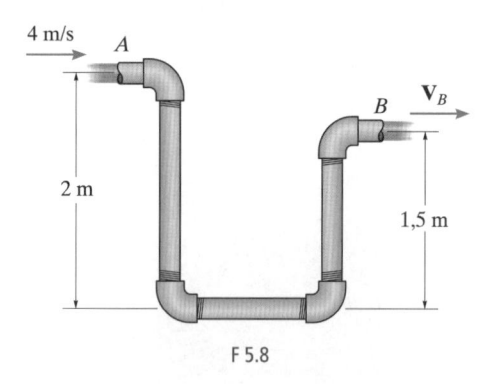

F 5.8

F5.9. Em *A*, a água a uma pressão de 400 kPa e uma velocidade de 3 m/s escoa pelas transições. Determine a pressão e a velocidade em *B* e *C*. Desenhe a linha de energia e a linha piezométrica para o escoamento de *A* até *C*.

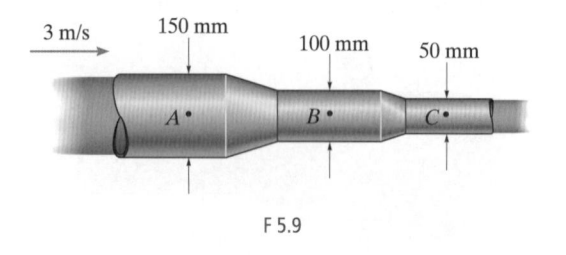

F 5.9

F5.10. A água do reservatório escoa pelo tubo com 150 m de extensão e 50 mm de diâmetro para a turbina em *B*. Se a perda de carga no tubo for 1,5 m para cada extensão de 100 m do tubo, e a água sair do tubo em *C* com uma velocidade média de 8 m/s, determine a potência de saída da turbina. A turbina opera com 60% de eficiência.

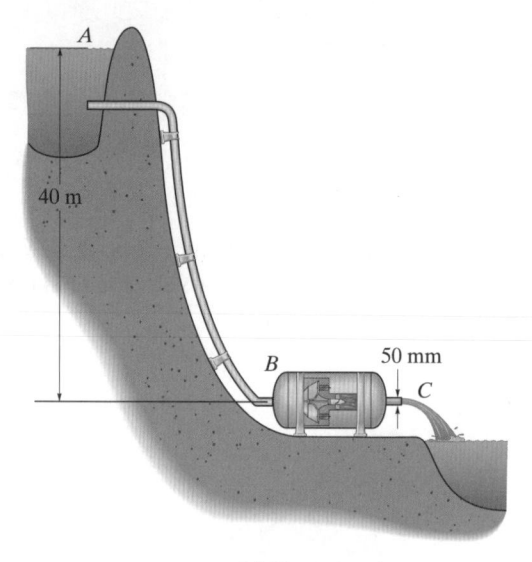

F 5.10

F5.11. A água é fornecida à bomba a uma pressão de 80 kPa e uma velocidade V_A = 2 m/s. Se a descarga tiver de ser 0,02 m³/s através do tubo com 50 mm de diâmetro, determine a potência que a bomba precisa fornecer para que a água suba 8 m. A perda de carga total é 0,75 m.

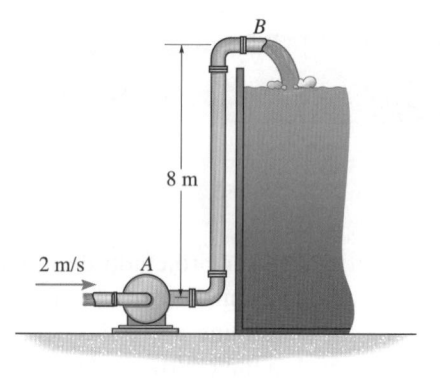

F 5.11

F5.12. O motor do jato utiliza ar e combustível com uma entalpia de 600 kJ/kg a 12 m/s. No escapamento, a entalpia é 450 kJ/kg e a velocidade é 48 m/s. Se a vazão mássica é 2 kg/s, e a taxa de perda de calor é 1,5 kJ/s, determine a potência de saída do motor.

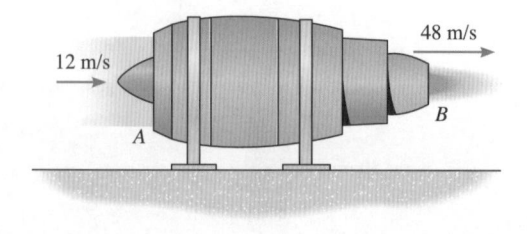

F 5.12

Problemas

A menos que indicado de outra maneira, nos problemas a seguir, suponha que o fluido seja um fluido perfeito, isto é, incompressível e sem cisalhamento.

PROBLEMAS 5.3 e 5.4

Seções 5.1 a 5.3

5.1. A água escoa pelo tubo afunilado horizontal. Determine a diminuição média na pressão em 4 m ao longo de uma linha de corrente horizontal de modo que a água tenha uma aceleração de 0,5 m/s^2.

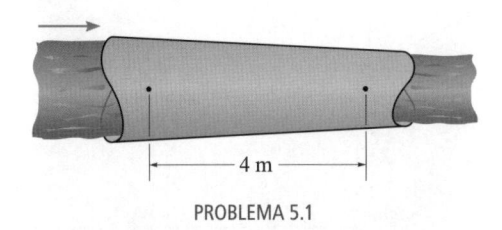

PROBLEMA 5.1

5.2. O tubo horizontal com diâmetro de 100 mm é inclinado de modo que seu raio interno seja de 300 mm. Se a diferença de pressão entre os pontos A e B for $p_B - p_A = 300$ kPa, determine a vazão volumétrica de água através do tubo.

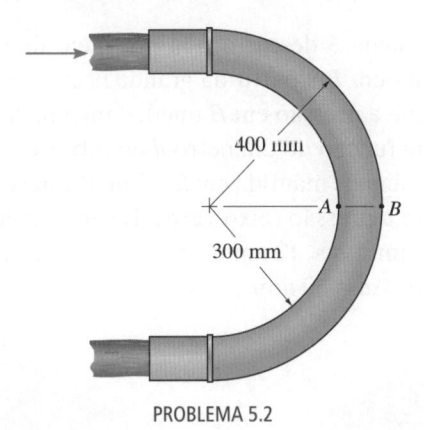

PROBLEMA 5.2

5.3. O ar a 60°F escoa pelo duto horizontal afunilado. Determine a aceleração do ar se, em uma linha de corrente, a pressão é de 14,7 psi e a 40 pés de distância a pressão é de 14,6 psi.

*__5.4.__ O ar a 60°F atravessa o duto horizontal afunilado. Determine a diminuição média na pressão em 40 pés, de modo que o ar tenha uma aceleração de 150 pés/s^2.

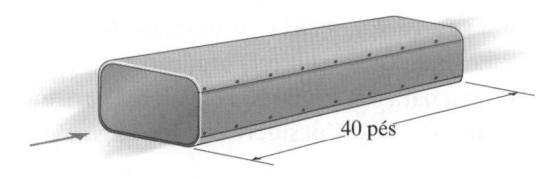

5.5. Um fluido ideal tendo uma densidade ρ escoa com uma velocidade V através do tubo *horizontal* encurvado. Represente graficamente a variação de pressão dentro do fluido em função do raio r, onde $r_i \leq r \leq r_o$ e $r_o = 2r_i$.

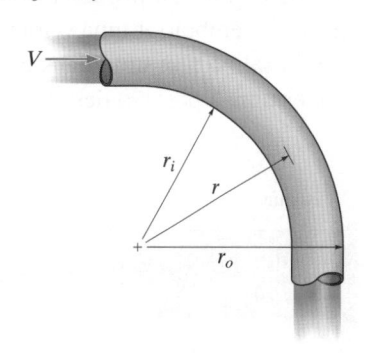

PROBLEMA 5.5

5.6. A água escoa pela seção circular *horizontal* com uma velocidade uniforme de 4 pés/s. Se a pressão no ponto D é 60 psi, determine a pressão no ponto C.

5.7. Resolva o Problema 5.6 considerando que o tubo é *vertical*.

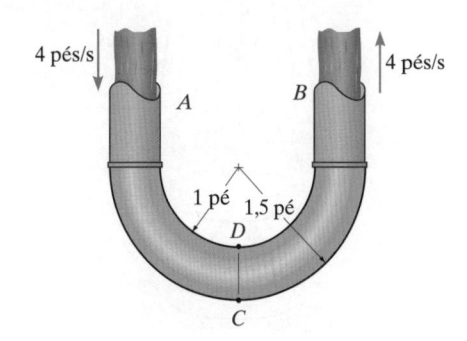

PROBLEMAS 5.6 e 5.7

*__5.8.__ Aplicando uma força **F**, uma solução com sal é ejetada da seringa com diâmetro de 15 mm através de uma agulha com diâmetro de 0,6 mm. Se a pressão desenvolvida dentro da seringa é 60 kPa, determine a velocidade média da solução através da agulha. Considere $\rho = 1050$ kg/m^3.

238 MECÂNICA DOS FLUIDOS

5.9. Aplicando uma força **F**, uma solução com sal é ejetada da seringa com diâmetro de 15 mm através de uma agulha com diâmetro de 0,6 mm. Determine a velocidade média da solução através da agulha em função da força F aplicada ao êmbolo. Represente essa velocidade (eixo vertical) graficamente em função da força para $0 \leq F \leq 20$ N. Dê valores para incrementos de $\Delta F = 5$ N. Considere $\rho = 1050$ kg/m^3.

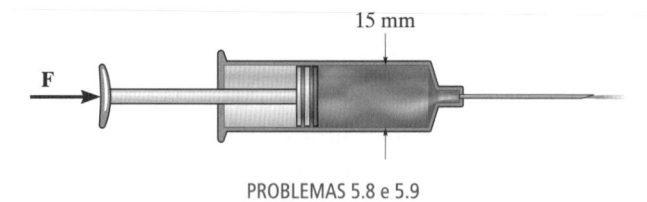

PROBLEMAS 5.8 e 5.9

5.10. Uma bomba de infusão produz pressão dentro da seringa, que dá ao êmbolo A uma velocidade de 20 mm/s. Se o fluido salino tem uma densidade de $\rho_s = 1050$ kg/m^3, determine a pressão desenvolvida na seringa em B.

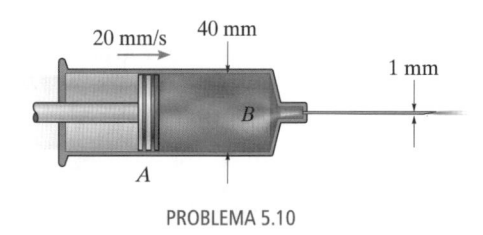

PROBLEMA 5.10

5.11. Se o esguicho do chafariz espirra água por 2 pés no ar, determine a velocidade da água que sai do esguicho em A.

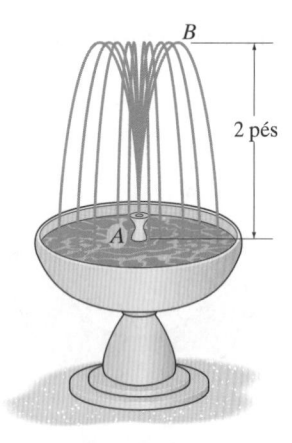

PROBLEMA 5.11

*5.12. O avião a jato está voando a 80 m/s no ar parado, A, a uma altitude de 3 km. Determine a pressão de estagnação absoluta na aresta B da asa.

5.13. O avião a jato está voando a 80 m/s no ar parado, A, a uma altitude de 4 km. Se o ar passa pelo ponto C perto da asa a 90 m/s, determine a diferença na pressão entre o ar perto da aresta B da asa e o ponto C.

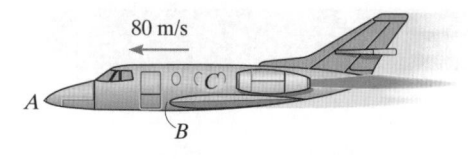

PROBLEMAS 5.12 e 5.13

5.14. Um rio escoa a 12 pés/s e depois descende e cai como uma cachoeira, de uma altura de 80 pés. Determine a velocidade da água imediatamente antes de atingir as pedras no fundo da cachoeira.

5.15. A água é descarregada por meio de um dreno tubular em B a partir da grande bacia a 0,03 m^3/s. Se o diâmetro do tubo de dreno é $d = 60$ mm, determine a pressão em B imediatamente dentro do dreno quando a profundidade da água é $h = 2$ m.

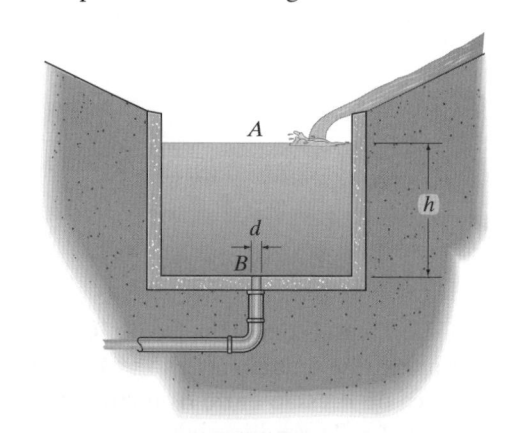

PROBLEMA 5.15

*5.16. A água é descarregada por meio de um dreno tubular em B a partir da grande bacia a 0,03 m^3/s. Determine a pressão em B imediatamente dentro do dreno em função do diâmetro d do tubo de dreno. A altura da água é mantida em $h = 2$ m. Represente graficamente a pressão (eixo vertical) *versus* o diâmetro para 60 mm < d < 120 mm. Indique valores de incrementos de $\Delta d = 20$ mm.

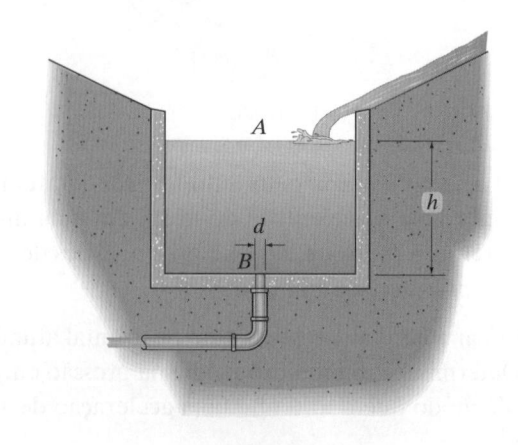

PROBLEMA 5.16

Capítulo 5 – Trabalho e energia dos fluidos em movimento

5.17. Um chafariz é produzido pela água que sobe no tubo a $Q = 0{,}08$ m³/s e depois radialmente por duas placas cilíndricas antes de sair para a atmosfera. Determine a velocidade e a pressão da água no ponto A.

5.18. Um chafariz é produzido pela água que sobe no tubo a $Q = 0{,}08$ m³/s e depois radialmente por duas placas cilíndricas antes de sair para a atmosfera. Determine a pressão da água em função da distância radial r. Represente graficamente a pressão (eixo vertical) *versus* r para 200 mm $\leq r \leq$ 400 mm. Indique valores para incrementos de $\Delta r = 50$ mm.

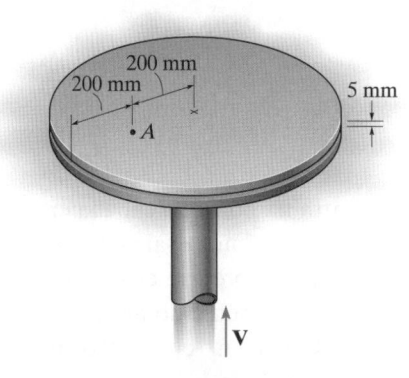

PROBLEMAS 5.17 e 5.18

5.19. O pulmão humano normal recebe cerca de 0,6 litro de ar a cada inalação, através da boca e do nariz, A. Isso dura por cerca de 1,5 segundo. Determine a potência necessária para fazer isso, se isso ocorre através da traqueia B com uma área transversal de 125 mm². Considere $\rho_a = 1{,}23$ kg/m³. *Dica:* lembre-se de que potência é força F vezes velocidade V, onde $F = pA$.

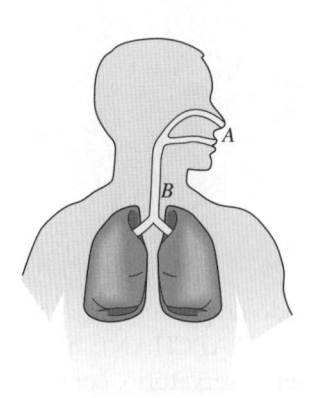

PROBLEMA 5.19

*****5.20.** A água sai da mangueira em B a uma taxa de 4 m/s quando o nível de água no tanque grande é 0,5 m. Determine a pressão do ar que foi bombeado para dentro do topo do tanque em A.

5.21. Se a mangueira em A for usada para bombear ar para dentro do tanque com uma pressão de 150 kPa, determine a descarga da água ao final da mangueira de 15 mm de diâmetro em B quando o nível da água é 0,5 m.

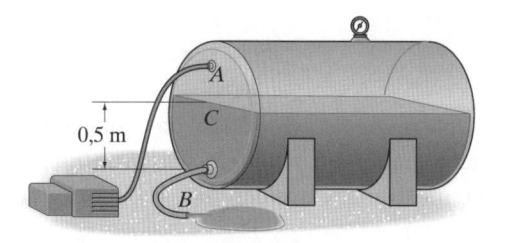

PROBLEMAS 5.20 e 5.21

5.22. O pistão C se move para a direita em uma velocidade constante de 5 m/s e, enquanto faz isso, o ar externo na pressão atmosférica entra no cilindro circular através da abertura em B. Determine a pressão dentro do cilindro e a potência necessária para mover o pistão. Considere $\rho_a = 1{,}23$ kg/m³. *Dica:* lembre-se de que potência é força F vezes velocidade V, onde $F = pA$.

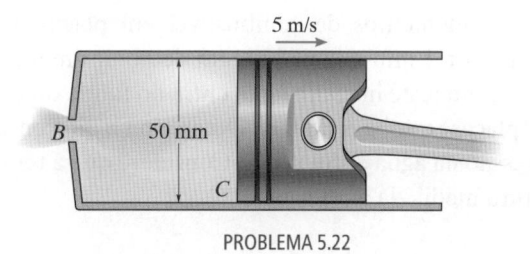

PROBLEMA 5.22

5.23. Um chafariz lança água através de quatro esguichos, que possuem diâmetros internos de 10 mm. Determine a pressão no tubo e a vazão volumétrica necessária através do tubo de fornecimento de modo que o fluxo de água sempre atinja uma altura de $h = 4$ m.

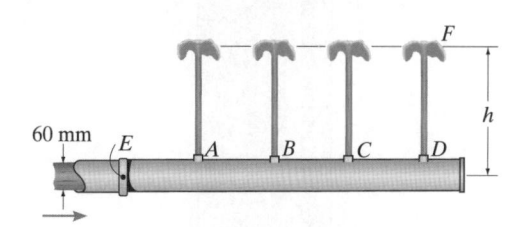

PROBLEMA 5.23

*****5.24.** Um chafariz lança água através de quatro esguichos, que possuem diâmetros internos de 10 mm. Determine a altura máxima h do fluxo de água passando pelos esguichos em função da taxa de vazão volumétrica no tubo com diâmetro de 60 mm em E. Além disso, qual é a pressão correspondente em E em função de h?

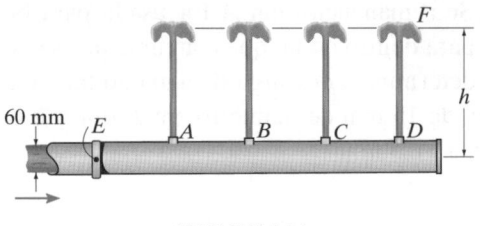

PROBLEMA 5.24

5.25. Determine a velocidade da água através do tubo se o manômetro contém mercúrio mantido na posição mostrada. Considere $\rho_{Hg} = 13550$ kg/m³.

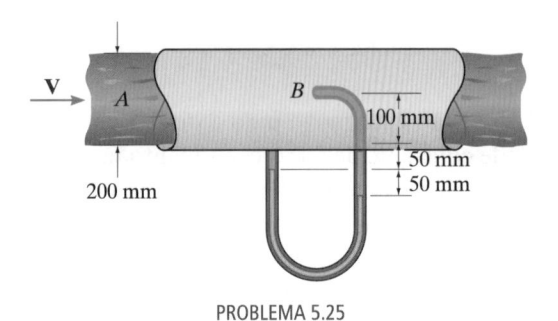

PROBLEMA 5.25

5.26. Um reator nuclear resfriado com água é composto de elementos de combustível em placas espaçadas por 3 mm e com 800 mm de comprimento. Durante um teste inicial, a água entra no fundo do reator (placas) e sobe a 0,8 m/s. Determine a diferença de pressão na água entre A e B. Considere que a temperatura média da água seja 80°C.

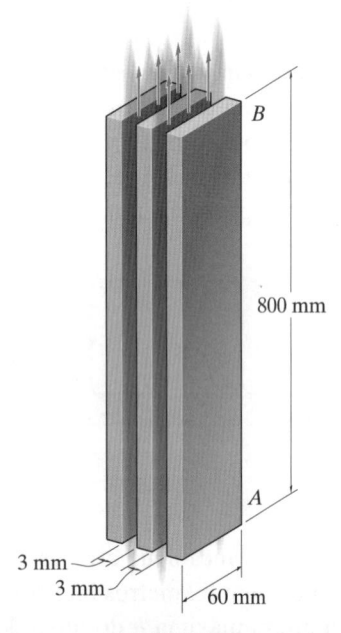

PROBLEMA 5.26

5.27. O sangue passa do ventrículo esquerdo (VE) do coração, que possui um diâmetro de saída $d_1 = 16$ mm, atravessando a válvula aórtica estenótica com diâmetro $d_2 = 8$ mm e depois entra na aorta A com um diâmetro $d_3 = 20$ mm. Se o débito cardíaco for de 4 litros por minuto, a taxa de batimento do coração for de 90 batidas por minuto e cada ejeção de sangue durar 0,31 s, determine a mudança de pressão sobre a válvula. Considere $\rho_b = 1060$ kg/m³.

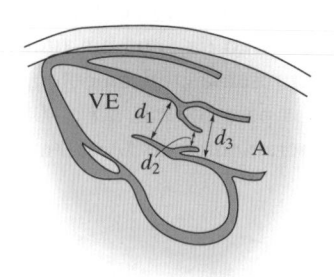

PROBLEMA 5.27

*__5.28.__ O ar entra na porta da cabana em A com uma velocidade média de 2 m/s e sai no topo B. Determine a diferença de pressão entre esses dois pontos e encontre a velocidade média do ar em B. As áreas das aberturas são $A_A = 0,3$ m² e $A_B = 0,05$ m². A densidade do ar é $\rho_a = 1,20$ kg/m³.

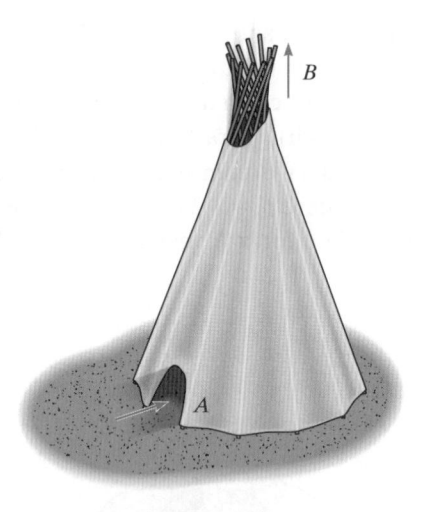

PROBLEMA 5.28

5.29. Um método de produção de energia é usar um canal afunilado (TAPCHAN), que desvia a água do mar para um reservatório, como mostra a figura. Quando a onda se aproxima da praia e passa pelo canal afunilado fechado em A, sua altura aumenta até que comece a derramar sobre as laterais e para dentro do reservatório. A água no reservatório, então, passa por uma turbina no prédio em C para gerar energia, e é retornada ao mar em D. Se a velocidade da água em A é $V_A = 2,5$ m/s, e a profundidade da água é $h_A = 3$ m, determine a altura mínima h_B no fundo B do canal para impedir que a água entre no reservatório.

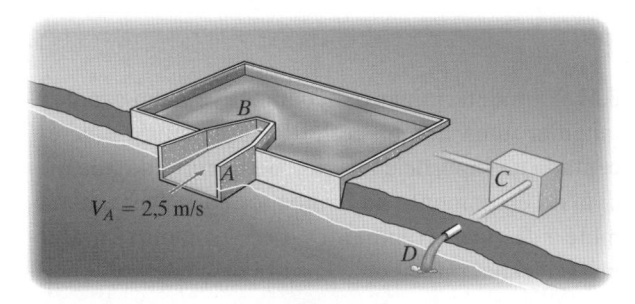

PROBLEMA 5.29

5.30. O tanque grande está cheio de gasolina e óleo até a profundidade mostrada. Se a válvula em A for aberta, determine a descarga inicial a partir do tanque. Considere $\rho_g = 1{,}41$ slug/pé^3 e $\rho_o = 1{,}78$ slug/pé^3.

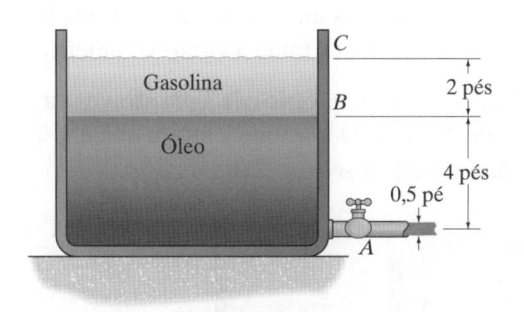

PROBLEMA 5.30

5.31. Determine a pressão do ar que deverá ser exercida no topo do querosene do tanque grande em B de modo que a descarga inicial pelo tubo de dreno em A seja 0,1 m^3/s quando a válvula em A for aberta.

*__5.32.__ Se a pressão do ar no topo do querosene do tanque grande for de 80 kPa, determine a descarga inicial pelo tubo de dreno em A quando a válvula for aberta.

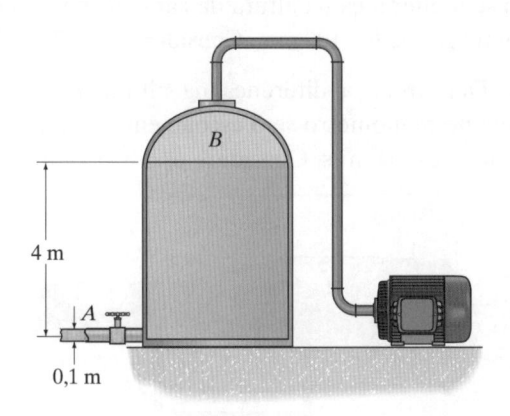

PROBLEMAS 5.31 e 5.32

5.33. A água sobe pelo *tubo vertical* de modo que, quando ela está em A, está sujeita a uma pressão de 150 kPa e possui uma velocidade de 3 m/s. Determine a pressão e sua velocidade em B. Defina $d = 75$ mm.

5.34. A água sobe pelo *tubo vertical* de modo que, quando ela está em A, está sujeita a uma pressão de 150 kPa e possui uma velocidade de 3 m/s. Determine a pressão e sua velocidade em B em função do diâmetro d do tubo em B. Represente graficamente a pressão e a velocidade (eixo vertical) *versus* o diâmetro para 25 mm $\leq d \leq$ 100 mm. Indique valores para incrementos de $\Delta d = 25$ mm. Se $d_B = 25$ mm, qual é a pressão em B? Essa região mais baixa do gráfico é razoável? Explique.

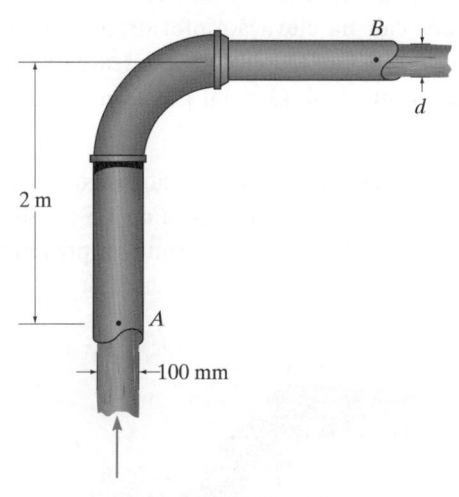

PROBLEMAS 5.33 e 5.34

5.35. Se a velocidade da água varia uniformemente ao longo da transição de $V_A = 10$ m/s para $V_B = 4$ m/s, determine a diferença de pressão entre A e x.

*__5.36.__ Se a velocidade da água varia uniformemente ao longo da transição de $V_A = 10$ m/s para $V_B = 4$ m/s, ache a diferença de pressão entre A e $x = 1{,}5$ m.

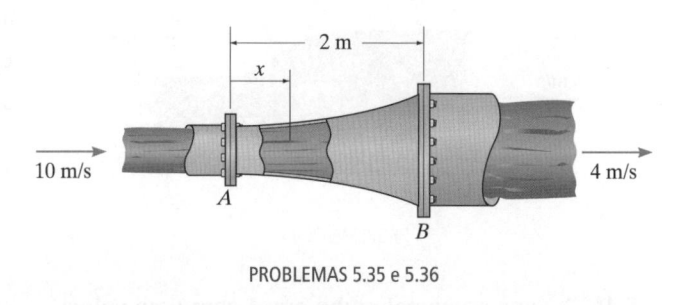

PROBLEMAS 5.35 e 5.36

5.37. A água sobe pelo *tubo vertical*. Determine a pressão em A se a velocidade média em B for 4 m/s.

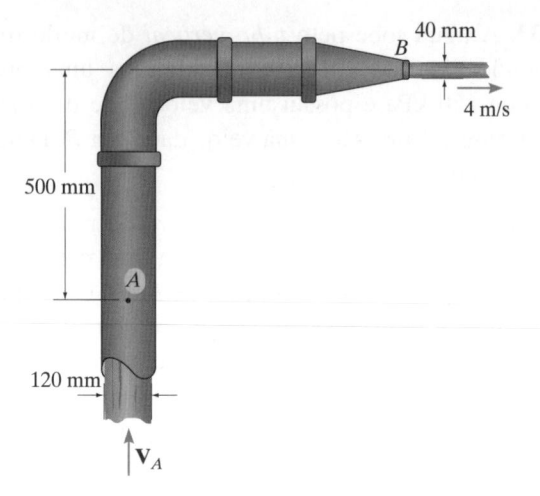

PROBLEMA 5.37

5.38. A água escoa pelo canal retangular de modo que, após cair na elevação inferior, a profundidade torna-se $h = 0,3$ m. Determine a descarga volumétrica através do canal. O canal possui uma largura de 1,5 m.

5.39. A água escoa a 3 m/s em A ao longo do canal retangular que possui uma largura de 1,5 m. Se a profundidade em A é 0,5 m, determine a profundidade em B.

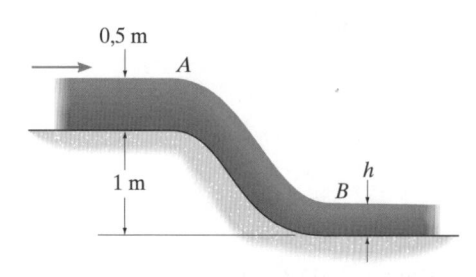

PROBLEMAS 5.38 e 5.39

*****5.40.** O ar a uma temperatura de 40°C escoa pelo esguicho a 6 m/s e depois sai para a atmosfera em B, onde a temperatura é 0°C. Determine a pressão em A.

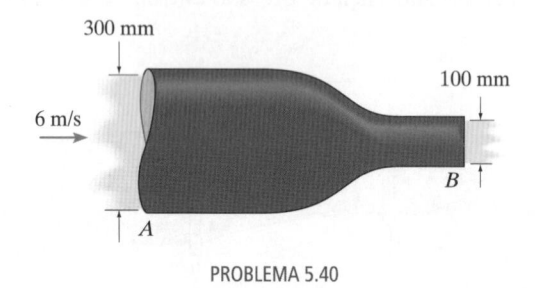

PROBLEMA 5.40

5.41. A água escoa pelo tubo em A com uma velocidade de 6 m/s e a uma pressão de 280 kPa. Determine a velocidade da água em B e a diferença em elevação h do mercúrio no manômetro.

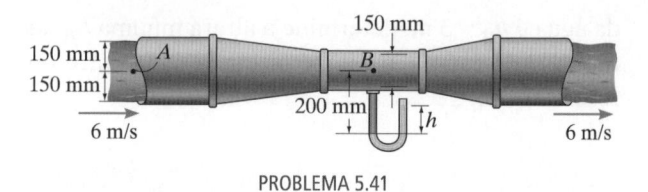

PROBLEMA 5.41

5.42. Para determinar o escoamento em um canal retangular, uma bomba com 0,2 pé de altura é acrescentada na superfície inferior. Se a profundidade medida do escoamento na bomba for de 3,30 pés, determine a descarga volumétrica. O escoamento é uniforme, e o canal possui uma largura de 2 pés.

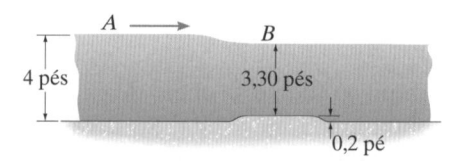

PROBLEMA 5.42

5.43. Enquanto a água escoa pelos tubos, ela sobe com os piezômetros em A e B até as alturas $h_A = 1,5$ pé e $h_B = 2$ pés. Determine a vazão volumétrica.

*****5.44.** A vazão volumétrica de água através da transição é de 3 pés^3/s. Determine a altura que ela sobe no piezômetro em A se $h_B = 2$ pés.

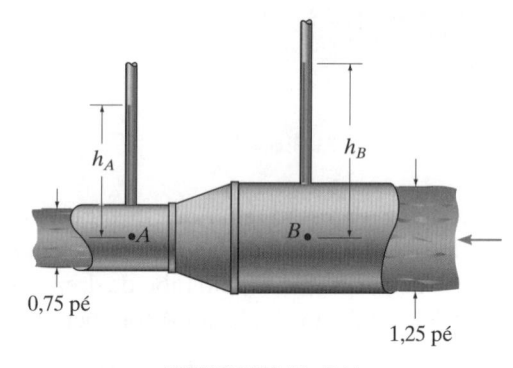

PROBLEMAS 5.43 e 5.44

5.45. Determine o escoamento de óleo através do tubo se a diferença na altura da carga d'água no manômetro for de $h = 100$ mm. Considere $\rho_o = 875$ kg/m^3.

5.46. Determine a diferença na altura h da carga d'água no manômetro se o escoamento de óleo pelo tubo for de 0,04 m^3/s. Considere $\rho_o = 875$ kg/m^3.

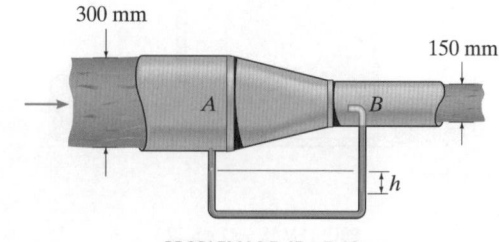

PROBLEMAS 5.45 e 5.46

5.47. O ar a 60°F escoa pelo duto de modo que a pressão em A seja 2 psi e em B seja 2,6 psi. Determine a descarga volumétrica através do duto.

***5.48.** O ar a 100°F escoa pelo duto em A a 200 pés/s sob uma pressão de 1,50 psi. Determine a pressão em B.

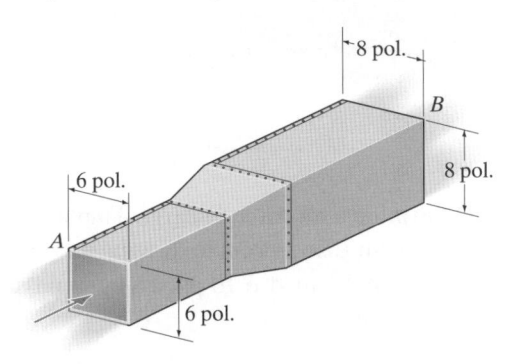

PROBLEMAS 5.47 e 5.48

5.49. O dióxido de carbono a 20°C escoa pelo tubo de Pitot B de modo que o mercúrio dentro do manômetro é deslocado em 50 mm, conforme mostra a figura. Determine a vazão mássica se o duto tiver uma área transversal de 0,18 m².

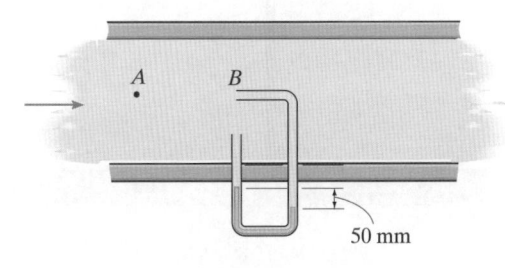

PROBLEMA 5.49

5.50. O óleo escoa pelo tubo horizontal sob uma pressão de 400 kPa e a uma velocidade de 2,5 m/s em A. Determine a pressão no tubo em B se a pressão em C é 150 kPa. Desconsidere qualquer diferença de elevação. Considere ρ_o = 880 kg/m³.

5.51. O óleo escoa pelo tubo horizontal sob uma pressão de 100 kPa e a uma velocidade de 2,5 m/s em A. Determine a pressão no tubo em C se a pressão em B é 95 kPa. Considere ρ_o = 880 kg/m³.

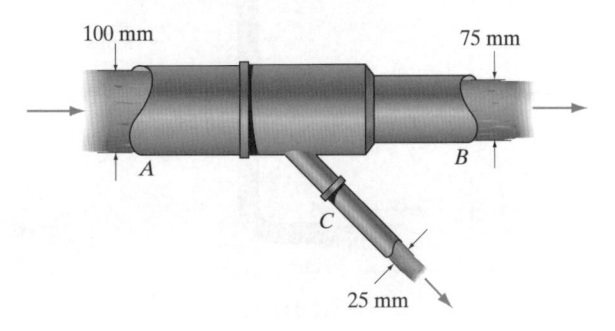

PROBLEMAS 5.50 e 5.51

***5.52.** A água passa pela transição de tubo a uma taxa de 6 m/s em A. Determine a diferença no nível de mercúrio dentro do manômetro. Considere ρ_{Hg} = 13550 kg/m³.

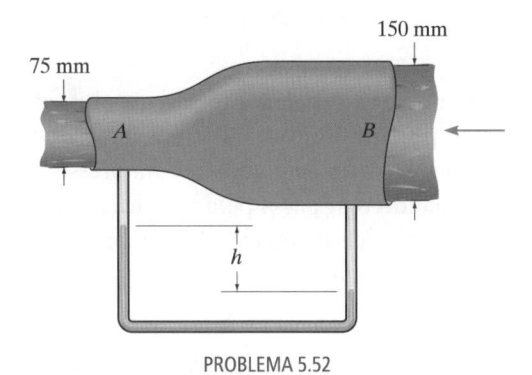

PROBLEMA 5.52

5.53. Devido ao efeito da tensão na superfície, a água de uma torneira se afunila de um diâmetro de 0,5 pol. para 0,3 pol. após cair 10 pol. Determine a velocidade média da água em A e em B.

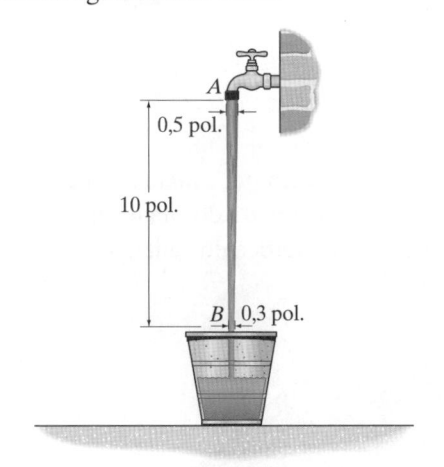

PROBLEMA 5.53

5.54. Devido ao efeito da tensão na superfície, a água de uma torneira se afunila de um diâmetro de 0,5 pol. para 0,3 pol. após cair 10 pol. Determine a vazão mássica em slug/s.

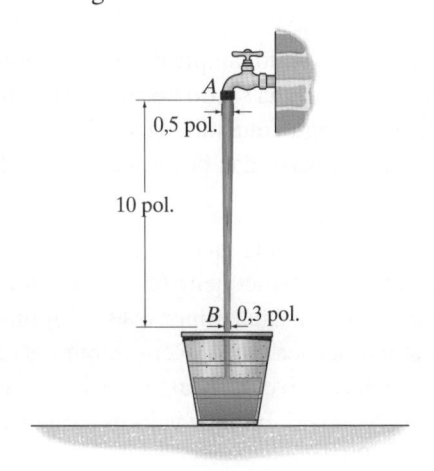

PROBLEMA 5.54

5.55. O ar a 15°C e uma pressão absoluta de 275 kPa passa por um duto com 200 mm de diâmetro em $V_A = 4$ m/s. Determine a pressão absoluta do ar depois que ele passar pela transição e entrar no duto B de 400 mm de diâmetro. A temperatura do ar permanece constante.

***5.56.** O ar a 15°C e a uma pressão absoluta de 250 kPa passa por um duto de 200 mm de diâmetro a $V_A = 20$ m/s. Determine o aumento na pressão, $\Delta p = p_B - p_A$, quando o ar passa pela transição e entra no duto de 400 mm de diâmetro. A temperatura do ar permanece constante.

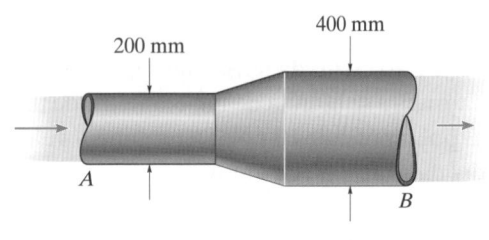

PROBLEMAS 5.55 e 5.56

5.57. A água escoa em um canal retangular por uma queda de 1 m. Se a largura do canal é de 1,5 m, determine a vazão volumétrica no canal.

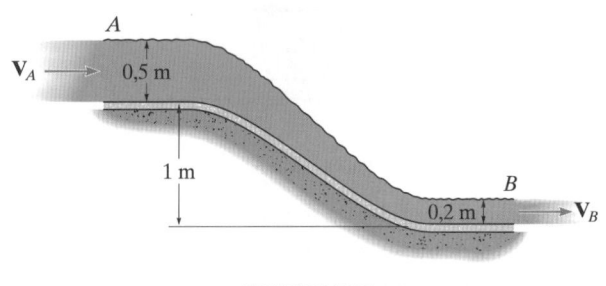

PROBLEMA 5.57

5.58. O ar no topo A do tanque d'água tem uma pressão de 60 psi. Se a água sai do bocal em B, determine a velocidade da água quando ela sai do furo e a distância média d a partir da abertura até onde ela atinge o solo.

5.59. O ar é bombeado para o topo A do tanque d'água, e a água sai do pequeno furo em B. Determine a distância d onde a água atinge o solo em função da pressão manométrica em A. Represente essa distância graficamente (eixo vertical) *versus* a pressão p_A para $0 \leq p_A \leq 100$ psi. Indique valores para incrementos de $\Delta p_A = 20$ psi.

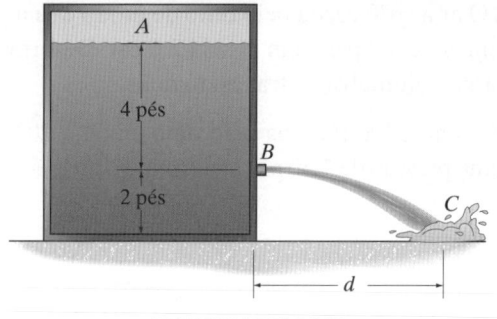

PROBLEMAS 5.58 E 5.59

***5.60.** Determine a altura h da carga d'água e a velocidade média em C se a pressão da água no tubo com diâmetro de 6 pol. em A é 10 psi e a água passa por esse ponto a 6 pés/s.

5.61. Se a pressão no tubo com diâmetro de 6 pol. em A é 10 psi, e a carga d'água sobe até uma altura de $h = 30$ pés, determine a pressão e a velocidade no tubo em C.

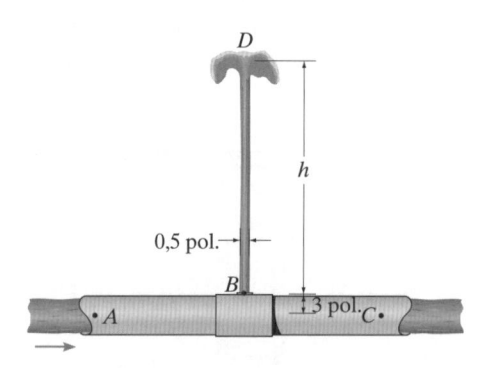

PROBLEMAS 5.60 e 5.61

5.62. Determine a velocidade do escoamento que sai dos tubos verticais em A e B, se a água escoa para dentro do T a 8 m/s e sob uma pressão de 40 kPa.

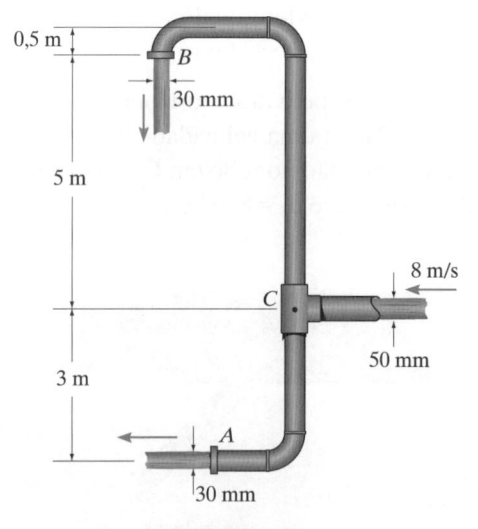

PROBLEMA 5.62

5.63. O tanque cilíndrico aberto está cheio de óleo de linhaça. Uma rachadura com extensão de 50 mm e altura média de 2 mm ocorre na base do tanque. Quantos litros de óleo serão drenados lentamente do tanque em oito horas? Considere $\rho_o = 940$ kg/m³.

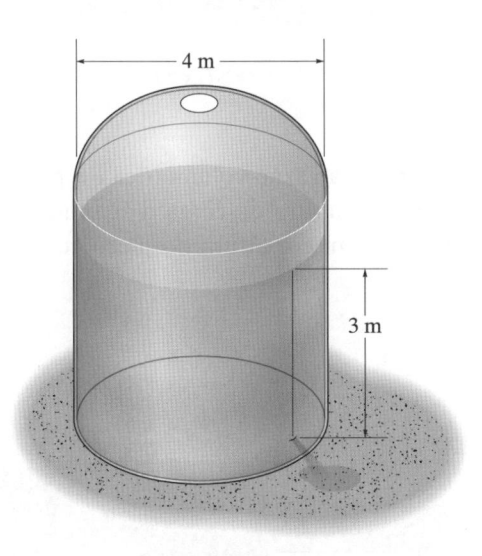

PROBLEMA 5.63

*****5.64.** No instante mostrado, o nível de água no funil cônico é $y = 200$ mm. Se a haste possui um diâmetro interno de 5 mm, determine a taxa em que o nível de água na superfície está caindo.

5.65. Se a haste do funil cônico possui um diâmetro de 5 mm, determine a taxa em que o nível da superfície da água está caindo em função da profundidade y. Considere um escoamento em regime permanente. *Nota:* para um cone, $V = \frac{1}{3}\pi r^2 h$.

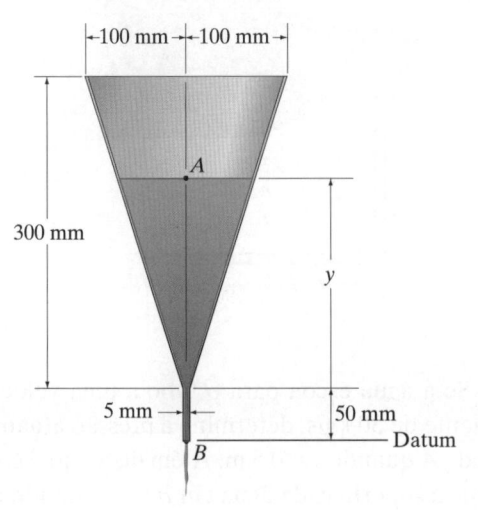

PROBLEMAS 5.64 e 5.65

5.66. A água escoa do recipiente grande e passa pelo esguicho em B. Se a pressão do vapor absoluto para a água é 0,65 psi, determine a altura máxima h do conteúdo de modo que não ocorra cavitação em B.

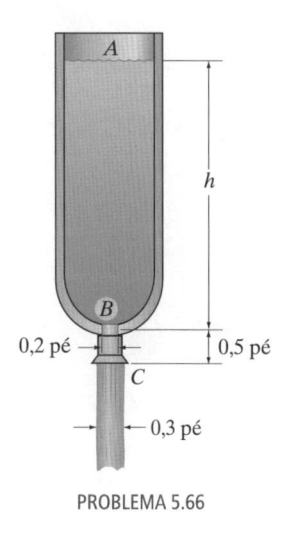

PROBLEMA 5.66

5.67. A água drena de uma bacia de fonte A para a bacia B. Determine a profundidade h da água em B para que o escoamento em regime permanente seja mantido. Considere $d = 25$ mm.

*****5.68.** A água é drenada de uma bacia de fonte A para a bacia B. Se a profundidade na bacia B é $h = 50$ mm, determine a velocidade da água em C e o diâmetro d da abertura em D de modo que ocorra um escoamento em regime permanente.

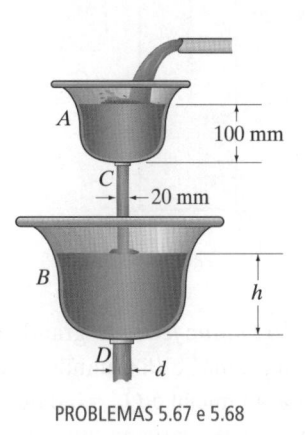

PROBLEMAS 5.67 e 5.68

5.69. Enquanto o ar escoa pela restrição de Venturi, ele cria uma baixa pressão A que faz com que o álcool etílico suba no tubo e seja retirado para a corrente de ar. Se o ar for então descarregado na atmosfera em C, determine a menor vazão volumétrica de ar necessária para fazer isso. Considere $\rho_{ae} = 789$ kg/m³ e $\rho_a = 1{,}225$ kg/m³.

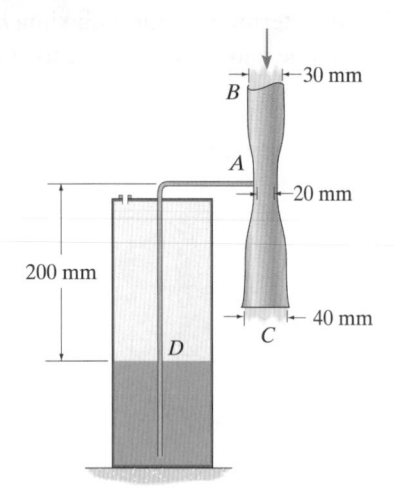

PROBLEMA 5.69

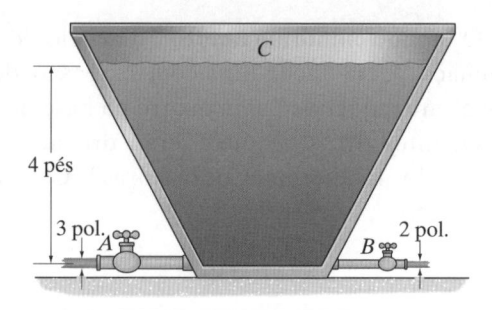

PROBLEMAS 5.71 e 5.72

5.70. À medida que o ar escoa pela restrição de Venturi, ele cria uma baixa pressão A que faz com que o álcool etílico suba no tubo e seja retirado para a corrente de ar. Determine a velocidade do ar enquanto ele passa pelo tubo em B para que consiga fazer isso. O ar é descarregado na atmosfera em C. Considere $\rho_{ae} = 789$ kg/m³ e $\rho_a = 1{,}225$ kg/m³.

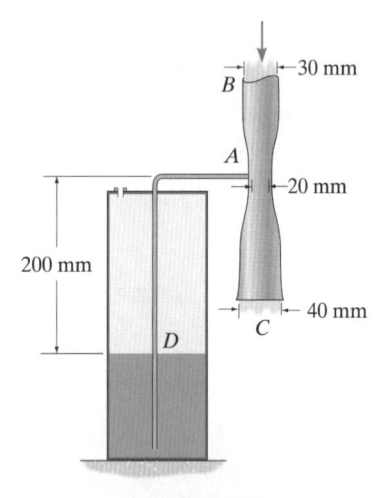

5.73. Determine a vazão volumétrica e a pressão no tubo em A se a altura da carga d'água no tubo de Pitot for de 0,3 m e a altura no piezômetro for de 0,1 m.

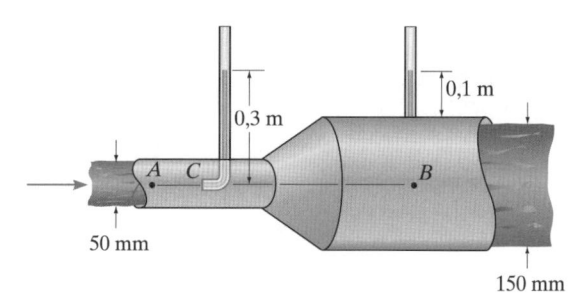

PROBLEMA 5.73

PROBLEMA 5.70

5.74. O mercúrio no manômetro tem uma diferença em elevação de $h = 0{,}15$ m. Determine a descarga volumétrica da gasolina pelo tubo. Considere $\rho_{gas} = 726$ kg/m³.

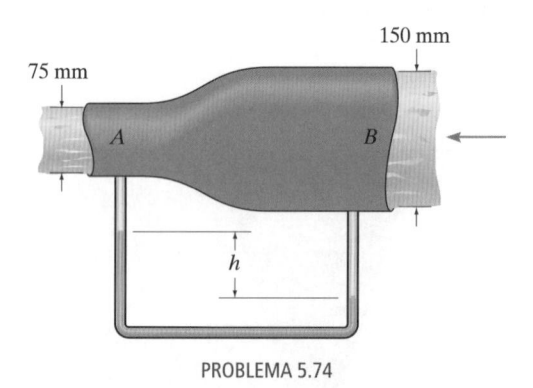

5.71. A água do *tanque fechado* grande deve ser drenada pelas linhas em A e B. Quando a válvula em B é aberta, a descarga inicial é $Q_B = 0{,}8$ pé³/s. Determine a pressão em C e a descarga volumétrica inicial em A se essa válvula também for aberta.

PROBLEMA 5.74

*5.72. A água do *tanque fechado* grande deve ser drenada pelas linhas em A e B. Quando a válvula em A é aberta, a descarga inicial é $Q_A = 1{,}5$ pé³/s. Determine a pressão em C e a descarga volumétrica inicial em B se essa válvula também for aberta.

5.75. Se a água escoa para o tubo a uma velocidade constante de 30 kg/s, determine a pressão atuando na entrada A quando $y = 0{,}5$ m. Além disso, qual é a taxa em que a superfície da água em B está subindo quando $y = 0{,}5$ m? O recipiente é circular.

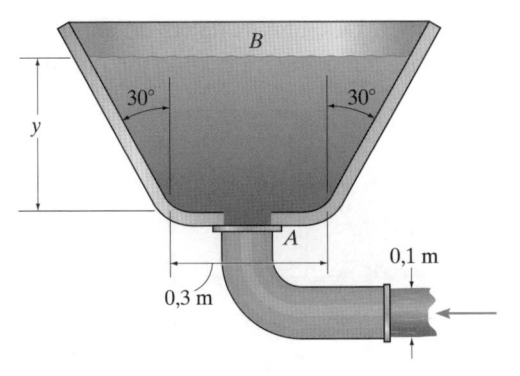

PROBLEMA 5.75

5.79. O óleo escoa pelo tubo com diâmetro constante de modo que, em A, a pressão seja 50 kPa, e a velocidade seja 2 m/s. Determine a pressão e a velocidade em B. Desenhe as linhas de energia e piezométrica para AB usando um datum em B. Considere $\rho_o = 900$ kg/m³.

*__5.80.__ O óleo escoa pelo tubo com diâmetro constante de modo que, em A, a pressão seja 50 kPa, e a velocidade seja 2 m/s. Represente a carga de pressão e a carga gravitacional para AB usando um datum em B. Considere $\rho_o = 900$ kg/m³.

*__5.76.__ O dióxido de carbono a 20°C passa pela câmara de expansão, que faz com que o mercúrio no manômetro se estabilize conforme mostra a figura. Determine a velocidade do gás em A. Considere $\rho_{Hg} = 13550$ kg/m³.

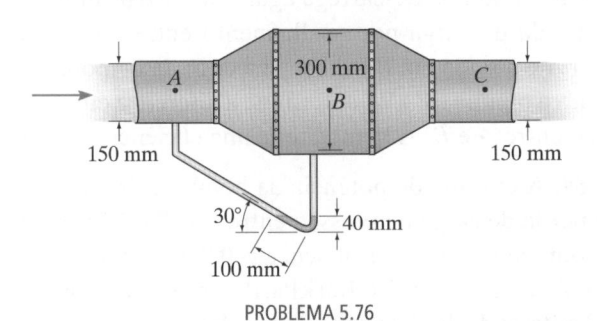

PROBLEMA 5.76

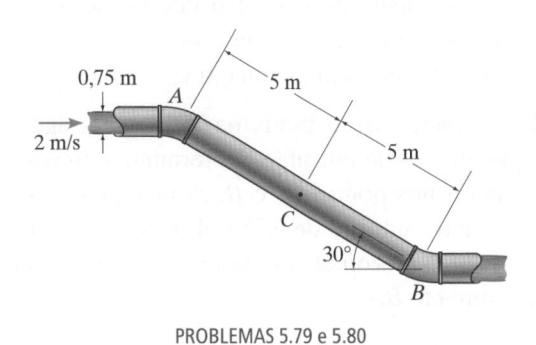

PROBLEMAS 5.79 e 5.80

5.81. A água a uma pressão de 80 kPa e a uma velocidade de 2 m/s em A escoa pela transição. Determine a velocidade e a pressão em B. Desenhe as linhas de energia e piezométrica para o escoamento de A para B usando um datum em B.

Seções 5.4 e 5.5

5.77. Determine o coeficiente de energia cinética α se a distribuição de velocidade para o escoamento laminar em um tubo liso tiver um perfil de velocidade definido por $u = U_{máx}(1 - (r/R)^2)$.

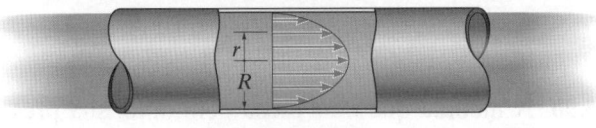

5.82. A água a uma pressão de 80 kPa e a uma velocidade de 2 m/s em A escoa pela transição. Determine a velocidade e a pressão em C. Represente graficamente a carga de pressão e a carga gravitacional para AB usando um datum em B.

PROBLEMA 5.77

5.78. Determine o coeficiente de energia cinética α se a distribuição de velocidade para o escoamento turbulento em um tubo liso tiver um perfil de velocidade definido pela lei da potência um sétimo de Prandtl, $u = U_{máx}(1 - r/R)^{1/7}$.

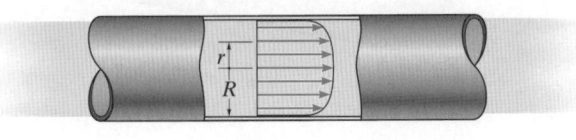

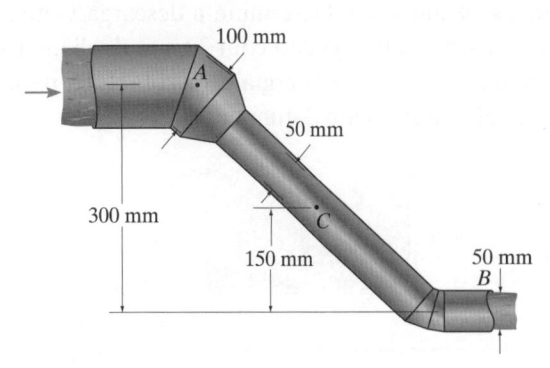

PROBLEMAS 5.81 e 5.82

5.83. A água escoa através do tubo com diâmetro constante de modo que, em A, ela tenha uma velocidade de 6 pés/s e uma pressão de 30 psi. Desenhe as linhas de energia e piezométrica para o escoamento de A para F usando um datum através de CD.

PROBLEMA 5.78

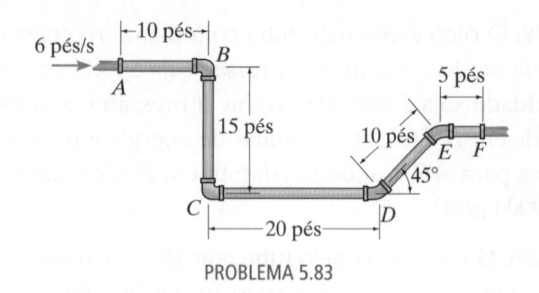

PROBLEMA 5.83

*****5.84.** A mangueira é usada para drenar a água do tanque através de um sifão. Determine a menor pressão no tubo e a descarga volumétrica em C. A mangueira possui um diâmetro interno de 0,75 pol. Desenhe as linhas de energia e piezométrica para a mangueira usando um datum em C.

5.85. A mangueira é usada para drenar a água do tanque através de um sifão. Determine a pressão na mangueira nos pontos A' e B. A mangueira possui um diâmetro interno de 0,75 pol. Desenhe as linhas de energia e piezométrica para a mangueira usando um datum em B.

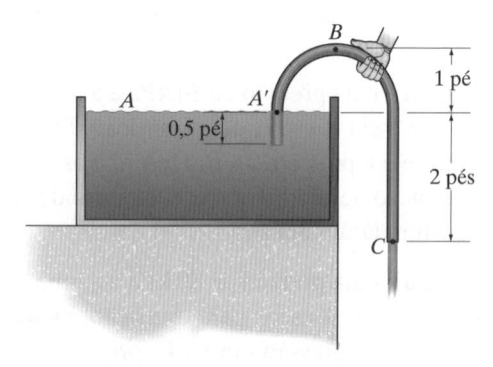

PROBLEMAS 5.84 e 5.85

5.86. A água é drenada a partir do tanque aberto através de um sifão. Determine a descarga volumétrica a partir da mangueira com 20 mm de diâmetro. Desenhe as linhas de energia e piezométrica para a mangueira usando um datum em B.

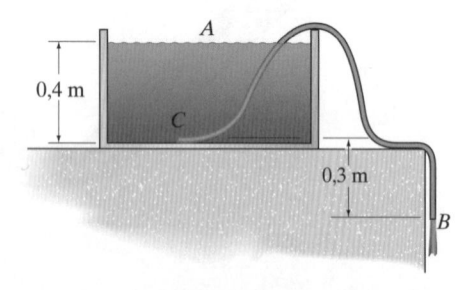

PROBLEMA 5.86

5.87. A gasolina é drenada a partir do grande tanque aberto através de um sifão. Determine a descarga volumétrica a partir da mangueira com 0,5 pol. de diâmetro em B. Desenhe as linhas de energia e piezométrica para a mangueira usando um datum em B.

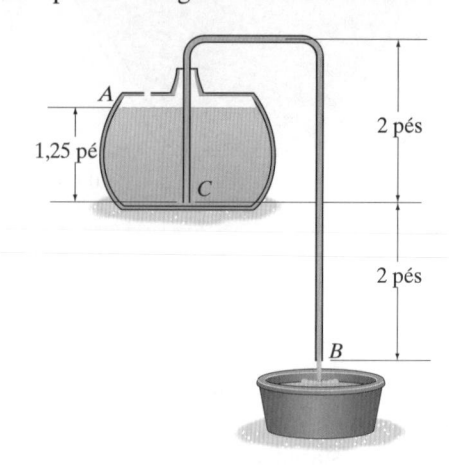

PROBLEMA 5.87

*****5.88.** A bomba descarrega água em B a 0,05 m³/s. Se a perda de carga por cisalhamento entre a entrada em A e a saída em B é 0,9 m, e a entrada de potência para a bomba é 8 kW, determine a diferença em pressão entre A e B. A bomba tem uma eficiência $e = 0,7$.

5.89. A entrada de potência da bomba é de 10 kW e a perda de carga de pressão entre A e B é 1,25 m. Se a bomba tem uma eficiência $e = 0,8$ e o aumento na pressão de A para B é 100 kPa, determine a vazão volumétrica da água através da bomba.

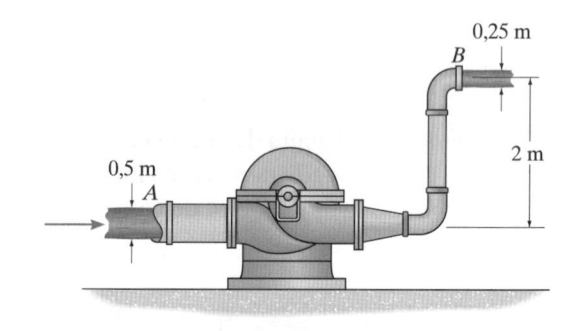

PROBLEMAS 5.88 e 5.89

5.90. À medida que o ar escoa pelo duto, sua pressão absoluta muda de 220 kPa em A para 219,98 kPa em B. Se a temperatura permanece constante em $T = 60°C$, determine a perda de carga entre esses pontos. Suponha que o ar seja incompressível.

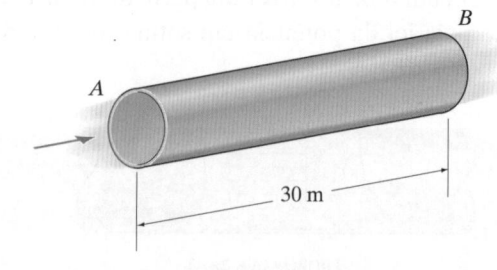

PROBLEMA 5.90

5.91. A água no reservatório escoa pelo tubo com 0,2 m de diâmetro em A para dentro da turbina. Se a descarga em B é 0,5 m³/s, determine a potência de saída da turbina. Suponha que a turbina opere com uma eficiência de 65%. Desconsidere as perdas por cisalhamento no tubo.

*5.92. A água no reservatório escoa pelo tubo com 0,2 m de diâmetro em A para dentro da turbina. Se a descarga em B é 0,5 m³/s, determine a potência de saída da turbina. Suponha que a turbina opere com uma eficiência de 65% e que haja uma perda de carga de 0,5 m através do tubo.

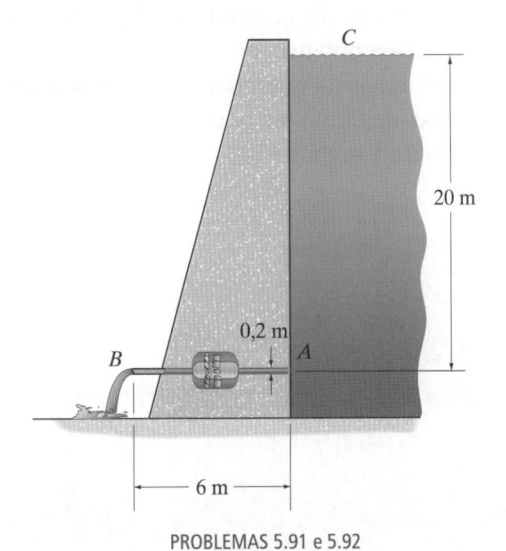

PROBLEMAS 5.91 e 5.92

5.93. Uma tubulação de óleo horizontal com 300 mm de diâmetro se estende por 8 km, conectando dois grandes reservatórios abertos com o mesmo nível. Se o cisalhamento no tubo cria uma perda de carga de 3 m para cada 200 m de extensão do tubo, determine a potência que deve ser fornecida por uma bomba para produzir um escoamento de 6 m³/min através do tubo. As extremidades do tubo estão submersas nos reservatórios. Considere $\rho_o = 880$ kg/m³.

5.94. Uma bomba é usada para remeter água de um reservatório grande para outro reservatório grande que está 20 m mais alto. Se a perda de carga por cisalhamento na tubulação de 200 mm de diâmetro e 4 km de extensão for de 2,5 m para cada 500 m de extensão do tubo, determine a potência de saída necessária da bomba para que o escoamento seja de 0,8 m³/s. As extremidades da tubulação estão submersas nos reservatórios.

5.95. A água é retirada do poço em B através do tubo de sucção com 3 pol. de diâmetro e descarregada através do tubo de mesmo tamanho em A. Se a bomba fornece 1,5 kW de potência para a água, determine a velocidade da água quando ela sai em A. Suponha que a perda de carga por cisalhamento na tubulação seja $1,5V^2/2g$. Observe que 746 W = 1 hp e 1 hp = 550 pés · lb/s.

*5.96. Desenhe as linhas de energia e piezométrica para o tubo BCA no Problema 5.95 usando um datum no ponto B. Suponha que a perda de carga seja constante ao longo do tubo em $1,5V^2/2g$.

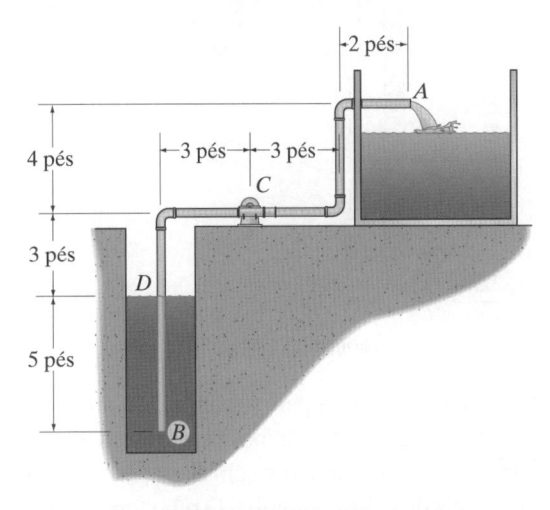

PROBLEMAS 5.95 e 5.96

5.97. Determine a vazão volumétrica inicial de água do tanque A para o tanque B, e a pressão na extremidade C do tubo quando a válvula está aberta. O tubo tem um diâmetro de 0,25 pé. Suponha que as perdas por cisalhamento dentro do tubo, válvula e conexões possam ser expressas por $1,28V^2/2g$, onde V é a velocidade média do escoamento através do tubo.

5.98. Desenhe as linhas de energia e piezométrica entre os pontos A e B usando um datum definido na base dos dois tanques. A válvula é aberta. Suponha que as perdas por cisalhamento dentro do tubo, válvula e conexões possam ser expressas por $1,28V^2/2g$, onde V é a velocidade média do escoamento através do tubo com 0,25 pé de diâmetro.

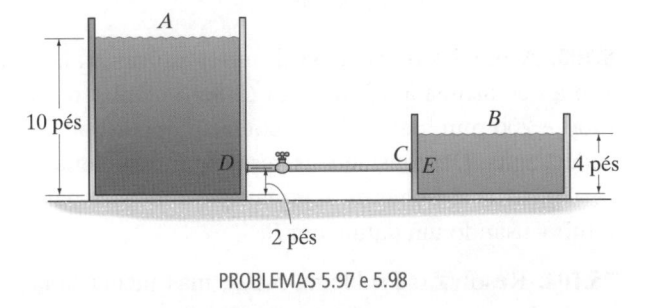

PROBLEMAS 5.97 e 5.98

5.99. A água é movida para a bomba, de modo que a pressão na entrada A é -35 kPa e a pressão em B é 120 kPa. Se a descarga em B é 0,08 m³/s, determine a potência de saída da bomba. Desconsidere as perdas por cisalhamento. O tubo possui um diâmetro constante de 100 mm. Considere $h = 2$ m.

*5.100. Desenhe as linhas de energia e piezométrica para o tubo ACB no Problema 5.99 usando um datum em A.

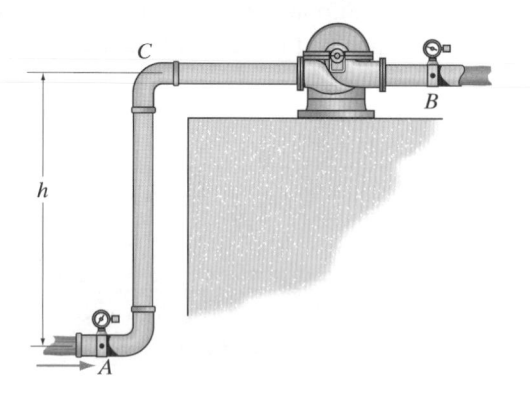

PROBLEMAS 5.99 e 5.100

5.101. A água é movida para a bomba, de modo que a pressão na entrada A é -6 lb/pol.^{2} e a pressão em B é 20 lb/pol.^{2} Se a vazão volumétrica em B é 4 pés^3/s, determine a potência de saída da bomba. O tubo tem um diâmetro de 4 pol. Considere $h = 5$ pés e $\rho_{água} = 1{,}94$ slug/pé^3.

5.102. Desenhe as linhas de energia e piezométrica para o tubo ACB no Problema 5.101 com referência ao datum em A.

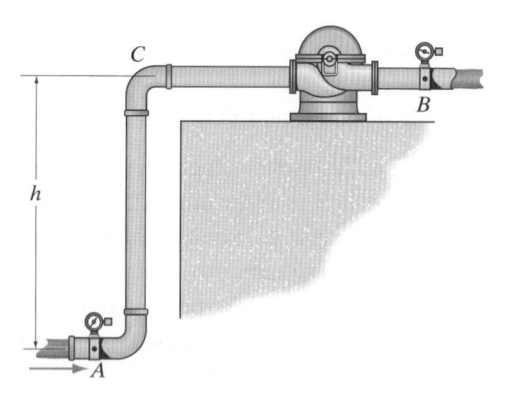

PROBLEMAS 5.101 e 5.102

5.103. A bomba retira água do reservatório grande A e a descarrega a 0,2 m^3/s em C. Se o diâmetro do tubo é 200 mm, determine a potência que a bomba cede à água. Desconsidere as perdas por cisalhamento. Construa as linhas de energia e piezométrica para o tubo, usando um datum em B.

*5.104. Resolva o Problema 5.103, mas inclua uma perda de carga por cisalhamento na bomba de 0,5 m, e uma perda por cisalhamento de 1 m para cada 5 m de extensão do tubo. O tubo se estende por 3 m a partir do reservatório até B, depois 12 m de B até C.

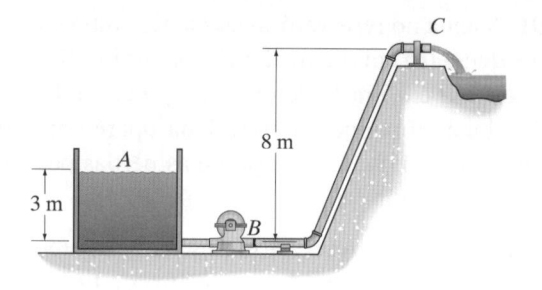

PROBLEMAS 5.103 e 5.104

5.105. A turbina remove energia potencial da água no reservatório de modo que possui uma descarga de 20 pés^3/s através do tubo com 2 pés de diâmetro. Determine a potência em hp entregue à turbina. Construa as linhas de energia e piezométrica para o tubo, usando um datum no ponto C. Desconsidere as perdas por cisalhamento.

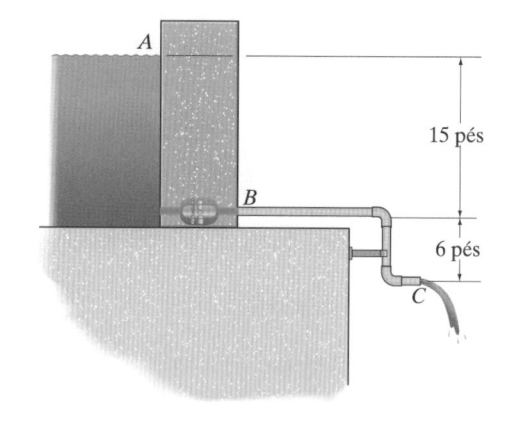

PROBLEMA 5.105

5.106. A turbina C remove 300 kW de potência da água que passa por ela. Se a pressão na entrada A é $p_A = 300$ kPa e a velocidade é 8 m/s, determine a pressão e a velocidade da água na saída B. Desconsidere as perdas por cisalhamento entre A e B.

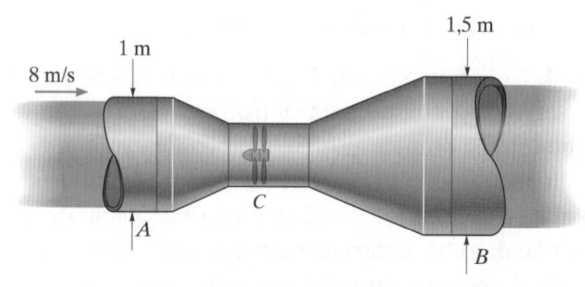

PROBLEMA 5.106

5.107. A bomba possui uma vazão volumétrica de 0,3 pé^3/s enquanto ela move a água do lago em A para aquela em B. Se a mangueira possui um diâmetro de 0,25 pé, e as perdas por cisalhamento dentro dela puderem ser expressas como $5\,V^2/g$, onde V é a velocidade média do escoamento, determine a potência em hp que a bomba fornece à água.

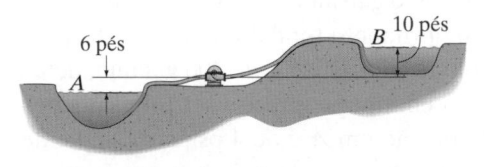

PROBLEMA 5.107

***5.108.** A água do reservatório passa por uma turbina a uma taxa de 18 pés³/s. Se ela é descarregada em B com uma velocidade de 15 pés/s, e a turbina retira 100 hp, determine a perda de carga no sistema.

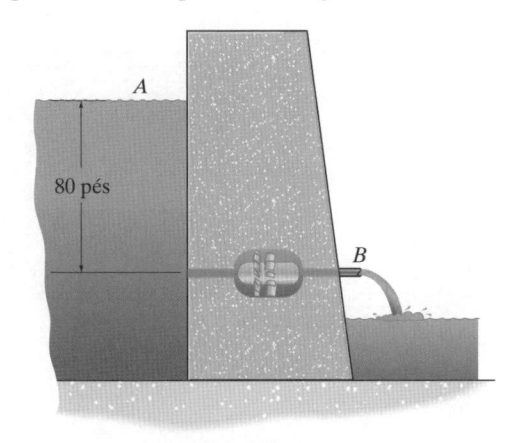

PROBLEMA 5.108

5.109. O tubo vertical está cheio de óleo. Quando a válvula em A é fechada, a pressão em A é 160 kPa, e em B é 90 kPa. Quando a válvula é aberta, o óleo flui a 2 m/s, e a pressão em A é 150 kPa e em B é 70 kPa. Determine a perda de carga no tubo entre A e B. Considere $\rho_o = 900$ kg/m³.

PROBLEMA 5.109

5.110. É preciso usar uma bomba para descarregar água a 80 gal/min de um rio para um lago, em B. Se a perda de carga por cisalhamento na mangueira é de 3 pés, e a mangueira possui um diâmetro de 0,25 pé, determine a potência de saída exigida da bomba. Observe que 7,48 gal = 1 pé³.

PROBLEMA 5.110

5.111. Uma bomba de 6 hp com uma mangueira com 3 pol. de diâmetro é usada para drenar a água de uma grande cavidade em B. Determine a descarga em C. Desconsidere as perdas por cisalhamento e a eficiência da bomba. 1 hp = 550 pés · lb/s.

*****5.112.** A bomba é usada com uma mangueira com 3 pol. de diâmetro para retirar a água da cavidade. Se a descarga é de 1,5 pé³/s, determine a potência necessária desenvolvida pela bomba. Desconsidere as perdas por cisalhamento.

5.113. Resolva o Problema 5.112 incluindo perdas de carga por cisalhamento na mangueira de 1,5 pé para cada 20 pés de mangueira. A mangueira tem um comprimento total de 130 pés.

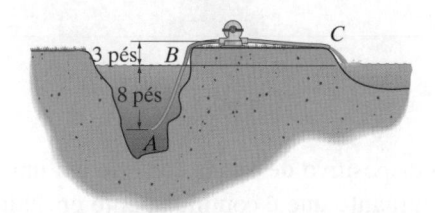

PROBLEMAS 5.111, 5.112 e 5.113

5.114. O escoamento de ar por um duto com 200 mm de diâmetro possui uma pressão de entrada absoluta de 180 kPa, uma temperatura de 15°C e uma velocidade de 10 m/s. Corrente abaixo, um sistema de exaustão de 2 kW aumenta a velocidade de saída para 25 m/s. Determine a densidade do ar na saída e a variação na entalpia do ar. Desconsidere a transferência de calor através do tubo.

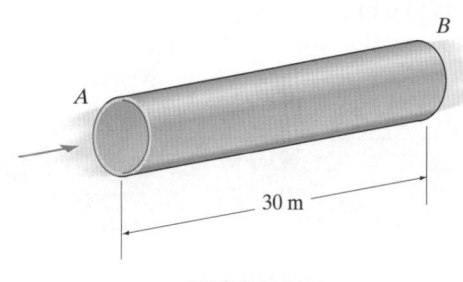

PROBLEMA 5.114

5.115. O gás de nitrogênio com uma entalpia de 250 J/kg está escoando a 6 m/s para dentro de um tubo com 10 m de extensão em A. Se a perda de calor das paredes do duto é 60 W, determine a entalpia do gás na saída B. Suponha que o gás seja incompressível com uma densidade de $\rho = 1{,}36$ kg/m^3.

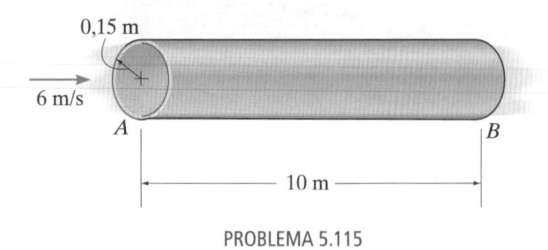

PROBLEMA 5.115

*__5.116.__ A pressão d'água medida nas partes de entrada e saída do tubo são indicadas para a bomba na figura. Se o escoamento é de 0,1 m^3/s, determine a potência que a bomba fornece à água. Desconsidere as perdas por cisalhamento.

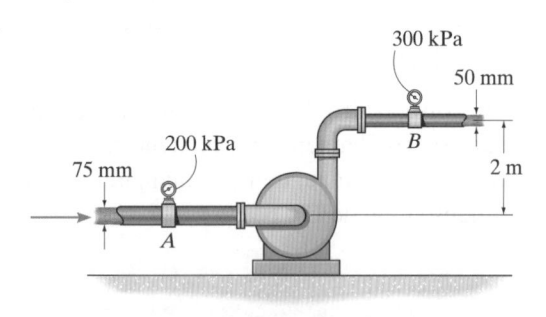

PROBLEMA 5.116

5.117. O dispositivo de ondas consiste em um reservatório flutuante que é continuamente enchido com as ondas, de modo que o nível da água no reservatório esteja sempre mais alto do que o do oceano ao redor. À medida que a água é drenada em A, a energia é retirada pela hidroturbina, que então gera eletricidade. Determine a potência que pode ser produzida por esse sistema se o nível de água no reservatório for sempre 1,5 m acima daquele do oceano. As ondas adicionam 0,3 m^3/s ao reservatório e o diâmetro do túnel contendo a turbina é de 600 mm. A perda de carga através da turbina é de 0,2 m. Considere $\rho_{\text{água}} = 1050$ kg/m^3.

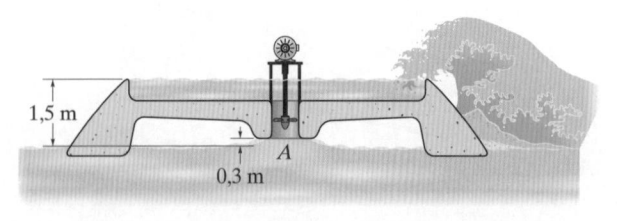

PROBLEMA 5.117

5.118. O petróleo cru é bombeado do separador de teste em A para o tanque de estocagem usando um tubo de ferro galvanizado com um diâmetro de 4 pol. Se o comprimento total do tubo é de 180 pés, e a vazão volumétrica em A é de 400 gal/min, determine a potência em hp que precisa ser fornecida pela bomba. A pressão em A é de 4 psi, e o tanque de armazenagem é aberto à atmosfera. A perda de carga por cisalhamento no tubo é de 0,25 pol./pé, e a perda de carga para cada uma das quatro curvas é de $K(V^2/2g)$, onde $K = 0{,}09$ e V é a velocidade do escoamento no tubo. Considere $\gamma_o = 55$ lb/pés^3. Observe que 1 pé^3 = 7,48 gal.

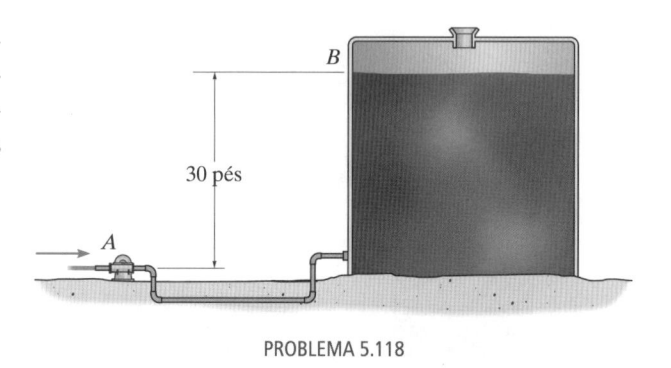

PROBLEMA 5.118

5.119. A bomba é usada para transportar água a 90 pés^3/min da corrente até 20 pés de represa. Se as perdas de carga por cisalhamento no tubo com diâmetro de 3 pol. são $h_L = 1{,}5$ pé, determine a potência de saída da bomba.

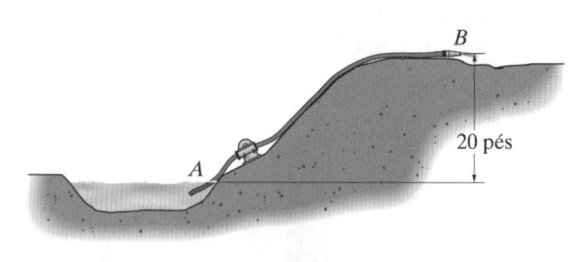

PROBLEMA 5.119

*__5.120.__ A bomba é usada para transferir tetracloreto de carbono em um fábrica de processamento a partir de um tanque de armazenamento A para o tanque de mistura C. Se a perda de carga total devido ao cisalhamento e às conexões no tubo do sistema é 1,8 m, e o diâmetro do tubo é 50 mm, determine a potência desenvolvida pela bomba quando $h = 3$ m. A velocidade na saída do tubo é 10 m/s, e o tanque de armazenamento está aberto para a atmosfera. Considere $\rho_{tc} = 1590$ kg/m^3.

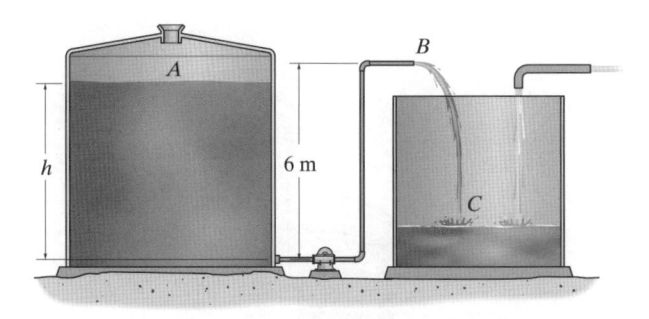

em *A*. Se a perda de carga por cisalhamento dentro do sistema é de 8 pés, determine a diferença na pressão da água entre *A* e *B*.

PROBLEMA 5.120

PROBLEMAS 5.123 e 5.124

5.121. A bomba recebe água do reservatório grande em *A* e a descarrega em *B* a 0,8 pé³/s através de um tubo com 6 pol. de diâmetro. Se a perda de carga por cisalhamento é de 3 pés, determine a potência de saída da bomba.

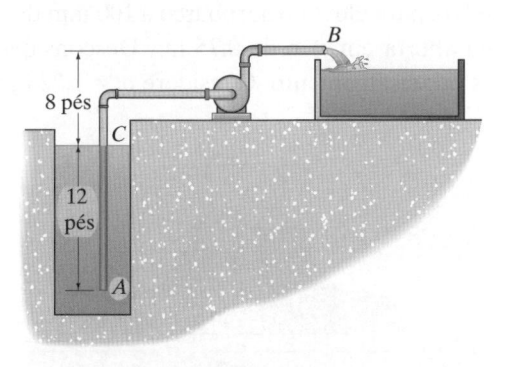

5.125. O tanque d'água está sendo drenado por meio de uma mangueira com 1 pol. de diâmetro. Se o escoamento que sai da mangueira é 5 pés³/min, determine a perda de carga na mangueira quando a profundidade da água é $d = 6$ pés.

PROBLEMA 5.121

PROBLEMA 5.125

5.122. Ar e combustível entram em um motor (turbina) de turbojato com uma entalpia de 800 kJ/kg e uma velocidade relativa de 15 m/s. A mistura sai com uma velocidade relativa de 60 m/s e uma entalpia de 650 kJ/kg. Se a vazão mássica é de 30 kg/s, determine a potência de saída do jato. Suponha que não haja transferência de calor.

5.126. A bomba em *C* produz uma descarga de água em *B* de 0,035 m³/s. Se a tubulação em *B* tem um diâmetro de 50 mm e a mangueira em *A* tem um diâmetro de 30 mm, determine a potência de saída fornecida pela bomba. Suponha que as perdas de carga por cisalhamento dentro do sistema de tubos sejam determinadas a partir de $3V_B^2/2g$.

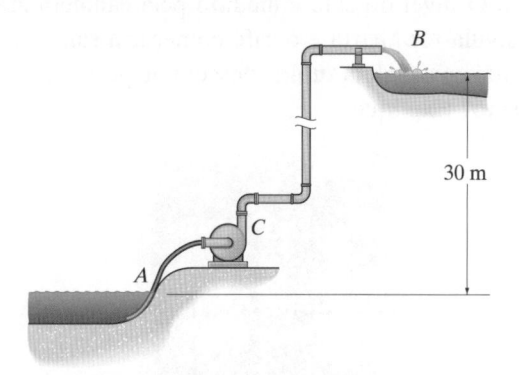

PROBLEMA 5.122

5.123. A água é escoada para a bomba a 600 gal/min e tem uma pressão de 4 psi. Ela sai da bomba a 18 psi. Determine a potência de saída da bomba. Desconsidere as perdas por cisalhamento. Observe que 1 pé³ = 7,48 gal.

PROBLEMA 5.126

*5.124. A bomba de 5 hp tem uma eficiência $e = 0,8$ e produz uma velocidade de 3 pés/s através do tubo

5.127. Determine a potência de saída exigida para bombear um líquido refrigerante com sódio a 3 pés³/s através do núcleo de um reator de metal líquido se o sistema da tubulação consiste em 23 tubos de aço inoxidável, cada um com um diâmetro de 1,25 pol. e comprimento de 4,2 pés. A pressão na entrada A é 47,5 lb/pés^2 e na saída B é 15,5 lb/pés^2. A perda de carga por cisalhamento para cada tubo é 0,75 pol. Considere $\gamma_{Na} = 57,9$ lb/pés^3.

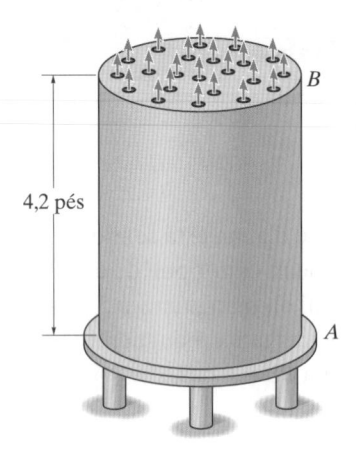

PROBLEMA 5.127

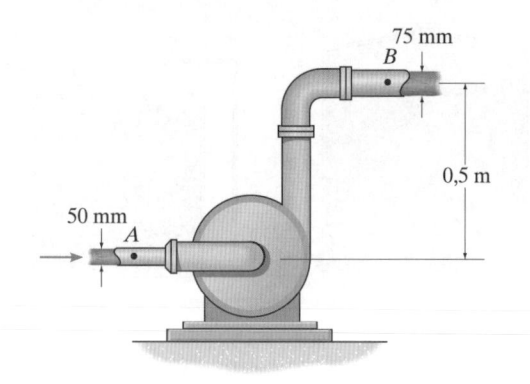

PROBLEMAS 5.128 e 5.129

*5.128. Se a pressão em A é 60 kPa e a pressão em B é 180 kPa, determine a potência de saída fornecida pela bomba se a água escoa a 0,02 m^3/s. Desconsidere as perdas por cisalhamento.

5.129. A bomba fornece uma potência de 1,5 kW à água, produzindo uma vazão volumétrica de 0,015 m^3/s. Se a perda de carga por cisalhamento total dentro do sistema é 1,35 m, determine a diferença de pressão entre a entrada A e a saída B dos tubos.

5.130. O aerobarco circular recebe ar através do ventilador A e o descarrega pelo fundo B perto do solo, onde produz uma pressão de 1,50 kPa sobre o solo. Determine a velocidade média do ar que entra em A necessária para elevar o aerobarco a 100 mm do solo. A área aberta em A é de 0,75 m^2. Desconsidere as perdas por cisalhamento. Considere $\rho_a = 1,22$ kg/m^3.

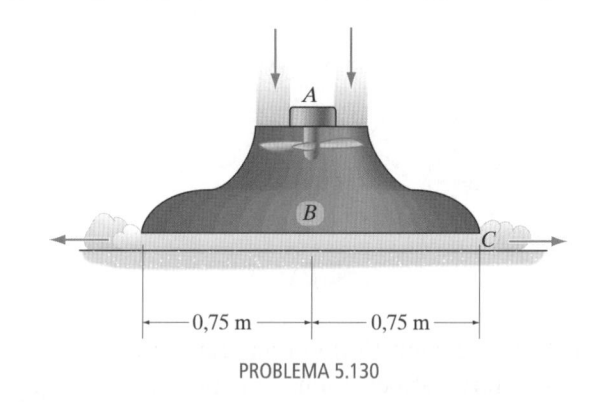

PROBLEMA 5.130

Problemas conceituais

P5.1. O nível do café é medido pela canaleta A. Se a válvula for aberta e o café começar a sair, o nível de café na canaleta subirá, descerá ou permanecerá o mesmo? Explique.

P5.2. A bola é suspensa no ar pelo jato de ar produzido pelo ventilador. Explique por que ela retornará a essa posição se for deslocada ligeiramente para a direita ou para a esquerda.

P 5.1

P 5.2

P5.3. Quando o ar sai pela mangueira, ele faz com que o papel levante. Explique por que isso acontece.

P 5.3

Revisão do capítulo

Para um *fluido invíscido*, o *escoamento em regime permanente* de uma partícula ao longo de uma linha de corrente é causado pela pressão e pelas forças gravitacionais. As equações diferenciais de Euler descrevem esse movimento. Ao longo da linha de corrente ou direção *s*, as forças mudam a *magnitude* da velocidade da partícula, e ao longo da normal ou direção *n*, elas mudam a *direção* de sua velocidade.

$$\frac{dp}{\rho} + V\,dV + g\,dz = 0$$

$$-\frac{dp}{dn} - \rho g \frac{dz}{dn} = \frac{\rho V^2}{R}$$

A equação de Bernoulli é uma forma integrada da equação de Euler na direção *s*. Ela se aplica entre dois pontos na *mesma linha de corrente* para o *escoamento em regime permanente* de um *fluido perfeito*. Ela não pode ser usada em pontos onde ocorrem perdas de energia, ou entre pontos onde a energia do fluido é adicionada ou retirada por fontes externas. Ao aplicar a equação de Bernoulli, lembre-se de que os pontos nas aberturas atmosféricas possuem pressão manométrica zero e que a velocidade é zero em um ponto de estagnação ou na superfície superior de um reservatório grande.

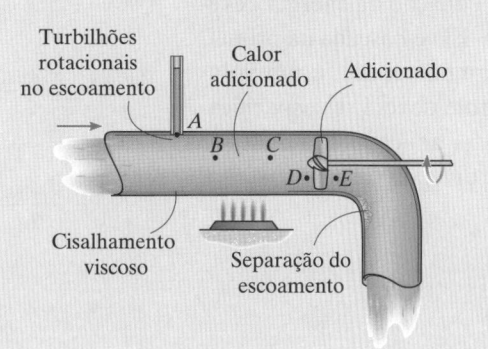

Locais onde a equação de Bernoulli *não* se aplica

$$\frac{p_1}{\rho} + \frac{V_1^2}{2} + gz_1 = \frac{p_2}{\rho} + \frac{V_2^2}{2} + gz_2$$

escoamento em regime permanente, fluido perfeito, mesma linha de corrente

Tubos de Pitot podem ser usados para medir a velocidade de um líquido em um *canal aberto*. Para medir a velocidade de um líquido em um *conduto fechado*, é preciso usar um tubo de Pitot junto com um piezômetro, que mede a pressão estática no líquido. Um medidor de Venturi também pode ser usado para medir a velocidade média ou a vazão volumétrica.

A equação de Bernoulli pode ser expressa em termos da carga total H do fluido. Um gráfico da carga total é chamado de linha de energia, LE, que sempre será uma linha horizontal constante, desde que não haja perdas por cisalhamento. A linha piezométrica, LP, é um gráfico da carga piezométrica, $p/\gamma + z$. Essa linha sempre estará *abaixo* da LE por uma quantidade igual à carga cinética, $V^2/2g$.

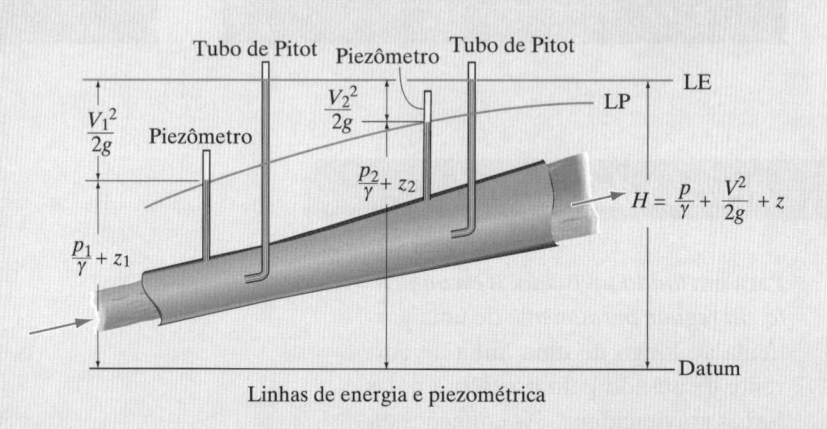

Linhas de energia e piezométrica

$$H = \frac{p}{\gamma} + \frac{V^2}{2g} + z = \text{const.}$$

Quando o fluido é viscoso e/ou uma energia é acrescentada ou removida do fluido, a equação da energia deverá ser usada. Ela é baseada na primeira lei da termodinâmica, e um volume de controle deverá ser especificado, quando for aplicado. Ela pode ser expressa de diversas formas.

$$\dot{Q}_{\text{entrada}} - \dot{W}_{\text{turb}} + \dot{W}_{\text{bomba}} =$$
$$\left[\left(h_{\text{saída}} + \frac{V_{\text{saída}}^2}{2} + gz_{\text{saída}} \right) - \left(h_{\text{entrada}} + \frac{V_{\text{entrada}}^2}{2} + gz_{\text{entrada}} \right) \right] \dot{m}$$

$$\frac{p_{\text{entrada}}}{\rho} + \frac{V_{\text{entrada}}^2}{2} + gz_{\text{entrada}} + w_{\text{bomba}} = \frac{p_{\text{saída}}}{\rho} + \frac{V_{\text{saída}}^2}{2} + gz_{\text{saída}} + w_{\text{turb}} + pc$$

$$\frac{p_{\text{entrada}}}{\gamma} + \frac{V_{\text{entrada}}^2}{2g} + z_{\text{entrada}} + h_{\text{bomba}} = \frac{p_{\text{saída}}}{\gamma} + \frac{V_{\text{saída}}^2}{2g} + z_{\text{saída}} + h_{\text{turb}} + h_L$$

Potência é a taxa de realização de trabalho de eixo.

$$\dot{W}_s = \dot{m} g h_s = Q \gamma h_s$$

CAPÍTULO 6
Quantidade de movimento do fluido

Princípios de impulso e quantidade de movimento desempenham um papel importante no projeto de moinhos de vento e turbinas eólicas.

(© Sander van der Werf/Shutterstock)

6.1 A equação da quantidade de movimento linear

O projeto de muitas estruturas hidráulicas, como comportas e anteparos para desvio do escoamento, além de bombas e turbinas, depende das forças que o escoamento de um fluido exerce sobre eles. Nesta seção, obteremos essas forças usando uma análise de quantidade de movimento linear, que é baseada na segunda lei de Newton do movimento, escrita na forma $\Sigma \mathbf{F} = m\mathbf{a} = d(m\mathbf{V})/dt$. Para a aplicação dessa equação, é importante medir a taxa de variação da quantidade de movimento no tempo, $m\mathbf{V}$, a partir de um referencial *inercial*, ou sem aceleração, ou seja, uma referência que ou é fixa ou se move com velocidade constante.

Devido ao escoamento do fluido, uma abordagem de volume de controle funciona melhor para esse tipo de análise, portanto, aplicaremos o teorema de transporte de Reynolds para determinar a derivada no tempo $d(m\mathbf{V})/dt$ antes de aplicarmos a segunda lei de Newton. A quantidade de movimento linear é uma propriedade extensiva de um fluido, onde $\mathbf{N} = m\mathbf{V}$, portanto, $\boldsymbol{\eta} = m\mathbf{V}/m = \mathbf{V}$. Logo, a Equação 4.11 torna-se

$$\left(\frac{d\mathbf{N}}{dt}\right)_{\text{sist}} = \frac{\partial}{\partial t}\int_{\text{vc}} \boldsymbol{\eta}\rho\,d\forall + \int_{\text{sc}} \boldsymbol{\eta}\rho\mathbf{V}\cdot d\mathbf{A}$$

$$\left(\frac{d(m\mathbf{V})}{dt}\right)_{\text{sist}} = \frac{\partial}{\partial t}\int_{\text{vc}} \mathbf{V}\rho\,d\forall + \int_{\text{sc}} \mathbf{V}\rho\mathbf{V}\cdot d\mathbf{A}$$

Agora, substituindo esse resultado na segunda lei de Newton do movimento, obtemos nosso resultado, a *equação da quantidade de movimento linear*.

Objetivos

- Desenvolver os princípios do impulso linear e angular e da quantidade de movimento para um fluido, de modo a poder determinar os carregamentos que o fluido exerce sobre a superfície.

- Ilustrar as aplicações específicas da equação da quantidade de movimento para hélices, turbinas eólicas, turbojatos e foguetes.

258 MECÂNICA DOS FLUIDOS

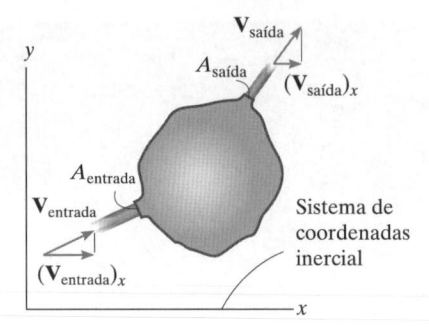

Volume de controle
(a)

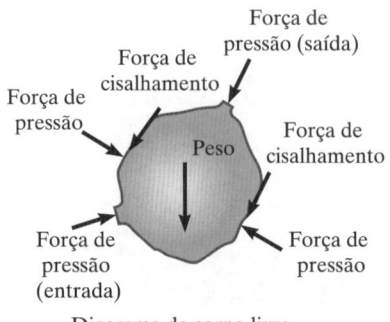

Diagrama de corpo livre
(b)

FIGURA 6.1

$$\Sigma \mathbf{F} = \frac{\partial}{\partial t}\int_{vc} \mathbf{V}\rho\, d\mathcal{V} + \int_{sc} \mathbf{V}\rho\mathbf{V}\cdot d\mathbf{A} \qquad (6.1)$$

É *muito importante* perceber como a velocidade $\mathbf{V}$ é usada no último termo dessa equação. Ela fica isolada como uma *grandeza vetorial* $\mathbf{V}$, e como resultado possui *componentes* ao longo dos eixos x, y, z. Mas ela também está envolvida na operação de produto escalar com $d\mathbf{A}$, a fim de definir a *vazão mássica* através de uma superfície de controle aberta, ou seja, $\rho\mathbf{V}\cdot d\mathbf{A}$. Essa é uma *grandeza escalar*, portanto, *não possui componentes*. Para enfatizar esse ponto, considere o escoamento de um fluido perfeito entrando e saindo de duas superfícies de controle na Figura 6.1a. Na direção x, o último termo da Equação 6.1 torna-se $\int_{sc} V_x \rho\, \mathbf{V}\cdot d\mathbf{A} = (V_{entrada})_x(-\rho\, V_{entrada}A_{entrada}) + (V_{saída})_x(\rho V_{saída}A_{saída})$. Aqui, $(V_{entrada})_x$ e $(V_{saída})_x$ são os componentes x de $\mathbf{V}_{entrada}$ e $\mathbf{V}_{saída}$. Ambos atuam na direção $+x$ (Figura 6.1a). Ao escrever a expressão para os produtos escalares, seguimos nossa convenção de sinal positivo, ou seja, $\mathbf{A}_{entrada}$ e $\mathbf{A}_{saída}$ são *ambos* positivos e apontam para fora, mas $\mathbf{V}_{entrada}$ é negativo, pois é direcionado para dentro do volume de controle. Por esse motivo, $\rho V_{entrada} A_{entrada}$ é uma quantidade negativa.

Escoamento em regime permanente

Se o escoamento for *em regime permanente*, então nenhuma mudança local da quantidade de movimento ocorrerá dentro do volume de controle, e o primeiro termo da direita da Equação 6.1 será igual a zero. Portanto,

$$\Sigma \mathbf{F} = \int_{sc} \mathbf{V}\rho\mathbf{V}\cdot d\mathbf{A} \qquad (6.2)$$
Escoamento em
regime permanente

Além disso, se tivermos um *fluido perfeito*, então ρ é constante e o cisalhamento viscoso é zero. Assim, a velocidade será distribuída uniformemente pelas superfícies de controle abertas, e, portanto, a integração da Equação 6.2 resulta em

$$\Sigma \mathbf{F} = \Sigma \mathbf{V}\rho\mathbf{V}\cdot \mathbf{A} \qquad (6.3)$$
Escoamento perfeito
em regime permanente

As equações apresentadas são bastante usadas na engenharia, para obter as forças do fluido que atuam sobre diversos tipos de superfícies que desviam ou transportam o escoamento.

Diagrama de corpo livre

Quando a Equação 6.1 é aplicada, geralmente haverá três tipos de forças externas $\Sigma\mathbf{F}$ que podem atuar sobre o sistema de fluido contido dentro do volume de controle. Como vemos neste diagrama de corpo livre (Figura 6.1b), elas são *forças de cisalhamento* que atuam tangentes à superfície de controle fechada, *forças de pressão* que atuam normais às superfícies de controle abertas e fechadas, e *peso* que atua através do centro de gravidade da massa do fluido dentro do volume de controle. Para fazer uma análise, representaremos as forças de cisalhamento e pressão *resultantes* por sua única força resultante. O oposto dessa resultante é o efeito do sistema de fluido sobre essa superfície. Esta é chamada de *força dinâmica*.

6.2 Aplicações para corpos em repouso

De vez em quando, dutos, tubos e outros tipos de condutos podem estar sujeitos a forças do fluido, pois eles podem mudar a direção do escoamento. Para esses casos, o procedimento a seguir poderá ser usado para aplicar uma análise de quantidade de movimento linear e determinar a força resultante causada pela pressão e pelo cisalhamento que um fluido em movimento exerce sobre sua superfície fixa.

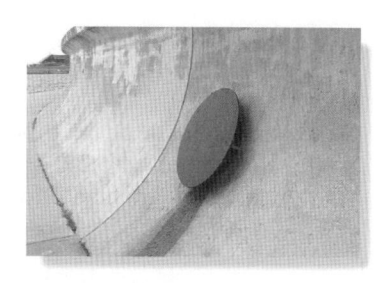

As conexões nesta tampa precisam resistir à mudança na quantidade de movimento do escoamento da água que sai da abertura e atinge a placa.

Procedimento para análise

Descrição do fluido

- Identifique o tipo de escoamento como em regime permanente, transitório, uniforme ou não uniforme. Especifique também se o fluido é compressível, incompressível, viscoso ou invíscido.

Volume de controle e diagrama de corpo livre

- O volume de controle pode ser fixo, móvel ou deformável e, dependendo do problema, pode incluir partes sólidas *e* fluidas. Superfícies de controle abertas deverão estar localizadas em uma região onde o escoamento é uniforme e bem estabelecido. Essas superfícies deverão ser orientadas de modo que suas áreas planas sejam perpendiculares ao escoamento. Para fluidos invíscidos e perfeitos, o perfil de velocidade será uniforme por toda a seção transversal, e, portanto, representa uma velocidade média.

- O diagrama de corpo livre do volume de controle deverá ser desenhado, para identificar todas as forças externas que atuam sobre ele. Essas forças geralmente incluem o peso do fluido contido e o peso de quaisquer partes sólidas do volume de controle, o resultante das forças de cisalhamento e de pressão ou seus componentes que atuam sobre uma *superfície de controle fechada*, e as forças de pressão que atuam sobre as *superfícies de controle abertas*. Observe que as forças de pressão serão zero se a superfície de controle estiver aberta para a atmosfera; porém, se uma superfície de controle aberta estiver contida dentro do fluido, então a pressão sobre essa superfície pode ter de ser determinada por meio da equação de Bernoulli.

Quantidade de movimento linear

- Se a vazão volumétrica for conhecida, as velocidades médias nas superfícies de controle abertas podem ser determinadas por meio de $V = Q/A$, ou aplicando a equação da continuidade, a equação de Bernoulli ou a equação da energia.

- Estabeleça o sistema de coordenadas inerciais x, y e aplique a equação da quantidade de movimento linear, usando os componentes x e y da velocidade, mostrados nas superfícies de controle abertas, e as forças mostradas no diagrama de corpo livre. Lembre-se de que o termo $\rho \mathbf{V} \cdot d\mathbf{A}$ na equação da quantidade de movimento é uma *quantidade escalar* que representa a *vazão mássica* através da área $\mathbf{A}$ de cada superfície de controle aberta. O produto $\rho \mathbf{V} \cdot \mathbf{A}$ é *negativo* para a vazão mássica que *entra* em uma superfície de controle, pois $\mathbf{V}$ e $\mathbf{A}$ estão em direções opostas, enquanto $\rho \mathbf{V} \cdot \mathbf{A}$ é *positivo* para a vazão mássica que *sai* de uma superfície de controle, pois então $\mathbf{V}$ e $\mathbf{A}$ estão na mesma direção.

EXEMPLO 6.1

A extremidade de um tubo é tampada com um redutor, como mostra a Figura 6.2a. Se a pressão d'água dentro do tubo em A é 200 kPa, determine a força de cisalhamento que a cola nas laterais do tubo exerce sobre o redutor para mantê-lo no lugar.

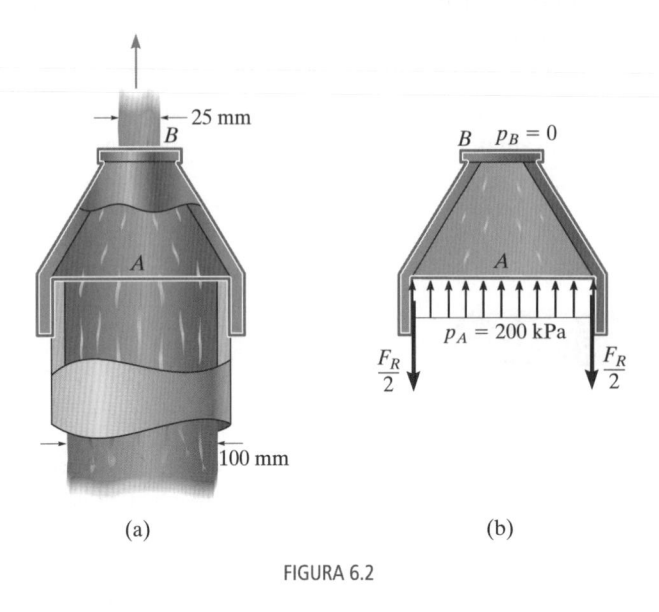

FIGURA 6.2

Solução

Descrição do fluido

Temos um escoamento em regime permanente, e vamos considerar que a água seja um fluido perfeito, onde $\rho_{água} = 1000$ kg/m³.

Volume de controle e diagrama de corpo livre

Vamos selecionar o volume de controle para representar o redutor e a parte da água dentro dele (Figura 6.2a). O motivo para essa seleção é mostrar ou "expor" a força de cisalhamento necessária F_R no diagrama de corpo livre do volume de controle (Figura 6.2b). Além disso, vemos a pressão d'água p_A, desenvolvida na superfície de controle A na entrada. Não existe força de pressão na superfície de controle da saída, pois a pressão (manométrica) é $p_B = 0$.

Está excluída a força horizontal simétrica ou a força normal da parede do tubo sobre o redutor. Também excluímos o *peso* do redutor, juntamente com o peso da água dentro dele, pois aqui eles podem ser considerados desprezíveis.

Equação da continuidade

Antes de aplicarmos a equação da quantidade de movimento, primeiro temos de obter a velocidade da água em A e B. Aplicando a equação da continuidade para o escoamento em regime permanente, temos

$$\frac{\partial}{\partial t}\int_{vc} \rho \, dV + \int_{sc} \rho \mathbf{V} \cdot d\mathbf{A} = 0$$

$$0 - \rho V_A A_A + \rho V_B A_B = 0$$

$$-V_A \left[\pi(0{,}05 \text{ m})^2\right] + V_B \left[\pi(0{,}0125 \text{ m})^2\right] = 0$$

$$V_B = 16 V_A \tag{1}$$

Equação de Bernoulli

Como as pressões em A e B são conhecidas, as velocidades nesses pontos podem ser determinadas por meio da Equação 1 e aplicando a equação de Bernoulli aos pontos de uma linha de controle vertical passando por A e B.* Desconsiderando a diferença de elevação de A para B, temos

$$\frac{p_A}{\gamma} + \frac{V_A^2}{2g} + z_A = \frac{p_B}{\gamma} + \frac{V_B^2}{2g} + z_B$$

$$\frac{200(10^3)\ \text{N/m}^2}{(1000\ \text{kg/m}^3)(9{,}81\ \text{m/s}^2)} + \frac{V_A^2}{2(9{,}81\ \text{m/s}^2)} + 0 = 0 + \frac{(16V_A)^2}{2(9{,}81\ \text{m/s}^2)} + 0$$

$$V_A = 1{,}252\ \text{m/s}$$
$$V_B = 16(1{,}252\ \text{m/s}) = 20{,}04\ \text{m/s}$$

Quantidade de movimento linear

Para obter F_R, agora podemos aplicar a equação da quantidade de movimento na direção vertical.

$$\Sigma \mathbf{F} = \frac{\partial}{\partial t} \int_{vc} \mathbf{V} \rho\, d\mathcal{V} + \int_{sc} \mathbf{V} \rho \mathbf{V} \cdot d\mathbf{A}$$

Visto que o escoamento é em regime permanente, não ocorre qualquer variação local na quantidade de movimento, portanto, o primeiro termo da direita é zero. Além disso, como o fluido é perfeito, $\rho_{\text{água}}$ é constante e as velocidades médias podem ser usadas. Logo,

$$+\uparrow \Sigma F_y = 0 + V_B(\rho_{\text{água}} V_B A_B) + (V_A)(-\rho_{\text{água}} V_A A_A)$$

$$+\uparrow \Sigma F_y = \rho_{\text{água}}(V_B^2 A_B - V_A^2 A_A)$$

$$[200(10^3)\ \text{N/m}^2][\pi(0{,}05\ \text{m})^2] - F_R = (1000\ \text{kg/m}^3)[(20{,}04\ \text{m/s})^2(\pi)(0{,}0125\ \text{m})^2 - (1{,}252\ \text{m/s})^2(\pi)(0{,}05\ \text{m})^2]$$

$$F_R = 1{,}39\ \text{kN} \hspace{2cm} \textit{Resposta}$$

Esse resultado positivo indica que a força de cisalhamento atua de cima para baixo sobre o redutor (superfície de controle), conforme inicialmente suposto.

---

* Na realidade, uma conexão como essa gerará perdas por cisalhamento, de modo que a equação da energia deverá ser usada. Isso será discutido no Capítulo 10.

EXEMPLO 6.2

A água é descarregada de um bocal com 1 pol. de diâmetro de uma mangueira de incêndio a 180 gal/min (Figura 6.3a). O jato atinge a superfície fixa tal que 3/4 escoam por B, enquanto o 1/4 restante escoa por C. Determine os componentes x e y da força exercida sobre a superfície.

Solução

Descrição do fluido

Este é um caso de escoamento em regime permanente. Vamos considerar que a água seja um fluido perfeito, para a qual $\gamma_{\text{água}} = 62{,}4\ \text{lb/pés}^3$.

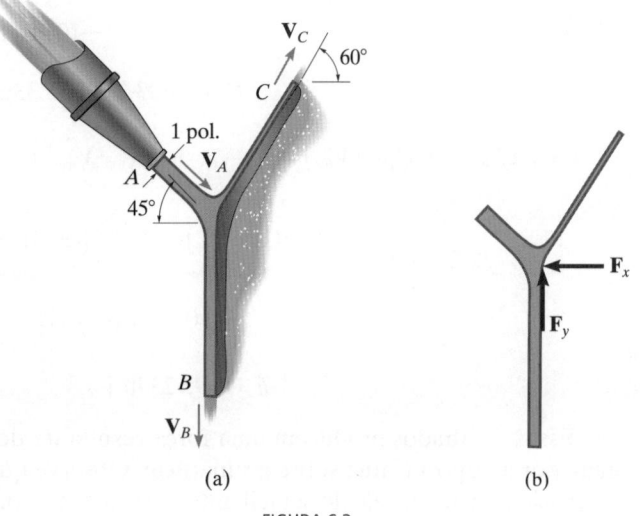

FIGURA 6.3

Volume de controle e diagrama de corpo livre

Vamos selecionar um volume de controle fixo que contenha a água do bocal e que passe sobre a superfície (Figura 6.3a). A pressão distribuída pela superfície cria componentes de reação horizontal e vertical resultantes, $\mathbf{F}_x$ e $\mathbf{F}_y$, na superfície de controle fechada. Vamos desprezar o peso da água dentro do volume de controle. Além disso, visto que a pressão (manométrica) sobre todas as superfícies de controle abertas é zero, nenhuma força está atuando sobre essas superfícies.

Se aplicarmos a equação de Bernoulli a um ponto na corrente de fluido ao longo de A, e a outro ponto na corrente de fluido ao longo de B (ou C), desconsiderando as variações de elevação entre esses pontos, e observando que a pressão (manométrica) é zero, então $p/\gamma + V^2/2g + z = $ constante mostra que a velocidade da água sobre e ao longo da superfície fixa é a mesma em todos os lugares. Ou seja, $V_A = V_B = V_C$. A superfície só muda a direção da velocidade.

Quantidade de movimento linear

A velocidade pode ser determinada a partir do escoamento em A, pois aqui a área transversal é conhecida.

$$Q_A = \frac{180 \text{ gal}}{1 \text{ min}} \left(\frac{1 \text{ min}}{60 \text{ s}}\right)\left(\frac{1 \text{ pé}^3}{7{,}48 \text{ gal}}\right) = 0{,}4011 \text{ pé}^3/\text{s}$$

$$V_A = V_B = V_C = \frac{Q_A}{A_A} = \frac{0{,}4011 \text{ pé}^3/\text{s}}{\pi\left(\frac{0{,}5}{12} \text{ pé}\right)^2} = 73{,}53 \text{ pés/s}$$

Para este caso de escoamento em regime permanente, a equação da quantidade de movimento linear torna-se

$$\Sigma \mathbf{F} = \frac{\partial}{\partial t}\int_{vc} \mathbf{V}\rho \, d\forall + \int_{sc} \mathbf{V}\rho \mathbf{V} \cdot d\mathbf{A}$$

$$\Sigma \mathbf{F} = 0 + \mathbf{V}_B(\rho V_B A_B) + \mathbf{V}_C(\rho V_C A_C) + \mathbf{V}_A(-\rho V_A A_A)$$

Observe que o último termo é negativo, pois o escoamento é *para dentro* do volume de controle. Como $Q = VA$, então

$$\Sigma \mathbf{F} = \rho(Q_B \mathbf{V}_B + Q_C \mathbf{V}_C - Q_A \mathbf{V}_A)$$

Agora, quando resolvemos essa equação nas direções x e y, somente as velocidades, $\mathbf{V}$, terão *componentes*. Os escoamentos, $Q = VA$, são *quantidades escalares*. Assim,

$$\xrightarrow{+} \Sigma F_x = \rho(Q_B V_{Bx} + Q_C V_{Cx} - Q_A V_{Ax})$$

$$-F_x = \frac{62{,}4 \text{ lb/pés}^3}{32{,}2 \text{ pés/s}^2}\left[0 + \tfrac{1}{4}(0{,}4011 \text{ pé}^3/\text{s})\left[(73{,}53 \text{ pés/s}) \cos 60°\right]\right.$$

$$\left. - (0{,}4011 \text{ pé}^3/\text{s})\left[(73{,}53 \text{ pés/s}) \cos 45°\right]\right]$$

$$F_x = -33{,}27 \text{ lb} = 33{,}3 \text{ lb} \leftarrow \qquad \textit{Resposta}$$

$$+\uparrow \Sigma F_y = \rho\left[Q_B(-V_{By}) + Q_C V_{Cy} - Q_A(-V_{Ay})\right]$$

$$F_y = \frac{62{,}4 \text{ lb/pés}^3}{32{,}2 \text{ pés/s}^2}\left[\tfrac{3}{4}(0{,}4011 \text{ pé}^3/\text{s})(-73{,}53 \text{ pés/s}) + \tfrac{1}{4}(0{,}4011 \text{ pé}^3/\text{s})\left[(73{,}53 \text{ pés/s}) \text{ sen} 60°\right]\right.$$

$$\left. - (0{,}4011 \text{ pé}^3/\text{s})\left[-(73{,}53 \text{ pés/s}) \text{ sen} 45°\right]\right]$$

$$F_y = 9{,}923 \text{ lb} \uparrow \qquad \textit{Resposta}$$

Esses resultados produzem uma força resultante de 34,7 lb que atua sobre a água. A *força dinâmica* igual, porém oposta, atua sobre a superfície. Observe que, se o bocal for direcionado *perpendicular* a uma superfície plana, um cálculo semelhante mostra que a força é 57,2 lb. Isso pode se tornar bastante perigoso se a corrente for direcionada para alguém!

EXEMPLO 6.3

O ar escoa pelo duto na Figura 6.4a de modo que, em A, ele possui uma temperatura de 30°C e uma pressão absoluta de 300 kPa, enquanto, devido ao resfriamento, em B ele tem uma temperatura de 10°C e uma pressão absoluta de 298,5 kPa. Se a velocidade média do ar em A é 3 m/s, determine a força de cisalhamento resultante que atua ao longo das paredes do duto entre esses dois locais.

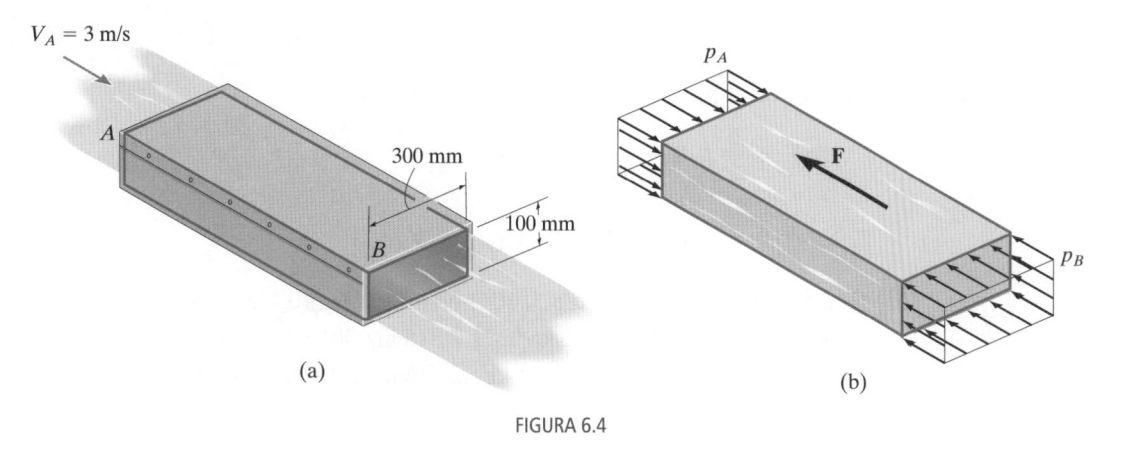

FIGURA 6.4

Solução

Descrição do fluido

Aqui, devido a uma mudança na densidade, temos um escoamento em regime permanente de um fluido viscoso e compressível. Consideramos que o ar seja um gás perfeito nas temperaturas e pressões consideradas.

Volume de controle e diagrama de corpo livre

O ar dentro do duto será tomado como o volume de controle fixo (Figura 6.4a). A força de cisalhamento **F** que atua sobre a superfície de controle ao longo das paredes do duto é o resultado do efeito viscoso do ar (Figura 6.4b). O peso do ar pode ser desprezado, mas as forças de pressão em A e B devem ser consideradas. (As forças de pressão sobre as superfícies de controle fechadas ou laterais não aparecem, pois produzem uma resultante igual a zero, e atuam perpendicularmente ao escoamento.) Para obter **F**, temos de aplicar a equação da quantidade de movimento, mas primeiro é preciso determinar a densidade do ar em A e B, e a velocidade média em B.

Lei dos gases perfeitos

Pelo Apêndice A, vemos que $R = 286,9$ J/(kg · K), de modo que

$p_A = \rho_A R T_A$

$$300(10^3) \text{N/m}^2 = \rho_A [286,9 \text{ J/(kg} \cdot \text{K)}] (30°\text{C} + 273) \text{ K}$$

$$\rho_A = 3,451 \text{ kg/m}^3$$

$p_B = \rho_B R T_B$

$$298,5(10^3) \text{ N/m}^2 = \rho_B [286,9 \text{ J/(kg} \cdot \text{K)}] (10°\text{C} + 273) \text{ K}$$

$$\rho_B = 3,676 \text{ kg/m}^3$$

Equação da continuidade

Embora o perfil de velocidade seja afetado pelos efeitos cisalhantes da viscosidade, principalmente ao longo da *superfície* interna do duto, usaremos aqui as velocidades médias. Podemos determinar essa velocidade (média) do ar em B aplicando a equação da continuidade. Para um escoamento em regime permanente, temos

$$\frac{\partial}{\partial t}\int_{vc}\rho\,d\mathcal{V} + \int_{sc}\rho\mathbf{V}\cdot d\mathbf{A} = 0$$

$$0 - \rho_A V_A A_A + \rho_B V_B A_B = 0$$

$$0 - (3{,}451\,\text{kg/m}^3)(3\,\text{m/s})(0{,}3\,\text{m})(0{,}1\,\text{m}) + (3{,}676\,\text{kg/m}^3)(V_B)(0{,}3\,\text{m})(0{,}1\,\text{m}) = 0$$

$$V_B = 2{,}816\,\text{m/s}$$

Quantidade de movimento linear

Como ocorre um escoamento compressível em regime permanente,

$$\Sigma\mathbf{F} = \frac{\partial}{\partial t}\int_{vc}\mathbf{V}\rho\,d\mathcal{V} + \int_{sc}\mathbf{V}\rho\mathbf{V}\cdot d\mathbf{A}$$

$$\overset{+}{\to}\Sigma F = 0 + V_B(\rho_B V_B A_B) + (V_A)(-\rho_A V_A A_A)$$

$$\left[300(10^3)\,\text{N/m}^2\right](0{,}3\,\text{m})(0{,}1\,\text{m}) - \left[298{,}5(10^3)\,\text{N/m}^2\right](0{,}3\,\text{m})(0{,}1\,\text{m}) - F$$
$$= 0 + (2{,}816\,\text{m/s})\left[(3{,}676\,\text{kg/m}^3)(2{,}816\,\text{m/s})(0{,}3\,\text{m})(0{,}1\,\text{m})\right]$$
$$- (3\,\text{m/s})\left[(3{,}451\,\text{kg/m}^3)(3\,\text{m/s})(0{,}3\,\text{m})(0{,}1\,\text{m})\right]$$

$$F = 45{,}1\,\text{N} \qquad\qquad Resposta$$

EXEMPLO 6.4

Quando a porta da comporta G na Figura 6.5a está na posição aberta, como mostra a figura, a água escoa por debaixo dela a uma profundidade de 2 pés. Se a comporta tem 5 pés de largura, determine a força horizontal resultante que precisa ser aplicada por seus suportes para manter a comporta no lugar. Suponha que o canal por trás da comporta mantenha uma profundidade constante de 10 pés.

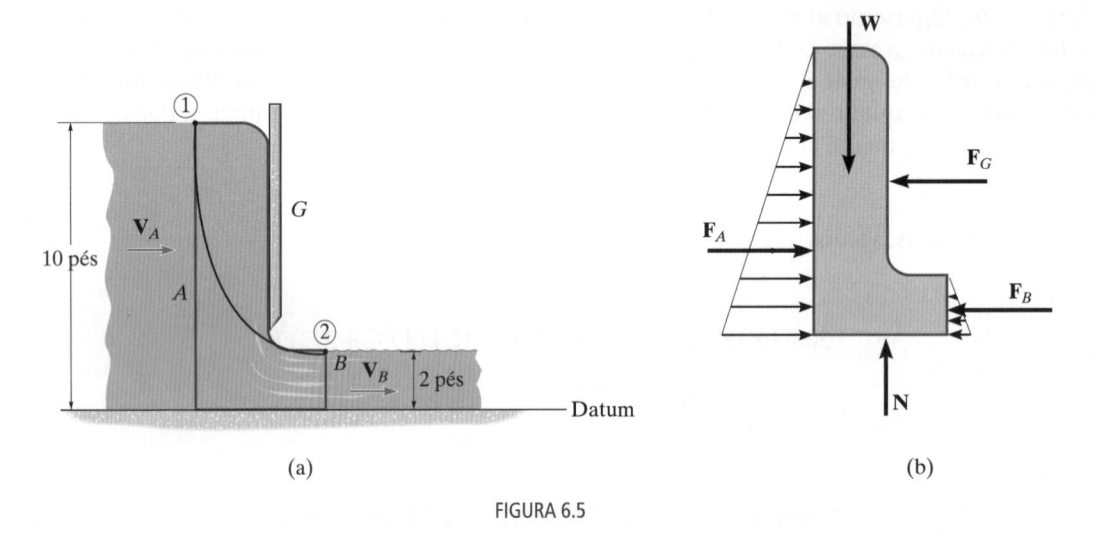

FIGURA 6.5

Solução

Descrição do fluido

Como a profundidade do canal é considerada constante, o escoamento será em regime permanente. Vamos também considerar que a água seja um fluido perfeito, de modo que escoará com uma velocidade média por toda a extensão da comporta. Considere $\gamma = 62{,}4\,\text{lb/pés}^3$.

Volume de controle e diagrama de corpo livre

Para determinar a força sobre a comporta, o volume de controle fixo incluirá uma superfície de controle ao longo da face da comporta, e um volume de água em cada lado dela (Figura 6.5a). Existem três forças atuando sobre esse volume de controle na direção horizontal, como vemos no diagrama de corpo livre (Figura 6.5b). Elas são a força normal resultante desconhecida da comporta F_G e as duas resultantes da força de pressão hidrostática da água sobre as superfícies de controle em A e B. As forças de cisalhamento viscoso atuando sobre as superfícies de controle fechadas na comporta e no solo são desprezadas, pois consideramos que a água seja invíscida. (Na realidade, essa força será comparavelmente pequena.)

Equações de Bernoulli e da continuidade

Podemos determinar as velocidades médias em A e B aplicando a equação de Bernoulli (ou a equação da energia) e a equação da continuidade (Figura 6.5a). Quando a linha de corrente escolhida passa pelos pontos 1 e 2, a equação de Bernoulli resulta em*

$$\frac{p_1}{\gamma} + \frac{V_1^2}{2g} + z_1 = \frac{p_2}{\gamma} + \frac{V_2^2}{2g} + z_2$$

$$0 + \frac{V_A^2}{2(32,2 \text{ pés/s}^2)} + 10 \text{ pés} = 0 + \frac{V_B^2}{2(32,2 \text{ pés/s}^2)} + 2 \text{ pés}$$

$$V_B^2 - V_A^2 = 515,2 \qquad (1)$$

Para a continuidade,

$$\frac{\partial}{\partial t}\int_{vc} \rho \, dV + \int_{sc} \rho \mathbf{V} \cdot d\mathbf{A} = 0$$

$$0 - V_A(10 \text{ pés})(5 \text{ pés}) + V_B(2 \text{ pés})(5 \text{ pés}) = 0$$

$$V_B = 5V_A \qquad (2)$$

Resolvendo as equações 1 e 2, obtemos

$$V_A = 4,633 \text{ pés/s} \quad \text{e} \quad V_B = 23,17 \text{ pés/s}$$

Quantidade de movimento linear

$$\Sigma \mathbf{F} = \frac{\partial}{\partial t}\int_{vc} \mathbf{V}\rho \, dV + \int_{sc} \mathbf{V}\rho\mathbf{V} \cdot d\mathbf{A}$$

$$\xrightarrow{+} \Sigma F_x = 0 + V_B(\rho V_B A_B) + (V_A)(-\rho V_A A_A)$$

$$= 0 + \rho(V_B^2 A_B - V_A^2 A_A)$$

Com referência ao diagrama de corpo livre (Figura 6.5b),

$$\tfrac{1}{2}[(62,4 \text{ lb/pés}^3)(10 \text{ pés})](10 \text{ pés})(5 \text{ pés}) - \tfrac{1}{2}[(62,4 \text{ lb/pés}^3)(2 \text{ pés})](2 \text{ pés})(5 \text{ pés}) - F_G$$

$$= \left(\frac{62,4}{32,2} \text{ slug/pés}^3\right)[(23,17 \text{ pés/s})^2(2 \text{ pés})(5 \text{ pés}) - (4,633 \text{ pés/s})^2(10 \text{ pés})(5 \text{ pés})]$$

$$F_G = 6656 \text{ lb} = 6,66 \text{ kip} \qquad \textit{Resposta}$$

Com propósito de comparação, a força hidrostática sobre a comporta é

$$(F_G)_{st} = \tfrac{1}{2}(\gamma h)hb = \tfrac{1}{2}[(62,4 \text{ lb/pés}^3)(10 \text{ pés} - 2 \text{ pés})](10 \text{ pés} - 2 \text{ pés})(5 \text{ pés}) = 9,98 \text{ kip}$$

---

* Todas as partículas na superfície acabarão passando sob a comporta. Aqui, escolhemos a partícula no ponto 1, que acabará chegando ao ponto 2.

EXEMPLO 6.5

O óleo escoa pelo tubo aberto AB na Figura 6.6a de modo que, no instante mostrado, ele possui uma velocidade em A de 16 pés/s, que está aumentando a 2 pés/s². Determine a pressão da bomba em B que cria esse escoamento. Considere $\gamma_o = 56$ lb/pés³.

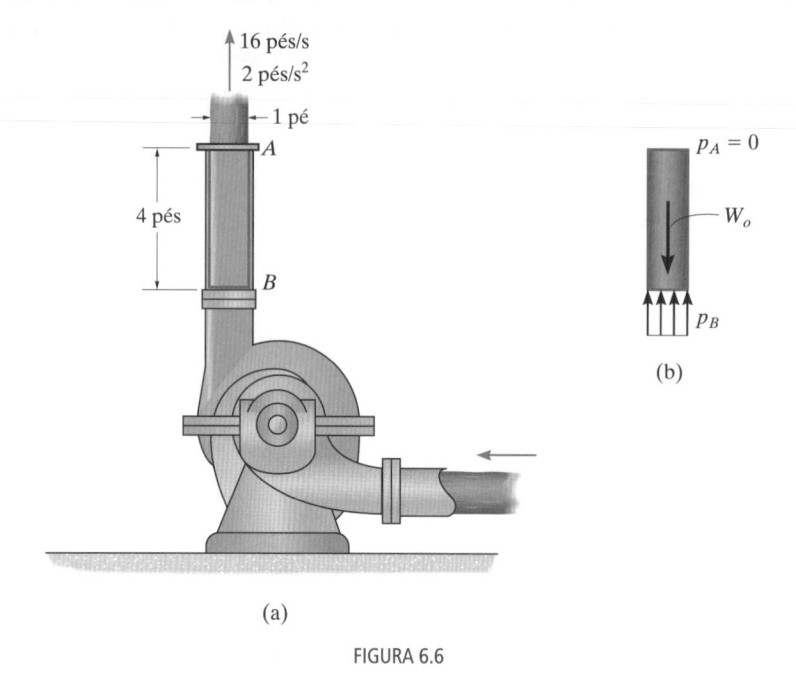

FIGURA 6.6

Solução

Descrição do fluido

Devido à aceleração, temos um caso de escoamento transitório. Vamos considerar que o óleo seja um fluido perfeito.

Volume de controle e diagrama de corpo livre

Aqui, consideramos um volume de controle fixo, que contém o óleo dentro da seção vertical AB do tubo (Figura 6.6a). As forças mostradas em seu diagrama de corpo livre são o peso do óleo dentro do volume de controle, $W_o = \gamma_o \forall_o$, e a pressão em B (Figura 6.6b).* A pressão (manométrica) em A é zero.

Quantidade de movimento linear

Como um fluido perfeito produz velocidades médias, a equação da quantidade de movimento torna-se

$$\Sigma \mathbf{F} = \frac{\partial}{\partial t}\int_{vc} \mathbf{V}\rho\, d\forall + \int_{sc} \mathbf{V}\rho \mathbf{V} \cdot d\mathbf{A}$$

$$+\uparrow \Sigma F_y = \frac{\partial}{\partial t}\int_{vc} V\rho\, d\forall + V_A(\rho V_A A_A) + (V_B)(-\rho V_B A_B)$$

Visto que ρ é constante e $A_A = A_B$, a equação da continuidade requer $V_A = V_B = V = 16$ pés/s. Como resultado, os dois últimos termos se anularão. Em outras palavras, o escoamento é uniforme, portanto, não existe um efeito convectivo resultante.

O termo de *escoamento transitório* (efeito local) indica que a quantidade de movimento varia dentro do volume de controle, devido à taxa de variação da velocidade do escoamento com o tempo (escoamento transitório). Como tanto essa taxa de variação, 2 pés/s², quanto a densidade são constantes no decorrer do volume de controle, a equação anterior torna-se

---

* A pressão horizontal causada pelas laterais do tubo sobre a superfície do volume de controle não está incluída aqui, pois produzirá uma força resultante zero. Além disso, o cisalhamento nas laterais foi excluído porque o óleo foi considerado invíscido.

Capítulo 6 – Quantidade de movimento do fluido **267**

$$+\uparrow \Sigma F_y = \frac{dV}{dt}\rho\forall; \qquad p_B A_B - \gamma_o \forall_o = \frac{dV}{dt}\rho\forall \qquad (1)$$

$$p_B[\pi(0{,}5\,\text{pé})^2] - (56\,\text{lb/pés})[\pi(0{,}5\,\text{pé})^2(4\,\text{pés})] = (2\,\text{pés/s}^2)\left(\frac{56}{32{,}2}\,\text{slug/pés}^3\right)[\pi(0{,}5\,\text{pé})^2(4\,\text{pés})]$$

$$p_B = (237{,}9\,\text{lb/pés}^2)\left(\frac{1\,\text{pé}}{12\,\text{pol.}}\right)^2 = 1{,}65\,\text{psi} \qquad\qquad Resposta$$

Observe que a Equação 1 é, na realidade, a aplicação de $\Sigma F_y = ma_y$ (Figura 6.6*b*).

6.3 Aplicações para corpos com velocidade constante

Para alguns problemas, uma pá pode estar se movendo com velocidade constante, e quando isso acontece, as forças sobre a pá podem ser obtidas selecionando o volume de controle de modo que se *mova com o corpo*. Se isso acontecer, os termos da velocidade e da vazão mássica na equação da quantidade de movimento são então medidos em relação a cada superfície de controle, de modo que $V = V_{f/sc}$, e, portanto, a Equação 6.1 torna-se

$$\Sigma \mathbf{F} = \frac{\partial}{\partial t}\int_{vc} \mathbf{V}_{vc}\,\rho\,d\forall + \int_{sc} \mathbf{V}_{f/sc}\,\rho\mathbf{V}_{f/sc}\cdot d\mathbf{A}$$

Com essa equação, a solução é simplificada, pois o escoamento parecerá ser um *escoamento em regime permanente* relativo ao volume de controle, e o primeiro termo no lado direito será zero.

Utilizando o procedimento de análise esboçado na Seção 6.2, os exemplos a seguir ilustram a aplicação da equação da quantidade de movimento para um corpo que se move com velocidade constante. Na Seção 6.5, vamos considerar a aplicação desta equação para hélices e turbinas eólicas.

EXEMPLO 6.6

A caminhonete na Figura 6.7*a* está se movendo para a esquerda a 5 m/s contra um jato d'água com 50 mm de diâmetro, que possui uma descarga de 8 litros/s. Determine a força dinâmica que o jato exerce sobre a caminhonete se ele for desviado pelo para-brisa, conforme mostra a figura.

Solução

Descrição do fluido

Neste problema, o motorista observará um *escoamento em regime permanente*, e, portanto, fixaremos o sistema de coordenadas inerciais *x*, *y* à caminhonete, de modo que ela se mova com velocidade constante. Vamos supor que a água

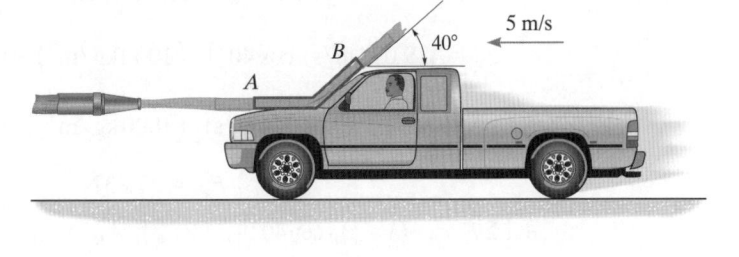

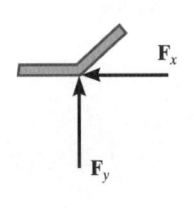

FIGURA 6.7

seja um fluido perfeito e, portanto, as velocidades médias podem ser usadas, pois o cisalhamento é desprezível. $\rho = 1000 \text{ kg/m}^3$.

Volume de controle e diagrama de corpo livre

Vamos considerar que o volume de controle móvel inclua a parte AB do jato d'água que está em contato com a caminhonete (Figura 6.7a). Como vemos em seu diagrama de corpo livre (Figura 6.7b), somente os componentes horizontal e vertical da força *causada pela caminhonete* sobre o volume de controle serão considerados significativos. (As forças de pressão nas superfícies de controle abertas são atmosféricas e o peso da água é desconsiderado.)

A velocidade do jato d'água no bocal é determinada em primeiro lugar.

$$Q = VA; \quad \left(\frac{8 \text{ litros}}{\text{s}}\right)\left(\frac{10^{-3} \text{ m}^3}{1 \text{ litro}}\right) = V[\pi(0{,}025 \text{ m})^2] \quad V = 4{,}074 \text{ m/s}$$

Em relação ao volume de controle (ou ao motorista), a velocidade da água em A é, portanto,

$$\overset{+}{\to}(V_{f/sc})_A = V_f - V_{vc}$$

$$(V_{f/sc})_A = 4{,}074 \text{ m/s} - (-5 \text{ m/s}) = 9{,}074 \text{ m/s}$$

A aplicação da equação de Bernoulli mostrará que essa velocidade média relativa é mantida enquanto a água sai do para-brisa em B (desconsiderando o efeito da elevação). Além disso, o tamanho da área transversal em B (superfície de controle aberta) deverá permanecer o mesmo que em A, para manter a continuidade, $V_A A_A = V_B A_B = VA$, embora sua forma certamente mude.

Quantidade de movimento linear

Para o escoamento incompressível em regime permanente, temos

$$\Sigma \mathbf{F} = \frac{\partial}{\partial t}\int_{vc} \mathbf{V}_{f/vc}\rho \, d\forall + \int_{sc} \mathbf{V}_{f/sc}\,\rho\mathbf{V}_{f/sc}\cdot d\mathbf{A}$$

$$\Sigma \mathbf{F} = 0 + (\mathbf{V}_{f/sc})_B[\rho(V_{f/sc})_B A_B] + (\mathbf{V}_{f/sc})_A[-\rho(V_{f/sc})_A A_A]$$

Observe cuidadosamente que, aqui, só devemos considerar os componentes da velocidade $\mathbf{V}_{f/sc}$, enquanto os termos da vazão mássica $\rho V_{f/sc}A$ são escalares. Aplicando essa equação nas direções x e y, obtemos

$$\overset{+}{\to}\Sigma F_x = 0 + [(V_{f/sc})_B \cos 40°][\rho(V_{f/sc})_B A_B] - (V_{f/sc})_A[\rho(V_{f/sc})_A A_A]$$

$$-F_x = [(9{,}074 \text{ m/s})\cos 40°]\left[(1000 \text{ kg/m}^3)(9{,}074 \text{ m/s})[\pi(0{,}025 \text{ m})^2]\right]$$

$$- (9{,}074 \text{ m/s})\left[(1000 \text{ kg/m}^3)(9{,}074 \text{ m/s})[\pi(0{,}025 \text{ m})^2]\right]$$

$$F_x = 37{,}83 \text{ N}$$

$$+\uparrow \Sigma F_y = [(V_{f/sc})_B \text{sen}40°][\rho(V_{f/sc})_B A_B] - 0$$

$$F_y = [(9{,}074 \text{ m/s})\text{sen}40°]\left[(1000 \text{ kg/m}^3)(9{,}074 \text{ m/s})[\pi(0{,}025 \text{ m})^2]\right] - 0$$

$$= 103{,}9 \text{ N}$$

Logo,

$$F = \sqrt{(37{,}83 \text{ N})^2 + (103{,}9 \text{ N})^2} = 111 \text{ N} \qquad \textit{Resposta}$$

Esta força (dinâmica) também atua sobre a caminhonete, mas na direção oposta.

EXEMPLO 6.7

O jato d'água com uma área transversal de $2(10^{-3})$ m^2 e uma velocidade de 45 m/s atinge a pá de uma turbina, fazendo-a se mover a 20 m/s (Figura 6.8a). Determine a força dinâmica da água sobre a pá e a potência resultante causada pela água.

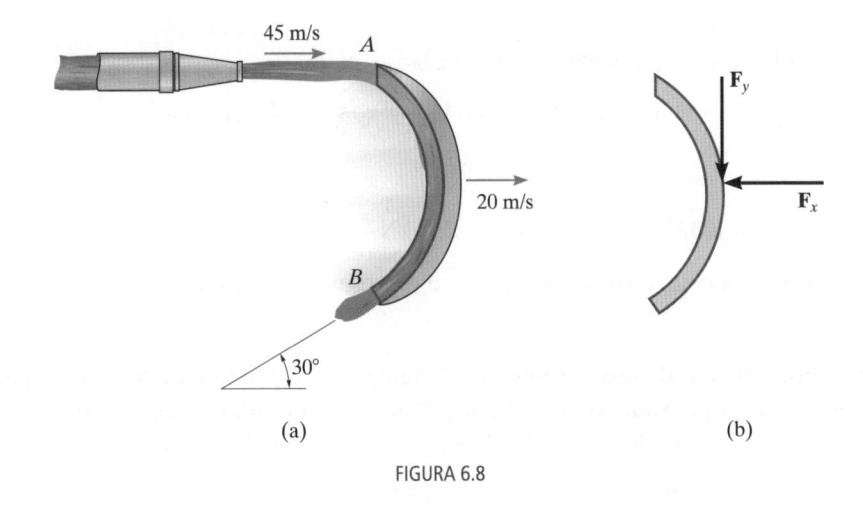

FIGURA 6.8

Solução

Descrição do fluido

Para observar o escoamento em regime permanente, o referencial x, y é fixado na pá. Ele pode ser considerado um sistema de coordenadas inerciais, pois move-se com velocidade constante. Consideramos que a água seja um fluido perfeito, onde $\rho = 1000$ kg/m^3.

Volume de controle e diagrama de corpo livre

Vamos considerar que o volume de controle em movimento contenha a água na pá de A para B (Figura 6.8a). Como vemos no diagrama de corpo livre (Figura 6.8b), os componentes de força da pá sobre o volume de controle são indicados como $\mathbf{F}_x$ e $\mathbf{F}_y$. O peso da água é desprezado, e as forças de pressão sobre as superfícies de controle abertas são atmosféricas.

Quantidade de movimento linear

A velocidade do jato em relação à superfície de controle em A é

$$\overset{+}{\rightarrow} V_{f/sc} = V_f - V_{vc}$$

$$V_{f/sc} = 45 \text{ m/s} - 20 \text{ m/s} = 25 \text{ m/s}$$

Com uma mudança de elevação desprezível, a equação de Bernoulli mostrará que a água sai da pá em B com essa mesma velocidade, e assim, para satisfazer a continuidade, $A_A = A_B = A$. Para escoamento em regime permanente de fluido perfeito, a equação da quantidade de movimento torna-se

$$\Sigma \mathbf{F} = \frac{\partial}{\partial t} \int_{vc} \mathbf{V}_{f/vc} \rho \, dV + \int_{sc} \mathbf{V}_{f/sc} \rho \mathbf{V}_{f/sc} \cdot d\mathbf{A}$$

$$\Sigma \mathbf{F} = 0 + (\mathbf{V}_{f/sc})_B \left[\rho (V_{f/sc})_B A_B \right] + (\mathbf{V}_{f/sc})_A \left[-\rho (V_{f/sc})_A A_A \right]$$

Como no exemplo anterior, a velocidade $\mathbf{V}_{f/sc}$ possui *componentes* nesta equação. Os termos de vazão mássica $\rho V_{f/sc} A$ são escalares. Portanto,

$$\xrightarrow{+} \Sigma F_x = \left[-(V_{f/sc})_B \cos 30°\right]\left[\rho\,(V_{f/sc})_B A_B\right] + (V_{f/sc})_A\left[-\rho\,(V_{f/sc})_A A_A\right]$$

$$-F_x = \left[-(25\text{ m/s})\cos 30°\right]\left[(1000\text{ kg/m}^3)(25\text{ m/s})(2(10^{-3})\text{ m}^2)\right]$$

$$-(25\text{ m/s})\left[(1000\text{ kg/m}^3)(25\text{ m/s})(2(10^{-3})\text{ m}^2)\right]$$

$$F_x = 2333\text{ N}$$

$$+\uparrow \Sigma F_y = \left[-(V_{f/sc})_B \operatorname{sen}30°\right]\left[\rho\,(V_{f/sc})_B A_B\right] - 0$$

$$-F_y = \left[-(25\text{ m/s})\operatorname{sen}30°\right]\left[(1000\text{ kg/m}^3)(25\text{ m/s})(2(10^{-3})\text{ m}^2)\right]$$

$$F_y = 625\text{ N}$$

$$F = \sqrt{(2333\text{ N})^2 + (625\text{ N})^2} = 2{,}41\text{ kN} \qquad \textit{Resposta}$$

A força igual, porém oposta, atua sobre a pá. Isso representa a força dinâmica.

Potência

Por definição, potência é trabalho por unidade de tempo, ou o produto de uma força pelo componente paralelo da velocidade. Aqui, somente $\mathbf{F}_x$ produz potência, pois $\mathbf{F}_y$ não provoca deslocamento para cima ou para baixo, e, portanto, não realiza trabalho. Como a pá está se movendo a 20 m/s,

$$\dot{W} = \mathbf{F} \cdot \mathbf{V}; \qquad \dot{W} = (2333\text{ N})(20\text{ m/s}) = 46{,}7\text{ kW} \qquad \textit{Resposta}$$

6.4 Equação da quantidade de movimento angular

A **quantidade de movimento angular** de uma partícula é o *momento* da quantidade de movimento linear da partícula $m\mathbf{V}$ em torno de um ponto ou eixo. Usando o produto vetorial para definir esse momento, a quantidade de movimento angular torna-se $\mathbf{r} \times m\mathbf{V}$, onde $\mathbf{r}$ é o vetor posição que se estende a partir do ponto O até a partícula (Figura 6.9). Se operarmos o produto vetorial com $\mathbf{r}$ e a segunda lei de Newton do movimento, $\mathbf{F} = m\mathbf{a} = d(m\mathbf{V})/dt$, então verifica-se que a soma dos momentos das forças externas atuando sobre o sistema, $\Sigma(\mathbf{r} \times \mathbf{F})$, é igual à taxa de variação no tempo da quantidade de movimento angular do sistema, ou seja, $\Sigma \mathbf{M} = \Sigma(\mathbf{r} \times \mathbf{F}) = d\,(\mathbf{r} \times m\mathbf{V})/dt$. Para uma descrição euleriana, podemos obter a derivada no tempo de $\mathbf{r} \times m\mathbf{V}$ usando o teorema de transporte de Reynolds (Equação 4.11), onde $\mathbf{N} = \mathbf{r} \times m\mathbf{V}$, de modo que $\boldsymbol{\eta} = \mathbf{r} \times \mathbf{V}$. Temos

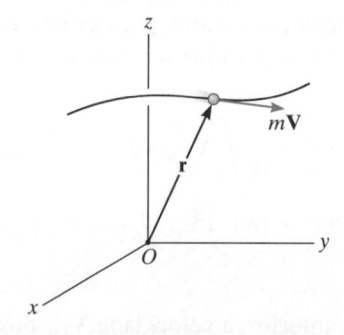

Quantidade de movimento angular $\mathbf{r} \times m\mathbf{V}$

FIGURA 6.9

$$\left(\frac{d\mathbf{N}}{dt}\right)_{\text{sist}} = \frac{\partial}{\partial t}\int_{\text{vc}} \eta\rho \, d\forall + \int_{\text{sc}} \eta\rho \, \mathbf{V} \cdot d\mathbf{A}$$

$$\frac{d}{dt}(\mathbf{r} \times m\mathbf{V}) = \frac{\partial}{\partial t}\int_{\text{vc}} (\mathbf{r} \times \mathbf{V})\rho \, d\forall + \int_{\text{sc}} (\mathbf{r} \times \mathbf{V})\rho \mathbf{V} \cdot d\mathbf{A}$$

Portanto, a equação da quantidade de movimento angular torna-se

$$\Sigma \mathbf{M}_O = \frac{\partial}{\partial t}\int_{\text{vc}} (\mathbf{r} \times \mathbf{V})\rho \, d\forall + \int_{\text{sc}} (\mathbf{r} \times \mathbf{V})\rho \mathbf{V} \cdot d\mathbf{A} \qquad (6.4)$$

Escoamento em regime permanente

Se considerarmos o escoamento em regime permanente, o primeiro termo da direita será zero. Além disso, se a velocidade média pelas superfícies de controle abertas for utilizada, a densidade do fluido permanecer constante, como no caso de um fluido perfeito, então o segundo termo da direita pode ser integrado, e obtemos

$$\Sigma \mathbf{M} = \Sigma(\mathbf{r} \times \mathbf{V})\rho \mathbf{V} \cdot \mathbf{A} \qquad (6.5)$$

Escoamento em regime permanente

Esse resultado final é frequentemente usado para determinar o torque no eixo de uma bomba ou turbina, conforme mostramos no Exemplo 5.10 e no Capítulo 14. Ele também pode ser usado para encontrar as forças de reação ou os momentos binários sobre estruturas estáticas sujeitas ao escoamento em regime permanente.

O impulso da água escoando sobre e para fora das pás dessa roda d'água faz com que a roda gire.

Procedimento para análise

A aplicação da equação da quantidade de movimento angular segue o mesmo procedimento adotado para a quantidade de movimento linear.

Descrição do fluido

Defina o tipo de escoamento, se ele é em regime permanente ou transitório e uniforme ou não uniforme. Defina também o tipo de fluido, se ele é viscoso, compressível ou se pode ser considerado um fluido perfeito. Para um fluido perfeito, o perfil de velocidade será uniforme, e a densidade será constante.

Volume de controle e diagrama de corpo livre

Selecione o volume de controle de modo que seu diagrama de corpo livre inclua as forças desconhecidas e os momentos binários que devem ser determinados. As forças sobre o diagrama de corpo livre incluem o peso do fluido e de qualquer parte sólida do corpo, as forças de pressão nas superfícies de controle abertas e os componentes das forças resultantes de pressão e de cisalhamento que atuam sobre as superfícies de controle fechadas.

Momento angular

Se o escoamento for conhecido, as velocidades médias através das superfícies de controle abertas podem ser determinadas por meio de $V = Q/A$, ou aplicando a equação da continuidade, a equação de Bernoulli ou a equação da energia. Estabeleça os eixos de coordenadas x, y, z inerciais e aplique a equação da quantidade de movimento angular em torno de um eixo, de modo que uma força ou um momento desconhecido selecionado possa ser obtido.

EXEMPLO 6.8

A água escoa pelo hidrante de incêndio na Figura 6.10a a 2 pés³/s. Se a pressão no tubo em A é 35 psi, determine as reações no suporte fixo necessárias para manter o hidrante no lugar.

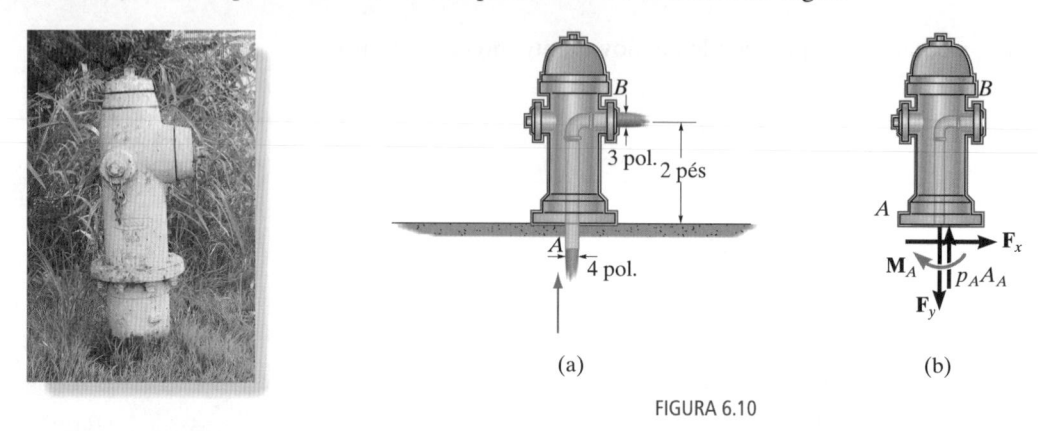

(a) (b)

FIGURA 6.10

Solução

Descrição do fluido

Este é um caso de escoamento em regime permanente. A água será considerada um fluido perfeito, onde $\gamma = 62{,}4$ lb/pés³.

Volume de controle e diagrama de corpo livre

Vamos considerar o hidrante inteiro e a água contida dentro dele como um volume de controle fixo. Como o suporte em A é fixo, três reações atuam sobre seu diagrama de corpo livre (Figura 6.10b). Além disso, a força de pressão $p_A A_A$ atua sobre a superfície de controle aberta em A. Como existe pressão atmosférica em B, não há força de pressão em B. Aqui, vamos desprezar a altura do hidrante e a água dentro dele.

Equação de Bernoulli

Temos primeiro que determinar a pressão em A. As velocidades em A e B são

$$Q = V_A A_A; \quad (2 \text{ pés}^3/\text{s}) = V_A \left[\pi\left(\frac{2}{12}\text{pés}\right)^2\right]; \quad V_A = 22{,}92 \text{ pés/s}$$

$$Q = V_B A_B; \quad (2 \text{ pés}^3/\text{s}) = V_B \left[\pi\left(\frac{1{,}5}{12}\text{pé}\right)^2\right]; \quad V_B = 40{,}74 \text{ pés/s}$$

Assim, com o datum em A,

$$\frac{p_A}{\gamma} + \frac{V_A^2}{2g} + z_A = \frac{p_B}{\gamma} + \frac{V_B^2}{2g} + z_B$$

$$\frac{p_A}{62{,}4 \text{ lb/pés}^3} + \frac{(22{,}92 \text{ m/s})^2}{2(32{,}2 \text{ pés/s}^2)} + 0 = 0 + \frac{(40{,}74 \text{ m/s})^2}{2(32{,}2 \text{ pés/s}^2)} + 2 \text{ pés}$$

$$p_A = 1224{,}4 \text{ lb/pés}^2$$

Quantidade de movimento linear e angular

As forças de reação no suporte são obtidas a partir da equação da quantidade de movimento linear. Para o escoamento em regime permanente,

$$\Sigma \mathbf{F} = \frac{\partial}{\partial t}\int_{vc} \mathbf{V}\rho \, d\mathcal{V} + \int_{sc} \mathbf{V} \rho \mathbf{V} \cdot d\mathbf{A}$$

$$\Sigma \mathbf{F} = 0 + \mathbf{V}_B(\rho V_B A_B) + \mathbf{V}_A(-\rho V_A A_A)$$

Considerando os componentes x e y das velocidades, temos

$$\xrightarrow{+} \Sigma F_x = V_{Bx}(\rho V_B A_B) + 0$$

$$F_x = (40{,}74\text{ pés/s})\left(\frac{62{,}4}{32{,}2}\text{ slug/pés}^3\right)(40{,}74\text{ pés/s})^2\left[\pi\left(\frac{1{,}5}{12}\text{ pé}\right)^2\right]$$

$$F_x = 158\text{ lb} \qquad \textit{Resposta}$$

$$+\uparrow \Sigma F_y = 0 + (V_{Ay})(-\rho V_A A_A)$$

$$\left(1224{,}4\text{ lb/pés}^2\right)\left[\pi\left(\frac{2}{12}\text{pés}\right)^2\right] - F_y = -(22{,}92\text{ pés/s})\left(\frac{62{,}4}{32{,}2}\text{ slug/pés}^3\right)(22{,}92\text{ pés/s})\left[\pi\left(\frac{2}{12}\text{pés}\right)^2\right]$$

$$F_y = 196\text{ lb} \qquad \textit{Resposta}$$

Vamos aplicar a equação da quantidade de movimento angular em torno do ponto A, a fim de eliminar as forças de reação nesse ponto.

$$\Sigma \mathbf{M}_A = \frac{\partial}{\partial t}\int_{vc}(\mathbf{r}\times\mathbf{V})\rho\, d\mathcal{V} + \int_{sc}(\mathbf{r}\times\mathbf{V})\,\rho\mathbf{V}\cdot d\mathbf{A}$$

$$\circlearrowleft + \Sigma M_A = 0 + (rV_B)(\rho V_B A_B)$$

Aqui, o produto vetorial foi avaliado como um momento escalar de $\mathbf{V}_B$ em torno do ponto A. Portanto,

$$M_A = [2\text{ pés}(40{,}74\text{ pés/s})]\left(\frac{62{,}4}{32{,}2}\text{ slug/pés}^3\right)(40{,}74\text{ pés/s})\left[\pi\left(\frac{1{,}5}{12}\text{ pé}\right)^2\right]$$

$$= 316\text{ lb}\cdot\text{pés} \qquad \textit{Resposta}$$

EXEMPLO 6.9

O braço do aspersor de água na Figura 6.11a gira a uma taxa constante de $\omega = 100$ rev/min. Esse movimento é causado pela água que entra na base a 3 litros/s e sai de cada um dos dois bocais com diâmetro de 20 mm. Determine o torque friccional sobre o eixo do braço, que mantém a taxa de rotação constante.

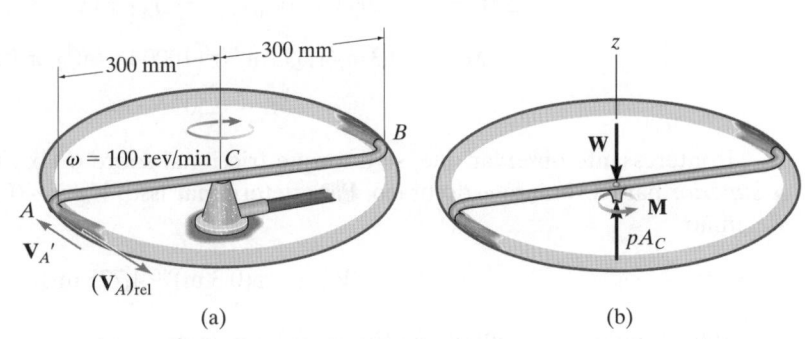

FIGURA 6.11

Solução
Descrição do fluido

Enquanto o braço gira, o escoamento será quase em regime permanente, ou seja, ele é cíclico e repetitivo. Em outras palavras, *na média*, o escoamento pode ser considerado em regime permanente. Também consideraremos que a água seja um fluido perfeito, onde $\rho = 1000$ kg/m³.

Volume de controle e diagrama de corpo livre

Aqui, escolheremos um volume de controle que é *fixo* e contém o braço móvel e a água dentro dele (Figura 6.11a).* Como vemos no diagrama de corpo livre (Figura 6.11b), as forças que atuam sobre esse volume de controle incluem o peso **W** do braço e a água, a força de pressão $p_C A_C$ da entrada d'água e o torque friccional **M** sobre a base do braço, no eixo. O fluido que sai pelos bocais está na pressão atmosférica, portanto, não existem forças de pressão aqui.

Velocidade

Devido à simetria, a descarga por *cada bocal* pode ser determinada a partir de metade do escoamento. Assim, a velocidade relativa a cada bocal é

$$Q = VA; \quad \left(\frac{1}{2}\right)\left[\left(\frac{3 \text{ litros}}{\text{s}}\right)\left(\frac{10^{-3} \text{m}}{1 \text{ litro}}\right)\right] = V\left[\pi(0,01 \text{ m}^2)\right]$$

$$V = (V_B)_{\text{rel}} = (V_A)_{\text{rel}} = 4,775 \text{ m/s}$$

A rotação dos braços faz com que os bocais em A e B tenham uma velocidade de

$$V'_A = V'_B = \omega r = \left(100 \frac{\text{rev}}{\text{min}}\right)\left(\frac{2\pi \text{ rad}}{\text{rev}}\right)\left(\frac{1 \text{ min}}{60 \text{ s}}\right)(0,3 \text{ m}) = 3,141 \text{ m/s}$$

Portanto, a velocidade de saída tangencial *da água* de A (ou B), conforme visto por um *observador fixo* olhando para baixo sobre nosso *volume de controle fixo* (Figura 6.11a), é

$$V_A = -V'_A + (V_A)_{\text{rel}}$$
$$V_A = -3,141 \text{ m/s} + 4,775 \text{ m/s} = 1,633 \text{ m/s} \tag{1}$$

Quantidade de movimento angular

Se aplicarmos a equação da quantidade de movimento angular em torno do eixo z, então nenhum momento angular ocorrerá na superfície de controle de entrada C, pois a velocidade do escoamento é direcionada ao longo do eixo z. A velocidade tangencial V_A (e V_B) do jato d'água ao sair pela superfície de controle, porém, produzirá uma quantidade de movimento angular em torno do eixo z. Os produtos vetoriais para os momentos de $\mathbf{V}_A$ e $\mathbf{V}_B$ podem ser escritos em termos do momento escalar dessas velocidades. Como eles são iguais, e o escoamento é em regime permanente, temos

$$\Sigma \mathbf{M} = \frac{\partial}{\partial t}\int_{\text{vc}} (\mathbf{r} \times \mathbf{V})\rho \, d\forall + \int_{\text{sc}} (\mathbf{r} \times \mathbf{V})\rho \mathbf{V} \cdot d\mathbf{A}$$

$$\Sigma M_z = 0 + 2r_A V_A (\rho V_A A_A) = 2r_A V_A^2 \rho A_A \tag{2}$$

$$M = 2(0,3 \text{ m})(1,633 \text{ m/s})^2 (1000 \text{ kg/m}^3)\left[\pi (0,01 \text{ m})^2\right]$$

$$M = 0,503 \text{ N} \cdot \text{m} \hspace{4cm} \textit{Resposta}$$

É interessante observar que, se o torque friccional sobre o eixo fosse igual a zero, haveria um *limite superior* para a rotação ω do braço. Para determinar isso, $V_A' = \omega(0,3 \text{ m})$, portanto, a Equação 1 torna-se então

$$V_A = -\omega(0,3 \text{ m}) + 4,775 \text{ m/s}$$

Substituindo esse resultado na Equação 2, obtemos

$$0 = 0 + 2(0,3 \text{ m})\left[-\omega(0,3 \text{ m}) + 4,775 \text{ m/s}\right]^2 (1000 \text{ kg/m}^3)[\pi(0,01 \text{ m})^2]$$

$$\omega = 15,9 \text{ rad/s} = 152 \text{ rev/min}$$

---

* Se escolhêssemos um volume de controle *rotativo* consistindo nos braços e no fluido dentro dele, então o sistema de coordenadas, que gira com ele, *não* seria um referencial inercial. Sua rotação complicaria a análise, pois produz termos de aceleração adicionais que devem ser levados em consideração na análise da quantidade de movimento. Consulte a Referência [2].

EXEMPLO 6.10

A bomba axial na Figura 6.12a possui um impelidor com pás que possuem um raio médio de $r_m = 80$ mm. Determine o torque médio **T** que deverá ser aplicado ao impelidor, a fim de criar um escoamento de água pela bomba de 0,1 m³/s enquanto o impelidor gira a $\omega = 120$ rad/s. A área da seção transversal aberta passando pelo impelidor é 0,025 m². O escoamento de água é fornecido a cada pá ao longo do eixo da bomba, e sai da pá com um *componente tangencial* com velocidade de 5 m/s, como mostra a Figura 6.12b.

Solução

Descrição do fluido

O escoamento pela bomba é um escoamento cíclico transitório, mas, com base na média temporal, ele pode ser considerado um escoamento em regime permanente médio. Aqui, vamos considerar que a água seja um fluido perfeito, onde $\rho = 1000$ kg/m³.

Como estamos procurando o *torque* desenvolvido pela bomba sobre o eixo, temos que aplicar a equação da quantidade de movimento angular.

Volume de controle e diagrama de corpo livre

Assim como no exemplo anterior, vamos considerar um volume de controle fixo, que inclui o impelidor e a água ao redor e ligeiramente removida dele (Figura 6.12a). As forças que atuam sobre esse diagrama de corpo livre (Figura 6.12c) incluem a pressão da água que atua sobre as superfícies de controle de entrada e saída, e o torque **T** sobre o eixo do impelidor. O peso da água e das pás, juntamente com a distribuição de pressão em torno da borda das superfícies de controle fechadas, não aparecem, pois não produzem torque em torno do eixo.

Equação da continuidade

O escoamento axial através de cada superfície de controle aberta é mantido, pois suas áreas são iguais. Ou seja,

$$\frac{\partial}{\partial t}\int_{vc} \mathbf{V}\rho\, d\forall + \int_{sc} \rho \mathbf{V} \cdot d\mathbf{A} = 0$$

$$0 - \rho V_{a1} A + \rho V_{a2} A = 0$$

$$V_{a1} = V_{a2}$$

Logo, o escoamento na direção axial é *constante*, portanto

$$Q = V_a A; \qquad 0{,}1\, \text{m}^3/\text{s} = V_a(0{,}025\, \text{m}^2)$$

$$V_a = 4\, \text{m/s}$$

Quantidade de movimento angular

Aplicando a equação da quantidade de movimento angular em torno do eixo do impelidor, para o escoamento em regime permanente temos

$$\Sigma \mathbf{M} = \frac{\partial}{\partial t}\int_{vc}(\mathbf{r} \times \mathbf{V})\rho\, d\forall + \int_{sc}(\mathbf{r} \times \mathbf{V})\rho \mathbf{V} \cdot d\mathbf{A}$$

$$T = 0 + \int_{sc} r_m V_t \rho V_a\, dA \tag{1}$$

Aqui o produto vetorial é substituído pelo momento do *componente tangencial* $\mathbf{V}_t$ da velocidade **V** da água. Somente este componente produz um momento em torno do eixo do impelidor (Figura 6.12b). Além disso, observe que o *escoamento* através das superfícies de controle abertas é determinado *apenas* a partir do *componente axial* de **V**, ou seja, $\rho \mathbf{V} \cdot d\mathbf{A} = \rho V_a\, dA$. Portanto, integrando pela área, obtemos

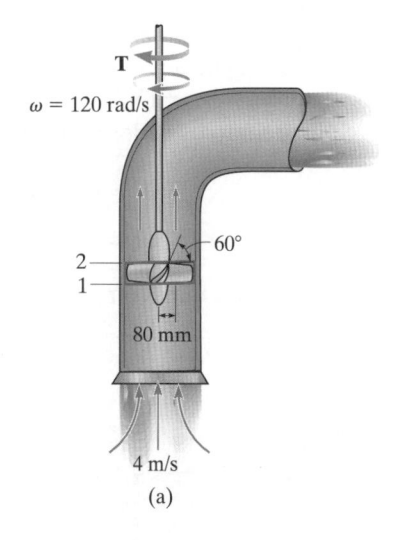

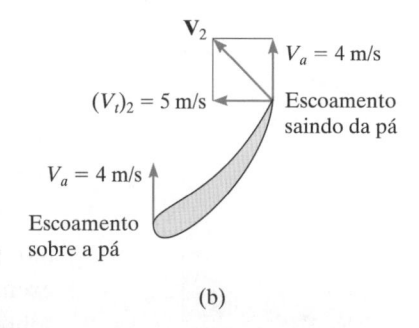

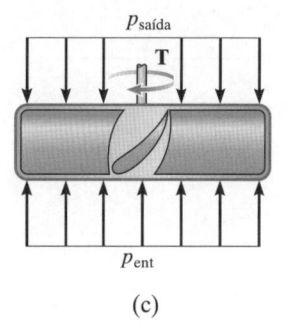

$$T = r_m(V_t)_2(\rho V_a A) + r_m(V_t)_1(-\rho V_a A) \qquad (2)$$

O escoamento através das superfícies de controle abertas, sobre e saindo da pá, aparece na Figura 6.12b. Aqui, pode-se ver que não existe componente tangencial inicial da velocidade, $V_{t1} = 0$, pois o escoamento é entregue à pá na direção axial na taxa de $V_a = 4$ m/s. No topo da pá, o impelidor dá à água uma velocidade $\mathbf{V}_2 = \mathbf{V}_a + (\mathbf{V}_t)_2$, mas, como foi dito, somente o componente tangencial cria momento angular.

Substituindo os dados na Equação 2, temos, portanto,

$$T = (0{,}08\,\text{m})(5\,\text{m/s})\left[(1000\,\text{kg/m}^3)(4\,\text{m/s})(0{,}025\,\text{m}^2)\right] - 0$$

$$= 40\,\text{N}\cdot\text{m} \qquad \qquad \textit{Resposta}$$

Uma análise mais completa dos problemas que envolvem bombas axiais será feita no Capítulo 14.

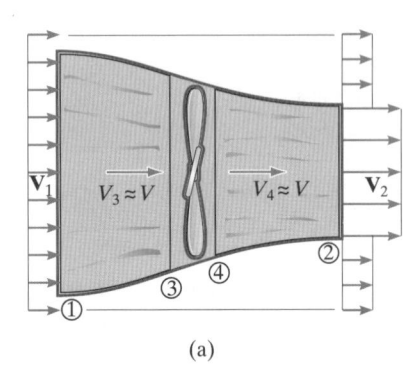

6.5 Hélices e turbinas eólicas

Hélices e turbinas eólicas atuam como um parafuso, usando diversas pás montadas sobre um eixo rotativo. No caso do propulsor de um barco ou hélice de avião, *a aplicação de um torque* faz a quantidade de movimento linear do fluido na frente da hélice aumentar enquanto ele escoa em direção e atravessa as pás. Essa mudança na quantidade de movimento cria uma força reativa sobre a hélice, que então a empurra para a frente. Uma turbina eólica funciona do modo oposto, extraindo energia do fluido ou *desenvolvendo um torque* a partir do vento, à medida que o vento passa pela hélice.

O projeto desses dois dispositivos é, na realidade, baseado nos mesmos princípios usados para projetar aerofólios (ou asas de avião). Veja, por exemplo, as referências [3] e [5]. Nesta seção, porém, daremos alguma luz sobre como esses dispositivos operam, usando uma análise simplificada. Primeiro, discutiremos a hélice e depois a turbina eólica. Nos dois casos, vamos considerar que o fluido é *perfeito*.

Hélice

Para que o escoamento pareça ser um *escoamento em regime permanente*, um volume de controle do fluido, mostrado na Figura 6.13a, será observado *em relação ao centro da hélice*, que consideraremos como estacionário.*
Esse volume exclui a hélice, mas inclui a parte da esteira de fluido que passa por ela. O fluido na superfície de controle esquerda, 1, está se movendo em direção à hélice com uma velocidade V_1. O fluido dentro do volume de controle de 1 para 3 é acelerado, devido à pressão reduzida ao longo do volume de controle (Figura 6.13b). Se considerarmos que a hélice possui muitas pás finas, então a velocidade V é *basicamente constante* enquanto o fluido passa pela hélice de 3 a 4 (figuras 6.13a e 6.13c). O aumento de pressão que ocorre no lado direito da hélice (Figura 6.13b) empurra o escoamento e o acelera ainda mais de 4 para 2. Por fim, devido à continuidade da vazão mássica, a superfície de controle ou esteira se *estreita*, de modo que a velocidade na superfície de controle à direita, 2, é aumentada para V_2 (Figura 6.13a).

Observe que esta descrição do escoamento é um tanto simplista, pois desconsidera os efeitos de interação entre o fluido e o revestimento ao qual a

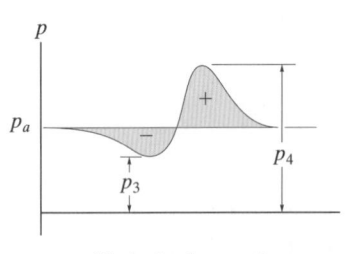

Variação de pressão
(b)

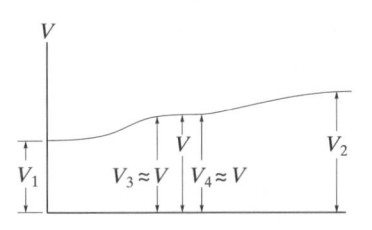

Variação de velocidade
(c)

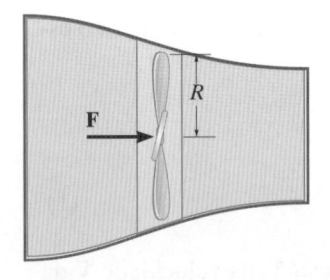

Diagrama de corpo livre
(d)

FIGURA 6.13

---
* Também podemos considerar que o centro da hélice está se movendo para a esquerda em V_1, pois a análise é a mesma para os dois casos.

hélice está presa. Além disso, o limite da superfície de controle fechada superior e inferior, de 1 a 2 na Figura 6.13a, tem uma *descontinuidade* entre o ar parado externo e o escoamento dentro do volume de controle, quando na realidade existe uma transição suave entre os dois. Por fim, além do movimento axial que estamos considerando, a hélice também causará um movimento rotativo, ou rodopio, no ar. Na análise a seguir, iremos desconsiderar esses efeitos.

Quantidade de movimento linear

Se a equação da quantidade de movimento linear for aplicada na direção horizontal ao fluido dentro do volume de controle, então a única força que atua no diagrama de corpo livre do volume de controle é aquela causada pela força da hélice sobre o fluido (Figura 6.13d). (Durante a operação, a pressão sobre *todas* as superfícies de controle externas permanece constante e igual à pressão atmosférica do fluido parado. Em outras palavras, a pressão manométrica é zero.) Portanto,

$$\Sigma \mathbf{F} = \frac{\partial}{\partial t}\int_{vc} \mathbf{V}\rho\, d\mathcal{V} + \int_{sc} \mathbf{V}\, \rho \mathbf{V}\cdot d\mathbf{A}$$

$$\xrightarrow{+} \Sigma F = 0 + V_2(\rho V_2 A_2) + V_1(-\rho V_1 A_1)$$

Como $Q = V_2 A_2 = V_1 A_1 = VA = V\pi R^2$, onde R é o raio da hélice, então

$$F = \rho\,[V(\pi R^2)]\,(V_2 - V_1) \qquad (6.6)$$

Conforme observamos na Figura 6.13c, as velocidades $V_3 = V_4 = V$, e, portanto, nenhuma mudança de quantidade de movimento ocorre entre as seções 3 e 4. Logo, a força F da hélice também pode ser expressa como a diferença de pressão que ocorre em cada lado da hélice, ou seja, $F = (p_4 - p_3)\pi R^2$ (Figura 6.13b). Assim, a equação anterior torna-se

$$p_4 - p_3 = \rho V\,(V_2 - V_1) \qquad (6.7)$$

Agora é preciso expressar V em termos de V_1 e V_2.

Equação de Bernoulli

A equação de Bernoulli, $p/\gamma + V^2/2g + z = $ constante, pode ser aplicada ao longo de uma linha de corrente entre os pontos em 1 e 3, e entre os pontos em 4 e 2.* Desconsiderando qualquer mudança de elevação e observando que as pressões (manométricas) $p_1 = p_2 = 0$, temos

$$0 + \frac{V_1^2}{2} + 0 = \frac{p_3}{\rho} + \frac{V^2}{2} + 0$$

e

$$\frac{p_4}{\rho} + \frac{V^2}{2} + 0 = 0 + \frac{V_2^2}{2} + 0$$

A rotação ω da hélice fará com que os pontos ao longo de sua extensão tenham uma velocidade diferente de acordo com a equação $v = \omega r$. Para manter um ângulo de ataque constante com a corrente de ar, a pá é retorcida em um ângulo claramente observável.

---

* Esta equação *não pode* ser aplicada entre os pontos em 3 e 4, pois *energia é acrescentada* ao fluido pela hélice dentro dessa região. Além disso, dentro dessa região, o escoamento é transitório.

Se acrescentarmos essas equações e resolvermos para $p_4 - p_3$, obtemos

$$p_4 - p_3 = \frac{1}{2}\rho\left(V_2^2 - V_1^2\right)$$

Por fim, igualando esta equação à Equação 6.7, obtemos

$$V = \frac{V_1 + V_2}{2} \qquad (6.8)$$

Este resultado é conhecido como **teorema de Froude**, devido a William Froude, que o derivou inicialmente. Ele indica que a velocidade do escoamento pela hélice é, na realidade, a média das velocidades atrás e adiante dela. Se ele for substituído na Equação 6.6, então a força ou o empuxo desenvolvido pela hélice sobre o fluido torna-se

$$F = \frac{\rho\pi R^2}{2}\left(V_2^2 - V_1^2\right) \qquad (6.9)$$

Potência e eficiência

A **potência de saída** da hélice é causada pela taxa de trabalho realizado pelo empuxo **F**. Se pensarmos no fluido à frente da hélice como estando em repouso (Figura 6.13a) e a hélice fixa em um avião e movendo-se para a frente com V_1, então a potência de saída produzida por **F** é

$$\dot{W}_o = FV_1 \qquad (6.10)$$

A **potência de entrada** é a taxa de trabalho necessária para manter o aumento de velocidade da esteira de V_1 para V_2. Como isso requer que o fluido tenha uma velocidade V através da hélice, então a potência de entrada é

$$\dot{W}_i = FV \qquad (6.11)$$

Por fim, a **eficiência ideal** e é a razão entre a potência de saída e a potência de entrada. Usando a Equação 6.8, temos

$$e_{\text{prop}} = \frac{\dot{W}_o}{\dot{W}_i} = \frac{2V_1}{V_1 + V_2} \qquad (6.12)$$

Em geral, a *eficiência real* de uma hélice aumentará à medida que aumenta a velocidade do avião ou barco ao qual está presa, embora nunca possa ser igual a 1 (ou 100%) devido às perdas por cisalhamento. Quando a velocidade aumenta, porém, há um ponto no qual a eficiência começará a cair. Isso pode ocorrer em hélices de avião quando as pontas das pás atingem ou ultrapassam a velocidade do som. Quando isso ocorre, a força de arrasto sobre a hélice aumentará significativamente devido à compressibilidade do ar. Além disso, no caso de barcos, a eficiência é reduzida porque a cavitação pode ocorrer se a pressão nas pontas das pás alcançar a pressão do vapor. Testes experimentais em hélices de avião mostram que suas *eficiências reais* estão na faixa de cerca de 60% a 80%. Os barcos, com suas hélices de menor diâmetro, possuem menores eficiências, geralmente na faixa de 40% a 60%.

Turbina eólica

Turbinas eólicas e moinhos de vento extraem energia cinética do vento. O padrão de escoamento para esses dispositivos é de certa forma oposto ao de uma hélice, e se parece com o esquema da Figura 6.14, onde a esteira se torna maior à medida que passa pelas pás. Usando uma análise semelhante à das hélices, podemos mostrar que o teorema de Froude também se aplica, ou seja,

$$V = \frac{V_1 + V_2}{2} \tag{6.13}$$

Turbina eólica

FIGURA 6.14

Potência e eficiência

Usando uma derivação que se compara com a Equação 6.9 para **F**, temos

$$F = \frac{\rho \pi R^2}{2}\left(V_1^2 - V_2^2\right)$$

Aqui, a parte do ar que entra nas pás tem uma área de $A = \pi R^2$ e atinge uma velocidade V, de modo que a *potência de saída* é $\dot{W}_o = FV$, que pode ser escrita como

$$\dot{W}_o = \frac{1}{2}\rho V A\left(V_1^2 - V_2^2\right) \tag{6.14}$$

Esse resultado, na realidade, representa a taxa temporal de perda de energia cinética do vento ao passar pelas pás.

É comum medir a *potência de entrada* como a taxa temporal de variação da energia cinética do vento passando pela área varrida pelas pás, πR^2, mas *sem a presença das pás* para atrapalhar a velocidade V_1. Como $\dot{m} = \rho A\, V_1$, então $\dot{W}_i = \frac{1}{2}\dot{m}V_1^2 = \frac{1}{2}(\rho A V_1)V_1^2$. Portanto, a eficiência de uma turbina eólica é

$$e_{\text{turb}} = \frac{\dot{W}_o}{\dot{W}_i} = \frac{\frac{1}{2}\rho V A\left(V_1^2 - V_2^2\right)}{\frac{1}{2}(\rho A V_1)V_1^2} = \frac{V\left(V_1^2 - V_2^2\right)}{V_1^3}$$

Substituindo a Equação 6.13 e simplificando, obtemos

$$e_{\text{turb}} = \frac{1}{2}\left[1 - \left(\frac{V_2^2}{V_1^2}\right)\right]\left[1 + \left(\frac{V_2}{V_1}\right)\right] \tag{6.15}$$

Se e_{turb} for desenhado em função de V_2/V_1, podemos mostrar que a curva passa por um *máximo* de $e_{\text{turb}} = 0{,}593$ quando $V_2/V_1 = 1/3$.* Em outras palavras, uma turbina eólica pode extrair um máximo de 59,3% da potência total do vento. Isso é conhecido como **lei de Bette**, que recebe o nome do físico alemão que a derivou em 1919. As turbinas eólicas possuem uma potência certificada em uma velocidade do vento especificada, mas aquelas usadas atualmente na indústria de energia baseiam seu desempenho em um *fator de capacidade*. Essa é a razão da comparação entre a saída real de energia para um ano e sua potência de saída certificada para o ano. Para as turbinas eólicas modernas, o fator de capacidade normalmente fica entre 0,30 e 0,40. Veja a Referência [6].

As turbinas eólicas estão ganhando popularidade como um dispositivo para aproveitamento de energia. Assim como uma hélice de avião, cada pá atua como um aerofólio. A análise simplificada apresentada aqui indica os princípios básicos; porém, uma análise mais complexa incluiria o tratamento da hélice como uma asa.

---
* Veja o Problema 6.91.

EXEMPLO 6.11

O motor de um barco pequeno tem uma hélice com um raio de 2,5 pol. (Figura 6.15a). Se o barco estiver viajando a 5 pés/s, determine o empuxo sobre o barco e a eficiência ideal do propulsor ao descarregar água por ele a 1,2 pé³/s.

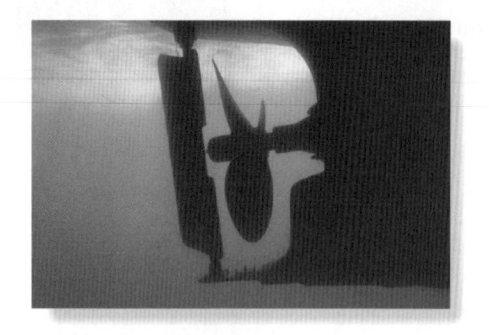

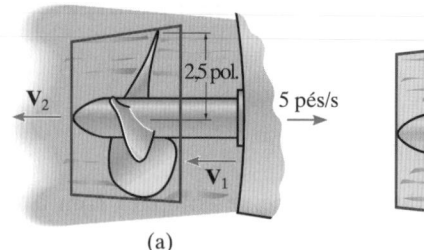

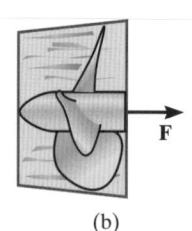

© Carver Mostardi/Alamy

FIGURA 6.15

Solução

Descrição do fluido

Consideramos que o escoamento seja um escoamento em regime permanente uniforme e que a água seja incompressível, onde $\gamma = 62,4 \text{ lb/pés}^3$.

Análise

A velocidade média da água fluindo pela hélice é

$Q = VA$;
$$1,2 \text{ pé}^3/\text{s} = V\left[\pi\left(\frac{2,5}{12} \text{ pés}\right)^2\right]$$
$$V = 8,801 \text{ pés/s}$$

Para alcançar um escoamento em regime permanente, o volume de controle se move com a hélice, e, portanto, o escoamento para dentro dela é $V_1 = 5$ pés/s (Figura 6.15a). Agora podemos obter o escoamento para fora, V_2, pela Equação 6.8.

$$V = \frac{V_1 + V_2}{2}; \qquad V_2 = 2(8,801 \text{ pés/s}) - 5 \text{ pés/s} = 12,60 \text{ pés/s}$$

Aplicando a Equação 6.9 para encontrar o empuxo sobre o barco (Figura 6.15b), temos

$$F = \frac{\rho \pi R^2}{2}(V_2^2 - V_1^2)$$

$$= \frac{\left(\frac{62,4}{32,2} \text{ slug/pés}^3\right)\pi\left(\frac{2,5}{12} \text{ pés}\right)^2}{2}\left[(12,60 \text{ pés/s})^2 - (5 \text{ pés/s})^2\right]$$

$$= 17,68 \text{ lb} = 17,7 \text{ lb} \qquad \qquad Resposta$$

As potências de saída e de entrada são determinadas pelas equações 6.10 e 6.11, respectivamente.

$$\dot{W}_o = FV_1 = (17,68 \text{ lb})(5 \text{ pés/s}) = 88,38 \text{ pés} \cdot \text{lb/s}$$
$$\dot{W}_i = FV = (17,68 \text{ lb})(8,801 \text{ pés/s}) = 155,56 \text{ pés} \cdot \text{lb/s}$$

Assim, a eficiência ideal da hélice é

$$e = \frac{\dot{W}_o}{\dot{W}_i} = \frac{88{,}38 \text{ pés} \cdot \text{lb/s}}{155{,}56 \text{ pés} \cdot \text{lb/s}} = 0{,}568 = 56{,}8\% \qquad Resposta$$

Esse mesmo resultado também pode ser obtido pela Equação 6.12.

$$e = \frac{2V_1}{V_1 + V_2} = \frac{2(5 \text{ pés/s})}{(5 \text{ pés/s}) + (12{,}60 \text{ pés/s})} = 0{,}568$$

6.6 Aplicações para volume de controle com movimento acelerado

Para alguns problemas, será conveniente escolher um volume de controle que esteja *acelerando*. Se a segunda lei de Newton for escrita para o sistema de fluido dentro desse volume de controle que acelera, temos

$$\Sigma \mathbf{F} = m \frac{d\mathbf{V}_f}{dt} \qquad (6.16)$$

Se a velocidade do fluido $\mathbf{V}_f$ for medida a partir de um referencial inercial *fixo*, então ela é igual à velocidade do volume de controle, $\mathbf{V}_{vc}$, mais a velocidade do fluido medida em relação à sua superfície de controle, $\mathbf{V}_{f/sc}$, ou seja,

$$\mathbf{V}_f = \mathbf{V}_{vc} + \mathbf{V}_{f/sc}$$

Substituindo essa equação na Equação 6.16, obtemos

$$\Sigma \mathbf{F} = m \frac{d\mathbf{V}_{vc}}{dt} + m \frac{d\mathbf{V}_{f/sc}}{dt} \qquad (6.17)$$

O teorema de transporte de Reynolds *não* depende do movimento do volume de controle, $d\mathbf{V}_{vc}/dt$, mas as velocidades nessa relação só deverão ser medidas *em relação às superfícies de controle*. Portanto, como m é constante, para uma descrição euleriana, usando o teorema de transporte de Reynolds, o último termo na equação anterior torna-se

$$m\left(\frac{d\mathbf{V}_{f/sc}}{dt}\right) = \frac{\partial}{\partial t}\int_{vc} \mathbf{V}_{f/vc}\, \rho\, d\mathcal{V} + \int_{sc} \mathbf{V}_{f/sc}(\rho \mathbf{V}_{f/sc} \cdot d\mathbf{A})$$

Substituindo isso na Equação 6.17, obtemos

$$\Sigma \mathbf{F} = m \frac{d\mathbf{V}_{vc}}{dt} + \frac{\partial}{\partial t}\int_{vc} \mathbf{V}_{f/vc}\, \rho\, d\mathcal{V} + \int_{sc} \mathbf{V}_{f/sc}(\rho \mathbf{V}_{f/sc} \cdot d\mathbf{A}) \qquad (6.18)$$

Esse resultado indica que a soma das forças externas que atuam sobre o volume de controle acelerando é igual ao efeito inercial da massa inteira contida dentro do volume de controle, mais a taxa local em que a quantidade de movimento do fluido está variando dentro do volume de controle, mais a taxa convectiva em que a quantidade de movimento está saindo ou entrando pelas superfícies de controle. Vamos considerar aplicações importantes dessa equação nas duas seções seguintes.

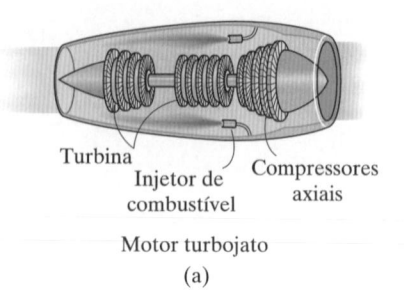

6.7 Turbojatos e turbofanes

O motor turbojato ou turbofan é usado principalmente para a propulsão de aeronaves. Como vemos na Figura 6.16a, um *turbojato* opera recebendo ar em sua frente e depois aumentando sua pressão ao passá-lo por uma série de ventoinhas, chamadas em conjunto de *compressor*. Quando o ar está sob alta pressão, o combustível é injetado e a ignição ocorre na câmara de combustão. Os gases quentes resultantes se *expandem* e então se movem em uma alta velocidade por uma turbina. Uma parte da energia cinética do gás é usada para girar o eixo conectado à turbina e ao compressor. A energia restante é usada para impulsionar o avião, à medida que o gás é ejetado pelo bocal exaustor. Assim como uma hélice, a eficiência de um turbojato aumenta quando a velocidade da aeronave aumenta. Um *motor turbofan* funciona pelos mesmos princípios, exceto que um ventilador é acrescentado na frente da turbina e gira com o eixo para fornecer uma entrada de ar adicional, propelindo parte dele por um duto em torno do turbojato, e desenvolvendo assim um empuxo aumentado (Figura 6.16b).

Para analisar o movimento e o empuxo de um turbojato (ou turbofan), vamos considerar o motor representado na Figura 6.17a.* Aqui, o volume de controle contorna o motor e contém o gás (ar) e combustível dentro dele. Neste caso, o volume de controle *acelerará* com o motor, portanto, devemos aplicar a Equação 6.18, onde as medições são feitas a partir de um sistema de coordenadas *fixo* (inercial). Para simplificar, vamos considerar um escoamento em regime permanente unidimensional, incompressível, atravessando o motor. As forças que atuam sobre o diagrama de corpo livre do volume de controle (Figura 6.17b) consistem no peso do motor **W** e no arrasto atmosférico F_A. A pressão manométrica que atua nas superfícies de controle de entrada e saída é zero, pois aqui o ar está na pressão atmosférica. Assim, para um escoamento em regime permanente, a Equação 6.18, aplicada ao longo do motor, torna-se

$$\left(\stackrel{+}{\nearrow}\right) -W\cos\theta - F_A = m\frac{dV_{vc}}{dt} + 0 + \int_{sc} \mathbf{V}_{f/sc}\, \rho\, \mathbf{V}_{f/sc}\cdot d\mathbf{A}$$

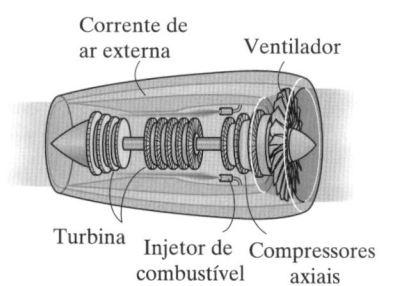

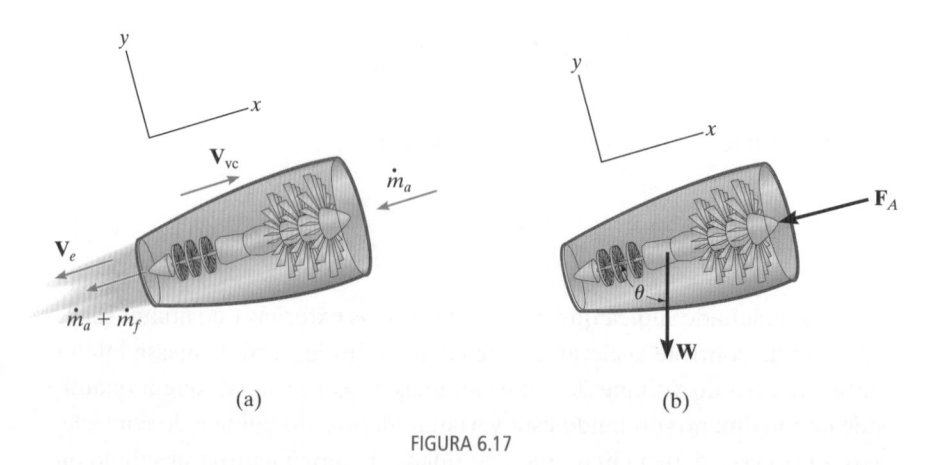

FIGURA 6.16

FIGURA 6.17

---

* Nesta discussão, consideramos que o motor esteja solto de um avião ou de um suporte fixo.

O último termo da direita pode ser avaliado observando-se que, na *entrada*, o escoamento de ar tem uma velocidade relativa de $\mathbf{V}_{f/sc} = -\mathbf{V}_{vc}$, e na exaustão a mistura de combustível e ar possui uma velocidade relativa de $\mathbf{V}_{f/sc} = \mathbf{V}_e$. Portanto, usando nossa convenção de sinal,

$$-W \cos\theta - F_A = m\frac{dV_{vc}}{dt} + (-V_{vc})(-\rho_a V_{vc} A_i) + (-V_e)(\rho_{a+f} V_e A_e)$$

Na entrada, $\dot{m}_a = \rho_a V_{vc} A_i$, e na exaustão, $\dot{m}_a + \dot{m}_f = (\rho_{a+f} V_e A_e)$. Portanto,

$$-W \cos\theta - F_A = m\frac{dV_{vc}}{dt} + \dot{m}_a V_{vc} - (\dot{m}_a + \dot{m}_f)V_e \quad (6.19)$$

O empuxo do motor precisa superar as duas forças no lado esquerdo desta equação, junto com a inércia causada pela *massa do motor* e seu conteúdo, ou seja, $m(dV_{vc}/dt)$. O empuxo, portanto, é o resultado dos dois últimos termos no lado direito.

$$T = \dot{m}_a V_{vc} - (\dot{m}_a + \dot{m}_f)V_e \quad (6.20)$$

Motor turbofan para um jato comercial.

Observe que não mostramos essa força no diagrama de corpo livre do volume de controle, pois esse é o "efeito" causado pela *vazão mássica*.

6.8 Foguetes

Um motor de foguete queima combustível sólido ou líquido que é transportado dentro do foguete. Um motor com combustível sólido é projetado para produzir um empuxo constante, que é alcançado moldando-se o propelente em uma forma que possibilita *queima uniforme* do combustível. Uma vez acionado, ele não pode ser controlado. Um motor com combustível líquido requer um projeto mais complexo, envolvendo o uso de tubulação, bombas e tanques pressurizados. Ele opera combinando um combustível líquido com um oxidante enquanto o combustível entra em uma câmara de combustão. O controle do empuxo é então alcançado ajustando o escoamento do combustível.

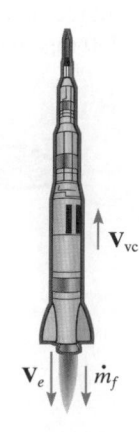

FIGURA 6.18

O desempenho de qualquer um desses tipos de foguetes pode ser estudado aplicando-se a equação da quantidade de movimento linear de uma maneira semelhante à que usamos para o turbojato. Se considerarmos o volume de controle como o foguete inteiro, como mostra a Figura 6.18, então a Equação 6.19 pode ser aplicada, exceto que aqui o peso atua verticalmente de cima para baixo, e $\dot{m}_a = 0$, pois apenas combustível é utilizado. Portanto, para um foguete, temos

$$(+\uparrow) \quad -W - F_A = m\frac{dV_{vc}}{dt} - \dot{m}_f V_e \quad (6.21)$$

Uma aplicação numérica dessa equação é dada no Exemplo 6.13.

© AF archive/Alamy

284 MECÂNICA DOS FLUIDOS

Pontos importantes

- Hélices são dispositivos de propulsão que atuam como um parafuso, fazendo com que a quantidade de movimento linear do fluido na frente da hélice aumente à medida que o fluido escoa em direção e através das pás. As turbinas eólicas atuam de maneira oposta, removendo energia do vento e depois diminuindo a quantidade de movimento do vento. Uma análise simples do escoamento pode ser feita para esses dois dispositivos usando as equações da quantidade de movimento linear e de Bernoulli.

- Se o volume de controle for selecionado para ter movimento acelerado, então a equação da quantidade de movimento precisa incluir um termo adicional, $m(d\mathbf{V}_{vc}/dt)$, que leva em conta a inércia da massa dentro do volume de controle. Esse termo é necessário porque a segunda lei de Newton forma a base da equação da quantidade de movimento, e as medições precisam ser feitas a partir de um referencial não inercial ou não acelerado.

- A equação da quantidade de movimento resultante pode ser usada para analisar o movimento de turbojatos e foguetes. O empuxo produzido não aparece no diagrama de corpo livre porque é o resultado dos termos que envolvem a vazão mássica para fora do motor.

EXEMPLO 6.12

O avião na Figura 6.19a está em um voo nivelado com uma *velocidade constante* de 140 m/s. Cada um de seus dois motores turbojato queima combustível a uma taxa de 3 kg/s. O ar, a uma temperatura de 15°C, entra na tomada de ar, que possui uma área transversal de 0,15 m². Se os gases da exaustão têm uma velocidade de 700 m/s, medida em relação ao avião, determine o arrasto que atua sobre o avião.

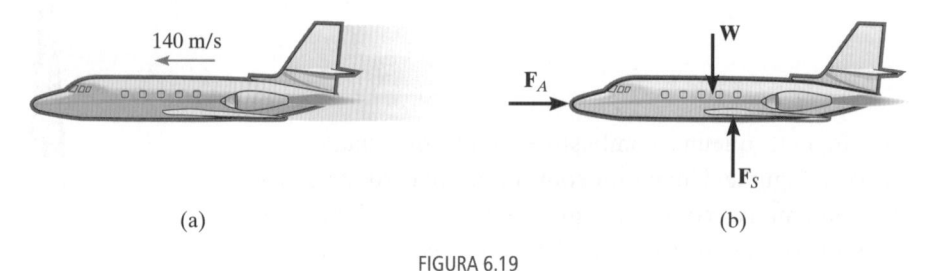

FIGURA 6.19

Solução

Descrição do fluido

Consideramos este um caso de escoamento em regime permanente quando medido em relação ao avião. Dentro do motor, o ar é compressível; porém, neste problema, não temos que considerar esse efeito, pois a velocidade de exaustão resultante é conhecida. Pelo Apêndice A, em $T = 15°C$, $\rho_a = 1,23$ kg/m³.

Análise

Para determinar o arrasto, vamos considerar o avião inteiro, seus dois motores e o ar e combustível dentro dos motores como o volume de controle (Figura 6.19a). Esse volume de controle se move com uma velocidade constante de $V_{vc} = 140$ m/s, de modo que a vazão mássica de ar entregue a cada motor é

$$\dot{m}_a = \rho_a V_{vc} A = (1,23 \text{ kg/m}^3)(140 \text{ m/s})(0,15 \text{ m}^2)$$
$$= 25,83 \text{ kg/s}$$

A conservação de massa requer que essa mesma vazão mássica passe pelo motor. O diagrama de corpo livre do volume de controle aparece na Figura 6.19b. Aplicando a Equação 6.19, observando que existem *dois motores*, temos

$$(\overset{\pm}{\leftarrow}) \quad -W\cos\theta - F_A = m\frac{dV_{vc}}{dt} + \dot{m}_a V_{vc} - (\dot{m}_a + \dot{m}_f)V_e$$

$$0 - F_A = 0 + 2[(25{,}83 \text{ kg/s})(140 \text{ m/s}) - (25{,}83 \text{ kg/s} + 3 \text{ kg/s})(700 \text{ m/s})]$$

$$F_A = 33{,}1(10^3) \text{ N} = 33{,}1 \text{ kN} \qquad \textit{Resposta}$$

Como o avião está em equilíbrio, essa força é equivalente ao empuxo fornecido pelos motores.

EXEMPLO 6.13

O foguete e seu combustível na Figura 6.20 têm uma massa inicial de 5 Mg. Quando ele é lançado a partir do repouso, os 3 Mg de combustível são consumidos a uma taxa de $\dot{m}_f = 80$ kg/s e expelidos a uma velocidade constante de 1200 m/s, em relação ao foguete. Determine a velocidade máxima do foguete. Desconsidere a variação na gravidade devida à altitude e a resistência do arrasto do ar.

Solução

Descrição do fluido

O escoamento é em regime permanente quando medido a partir do foguete. Os efeitos da compressibilidade do ar sobre o foguete não são considerados aqui, pois a resistência do arrasto não é considerada.

Análise

O foguete e seu conteúdo são selecionados como um volume de controle em aceleração (Figura 6.20a). O diagrama de corpo livre aparece na Figura 6.20b. Para este problema, a Equação 6.19 torna-se

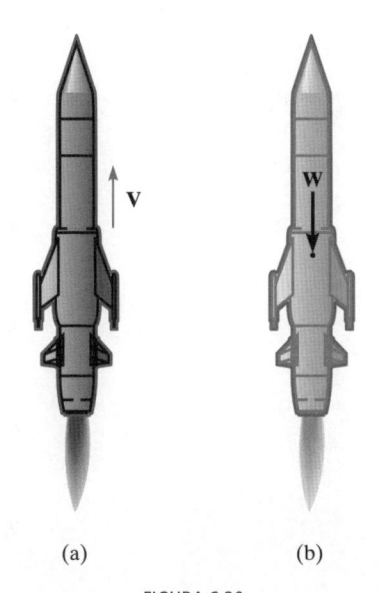

$$(+\uparrow) \quad -W = m\frac{dV_{vc}}{dt} - \dot{m}_f V_e$$

FIGURA 6.20

Aqui, $V_{vc} = V$. Em qualquer instante t durante o voo, a massa do foguete é $m = (5000 - 80t)$ kg, e como $W = mg$, temos

$$-[(5000 - 80t) \text{ kg}](9{,}81 \text{ m/s}^2) = [(5000 - 80t) \text{ kg}]\frac{dV}{dt} - (80 \text{ kg/s})(1200 \text{ m/s})$$

Nesta equação, o empuxo do motor é representado pelo último termo. Separando as variáveis e integrando, onde $V = 0$ quando $t = 0$, temos

$$\int_0^V dV = \int_0^t \left(\frac{80(1200)}{5000 - 80t} - 9{,}81\right) dt$$

$$V = -1200 \ln(5000 - 80t) - 9{,}81t \Big|_0^t$$

$$V = 1200 \ln\left(\frac{5000}{5000 - 80t}\right) - 9{,}81t$$

A velocidade máxima ocorre no instante em que todo o combustível tiver se esgotado. O tempo t' necessário para fazer isso é

$$m_f = \dot{m}_f t'; \qquad 3(10^3) \text{ kg} = (80 \text{ kg/s})t', \qquad t' = 37{,}5 \text{ s}$$

Portanto,

$$V_{máx} = 1200 \ln\left(\frac{5000}{5000 - 80(37,5)}\right) - 9,81(37,5)$$

$$V_{máx} = 732 \text{ m/s} \qquad \textit{Resposta}$$

Devido a essa alta velocidade, os efeitos de compressibilidade afetarão o arrasto sobre o foguete. A inclusão da resistência do ar complica a solução, e será discutida mais adiante no Capítulo 13.

Referências

1. LAMARSH, J. R.; BARATTA, A. J. *Introduction to Nuclear Engineering*. 3. ed. Upper Saddle River, NJ: Prentice Hall, 2001.
2. FAY, J. A. *Introduction to Fluid Mechanics*. Cambridge, MA: MIT Press, 1994.
3. NATIONAL Renewable Energy Laboratory. *Advanced Aerofoil for Wind Turbines (2000)*, DOE/GO-10098-488, setembro de 1998, revisado em agosto de 2000.
4. FREMOND, M. et al. Collision of a solid with an incompressible fluid. *Journal of Theoretical and Computational Fluid Dynamics*, Londres, Reino Unido, v. 16, n. 6, p. 405-420, 2003.
5. GRIFFIN, D. A.; ASHWILL, T. D. Alternative composite material for megawatt-scale wind turbine blades: design considerations and recommended testing. *Journal of Solar Energy Engineering*, v. 125, p. 515-521, 2003.
6. HOCK, S. M.; THRESHER, R. W.; TU, P. Potential for far-term advanced wind turbines performance and cost projections. *Sol World Congr Proc Bienn Congr Int Sol Energy Soc*, v. 1, p. 565-570, 1992.
7. MACISAAC, B.; LANGTON, R. *Gas Turbine Propulsion Systems*. Reston, VA: American Institute of Aeronautics and Astronautics, 2011.

Problemas fundamentais

Seções 6.1 e 6.2

F6.1. A água é descarregada através do cotovelo de 40 mm de diâmetro a 0,012 m³/s. Se a pressão em *A* é 160 kPa, determine a força resultante que o cotovelo exerce sobre a tubulação.

F 6.1

F6.2. O escudo de 5 kg é mantido a um ângulo de 60° para desviar o jato d'água com diâmetro de 40 mm, que é descarregado a 0,02 m³/s. Se as medições mostram que 30% da descarga é desviada para cima, determine a força resultante necessária para segurar o escudo no local.

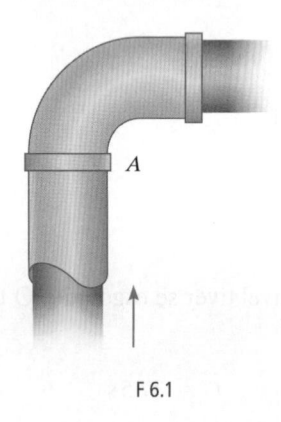

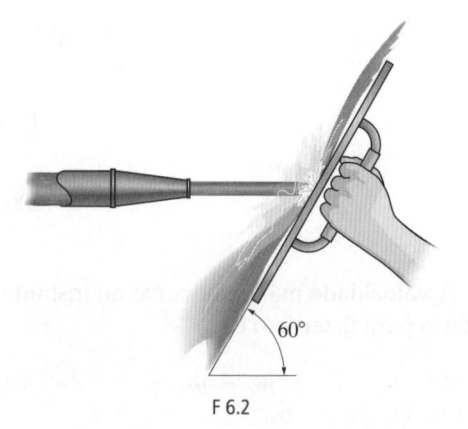

F 6.2

F6.3. A água está escoando a 10 m/s a partir de um tubo aberto AB com 50 mm de diâmetro. Se o escoamento está aumentando a 3 m/s², determine a pressão no tubo em A.

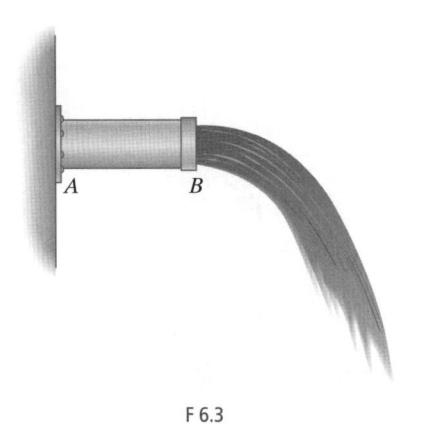

F 6.3

F6.4. O petróleo bruto escoa na mesma taxa por cada uma das saídas da conexão em Y. Se a pressão em A é 80 kPa, determine a força resultante em A para manter a conexão no tubo.

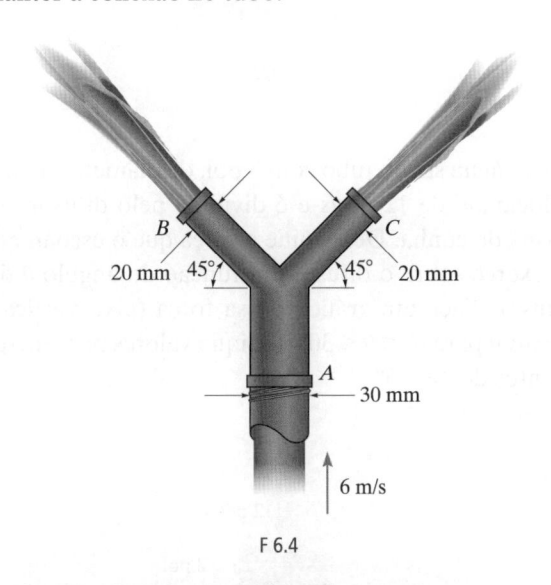

F 6.4

Seção 6.3

F6.5. O ventilador de mesa desenvolve uma esteira que possui um diâmetro de 0,25 m. Se o ar está se movendo horizontalmente a 20 m/s quando deixa as pás, determine a força de cisalhamento horizontal que a mesa precisa exercer sobre o ventilador para mantê-lo no lugar. Suponha que o ar tenha uma densidade constante de 1,22 kg/m³ e que o ar logo à direita das pás esteja basicamente em repouso.

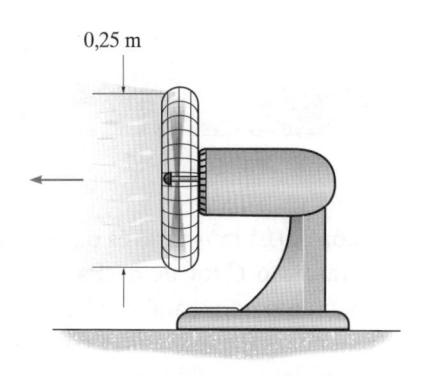

F 6.5

F6.6. À medida que a água sai do tubo com 20 mm de diâmetro, ela atinge a palheta, que está se movendo para a esquerda a 1,5 m/s. Determine a força resultante sobre a palheta para desviar a água em 90°, conforme mostra a figura.

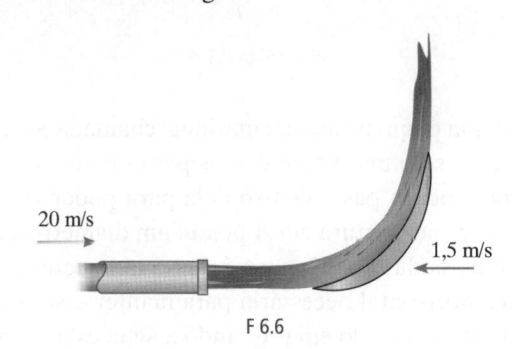

F 6.6

Problemas

A menos que indicado de outra maneira, nos problemas a seguir, suponha que o fluido seja um fluido perfeito, isto é, incompressível e sem cisalhamento.

Seções 6.1 e 6.2

6.1. Determine a quantidade de movimento linear de uma massa de fluido em uma extensão de 0,2 m de tubo se o perfil de velocidade para o fluido é uma paraboloide, como mostra a figura. Compare esse resultado com a quantidade de movimento linear do fluido usando a velocidade média do escoamento. Considere $\rho = 800$ kg/m³.

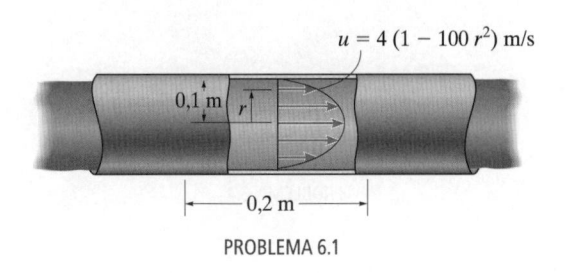

$u = 4(1 - 100\,r^2)$ m/s

PROBLEMA 6.1

6.2. O escoamento através do tubo circular é turbulento, e o perfil de velocidade pode ser modelado usando a lei de potência um sétimo de Prandtl, $v = V_{máx}(1 - r/R)^{1/7}$. Se ρ é a densidade, mostre que a quantidade de movimento do fluido por unidade de tempo passando pelo tubo é $(49/72)\pi R^2 \rho V_{máx}^2$. Depois, mostre que $V_{máx} = (60/49)V$, onde V é a velocidade média do escoamento. Além disso, mostre que a quantidade de movimento por unidade de tempo é $(50/49)\pi R^2 \rho V^2$.

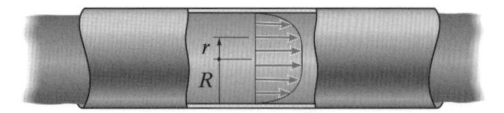

PROBLEMA 6.2

6.3. O óleo escoa a 0,05 m³/s através da transição. Se a pressão na transição C for de 8 kPa, determine a força de cisalhamento horizontal resultante que atua ao longo da emenda AB que segura a conexão com o tubo maior. Considere $\rho_o = 900$ kg/m³.

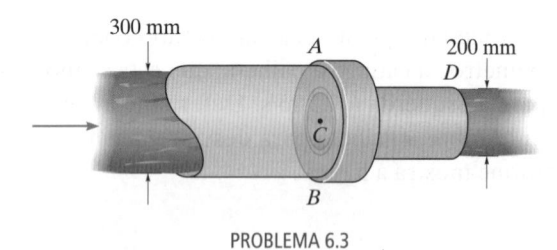

PROBLEMA 6.3

*6.4. Uma pequena ascídia marinha, chamada Styela, fixa-se no solo marinho e depois permite que a água em movimento passe dentro dela para poder se alimentar. Se a abertura em A possui um diâmetro de 2 mm, e na saída B o diâmetro é de 1,5 mm, determine a força horizontal necessária para manter esse organismo preso ao solo em C quando a água está se movimentando a 0,2 m/s para dentro da abertura em A. Considere $\rho = 1050$ kg/m³.

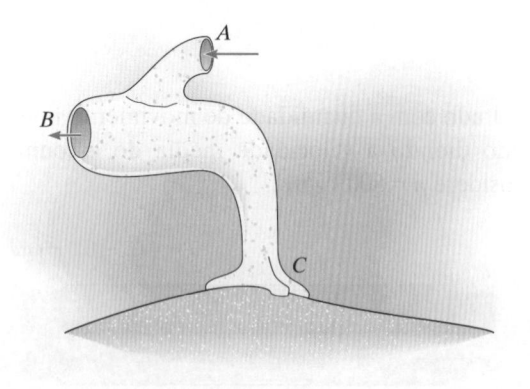

PROBLEMA 6.4

6.5. A água sai do tubo com 3 pol. de diâmetro a uma velocidade de 12 pés/s e é dividida pelo difusor em forma de cunha. Determine a força que o escoamento exerce sobre o difusor. Considere $\theta = 30°$.

PROBLEMA 6.5

6.6. A água sai do tubo com 3 pol. de diâmetro a uma velocidade de 12 pés/s e é dividida pelo difusor em forma de cunha. Determine a força que o escoamento exerce sobre o difusor em função do ângulo θ do difusor. Faça um gráfico dessa força (eixo vertical) *versus* θ para $0° \leq \theta \leq 30°$. Indique valores para incrementos de $\Delta\theta = 5°$.

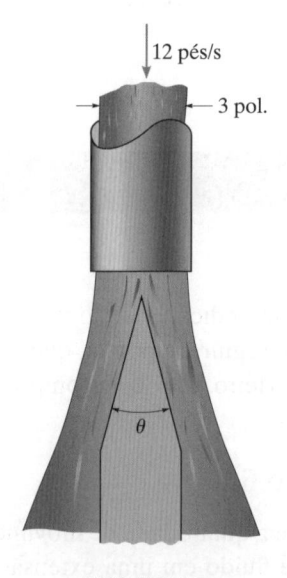

PROBLEMA 6.6

6.7. A água passa pela mangueira com uma velocidade de 4 m/s. Determine a força que a água exerce sobre a parede. Suponha que a água não espirre de volta da parede.

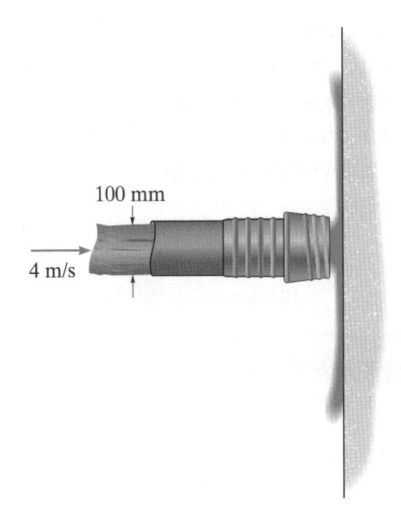

PROBLEMA 6.7

*6.8. O bocal possui um diâmetro de 40 mm. Se ele jorra água a uma velocidade de 20 m/s contra a pá fixa, determine a força horizontal exercida pela água sobre a pá. A pá divide a água por igual em um ângulo de $\theta = 45°$.

6.9. O bocal possui um diâmetro de 40 mm. Se ele jorra água a uma velocidade de 20 m/s contra a pá fixa, determine a força horizontal exercida pela água sobre a pá em função do ângulo θ da pá. Faça um gráfico dessa força (eixo vertical) *versus* θ para $0° \leq \theta \leq 75°$. Indique valores para incrementos de $\Delta\theta = 15°$. A pá divide a água por igual.

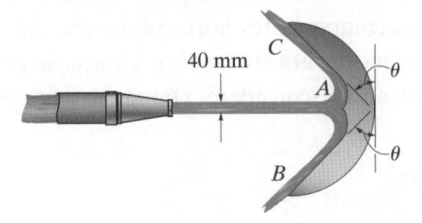

PROBLEMAS 6.8 e 6.9

6.10. Uma lancha é impulsionada pelo mecanismo mostrado na figura. A água do mar é dirigida à bomba a uma taxa de 20 pés³/s através de uma tomada A com 6 pol. de diâmetro. Um impelidor acelera a água e a força horizontalmente para fora através de um bocal B com 4 pol. de diâmetro. Determine os componentes horizontal e vertical do empuxo exercido sobre a lancha. O peso específico da água do mar é $\gamma_{am} = 64{,}3$ lb/pés³.

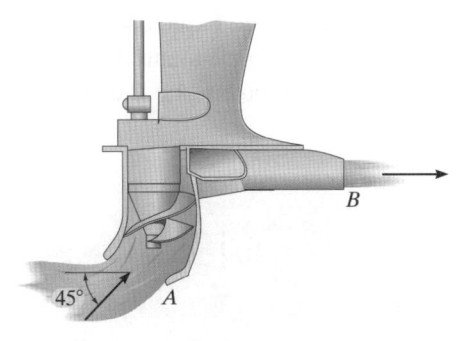

PROBLEMA 6.10

6.11. A água sai do cotovelo redutor a 0,4 pé³/s. Determine os componentes horizontal e vertical da força, que são necessários para manter o cotovelo no lugar em A. Desconsidere o tamanho e o peso do cotovelo e da água dentro dele. A água é descarregada na atmosfera em B.

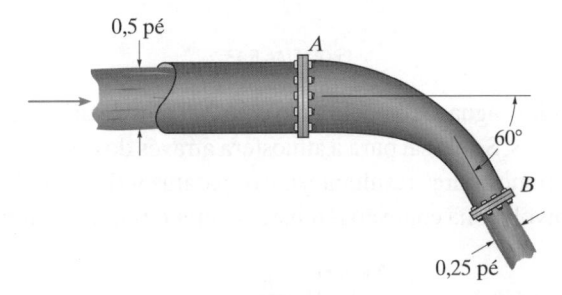

PROBLEMA 6.11

*6.12. O óleo escoa pelo tubo com 100 mm de diâmetro a uma velocidade de 5 m/s. Se a pressão no tubo em A e B é 80 kPa, determine os componentes x e y da força que o escoamento exerce sobre o cotovelo. O escoamento ocorre no plano horizontal. Considere $\rho_o = 900$ kg/m³.

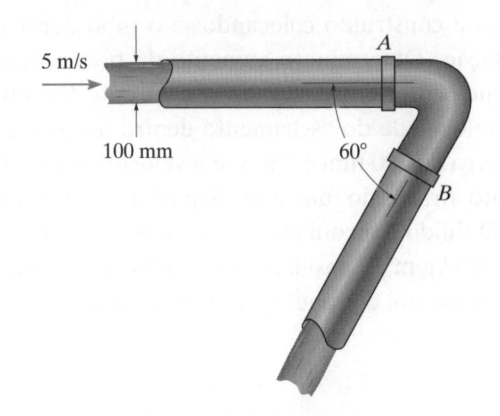

PROBLEMA 6.12

6.13. A velocidade da água que passa pelo cotovelo em um tubo enterrado é $V = 8$ pés/s. Supondo que as conexões do tubo em A e B não ofereçam qualquer resistência à força no cotovelo, determine a força horizontal resultante **F** que o solo deverá exercer sobre o cotovelo a fim de mantê-lo em equilíbrio. A pressão dentro do tubo em A e B é 10 psi.

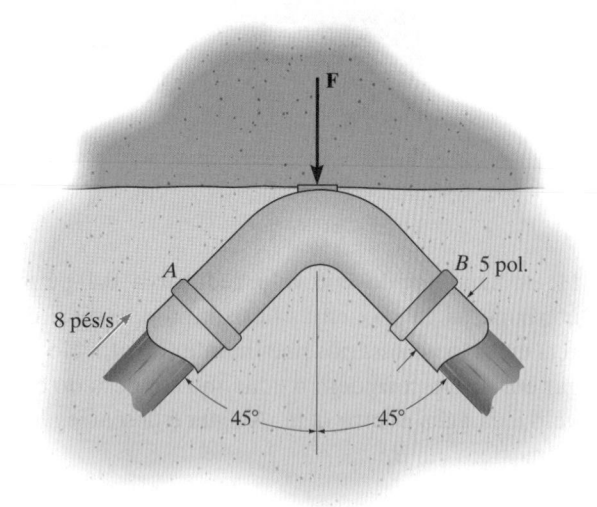

PROBLEMA 6.13

6.14. A água escoa pelo tubo com 200 mm de diâmetro a 4 m/s. Se ela sai para a atmosfera através do bocal, determine a força resultante que os parafusos deverão desenvolver na conexão AB para manter o bocal no tubo.

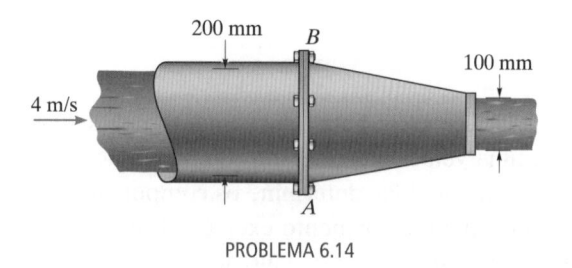

PROBLEMA 6.14

6.15. O dispositivo ou "bomba a jato" usada em uma fábrica é construído colocando-se o tubo dentro da tubulação. Determine o aumento de pressão ($p_B - p_A$) que ocorre entre o fundo A e a frente B do tubo se a velocidade do escoamento dentro do tubo com diâmetro de 200 mm é 2 m/s, e a velocidade do escoamento através do tubo com diâmetro de 20 mm é 40 m/s. O fluido é álcool etílico com uma densidade de $\rho_{ae} = 790$ kg/m³. Considere que a pressão em cada seção transversal da tubulação seja uniforme.

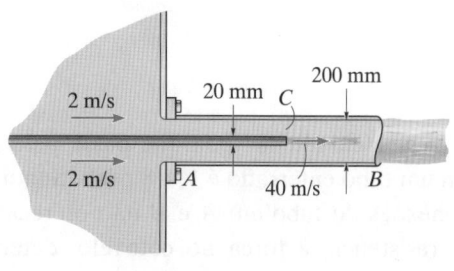

PROBLEMA 6.15

*6.16. O jato d'água escoa do tubo com diâmetro de 100 mm a 4 m/s. Se ele atinge o painel fixo e é desviado como mostra a figura, determine a força normal que o jato exerce sobre o painel.

6.17. O jato d'água escoa do tubo com diâmetro de 100 mm a 4 m/s. Se ele atinge o painel fixo e é desviado como mostra a figura, determine o volume de escoamento em direção a A e em direção a B se o componente tangencial da força que a água exerce sobre o painel é zero.

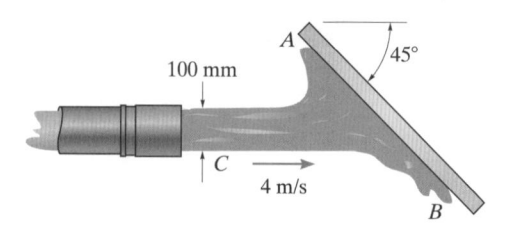

PROBLEMAS 6.16 e 6.17

6.18. À medida que a água escoa pelo tubo a uma velocidade de 5 m/s, ela encontra a placa de orifício, que possui um furo no centro. Se a pressão em A é 230 kPa, e em B é 180 kPa, determine a força que a água exerce sobre a placa.

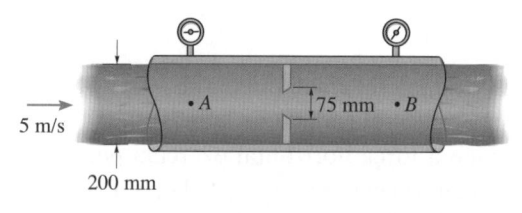

PROBLEMA 6.18

6.19. A água entra em A com uma velocidade de 8 m/s e pressão de 70 kPa. Se a velocidade em C é de 9 m/s, determine os componentes horizontal e vertical da força resultante que deverá atuar sobre a transição para mantê-la no lugar. Desconsidere o tamanho da transição.

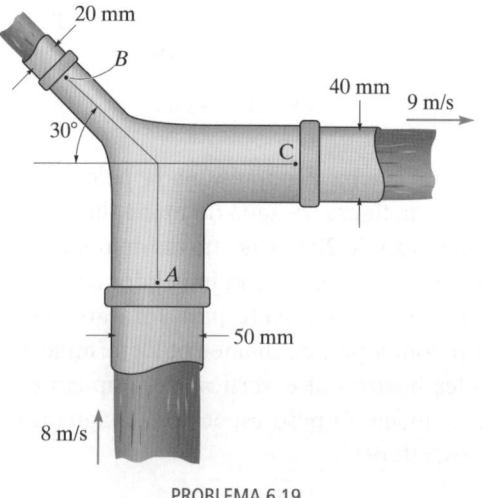

PROBLEMA 6.19

*6.20. O petróleo bruto atravessa o cotovelo afunilado em 45° a 0,02 m³/s. Se a pressão em A é 300 kPa, determine os componentes horizontal e vertical da força resultante que o óleo exerce sobre o cotovelo. Desconsidere o tamanho do cotovelo.

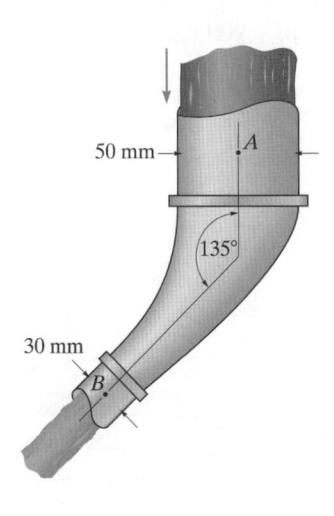

PROBLEMA 6.20

6.21. A bacia hemisférica com massa m é mantida em equilíbrio pelo jato vertical de água descarregada por um bocal com diâmetro d. Se a vazão volumétrica é Q, determine a altura h em que a bacia é suspensa. A densidade da água é $\rho_{água}$.

6.22. A bacia hemisférica de 500 g é mantida em equilíbrio pelo jato vertical de água descarregada pelo bocal com 10 mm de diâmetro. Determine a altura h da bacia em função da vazão volumétrica Q da água através do bocal. Desenhe a altura h (eixo vertical) contra Q para $0,5\,(10^{-3})\,m^3/s \le Q \le 1(10^{-3})m^3/s$. Indique valores para incrementos de $\Delta Q = 0,1(10^{-3})\,m^3/s$.

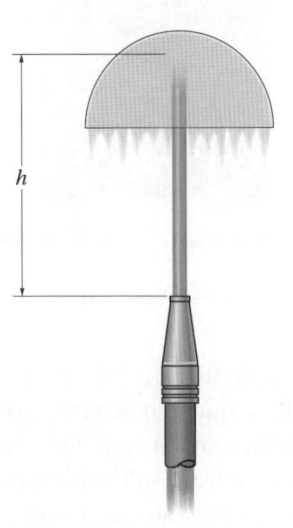

PROBLEMAS 6.21 e 6.22

6.23. A água escoa para dentro do tanque retangular a uma taxa de 0,5 pé³/s a partir de um tubo com 3 pol. de diâmetro em A. Se o tanque tem uma largura de 2 pés e um peso vazio de 150 lb, determine o peso aparente do tanque causado pelo escoamento no instante em que $h = 3$ pés.

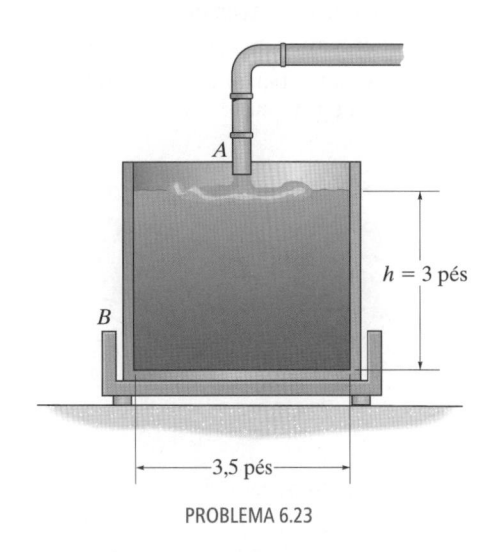

PROBLEMA 6.23

*6.24. A balsa está sendo carregada com um líquido de resíduo industrial com uma densidade de 1,2 Mg/m³. Se a velocidade média do escoamento que sai do tubo com 100 mm de diâmetro é $V_A = 3$ m/s, determine a força na corda de amarração necessária para manter a balsa estacionária.

6.25. A balsa está sendo carregada com um líquido de resíduo industrial com uma densidade de 1,2 Mg/m³. Determine a força máxima na corda necessária para manter a balsa estacionária. O resíduo pode entrar na balsa em qualquer ponto dentro da região de 10 m. Além disso, qual é a velocidade do resíduo que sai do tubo em A quando isso ocorre? O tubo tem um diâmetro de 100 mm.

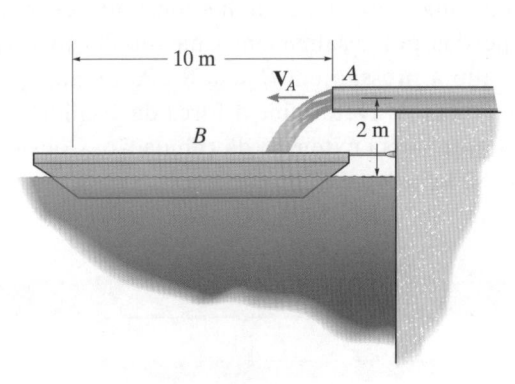

PROBLEMAS 6.24 e 6.25

292 MECÂNICA DOS FLUIDOS

6.26. Um reator nuclear é resfriado com sódio líquido, que é transportado através do núcleo do reator usando a bomba eletromagnética. O sódio se move por um tubo em A com um diâmetro de 3 pol., com uma velocidade de 15 pés/s e pressão de 20 psi, e passa pelo duto retangular, onde é bombeado por uma força eletromagnética dando-lhe um impulso de 30 pés. Se ele surge em B através de um tubo com 2 pol. de diâmetro, determine a força de retenção **F** em cada braço, necessária para manter o tubo no lugar. Considere $\gamma_{Na} = 53{,}2$ lb/pés³.

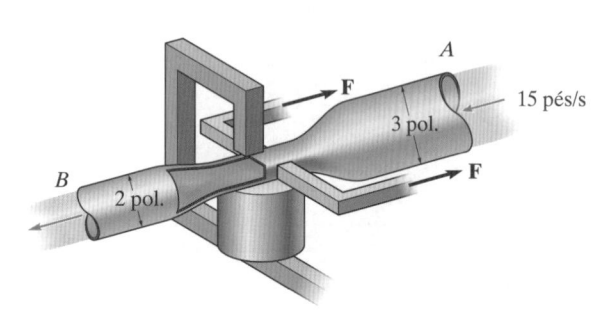

PROBLEMA 6.26

6.27. O ar escoa pelo duto com 1 m de largura a uma velocidade uniforme de 0,3 m/s. Determine a força horizontal **F** que a tira C deve exercer sobre a transição para mantê-la no lugar. Desconsidere qualquer força nas juntas A e B. Considere $\rho_a = 1{,}22$ kg/m³.

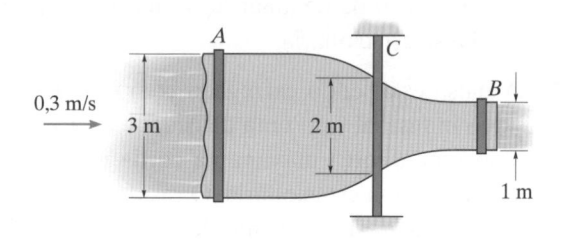

PROBLEMA 6.27

*6.28. À medida que o óleo escoa pela tubulação com 20 m de extensão e 200 mm de diâmetro, ele possui uma velocidade média constante de 2 m/s. As perdas por cisalhamento na tubulação fazem com que a pressão em B seja 8 kPa menor que a pressão em A. Determine a força de cisalhamento resultante nessa extensão da tubulação. Considere $\rho_o = 880$ kg/m³.

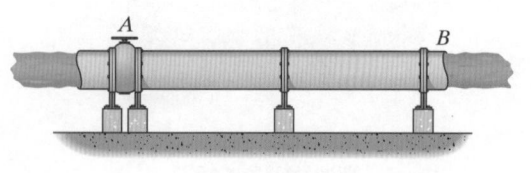

PROBLEMA 6.28

6.29. O óleo flui pela tubulação vertical com 50 mm de diâmetro de modo que a pressão em A é de 240 kPa e a velocidade é de 3 m/s. Determine os componentes horizontal e vertical da força que o tubo exerce sobre a seção AB em U da tubulação. A tubulação e o óleo dentro dela possuem um peso conjunto de 60 N. Considere $\rho_o = 900$ kg/m³.

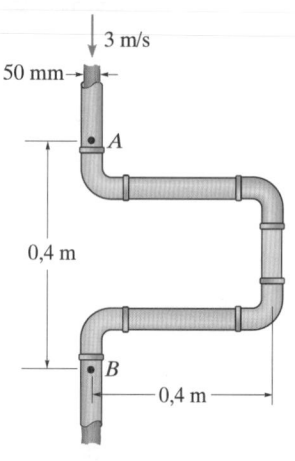

PROBLEMA 6.29

6.30. A água escoa para dentro do tanque a uma taxa de 0,05 m³/s a partir do tubo com 100 mm de diâmetro. Se o tanque tem 500 mm em cada lado, determine a compressão em cada uma das quatro molas que suportam seus cantos quando a água atinge uma profundidade $h = 1$ m. Cada mola tem uma rigidez de $k = 8$ kN/m. Quando vazio, o tanque comprime cada mola em 30 mm.

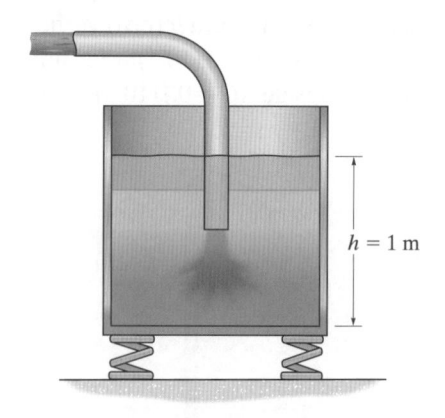

PROBLEMA 6.30

6.31. O aparato circular de 300 kg está suspenso 100 mm do solo. Para que isso aconteça, o ar é obtido a 18 m/s através da tomada com 200 mm de diâmetro e descarregado contra o solo, conforme mostra a figura. Determine a pressão que a nave exerce sobre o solo. Considere $\rho_a = 1{,}22$ kg/m³.

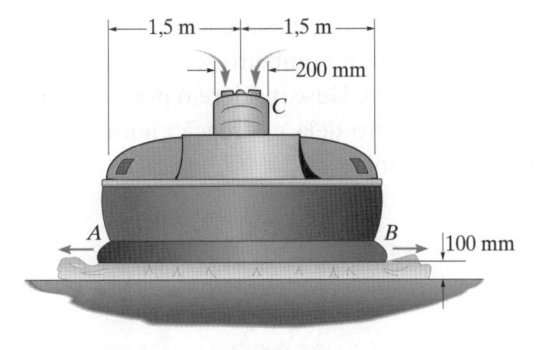

PROBLEMA 6.31

*6.32. A válvula de agulha cilíndrica é usada para controlar o escoamento de 0,003 m³/s de água através do tubo com diâmetro de 20 mm. Determine a força **F** exigida para mantê-la no lugar quando $x = 10$ mm.

6.33. A válvula de agulha cilíndrica é usada para controlar o escoamento de 0,003 m³/s de água através do tubo com diâmetro de 20 mm. Determine a força **F** exigida para mantê-la no lugar para qualquer posição x do fechamento da válvula.

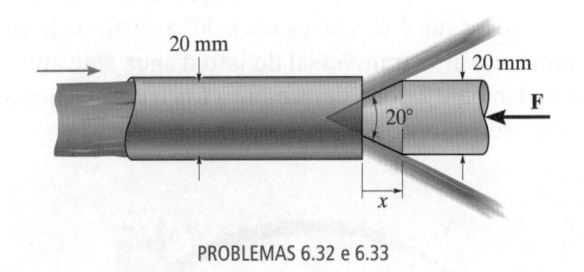

PROBLEMAS 6.32 e 6.33

6.34. A válvula de disco é usada para controlar o escoamento de 0,008 m³/s de água através do tubo com 40 mm de diâmetro. Determine a força **F** exigida para manter a válvula no lugar para qualquer posição x de fechamento da válvula.

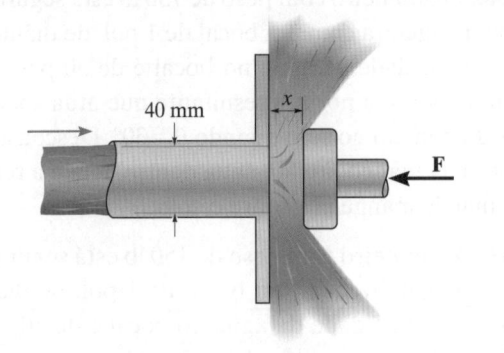

PROBLEMA 6.34

6.35. O aspersor de brinquedo consiste em uma capa e um tubo rígido com um diâmetro de 20 mm. Se a água escoa pelo tubo a $0,7(10^{-3})$ m³/s, determine a força vertical que a parede do tubo deverá suportar em B. Desconsidere o peso da cabeça do aspersor e da água dentro do segmento curvo do tubo. O peso do tubo e da água dentro do segmento vertical AB é 4 N.

*6.36. O aspersor de brinquedo consiste em uma capa e um tubo rígido com um diâmetro de 20 mm. Determine o escoamento através do tubo de modo que crie uma força vertical de 6 N na parede do tubo em B. Desconsidere o peso da cabeça do aspersor e da água dentro do segmento curvo do tubo. O peso do tubo e da água dentro do segmento vertical AB é 4 N.

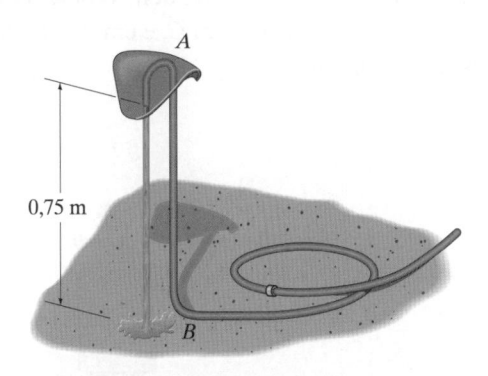

PROBLEMAS 6.35 e 6.36

6.37. O ar flui pelo duto retangular com 1,5 pé de largura a 900 pés³/min. Determine a força horizontal que atua sobre a placa na extremidade B do duto. Considere $\rho_a = 0,00240$ slug/pé³.

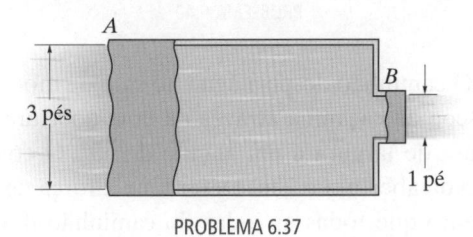

PROBLEMA 6.37

6.38. O ar a uma temperatura de 30°C escoa pela junta de expansão de modo que sua velocidade em A é de 15 m/s e a pressão absoluta é de 250 kPa. Se não ocorre qualquer perda por calor ou cisalhamento, determine a força resultante necessária para manter a junta no lugar.

6.39. O ar a uma temperatura de 30°C escoa pela junta de expansão de modo que sua velocidade em A seja de 15 m/s e a pressão absoluta seja de 250 kPa. Se a perda por calor e cisalhamento devido à junta de expansão faz com que a temperatura e a pressão absoluta do ar em B se tornem 20°C e 7,50 kPa, determine a força resultante necessária para manter a junta no lugar.

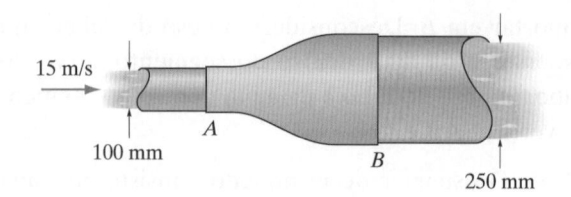

PROBLEMAS 6.38 e 6.39

*6.40. A água escoa pelo tubo em C a 4 m/s. Determine os componentes horizontal e vertical da força exercida pelo cotovelo D necessária para manter o conjunto em equilíbrio. Desconsidere o tamanho e o peso do tubo e da água dentro dele. O tubo tem um diâmetro de 60 mm em C, e em A e B os diâmetros são de 20 mm.

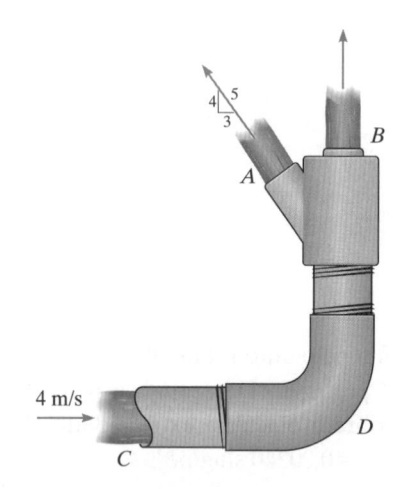

PROBLEMA 6.40

6.41. O caminhão despeja água no solo de modo que ela escoa da caçamba através de uma abertura com 100 mm de largura a um ângulo de 60°. O comprimento da abertura é 2 m. Determine a força de cisalhamento que todas as rodas do caminhão deverão exercer sobre o solo para evitar que o caminhão se mova no instante em que a profundidade da água na caçamba do caminhão é de 1,75 m.

PROBLEMA 6.41

6.42. O bombeiro espirra um jato d'água com 2 pol. de diâmetro a partir de uma mangueira no prédio em chamas. Se a água é descarregada a 1,5 pé³/s, determine a magnitude da velocidade da água quando ela bate na parede. Além disso, encontre a reação normal dos dois pés do bombeiro sobre o solo. Ele tem um peso de 180 lb. Desconsidere o peso da mangueira, da água dentro dela e a reação normal da mangueira sobre o solo.

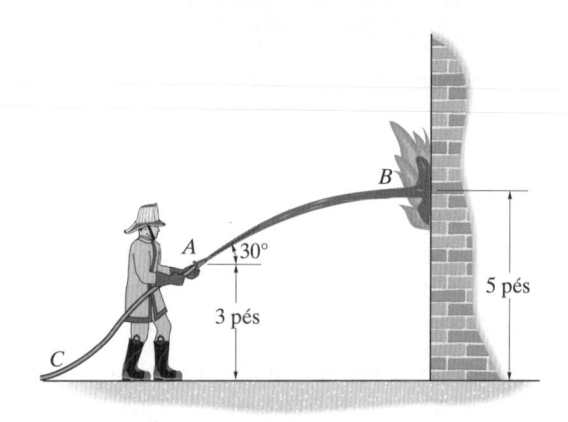

PROBLEMA 6.42

6.43. A fonte espirra água na direção mostrada na figura. Se a água é descarregada a 30° a partir da horizontal, e a área transversal do jato d'água é de aproximadamente 2 pol.², determine a força normal que a água exerce sobre a parede em B.

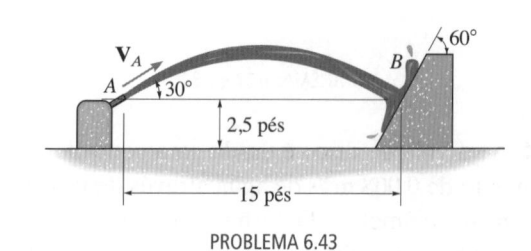

PROBLEMA 6.43

*6.44. O bombeiro com peso de 150 lb está segurando uma mangueira com um bocal de 1 pol. de diâmetro. Se a velocidade da água no bocal é de 50 pés/s, determine a força normal resultante que atua sobre os pés do homem no solo quando $\theta = 30°$. Desconsidere o peso da mangueira, da água dentro dela e a reação normal da mangueira sobre o solo.

6.45. O bombeiro com peso de 150 lb está segurando uma mangueira com um bocal de 1 pol. de diâmetro. Se a velocidade da água no bocal é de 50 pés/s, determine a força normal resultante que atua sobre os pés do homem no solo em função de θ. Faça o gráfico dessa reação normal (eixo vertical) versus θ para $0° < \theta < 30°$. Indique valores para incrementos de $\Delta\theta = 5°$. Desconsidere o peso da mangueira, da água dentro dela e a reação normal da mangueira sobre o solo.

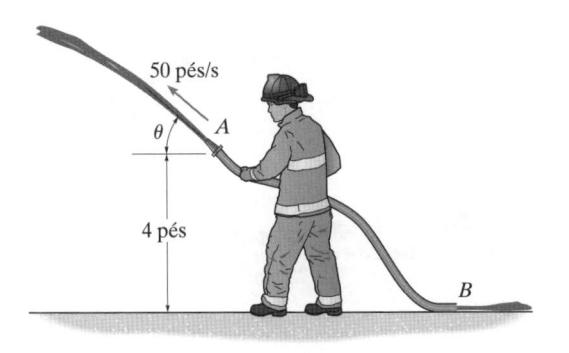

Seção 6.3

6.49. A água jorra pela mangueira com uma velocidade de 2 m/s. Determine a força **F** necessária para manter a placa circular movendo-se para a direita a 2 m/s.

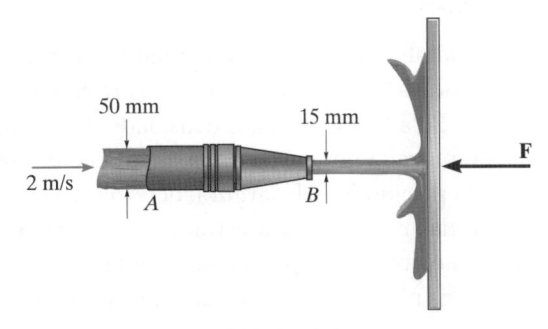

PROBLEMAS 6.44 e 6.45

6.46. O bombeiro com peso de 150 lb está segurando uma mangueira com um bocal de 1 pol. de diâmetro. Se a velocidade da água no bocal é 50 pés/s, determine a força normal resultante que atua sobre os pés do homem no solo se ele segura a mangueira diretamente sobre sua cabeça a $\theta = 90°$. Desconsidere o peso da mangueira, da água dentro dela e a reação normal da mangueira sobre o solo.

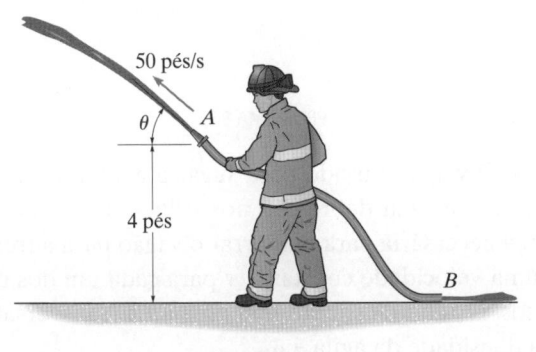

PROBLEMA 6.49

6.50. A água jorra pela mangueira com uma velocidade de 2 m/s. Determine a força **F** necessária para manter a placa circular movendo-se para a esquerda a 2 m/s.

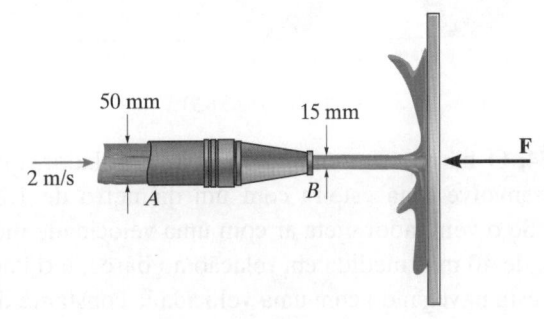

PROBLEMA 6.46

PROBLEMA 6.50

6.47. A água em A sai do bocal com 1 pol. de diâmetro a 8 pés/s e atinge a placa de 0,5 lb. Determine a altura h acima do bocal na qual a placa pode ser suportada pelo jato d'água.

6.51. O caminhão pipa libera água a uma taxa de 45 pés³/min através do tubo com diâmetro de 3 pol. Se a profundidade da água no caminhão é 4 pés, determine a força de cisalhamento que a estrada precisa exercer sobre os pneus para impedir que o caminhão deslize. Quanta força a água exerce sobre o caminhão se ele estiver se movendo para a frente a uma velocidade constante de 4 pés/s e o escoamento for mantido a 45 pés³/min?

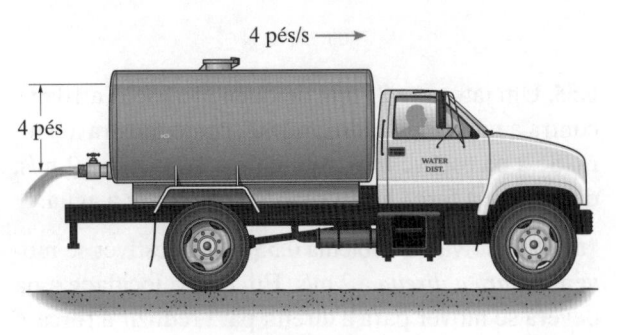

*****6.48.** A água em A sai do bocal com 1 pol. de diâmetro a 18 pés/s. Determine o peso da placa que pode ser suportado pelo jato d'água $h = 2$ pés acima do bocal.

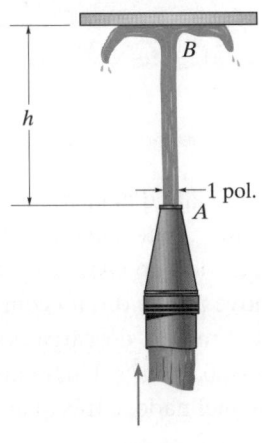

PROBLEMAS 6.47 e 6.48

PROBLEMA 6.51

*6.52. Uma pá localizada na frente do trator lança para cima uma lama de neve a uma taxa de 12 pés³/s e a joga perpendicular ao seu movimento, $\theta = 90°$. Se o trator está se movendo a uma velocidade constante de 14 pés/s, determine a resistência ao movimento causada pela limpeza. O peso específico da lama é $\gamma_l = 5{,}5$ lb/pés³.

6.53. O caminhão está se movendo para a frente a 5 m/s, retirando a lama de neve com uma profundidade de 0,25 m. Se a lama tem uma densidade de 125 kg/m³ e é empurrada para cima a um ângulo de $\theta = 60°$ a partir da pá com 3 m de largura, determine a força de tração das rodas sobre a estrada necessária para manter o movimento. Suponha que a lama seja lançada pela pá na mesma velocidade com que entra na pá.

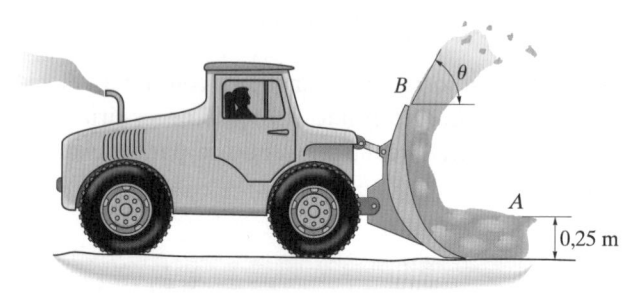

PROBLEMAS 6.52 e 6.53

6.54. O barco é impulsionado pelo ventilador, que desenvolve uma esteira com um diâmetro de 1,25 m. Se o ventilador ejeta ar com uma velocidade média de 40 m/s, medida em relação ao barco, e o barco está navegando com uma velocidade constante de 8 m/s, determine a força que o ventilador exerce sobre o barco. Suponha que o ar tenha uma densidade constante de $\rho_a = 1{,}22$ kg/m³ e que o ar que entra em A está basicamente em repouso em relação ao solo.

PROBLEMA 6.54

6.55. Um jato com 25 mm de diâmetro escoa a 10 m/s contra a pá e é desviado em 180°, como mostra a figura. Se a pá está se movendo para a esquerda a 2 m/s, determine a força horizontal F da pá sobre a água.

*6.56. Resolva o Problema 6.55 se a pá estiver se movendo *para a direita* a 2 m/s. Em que velocidade a pá deverá se mover para a direita para reduzir a força F a zero?

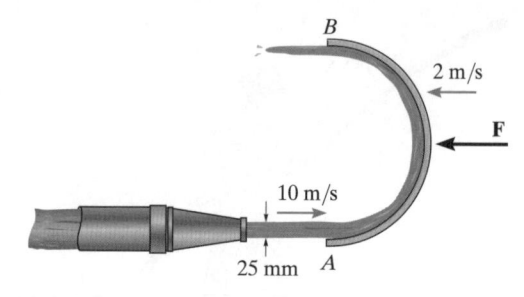

PROBLEMAS 6.55 e 6.56

6.57. A palheta está se movendo a 80 pés/s quando um jato d'água com velocidade de 150 pés/s entra em A. Se a área transversal do jato é 1,5 pol.², e ele é desviado como mostra a figura, determine a potência em hp desenvolvida pela água na pá. 1 hp = 550 pés · lb/s.

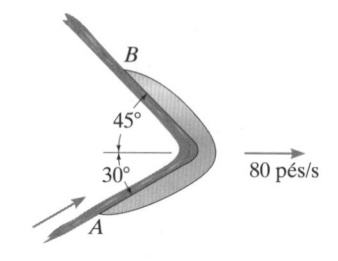

PROBLEMA 6.57

6.58. O vagão é usado para sugar a água que se encontra em uma depressão nos trilhos. Determine a força necessária para empurrar o vagão para a frente a uma velocidade constante **v** para cada um dos três casos. O tubo de sucção tem uma área transversal A e a densidade da água é $\rho_{água}$.

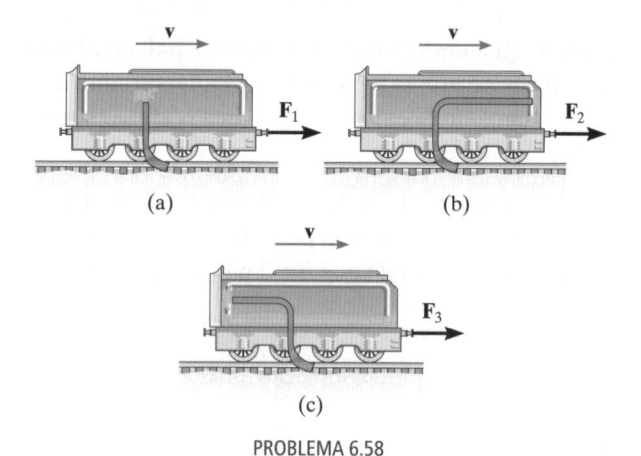

PROBLEMA 6.58

6.59. A saída de um jato d'água atinge a superfície inclinada do carrinho. Determine a potência produzida pelo jato se, devido ao cisalhamento de rolagem, o carrinho se move para a direita com uma velocidade constante de 2 m/s. A descarga do bocal com 50 mm de diâmetro é 0,04 m³/s. Um quarto da descarga desce pelo plano inclinado, e três quartos sobem pelo plano inclinado.

Seção 6.4

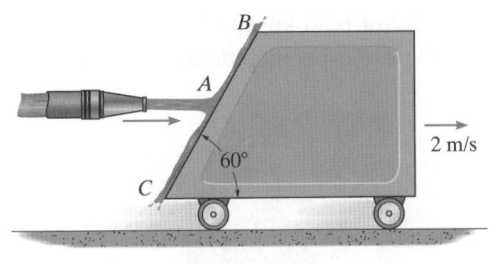

PROBLEMA 6.59

*6.60. A água flui a 0,1 m³/s através do bocal com 100 mm de diâmetro e atinge a superfície curva no carrinho de 150 kg, que está originalmente em repouso. Determine a velocidade do carrinho 3 segundos depois que o jato d'água atinge a curva.

6.61. A água flui a 0,1 m³/s através do bocal com 100 mm de diâmetro e atinge a superfície curva no carrinho de 150 kg, que está originalmente em repouso. Determine a aceleração do carrinho quando ele alcança uma velocidade de 2 m/s.

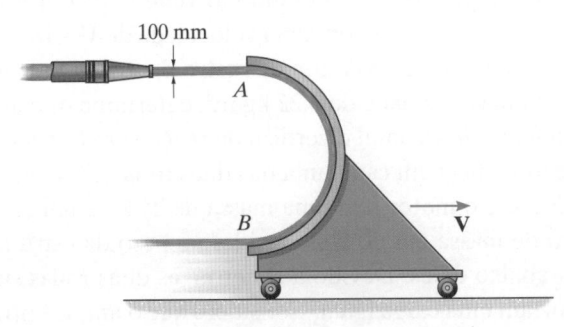

PROBLEMAS 6.60 e 6.61

6.62. Determine a resistência à rolagem nas rodas se o carrinho se move para a direita com uma velocidade constante de $V_c = 4$ pés/s quando a superfície curva é atingida pelo jato d'água. O jato escoa do bocal a 20 pés/s e possui um diâmetro de 3 pol.

6.63. Determine a velocidade do carrinho de 50 lb em 3 s a partir do repouso se um jato d'água, fluindo pelo bocal a 20 pés/s, atinge a superfície curva e é desviado para cima. O jato tem um diâmetro de 3 pol. Desconsidere a resistência das rodas à rolagem.

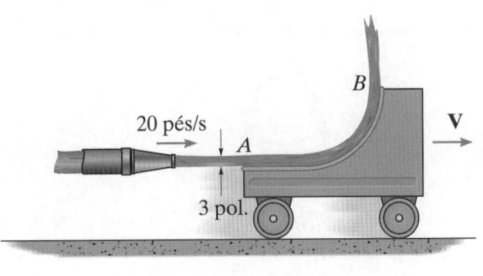

PROBLEMAS 6.62 e 6.63

*6.64. A água escoa pela conexão em T a 0,02 m³/s. Se a água sai da conexão em B para a atmosfera, determine os componentes horizontal e vertical da força e a quantidade de movimento que deve ser exercido sobre o suporte fixo em A, a fim de manter a conexão em equilíbrio. Desconsidere o peso da conexão e da água dentro dela.

6.65. A água escoa pela conexão em T a 0,02 m³/s. Se o tubo em B for estendido e a pressão no tubo em B for 75 kPa, determine os componentes horizontal e vertical da força, e a quantidade de movimento que deve ser exercido sobre o suporte fixo em A, para manter a conexão em equilíbrio. Desconsidere o peso da conexão e da água dentro dela.

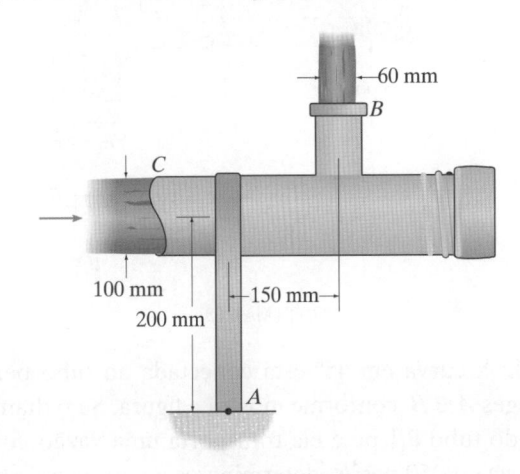

PROBLEMAS 6.64 e 6.65

6.66. A água escoa pela conexão em curva com uma velocidade de 3 m/s. Se a água sai em B para a atmosfera, determine os componentes horizontal e vertical da força, e a quantidade de movimento em C, necessário para manter a conexão no lugar. Desconsidere o peso da conexão e da água dentro dela.

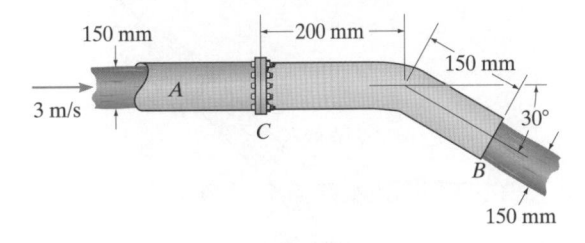

PROBLEMA 6.66

6.67. A água escoa pela conexão em curva com uma velocidade de 3 m/s. Se a água sai em B para um tanque com uma pressão manométrica de 10 kPa, determine os componentes horizontal e vertical da força, e a quantidade de movimento em C, necessário para manter a conexão no lugar. Desconsidere o peso da conexão e da água dentro dela.

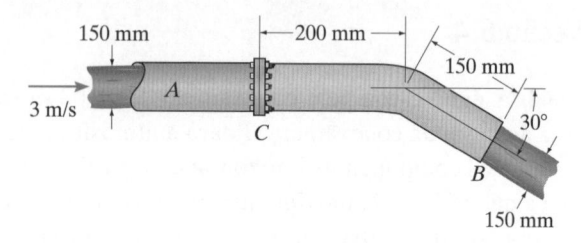

PROBLEMA 6.67

*6.68. A água entra no tubo com uma velocidade de 5 pés/s. Determine os componentes horizontal e vertical da força, e a quantidade de movimento em A, necessário para manter o cotovelo no lugar. Desconsidere o peso do cotovelo e da água dentro dele.

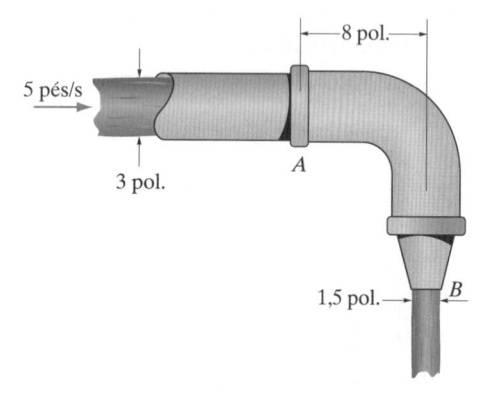

PROBLEMA 6.68

6.69. A curva em 45° está conectada ao tubo pelos flanges A e B, conforme mostra a figura. Se o diâmetro do tubo é 1 pé e ele transporta uma vazão volumétrica de 50 pés^3/s, determine os componentes horizontal e vertical da força e a quantidade de movimento exercido na base fixa D do suporte. O peso total da curva e da água dentro dela é 500 lb, com um centro de massa no ponto G. A pressão da água em A é de 15 psi. Considere que nenhuma força é transferida para os flanges em A e B.

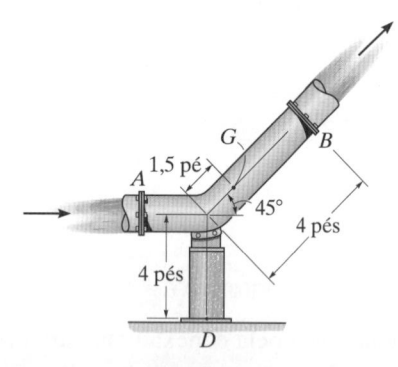

PROBLEMA 6.69

6.70. O ventilador sopra ar a 6000 pés^3/min. Se o ventilador tem um peso de 40 lb e um centro de gravidade em G, determine o menor diâmetro d de sua base de modo que ele não tombe. Suponha que a corrente de ar que passa pelo ventilador tenha um diâmetro de 2 pés. O peso específico do ar é $\gamma_a = 0{,}076$ lb/pé^3.

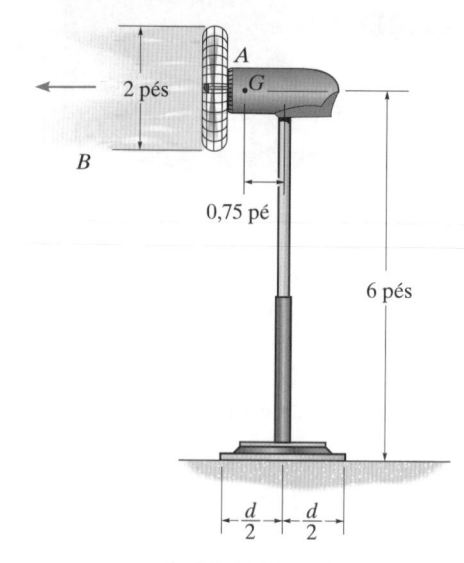

PROBLEMA 6.70

6.71. Enquanto está operando, o ventilador por jato de ar descarrega ar com uma velocidade de $V = 18$ m/s para uma esteira com um diâmetro de 0,5 m. Se o ar tem uma densidade de 1,22 kg/m^3, determine os componentes horizontal e vertical da reação em C, e a reação vertical em cada uma das duas rodas, D. O ventilador e o motor têm uma massa de 25 kg e um centro de massa em G. Desconsidere o peso da estrutura abaixo deles. Devido à simetria, as duas rodas suportam uma carga igual. Considere que o ar que entra no ventilador em A esteja basicamente em repouso.

*6.72. Se o ar tem uma densidade de 1,22 kg/m^3, determine a velocidade máxima V na qual o ventilador por jato de ar pode descarregar o ar na esteira com um diâmetro de 0,5 m em B, de modo que o ventilador não tombe. O ventilador e o motor têm uma massa de 25 kg e um centro de massa em G. Desconsidere o peso da estrutura abaixo deles. Devido à simetria, as duas rodas suportam uma carga igual. Considere que o ar que entra no ventilador em A esteja basicamente em repouso.

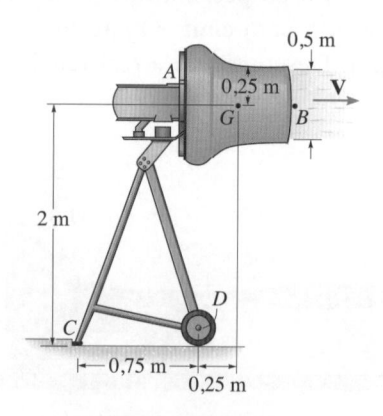

PROBLEMAS 6.71 e 6.72

6.73. A água escoa pelo tubo em curva a uma velocidade de 5 m/s. Se o diâmetro do tubo é de 150 mm, determine os componentes horizontal e vertical da força resultante, e a quantidade de movimento que atua sobre o acoplamento em A. O peso do tubo e da água dentro dele é 450 N, com um centro de gravidade em G.

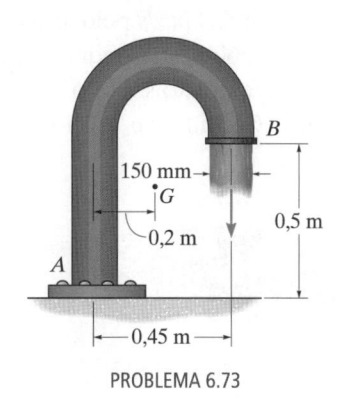

PROBLEMA 6.73

6.74. A canaleta é usada para desviar o escoamento de água. Se o escoamento é de 0,4 m³/s e ele tem uma área transversal de 0,03 m², determine os componentes da força horizontal e vertical no pino A, e a força horizontal no rolete B, necessários para o equilíbrio. Desconsidere o peso da canaleta e da água dentro dela.

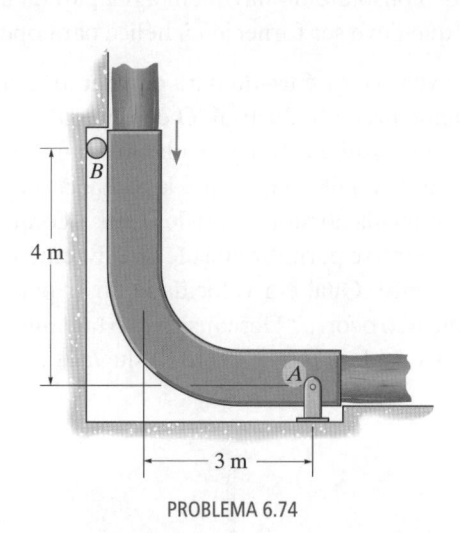

PROBLEMA 6.74

6.75. A água escoa através de A a 400 gal/min e é descarregada na atmosfera através do redutor em B. Determine os componentes horizontal e vertical da força, e a quantidade de movimento que atua sobre o acoplamento em A. O tubo vertical tem um diâmetro interno de 3 pol. Considere que o conjunto e a água dentro dele têm um peso de 40 lb e um centro de gravidade em G. 1 pé³ = 7,48 gal.

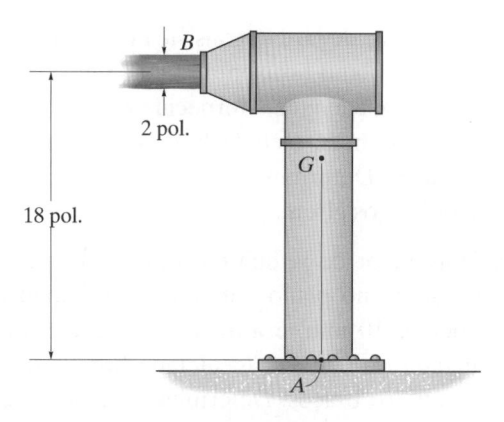

PROBLEMA 6.75

*6.76.** A roda d'água consiste em uma série de placas planas com uma largura b e sujeitas ao impacto da água até uma profundidade h, a partir de uma corrente que tem uma velocidade média de V. Se a roda está girando em ω, determine a potência fornecida à roda pela água.

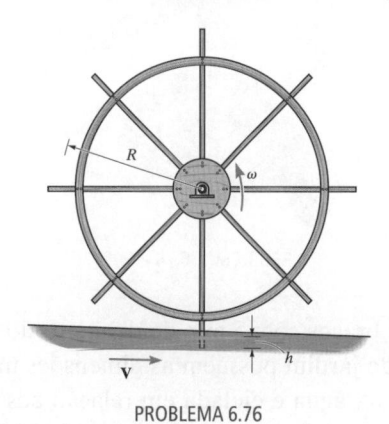

PROBLEMA 6.76

6.77. O ar entra no tubo propulsor oco em A com uma vazão mássica de 3 kg/s e sai nas extremidades B e C com uma velocidade de 400 m/s, medida em relação ao tubo. Se o tubo gira a 1500 rev/min, determine o torque por fricção **M** no tubo.

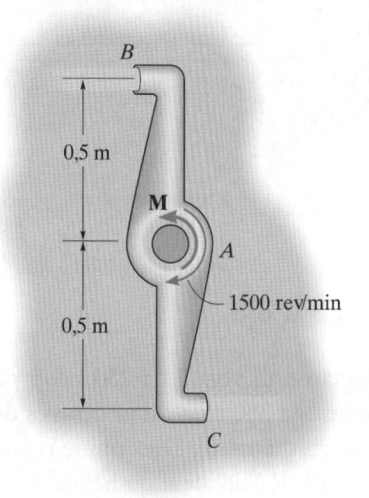

PROBLEMA 6.77

6.78. O aspersor de jardim consiste em quatro braços que giram no plano horizontal. O diâmetro de cada bocal é 10 mm, e a água é fornecida através da mangueira a 0,008 m³/s, ejetada horizontalmente pelos quatro braços. Determine o torque exigido para evitar que os braços girem.

6.79. O aspersor de jardim consiste em quatro braços que giram no plano horizontal. O diâmetro de cada bocal é 10 mm, e a água é fornecida através da mangueira a 0,008 m³/s, ejetada horizontalmente pelos quatro braços. Determine a velocidade angular no estado em regime permanente dos braços. Desconsidere o cisalhamento.

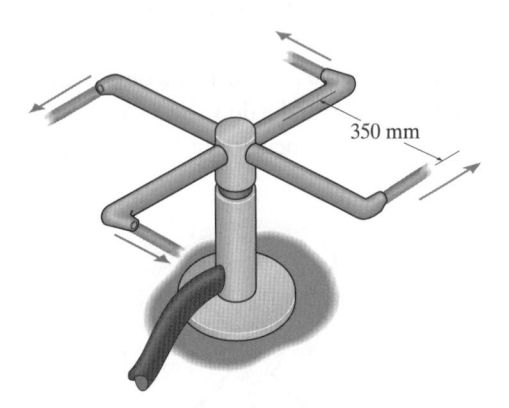

PROBLEMAS 6.78 e 6.79

*6.80. Os braços com 5 mm de diâmetro do aspersor rotativo de jardim possuem as dimensões mostradas na figura. A água é ejetada em relação aos braços a 6 m/s, enquanto os braços estão girando a 10 rad/s. Determine a resistência de torção por atrito no rolamento A e a velocidade da água quando ela sai dos bocais, medida por um observador fixo.

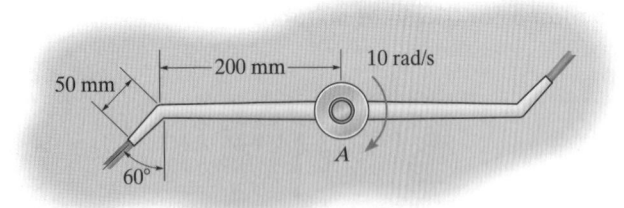

PROBLEMA 6.80

Seções 6.5 a 6.8

6.81. O avião está voando a 250 km/h pelo ar parado e descarrega 350 m³/s de ar através de sua hélice com 1,5 m de diâmetro. Determine o empuxo sobre o avião e a eficiência ideal da hélice. Considere $\rho_a = 1,007$ kg/m³.

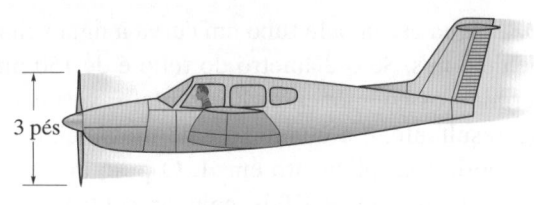

PROBLEMA 6.81

6.82. O avião viaja a 400 pés/s pelo ar parado. Se o ar passa pela hélice a 560 pés/s, medidos em relação ao avião, determine o empuxo sobre o avião e a eficiência ideal da hélice. Considere $\rho_a = 2,15(10^{-3})$ slug/pés³.

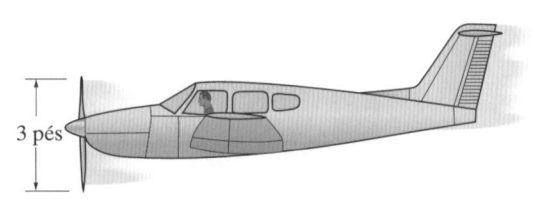

PROBLEMA 6.82

6.83. Um barco possui uma hélice com diâmetro de 250 mm, que descarrega 0,6 m³/s de água enquanto o barco navega a 35 km/h em água parada. Determine o empuxo desenvolvido pela hélice sobre o barco.

*6.84. Um navio tem uma hélice com diâmetro de 2,5 m, com uma eficiência ideal de 40%. Se o empuxo desenvolvido pela hélice é de 1,5 MN, determine a velocidade constante do navio em água parada e a potência que deve ser fornecida à hélice para operá-la.

6.85. O ventilador é usado para circular ar dentro de um grande prédio industrial. O conjunto de pás pesa 200 lb e consiste em 10 pás, cada uma com um comprimento de 6 pés. Determine a potência que precisa ser fornecida ao motor para levantar o conjunto do seu rolamento e permitir que ele gire livremente, sem cisalhamento. Qual é a velocidade do ar para baixo para que isso ocorra? Desconsidere o tamanho da calota H. Considere $\rho_a = 2,36 (10^{-3})$ slug/pés³.

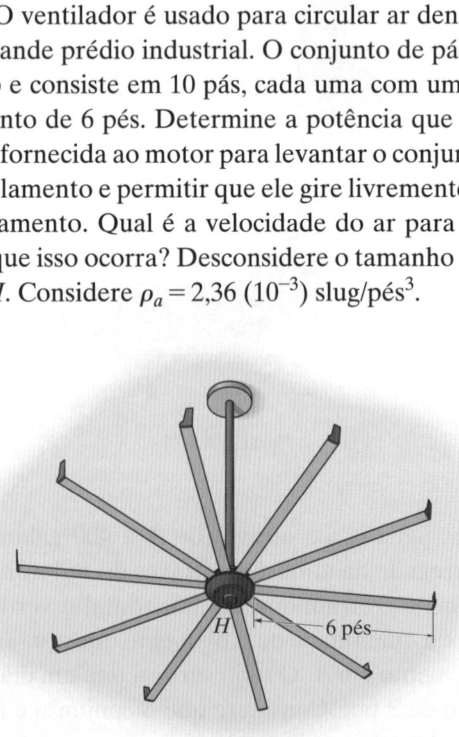

PROBLEMA 6.85

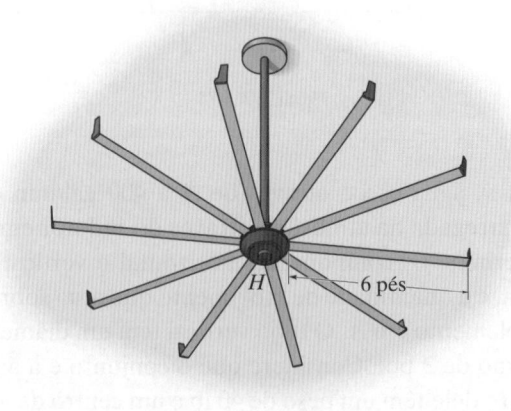

6.86. O helicóptero de 12 Mg está pairando sobre um lago quando o balde suspenso coleta 5 m³ de água usada para apagar um incêndio. Determine a potência exigida pelo motor para suportar o balde de água cheio sobre o lago. A hélice horizontal tem um diâmetro de 14 m. Considere $\rho_a = 1{,}23$ kg/m³.

PROBLEMA 6.86

6.87. A aeronave tem uma velocidade constante de 250 km/h no ar parado. Se ela tem uma hélice com diâmetro de 2,4 m, determine a força que atua sobre a aeronave se a velocidade do ar atrás da hélice, medida em relação ao avião, é de 750 km/h. Além disso, qual é a eficiência ideal da hélice e a potência produzida por ela? Considere $\rho_a = 0{,}910$ kg/m³.

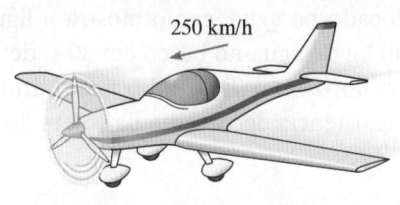

PROBLEMA 6.87

*__6.88.__ O ventilador de 12 kg desenvolve uma brisa de 10 m/s usando pás com 0,8 m de diâmetro. Determine a menor dimensão d para o suporte de modo que o ventilador não tombe. Considere $\rho_a = 1{,}20$ kg/m³.

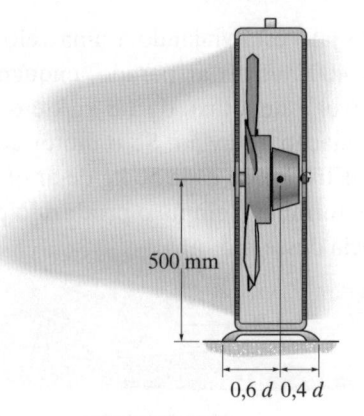

PROBLEMA 6.88

6.89. A aeronave está voando a 160 pés/s no ar parado a uma altitude de 10.000 pés. A hélice com diâmetro de 7 pés move o ar a 10.000 pés³/s. Determine a potência exigida pelo motor para girar a hélice e o empuxo sobre a aeronave.

6.90. A aeronave está voando a 160 pés/s no ar parado a uma altitude de 10.000 pés. A hélice com diâmetro de 7 pés move o ar a 10.000 pés³/s. Determine a eficiência ideal da hélice e a diferença de pressão entre a frente e o fundo das pás da hélice.

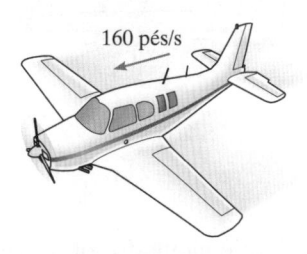

PROBLEMAS 6.89 e 6.90

6.91. Faça um gráfico da Equação 6.15 e mostre que a eficiência máxima de uma turbina eólica é 59,3%, conforme enunciado pela lei de Betz.

*__6.92.__ A turbina eólica possui um diâmetro de rotor de 40 m e uma eficiência ideal de 50% para um vento de 12 m/s. Se a densidade do ar é $\rho_a = 1{,}22$ kg/m³, determine o empuxo sobre o eixo da hélice e a potência extraída pelas pás.

6.93. A turbina de vento tem um diâmetro de rotor de 40 m e uma eficiência de 50% para um vento de 12 m/s. Se a densidade do ar é $\rho_a = 1{,}22$ kg/m³, determine a diferença entre a pressão imediatamente na frente e logo atrás das pás. Além disso, ache a velocidade média do ar que passa pelas pás.

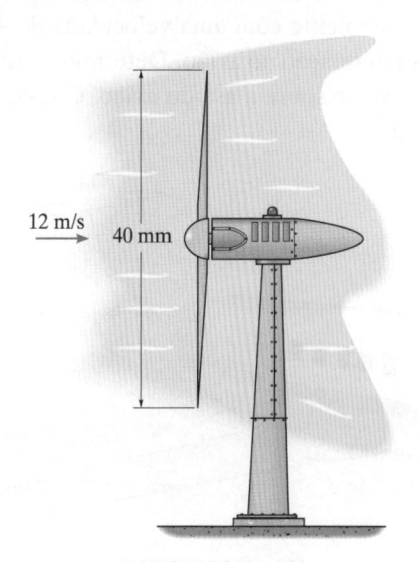

PROBLEMAS 6.92 e 6.93

6.94. O motor a jato em um avião voando a 160 m/s no ar parado recebe ar na temperatura e pressão atmosféricas padrão através de uma tomada de ar com 0,5 m de diâmetro. Se 2 kg/s de combustível forem adicionados e a mistura sair por um bocal com 0,3 m de diâmetro a 600 m/s, medidos em relação ao motor, determine o empuxo fornecido pelo turbojato.

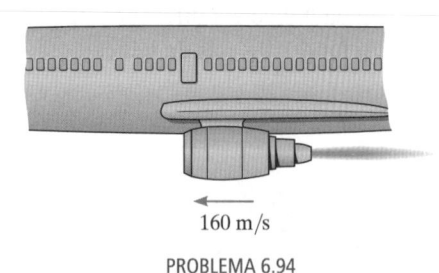

PROBLEMA 6.94

6.95. O motor a jato é montado sobre uma base enquanto está sendo testado. Determine a força horizontal que o motor exerce sobre a base, se a mistura de combustível e ar tem uma vazão mássica de 11 kg/s e a exaustão tem uma velocidade de 2000 m/s.

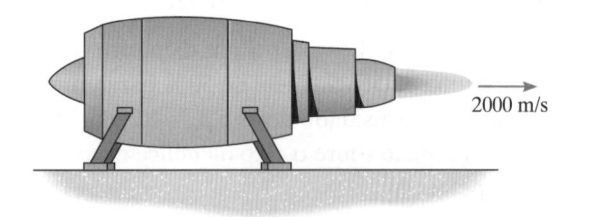

PROBLEMA 6.95

*6.96. O avião a jato tem uma velocidade constante de 750 km/h. O ar entra na nacela do motor em A com uma área transversal de 0,8 m². O combustível é misturado com o ar a $\dot{m}_e = 2{,}5$ kg/s e é escapado para o ar ambiente com uma velocidade de 900 m/s, medidos em relação ao avião. Determine a força que o motor exerce sobre a asa do avião. Considere $\rho_a = 0{,}850$ kg/m³.

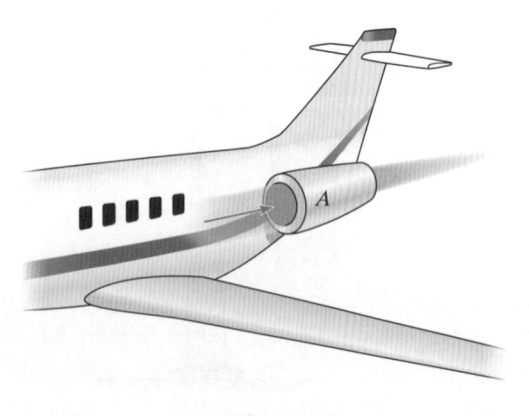

PROBLEMA 6.96

6.97. O motor a jato é montado sobre a base enquanto está sendo testado com um defletor de freio no lugar. Se a exaustão tem uma velocidade de 800 m/s e a pressão imediatamente fora do bocal é considerada atmosférica, determine a força horizontal que a base exerce sobre o motor. A mistura combustível-ar tem um escoamento de 11 kg/s.

6.98. Se um motor do tipo mostrado no Problema 6.97 estiver preso a um avião a jato, e ele operar o defletor de freio com as condições indicadas naquele problema, determine a velocidade do avião 5 segundos depois que ele pousar com uma velocidade de aterrissagem de 30 m/s. O avião tem uma massa de 8 Mg. Desconsidere o cisalhamento de rolagem pelo trem de aterrissagem.

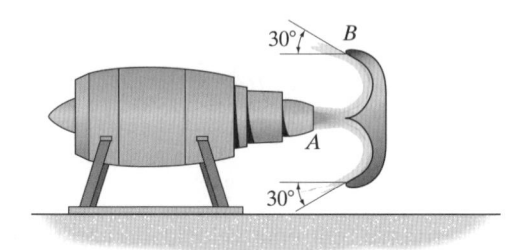

PROBLEMAS 6.97 e 6.98

6.99. O barco tem uma massa de 180 kg e está navegando corrente acima em um rio, com velocidade constante de 70 km/h, medida em relação ao rio. O rio está fluindo na direção oposta a 5 km/h. Se um tubo for colocado na água, como mostra a figura, e ele coletar 40 kg de água no barco em 80 s, determine o empuxo horizontal T no tubo necessário para contornar a resistência decorrente da coleta de água.

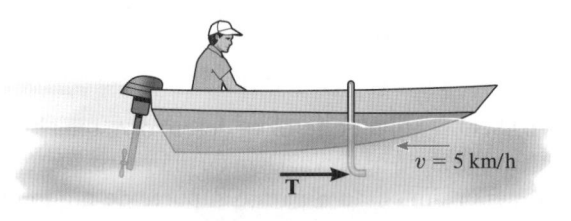

PROBLEMA 6.99

*6.100. O jato está viajando a uma velocidade constante de 400 m/s no ar parado, enquanto consome combustível a uma taxa de 1,8 kg/s e o ejeta a 1200 m/s em relação ao avião. Se o motor consome 1 kg de combustível para cada 50 kg de ar que passa pelo motor, determine o empuxo produzido pelo motor e a eficiência desse motor.

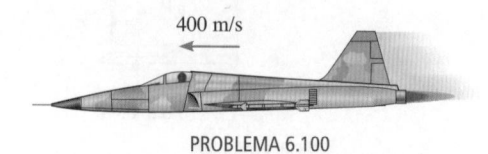

PROBLEMA 6.100

6.101. O barco a jato recebe água através de sua proa a 0,03 m³/s, enquanto navega em água parada com uma velocidade constante de 10 m/s. Se a água for ejetada por uma bomba através da popa a 30 m/s, medida em relação ao barco, determine o empuxo desenvolvido pelo motor. Qual seria o empuxo se 0,03 m³/s de água fossem recebidos nas laterais do barco, perpendiculares à direção do movimento? Se a eficiência é definida como o trabalho realizado por unidade de tempo dividido pela energia fornecida por unidade de tempo, então determine a eficiência para cada caso.

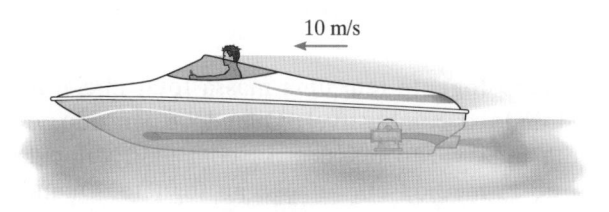

PROBLEMA 6.101

6.102. O avião a jato com 10 Mg possui uma velocidade constante de 860 km/h enquanto está voando horizontalmente. O ar entra na tomada I a uma taxa de 40 m³/s. Se o motor queima combustível a uma taxa de 2,2 kg/s e o gás (ar e combustível) escapa em relação ao avião a uma velocidade de 600 m/s, determine a força de arrasto resultante exercida sobre o avião pela resistência do ar. Suponha que o ar tenha uma densidade constante de $\rho_a = 1{,}22$ kg/m³.

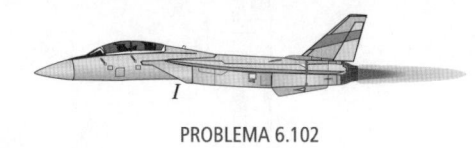

PROBLEMA 6.102

6.103. O avião está viajando a uma velocidade de 500 mi/h, 30° acima da horizontal. Se o combustível estiver sendo gasto a 10 lb/s e o motor recebe ar a 900 lb/s, enquanto o gás da exaustão (ar e combustível) tem uma velocidade relativa de 4000 pés/s, determine a aceleração do avião nesse instante. A resistência do arrasto do ar é $F_A = (0{,}07v^2)$ lb, onde a velocidade é medida em pés/s. O jato tem um peso de 15000 lb. Observe que 1 mi = 5280 pés.

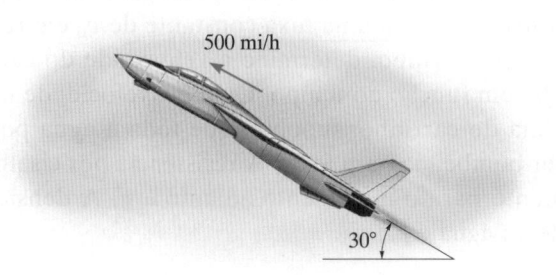

PROBLEMA 6.103

*6.104. O avião a jato com 12 Mg possui uma velocidade constante de 950 km/h quando está voando ao longo de uma linha reta horizontal. O ar entra na tomada S a uma taxa de 50 m³/s. Se o motor queima combustível a uma taxa de 0,4 kg/s e o gás (ar e combustível) é escapado em relação ao avião com uma velocidade de 450 m/s, determine a força de arrasto resultante exercida sobre o avião pela resistência do ar. Suponha que o ar tenha uma densidade constante de $\rho_a = 1{,}22$ kg/m³.

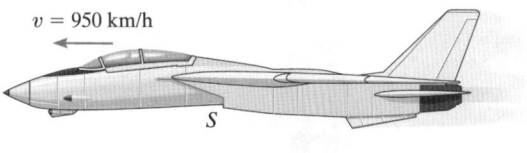

PROBLEMA 6.104

6.105. Um avião a jato comercial tem uma massa de 150 Mg e está viajando a uma velocidade constante de 850 km/h no voo nivelado ($\theta = 0°$). Se cada um dos dois motores recebe ar a uma taxa de 1000 kg/s e o ejeta com uma velocidade de 900 m/s em relação à aeronave, determine o ângulo máximo θ em que o avião pode voar com uma velocidade constante de 750 km/h. Suponha que a resistência do ar (arrasto) seja proporcional ao quadrado da velocidade, ou seja, $F_A = cV^2$, onde c é uma constante a ser determinada. Os motores estão operando com a mesma potência nos dois casos. Desconsidere a quantidade de combustível consumida.

PROBLEMA 6.105

6.106. Um míssil tem uma massa de 1,5 Mg (sem combustível). Se ele consome 500 kg de combustível sólido a uma taxa de 20 kg/s e o ejeta com uma velocidade de 2000 m/s em relação ao míssil, determine a velocidade e a aceleração do míssil no instante em que todo o combustível tiver sido consumido. Desconsidere a resistência do ar e a variação da gravidade com a altitude. O míssil é lançado verticalmente, partindo do repouso.

6.107. O foguete tem um peso de 65000 lb, incluindo o combustível sólido. Determine a taxa constante em que o combustível deverá ser queimado, de modo que seu empuxo dê ao foguete uma velocidade de 200 pés/s em 10 s a partir do repouso. O combustível é expelido pelo foguete a uma velocidade de 3000 pés/s em relação ao foguete. Desconsidere a resistência do ar e a variação da gravidade com a altitude.

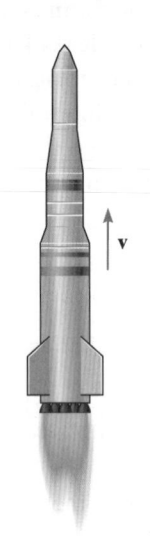

PROBLEMAS 6.106 e 6.107

***6.108.** O foguete está subindo a 300 m/s e descarrega 50 kg/s de combustível com uma velocidade de 3000 m/s medida em relação ao foguete. Se o bocal de exaustão tem uma área transversal de 0,05 m², determine o empuxo do foguete.

PROBLEMA 6.108

6.109. O balão tem uma massa de 20 g (vazio) e se enche de ar com uma temperatura de 20ºC. Se ele for solto, começa a acelerar para cima a 8 m/s². Determine a vazão mássica inicial do ar a partir da boca do balão. Suponha que o balão seja esférico, com um raio de 300 mm.

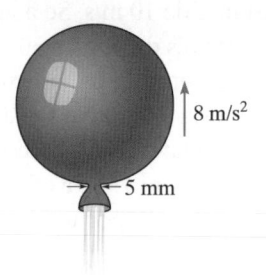

PROBLEMA 6.109

6.110. O foguete tem uma massa total inicial m_0, incluindo o combustível. Quando é lançado, ele ejeta uma vazão mássica $\dot{m}_e$ com uma velocidade de v_e medida em relação ao foguete. Quando isso acontece, a pressão na exaustão, que tem uma área transversal A_e, é p_e. Se a força de arrasto sobre o foguete é $F_A = ct$, onde t é o tempo e c é uma constante, determine a velocidade do foguete se a aceleração devido à gravidade for considerada constante.

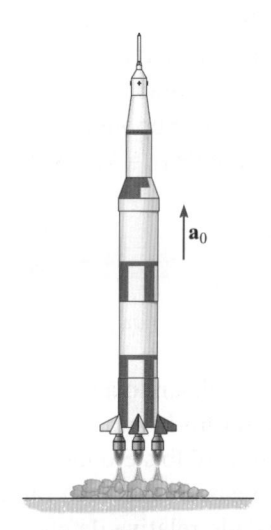

PROBLEMA 6.110

6.111. O carrinho tem uma massa M e está cheio de água com uma massa inicial m_0. Se a bomba ejetar a água através de um bocal com uma seção transversal A, a uma taxa constante de v_0 em relação ao carrinho, determine a velocidade do carrinho em função do tempo. Qual é a velocidade máxima do carrinho, supondo que toda a água pode ser bombeada para fora? A resistência por cisalhamento para o movimento adiante é F. A densidade da água é ρ.

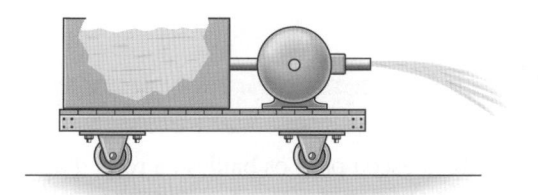

PROBLEMA 6.111

*6.112. O helicóptero de 10 Mg transporta um balde contendo 500 kg de água, que é usada para combater incêndios. Se ele pairar sobre a terra em uma posição fixa e depois lançar 50 kg/s de água a 10 m/s, medidos em relação ao helicóptero, determine a aceleração inicial para cima do helicóptero quando a água estiver sendo lançada.

PROBLEMA 6.112

6.113. O míssil tem um peso total inicial de 8000 lb. O empuxo horizontal constante fornecido pelo motor a jato é $T = 7500$ lb. O empuxo adicional é fornecido por *dois* aceleradores de foguete B. O propulsor em cada acelerador é queimado a uma taxa constante de 80 lb/s, com uma velocidade de escape relativa de 3000 pés/s. Se a massa do propulsor pedida pelo motor a jato puder ser desconsiderada, determine a velocidade do míssil após o tempo de queima de 3 s dos aceleradores. A velocidade inicial do míssil é 375 pés/s. Desconsidere a resistência do arrasto.

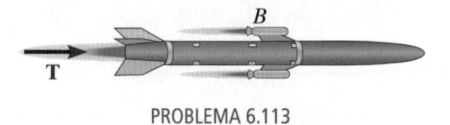

PROBLEMA 6.113

6.114. O foguete tem uma massa inicial m_0, incluindo o combustível. Para o conforto da tripulação, ele deve manter uma aceleração constante para cima, a_0. Se o combustível é expelido do foguete a uma velocidade relativa v_e, determine a taxa em que o combustível deverá ser consumido para manter o movimento. Desconsidere a resistência do ar e suponha que a aceleração gravitacional seja constante.

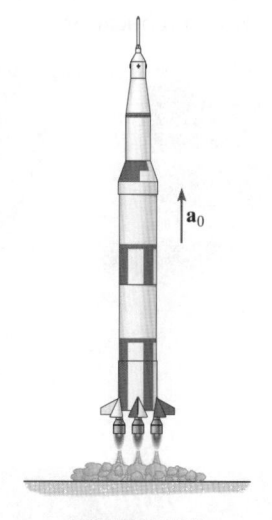

PROBLEMA 6.114

6.115. O segundo estágio B do foguete de dois estágios pesa 2500 lb (vazio) e é lançado a partir do primeiro estágio com uma velocidade de 3000 mi/h. O combustível no segundo estágio pesa 800 lb. Se ele é consumido a uma taxa de 75 lb/s e ejetado com uma velocidade relativa de 6000 pés/s, determine a aceleração do segundo estágio B logo após o motor ser disparado. Qual é a aceleração do foguete imediatamente antes que todo o combustível seja consumido? Desconsidere o efeito da gravidade e da resistência do ar.

PROBLEMA 6.115

Problemas conceituais

P6.1. O canhão d'água ejeta água do rebocador em uma forma parabólica característica. Explique que efeito isso tem sobre o rebocador.

P 6.1

P6.2. A água escoa para os baldes na roda d'água, fazendo com que a roda gire. As pás foram projetadas da maneira mais eficiente para produzir a maior quantidade de movimento angular da roda? Explique.

P 6.2

Revisão do capítulo

As equações da quantidade de movimento linear e angular frequentemente são usadas para determinar as forças resultantes e os momentos binários que um corpo ou uma superfície exerce sobre um fluido a fim de alterar a direção do fluido.

A aplicação das equações da quantidade de movimento requer a identificação de um volume de controle, que pode incluir partes sólidas e fluidas. As forças e os momentos binários que atuam sobre o volume de controle aparecem em seu diagrama de corpo livre.

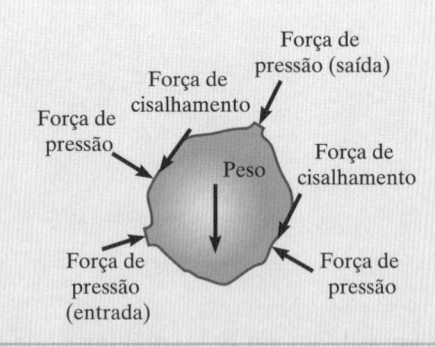

Como as equações da quantidade de movimento são equações vetoriais, elas podem ser resolvidas para componentes escalares ao longo dos eixos de coordenadas inerciais x, y, z.

$$\Sigma \mathbf{F} = \frac{\partial}{\partial t}\int_{vc} \mathbf{V}\rho\, d\mathcal{V} + \int_{sc} \mathbf{V}\, \rho\mathbf{V}\cdot d\mathbf{A}$$

$$\Sigma \mathbf{M}_O = \frac{\partial}{\partial t}\int_{vc} (\mathbf{r}\times\mathbf{V})\rho\, dV + \int_{sc} (\mathbf{r}\times\mathbf{V})\, \rho\mathbf{V}\cdot d\mathbf{A}$$

Se o volume de controle estiver em movimento, então a velocidade entrando e saindo de cada superfície de controle aberta deverá ser medida *em relação* à superfície de controle.

$$\Sigma \mathbf{F} = \frac{\partial}{\partial t}\int_{vc} \mathbf{V}_{f/vc}\, \rho\, d\mathcal{V} + \int_{sc} \mathbf{V}_{f/sc}\, \rho\mathbf{V}_{f/sc}\cdot d\mathbf{A}$$

Uma hélice atua como um parafuso, que faz com que a quantidade de movimento linear do fluido aumente enquanto escoa em direção, através e além das pás. As turbinas eólicas diminuem a quantidade de movimento linear do escoamento e, portanto, retiram energia dele. Uma análise simples do escoamento através desses dois dispositivos pode ser feita usando as equações da quantidade de movimento linear e de Bernoulli.

Se o volume de controle for escolhido para ter movimento acelerado, como no caso de turbojatos e foguetes, então a segunda lei do movimento de Newton, ou a equação da quantidade de movimento, deverá levar em conta a aceleração da massa do volume de controle.

$$\Sigma \mathbf{F} = m\frac{d\mathbf{V}_{vc}}{dt} + \frac{\partial}{\partial t}\int_{vc} \mathbf{V}_{f/vc}\, \rho\, d\mathcal{V} + \int_{sc} \mathbf{V}_{f/sc}\, (\rho\mathbf{V}_{f/sc}\cdot d\mathbf{A})$$

CAPÍTULO 7

Escoamento de fluidos diferencial

Furacões são uma combinação de vórtices livres e forçados, chamada de vórtice combinado. O movimento dos furacões pode ser analisado por meio da equação do escoamento de fluido diferencial.

(© Worldspec/NASA/Alamy)

7.1 Análise diferencial

Nos capítulos anteriores, usamos um *volume de controle finito* para aplicar a conservação da massa, e as equações da energia e da quantidade de movimento, para estudar problemas que envolvem o escoamento de fluidos. Porém, há situações em que podemos ter de determinar as *variações* de pressão e deformação por cisalhamento sobre uma superfície, ou encontrar os perfis de velocidade e a aceleração do fluido dentro de um conduto fechado. Para fazer isso, queremos considerar um *elemento de tamanho diferencial* do fluido, pois as variações que estamos buscando terão de vir da integração de equações diferenciais.

Mais adiante neste capítulo, veremos que, para qualquer *fluido real*, essa *análise diferencial do escoamento*, como é chamada, possui escopo analítico limitado. Isso porque os efeitos da viscosidade do fluido e sua compressibilidade fazem com que as equações diferenciais que descrevem o escoamento sejam um tanto complexas. Porém, se desconsiderarmos esses efeitos e considerarmos o fluido como sendo um *fluido perfeito*, então as equações tornam-se mais fáceis de manusear, e sua solução fornecerá informações valiosas para muitos tipos comuns de problemas da engenharia.

As técnicas usadas para resolver *problemas de escoamento de fluido perfeito* formam a base do campo da **hidrodinâmica**. Esse foi o primeiro ramo da mecânica de fluidos, pois é uma investigação teórica, sem a necessidade de quaisquer medições experimentais, além de conhecer a densidade do fluido. Embora essa técnica *desconsidere* os efeitos da viscosidade, os resultados obtidos pela hipótese do escoamento de fluido perfeito às vezes podem fornecer uma *aproximação razoável* para o estudo das características gerais de qualquer escoamento de fluido real. No entanto, antes da análise diferencial do movimento dos fluidos, discutiremos alguns aspectos importantes de sua cinemática.

Objetivos

- Introduzir os princípios básicos da cinemática aplicados a um elemento fluido diferencial.
- Estabelecer a forma diferencial da equação da continuidade e das equações do movimento de Euler usando coordenadas x, y, z.
- Desenvolver a equação de Bernoulli para o escoamento de fluido perfeito usando coordenadas x, y, z.
- Apresentar a ideia da função corrente e função potencial, e mostrar como elas podem ser usadas para resolver diversos tipos de problemas de escoamento de fluido perfeito, incluindo escoamento uniforme, escoamento de uma fonte, escoamento para um sorvedouro e escoamento de vórtice livre.
- Mostrar como esses escoamentos podem ser superpostos para criar escoamentos mais complicados, como o escoamento em torno de um cilindro ou um corpo com forma elíptica.
- Desenvolver as equações de Navier-Stokes, que se aplicam a um elemento diferencial de fluido incompressível viscoso.
- Explicar como são resolvidos problemas complexos de escoamento de fluidos por meio da dinâmica de fluidos computacional.

7.2 Cinemática de elementos de fluido diferenciais

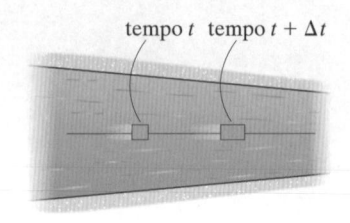

Em geral, as forças que atuam sobre um elemento de fluido enquanto ele está escoando tenderão a fazer com que ele sofra um deslocamento de "corpo rígido", bem como uma deformação ou mudança em sua forma. O *movimento de corpo rígido* consiste em uma translação e rotação do elemento; a *deformação* causa alongamento ou contração de seus lados, bem como mudanças nos ângulos entre eles. Por exemplo, translação *e* deformação linear podem ocorrer quando um fluido ideal escoa por um canal convergente (Figura 7.1). E translação *e* deformação angular podem ocorrer se o fluido for viscoso e o escoamento for em regime permanente (Figura 7.2). Em escoamentos mais complexos, todos esses movimentos podem ocorrer simultaneamente. Porém, antes de considerarmos qualquer movimento geral, primeiro analisaremos cada movimento e deformação separadamente, e depois mostraremos como isso está relacionado ao gradiente de velocidade que o causa.

Translação e deformação linear

Considere um elemento diferencial de fluido que está se movendo em um escoamento tridimensional transitório. A taxa de translação do elemento é definida por seu campo de velocidade $\mathbf{V} = \mathbf{V}(x, y, z, t)$. Se u é o componente da velocidade na direção x (Figura 7.3), então, durante o intervalo de tempo Δt, a face esquerda do elemento se transladará na direção x por uma grandeza $u\Delta t$, enquanto a face direita se moverá $[u + (\partial u/\partial x) \Delta x] \Delta t$. A face direita se move mais além um tanto $[(\partial u/\partial x) \Delta x] \Delta t$ devido a uma aceleração, ou seja, um aumento ∂u em sua velocidade.* Expressamos essa variação como uma derivada parcial porque, em geral, u será uma função do local do elemento no escoamento e do tempo; ou seja, $u = u(x, y, z, t)$.

O resultado do movimento é, portanto, uma ***translação de corpo rígido*** de $u\Delta t$ e uma ***deformação linear*** de $[(\partial u/\partial x) \Delta x] \Delta t$. No limite, quando $\Delta t \to 0$ e $\Delta x \to 0$, a variação no volume do elemento devido a essa deformação torna-se $\partial \mathcal{V}_x = [(\partial u/\partial x) \, dx] \, dy \, dz \, dt$. Se considerarmos os componentes de velocidade v na direção y, e w na direção z, obteremos resultados semelhantes. Assim, uma variação de volume geral do elemento torna-se

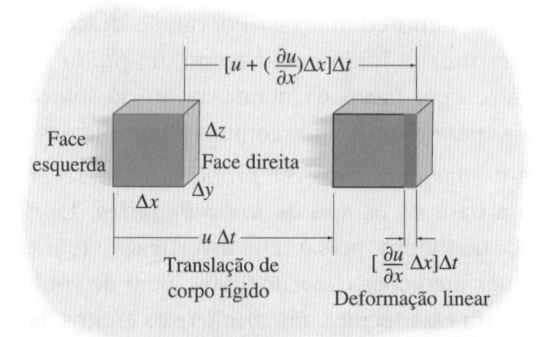

Translação e deformação linear do elemento

FIGURA 7.1

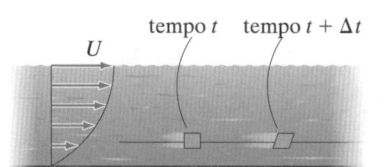

Translação e deformação angular do elemento

FIGURA 7.2

FIGURA 7.3

---

* No decorrer deste capítulo e em outros locais, vamos desconsiderar os termos de ordem mais alta dessa expansão da série de Taylor, como $\left(\frac{\partial^2 u}{\partial x^2}\right)\frac{1}{2!} (\Delta x)^2 + \cdots$, pois, no limite, quando $\Delta t \to 0$, todos eles serão pequenos em comparação com o termo de primeira ordem.

$$\delta \mathcal{V} = \left[\frac{\partial u}{\partial x} + \frac{\partial v}{\partial y} + \frac{\partial w}{\partial z}\right](dx\,dy\,dz)\,dt$$

A *taxa* em que o volume por unidade de volume varia é chamada de **taxa de dilatação volumétrica**. Ela pode ser expressa como

$$\boxed{\frac{\delta \mathcal{V}/d\mathcal{V}}{dt} = \frac{\partial u}{\partial x} + \frac{\partial v}{\partial y} + \frac{\partial w}{\partial z} = \nabla \cdot \mathbf{V}} \qquad (7.1)$$

Aqui, o operador vetorial "del" é definido como $\nabla = (\partial/\partial x)\mathbf{i} + (\partial/\partial y)\mathbf{j} + (\partial/\partial z)\mathbf{k}$, e o campo de velocidade é $\mathbf{V} = u\mathbf{i} + v\mathbf{j} + w\mathbf{k}$. Na análise vetorial, esse resultado $\nabla \cdot \mathbf{V}$ é conhecido como **divergente** de **V**, ou simplesmente div **V**.

Rotação

Os critérios para rotação de um elemento fluido e sua deformação angular podem ser estabelecidos considerando-se o elemento mostrado na Figura 7.4a, que se move de uma forma retangular inicial para uma forma final deformada durante o tempo Δt. Quando isso acontece, o lado Δx gira em sentido *anti-horário* em torno do eixo z, pois sua extremidade direita sobe $[(\partial v/\partial x)\,\Delta x]\,\Delta t$ mais alto do que sua extremidade esquerda. Observe cuidadosamente que isso é causado pela variação de v em relação a x, pois é sobre a distância Δx. Portanto, um ângulo muito pequeno (alfa) $\alpha = [(\partial v/\partial x)\,\Delta x]\,\Delta t/\Delta x = (\partial v/\partial x)\,\Delta t$. Esse ângulo é medido em radianos e aparece na Figura 7.4b. De um modo semelhante, o lado Δy gira em sentido *horário* por um pequeno ângulo (beta) $\beta = [(\partial u/\partial y)\,\Delta y]\,\Delta t/\Delta y = (\partial u/\partial y)\,\Delta t$. Embora estes sejam ângulos diferentes, vamos definir a **velocidade angular média** ω_z (ômega) desses dois lados adjacentes como a taxa no tempo média de variação de α e β enquanto $\Delta t \to 0$. Usando a regra da mão direita, com o polegar direcionado ao longo do eixo $+z$ (para fora), então α é positivo e β é negativo. Portanto, a velocidade angular média, medida em rad/s, é

$$\omega_z = \lim_{\Delta t \to 0} \frac{1}{2}\frac{(\alpha - \beta)}{\Delta t} = \frac{1}{2}(\dot{\alpha} - \dot{\beta})$$

ou

$$\boxed{\omega_z = \frac{1}{2}\left(\frac{\partial v}{\partial x} - \frac{\partial u}{\partial y}\right)} \qquad (7.2)$$

Resumindo, as derivadas $\dot{\alpha} = \partial v/\partial x$ e $\dot{\beta} = \partial u/\partial y$ representam as velocidades angulares dos *lados* do elemento fluido, e sua média produz a velocidade angular média ω_z. Como o bissetor entre α e β está em um ângulo $\alpha + \frac{1}{2}(90° - (\beta + \alpha)) = 45° + \frac{1}{2}(\alpha - \beta)$, então a taxa de variação no tempo desse ângulo é $\frac{1}{2}(\dot{\alpha} - \dot{\beta})$, e assim você também pode pensar nela como a velocidade angular do *bissetor* de α e β.

Se o escoamento for tridimensional, então, pelos mesmos argumentos, teremos componentes x e y da velocidade angular. Portanto, em geral,

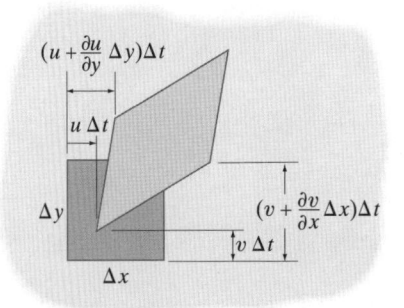

(a)

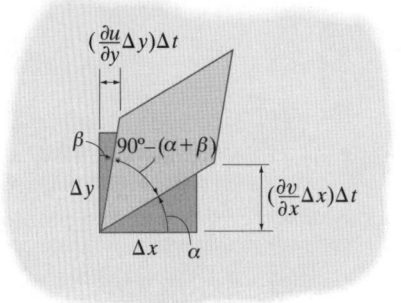

Deformação angular
(b)

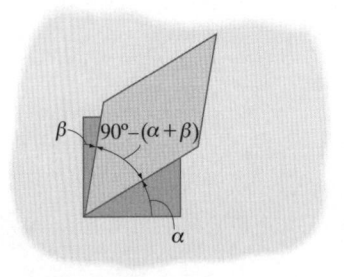

Deformação por cisalhamento
(c)

FIGURA 7.4

$$\omega_x = \frac{1}{2}\left(\frac{\partial w}{\partial y} - \frac{\partial v}{\partial z}\right)$$

$$\omega_y = \frac{1}{2}\left(\frac{\partial u}{\partial z} - \frac{\partial w}{\partial x}\right) \quad (7.3)$$

$$\omega_z = \frac{1}{2}\left(\frac{\partial v}{\partial x} - \frac{\partial u}{\partial y}\right)$$

Estes três componentes podem ser escritos em forma de vetor como

$$\boldsymbol{\omega} = \omega_x \mathbf{i} + \omega_y \mathbf{j} + \omega_z \mathbf{k}$$

Também podemos expressar as equações 7.3 como metade do ***rotacional*** da velocidade. O rotacional é definido na análise vetorial pelo produto vetorial $\boldsymbol{\nabla} \times \mathbf{V}$. Visto que $\mathbf{V} = u\mathbf{i} + v\mathbf{j} + w\mathbf{k}$, então

$$\boldsymbol{\omega} = \frac{1}{2}\boldsymbol{\nabla} \times \mathbf{V} = \frac{1}{2}\begin{vmatrix} \mathbf{i} & \mathbf{j} & \mathbf{k} \\ \dfrac{\partial}{\partial x} & \dfrac{\partial}{\partial y} & \dfrac{\partial}{\partial z} \\ u & v & w \end{vmatrix} \quad (7.3)$$

Deformação angular

Além de usar os ângulos α e β para relatar a rotação angular do elemento, eles também podem ser usados para definir a deformação angular do elemento (Figura 7.4c). Ou seja, o ângulo de 90° entre os lados adjacentes do elemento torna-se $90° - (\alpha + \beta)$, e, portanto, a *variação* nesse ângulo é $90° - [90° - (\alpha + \beta)] = \alpha + \beta$. Isso é chamado de **deformação por cisalhamento** γ_{xy} (gama), que é medida em radianos. Visto que os *fluidos escoam*, estaremos interessados na *taxa temporal de variação na deformação por cisalhamento*, de modo que, no limite, quando $\Delta t \to 0$, temos

$$\dot{\gamma}_{xy} = \dot{\alpha} + \dot{\beta} = \frac{\partial v}{\partial x} + \frac{\partial u}{\partial y} \quad (7.4)$$

Esta equação é apropriada para o escoamento bidimensional, onde a deformação angular ocorre em torno do eixo z. Se o escoamento for tridimensional, então, de modo semelhante, as deformações por cisalhamento devidas às distorções angulares em torno dos eixos x e y geram taxas de deformação por cisalhamento em torno desses dois eixos também. Em geral, então,

$$\dot{\gamma}_{xy} = \frac{\partial v}{\partial x} + \frac{\partial u}{\partial y}$$
$$\dot{\gamma}_{xz} = \frac{\partial w}{\partial x} + \frac{\partial u}{\partial z} \quad (7.5)$$
$$\dot{\gamma}_{yz} = \frac{\partial w}{\partial y} + \frac{\partial v}{\partial z}$$

Mais adiante no capítulo, mostraremos como essas taxas de deformação por cisalhamento podem ser relacionadas à tensão de cisalhamento que as causa, uma consequência da viscosidade do fluido.

7.3 Circulação e vorticidade

O escoamento rotacional é frequentemente caracterizado pela descrição de sua circulação em torno de uma região, ou pela sua vorticidade. Agora, vamos definir cada uma dessas características.

Circulação

O conceito de ***circulação*** Γ (gama maiúsculo), introduzido inicialmente por Lord Kelvin para estudar o escoamento em torno do *contorno* de um corpo, define o escoamento que segue ao longo de qualquer curva tridimensional fechada. Para uma profundidade unitária ou um escoamento bidimensional, a circulação possui unidades de m²/s ou pés²/s. Para obter a circulação, temos de integrar, em torno da curva, o componente da velocidade que é sempre *tangente* à curva (Figura 7.5). Formalmente, isso é feito usando a integral de linha do produto escalar $\mathbf{V} \cdot d\mathbf{s} = V ds \cos\theta$, de modo que

$$\Gamma = \oint \mathbf{V} \cdot d\mathbf{s} \qquad (7.6)$$

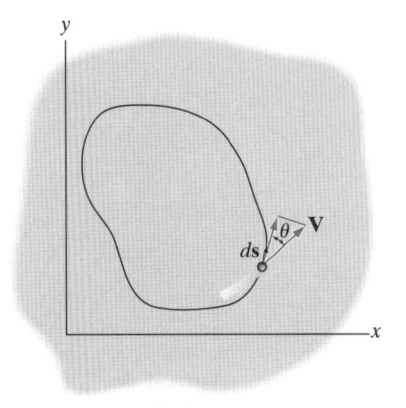

Por convenção, a integração é realizada em sentido anti-horário, ou seja, na direção +z.

Circulação
FIGURA 7.5

Para mostrar uma aplicação, vamos calcular a circulação em torno de um pequeno elemento fluido localizado no ponto (x, y), que está imerso em um campo de escoamento em regime permanente bidimensional genérico $\mathbf{V} = u(x, y)\mathbf{i} + v(x, y)\mathbf{j}$ (Figura 7.6). As velocidades médias do escoamento ao longo de cada lado do elemento têm as magnitudes e direções mostradas. Aplicando a Equação 7.6, temos

$$\Gamma = u\,\Delta x + \left(v + \frac{\partial v}{\partial x}\Delta x\right)\Delta y - \left(u + \frac{\partial u}{\partial y}\Delta y\right)\Delta x - v\,\Delta y$$

que é simplificado para

$$\Gamma = \left(\frac{\partial v}{\partial x} - \frac{\partial u}{\partial y}\right)\Delta x \Delta y$$

Observe que a circulação em torno desse pequeno elemento (ou, neste caso, para um corpo de qualquer outro tamanho) *não* significa que as partículas individuais do fluido "circulam" ao redor do contorno do corpo. Afinal, o escoamento, em faces opostas do elemento, está na mesma direção (Figura 7.6). Em vez disso, a circulação é simplesmente o *resultado líquido* do escoamento em torno do corpo, conforme determinado pela Equação 7.6.

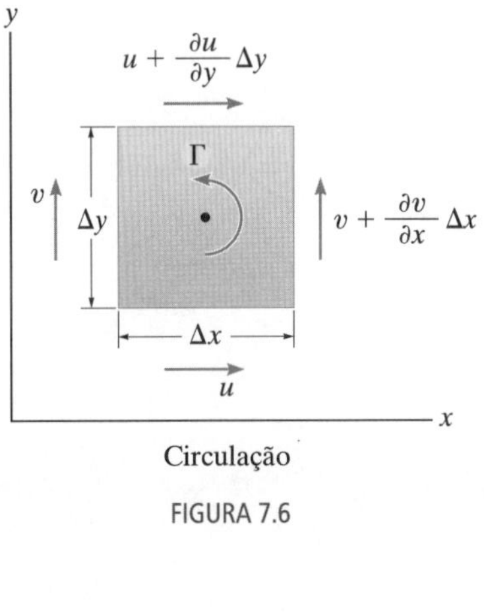

Vorticidade

Definimos a ***vorticidade*** ζ (zeta) em um ponto (x, y) como a circulação por unidade de área de um elemento localizado no ponto. Por exemplo, para o elemento na Figura 7.7a, dividindo Γ por sua área $\Delta x \Delta y$, obtemos

$$\zeta = \frac{\Gamma}{A} = \frac{\partial v}{\partial x} - \frac{\partial u}{\partial y} \qquad (7.7)$$

Circulação
FIGURA 7.6

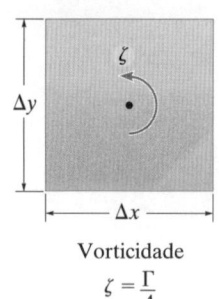

Comparando isso com a Equação 7.2, vemos que $\zeta = 2\omega_z$. Talvez outra maneira de ver isso é imaginar uma partícula de fluido girando a ω_z em torno de um percurso circular de raio Δr (Figura 7.7b). Como essa partícula tem uma velocidade $V = \omega_z \Delta r$, então a circulação é $\Gamma = V(2\pi \Delta r) = 2\pi\omega_z \Delta r^2$. A área do círculo é $\pi \Delta r^2$, portanto, a vorticidade torna-se $\zeta = 2\pi\omega_z \Delta r^2/\pi \Delta r^2 = 2\omega_z$.

A vorticidade é, na realidade, um vetor. Neste caso bidimensional, usando a regra da mão direita, ele está direcionado ao longo do eixo z. Se tivéssemos de considerar o escoamento tridimensional, então, pelo mesmo desenvolvimento, usando a Equação 7.3, obteríamos

$$\zeta = 2\omega = \nabla \times \mathbf{V} \tag{7.8}$$

Escoamento irrotacional

A rotação angular, ou a vorticidade, oferece um meio de classificar o escoamento. Se $\omega \neq 0$, então o escoamento é denominado **escoamento rotacional**; porém, se $\omega = 0$ por todo o campo do escoamento, então ele é considerado um **escoamento irrotacional**.

Os fluidos perfeitos apresentam escoamento irrotacional, pois nenhuma força de cisalhamento viscoso atua sobre os elementos do fluido perfeito, apenas a pressão e as forças gravitacionais. Como essas duas forças são sempre *concorrentes*, os elementos do fluido perfeito não podem ser forçados a girar enquanto estão em movimento.

A diferença entre o escoamento rotacional e o irrotacional pode ser ilustrada por um exemplo simples. Os perfis de velocidade para um fluido perfeito e um fluido viscoso (real) aparecem na Figura 7.8. Nenhuma rotação ocorre no fluido perfeito, pois o elemento inteiro se move com a mesma velocidade (Figura 7.8a). Esse é o escoamento irrotacional. Porém, as superfícies superior e inferior do elemento no fluido viscoso se movem em *velocidades diferentes* (Figura 7.8b), e isso fará com que os lados verticais girem em sentido horário na taxa β. Como resultado, isso produz um escoamento *rotacional* $\omega_z = (\dot\alpha - \dot\beta)/2 = (0 - \dot\beta)/2 = -\dot\beta/2$.

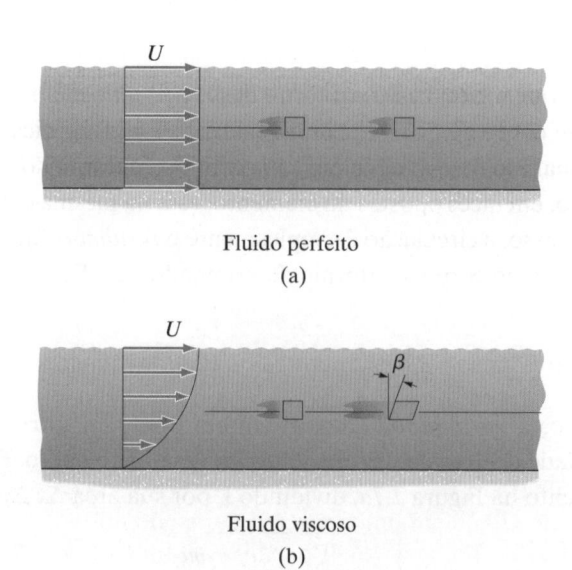

Vorticidade
$\zeta = \dfrac{\Gamma}{A}$
(a)

$V = \omega_z \Delta r$

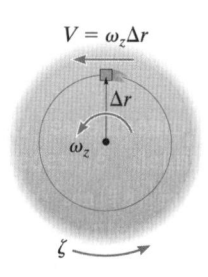

Vorticidade
(b)

FIGURA 7.7

Fluido perfeito
(a)

Fluido viscoso
(b)

FIGURA 7.8

EXEMPLO 7.1

O fluido perfeito na Figura 7.9 possui uma velocidade uniforme de $U = 0,2$ m/s. Determine a circulação em torno das trajetórias triangular e circular.

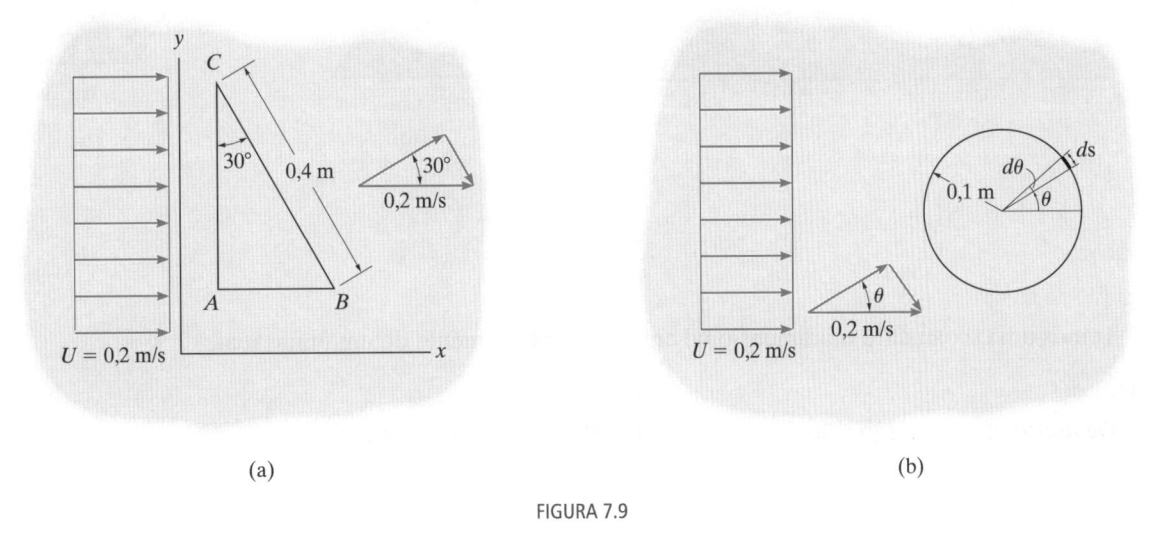

(a)

(b)

FIGURA 7.9

Solução

Comportamento do fluido

Temos um escoamento em regime permanente de um fluido perfeito dentro do plano x-y.

Trajetória triangular

A circulação é definida como positiva no sentido anti-horário. Neste caso, não precisamos integrar; em vez disso, determinamos o comprimento de cada lado do triângulo e o componente da velocidade ao longo de cada lado. Pela Figura 7.9a, para CA, AB, BC, temos

$$\Gamma = \oint \mathbf{V} \cdot d\mathbf{s} = (0)(0,4 \text{ m cos } 30°) + (0,2 \text{ m/s})(0,4 \text{ m sen } 30°)$$
$$- (0,2 \text{ m sen } 30°)(0,4 \text{ m})$$

$$= 0 \qquad \qquad Resposta$$

Trajetória circular

O contorno do cilindro é facilmente definido por meio de coordenadas polares, com θ positivo no sentido anti-horário, como mostra a Figura 7.14b. Visto que $ds = (0,1 \text{ m}) \, d\theta$, temos

$$\Gamma = \oint \mathbf{V} \cdot d\mathbf{s} = \int_0^{2\pi} (-0,2 \text{ sen } \theta)(0,1 \text{ m}) \, d\theta = 0,02(\cos \theta) \Big|_0^{2\pi} = 0 \qquad Resposta$$

Esses dois casos ilustram um ponto geral: independentemente da forma da trajetória, para um *escoamento uniforme*, um fluido perfeito não produzirá uma circulação, e como $\zeta = \Gamma/A$, tampouco nenhuma vorticidade é produzida.

EXEMPLO 7.2

A velocidade de um fluido viscoso escoando entre as superfícies paralelas na Figura 7.10a é definida por $U = 0,002(1 - 10(10^3)y^2)$ m/s, onde y está em metros. Determine a vorticidade e a taxa de deformação por cisalhamento de um elemento fluido localizado em $y = 5$ mm dentro do escoamento.

(a) (b) (c)

FIGURA 7.10

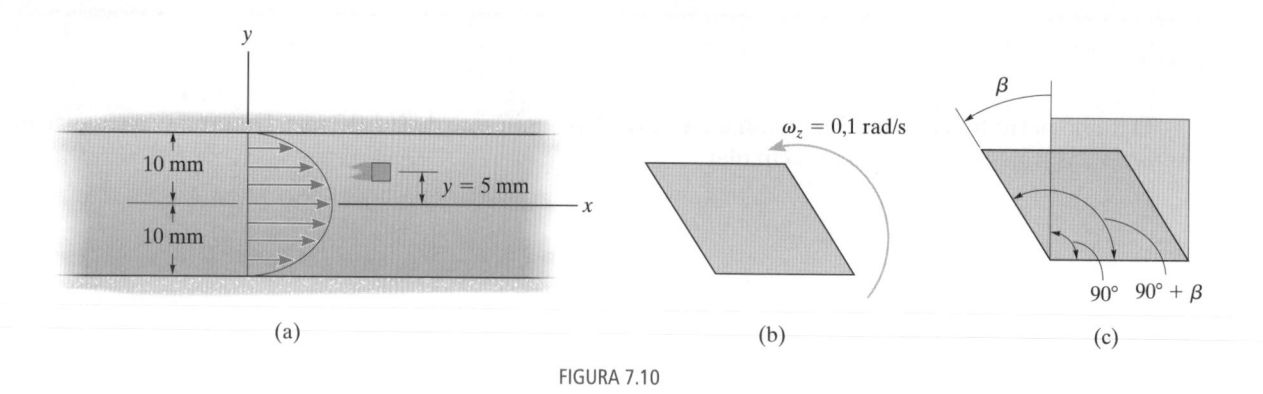

Solução

Descrição do fluido

Temos um escoamento unidimensional em regime permanente de um fluido real.

Vorticidade

Devemos aplicar a Equação 7.7, onde $u = 0{,}002(1 - 10(10^3)y^2)$ m/s e $v = 0$.

$$\zeta = \frac{\partial v}{\partial x} - \frac{\partial u}{\partial y}$$

$$= 0 - 0{,}002\left[0 - 10(10^3)(2y)\right]\bigg|_{y=0{,}005\,m} \text{rad/s} = 0{,}200 \text{ rad/s} \qquad \textit{Resposta}$$

Esta vorticidade é uma consequência da viscosidade do fluido, e como $\zeta \neq 0$, temos um escoamento rotacional. Na realidade, o elemento tem uma rotação de $\omega_z = \zeta/2 = 0{,}1$ rad/s (Figura 7.10b). Ela é positiva porque, em $y = 0{,}005$ m, o perfil de velocidade mostra que o topo do elemento fluido está se movendo *mais lentamente* do que seu fundo (Figura 7.10a).

Taxa de deformação por cisalhamento

Aplicando a Equação 7.4,

$$\dot{\gamma}_{xy} = \dot{\alpha} + \dot{\beta} = \frac{\partial v}{\partial x} + \frac{\partial u}{\partial y}$$

$$= 0 + 0{,}002\left[0 - 10(10^3)(2y)\right]\bigg|_{y=0{,}005\,m} \text{rad/s} = -0{,}200 \text{ rad/s} \qquad \textit{Resposta}$$

Esta é uma taxa de variação negativa. Ela ocorre porque β está no sentido horário positivo, e a deformação por cisalhamento é definida como a diferença no ângulo $90° - (90° + \beta) = -\beta$ (Figura 7.10c).

7.4 Conservação da massa

Nesta seção, derivaremos a equação da continuidade para um elemento de fluido escoando por um volume de controle diferencial fixo, que tem apenas superfícies de controle abertas. Vamos considerar um escoamento tridimensional, onde o campo de velocidade possui componentes $u = u(x, y, z, t)$, $v = v(x, y, z, t)$, $w = w(x, y, z, t)$. O ponto (x, y, z) está no centro do volume de controle, e neste ponto a densidade é definida pelo campo escalar $\rho = \rho(x, y, z, t)$. Dentro do volume de controle, as variações locais na massa podem ocorrer devido à compressibilidade do fluido. Além disso, variações convectivas podem ocorrer de uma superfície de controle para outra devido ao escoamento não uniforme. Na Figura 7.11, essas variações convectivas são consideradas apenas na direção x, conforme observado pelas derivadas parciais em cada superfície de controle. Se aplicarmos a equação da continuidade, Equação 4.12, ao volume de controle na direção x, temos

$$\frac{\partial}{\partial t}\int_{vc} \rho \, d\forall + \int_{sc} \rho \mathbf{V} \cdot d\mathbf{A} = 0$$

$$\frac{\partial \rho}{\partial t}\Delta x \, \Delta y \, \Delta z + \left(\rho u + \frac{\partial(\rho u)}{\partial x}\frac{\Delta x}{2}\right)\Delta y \, \Delta z - \left(\rho u - \frac{\partial(\rho u)}{\partial x}\frac{\Delta x}{2}\right)\Delta y \, \Delta z = 0$$

Dividindo por $\Delta x \, \Delta y \, \Delta z$ e simplificando, obtemos

$$\frac{\partial \rho}{\partial t} + \frac{\partial(\rho u)}{\partial x} = 0 \quad (7.9)$$

Se incluirmos as variações convectivas nas direções y e z, então a equação da continuidade torna-se

$$\frac{\partial \rho}{\partial t} + \frac{\partial(\rho u)}{\partial x} + \frac{\partial(\rho v)}{\partial y} + \frac{\partial(\rho w)}{\partial z} = 0 \quad (7.10)$$

Por fim, usando o operador de gradiente $\nabla = \partial/\partial x \mathbf{i} + \partial/\partial y \mathbf{j} + \partial/\partial z \mathbf{k}$ e expressando a velocidade como $\mathbf{V} = u\mathbf{i} + v\mathbf{j} + w\mathbf{k}$, podemos escrever a equação da continuidade para o elemento diferencial na forma de vetor como

$$\frac{\partial \rho}{\partial t} + \nabla \cdot \rho \mathbf{V} = 0 \quad (7.11)$$

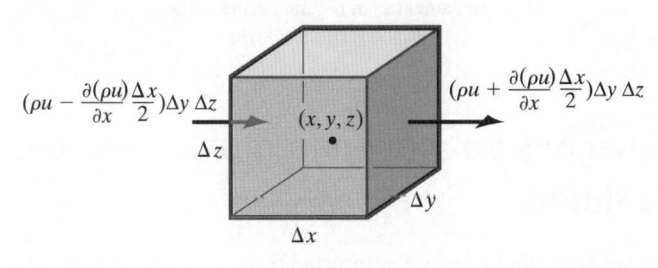

FIGURA 7.11

Escoamento em regime permanente bidimensional de um fluido perfeito

Embora tenhamos desenvolvido a equação da continuidade em sua forma mais geral, normalmente ela tem aplicações no escoamento em regime permanente bidimensional de um fluido perfeito. Para este caso especial, o fluido é incompressível e, portanto, ρ é constante. Como resultado, a Equação 7.10 torna-se então

$$\boxed{\frac{\partial u}{\partial x} + \frac{\partial v}{\partial y} = 0} \quad (7.12)$$

escoamento em regime permanente
fluido incompressível

Ou, pela Equação 7.11, podemos escrever

$$\nabla \cdot \mathbf{V} = 0 \tag{7.13}$$

Conforme observado pela Equação 7.1, isso é o mesmo que dizer que a *taxa de dilatação volumétrica deverá ser zero*. Em outras palavras, a taxa de variação de volume do elemento fluido deverá ser zero, pois a densidade de um fluido perfeito é constante. Por exemplo, se uma variação positiva no tamanho ocorrer na direção x ($\partial u/\partial x > 0$), então, pela Equação 7.12, uma variação negativa correspondente no tamanho ($\partial v/\partial y < 0$) deverá ocorrer na direção y.

Coordenadas cilíndricas

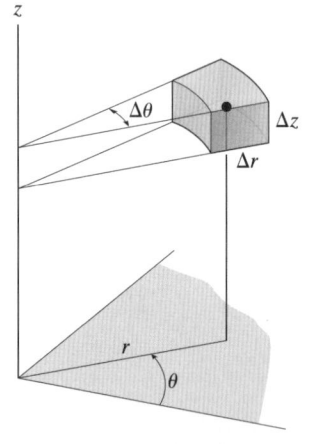

A equação da continuidade também pode ser expressa para um elemento diferencial em termos de coordenadas cilíndricas r, θ, z (Figura 7.12). Para completar, vamos apresentar o resultado aqui sem prova, e depois o usaremos mais tarde para descrever alguns tipos importantes de escoamento simétrico. No caso geral,

$$\frac{\partial \rho}{\partial t} + \frac{1}{r}\frac{\partial(r\rho v_r)}{\partial r} + \frac{1}{r}\frac{\partial(\rho v_\theta)}{\partial \theta} + \frac{\partial(\rho v_z)}{\partial z} = 0 \tag{7.14}$$

Se o fluido é incompressível e o escoamento é em regime permanente, então, em duas dimensões (r, θ), a equação da continuidade torna-se

$$\boxed{\frac{v_r}{r} + \frac{\partial v_r}{\partial r} + \frac{1}{r}\frac{\partial v_\theta}{\partial \theta} = 0} \tag{7.15}$$

escoamento em regime permanente
fluido incompressível

Coordenadas cilíndricas
FIGURA 7.12

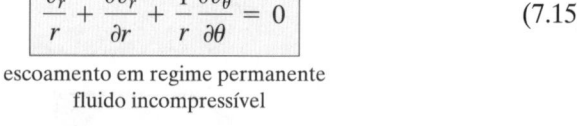

7.5 Equações do movimento para uma partícula de fluido

Nesta seção, aplicaremos a segunda lei do movimento de Newton a um elemento fluido diferencial, expressando o resultado em sua forma mais geral. Porém, antes disso, devemos primeiro formular expressões que representem o efeito de uma força $\Delta \mathbf{F}$ atuando sobre uma área diferencial ΔA. Como vemos na Figura 7.13a, $\Delta \mathbf{F}$ terá um componente normal $\Delta \mathbf{F}_z$ e dois componentes de cisalhamento $\Delta \mathbf{F}_x$ e $\Delta \mathbf{F}_y$. A tensão é o resultado desses *componentes de força na superfície*. O componente normal cria uma **tensão normal** sobre a área, definida como

$$\sigma_{zz} = \lim_{\Delta A \to 0} \frac{\Delta F_z}{\Delta A}$$

e os componentes de cisalhamento criam **tensões de cisalhamento**

$$\tau_{zx} = \lim_{\Delta A \to 0} \frac{\Delta F_x}{\Delta A} \quad \tau_{zy} = \lim_{\Delta A \to 0} \frac{\Delta F_y}{\Delta A}$$

A primeira letra (z) nessa notação subscrita representa a direção normal *para fora*, que define a direção do elemento de área ΔA, e a segunda letra representa a direção da tensão. Se agora generalizarmos essa ideia e considerarmos as forças que atuam sobre as seis faces de um elemento de volume do fluido, então três componentes de tensão atuarão sobre cada face do elemento, como mostra a Figura 7.13b.

Em cada ponto do fluido haverá um **campo de tensão** que define essas tensões. E como esse campo *varia* de um ponto para o seguinte, as forças que essas tensões produzem sobre uma partícula (elemento) do fluido devem levar em conta essas variações. Por exemplo, considere o diagrama de corpo livre da partícula de fluido na Figura 7.13c, que mostra apenas as forças dos componentes de tensão que atuam na direção x. A **força de superfície** resultante na direção x é

$$(\Delta F_x)_{fs} = \left(\sigma_{xx} + \frac{\partial \sigma_{xx}}{\partial x}\frac{\Delta x}{2}\right)\Delta y\,\Delta z - \left(\sigma_{xx} - \frac{\partial \sigma_{xx}}{\partial x}\frac{\Delta x}{2}\right)\Delta y\,\Delta z$$

$$+ \left(\tau_{yx} + \frac{\partial \tau_{yx}}{\partial y}\frac{\Delta y}{2}\right)\Delta x\,\Delta z - \left(\tau_{yx} - \frac{\partial \tau_{yx}}{\partial y}\frac{\Delta y}{2}\right)\Delta x\,\Delta z$$

$$+ \left(\tau_{zx} + \frac{\partial \tau_{zx}}{\partial z}\frac{\Delta z}{2}\right)\Delta x\,\Delta y - \left(\tau_{zx} - \frac{\partial \tau_{zx}}{\partial z}\frac{\Delta z}{2}\right)\Delta x\,\Delta y$$

Coletando os termos, isso pode ser simplificado e, de modo semelhante, as forças de superfície resultantes produzidas pelas tensões nas direções y e z também podem ser obtidas. Temos

$$(\Delta F_x)_{fs} = \left(\frac{\partial \sigma_{xx}}{\partial x} + \frac{\partial \tau_{yx}}{\partial y} + \frac{\partial \tau_{zx}}{\partial z}\right)\Delta x\,\Delta y\,\Delta z$$

$$(\Delta F_y)_{fs} = \left(\frac{\partial \tau_{xy}}{\partial x} + \frac{\partial \sigma_{yy}}{\partial y} + \frac{\partial \tau_{zy}}{\partial z}\right)\Delta x\,\Delta y\,\Delta z$$

$$(\Delta F_z)_{fs} = \left(\frac{\partial \tau_{xz}}{\partial x} + \frac{\partial \tau_{yz}}{\partial y} + \frac{\partial \sigma_{zz}}{\partial z}\right)\Delta x\,\Delta y\,\Delta z$$

Além dessas forças, há também a **força do campo** devida ao peso da partícula. Se Δm é a massa da partícula, essa força é $\Delta W = (\Delta m)g = \rho g\,\Delta x\,\Delta y\,\Delta z$. Para generalizar ainda mais esse desenvolvimento, vamos considerar que os eixos x, y, z tenham alguma *orientação arbitrária*, de modo que o peso terá componentes ΔW_x, ΔW_y, ΔW_z ao longo de cada eixo. Portanto, as somas de todos os componentes de força de campo e de superfície atuando sobre a partícula de fluido são

$$\Delta F_x = \left(\rho g_x + \frac{\partial \sigma_{xx}}{\partial x} + \frac{\partial \tau_{yx}}{\partial y} + \frac{\partial \tau_{zx}}{\partial z}\right)\Delta x\,\Delta y\,\Delta z$$

$$\Delta F_y = \left(\rho g_y + \frac{\partial \tau_{xy}}{\partial x} + \frac{\partial \sigma_{yy}}{\partial y} + \frac{\partial \tau_{zy}}{\partial z}\right)\Delta x\,\Delta y\,\Delta z \qquad (7.16)$$

$$\Delta F_z = \left(\rho g_z + \frac{\partial \tau_{xz}}{\partial x} + \frac{\partial \tau_{yz}}{\partial y} + \frac{\partial \sigma_{zz}}{\partial z}\right)\Delta x\,\Delta y\,\Delta z$$

Depois de estabelecer essas forças, podemos agora aplicar a segunda lei do movimento de Newton à partícula. Desde que a velocidade da partícula seja expressa como um campo de velocidade, $\mathbf{V} = \mathbf{V}(x, y, z, t)$, então a derivada material é usada para determinar a aceleração (Equação 3.5). Assim,

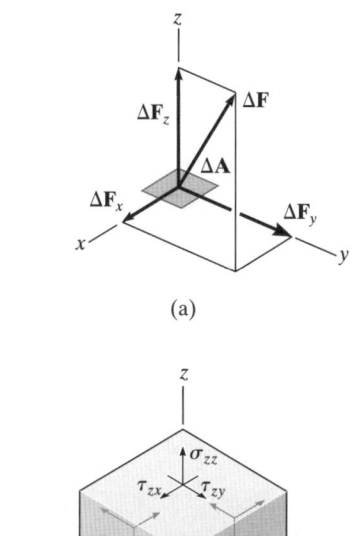

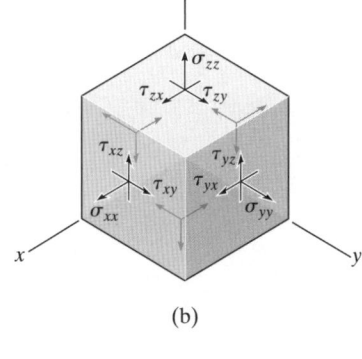

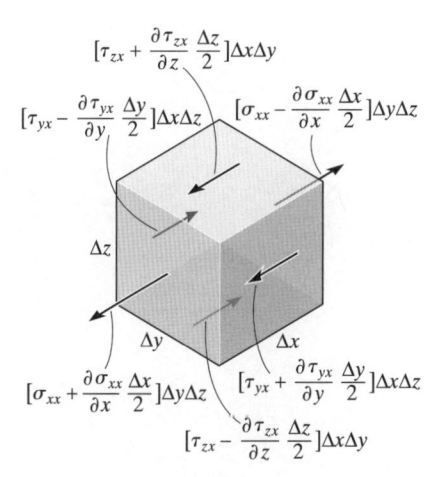

FIGURA 7.13

$$\Sigma \mathbf{F} = \Delta m \frac{D\mathbf{V}}{Dt} = (\rho \Delta x\, \Delta y\, \Delta z)\left[\frac{\partial \mathbf{V}}{\partial t} + u\frac{\partial \mathbf{V}}{\partial x} + v\frac{\partial \mathbf{V}}{\partial y} + w\frac{\partial \mathbf{V}}{\partial z}\right]$$

Quando substituirmos as equações 7.16, dividirmos pelo volume $\Delta x\, \Delta y\, \Delta z$ e depois usarmos $\mathbf{V} = u\mathbf{i} + v\mathbf{j} + w\mathbf{k}$, os componentes x, y, z dessa equação tornam-se

$$\rho g_x + \frac{\partial \sigma_{xx}}{\partial x} + \frac{\partial \tau_{yx}}{\partial y} + \frac{\partial \tau_{zx}}{\partial z} = \rho\left(\frac{\partial u}{\partial t} + u\frac{\partial u}{\partial x} + v\frac{\partial u}{\partial y} + w\frac{\partial u}{\partial z}\right)$$
$$\rho g_y + \frac{\partial \tau_{xy}}{\partial x} + \frac{\partial \sigma_{yy}}{\partial y} + \frac{\partial \tau_{zy}}{\partial z} = \rho\left(\frac{\partial v}{\partial t} + u\frac{\partial v}{\partial x} + v\frac{\partial v}{\partial y} + w\frac{\partial v}{\partial z}\right) \quad (7.17)$$
$$\rho g_z + \frac{\partial \tau_{xz}}{\partial x} + \frac{\partial \tau_{yz}}{\partial y} + \frac{\partial \sigma_{zz}}{\partial z} = \rho\left(\frac{\partial w}{\partial t} + u\frac{\partial w}{\partial x} + v\frac{\partial w}{\partial y} + w\frac{\partial w}{\partial z}\right)$$

Na próxima seção, aplicaremos essas equações para estudar um fluido perfeito. Mais adiante, na Seção 7.11, vamos considerar o caso mais geral de um fluido newtoniano.

7.6 Equações de Euler e de Bernoulli

Se considerarmos o fluido como sendo um fluido perfeito, então as equações do movimento se reduzirão a uma forma mais simples. Em particular, não haverá tensão de cisalhamento viscoso sobre a partícula (elemento) e os três componentes normais da tensão representarão a pressão. Como essas tensões normais foram todas definidas na Figura 7.13b como positivas e para fora e, por convenção, pressão positiva produz uma *tensão compressiva*, então $\sigma_{xx} = \sigma_{yy} = \sigma_{zz} = -p$. Como resultado, as equações gerais do movimento para uma partícula de fluido perfeito tornam-se

$$\rho g_x - \frac{\partial p}{\partial x} = \rho\left(\frac{\partial u}{\partial t} + u\frac{\partial u}{\partial x} + v\frac{\partial u}{\partial y} + w\frac{\partial u}{\partial z}\right)$$
$$\rho g_y - \frac{\partial p}{\partial y} = \rho\left(\frac{\partial v}{\partial t} + u\frac{\partial v}{\partial x} + v\frac{\partial v}{\partial y} + w\frac{\partial v}{\partial z}\right) \quad (7.18)$$
$$\rho g_z - \frac{\partial p}{\partial z} = \rho\left(\frac{\partial w}{\partial t} + u\frac{\partial w}{\partial x} + v\frac{\partial w}{\partial y} + w\frac{\partial w}{\partial z}\right)$$

Essas equações são denominadas *equações do movimento de Euler*, expressas em coordenadas x, y, z. Lembre-se de que, na Seção 5.1, nós as derivamos para coordenadas de linha de corrente, s, n, onde assumiram uma forma mais simples.

Usando o operador de gradiente, também podemos escrever as equações 7.18 de uma forma mais compacta, a saber,

$$\rho \mathbf{g} - \nabla p = \rho\left[\frac{\partial \mathbf{V}}{\partial t} + (\mathbf{V} \cdot \nabla)\mathbf{V}\right] \quad (7.19)$$

Escoamento em regime permanente bidimensional

Em muitos casos, teremos um escoamento em regime permanente bidimensional, e o componente z da velocidade $w = 0$. Se orientarmos os eixos x e y de modo que $\mathbf{g} = -g\mathbf{j}$, então as equações de Euler (equações 7.18) tornam-se

$$-\frac{1}{\rho}\frac{\partial p}{\partial x} = u\frac{\partial u}{\partial x} + v\frac{\partial u}{\partial y} \quad (7.20)$$

$$-\frac{1}{\rho}\frac{\partial p}{\partial y} - g = u\frac{\partial v}{\partial x} + v\frac{\partial v}{\partial y} \quad (7.21)$$

Os componentes da velocidade u e v e a pressão p em qualquer ponto dentro do fluido agora podem ser determinados, desde que possamos resolver essas duas equações diferenciais parciais junto com a equação da continuidade (Equação 7.12).

Embora tenhamos derivado as equações de Euler aqui para um sistema de coordenadas x, y, para alguns problemas será conveniente expressá-las em coordenadas polares, r, θ. Sem prova, elas são

$$-\frac{1}{\rho}\frac{\partial p}{\partial r} = v_r\frac{\partial u_r}{\partial r} + \frac{v_\theta}{r}\frac{\partial v_r}{\partial \theta} - \frac{v\theta^2}{r} \quad (7.22)$$

$$-\frac{1}{\rho}\frac{1}{r}\frac{\partial p}{\partial \theta} = v_r\frac{\partial v_\theta}{\partial r} + \frac{v_\theta}{r}\frac{\partial v_\theta}{\partial \theta} + \frac{v_\theta v_r}{r} \quad (7.23)$$

Equação de Bernoulli

Na Seção 5.2, derivamos a equação de Bernoulli integrando o componente tangente à linha de corrente da equação de Euler. Lá, foi mostrado que o resultado se aplica a dois pontos quaisquer na *mesma linha de corrente*. Se houver uma condição de *escoamento irrotacional*, significando $\omega = 0$, então a equação de Bernoulli também pode ser aplicada entre dois pontos quaisquer que estejam em *linhas de corrente diferentes*. Para demonstrar isso, suponha que tenhamos escoamento irrotacional bidimensional, de modo que $\omega_z = 0$ ou $\partial u/\partial y = \partial v/\partial x$ (Equação 7.2). Se substituirmos essa condição nas equações 7.20 e 7.21, obteremos

$$-\frac{1}{\rho}\frac{\partial p}{\partial x} = u\frac{\partial u}{\partial x} + v\frac{\partial v}{\partial x}$$

$$-\frac{1}{\rho}\frac{\partial p}{\partial y} - g = u\frac{\partial u}{\partial y} + v\frac{\partial v}{\partial y}$$

Visto que $\partial(u^2)/\partial x = 2u(\partial u/\partial x)$, $\partial(v^2)/\partial x = 2v(\partial v/\partial x)$, $\partial(u^2)/\partial y = 2u(\partial u/\partial y)$ e $\partial(v^2)/\partial y = 2v(\partial v/\partial y)$, as equações anteriores tornam-se

$$-\frac{1}{\rho}\frac{\partial p}{\partial x} = \frac{1}{2}\frac{\partial(u^2+v^2)}{\partial x}$$

$$-\frac{1}{\rho}\frac{\partial p}{\partial y} - g = \frac{1}{2}\frac{\partial(u^2+v^2)}{\partial y}$$

Integrando com relação a x na primeira equação, e com relação a y na segunda equação, o resultado é

$$-\frac{p}{\rho} + f(y) = \frac{1}{2}(u^2+v^2) = \frac{1}{2}V^2$$

$$-\frac{p}{\rho} - gy + h(x) = \frac{1}{2}(u^2+v^2) = \frac{1}{2}V^2$$

Aqui, V é a velocidade da partícula de fluido encontrada a partir de seus componentes, $V^2 = u^2 + v^2$. Igualando esses dois resultados, é então necessário que $f(y) = -gy + h(x)$. A solução requer que $h(x) =$ constante, pois x e y podem variar independentes um do outro. Como resultado, a função desconhecida $f(y) = -gy +$ constante. Substituindo isto e $h(x) =$ constante nas duas equações anteriores, obtemos nos dois casos a equação de Bernoulli, ou seja,

$$\boxed{\frac{p}{\rho} + \frac{V^2}{2} + gy = \text{constante}} \tag{7.24}$$

Escoamento em regime permanente irrotacional, fluido perfeito

Assim, se o escoamento é *irrotacional*, então a equação de Bernoulli pode ser aplicada entre *dois pontos quaisquer* (x_1, y_1) e (x_2, y_2) que *não* estão necessariamente na mesma linha de corrente. Naturalmente, conforme observamos, devemos *também* exigir que o *fluido seja perfeito* e o *escoamento seja em regime permanente*.

Pontos importantes

- Em geral, quando um elemento diferencial de um fluido está sujeito a forças, ele tende a sofrer translação e rotação de "corpo rígido", além de deformações lineares e angulares.
- A taxa de translação de um elemento fluido é determinada pelo campo de velocidade.
- A deformação linear é medida pela variação no volume por unidade de volume do elemento fluido. A taxa em que essa variação ocorre é chamada de taxa de dilatação volumétrica, $\nabla \cdot \mathbf{V}$.
- A rotação de um elemento fluido é definida pela rotação do bissetor do elemento fluido, ou pelas velocidades angulares médias de seus dois lados. Ela é expressa como $\boldsymbol{\omega} = \frac{1}{2}\nabla \times \mathbf{V}$. A rotação também pode ser especificada pela vorticidade $\boldsymbol{\zeta} = \nabla \times \mathbf{V}$.
- Se $\boldsymbol{\omega} = \mathbf{0}$, então o escoamento é considerado um *escoamento irrotacional*, e nenhum movimento angular acontece. Esse tipo de escoamento sempre ocorre em um fluido perfeito, pois as forças de cisalhamento viscoso não estão presentes para causar rotação.
- A deformação angular é definida pela taxa de variação na deformação por cisalhamento, ou a taxa em que o ângulo entre os lados adjacentes do elemento fluido mudará. Essas deformações são causadas pela tensão de cisalhamento, que é o resultado da viscosidade do fluido. Os fluidos perfeitos ou invíscidos não possuem deformações angulares.
- Como um fluido perfeito é *incompressível*, a equação da continuidade para o escoamento em regime permanente declara que a taxa de variação no volume por unidade de volume para um elemento fluido deverá ser zero, $\nabla \cdot \mathbf{V} = 0$.
- As equações de Euler relacionam a pressão e as forças gravitacionais atuando sobre uma partícula de fluido diferencial de um fluido perfeito à sua aceleração. Se essas equações forem integradas e combinadas, então, para o escoamento em regime permanente irrotacional, elas produzirão a equação de Bernoulli.
- A equação de Bernoulli pode ser aplicada entre *dois pontos quaisquer* não localizados na mesma linha de corrente, desde que o fluido seja *ideal* e o *escoamento em regime permanente* seja *irrotacional*, ou seja, $\boldsymbol{\omega} = \mathbf{0}$.

EXEMPLO 7.3

O campo de velocidade $\mathbf{V} = \{-6x\mathbf{i} + 6y\mathbf{j}\}$ m/s define o escoamento do fluido perfeito bidimensional no plano vertical mostrado na Figura 7.14. Determine a taxa de dilatação volumétrica e a rotação de um elemento fluido localizado no ponto B(1 m, 2 m). Se a pressão no ponto A(1 m, 1 m) é 250 kPa, qual é a pressão no ponto B? Considere $\rho = 1200$ kg/m^3.

Solução

Descrição do fluido

Como a velocidade não é uma função do tempo, o escoamento é em regime permanente. O fluido é um fluido perfeito.

Dilatação volumétrica

Aplicando a Equação 7.1, onde $u = (-6x)$ m/s, $v = (6y)$ m/s e $w = 0$, temos

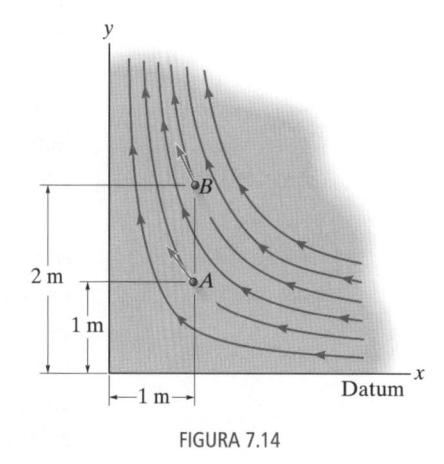

$$\frac{\delta \forall / d\forall}{\partial t} = \frac{\partial u}{\partial x} + \frac{\partial v}{\partial y} + \frac{\partial w}{\partial z} = -6 + 6 + 0 = 0 \qquad Resposta$$

FIGURA 7.14

O resultado confirma que não há variação no volume do elemento fluido em B enquanto ele se desloca.

Rotação

A velocidade angular do elemento fluido em B é definida pela Equação 7.2.

$$\omega_z = \frac{1}{2}\left(\frac{\partial v}{\partial x} - \frac{\partial u}{\partial y}\right) = \frac{1}{2}(0 - 0) = 0 \qquad Resposta$$

Portanto, o elemento fluido não girará em torno do eixo z. Na realidade, os dois resultados mostrados se aplicam em *todos os pontos* no fluido, pois eles são independentes de x e y. Em outras palavras, um fluido perfeito é incompressível e produz escoamento irrotacional.

Pressão

Como o escoamento é irrotacional e em regime permanente, podemos aplicar a equação de Bernoulli em dois pontos *não* localizados na mesma linha de corrente (Figura 7.14). As velocidades em A e B são

$$V_A = \sqrt{[-6(1)]^2 + [6(1)]^2} = 8{,}485 \text{ m/s}$$

$$V_B = \sqrt{[-6(1)]^2 + [6(2)]^2} = 13{,}42 \text{ m/s}$$

Portanto, com o datum no eixo x, temos

$$\frac{p_A}{\gamma} + \frac{V_A^2}{2g} + y_A = \frac{p_B}{\gamma} + \frac{V_B^2}{2g} + y_B$$

$$\frac{250(10^3) \text{ N/m}^2}{(1200 \text{ kg/m}^3)(9{,}81 \text{ m/s}^2)} + \frac{(8{,}485 \text{ m/s})^2}{2(9{,}81 \text{ m/s}^2)} + 1 \text{ m} = \frac{p_B}{(1200 \text{ kg/m}^3)(9{,}81 \text{ m/s}^2)} + \frac{(13{,}42 \text{ m/s})^2}{2(9{,}81 \text{ m/s}^2)} + 2 \text{ m}$$

$$p_B = 173 \text{ kPa} \qquad Resposta$$

7.7 A função corrente

Em duas dimensões, um método para satisfazer a equação da continuidade é substituir os *dois* componentes de velocidade desconhecidos, u e v, por uma *única função desconhecida*, reduzindo assim o número de incógnitas, e, com isso, simplificando a análise de um problema de escoamento de fluido perfeito. Nesta seção, usaremos a função corrente como um meio para fazer isso, e na próxima seção vamos considerar sua correspondente, a função potencial.

A *função corrente* ψ (psi) é a equação que representa *todas as equações das linhas de corrente*. Em duas dimensões, ela é uma função de x e y, e, para a equação de *cada linha de corrente*, é igual a uma *constante específica* $\psi(x, y) = C$. Você poderá se lembrar que, na Seção 3.3, desenvolvemos a técnica para encontrar a equação de uma linha de corrente em relação aos componentes de velocidade u e v. Aqui, vamos revisar esse procedimento e estender sua utilidade.

Componentes da velocidade

Por definição, a velocidade de uma partícula de fluido é sempre tangente à linha de corrente ao longo da qual ela trafega (Figura 7.15). Como resultado, podemos relacionar os componentes da velocidade **u** e **v** à inclinação da tangente por proporção. Como vemos na figura, $dy/dx = v/u$, ou

$$u\,dy - v\,dx = 0 \tag{7.25}$$

Agora, se considerarmos a derivada total da equação da linha de corrente $\psi(x, y) = C$, que descreve a linha de corrente na Figura 7.15, temos

$$d\psi = \frac{\partial \psi}{\partial x}dx + \frac{\partial \psi}{\partial y}dy = 0 \tag{7.26}$$

Comparando isso com a Equação 7.25, os dois componentes da velocidade podem ser relacionados a ψ. É preciso que

$$\boxed{u = \frac{\partial \psi}{\partial y}, \qquad v = -\frac{\partial \psi}{\partial x}} \tag{7.27}$$

Portanto, se soubermos a equação de qualquer linha de corrente, $\psi(x, y) = C$, poderemos obter os componentes da velocidade de uma partícula que trafega ao longo dela usando essas equações. Obtendo os componentes da velocidade dessa maneira, podemos mostrar que, para o escoamento em regime permanente, a função corrente *automaticamente satisfaz a equação da continuidade*. Pela substituição direta na Equação 7.12, descobrimos que

$$\frac{\partial u}{\partial x} + \frac{\partial v}{\partial y} = 0; \qquad \frac{\partial}{\partial x}\left(\frac{\partial \psi}{\partial y}\right) + \frac{\partial}{\partial y}\left(-\frac{\partial \psi}{\partial x}\right) = 0$$

$$\frac{\partial^2 \psi}{\partial x\,\partial y} - \frac{\partial^2 \psi}{\partial y\,\partial x} = 0$$

Mais adiante, veremos que, em alguns problemas, será conveniente expressar a função corrente e os componentes da velocidade em termos de suas coordenadas polares, r e θ (Figura 7.16). Sem provas, se $\psi(r, \theta) = C$ for dado, então os componentes radial e transversal da velocidade são

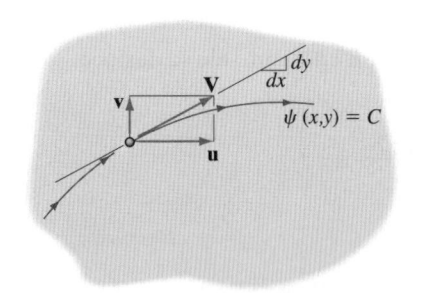

A velocidade é tangente à linha de corrente

FIGURA 7.15

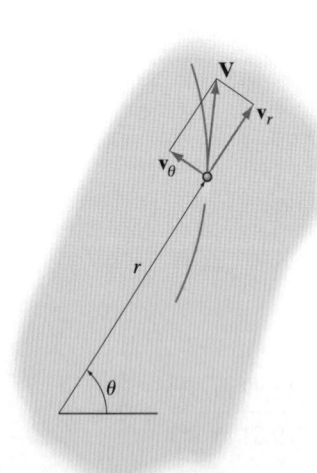

Coordenadas polares

FIGURA 7.16

$$\boxed{v_r = \frac{1}{r}\frac{\partial \psi}{\partial \theta}, \quad v_\theta = -\frac{\partial \psi}{\partial r}} \tag{7.28}$$

Vazão volumétrica

A função corrente também pode ser usada para determinar a vazão volumétrica entre duas linhas de corrente. Por exemplo, considere o volume de controle diferencial triangular na Figura 7.17a, que está localizado dentro do tubo de corrente entre as duas linhas de corrente ψ e $\psi + d\psi$. Como temos escoamento bidimensional, vamos considerar o escoamento dq através desse elemento como uma medida do escoamento por unidade de profundidade z, ou seja, como tendo unidades de m²/s ou pés²/s. Esse escoamento só ocorre dentro desse tubo de corrente, pois a velocidade do fluido é sempre tangente às linhas de corrente, e nunca perpendicular a elas. A continuidade requer que o escoamento *para dentro* da superfície de controle AB seja igual ao escoamento *para fora* das superfícies de controle BC e AC. No caso de BC, como a profundidade é 1 unidade, o escoamento *para fora* é $u[dy(1)]$, mas no caso de AC, por convenção, v é positivo *para cima*, portanto, o escoamento *para fora* é $-v[dx(1)]$. Aplicando a equação da continuidade, para o escoamento em regime permanente incompressível, temos

$$\frac{\partial}{\partial t}\int_{vc} \rho\, dV + \int_{sc} \rho \mathbf{V} \cdot d\mathbf{A} = 0$$
$$0 - \rho\, dq + \rho u[dy(1)] - \rho v[dx(1)] = 0$$
$$dq = u\, dy - v\, dx$$

Substituindo as equações 7.27 nesta equação, o lado direito torna-se a Equação 7.26. Portanto,

$$dq = d\psi$$

Assim, o escoamento dq entre as duas linhas de corrente é simplesmente encontrado descobrindo-se sua diferença, $(\psi + d\psi) - \psi = d\psi$. A vazão entre *duas linhas de corrente quaisquer* separadas por uma *distância finita* pode agora ser determinada integrando esse resultado. Se $\psi_1(x, y) = C_1$ e $\psi_2(x, y) = C_2$, então

(a)

(b) Conservação de massa

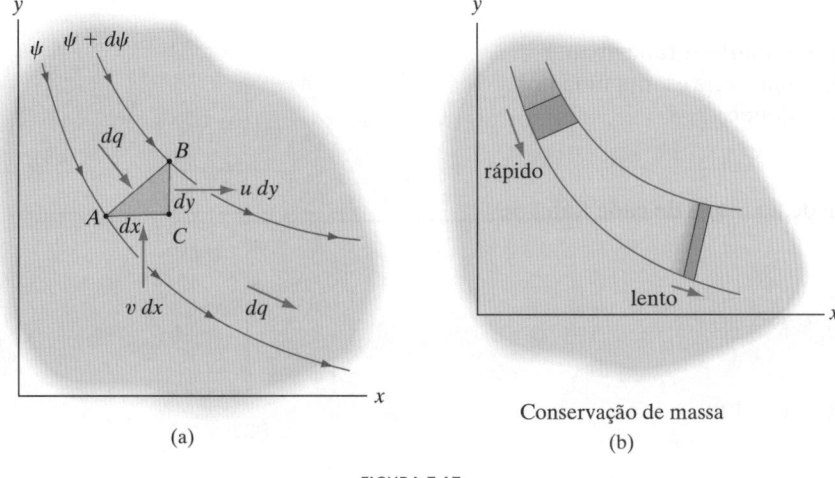

FIGURA 7.17

$$q = \int_{\psi_1}^{\psi_2} d\psi = \psi_2(x,y) - \psi_1(x,y) = C_2 - C_1 \qquad (7.29)$$

Vamos agora resumir nossos resultados. Se a função corrente $\psi(x, y)$ for *conhecida*, então podemos defini-la como sendo igual a diversos valores da constante $\psi(x, y) = C$ para obter as linhas de corrente, e assim visualizar o escoamento. Podemos então usar as equações 7.27 (ou as equações 7.28) para determinar os componentes da velocidade do escoamento ao longo de uma linha de corrente. Além disso, podemos determinar a vazão volumétrica entre duas linhas de corrente quaisquer, como $\psi_1(x, y) = C_1$ e $\psi_2(x, y) = C_2$, encontrando a diferença em suas constantes da linha de corrente, $q = C_2 - C_1$ (Equação 7.29). Conforme discutimos na Seção 3.3, uma vez construídas, a distância entre as linhas de corrente também fornecerá uma indicação da velocidade relativa do escoamento. Esta é baseada na conservação de massa. Por exemplo, observe como o elemento fluido na Figura 7.17b deverá achatar enquanto se move pelo tubo de corrente a fim de preservar sua massa (ou volume). Assim, nos locais onde as *linhas de corrente estão próximas*, o *escoamento é rápido*, e quando essas *linhas de corrente estão afastadas*, o *escoamento é lento*.

EXEMPLO 7.4

Um campo de escoamento é definido pela função corrente $\psi(x, y) = y^2 - x$. Desenhe as linhas de corrente para $\psi_1(x, y) = 0$, $\psi_2(x, y) = 2$ m²/s e $\psi_3(x, y) = 4$ m²/s. Qual é a velocidade de uma partícula de fluido em $y = 1$ m sobre a linha de corrente $\psi_2(x, y) = 2$ m²/s?

Solução

Descrição do fluido

Como o tempo não está envolvido, este é o escoamento em regime permanente de um fluido perfeito.

Funções corrente

As equações para as três linhas de corrente são

$$y^2 - x = 0$$
$$y^2 - x = 2$$
$$y^2 - x = 4$$

Essas equações estão representadas graficamente na Figura 7.18. Cada uma é uma parábola e representa uma linha de corrente para a constante que a define.

Velocidade

Os componentes da velocidade ao longo de cada linha de corrente são

$$u = \frac{\partial \psi}{\partial y} = \frac{\partial}{\partial y}(y^2 - x) = (2y) \text{ m/s}$$

$$v = -\frac{\partial \psi}{\partial x} = -\frac{\partial}{\partial x}(y^2 - x) = -(-1) = 1 \text{ m/s}$$

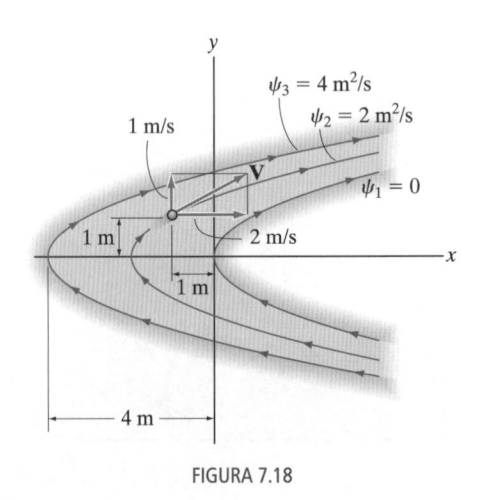

FIGURA 7.18

Para a linha de corrente $y^2 - x = 2$, em $y = 1$ m, então $x = -1$ m, de modo que, neste ponto, $u = 2$ m/s e $v = 1$ m/s. Esses dois componentes produzem a velocidade resultante de uma partícula de fluido nesse local (Figura 7.18). Ela é

$$V = \sqrt{(2 \text{ m/s})^2 + (1 \text{ m/s})^2} = 2{,}24 \text{ m/s} \qquad \textit{Resposta}$$

Observe que as direções dos componentes da velocidade também oferecem um meio para estabelecer a *direção* do escoamento, conforme indicado pelas pequenas setas nesta linha de corrente (Figura 7.18).

Embora não fazendo parte deste problema, imagine que as linhas de corrente para as quais $\psi_1 = 0$ e $\psi_3 = 4$ m²/s representem limites sólidos para um canal (Figura 7.18). Então, pela Equação 7.29, a vazão volumétrica por profundidade unitária dentro desse canal (ou tubo de corrente) seria

$$q = \psi_3 - \psi_1 = 4 \text{ m}^2/\text{s} - 0 = 4 \text{ m}^2/\text{s}$$

EXEMPLO 7.5

O escoamento uniforme ocorre em um ângulo θ com o eixo y, conforme mostra a Figura 7.19. Determine a função corrente para esse escoamento.

Solução

Descrição do fluido

Temos um escoamento em regime permanente uniforme de um fluido perfeito, pois **U** é constante.

Velocidade

Os componentes x e y da velocidade são

$$u = U \operatorname{sen} \theta \quad \text{e} \quad v = -U \cos \theta$$

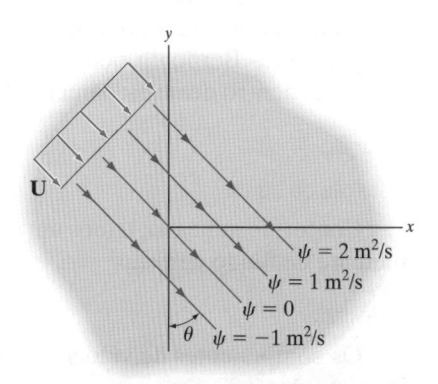

Escoamento uniforme

FIGURA 7.19

Função corrente

Se relacionarmos o componente de velocidade u à função corrente, temos

$$u = \frac{\partial \psi}{\partial y}; \qquad U \operatorname{sen} \theta = \frac{\partial \psi}{\partial y}$$

Integrando em relação a y, para obter ψ, o resultado é

$$\psi = (U \operatorname{sen} \theta) y + f(x) \qquad (1)$$

Aqui, $f(x)$ é uma função desconhecida que precisa ser determinada. Isso pode ser feito fazendo a mesma coisa para v, usando a Equação 1. Temos então

$$v = -\frac{\partial \psi}{\partial x}; \qquad -U \cos \theta = -\frac{\partial}{\partial x}\left[(U \operatorname{sen} \theta)y + f(x)\right]$$

$$U \cos \theta = \left(0 + \frac{\partial}{\partial x}[f(x)]\right)$$

Integrando,

$$(U \cos \theta) x = f(x) + C$$

Por conveniência, definiremos a constante de integração $C = 0$ para produzir a função corrente. Substituindo o resultado na Equação 1, obtemos

$$\psi(x, y) = (U \operatorname{sen} \theta)y + (U \cos \theta)x \qquad \textit{Resposta}$$

Podemos mostrar que $\psi(x, y)$ produz a velocidade U observando que os componentes de velocidade são $u = \partial\psi/\partial y = U \operatorname{sen} \theta$ e $v = -\partial\psi/\partial x = -U \cos \theta$. Portanto, a velocidade resultante das partículas de fluido em cada linha de corrente é

$$V = \sqrt{(U \operatorname{sen} \theta)^2 + (-U \cos \theta)^2} = U$$

conforme observado na Figura 7.19.

EXEMPLO 7.6

As linhas de corrente para o escoamento em regime permanente de um fluido perfeito em torno do canto em 90° na Figura 7.20 são definidas pela função corrente $\psi(x, y) = (5xy)$ m²/s. Determine a velocidade do escoamento no ponto $x = 2$ m, $y = 3$ m. A equação de Bernoulli pode ser aplicada entre dois pontos quaisquer dentro desse escoamento?

Solução

Descrição do fluido

Conforme indicado, temos um escoamento em regime permanente de fluido perfeito.

Velocidade

Os componentes de velocidade são determinados a partir das equações 7.27.

$$u = \frac{\partial \psi}{\partial y} = \frac{\partial}{\partial y}(5xy) = (5x) \text{ m/s}$$

$$v = -\frac{\partial \psi}{\partial x} = -\frac{\partial}{\partial x}(5xy) = (-5y) \text{ m/s}$$

No ponto $x = 2$ m, $y = 3$ m,

$$u = 5(2) = 10 \text{ m/s}$$
$$v = -5(3) = -15 \text{ m/s}$$

A velocidade resultante tem uma intensidade de

$$V = \sqrt{(10 \text{ m/s})^2 + (-15 \text{ m/s})^2} = 18{,}0 \text{ m/s} \qquad \textit{Resposta}$$

Sua direção é tangente à linha de corrente que passa pelo ponto (2 m, 3 m), como mostra a Figura 7.20. Para determinar a equação que define essa linha de corrente, é necessário que $\psi(x, y) = 5(2)(3) = C = 30$ m²/s. Assim, $\psi(x, y) = 5xy = 30$, ou $xy = 6$.

A equação de Bernoulli pode ser aplicada, pois um fluido perfeito possui escoamento irrotacional. Aplicando a Equação 7.2 para verificar isso, temos

$$\omega_z = \frac{1}{2}\left(\frac{\partial v}{\partial x} - \frac{\partial u}{\partial y}\right) = \frac{1}{2}\left(\frac{\partial(-5y)}{\partial x} - \frac{\partial(5x)}{\partial y}\right) = 0$$

Portanto, a equação de Bernoulli pode ser usada para determinar as diferenças de pressão entre dois pontos quaisquer dentro do fluido.

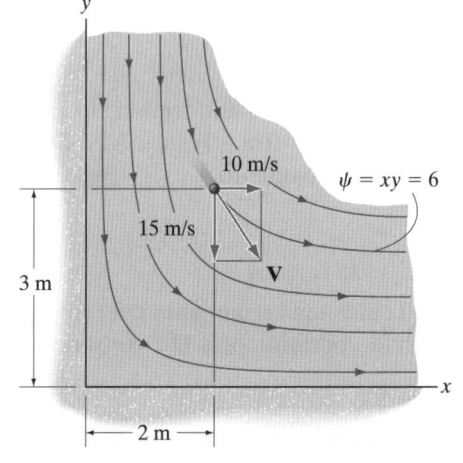

Escoamento em torno de um canto em 90°

FIGURA 7.20

7.8 A função potencial

Na seção anterior, relacionamos os componentes da velocidade à função corrente, que descreve as linhas de corrente para o escoamento. Outra forma de relacionar os componentes da velocidade a uma única função é usar o *potencial de velocidade* ϕ (phi). Ele é definido pela função potencial $\phi = \phi(x, y)$. Os componentes da velocidade são determinados a partir de $\phi(x, y)$ usando as equações a seguir.

$$\boxed{u = \frac{\partial \phi}{\partial x}, \quad v = \frac{\partial \phi}{\partial y}} \tag{7.30}$$

A velocidade resultante, portanto, é

$$\mathbf{V} = u\mathbf{i} + v\mathbf{j} = \frac{\partial \phi}{\partial x}\mathbf{i} + \frac{\partial \phi}{\partial y}\mathbf{j} = \nabla \phi \tag{7.31}$$

A função potencial ϕ só descreve o *escoamento irrotacional*. Para demonstrar isso, substitua os componentes da velocidade, conforme os definimos, na Equação 7.2. Isso resulta em

$$\omega_z = \frac{1}{2}\left(\frac{\partial v}{\partial x} - \frac{\partial u}{\partial y}\right)$$

$$= \frac{1}{2}\left[\frac{\partial}{\partial x}\left(\frac{\partial \phi}{\partial y}\right) - \frac{\partial}{\partial y}\left(\frac{\partial \phi}{\partial x}\right)\right] = \frac{1}{2}\left[\frac{\partial^2 \phi}{\partial x\,\partial y} - \frac{\partial^2 \phi}{\partial y\,\partial x}\right] = 0$$

Assim, *se o escoamento é irrotacional*, então sempre podemos estabelecer uma função potencial $\phi(x, y)$, pois essa função satisfaz automaticamente a condição $\omega_z = 0$.

Outra característica de $\phi(x, y)$ é que a velocidade sempre será *perpendicular* a qualquer *linha equipotencial* $\phi(x, y) = C'$. Como resultado, qualquer linha equipotencial será perpendicular a qualquer linha de corrente de interseção $\psi(x, y) = C$. Isso pode ser demonstrado tomando a derivada total de $\phi(x, y) = C'$, que resulta em

$$d\phi = \frac{\partial \phi}{\partial x}dx + \frac{\partial \phi}{\partial y}dy = 0$$

$$= u\,dx + v\,dy = 0$$

Ou

$$\frac{dy}{dx} = \frac{u}{-v}$$

Graficamente, isso indica que a inclinação θ da tangente da linha de corrente $\psi(x, y) = C$ na Figura 7.21 é a recíproca negativa da inclinação da linha equipotencial $\psi(x, y) = C'$ (Equação 7.25). Portanto, conforme mostramos, *linhas de corrente são sempre perpendiculares a linhas equipotenciais*.

Por fim, se coordenadas polares forem usadas para descrever a função equipotencial, então, sem provas, os componentes da velocidade v_r e v_θ são relacionados à função potencial por meio de

$$\boxed{v_r = \frac{\partial \phi}{\partial r}, \quad v_\theta = \frac{1}{r}\frac{\partial \phi}{\partial \theta}} \tag{7.32}$$

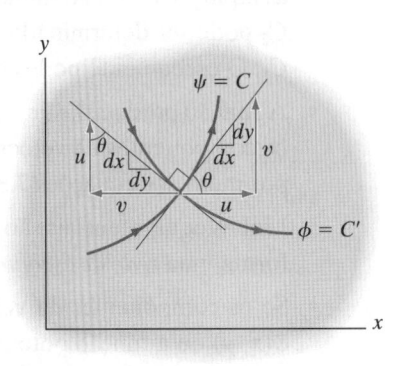

FIGURA 7.21

Rede de escoamento

Uma família de linhas de corrente e linhas equipotenciais para diversos valores das constantes C e C' compõe uma **rede de escoamento**, que pode servir como um recurso gráfico para visualizar o escoamento. Um exemplo de uma rede de escoamento aparece na Figura 7.22. Aqui, as linhas de corrente e linhas equipotenciais precisam ser construídas de modo que sempre se cruzem *perpendiculares* umas às outras e sejam espaçadas de modo que mantenham a mesma distância incremental ΔC e $\Delta C'$. Conforme observado, onde as linhas de corrente estão mais próximas, a velocidade é alta (escoamento rápido) e vice-versa. Por conveniência, um computador pode ser usado para construir uma rede de escoamento plotando as equações para $\psi(x, y) = C$ e $\phi(x, y) = C'$, e depois aumentando incrementalmente as constantes por ΔC e $\Delta C'$.

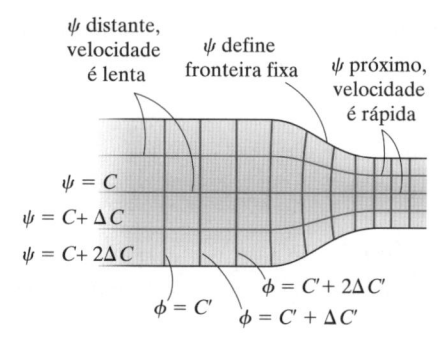

Rede de escoamento para escoamento perfeito através de uma transição

FIGURA 7.22

Pontos importantes

- Uma função corrente $\psi(x, y)$ satisfaz a continuidade do escoamento. Se $\psi(x, y)$ for conhecida, então é possível determinar os componentes da velocidade em qualquer ponto dentro do escoamento usando as equações 7.27. Além disso, a vazão entre duas linhas de corrente quaisquer $\psi(x, y) = C_1$ e $\psi(x, y) = C_2$ pode ser determinada encontrando a diferença entre as constantes da linha de corrente, $q = C_2 - C_1$. O escoamento pode ser rotacional ou irrotacional.

- A função potencial $\phi(x, y)$ satisfaz as condições do escoamento irrotacional. Se $\phi(x, y)$ for conhecida, os componentes da velocidade em qualquer ponto dentro do escoamento poderão ser determinados por meio das equações 7.30.

- Linhas equipotenciais são sempre *perpendiculares* às linhas de corrente, e um conjunto dessas "linhas" forma uma *rede de escoamento*.

- Se os componentes da velocidade para um escoamento forem conhecidos, então a função corrente $\psi(x, y)$ ou a função potencial $\phi(x, y)$ é determinada integrando as equações 7.27 ou as equações 7.30 e, por conveniência, definindo a constante de integração como sendo igual a zero.

- As equações de uma linha de corrente e linha equipotencial passando por um ponto em particular (x_1, y_1) são determinadas primeiro obtendo as constantes de $\psi(x_1, y_1) = C_1$ e $\phi(x_1, y_1) = C_1'$, e depois escrevendo $\psi(x, y) = C_1$ e $\phi(x, y) = C_1'$.

EXEMPLO 7.7

Um escoamento tem um campo de velocidade definido por $V = \{4xy^2\mathbf{i} + 4x^2y\mathbf{j}\}$ m/s. É possível estabelecer uma função potencial para esse escoamento e, se for, qual é a linha equipotencial que passa pelo ponto $x = 1$ m, $y = 1$ m?

Solução

Descrição do fluido

Temos um escoamento em regime permanente, pois V não é uma função do tempo.

Análise

Uma função potencial pode ser desenvolvida *somente se o escoamento for irrotacional*. Para descobrir se ele é, aplicamos a Equação 7.2. Aqui, $u = 4xy^2$ e $v = 4x^2y$, de modo que

$$\omega_z = \frac{1}{2}\left(\frac{\partial v}{\partial x} - \frac{\partial u}{\partial y}\right) = \frac{1}{2}(8xy - 8xy) = 0$$

Como temos escoamento irrotacional, a função potencial pode ser estabelecida. Usando o componente x da velocidade,

$$u = \frac{\partial \phi}{\partial x} = 4xy^2$$

Integrando,

$$\phi = 2x^2y^2 + f(y) \quad (1)$$

A função desconhecida $f(y)$ deverá ser determinada. Usando o componente y da velocidade,

$$v = \frac{\partial \phi}{\partial y}$$

$$4x^2y = \frac{\partial}{\partial y}[2x^2y^2 + f(y)]$$

$$4x^2y = 4x^2y + \frac{\partial}{\partial y}[f(y)]$$

$$\frac{\partial}{\partial y}f(y) = 0$$

Portanto, a integração oferece

$$f(y) = C'$$

A função potencial, então, é determinada a partir da Equação 1, onde, por conveniência, $C' = 0$, de modo que

$$\phi(x, y) = 2x^2y^2$$

Para encontrar a linha equipotencial passando pelo ponto (1 m, 1 m), é preciso que $\phi(x, y) = 2(1)^2(1)^2 = 2$. Assim, $2x^2y^2 = 2$ ou

$$xy = 1 \qquad \textit{Resposta}$$

EXEMPLO 7.8

A função potencial para um escoamento é definida por $\phi(x, y) = 10xy$. Determine a função corrente para o escoamento.

Solução

Descrição do fluido

Este é um escoamento de fluido em regime permanente e, já que é definido por uma função potencial, o escoamento também é irrotacional.

Análise

Para resolver, primeiro determinamos os componentes da velocidade, e, a partir disso, obtemos a função corrente. Usando as equações 7.30, temos

$$u = \frac{\partial \phi}{\partial x} = 10y \qquad v = \frac{\partial \phi}{\partial y} = 10x$$

Pela primeira das equações 7.27 para u, temos

$$u = \frac{\partial \psi}{\partial y}; \qquad 10y = \frac{\partial \psi}{\partial y}$$

Integrando com relação a y, temos

$$\psi = 5y^2 + f(x) \qquad (1)$$

Aqui, $f(x)$ precisa ser determinado. Usando a segunda das equações 7.27, para v temos

$$v = -\frac{\partial \psi}{\partial x}; \qquad 10x = -\frac{\partial}{\partial x}[5y^2 + f(x)] = -\left[0 + \frac{\partial}{\partial x}[f(x)]\right]$$

de modo que

$$\frac{\partial}{\partial x}[f(x)] = -10x$$

Integrando, obtemos

$$f(x) = -5x^2 + C$$

Definindo $C = 0$ e substituindo $f(x)$ na Equação 1, a função corrente torna-se

$$\psi(x, y) = 5(y^2 - x^2) \qquad \textit{Resposta}$$

A rede de escoamento pode ser plotada definindo $\psi(x, y) = 5(y^2 - x^2) = C$ e $\phi(x, y) = 10xy = C'$ e depois graficando essas equações para diferentes valores das constantes C e C'. Quando isso é feito, a rede de escoamento se parecerá com aquela mostrada na Figura 7.23a. Se selecionarmos duas linhas de corrente, digamos, $\psi_1 = C_1$ e $\psi_2 = C_2$, para modelar os lados de um canal (Figura 7.23b), então nossa solução pode ser usada para estudar o escoamento dentro do canal, supondo, naturalmente, que o fluido seja perfeito.

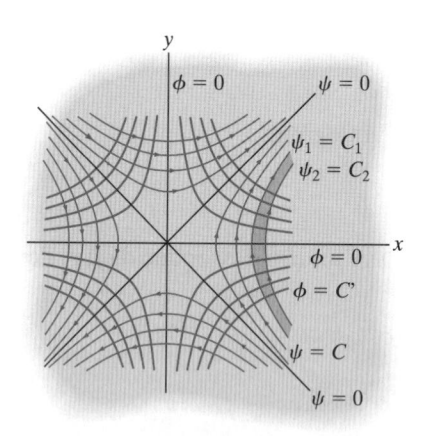

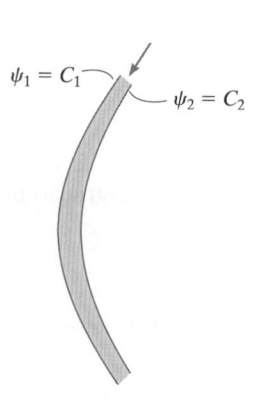

Escoamento por um canal
(b)

FIGURA 7.23

7.9 Escoamentos bidimensionais básicos

O escoamento de um fluido perfeito precisa satisfazer *ambas* as condições de continuidade e escoamento irrotacional. Foi dito anteriormente que a função corrente ψ satisfaz imediatamente a continuidade para o escoamento incompressível. Porém, para garantir que ela satisfaça a irrotacionalidade, é preciso que $\omega_z = \frac{1}{2}(\partial v/\partial x - \partial u/dy) = 0$. Quando substituímos os componentes de velocidade $u = \partial\psi/\partial y$ e $v = -\partial\psi/\partial x$ nesta equação, obtemos

$$\frac{\partial^2 \psi}{\partial x^2} + \frac{\partial^2 \psi}{\partial y^2} = 0 \qquad (7.33)$$

Ou, na forma vetorial,

$$\nabla^2 \psi = 0$$

De modo semelhante, como a função potencial ϕ satisfaz automaticamente a condição de escoamento irrotacional, então, para satisfazer a continuidade, $(\partial u/\partial x) + (\partial v/\partial y) = 0$, substituímos os componentes da velocidade, $u = \partial\phi/\partial x$ e $v = \partial\phi/\partial y$, nesta equação e obtemos

$$\frac{\partial^2 \phi}{\partial x^2} + \frac{\partial^2 \phi}{\partial y^2} = 0$$

ou

$$\nabla^2 \phi = 0 \qquad (7.34)$$

As duas equações anteriores são uma forma da *equação de Laplace*. Uma solução para a função corrente ψ na Equação 7.33, ou a função potencial ϕ na equação apresentada, representa o campo de escoamento para um fluido perfeito. Quando uma dessas equações é resolvida, as duas constantes de integração resultantes da solução são avaliadas aplicando as condições de contorno ao escoamento. Por exemplo, uma condição de contorno exigirá que uma função corrente acompanhe um contorno sólido, pois nenhum componente da velocidade pode atuar na direção normal à superfície do contorno.

Ao longo dos anos, muitos pesquisadores têm determinado ψ ou ϕ para diversos tipos de escoamento perfeito, seja *diretamente*, resolvendo as equações anteriores, ou *indiretamente*, conhecendo os componentes de velocidade para o escoamento. Veja as referências [10, 11]. Foi esse trabalho que formou a base da ciência da *hidrodinâmica*, que se desenvolveu no final do século XIX. Como uma rápida introdução aos métodos usados na hidrodinâmica, vamos agora apresentar as soluções para ψ e ϕ que envolvem cinco padrões básicos de escoamento. Quando esses escoamentos tiverem sido apresentados, usaremos então os resultados para mostrar como eles podem ser superpostos um ao outro a fim de representar outros tipos de escoamento.

Escoamento uniforme

Se o escoamento é uniforme e possui uma velocidade constante U ao longo do eixo x, como mostra a Figura 7.24a, então seus componentes da velocidade são

$$u = U$$

$$v = 0$$

Aplicando as equações 7.27, podemos obter a função corrente. Começando com o componente u da velocidade,

$$u = \frac{\partial \psi}{\partial y}; \qquad U = \frac{\partial \psi}{\partial y}$$

Integrando com relação a y, obtemos

$$\psi = Uy + f(x)$$

Usando esse resultado, agora usamos o componente v da velocidade.

$$v = -\frac{\partial \psi}{\partial x}; \qquad 0 = -\frac{\partial}{\partial x}\left[Uy + f(x)\right]$$

$$0 = \frac{\partial}{\partial x}\left[f(x)\right]$$

Integrando com relação a x, obtemos

$$f(x) = C$$

Assim,

$$\psi = Uy + C$$

Definimos a constante de integração $C = 0$, portanto, a função corrente torna-se

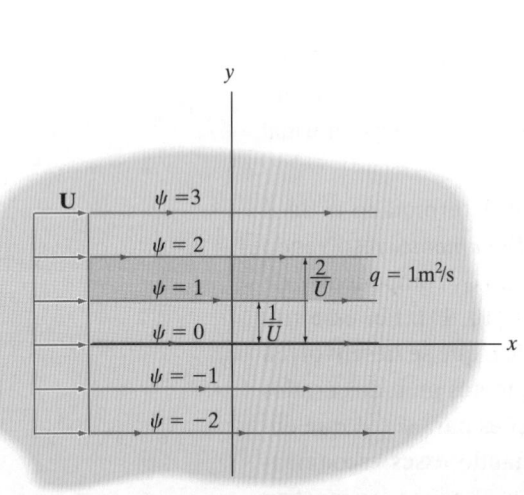

$$\psi = Uy$$

Linhas de corrente de escoamento uniforme
(a)

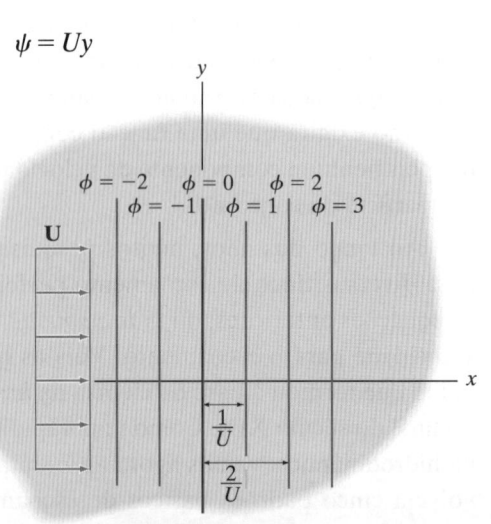

Escoamento uniforme
Linhas equipotenciais
(b)

FIGURA 7.24

As linhas de corrente são plotadas na Figura 7.24a atribuindo valores constantes para ψ. Por exemplo, quando $C = 0$, então $Uy = 0$, que representa a linha de corrente passando pela origem. Além disso, se $\psi = 1$ m²/s, então $y = 1/U$, e se $\psi = 2$ m²/s, então $y = 2/U$ etc. Usando a Equação 7.29, a vazão entre $\psi = 1$ m²/s e $\psi = 2$ m²/s pode ser determinada, ou seja, $q = 2$ m²/s − 1 m²/s = 1 m²/s (Figura 7.24a).

De modo semelhante, usando as equações 7.30, $u = \partial\phi/\partial x$ e $v = \partial\phi/\partial y$, podemos obter a função potencial. Tente integrar $U = \partial\phi/\partial x$ e $0 = \partial\phi/\partial y$, e obtenha

$$\phi = Ux \qquad (7.35)$$

As linhas equipotenciais são obtidas atribuindo valores constantes a ϕ. Por exemplo, $\phi = 0$ corresponde a $x = 0$, e $\phi = 1$ m²/s corresponde a $x = 1/U$ etc. Como era esperado, essas linhas serão perpendiculares às linhas de corrente descritas por ψ (Figura 7.24b). Juntas, elas formam a rede de escoamento. Além disso, observe que, conforme era exigido, tanto ψ quanto ϕ satisfarão a equação de Laplace, ou seja, as equações 7.33 e 7.34.

Escoamento de uma fonte linear

Em duas dimensões, a origem ou fonte de uma vazão q é definida a partir de uma linha ao longo do eixo z a partir da qual o fluido escoa radialmente para fora, uniformemente em todas as direções no plano x-y (Figura 7.25). Esse escoamento seria uma aproximação do escoamento de água surgindo lentamente de um tubo conectado perpendicularmente a uma placa horizontal, com uma segunda placa imediatamente acima dela. Aqui, q é medida por profundidade unitária, ao longo do eixo z (linha), de modo que possui unidades de m²/s ou pés²/s. Devido à simetria angular, é conveniente usar coordenadas polares r, θ para descrever esse escoamento. Se considerarmos um círculo de raio r, então o escoamento através do círculo com uma profundidade unitária passa por uma área de $A = 2\pi r (1)$, e como $q = v_r A$, temos

$$q = v_r(2\pi r)(1)$$

O componente radial da velocidade é, portanto,

$$v_r = \frac{q}{2\pi r}$$

E, devido à simetria, o componente transversal é

$$v_\theta = 0$$

A função corrente é obtida usando as equações 7.28. Para o componente radial da velocidade, temos

$$v_r = \frac{1}{r}\frac{\partial \psi}{\partial \theta}; \qquad \frac{q}{2\pi r} = \frac{1}{r}\frac{\partial \psi}{\partial \theta}$$

$$\partial \psi = \frac{q}{2\pi}\partial \theta$$

Integrando em relação a θ,

$$\psi = \frac{q}{2\pi}\theta + f(r)$$

Agora, considerando o componente transversal da velocidade,

$$v_\theta = -\frac{\partial \psi}{\partial r}; \qquad 0 = -\frac{\partial}{\partial r}\left[\frac{q}{2\pi}\theta + f(r)\right]$$

$$0 = \frac{\partial}{\partial r}[f(r)]$$

Integrando em relação a r,

$$f(r) = C$$

Assim,

$$\psi = \frac{q}{2\pi}\theta + C$$

Definindo a constante de integração $C = 0$, a função corrente é

$$\psi = \frac{q}{2\pi}\theta \qquad (7.36)$$

Logo, linhas de corrente para as quais ψ é igual a qualquer constante são linhas radiais em cada coordenada θ, conforme o esperado (Figura 7.25). Por exemplo, quando $C = 0$, então $(q/2\pi)\theta = 0$ ou $\theta = 0$, que representa a linha radial horizontal. De modo semelhante, se $\psi = 1$, então $\theta = 2\pi/q$, que define a posição angular da linha de corrente radial para $\psi = 1$, e assim por diante.

A função potencial é determinada integrando as equações 7.32.

$$v_r = \frac{\partial \phi}{\partial r}; \qquad \frac{q}{2\pi r} = \frac{\partial \phi}{\partial r}$$

$$v_\theta = \frac{1}{r}\frac{\partial \phi}{\partial \theta}; \qquad 0 = \frac{1}{r}\frac{\partial \phi}{\partial \theta}$$

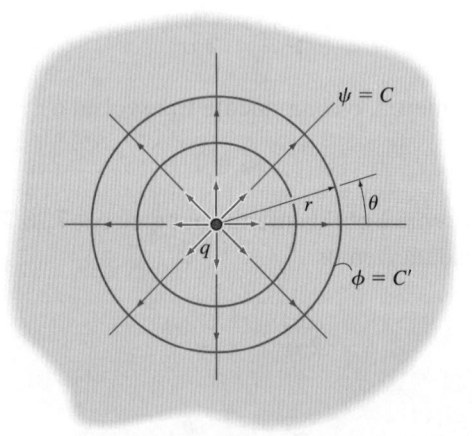

Escoamento de uma fonte linear

FIGURA 7.25

Mostre que a integração dessas duas equações resulta em

$$\phi = \frac{q}{2\pi} \ln r \qquad (7.37)$$

As linhas equipotenciais para as quais ϕ é igual a qualquer constante são círculos que possuem um centro na origem. Por exemplo, $\phi = 1$ define o círculo de raio $r = e^{2\pi/q}$ etc. (Figura 7.25). Observe que a fonte é, na realidade, uma singularidade matemática, pois $v_r = q/2\pi r$ aproxima-se de infinito quando r aproxima-se de zero. A rede de escoamento que estabelecemos, porém, ainda é válida em distâncias fora da fonte.

Escoamento de um sorvedouro linear

Quando o escoamento é radialmente para dentro, em direção a uma origem linear ao longo do eixo z, então a vazão q é negativa e o escoamento é denominado um escoamento de um sorvedouro (Figura 7.26). Esse tipo de escoamento é semelhante ao comportamento de uma profundidade rasa e constante d'água em uma pia plana passando por um dreno (sorvedouro). Aqui, os componentes da velocidade são

$$v_r = -\frac{q}{2\pi r}$$

$$v_\theta = 0$$

E as funções corrente e potencial tornam-se

$$\psi = -\frac{q}{2\pi} \theta \qquad (7.38)$$

$$\phi = -\frac{q}{2\pi} \ln r \qquad (7.39)$$

A rede de escoamento para essas funções aparece na Figura 7.26.

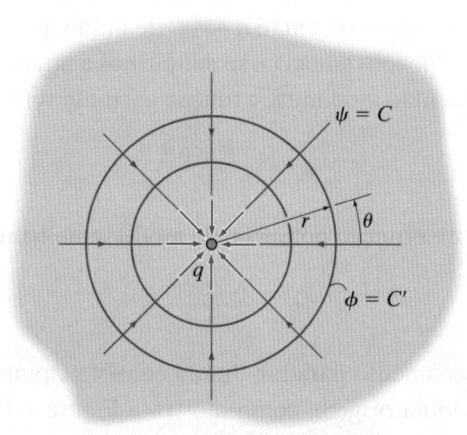

Escoamento de um sorvedouro linear

FIGURA 7.26

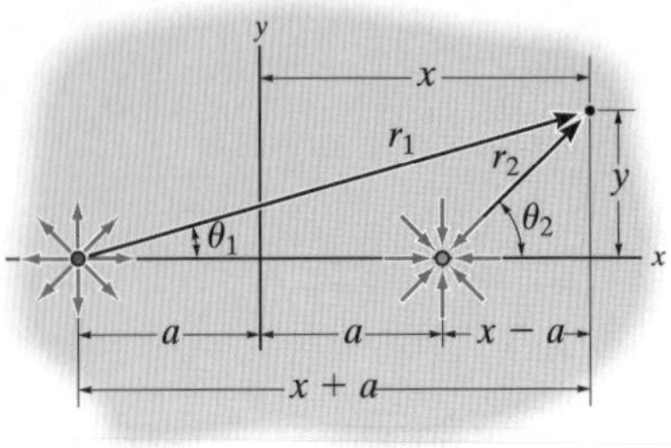

Dipolo

Quando uma fonte e um sorvedouro ficam próximos um do outro e então se combinam, eles formam um *dipolo* (em analogia ao dipolo elétrico). Para mostrar como formular a função corrente e a função potencial para este caso, considere a fonte e o sorvedouro, mostrados na Figura 7.27a, com mesma intensidade. Usando as equações 7.36 e 7.38, com θ_1 e θ_2 como as variáveis para a fonte e o sorvedouro, respectivamente, temos

$$\psi = \frac{q}{2\pi}(\theta_1 - \theta_2)$$

Se rearranjarmos esta equação e tomarmos a tangente dos dois lados, usando a fórmula de adição de ângulo para a tangente, obtemos

$$\text{tg}\left(\frac{2\pi\psi}{q}\right) = \text{tg}(\theta_1 - \theta_2) = \frac{\text{tg }\theta_1 - \text{tg }\theta_2}{1 + \text{tg }\theta_1 \text{tg }\theta_2} \qquad (7.40)$$

Pela Figura 7.27a, as tangentes de θ_1 e θ_2 podem ser escritas como

$$\text{tg}\left(\frac{2\pi\psi}{q}\right) = \frac{[y/(x+a)] - [y/(x-a)]}{1 + [(y/(x+a))(y/(x-a))]}$$

ou

$$\psi = \frac{q}{2\pi}\text{tg}^{-1}\left(\frac{-2ay}{x^2+y^2-a^2}\right)$$

À medida que a distância a se torna menor, os ângulos $\theta_1 \rightarrow \theta_2 \rightarrow \theta$, e, portanto, a diferença nos ângulos $(\theta_1 - \theta_2)$ torna-se menor. Quando isso acontece, a tangente da diferença se aproximará da própria diferença, ou seja, tg $(\theta_1 - \theta_2) \rightarrow (\theta_1 - \theta_2)$, de modo que tg^{-1} na equação anterior pode ser eliminada. Se depois convertermos nosso resultado para coordenadas polares, onde $r^2 = x^2 + y^2$ e $y = r$ sen θ, obtemos

$$\psi = -\frac{qa}{\pi}\left(\frac{r\text{sen}\theta}{r^2 - a^2}\right)$$

Se $a \rightarrow 0$, os escoamentos da fonte e do sorvedouro cancelariam um ao outro. Porém, se considerarmos que a *intensidade* q da fonte e do sorvedouro *aumentam* enquanto $a \rightarrow 0$, então $q \rightarrow \infty$, de modo que o produto qa permanece *constante*. Por conveniência, se definirmos a intensidade desse *dipolo* como $K = qa/\pi$, então, no limite, a função corrente torna-se

$$\psi = \frac{-K \text{ sen }\theta}{r} \qquad (7.41)$$

Podemos obter a função potencial de modo semelhante. Ela é

$$\phi = \frac{K \cos \theta}{r} \qquad (7.42)$$

A rede de escoamento para um dipolo consiste em uma série de círculos, todos cruzando na origem, como mostra a Figura 7.27b. Com isso, na Seção 7.10, mostraremos como ele pode ser superposto com um escoamento uniforme para representar o escoamento ao redor de um cilindro.

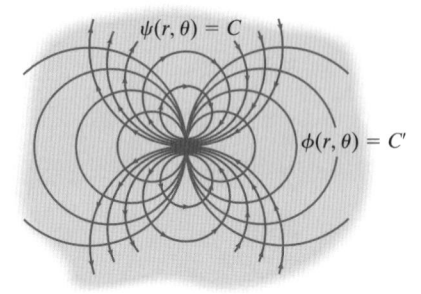

FIGURA 7.27

Escoamento de vórtice livre

Um vórtice livre é escoamento irrotacional que é circular. Aqui, as linhas de corrente são círculos e as linhas equipotenciais são radiais (Figura 7.28a). Podemos representar isso selecionando a função corrente de uma fonte linear (Equação 7.36) para ser a função potencial para o vórtice. Depois, considerando a relação para v_θ a partir das equações 7.28 e 7.32, $-\partial\psi/\partial r = (1/r)(\partial\phi/\partial\theta)$, podemos obter a função corrente. Os resultados são

$$\psi = -k \ln r \quad (7.43)$$

$$\phi = k\theta \quad (7.44)$$

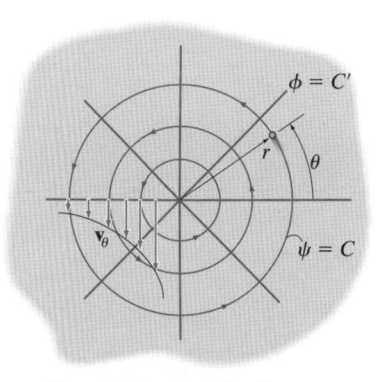

onde $k = q/(2\pi)$ é uma constante. Aplicando as equações 7.28, os componentes da velocidade são

$$v_r = \frac{1}{r}\frac{\partial\psi}{\partial\theta}; \qquad v_r = 0 \quad (7.45)$$

$$v_\theta = -\frac{\partial\psi}{\partial r}; \qquad v_\theta = \frac{k}{r} \quad (7.46)$$

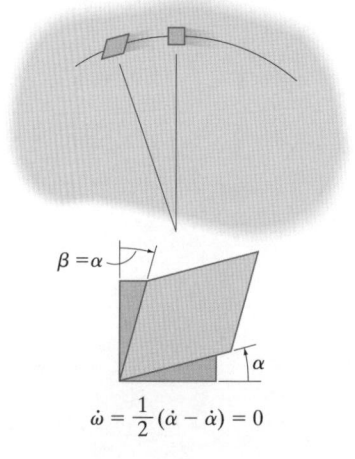

Observe que v_θ torna-se maior quando r torna-se menor, e o centro, $r = 0$, é uma singularidade, pois v_θ torna-se infinita (Figura 7.28a). Esse escoamento é irrotacional porque uma função potencial foi usada para descrevê-lo. Consequentemente, os elementos fluidos dentro do escoamento se *deformarão* de tal forma que não giram (Figura 7.28b). Por fim, observe que esse vórtice é no sentido anti-horário. Para obter uma descrição de um vórtice em sentido horário, os sinais devem ser trocados na Equação 7.43 e na Equação 7.44.

Escoamento de vórtice livre
(a)

Escoamento irrotacional
(b)

FIGURA 7.28

Circulação

Também é possível definir as funções corrente e potencial para um escoamento de vórtice livre em termos de sua circulação Γ, definida pela Equação 7.6. Se escolhermos a circulação em torno da linha de corrente (círculo) no raio r, então

$$\Gamma = \oint \mathbf{V} \cdot d\mathbf{s} = \int_0^{2\pi} \frac{k}{r}(r\,d\theta) = 2\pi k$$

Usando esse resultado, as equações 7.43 e 7.44 tornam-se

$$\psi = -\frac{\Gamma}{2\pi}\ln r \quad (7.47)$$

$$\phi = \frac{\Gamma}{2\pi}\theta \quad (7.48)$$

Usaremos esses resultados na próxima seção para estudar o efeito da pressão do fluido atuando sobre um cilindro rotativo.

Escoamento de vórtice forçado

Um vórtice forçado tem esse nome porque um torque externo é exigido para iniciar ou "forçar" o movimento (Figura 7.29a). Quando iniciado, os efeitos viscosos do fluido por fim farão com que ele gire como um corpo rígido; ou seja, os elementos fluidos mantêm sua forma e *giram* ao redor de um eixo fixo (Figura 7.29b). Um exemplo típico foi discutido na Seção 2.14. Essa é a rotação de um *fluido real* em um recipiente. Como os elementos fluidos estão "girando", a função potencial não pode ser estabelecida. Para este caso, como o caso discutido na Seção 2.14, os componentes da velocidade são $v_r = 0$ e $v_\theta = \omega r$, onde ω é a velocidade angular do fluido (Figura 7.29a).

$$v_\theta = -\frac{\partial \psi}{\partial r} = \omega r$$

Excluindo a constante de integração, a função corrente é, portanto,

$$\psi = -\frac{1}{2}\omega r^2$$

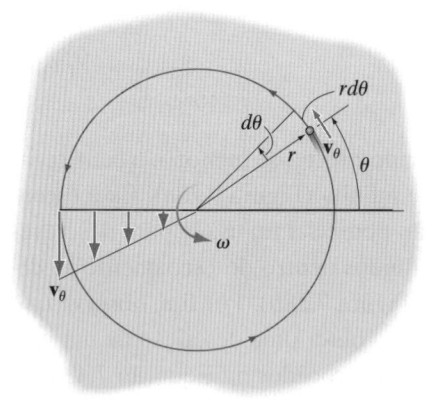

Escoamento de vórtice forçado
(a)

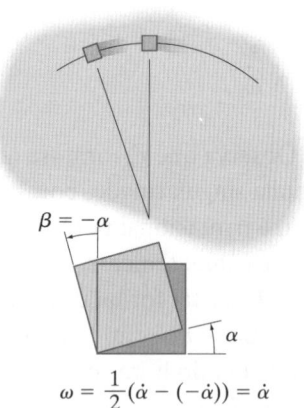

$\omega = \frac{1}{2}(\dot{\alpha} - (-\dot{\alpha})) = \dot{\alpha}$

Escoamento rotacional
(b)

FIGURA 7.29

EXEMPLO 7.9

Um tornado consiste em uma massa de ar rodopiando, de modo que os ventos basicamente se movem ao longo de linhas de corrente circulares horizontais (Figura 7.30a). Determine a distribuição de pressão dentro do tornado em função de r.

© Jim Zuckerman/Alamy

(a)

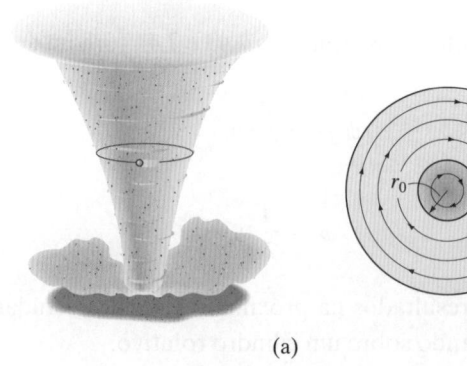

FIGURA 7.30 (continua)

Solução

Descrição do fluido

Vamos supor que o ar seja um fluido perfeito que possui escoamento em regime permanente. O movimento de translação do tornado será desconsiderado.

Vórtice livre

Pelas equações 7.45 e 7.46, os componentes da velocidade são

$$v_r = 0 \quad \text{e} \quad v_\theta = \frac{k}{r} \tag{1}$$

Como o escoamento dentro do vórtice livre é um *escoamento irrotacional* em regime permanente, a equação de Bernoulli pode ser aplicada a dois pontos, cada um estando em *linhas de corrente diferentes*. Se escolhermos um ponto dentro do tornado e outro na mesma elevação, porém remoto, onde a velocidade do ar é $V = 0$ e a pressão (manométrica) é $p = 0$, então, usando a Equação 7.24, temos

$$\frac{p_1}{\rho} + \frac{V_1^2}{2} + gz_1 = \frac{p_2}{\rho} + \frac{V_2^2}{2} + gz_2$$

$$\frac{p}{\rho} + \frac{k^2}{2r^2} + gz = 0 + 0 + gz$$

$$p = -\frac{\rho k^2}{2r^2} \tag{2}$$

Aqui, k é uma constante, ainda a ser determinada. O sinal negativo nesta equação indica que uma pressão de sucção se desenvolve, e tanto a pressão quanto a velocidade se intensificam à medida que r se torna menor.

Observe que um vórtice livre como este não pode realmente existir em um *fluido real*, pois a velocidade e a pressão teriam de se aproximar do infinito à medida que $r \to 0$. Em vez disso, devido ao gradiente de velocidade crescente enquanto r se torna menor, a viscosidade do ar por fim criará tensão de cisalhamento suficiente para fazer com que o ar no *núcleo*, ou "olho", gire como um *sistema sólido* que contém uma velocidade angular ω. Vamos supor que essa transição ocorra em um raio $r = r_0$ (Figura 7.30a).

Vórtice forçado

Devido ao seu movimento de "corpo rígido", o núcleo é um vórtice forçado, que analisamos usando as equações do movimento de Euler no Exemplo 5.1.

Naquele exemplo, mostramos que a distribuição de pressão é definida por

$$p = p_0 - \frac{\rho \omega^2}{2}\left(r_0^2 - r^2\right) \tag{3}$$

onde p_0 é a pressão em r_0.

Para estudar totalmente a variação de pressão, agora temos de combinar as duas soluções em $r = r_0$. A constante k na Equação 1 agora pode ser determinada, pois em r_0 a velocidade no vórtice forçado, $v_\theta = \omega r_0$, deve ser igual àquela no vórtice livre, ou seja,

$$v_\theta = \omega r_0 = \frac{k}{r_0} \quad \text{de modo que} \quad k = \omega r_0^2$$

As pressões nas equações 2 e 3 também devem ser equivalentes em $r = r_0$, de modo que

$$-\frac{\rho(\omega r_0^2)^2}{2r_0^2} = p_0 - \frac{\rho \omega^2}{2}\left(r_0^2 - r_0^2\right)$$

$$p_0 = -\frac{\rho \omega^2 r_0^2}{2}$$

Portanto, depois de substituir na Equação 3 e simplificar, temos para o vórtice forçado, $r \leq r_0$,

$$v_\theta = \omega r$$

$$p = \frac{\rho \omega^2}{2}\left(r^2 - 2r_0^2\right)$$

E, para o vórtice livre, $r \geq r_0$,

$$v_\theta = \frac{\omega r_0^2}{r}$$

$$p = -\frac{\rho \omega^2 r_0^4}{2r^2} \qquad \textit{Resposta}$$

Usando esses resultados, um gráfico das variações de velocidade e pressão pode ser visto na Figura 7.30b. Observe que a maior sucção (pressão negativa) ocorre no *centro* do vórtice forçado, $r = 0$, e a maior velocidade ocorre em $r = r_0$. É a combinação dessa baixa pressão e alta velocidade que torna os tornados tão destruidores. De fato, os tornados geralmente atingem velocidades de vento acima de 320 km/h. Pelos boletins do tempo, você pode ter notado seu efeito pelas casas bem construídas destruídas e carros que são levantados do chão.

O tipo de vórtice que consideramos aqui, ou seja, uma combinação de um vórtice forçado cercado por um vórtice livre, às vezes é chamado de **vórtice composto**. Ele não apenas ocorre em tornados, mas também se forma em uma pia de cozinha, quando a água é drenada para o fundo, ou em um rio, quando a água escoa de um remo de barco ou ao redor da coluna cilíndrica de uma ponte.

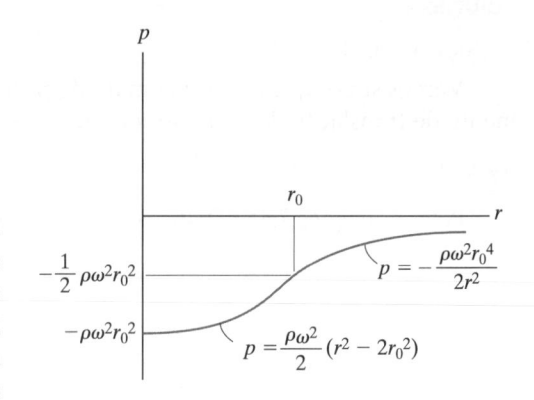

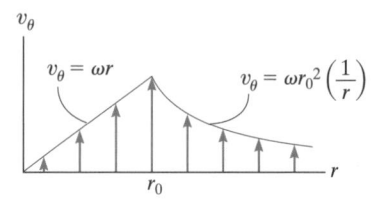

FIGURA 7.30 (cont.)

7.10 Superposição de escoamentos

Na seção anterior, observamos que, para qualquer escoamento perfeito, a função corrente e a função potencial precisam satisfazer a equação de Laplace, ou seja, as equações 7.33 e 7.34. Como as derivadas segundas de ψ e ϕ são elevadas à primeira potência nessa equação, ou seja, elas são lineares, então diversas soluções diferentes podem ser *superpostas*, ou somadas, para formar uma nova solução. Por exemplo, $\psi = \psi_1 + \psi_2$ ou $\phi = \phi_1 + \phi_2$. Desse modo, padrões de escoamento complexos podem ser estabelecidos a partir de uma série de padrões de escoamento básicos, como aqueles apresentados na seção anterior. Até o momento, muitos tipos de soluções foram produzidos por esse método, às vezes exigindo a aplicação de uma análise matemática avançada. Estas e outras técnicas usadas para encontrar soluções são discutidas em livros relacionados à hidrodinâmica. Veja as referências [10] e [11]. A seguir estão algumas aplicações básicas usando a superposição.

Escoamento por um semicorpo

Se os resultados para o escoamento uniforme e o escoamento de fonte linear forem somados, as funções corrente e potencial são

$$\psi = \frac{q}{2\pi}\theta + Uy = \frac{q}{2\pi}\theta + Ur \operatorname{sen}\theta \qquad (7.49)$$

$$\phi = \frac{q}{2\pi}\ln r + Ux = \frac{q}{2\pi}\ln r + Ur \cos\theta \qquad (7.50)$$

Aqui, usamos as equações de transformação de coordenadas, $x = r \cos\theta$ e $y = r \operatorname{sen}\theta$, para representar os resultados em coordenadas polares.

Os componentes da velocidade podem ser determinados a partir das equações 7.32 (ou das equações 7.28). Temos

$$v_r = \frac{\partial \phi}{\partial r} = \frac{q}{2\pi r} + U \cos \theta \qquad (7.51)$$

$$v_\theta = \frac{1}{r}\frac{\partial \phi}{\partial \theta} = -U \operatorname{sen} \theta \qquad (7.52)$$

O escoamento resultante se parece com aquele mostrado na Figura 7.31a. Qualquer uma das linhas de corrente pode ser selecionada como o *contorno* para um objeto sólido que se encaixa dentro do padrão de escoamento. Por exemplo, as linhas de corrente A e A' formam o contorno de um corpo infinitamente estendido com a forma que aparece sombreada na Figura 7.31b. Aqui, porém, vamos considerar a forma indicada pela linha de corrente que passa pelo ponto de estagnação P (Figura 7.31c). Esse ponto ocorre onde a velocidade do escoamento a partir da origem q cancela o escoamento uniforme U (Figura 7.31a). O ponto de estagnação está localizado em $r = r_0$, onde os dois componentes da velocidade precisam ser iguais a zero, imediatamente antes que o escoamento comece a se dividir igualmente e passe ao redor do corpo. Para o componente transversal, encontramos

$$0 = -U \operatorname{sen} \theta$$

$$\theta = 0, \pi$$

A raiz $\theta = \pi$ indica a direção de r_0. Para o componente radial,

$$0 = \frac{q}{2\pi r_0} + U \cos \pi$$

$$r_0 = \frac{q}{2\pi U} \qquad (7.53)$$

Como era esperado, a posição radial de P depende da intensidade da velocidade de escoamento uniforme U e da intensidade q da fonte.

O limite do corpo agora pode ser especificado pela linha de corrente que passa pelo ponto $r = r_0$, $\theta = \pi$. Pela Equação 7.49, a *constante* para esta linha de corrente é

$$C = \frac{q}{2\pi}\pi + U\left(\frac{q}{2\pi U}\right)\operatorname{sen}\pi = \frac{q}{2}$$

Portanto, a equação do contorno do corpo é

$$\frac{q}{2\pi}\theta + Ur \operatorname{sen}\theta = \frac{q}{2}$$

Para simplificar, podemos resolver para q na Equação 7.53 e substituí-la nesta equação. Isso resulta em

$$r = \frac{r_0(\pi - \theta)}{\operatorname{sen}\theta} \qquad (7.54)$$

Como o corpo se estende por uma distância infinita à direita, suas superfícies superior e inferior se aproximam de assíntotas e, portanto, não possuem fechamento. Por esse motivo, ele é conhecido como um **semicorpo**. A meia largura h pode ser determinada pela Equação 7.54, observando que $y = r \operatorname{sen}\theta = r_0(\pi - \theta)$ (Figura 7.31c). À medida que θ se aproxima de 0 ou de 2π, então $y = \pm h = \pm \pi r_0 = q/(2U)$.

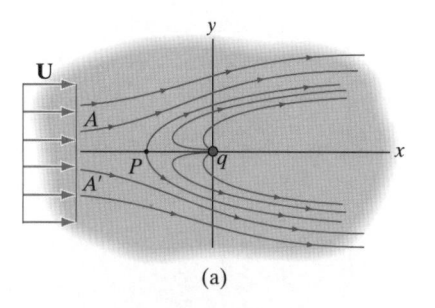

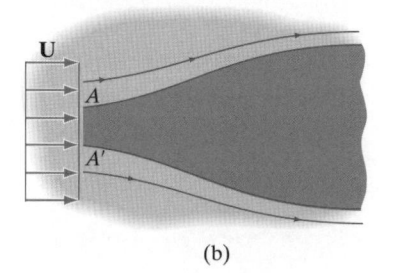

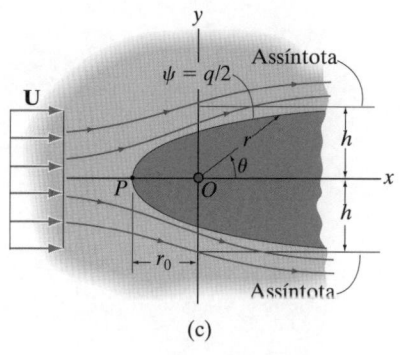

(a)

(b)

(c)

Escoamento após semicorpo

FIGURA 7.31

Selecionando valores apropriados para U e q, podemos usar o semicorpo para modelar a forma frontal de um objeto simétrico, como a superfície frontal de um aerofólio (asa) sujeito ao escoamento uniforme U. Mas isso tem suas limitações. Considerando que o fluido seja *perfeito*, temos então um *valor finito* para a velocidade no *limite* do corpo, embora todos os fluidos reais exijam uma *velocidade zero* "sem deslizamento" no limite, devido à sua viscosidade. No Capítulo 11, mostraremos que esse efeito viscoso geralmente é *limitado* apenas a uma região muito fina próxima do contorno, que é formada quando fluidos de viscosidade relativamente baixa, como o ar, escoam em altas velocidades. Fora dessa região, o escoamento geralmente pode ser descrito pela análise apresentada aqui e, na verdade, foram encontrados resultados muito próximos dos resultados experimentais.

Escoamento em torno de uma oval de Rankine

Quando o escoamento uniforme é superposto a uma fonte e sorvedouro linear de mesma intensidade, cada um localizado a uma distância a da origem (Figura 7.32a), as linhas de corrente produzidas dessa maneira se parecerão com aquelas da Figura 7.32b. Usando as coordenadas estabelecidas, temos

$$\psi = Uy + \frac{q}{2\pi}\theta_2 - \frac{q}{2\pi}\theta_1 = Ur\,\text{sen}\,\theta + \frac{q}{2\pi}(\theta_2 - \theta_1) \qquad (7.55)$$

$$\phi = Ux - \frac{q}{2\pi}\ln r_1 + \frac{q}{2\pi}\ln r_2 = Ur\cos\theta + \frac{q}{2\pi}\ln\frac{r_2}{r_1} \qquad (7.56)$$

Também podemos expressar essas funções em coordenadas cartesianas, sendo

$$\psi = Uy - \frac{q}{2\pi}\text{tg}^{-1}\frac{2ay}{x^2 + y^2 - a^2} \qquad (7.57)$$

$$\phi = Ux + \frac{q}{2\pi}\ln\frac{\sqrt{(x+a)^2 + y^2}}{\sqrt{(x-a)^2 + y^2}} \qquad (7.58)$$

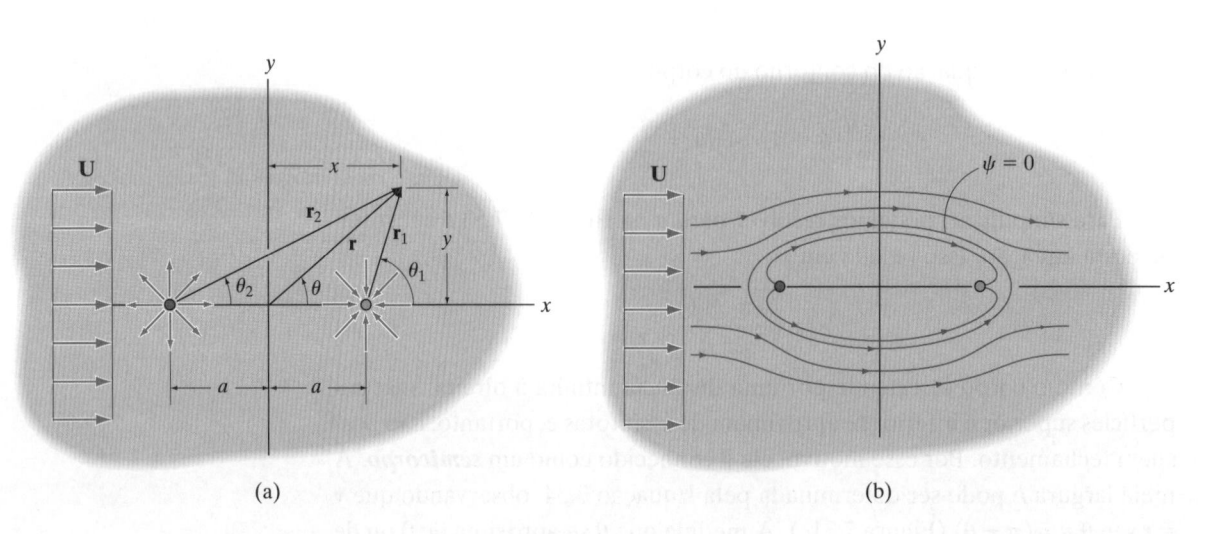

(a)   (b)

FIGURA 7.32 (continua)

Os componentes da velocidade são, então,

$$u = \frac{\partial \phi}{\partial x} = U + \frac{q}{2\pi}\left[\frac{x+a}{(x+a)^2 + y^2} - \frac{x-a}{(x-a)^2 + y^2}\right] \quad (7.59)$$

$$v = \frac{\partial \phi}{\partial y} = \frac{q}{2\pi}\left[\frac{y}{(x+a)^2 + y^2} - \frac{y}{(x-a)^2 + y^2}\right] \quad (7.60)$$

Definindo $\psi = 0$ na Equação 7.57, obtemos a forma mostrada na Figura 7.32c. Ela passa por dois pontos de estagnação e forma uma **oval de Rankine**, que recebe o nome do hidrodinamicista William Rankine, que foi o primeiro a desenvolver essa ideia de combinar padrões de escoamento.

Para achar o local dos pontos de estagnação, é preciso que $u = v = 0$. Assim, pela Equação 7.60, com $v = 0$, obtemos $y = 0$. Então, com $u = 0$ em $x = b$, $y = 0$, a Equação 7.59 resulta em

$$b = \left(\frac{q}{U\pi}a + a^2\right)^{1/2} \quad (7.61)$$

Esta dimensão também define o meio comprimento do corpo (Figura 7.32c). A meia largura h é encontrada como o ponto de interseção de $\psi = 0$ com o eixo y ($x = 0$). Pela Equação 7.57,

$$0 = Uh - \frac{q}{2\pi}\operatorname{tg}^{-1}\frac{2ah}{h^2 - a^2}$$

Rearranjando os termos, obtemos

$$h = \frac{h^2 - a^2}{2a}\operatorname{tg}\left(\frac{2\pi U h}{q}\right) \quad (7.62)$$

Uma solução numérica específica para h nesta equação transcendental exigirá um procedimento numérico, conforme será demonstrado no Exemplo 7.10. Em geral, porém, quando estiver buscando uma solução, comece escolhendo um número ligeiramente menor que $q/(2U)$, pois a meia largura de uma oval de Rankine é um pouco menor que a meia largura de um semicorpo correspondente.

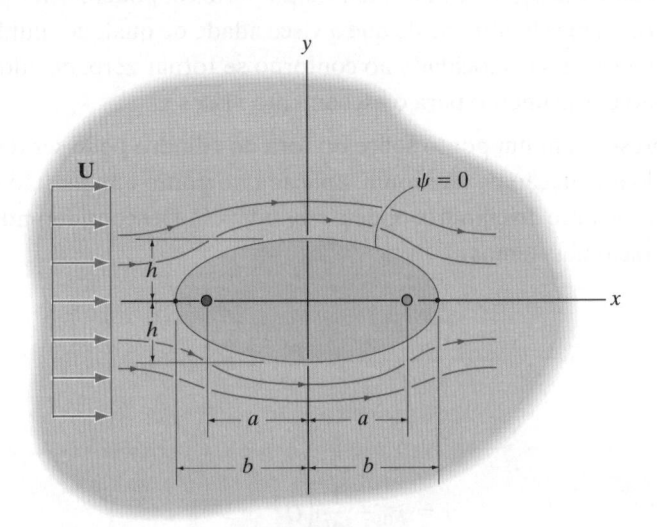

Oval de Rankine
(c)

FIGURA 7.32 (cont.)

Escoamento em torno de um cilindro

Se uma fonte e um sorvedouro com a mesma intensidade forem colocados no *mesmo ponto*, produzindo um dipolo, e este for superposto com um escoamento uniforme, obtemos o escoamento em torno de um cilindro (Figura 7.33a). Aqui, a representa o raio do cilindro, portanto, usando as equações 7.34 e 7.35, com $x = r\cos\theta$ e $y = r\,\text{sen}\,\theta$, e as equações 7.41 e 7.42, as funções corrente e potencial tornam-se

$$\psi = Ur\,\text{sen}\,\theta - \frac{K\,\text{sen}\,\theta}{r}$$

$$\phi = Ur\cos\theta + \frac{K\cos\theta}{r}$$

Se definirmos $\psi = 0$, que passa pelos dois pontos de estagnação, isso definirá então a fronteira do cilindro. Assim, $(Ua - K/a)\,\text{sen}\,\theta = 0$, de modo que a intensidade do dipolo deverá ser $K = Ua^2$. Portanto,

$$\psi = Ur\left(1 - \frac{a^2}{r^2}\right)\text{sen}\,\theta \tag{7.63}$$

$$\phi = Ur\left(1 + \frac{a^2}{r^2}\right)\cos\theta \tag{7.64}$$

E os componentes da velocidade tornam-se

$$v_r = \frac{\partial\phi}{\partial r} = U\left(1 - \frac{a^2}{r^2}\right)\cos\theta \tag{7.65}$$

$$v_\theta = \frac{1}{r}\frac{\partial\phi}{\partial\theta} = -U\left(1 + \frac{a^2}{r^2}\right)\text{sen}\,\theta \tag{7.66}$$

Observe que, quando $r = a$, então $v_r = 0$ devido ao contorno, mas $v_\theta = -2U\,\text{sen}\,\theta$. Os pontos de estagnação ocorrem onde $v_\theta = 0$, ou seja, onde sen θ = 0, ou $\theta = 0°$ e $\theta = 180°$. Como as linhas de corrente estão próximas no topo (ou no fundo) do cilindro, $\theta = 90°$ (Figura 7.33a), a velocidade máxima ocorre aqui. Ela é $(v_\theta)_{\text{máx}} = 2U$. Para um fluido perfeito, podemos ter esse valor finito para v_θ, mas lembre-se de que a viscosidade de qualquer fluido real na realidade faria essa velocidade no contorno se tornar zero, devido à condição de não deslizamento para o escoamento viscoso.

A pressão em um ponto sobre ou fora do cilindro pode ser determinada usando a equação de Bernoulli, aplicada no ponto em questão e em outro ponto distante do cilindro, onde $p = p_0$ e $V = U$. Desconsiderando os efeitos gravitacionais, temos

$$\frac{p}{\rho} + \frac{V^2}{2} = \frac{p_0}{\rho} + \frac{U^2}{2}$$

ou

$$p = p_0 + \frac{1}{2}\rho(U^2 - V^2)$$

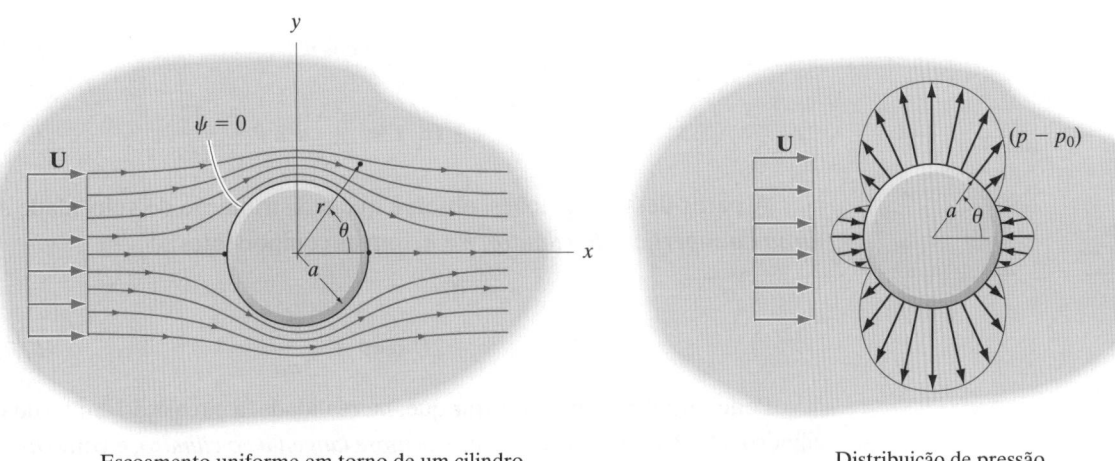

Escoamento uniforme em torno de um cilindro
Escoamento perfeito
(a)

Distribuição de pressão
(b)

FIGURA 7.33

Como $V = v_\theta = -2U \operatorname{sen} \theta$ ao longo da superfície, $r = a$, então, quando substituímos isso na equação anterior, descobrimos que a pressão sobre a superfície é

$$p = p_0 + \frac{1}{2}\rho U^2 \left(1 - 4 \operatorname{sen}^2 \theta\right) \tag{7.67}$$

Um gráfico do resultado $(p - p_0)$ pode ser visto na Figura 7.33b. Por inspeção, essa distribuição de pressão é *simétrica*, e, portanto, não cria uma força resultante sobre o cilindro. Isso é algo que deve ser esperado para um *fluido perfeito*, pois o escoamento não inclui o efeito do cisalhamento viscoso. No Capítulo 11, porém, incluiremos esse efeito, mostrando como isso altera a distribuição de pressão.

Escoamento uniforme e de vórtice livre em torno de um cilindro

Se um cilindro *girando* em sentido anti-horário for colocado no escoamento uniforme de um *fluido real*, então as partículas de fluido em contato com a superfície do cilindro aderirão à superfície, e devido à viscosidade, se moverão com o cilindro. Podemos *modelar* aproximadamente esse tipo de escoamento usando um *fluido perfeito* e considerando que o cilindro está imerso em um escoamento uniforme superposto com um vórtice livre, escrito em termos de sua circulação Γ (equações 7.47 e 7.48). A soma desses escoamentos resulta nas seguintes funções corrente e potencial:

$$\psi = Ur\left(1 - \frac{a^2}{r^2}\right)\operatorname{sen}\theta - \frac{\Gamma}{2\pi}\ln r \tag{7.68}$$

$$\phi = Ur\left(1 + \frac{a^2}{r^2}\right)\cos\theta + \frac{\Gamma}{2\pi}\theta \tag{7.69}$$

Os componentes da velocidade são, portanto,

$$v_r = \frac{\partial \phi}{\partial r} = U\left(1 - \frac{a^2}{r^2}\right)\cos\theta \qquad (7.70)$$

$$v_\theta = \frac{1}{r}\frac{\partial \phi}{\partial \theta} = -U\left(1 + \frac{a^2}{r^2}\right)\sin\theta + \frac{\Gamma}{2\pi r} \qquad (7.71)$$

A partir dessas equações, observe que a distribuição de velocidade *em torno da superfície do cilindro*, $r = a$, tem as componentes

$$v_r = 0$$

$$v_\theta = -2U\sin\theta + \frac{\Gamma}{2\pi a} \qquad (7.72)$$

Pode ser interessante mostrar que, na realidade, a circulação em torno do cilindro é Γ. Para este caso, $v = v_\theta$ é *sempre tangente ao cilindro*, e como $ds = a\,d\theta$, temos

$$\Gamma = \oint \mathbf{V}\cdot ds = \int_0^{2\pi}\left(-2U\sin\theta + \frac{\Gamma}{2\pi a}\right)(a\,d\theta)$$

$$= \left(2aU\cos\theta + \frac{\Gamma}{2\pi}\theta\right)\Big|_0^{2\pi} = \Gamma$$

O local do ponto de estagnação no cilindro é determinado definindo $v_\theta = 0$ na Equação 7.72. Assim, obtemos

$$\sin\theta = \frac{\Gamma}{4\pi U a}$$

Como podemos ver pelas linhas de corrente na Figura 7.34a, se $\Gamma < 4\pi Ua$, então dois pontos de estagnação ocorrerão no cilindro, pois esta equação terá duas raízes para θ. Quando $\Gamma = 4\pi Ua$, os pontos serão mesclados e estarão localizados em $\theta = 90°$ (Figura 7.34b). Por fim, se $\Gamma > 4\pi Ua$, então não existe raiz, e o escoamento não se estagnará sobre a superfície do cilindro; em vez disso, ele ocorrerá em um ponto fora do cilindro (Figura 7.34c).

A distribuição de pressão em torno do cilindro é determinada aplicando-se a equação de Bernoulli da mesma forma que no caso anterior. Assim, obtemos

$$p = p_0 + \frac{1}{2}\rho U^2\left[1 - \left(-2\sin\theta + \frac{\Gamma}{2\pi Ua}\right)^2\right]$$

A forma geral dessa distribuição, $(p - p_0)$, aparece na Figura 7.34d. Integrando essa distribuição sobre a superfície do cilindro nas direções x e y, podemos encontrar os componentes da força resultante que o fluido (perfeito) exerce sobre o cilindro por unidade de comprimento. Isso resulta em

$$F_x = -\int_0^{2\pi}(p - p_0)\cos\theta\,(a\,d\theta) = 0$$

$$F_y = -\int_0^{2\pi}(p - p_0)\sin\theta\,(a\,d\theta)$$

$$= -\frac{1}{2}\rho a U^2\int_0^{2\pi}\left[1 - \left(-2\sin\theta + \frac{\Gamma}{2\pi Ua}\right)^2\right]\sin\theta\,d\theta$$

$$F_y = -\rho U \Gamma \qquad (7.73)$$

Devido à simetria em torno do eixo y, o resultado $F_x = 0$ indica que não há "arrasto" ou força de retardo sobre o cilindro na direção x.* Há somente uma força vertical F_y para baixo (Figura 7.34e). Como essa força é perpendicular ao escoamento uniforme, ela é chamada de "sustentação". Lançar uma bola girando no ar também produzirá sustentação e fará com que ela faça uma curva. Isto é chamado de *efeito de Magnus*, e será discutido mais adiante no Capítulo 11.

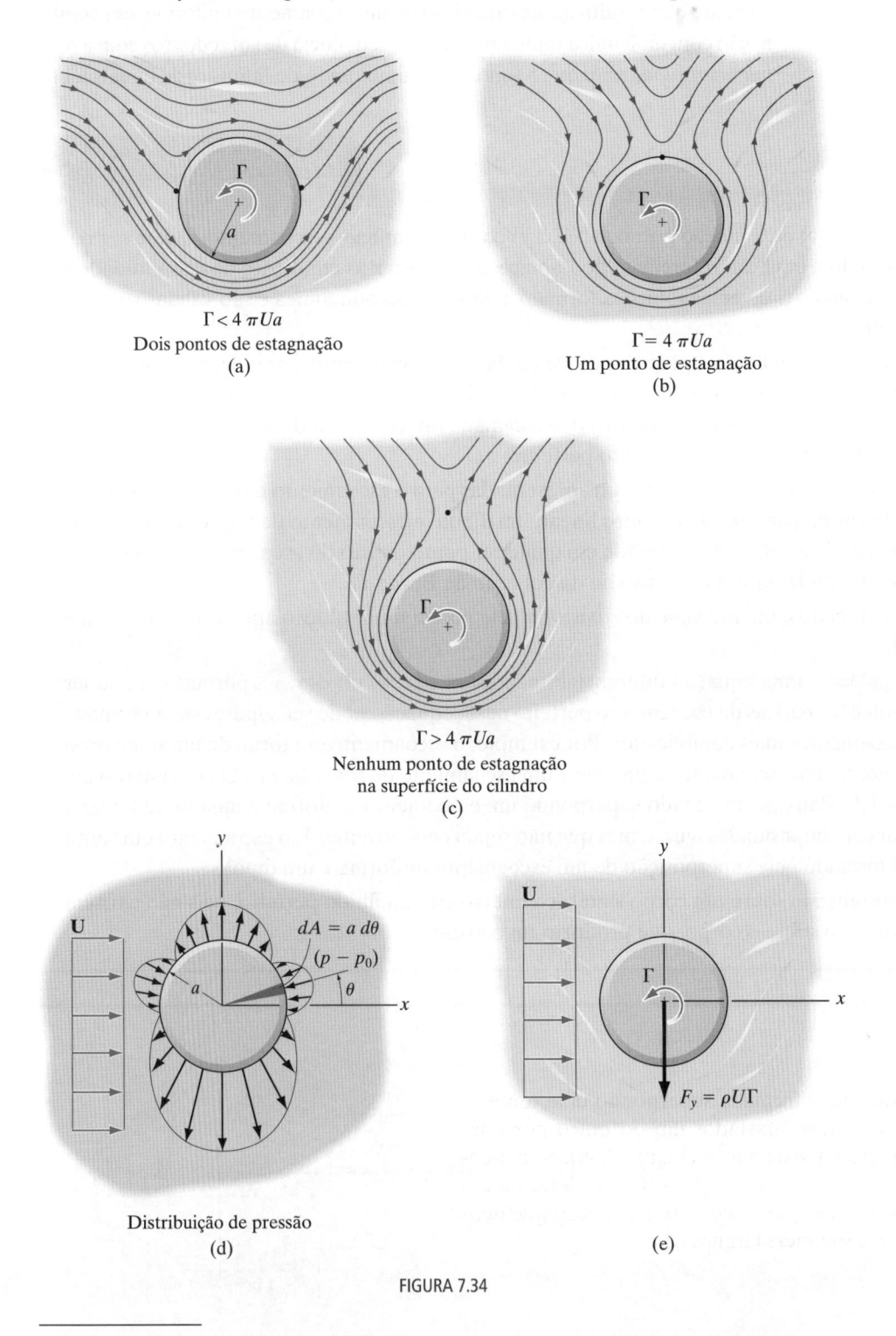

$\Gamma < 4\pi Ua$
Dois pontos de estagnação
(a)

$\Gamma = 4\pi Ua$
Um ponto de estagnação
(b)

$\Gamma > 4\pi Ua$
Nenhum ponto de estagnação
na superfície do cilindro
(c)

Distribuição de pressão
(d)

$F_y = \rho U \Gamma$

(e)

FIGURA 7.34

---

* Historicamente, isso tem sido chamado de paradoxo de d'Alembert, devido a Jean le Rond d'Alembert, que no século XVIII foi incapaz de explicar por que os fluidos reais causam arrasto sobre um corpo. A explicação veio depois, em 1904, quando Ludwig Prandtl desenvolveu o conceito da camada limite, que veremos no Capítulo 11.

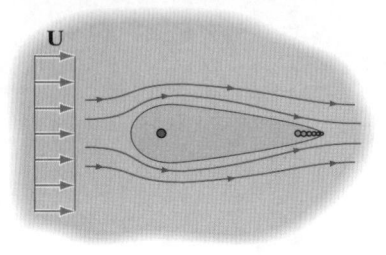

Outras aplicações

Podemos estender essas ideias de superposição de escoamentos de fluidos perfeitos para formar outros corpos fechados, com uma série de formatos diferentes. Por exemplo, um corpo com a forma aproximada de um aerofólio ou asa pode ser visto na Figura 7.35. Ele é formado a partir de uma linha de corrente que resulta da superposição de um escoamento uniforme, em combinação com uma única fonte linear e uma sequência de sorvedouros com a *mesma intensidade total* que a fonte, mas diminuindo de intensidade linearmente.

Superposição de um escoamento uniforme com uma fonte e sorvedouros em sequência

FIGURA 7.35

Pontos importantes

- A função corrente $\psi(x, y)$ ou a função potencial $\phi(x, y)$ para determinado escoamento podem ser determinadas integrando a equação diferencial de Laplace, que satisfaz as condições de continuidade *e* escoamento irrotacional. As diversas soluções formam a base da hidrodinâmica e são válidas *somente* para fluidos perfeitos.
- Quando a viscosidade de um fluido é pequena e a velocidade do escoamento é grande, uma *fina* camada limite se formará sobre a superfície de um corpo colocado no escoamento. Assim, os efeitos viscosos podem ser limitados ao escoamento dentro dessa camada limite, e o fluido além dela geralmente pode ser considerado como tendo escoamento perfeito.
- As soluções básicas para $\psi(x, y)$ e $\phi(x, y)$ foram apresentadas para o escoamento uniforme, escoamento de uma fonte linear ou para um sorvedouro linear, um dipolo e escoamento de vórtice livre. A partir dessas soluções, pode-se obter a velocidade em qualquer ponto dentro do escoamento, e também a pressão em um ponto pode ser obtida por meio da equação de Bernoulli.
- Como um vórtice forçado é um *escoamento rotacional*, ele possui uma solução apenas para $\psi(x, y)$, e não para $\phi(x, y)$.
- A equação de Laplace é uma equação diferencial linear para $\psi(x, y)$ ou $\phi(x, y)$, portanto, qualquer combinação de soluções básicas de escoamento perfeito nesta equação pode ser superposta ou somada para produzir escoamentos mais complicados. Por exemplo, o escoamento em torno de um semicorpo é formado superpondo um escoamento uniforme e um escoamento de fonte linear. O escoamento em torno de uma oval de Rankine é formado superpondo um escoamento uniforme e uma fonte linear e sorvedouro linear com intensidades iguais, mas que não sejam concorrentes. E o escoamento em torno de um cilindro é formado pela superposição de um escoamento uniforme e um dipolo.
- *Arrasto* nunca é produzido sobre um corpo simétrico imerso em um fluido perfeito, pois não existem forças viscosas atuando sobre o corpo, que produziriam o arrasto.

EXEMPLO 7.10

Uma oval de Rankine é formada superpondo uma fonte linear e um sorvedouro linear, afastados um do outro por 2 m, cada um com uma intensidade de 8 m²/s (Figura 7.36). Se o escoamento uniforme em torno do corpo é $U = 10$ m/s, determine o local b dos pontos de estagnação e encontre a equação que define o contorno da oval e sua meia largura h.

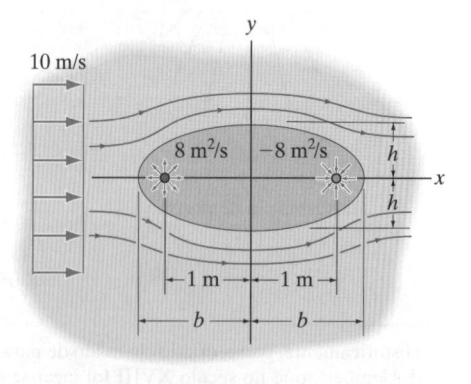

Solução

Descrição do fluido

Consideramos um escoamento em regime permanente de um fluido perfeito com uma densidade ρ.

FIGURA 7.36

Análise

Nos pontos de estagnação, a velocidade é zero. Usando a Equação 7.61, temos

$$b = \left(\frac{q}{U\pi}a + a^2\right)^{1/2}$$

$$= \left(\frac{8 \text{ m}^2/\text{s}}{(10 \text{ m/s})\pi}(1 \text{ m}) + (1 \text{ m})^2\right)^{1/2}$$

$$= 1,12 \text{ m} \qquad \textit{Resposta}$$

A função corrente para o escoamento é definida pela Equação 7.57. Aqui, ela se torna

$$\psi = Uy - \frac{q}{2\pi}\text{tg}^{-1}\frac{2ay}{x^2 + y^2 - a^2}$$

$$= 10y - \frac{4}{\pi}\text{tg}^{-1}\frac{2y}{x^2 + y^2 - 1}$$

Para $\psi = 0$ tem-se o contorno do corpo, pois contém os pontos de estagnação.

$$\psi = 10y - \frac{4}{\pi}\text{tg}^{-1}\frac{2y}{x^2 + y^2 - 1} = 0$$

$$\text{tg}(2,5\pi y) = \frac{2y}{x^2 + y^2 - 1} \qquad \textit{Resposta}$$

Para achar a meia largura do corpo, defina $x = 0$, $y = h$ na equação (Figura 7.36). Isso resulta em

$$h = \frac{h^2 - 1}{2}\text{tg}(2,5\pi h)$$

O mesmo resultado também pode ser obtido aplicando a Equação 7.62. Para resolver, observe que, para um semicorpo, sua meia largura é $q/(2U) = (8 \text{ m}^2/\text{s})/[2(10 \text{ m/s})] = 0,4$ m. Portanto, se começarmos com um valor ligeiramente menor, digamos, $h = 0,35$ m, então poderemos ajustá-lo até que satisfaça a equação. Descobrimos que

$$h = 0,321 \text{ m} \qquad \textit{Resposta}$$

7.11 As equações de Navier-Stokes

Nas seções anteriores, consideramos as aplicações das equações do movimento aos *fluidos perfeitos*, onde apenas as forças da gravidade e da pressão influenciam o escoamento. Essas forças formam um sistema concorrente em cada partícula ou elemento do fluido, e, portanto, existe um escoamento irrotacional. Porém, os fluidos reais são viscosos, de modo que um conjunto mais preciso de equações usadas para descrever o escoamento deverá incluir também as forças viscosas.

As equações diferenciais gerais do movimento para um fluido, determinadas a partir da segunda lei do movimento de Newton, foram desenvolvidas na Seção 7.5, na forma das equações 7.17. Por conveniência, elas são repetidas aqui:

$$\rho g_x + \frac{\partial \sigma_{xx}}{\partial x} + \frac{\partial \tau_{yx}}{\partial y} + \frac{\partial \tau_{zx}}{\partial z} = \rho\left(\frac{\partial u}{\partial t} + u\frac{\partial u}{\partial x} + v\frac{\partial u}{\partial y} + w\frac{\partial u}{\partial z}\right)$$

$$\rho g_y + \frac{\partial \tau_{xy}}{\partial x} + \frac{\partial \sigma_{yy}}{\partial y} + \frac{\partial \tau_{zy}}{\partial z} = \rho\left(\frac{\partial v}{\partial t} + u\frac{\partial v}{\partial x} + v\frac{\partial v}{\partial y} + w\frac{\partial v}{\partial z}\right)$$

$$\rho g_z + \frac{\partial \tau_{xz}}{\partial x} + \frac{\partial \tau_{yz}}{\partial y} + \frac{\partial \sigma_{zz}}{\partial z} = \rho\left(\frac{\partial w}{\partial t} + u\frac{\partial w}{\partial x} + v\frac{\partial w}{\partial y} + w\frac{\partial w}{\partial z}\right)$$

Para buscar uma solução geral, expressaremos essas equações em termos dos componentes da velocidade, relacionando os componentes de tensão com a viscosidade do fluido e os gradientes de velocidade. Lembre-se de que, para o escoamento unidimensional de um *fluido newtoniano*, a tensão de cisalhamento e o gradiente de velocidade são relacionados pela Equação 1.14, $\tau = \mu(du/dy)$. Porém, para o escoamento tridimensional, expressões semelhantes são mais complicadas. Para o caso especial em que a densidade é constante e temos um fluido newtoniano, as tensões normais e de cisalhamento estão linearmente relacionadas às suas taxas de deformação associadas. Pode-se mostrar (veja a Referência [9]) que as relações entre as tensões e as taxas de deformação tornam-se, então,*

$$\begin{aligned} \sigma_{xx} &= -p + 2\mu \frac{\partial u}{\partial x} \\ \sigma_{yy} &= -p + 2\mu \frac{\partial v}{\partial y} \\ \sigma_{zz} &= -p + 2\mu \frac{\partial w}{\partial z} \\ \tau_{xy} = \tau_{yx} &= \mu\left(\frac{\partial u}{\partial y} + \frac{\partial v}{\partial x}\right) \\ \tau_{yz} = \tau_{zy} &= \mu\left(\frac{\partial v}{\partial z} + \frac{\partial w}{\partial y}\right) \\ \tau_{zx} = \tau_{xz} &= \mu\left(\frac{\partial u}{\partial z} + \frac{\partial w}{\partial x}\right) \end{aligned} \qquad (7.74)$$

Se substituirmos essas equações para os componentes de tensão nas equações do movimento e simplificarmos essas equações, obteremos

$$\begin{aligned} \rho\left(\frac{\partial u}{\partial t} + u\frac{\partial u}{\partial x} + v\frac{\partial u}{\partial y} + w\frac{\partial u}{\partial z}\right) &= \rho g_x - \frac{\partial p}{\partial x} + \mu\left(\frac{\partial^2 u}{\partial x^2} + \frac{\partial^2 u}{\partial y^2} + \frac{\partial^2 u}{\partial z^2}\right) \\ \rho\left(\frac{\partial v}{\partial t} + u\frac{\partial v}{\partial x} + v\frac{\partial v}{\partial y} + w\frac{\partial v}{\partial z}\right) &= \rho g_y - \frac{\partial p}{\partial y} + \mu\left(\frac{\partial^2 v}{\partial x^2} + \frac{\partial^2 v}{\partial y^2} + \frac{\partial^2 v}{\partial z^2}\right) \\ \rho\left(\frac{\partial w}{\partial t} + u\frac{\partial w}{\partial x} + v\frac{\partial w}{\partial y} + w\frac{\partial w}{\partial z}\right) &= \rho g_z - \frac{\partial p}{\partial z} + \mu\left(\frac{\partial^2 w}{\partial x^2} + \frac{\partial^2 w}{\partial y^2} + \frac{\partial^2 w}{\partial z^2}\right) \end{aligned} \qquad (7.75)$$

Aqui, os termos da esquerda representam "*ma*", e os da direita, "Σ*F*", causados por peso, pressão e viscosidade, respectivamente. Essas equações foram desenvolvidas no início do século XIX pelo engenheiro francês Louis Navier, e muitos anos depois pelo matemático britânico George Stokes. É por esse motivo que elas são conhecidas como as **equações de Navier- -Stokes**. Elas se aplicam ao escoamento uniforme, não uniforme, em regime

---

* Observe que as tensões normais são o resultado *tanto* de uma pressão *p*, que representa a tensão normal média sobre o elemento fluido, ou seja, $p = -\frac{1}{3}(\sigma_{xx} + \sigma_{yy} + \sigma_{zz})$, *quanto* de um termo de viscosidade, que é causado pelo movimento do fluido. Quando o fluido está *em repouso* ($u = v = w = 0$), então $\sigma_{xx} = \sigma_{yy} = \sigma_{zz} = -p$, uma consequência da lei de Pascal. Além disso, quando as *linhas de corrente do escoamento forem todas paralelas* e direcionadas, digamos, ao longo do eixo *x* (escoamento unidimensional), então $v = w = 0$, de modo que $\sigma_{yy} = \sigma_{zz} = -p$. Além disso, com $v = w = 0$, para um *fluido incompressível*, a equação da continuidade (Equação 7.9) torna-se $\partial u/\partial x = 0$, e, portanto, também $\sigma_{xx} = -p$.

permanente ou transitório de um fluido newtoniano incompressível, para o qual μ é constante.* Junto com a equação da continuidade (Equação 7.10),

$$\frac{\partial \rho}{\partial t} + \frac{\partial(\rho u)}{\partial x} + \frac{\partial(\rho v)}{\partial y} + \frac{\partial(\rho w)}{\partial z} = 0 \tag{7.76}$$

essas *quatro equações* fornecem um meio de obter os componentes de velocidade u, v, w e a pressão p dentro do escoamento.

Infelizmente, não existe uma *solução geral*, simplesmente porque as três incógnitas u, v, w aparecem em *todas* as equações, e as três primeiras são não lineares e de segunda ordem. Apesar dessa dificuldade, para alguns problemas, todas elas se reduzem a uma forma mais simples, e assim produzem uma solução. Isso ocorre quando as condições de contorno e iniciais são simples, e o escoamento laminar prevalece. Mostraremos uma dessas soluções no problema do exemplo a seguir, enquanto outras são dadas como exercícios. Mais adiante, no Capítulo 9, também mostraremos como essas equações podem ser resolvidas para o caso do escoamento laminar entre placas paralelas, e dentro de uma tubulação.

Coordenadas cilíndricas

Embora tenhamos apresentado as equações de Navier-Stokes em termos de coordenadas cartesianas x, y, z, elas também podem ser desenvolvidas em termos de coordenadas cilíndricas (ou esféricas). Sem provas, e para uso posterior, em termos de coordenadas cilíndricas (Figura 7.37) elas são

$$\rho\left(\frac{\partial v_r}{\partial t} + v_r\frac{\partial v_r}{\partial r} + \frac{v_\theta}{r}\frac{\partial v_r}{\partial \theta} - \frac{v_\theta^2}{r} + v_z\frac{\partial v_r}{\partial z}\right)$$
$$= -\frac{\partial p}{\partial r} + \rho g_r + \mu\left[\frac{1}{r}\frac{\partial}{\partial r}\left(r\frac{\partial v_r}{\partial r}\right) - \frac{v_r}{r^2} + \frac{1}{r^2}\frac{\partial^2 v_r}{\partial \theta^2} - \frac{2}{r^2}\frac{\partial v_\theta}{\partial \theta} + \frac{\partial^2 v_r}{\partial z^2}\right]$$
$$\rho\left(\frac{\partial v_\theta}{\partial t} + v_r\frac{\partial v_\theta}{\partial r} + \frac{v_\theta}{r}\frac{\partial v_\theta}{\partial \theta} + \frac{v_r v_\theta}{r} + v_z\frac{\partial v_\theta}{\partial z}\right)$$
$$= -\frac{1}{r}\frac{\partial p}{\partial \theta} + \rho g_\theta + \mu\left[\frac{1}{r}\frac{\partial}{\partial r}\left(r\frac{\partial v_\theta}{\partial r}\right) - \frac{v_\theta}{r^2} + \frac{1}{r^2}\frac{\partial^2 v_\theta}{\partial \theta^2} + \frac{2}{r^2}\frac{\partial v_r}{\partial \theta} + \frac{\partial^2 v_\theta}{\partial z^2}\right] \tag{7.77}$$
$$\rho\left(\frac{\partial v_z}{\partial t} + v_r\frac{\partial v_z}{\partial r} + \frac{v_\theta}{r}\frac{\partial v_z}{\partial \theta} + v_z\frac{\partial v_z}{\partial z}\right)$$
$$= -\frac{\partial p}{\partial z} + \rho g_z + \mu\left[\frac{1}{r}\frac{\partial}{\partial r}\left(r\frac{\partial v_z}{\partial r}\right) + \frac{1}{r^2}\frac{\partial^2 v_z}{\partial \theta^2} + \frac{\partial^2 v_z}{\partial z^2}\right]$$

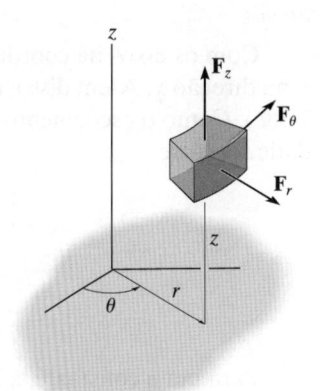

Coordenadas polares

FIGURA 7.37

E a equação da continuidade correspondente (Equação 7.14) é

$$\frac{\partial \rho}{\partial t} + \frac{1}{r}\frac{\partial(r\rho v_r)}{\partial r} + \frac{1}{r}\frac{\partial(\rho v_\theta)}{\partial \theta} + \frac{\partial(\rho v_z)}{\partial z} = 0 \tag{7.78}$$

---

* Elas também foram desenvolvidas para o escoamento compressível e podem ser generalizadas para incluir um fluido de viscosidade variável. Veja a Referência [9].

EXEMPLO 7.11

Quando a válvula de alimentação A é ligeiramente aberta, um líquido newtoniano bastante viscoso entorna no tanque retangular (Figura 7.38a). Determine o perfil de velocidade do líquido enquanto ele se derrama lentamente pelos lados.

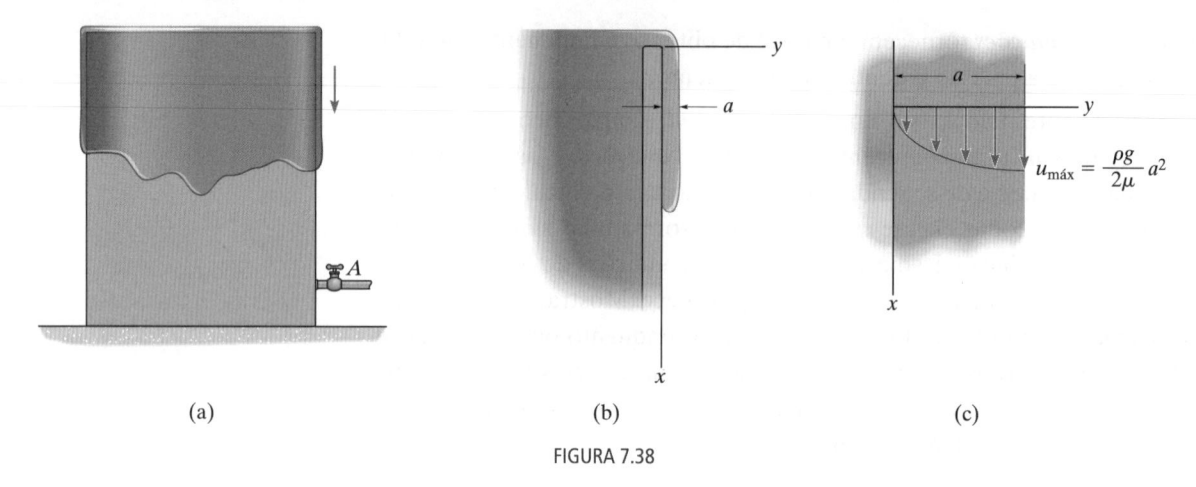

(a) (b) (c)

FIGURA 7.38

Solução

Descrição do fluido

Vamos considerar que o líquido seja um fluido newtoniano incompressível, que possui escoamento laminar em regime permanente. Além disso, depois de escorrer por uma *curta distância* do topo, o líquido nas laterais continuará a manter uma espessura constante a.

Análise

Com os eixos de coordenadas estabelecidos como mostra a Figura 7.38b, há somente uma velocidade u na direção x. Além disso, devido à simetria, u varia apenas na direção y, e não na direção x ou z (Figura 7.38c). Como o escoamento é em regime permanente e o líquido é incompressível, a equação da continuidade torna-se

$$\frac{\partial \rho}{\partial t} + \frac{\partial (\rho u)}{\partial x} + \frac{\partial (\rho v)}{\partial y} + \frac{\partial (\rho w)}{\partial z} = 0$$

$$0 + \frac{\partial (\rho u)}{\partial x} + 0 + 0 = 0$$

Para um ρ constante, a integração resulta em

$$u = u(y)$$

Usando esse resultado, as equações de Navier-Stokes nas direções x e y se reduzem a

$$\rho \left(\frac{\partial u}{\partial t} + u\frac{\partial u}{\partial x} + v\frac{\partial u}{\partial y} + w\frac{\partial u}{\partial z} \right) = \rho g_x - \frac{\partial p}{\partial x} + \mu \left(\frac{\partial^2 u}{\partial x^2} + \frac{\partial^2 u}{\partial y^2} + \frac{\partial^2 u}{\partial z^2} \right)$$

$$0 + 0 + 0 + 0 = \rho g - \frac{\partial p}{\partial x} + 0 + \mu \frac{\partial^2 u}{\partial y^2} + 0 \qquad (1)$$

$$\rho \left(\frac{\partial v}{\partial t} + u\frac{\partial v}{\partial x} + v\frac{\partial v}{\partial y} + w\frac{\partial v}{\partial z} \right) = \rho g_y - \frac{\partial p}{\partial y} + \mu \left(\frac{\partial^2 v}{\partial x^2} + \frac{\partial^2 v}{\partial y^2} + \frac{\partial^2 v}{\partial z^2} \right)$$

$$0 + 0 + 0 + 0 = 0 - \frac{\partial p}{\partial y} + 0 + 0 + 0$$

Esta última equação mostra que a pressão não muda na direção y; e como p é atmosférica na superfície do líquido, ela permanece assim dentro do líquido, ou seja, p = 0 (manométrica). Como resultado, a Equação 1 agora se torna

$$\frac{\partial^2 u}{\partial y^2} = -\frac{\rho g}{\mu}$$

Integrando duas vezes, obtemos

$$\frac{\partial u}{\partial y} = -\frac{\rho g}{\mu} y + C_1 \quad (2)$$

$$u = -\frac{\rho g}{2\mu} y^2 + C_1 y + C_2 \quad (3)$$

Para avaliar a constante C_2, podemos usar a condição de contorno de não deslizamento; ou seja, a velocidade do líquido em $y = 0$ deverá ser $u = 0$ (Figura 7.38c). Portanto, $C_2 = 0$. Para obter C_1, observamos que não existe tensão de cisalhamento τ_{xy} na *superfície livre* do líquido. Aplicando esta condição à Equação 7.74, obtemos

$$\tau_{xy} = \mu \left(\frac{\partial u}{\partial y} + \frac{\partial v}{\partial x} \right)$$

$$0 = \mu \left(\frac{\partial u}{\partial y} + 0 \right)$$

Portanto, $du/dy = 0$ em $y = a$. Substituindo isso na Equação 2, obtemos $C_1 = (\rho g/\mu)a$, de modo que a Equação 3 agora se torna

$$u = \frac{\rho g}{2\mu} \left(2ya - y^2 \right) \qquad \textit{Resposta}$$

Uma vez estando totalmente desenvolvido, este perfil parabólico da velocidade, mostrado na Figura 7.38c, é mantido enquanto o líquido escorre pela borda do tanque. Isso é o resultado de um equilíbrio da gravidade de cima para baixo e das forças viscosas de baixo para cima.

7.12 Dinâmica dos fluidos computacional

Na seção anterior, vimos que uma descrição de qualquer escoamento de fluido exige que se satisfaçam as equações de Navier-Stokes e a equação da continuidade, junto com as condições de contorno ou iniciais apropriadas para o escoamento. Porém, essas equações são muito complicadas, por isso, sua solução foi obtida somente para alguns casos especiais envolvendo o escoamento laminar.

Felizmente, durante as últimas décadas, tem havido um crescimento exponencial na capacidade, no armazenamento de memória e na facilidade de aquisição de computadores de alta velocidade, possibilitando o uso de métodos numéricos para resolver essas equações. Este campo de estudo é conhecido como **dinâmica dos fluidos computacional** (DFC, ou CFD, de *Computational Fluid Dynamics*), sendo agora bastante utilizada para o projeto e a análise de muitos tipos diferentes de problemas de escoamento de fluidos, como aqueles que envolvem aeronáutica, bombas e turbinas, equipamentos de calefação e ventilação, cargas de vento em prédios, processos químicos e até mesmo dispositivos de implante biomédico, além da modelagem atmosférica para previsão do tempo.

Diversos programas de computador de DFC populares estão disponíveis atualmente — por exemplo, FLUENT, FLOW-3D e ANSYS, para citar apenas alguns. Outros fenômenos relacionados ao escoamento de fluidos, como transferência de calor, reações químicas e escoamento multifásico, têm sido incorporados nesses programas. Com a melhora da exatidão ao prever o escoamento, o uso desses códigos oferece economia em potencial, eliminando a necessidade de *teste experimental* sofisticado dos modelos ou de seus protótipos. A seguir, apresentaremos uma breve introdução e uma visão geral dos tipos de métodos que são usados para desenvolver um software de DFC. Outras informações sobre esse campo poderão ser encontradas consultando uma das muitas referências listadas ao final deste capítulo, ou realizando cursos ou seminários sobre o assunto, oferecidos em muitas escolas de engenharia ou no setor privado.

Código DFC

Existem três partes básicas em qualquer código DFC: a entrada, o programa e a saída. Vamos considerar cada um destes a seguir.

Entrada

O operador precisa inserir dados relacionados às propriedades do fluido, especificar se ocorre escoamento laminar ou turbulento e identificar a geometria do contorno para o escoamento.

Propriedades do fluido

Muitos pacotes de DFC incluem uma lista de propriedades físicas, como densidade e viscosidade, que podem ser selecionadas para definir o fluido. Quaisquer dados não incluídos na lista devem ser identificados e depois inseridos como entradas separadas.

Fenômenos do escoamento

O usuário precisa selecionar um modelo físico fornecido com o código que se relaciona com o tipo de escoamento. Em relação a isso, muitos pacotes comerciais terão uma escolha de modelos que podem ser usados para prever o escoamento turbulento. Nem é preciso dizer que é preciso ter alguma experiência para selecionar o mais apropriado, pois um modelo que se encaixa a um problema pode não ser adequado para outro.

Geometria

A geometria física em torno do escoamento também deve ser definida. Isso é feito criando um sistema de grade ou malha por todo o domínio do fluido. Para tornar essa tarefa amigável ao usuário, a maior parte dos pacotes de DFC inclui diversos tipos de geometrias de contornos e de malhas que podem ser selecionados para melhorar a velocidade e a exatidão da computação.

Programa

Para muitos usuários de programas de DFC, os diversos algoritmos e as técnicas numéricas usados para realizar os cálculos serão desconhecidos. Porém, o processo consiste em duas partes. A primeira considera o fluido como um sistema de partículas discretas e converte as equações diferenciais parciais relevantes em um grupo de *equações algébricas*, e a segunda utiliza um procedimento iterativo para encontrar soluções dessas equações que satisfaçam as condições iniciais e de contorno para o problema. Existem várias técnicas que podem ser usadas para isso. Entre elas estão o método das diferenças finitas, o método dos elementos finitos e o método dos volumes finitos.

Método das diferenças finitas

Para o escoamento transitório, o método das diferenças finitas utiliza uma malha espacial e temporal que determina as condições em um ponto em particular, um passo de tempo no futuro, com base nas condições presentes nos pontos adjacentes. Para dar uma ideia da aplicação desse método, vamos utilizá-lo mais adiante para modelar o escoamento transitório em canal aberto, no Capítulo 12.

Método dos elementos finitos

Como o nome sugere, esse método considera que o fluido é subdividido em pequenos "elementos finitos", e as equações que descrevem o escoamento dentro de cada elemento são aplicadas então para satisfazer as condições de contorno nos cantos, ou *nós*, dos elementos adjacentes. Ele tem a vantagem de ter um grau mais alto de precisão do que o método das diferenças finitas; porém, as metodologias usadas são mais complexas. Além disso, como os elementos ou a malha podem ter qualquer forma irregular, pode-se fazer com que o método dos elementos finitos combine com qualquer tipo de contorno.

Método dos volumes finitos

O método dos volumes finitos combina os melhores atributos dos métodos das diferenças finitas e dos elementos finitos. Ele é capaz de modelar condições de contorno complexas, enquanto expressa as equações diferenciais governantes usando relações de diferenças finitas relativamente diretas. A característica especial desse método é que cada um dos muitos volumes de controle pequenos considera a taxa temporal de variação local de uma variável do escoamento, como velocidade, densidade ou temperatura, dentro do volume de controle, e o fluxo resultante da variável é convectado através de sua superfície de controle. Cada um desses termos é convertido em conjuntos de equações algébricas, que são então resolvidas usando um método iterativo. Como resultado dessas vantagens, o método dos volumes finitos tem se tornado bastante estabelecido, sendo atualmente usado na maior parte dos softwares de DFC.

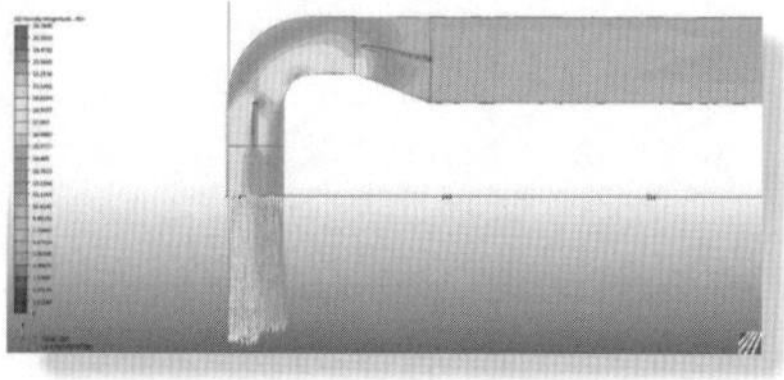

Esta análise DFC do escoamento através da transição e do cotovelo mostra como a velocidade varia ao longo da seção transversal, representada pelas nuances de tons.

FIGURA 7.39

Saída

A saída, na realidade, é uma forma gráfica do domínio do escoamento, mostrando a geometria do problema, e às vezes a grade ou malha usada para a análise. Superposto a isso, o operador pode decidir mostrar contornos para as variáveis de escoamento, incluindo linhas de corrente, ou linhas de trajetória, e desenhos de vetores de velocidade etc. Pode-se imprimir em papel ou apresentar animações de escoamentos transitórios, em formato de vídeo. Um exemplo dessa saída aparece na Figura 7.39.

Considerações gerais

Se uma previsão realista de um escoamento complexo tiver de ser determinada, o operador deverá ter *experiência* na execução de qualquer código em particular. Naturalmente, é importante ter um conhecimento completo dos princípios básicos da mecânica de fluidos, a fim de definir o modelo apropriado para o escoamento, e fazer uma seleção razoável do passo de tempo e da geometria da malha. Quando a solução for obtida, ela poderá ser comparada com dados experimentais ou com situações de escoamento existentes e semelhantes. Por fim, *lembre-se sempre* de que a responsabilidade de uso de qualquer programa de DFC está nas mãos do operador (engenheiro) e, por esse motivo, ele ou ela tem a responsabilidade final pelos resultados.

Referências

1. LAMB, H. *Hydrodynamics*. 6. ed. Nova York, NY: Dover Publications, 1945.
2. ANDERSON JR., J. D. *Computational Fluid Dynamics:* The Basics with Applications. Nova York, NY: McGraw-Hill, 1995.
3. QUARTERONI, A. Mathematical Models in Science and Engineering. *Notices of the AMS*, v. 56, n. 1, 2009, p. 10-19.
4. LEE, T. W. *Thermal and Flow Measurements*. Boca Raton, FL: CRC Press, 2008.
5. CHUNG, T. J. *Computational Fluid Dynamics*. Cambridge, Inglaterra: Cambridge University Press, 2002.
6. TANNEHILL, J. et al. *Computational Fluid Mechanics and Heat Transfer*. 2. ed. Bristol, PA: Taylor and Francis, 1997.
7. CHOW, C. *An Introduction to Computational Fluid Mechanics*. Nova York, NY: John Wiley, 1980.
8. WHITE, F. *Viscous Fluid Flow*. 3. ed. Nova York, NY: McGraw-Hill, 2005.
9. ROUSE, H. *Advanced Mechanics of Fluids*. Nova York, NY: John Wiley, 1959.
10. ROBERTSON, J. M. *Hydrodynamics in Theory and Applications*. Englewood Cliffs, NJ: Prentice Hall, 1965.
11. MILNE-THOMSON, L. *Theoretical Hydrodynamics*. 4. ed. Nova York, NY: Macmillan, 1960.
12. PEYRET, R.; TAYLOR, T. *Computational Methods for Fluid Flow*. Nova York, NY: Springer-Verlag, 1983.
13. BUCKINGHAM, E. On physically similar system: illustrations of the use of dimensional equations. *Physical Review*, 4, 1914, p. 345-376.
14. SHAMES, I. H. *Mechanics of Fluids*. Nova York, NY: McGraw Hill, 1962.
15. TU, J. et al. *Computational Fluid Dynamics:* A Practical Approach. Nova York, NY: Butterworth-Heinemann, 2007.
16. PRASUHN, A. L. *Fundamentals of Fluid Mechanics*. Englewood Cliffs, NJ: Prentice-Hall, 1980.

17. LARSSON, L. CFD in ship design — prospects and limitations. *Ship Technology Research*, v. 44, julho 1997, p. 133-154.
18. PIQUET, J. *Turbulent Flow*: Models and Physics. Berlim: Springer, 1999.
19. CEBUI, T. *Computational Fluid Dynamics for Engineers*. Nova York, NY: Springer-Verlag, 2005.
20. APSLEY, D.; HU, W. CFD simulation of two- and three-dimensional free-surface flow. *Int J Numer Meth Fluids*, 42, 2003, p. 465-491.
21. YANG, X.; MA, H. Cubic eddy-viscosity turbulence models for strongly swirling confined flows with variable density. *Int J Numer Meth Fluids*, 45, 2004, p. 985-1008.
22. WILCOX, D. *Turbulence Modeling for CFD*. La Canada, CA: DCW Industries, 1993.

Problemas

Seções 7.1 a 7.6

7.1. Quando a placa superior é puxada para a direita com uma velocidade constante **U**, o fluido entre as placas possui uma distribuição de velocidade linear, como mostra a figura. Determine a taxa de rotação de um elemento fluido e a taxa de deformação do elemento localizado em y.

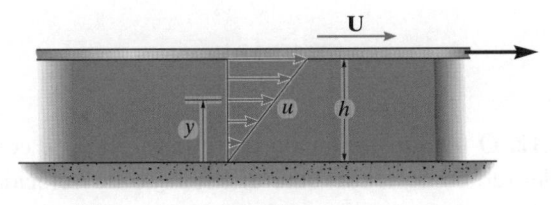

PROBLEMA 7.1

7.2. Um escoamento é definido por seus componentes de velocidade $u = (4x^2 + 4y^2)$ m/s e $v = (-8xy)$ m/s, onde x e y estão em metros. Determine se o escoamento é irrotacional. Qual é a circulação em torno da região retangular?

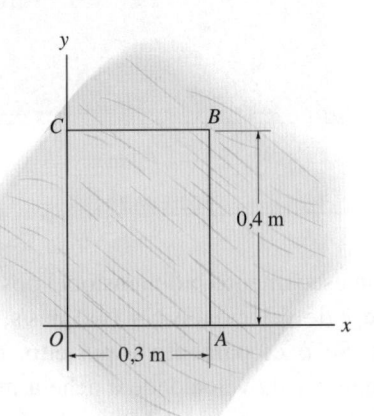

PROBLEMA 7.2

7.3. Um escoamento uniforme **V** é direcionado em um ângulo θ com a horizontal, conforme mostrado. Determine a circulação em torno da região retangular.

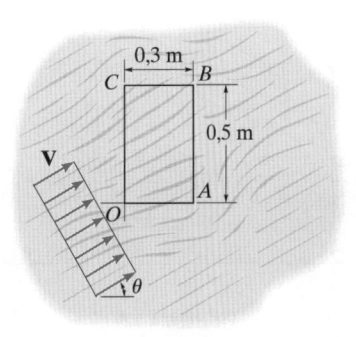

PROBLEMA 7.3

*7.4. A velocidade dentro do olho de um tornado é definida por $v_r = 0$, $v_\theta = (0{,}2r)$ m/s, onde r está em metros. Determine a circulação em $r = 60$ m e em $r = 80$ m.

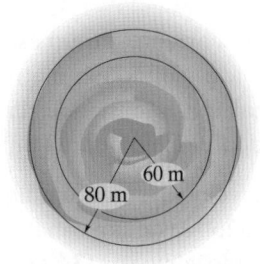

PROBLEMA 7.4

7.5. Considere o elemento fluido que possui dimensões em coordenadas polares conforme mostra a figura e cujas fronteiras são definidas pelas linhas de corrente com velocidades v e $v + dv$. Mostre que a velocidade para o escoamento é dada por $\zeta = -(v/r + dv/dr)$.

PROBLEMA 7.5

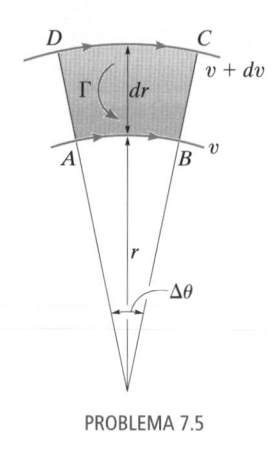

Seções 7.7 e 7.8

7.6. Determine as funções corrente e potencial para o campo de escoamento bidimensional se V_0 e θ forem conhecidos.

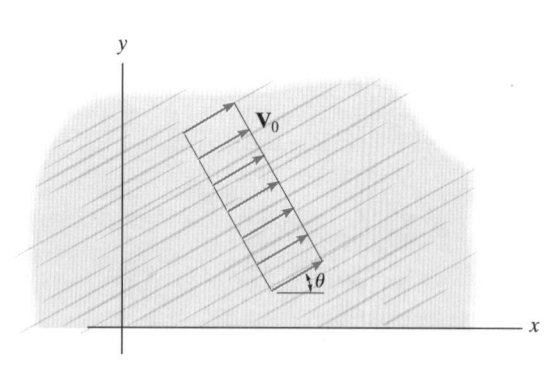

PROBLEMA 7.6

7.7. Um escoamento bidimensional é descrito pela função corrente $\psi = (xy^3 - x^3y)$ m²/s, onde x e y estão em metros. Mostre que a condição de continuidade é satisfeita e determine se o escoamento é rotacional ou irrotacional.

*7.8. Se a função corrente para o escoamento é $\psi = (3x + 2y)$, onde x e y estão em metros, determine a função potencial e a intensidade da velocidade de uma partícula do fluido no ponto (1 m, 2 m).

7.9. O perfil de velocidade de um líquido muito espesso fluindo ao longo de um canal de largura constante é aproximado como $u = (3y^2)$ mm/s, onde y está em milímetros. Determine a função corrente para o escoamento e desenhe as linhas de corrente para $\psi_0 = 0$, $\psi_1 = 1$ mm²/s e $\psi_2 = 2$ mm²/s.

7.10. O perfil de velocidade de um líquido muito espesso escoando ao longo do canal de largura constante é aproximado como $u = (3y^2)$ mm/s, onde y está em milímetros. É possível determinar a função potencial para o escoamento? Se for, qual é essa função?

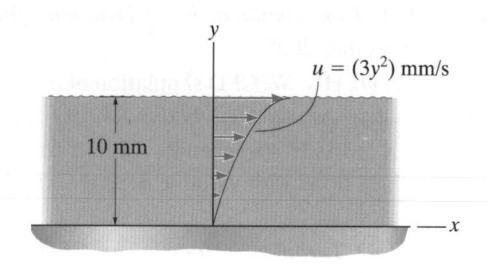

PROBLEMAS 7.9 e 7.10

7.11. O líquido confinado entre duas placas é considerado como tendo uma distribuição de velocidade linear, como mostra a figura. Determine a função corrente. Existe a função potencial?

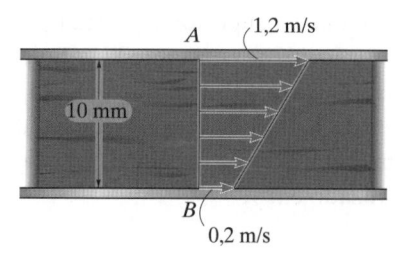

PROBLEMA 7.11

*7.12. O líquido confinado entre duas placas é considerado como tendo uma distribuição de velocidade linear, como mostra a figura. Se a pressão na superfície de cima da placa inferior é 600 N/m², determine a pressão na superfície de baixo da placa superior. Considere $\rho = 1,2$ Mg/m³.

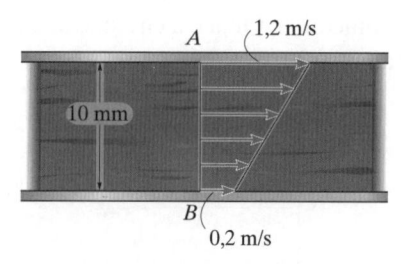

PROBLEMA 7.12

7.13. Um escoamento bidimensional possui um componente y de velocidade $v = (4y)$ pés/s, onde y está em pés. Se o escoamento é perfeito, determine o componente x da velocidade e ache a magnitude da velocidade no ponto $x = 4$ pés, $y = 3$ pés. A velocidade do escoamento na origem é zero.

7.14. Um campo de escoamento bidimensional é definido por seus componentes $u = (3y)$ m/s e $v = (9x)$ m/s, onde x e y estão em metros. Determine se o escoamento é rotacional ou irrotacional e mostre que a condição de continuidade para o escoamento é satisfeita. Além disso, ache a função corrente e a equação da linha de corrente que passa pelo ponto (4 m, 3 m). Desenhe essa linha de corrente.

7.15. O escoamento de água pelo canal horizontal é definido pela função corrente $\psi = 2(x^2 - y^2)$ m²/s. Se a pressão em B é atmosférica, determine a pressão no ponto (0,5 m, 0) e o escoamento por unidade de profundidade em m²/s.

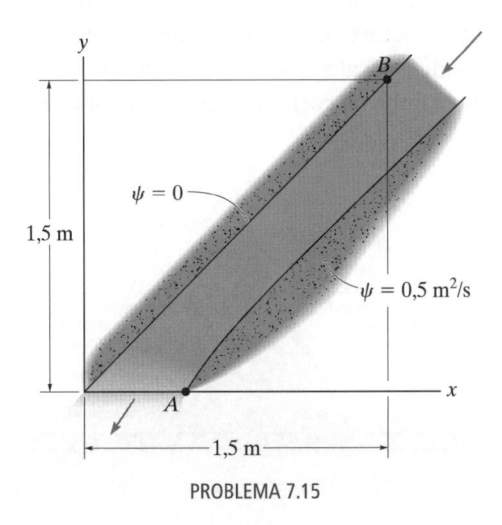

PROBLEMA 7.15

*__7.16.__ Um campo de escoamento é definido pela função corrente $\psi = 2(x^2 - y^2)$ m²/s, onde x e y estão em metros. Determine o escoamento por unidade de profundidade em m²/s que ocorre através de AB, CB e AC, conforme mostrado.

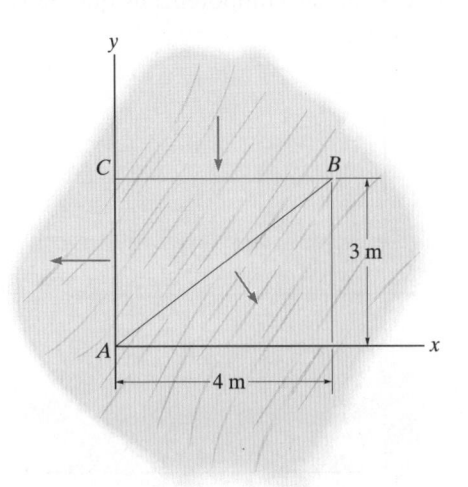

PROBLEMA 7.16

7.17. Um fluido tem os componentes de velocidade mostrados. Determine as funções corrente e potencial. Desenhe as linhas de corrente para $\psi_0 = 0$, $\psi_1 = 1$ m²/s e $\psi_2 = 2$ m²/s.

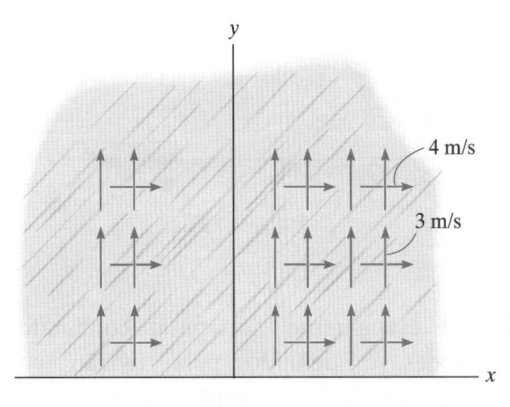

PROBLEMA 7.17

7.18. Um campo de escoamento bidimensional é definido por seus componentes $u = (2x^2)$ pés/s e $v = (-4xy + x^2)$ pés/s, onde x e y estão em pés. Determine a função corrente e desenhe a linha de corrente que passa pelo ponto (3 pés, 1 pé).

7.19. A função corrente para um campo de escoamento é definida por $\psi = (4/r^2)$ sen 2θ. Mostre que a continuidade do escoamento é satisfeita e determine os componentes da velocidade r e θ das partículas do fluido no ponto $r = 2$ m, $\theta = (\pi/4)$ rad. Desenhe a linha de corrente que passa por esse ponto.

*__7.20.__ Um campo de escoamento possui componentes de velocidade $u = (x - y)$ pés/s e $v = -(x + y)$ pés/s, onde x e y estão em pés. Determine a função corrente e desenhe a linha de corrente que passa pela origem.

7.21. Um escoamento é descrito pela função corrente $\psi = (8x - 4y)$ m²/s, onde x e y estão em metros. Determine a função potencial e mostre que a condição de continuidade é satisfeita e que o escoamento é irrotacional.

7.22. A função corrente para um campo de escoamento é definida por $\psi = 2r^3$ sen 2θ. Determine a magnitude da velocidade das partículas do fluido no ponto $r = 1$ m, $\theta = (\pi/3)$ rad, e desenhe as linhas de corrente para $\psi_1 = 1$ m²/s e $\psi_2 = 2$ m²/s.

7.23. Um fluido perfeito escoa para o canto formado pelas duas paredes. Se a função corrente para esse escoamento é definida por $\psi = (5\, r^4$ sen $4\theta)$ m²/s, mostre que a continuidade para o escoamento é satisfeita. Além disso, desenhe a linha de corrente que passa pelo ponto $r = 2$ m, $\theta = (\pi/6)$ rad e determine a magnitude da velocidade nesse ponto.

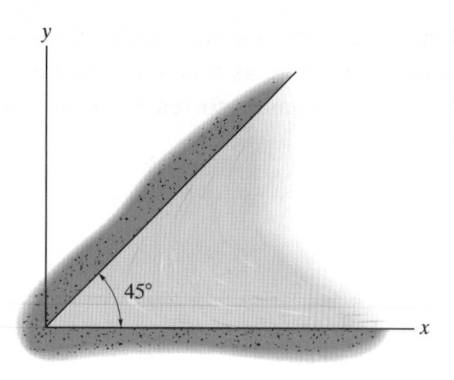

PROBLEMA 7.23

***7.24.** O escoamento horizontal confinado pelas paredes é definido pela função corrente $\psi = \left[4r^{4/3} \operatorname{sen}\left(\frac{4}{3}\theta\right)\right]$ m²/s, onde r está em metros. Determine a intensidade da velocidade no ponto $r = 2$ m, $\theta = 45°$. O escoamento é rotacional ou irrotacional? A equação de Bernoulli pode ser usada para determinar a diferença na pressão entre os dois pontos A e B?

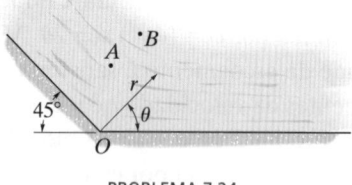

PROBLEMA 7.24

7.25. O escoamento horizontal entre as paredes é definido pela função corrente $\psi = \left[4r^{4/3} \operatorname{sen}\left(\frac{4}{3}\theta\right)\right]$ m²/s, onde r está em metros. Se a pressão na origem O é 20 kPa, determine a pressão em $r = 2$ m, $\theta = 45°$. Considere $\rho = 950$ kg/m³.

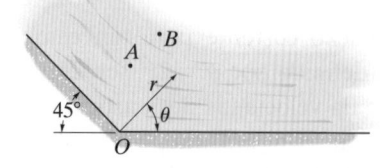

PROBLEMA 7.25

7.26. A placa plana está sujeita ao escoamento definido pela função corrente $\psi = [8r^{1/2} \operatorname{sen}(\theta/2)]$ m²/s. Desenhe a linha de corrente que passa pelo ponto $r = 4$ m, $\theta = \pi$ rad, e determine a magnitude da velocidade nesse ponto.

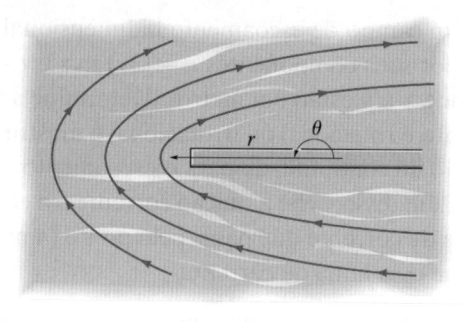

PROBLEMA 7.26

7.27. Uma cabana possui uma janela A no seu lado direito. Se a função corrente que modela o escoamento nesse lado é definida como $\psi = (2r^{1,5} \operatorname{sen} 1,5\, \theta)$ pés²/s, mostre que a continuidade do escoamento é satisfeita, e depois determine a velocidade do vento que passa pela janela localizada em $r = 10$ pés, $\theta = (\pi/3)$ rad. Desenhe a linha de corrente que passa por esse ponto.

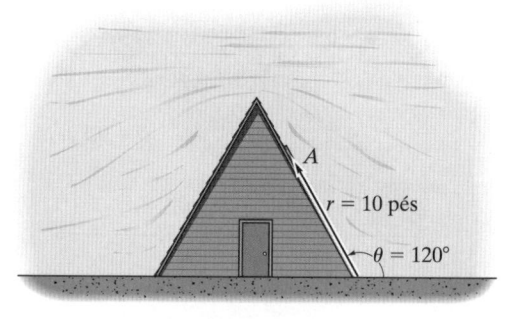

PROBLEMA 7.27

***7.28.** A função corrente para um escoamento horizontal perto do canto é $\psi = (8xy)$ m²/s, onde x e y estão em metros. Determine os componentes x e y da velocidade e a aceleração das partículas do fluido que passam pelo ponto (1 m, 2 m). Mostre que é possível estabelecer a função potencial. Desenhe as linhas de corrente e as linhas equipotenciais que passam pelo ponto (1 m, 2 m).

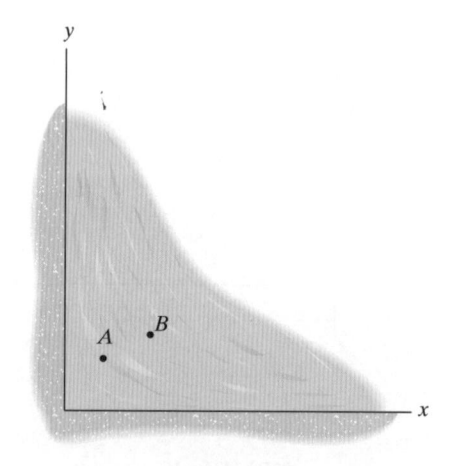

PROBLEMA 7.28

7.29. A função corrente para o escoamento horizontal perto do canto é definida por $\psi = (8xy)$ m²/s, onde x e y estão em metros. Mostre que o escoamento é irrotacional. Se a pressão no ponto A (1 m, 2 m) é 150 kPa, determine a pressão no ponto B (2 m, 3 m). Considere $\rho = 980$ kg/m³.

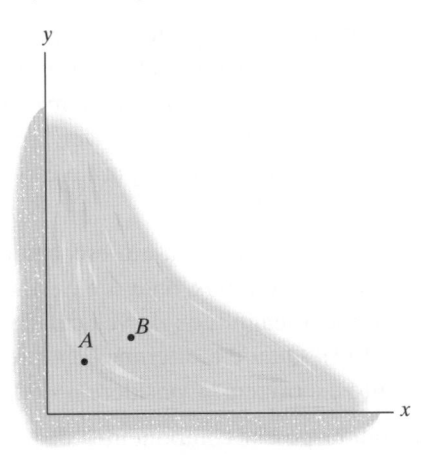

PROBLEMA 7.29

7.30. Um escoamento tem componentes de velocidade $u = (2x^2)$ pés/s e $v = (-4xy + 8)$ pés/s, onde x e y estão em pés. Determine a magnitude da aceleração de uma partícula localizada no ponto (3 pés, 2 pés). O escoamento é rotacional ou irrotacional? Além disso, mostre que a continuidade do escoamento é satisfeita.

7.31. A função potencial para um escoamento é $\phi = (x^2 - y^2)$ pés²/s, onde x and y estão em pés. Determine a intensidade da velocidade das partículas do fluido no ponto A (3 pés, 1 pé). Mostre que a continuidade é satisfeita e determine a linha de corrente que passa pelo ponto A.

*__7.32.__ O escoamento em torno da curva no canal horizontal pode ser descrito como um vórtice livre para o qual $v_r = 0$, $v_\theta = (8/r)$ m/s, onde r está em metros. Mostre que o escoamento é irrotacional. Se a pressão no ponto A é 4 kPa, determine a pressão no ponto B. Considere $\rho = 1100$ kg/m³.

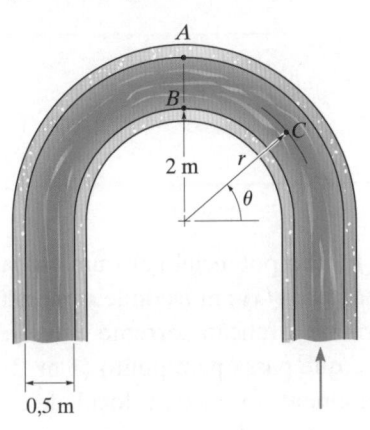

PROBLEMA 7.32

7.33. Os componentes de velocidade para um escoamento bidimensional são $u = (8y)$ pés/s e $v = (8x)$ pés/s, onde x e y estão em pés. Determine se o escoamento é rotacional ou irrotacional e mostre que a continuidade do escoamento é satisfeita.

7.34. Os componentes de velocidade para um escoamento bidimensional são $u = (8y)$ pés/s e $v = (8x)$ pés/s, onde x e y estão em pés. Determine a função corrente e a equação da linha de corrente que passa pelo ponto (4 pés, 3 pés). Desenhe esta linha de corrente.

7.35. A função corrente para o campo de escoamento em torno do canto de 90° é $\psi = 8r^2 \operatorname{sen} 2\theta$. Mostre que a continuidade do escoamento é satisfeita. Determine os componentes da velocidade r e θ de uma partícula do fluido localizada em $r = 0{,}5$ m, $\theta = 30°$ e desenhe a linha de corrente que passa por esse ponto. Além disso, determine a função potencial para o escoamento.

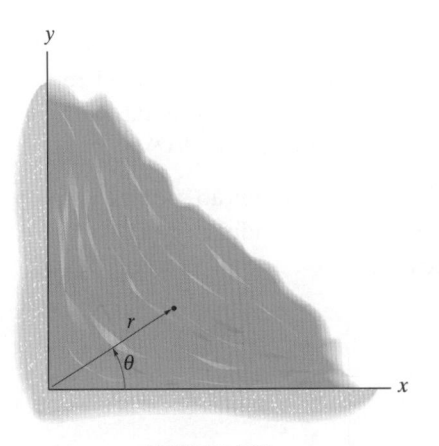

PROBLEMA 7.35

*__7.36.__ A função corrente para um escoamento concêntrico é definida por $\psi = -4r^2$. Determine os componentes da velocidade v_r e v_θ, e v_x e v_y. A função potencial pode ser estabelecida? Se puder, qual é essa função?

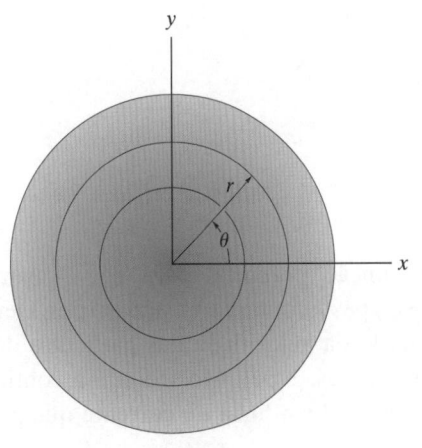

PROBLEMA 7.36

7.37. Um fluido possui componentes de velocidade $u = (x - y)$ pés/s e $v = -(x + y)$ pés/s, onde x e y estão em pés. Determine as funções corrente e potencial. Mostre que o escoamento é irrotacional.

7.38. Um fluido possui componentes de velocidade $u = (2y)$ pés/s e $v = (2x - 10)$ pés/s, onde x e y estão em pés. Determine as funções corrente e potencial.

7.39. Um fluido possui componentes de velocidade $u = (x - 2y)$ pés/s e $v = -(y + 2x)$ pés/s, onde x e y estão em pés. Determine as funções corrente e potencial.

*7.40. Um fluido possui componentes de velocidade $u = 2(x^2 - y^2)$ m/s e $v = (-4xy)$ m/s, onde x e y estão em metros. Determine a função corrente. Além disso, mostre que a função potencial existe e determine essa função. Desenhe as linhas de corrente e as linhas equipotenciais que passam pelo ponto (1 m, 2 m).

7.41. Se a função potencial para um escoamento bidimensional é $\phi = (xy)$ m²/s, onde x e y estão em metros, determine a função corrente e desenhe a linha de corrente que passa pelo ponto (1 m, 2 m). Quais são a velocidade e a aceleração das partículas do fluido que passam por esse ponto?

7.42. Determine a função potencial para o campo de escoamento bidimensional se $\mathbf{V}_0$ e θ forem conhecidos.

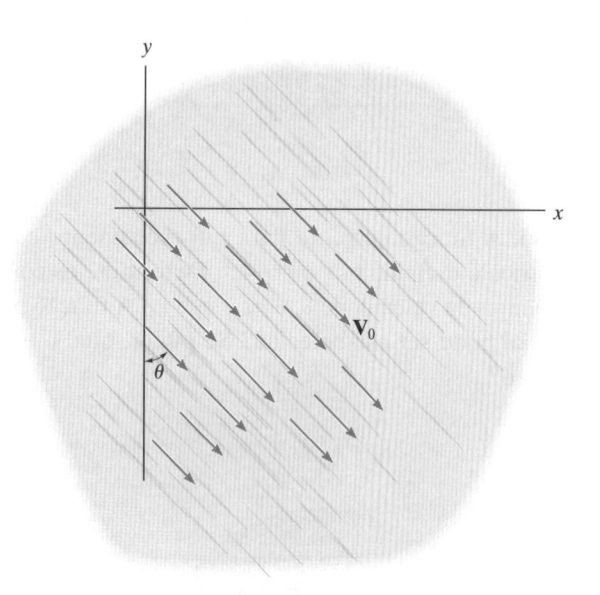

PROBLEMA 7.42

7.43. A função potencial para um escoamento é $\phi = (x^2 - y^2)$ pés²/s, onde x e y estão em pés. Determine a magnitude da velocidade das partículas do fluido no ponto (3 pés, 1 pé). Mostre que a continuidade é satisfeita e ache a linha de corrente que passa por esse ponto.

*7.44. Um fluido tem componentes de velocidade $u = (10xy)$ m/s e $v = 5(x^2 - y^2)$ m/s, onde x e y estão em metros. Determine a função corrente e mostre que a condição de continuidade é satisfeita e que o escoamento é irrotacional. Desenhe as linhas de corrente para $\psi_0 = 0$, $\psi_1 = 1$ m²/s e $\psi_2 = 2$ m²/s.

7.45. Um fluido tem componentes de velocidade $u = (y^2 - x^2)$ m/s e $v = (2xy)$ m/s, onde x e y estão em metros. Se a pressão no ponto A (3 m, 2 m) é 600 kPa, determine a pressão no ponto B (1 m, 3 m). Além disso, qual é a função potencial para o escoamento? Considere $\gamma = 8$ kN/m³.

7.46. A função potencial para um escoamento horizontal é $\phi = (x^3 - 5xy^2)$ m²/s, onde x e y estão em metros. Determine a magnitude da velocidade no ponto A (5 m, 2 m). Qual é a diferença em pressão entre esse ponto e a origem? Considere $\rho = 925$ kg/m³.

7.47. Um fluido possui componentes de velocidade $u = (10xy)$ m/s e $v = 5(x^2 - y^2)$ m/s, onde x e y estão em metros. Determine a função potencial e mostre que a condição de continuidade é satisfeita e que o escoamento é irrotacional.

*7.48. Um campo de velocidade é definido como $u = 2(x^2 + y^2)$ pés/s, $v = (-4xy)$ pés/s. Determine a função corrente e a circulação em torno do retângulo mostrado. Desenhe as linhas de corrente para $\psi_0 = 0$, $\psi_1 = 1$ pé²/s e $\psi_2 = 2$ pés²/s.

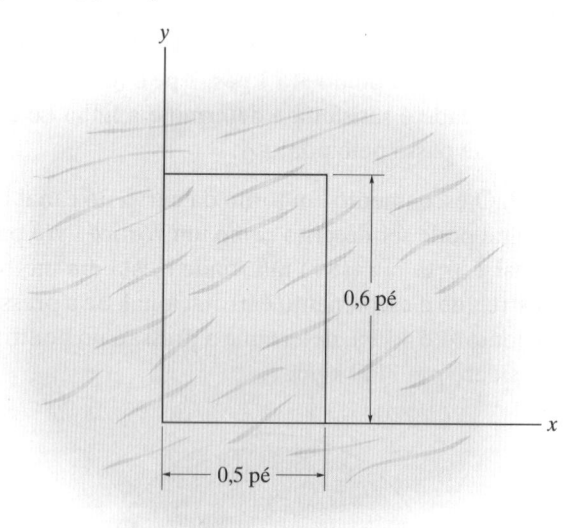

PROBLEMA 7.48

7.49. Se a função potencial para um escoamento bidimensional é $\phi = (xy)$ m²/s, onde x e y estão em metros, determine a função corrente e desenhe a linha de corrente que passa pelo ponto (1 m, 2 m). Quais são os componentes x e y da velocidade e aceleração das partículas de fluido que passam por esse ponto?

7.50. Um escoamento bidimensional é descrito pela função potencial $\phi = (8x^2 - 8y^2)$ m²/s, onde x e y estão em metros. Mostre que a condição de continuidade é satisfeita e determine se o escoamento é rotacional ou irrotacional. Além disso, estabeleça a função corrente para esse escoamento e desenhe a linha de corrente que passa pelo ponto (1 m, 0,5 m).

7.51. O componente y da velocidade de um escoamento bidimensional irrotacional que satisfaz a equação da continuidade é $v = (4x + x^2 - y^2)$ pés/s, onde x e y estão em pés. Ache o componente x da velocidade se $u = 0$ em $x = y = 0$.

*7.52. O escoamento tem uma velocidade $\mathbf{V} = \{(3y + 8)\mathbf{i}\}$ pés/s, onde y é vertical e está em pés. Determine se o escoamento é rotacional ou irrotacional. Se a pressão no ponto A é 6 lb/pés², determine a pressão na origem. Considere $\gamma = 70$ lb/pés³.

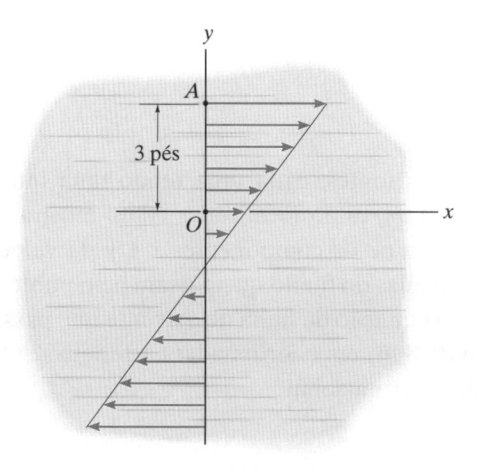

PROBLEMA 7.52

7.53. Um tornado possui uma velocidade de vento medida de 12 m/s a uma distância de 50 m do seu centro. Se um prédio tem um telhado plano e está localizado a 10 m do centro, determine a pressão de sustentação sobre o telhado. O prédio está dentro do vórtice livre do tornado. A densidade do ar é $\rho_a = 1{,}20$ kg/m³.

PROBLEMA 7.53

Seções 7.9 e 7.10

7.54. Mostre que a equação que define um sorvedouro satisfaz a continuidade, que em coordenadas polares é escrita como $\dfrac{\partial(v_r r)}{\partial r} + \dfrac{\partial(v_\theta)}{\partial \theta} = 0$.

7.55. Uma fonte em O cria um escoamento a partir do ponto O que é descrito pela função potencial $\phi = (8 \ln r)$ m²/s, onde r está em metros. Determine a função corrente e especifique a velocidade no ponto $r = 5$ m, $\theta = 15°$.

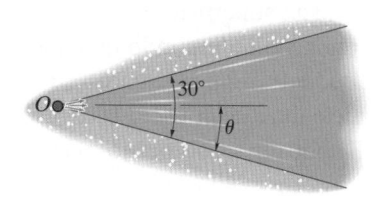

PROBLEMA 7.55

*7.56. Combine uma fonte de intensidade q com um vórtice livre em sentido anti-horário e desenhe a linha de corrente resultante para $\psi = 0$.

7.57. Um vórtice livre é definido por sua função corrente $\psi = (-240 \ln r)$ m²/s, onde r está em metros. Determine a velocidade de uma partícula em $r = 4$ m e a pressão nos pontos dessa linha de corrente. Considere $\rho = 1{,}20$ kg/m³.

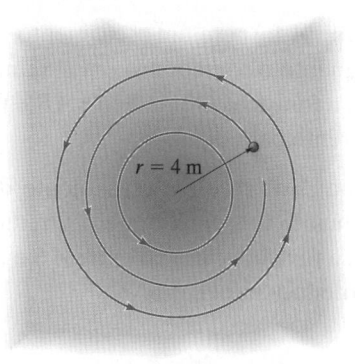

PROBLEMA 7.57

7.58. Determine o local do ponto de estagnação para um escoamento uniforme combinado de 8 m/s e uma fonte tendo uma intensidade de 3 m²/s. Desenhe a linha de corrente que passa pelo ponto de estagnação.

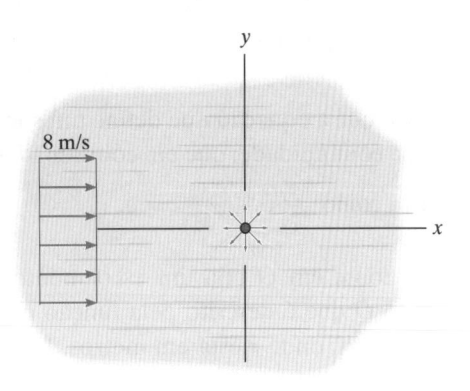

364 MECÂNICA DOS FLUIDOS

PROBLEMA 7.58

7.59. À medida que a água é drenada do grande tanque cilíndrico, sua superfície forma um vórtice livre com uma circulação Γ. Supondo que a água seja um fluido perfeito, determine a equação $z = f(r)$ que define a superfície livre do vórtice. *Dica:* use a equação de Bernoulli aplicada a dois pontos na superfície.

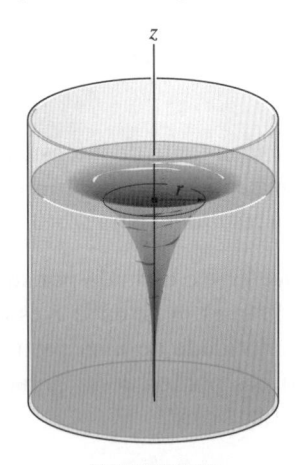

PROBLEMA 7.59

*__7.60.__ O tubo A fornece um escoamento de fonte de 5 m²/s, enquanto o sorvedouro em B remove 5 m²/s. Determine a função corrente entre AB e mostre a linha de corrente para $\psi = 0$.

7.61. O tubo A oferece um escoamento de fonte de 5 m²/s, enquanto o sorvedouro em B remove 5 m²/s. Determine a função potencial entre AB e mostre a linha equipotencial para $\phi = 0$.

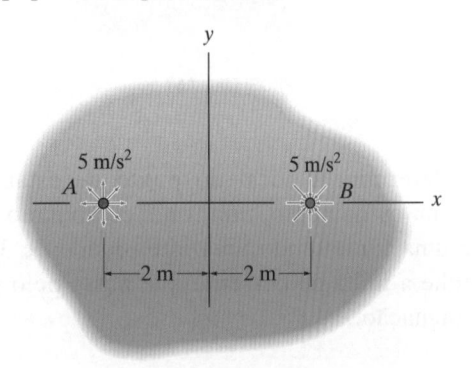

PROBLEMAS 7.60 e 7.61

7.62. Uma fonte tendo uma vazão de $q = 80$ pés²/s está localizada no ponto A (4 pés, 2 pés). Determine as magnitudes da velocidade e aceleração das partículas do fluido no ponto B (8 pés, −1 pé).

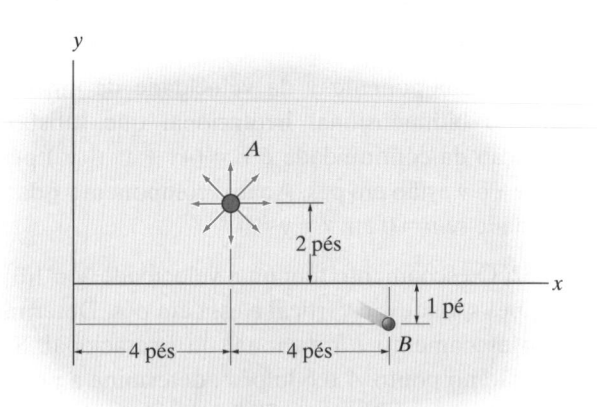

PROBLEMA 7.62

7.63. Duas fontes, cada uma tendo uma intensidade de 2 m²/s, estão localizadas como mostra a figura. Determine os componentes x e y da velocidade das partículas do fluido que passam pelo ponto (x, y). Qual é a equação da linha de corrente que passa pelo ponto (0, 8 m) em coordenadas cartesianas? O escoamento é irrotacional?

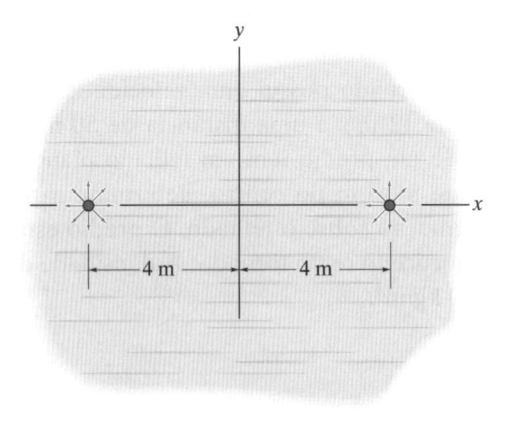

PROBLEMA 7.63

*__7.64.__ A fonte e o sorvedouro de mesma intensidade q estão localizados a uma distância d da origem, conforme indicado. Determine a função corrente para o escoamento e desenhe a linha de corrente que passa pela fonte.

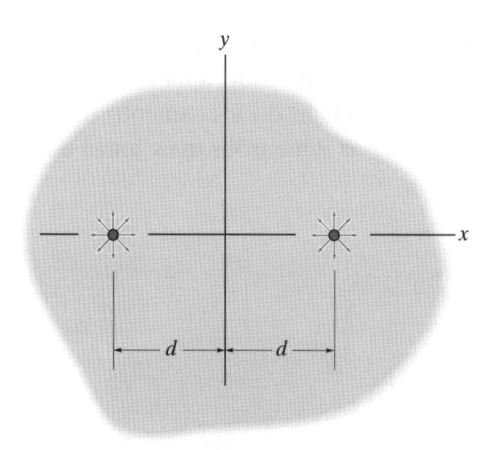

7.67. Determine a equação do contorno do semicorpo formado colocando-se uma fonte de 0,5 m²/s no escoamento uniforme de 8 m/s. Expresse o resultado em coordenadas cartesianas.

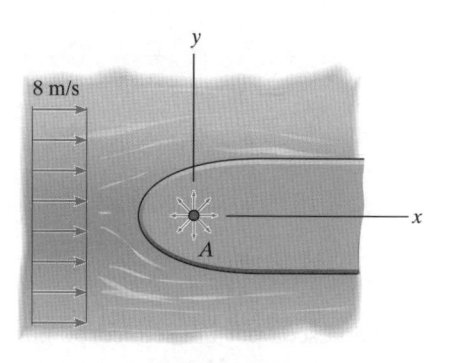

PROBLEMA 7.67

PROBLEMA 7.64

7.65. Duas fontes, cada uma com uma intensidade q, estão localizadas como mostra a figura. Determine a função corrente e mostre que isso é o mesmo que ter uma única fonte com uma parede ao longo do eixo y.

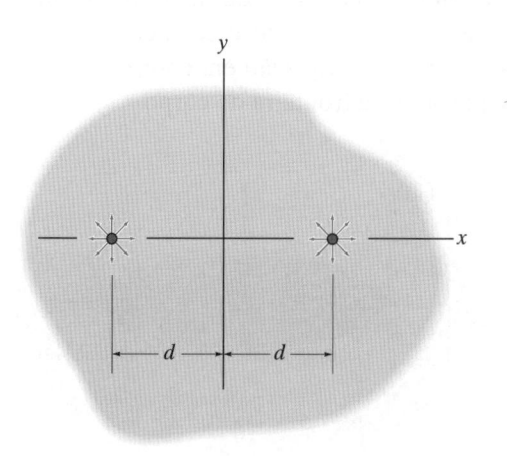

*__7.68.__ A aresta de uma asa é aproximada pelo semicorpo. Ela é formada pela superposição do escoamento de ar uniforme de 300 pés/s e uma fonte. Determine a intensidade necessária da fonte de modo que a largura do semicorpo seja 0,4 pé.

7.69. A aresta de uma asa é aproximada pelo semicorpo. Ela é formada pela superposição do escoamento de ar uniforme de 300 pés/s e uma fonte com uma intensidade de 100 pés²/s. Determine a largura do semicorpo e a diferença de pressão entre o ponto de estagnação O e o ponto A, onde $r = 0,3$ pé, $\theta = 90°$. Considere $\rho = 2,35(10^{-3})$ slug/pés³.

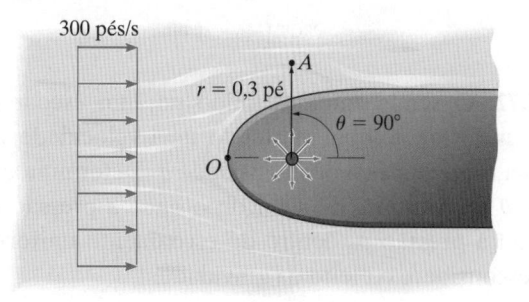

PROBLEMA 7.65

7.66. Uma fonte q é emitida a partir da parede enquanto ocorre um escoamento em direção à parede. Se a função corrente é descrita como $\psi = (4xy + 8\theta)$ m²/s, onde x e y estão em metros, determine a distância d da parede onde ocorre o ponto de estagnação ao longo do eixo y. Desenhe a linha de corrente que passa por esse ponto.

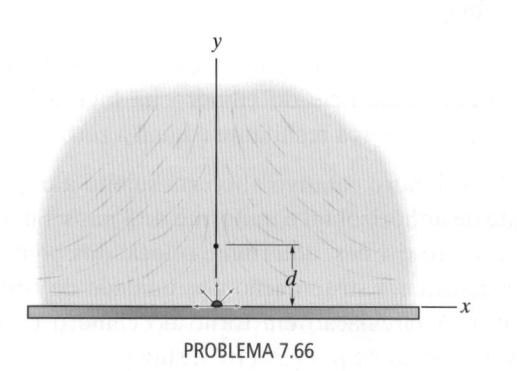

PROBLEMAS 7.68 e 7.69

7.70. O semicorpo é definido por um escoamento uniforme combinado, com uma velocidade U e uma fonte pontual de intensidade q. Determine a distribuição de pressão ao longo da fronteira superior do semicorpo em função de θ, se a pressão dentro do escoamento uniforme for p_0. Desconsidere o efeito da gravidade. A densidade do fluido é ρ.

PROBLEMA 7.66

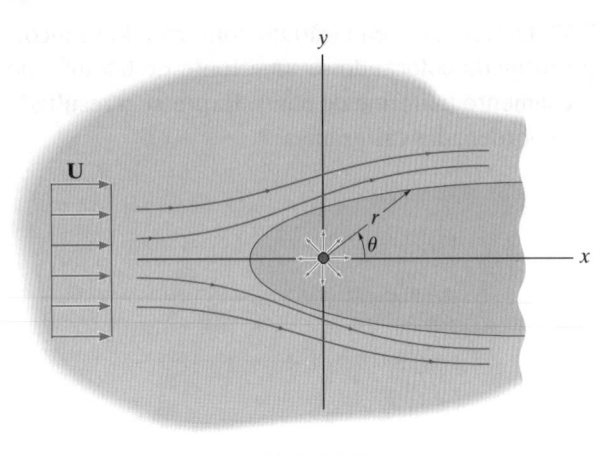

PROBLEMA 7.70

7.71. Um fluido escoa por um semicorpo para o qual $U = 0{,}4$ m/s e $q = 1{,}0$ m²/s. Desenhe o semicorpo e determine as magnitudes da velocidade e da pressão no fluido no ponto $r = 0{,}8$ m e $\theta = 90°$. A pressão dentro do escoamento uniforme é 300 Pa. Considere $\rho = 850$ kg/m³.

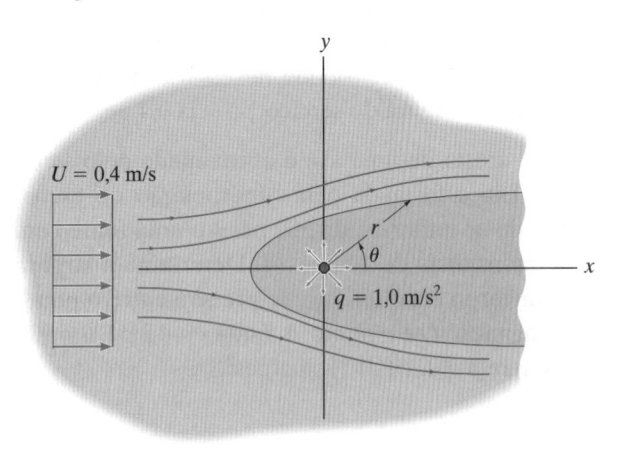

PROBLEMA 7.71

*7.72. O semicorpo é definido por um escoamento uniforme combinado tendo uma velocidade U e uma fonte pontual de intensidade q. Determine o local θ na fronteira do semicorpo onde a pressão p é igual à pressão p_0 dentro do escoamento uniforme. Desconsidere o efeito da gravidade.

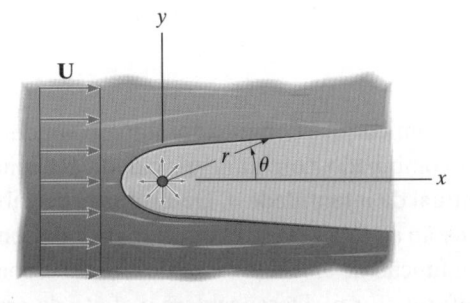

PROBLEMA 7.72

7.73. A oval de Rankine é definida pela fonte e pelo sorvedouro, cada um tendo uma intensidade de 0,2 m²/s. Se a velocidade do escoamento uniforme é 4 m/s, determine as dimensões mais longa e mais curta do corpo.

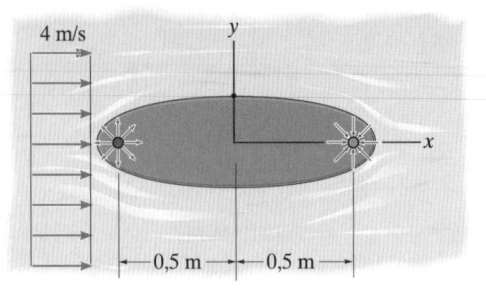

PROBLEMA 7.73

7.74. A oval de Rankine é definida pela fonte e pelo sorvedouro, cada um tendo uma intensidade de 0,2 m²/s. Se a velocidade do escoamento uniforme é 4 m/s, determine a equação em coordenadas cartesianas que define a fronteira do corpo.

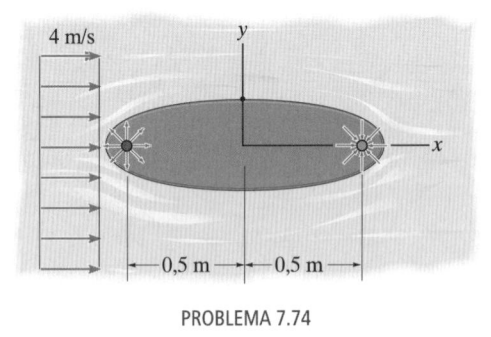

PROBLEMA 7.74

7.75. Um fluido possui uma velocidade uniforme de $U = 10$ m/s. Uma fonte $q = 15$ m²/s está em $x = 2$ m, e um sorvedouro $q = -15$ m²/s está em $x = -2$ m. Represente graficamente a oval de Rankine que é formada e determine as magnitudes da velocidade e da pressão no ponto (0, 2 m). A pressão dentro do escoamento uniforme é 40 kPa. Considere $\rho = 850$ kg/m³.

*7.76. Integre a distribuição de pressão (Equação 7.67) pela superfície do cilindro na Figura 7.33b e mostre que a força resultante é igual a zero.

7.77. O cilindro rotativo alto está sujeito a uma corrente de ar horizontal e uniforme de 3 pés/s. Se o raio do cilindro é 4 pés, determine o local dos pontos de estagnação e a sustentação por unidade de comprimento. A circulação em torno do cilindro é de 18 pés²/s. Considere $\rho = 2{,}35(10^{-3})$ slug/pés³.

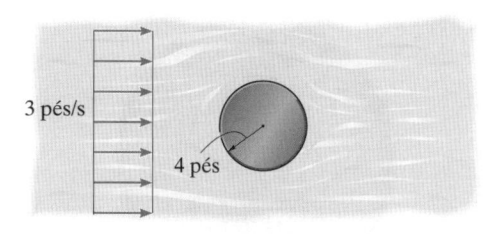

PROBLEMA 7.77

7.78. A coluna da ponte com 0,5 m de diâmetro está sujeita ao escoamento uniforme de água a 4 m/s. Determine as pressões máxima e mínima exercidas sobre a coluna a uma profundidade de 2 m.

PROBLEMA 7.78

7.79. O ar escoa em torno do cilindro de modo que a pressão, medida em A, é $p_A = -4$ kPa. Determine a velocidade U do escoamento se $\rho = 1,22$ kg/m^3. Essa velocidade pode ser determinada se, em vez disso, for medida a pressão em B?

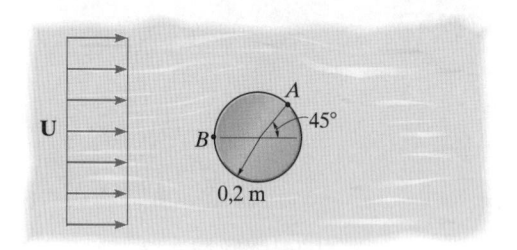

PROBLEMA 7.79

*****7.80.** O cilindro com 200 mm de diâmetro está sujeito a um escoamento horizontal uniforme com uma velocidade de 6 m/s. A uma distância longe do cilindro, a pressão é de 150 kPa. Desenhe a variação da velocidade e da pressão ao longo da linha radial r, em $\theta = 90°$, e especifique seus valores em $r = 0,1$ m, 0,2 m, 0,3 m, 0,4 m e 0,5 m. Considere $\rho = 1,5$ Mg/m^3.

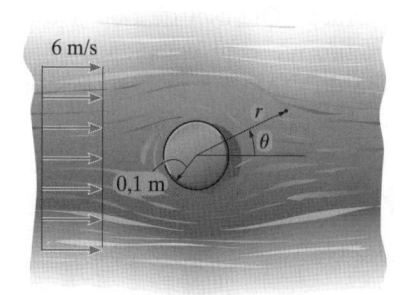

PROBLEMA 7.80

7.81. O cilindro com 200 mm de diâmetro está sujeito a um escoamento horizontal uniforme com uma velocidade de 6 m/s. A uma distância longe do cilindro, a pressão é de 150 kPa. Desenhe a variação da velocidade e da pressão ao longo da linha radial r, em $\theta = 0°$, e especifique seus valores em $r = 0,1$ m, 0,2 m, 0,3 m, 0,4 m e 0,5 m. Considere $\rho = 1,5$ Mg/m^3.

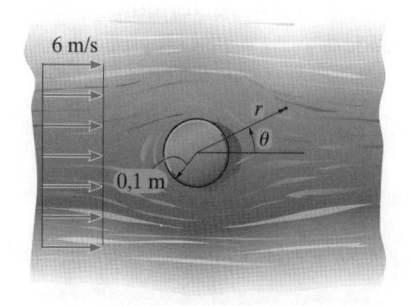

PROBLEMA 7.81

7.82. O ar está escoando a $U = 30$ m/s pelo barracão Quonset de raio $R = 3$ m. Ache a velocidade e a distribuição de pressão absoluta ao longo do eixo y para 3 m $\leq y \leq \infty$. A pressão absoluta dentro do escoamento uniforme é $p_0 = 100$ kPa. Considere $\rho_a = 1,23$ kg/m^3.

7.83. O barracão Quonset de raio R está sujeito a um vento uniforme com velocidade U. Determine a força vertical resultante causada pela pressão que atua sobre o barracão se ele tem um comprimento L. A densidade do ar é ρ.

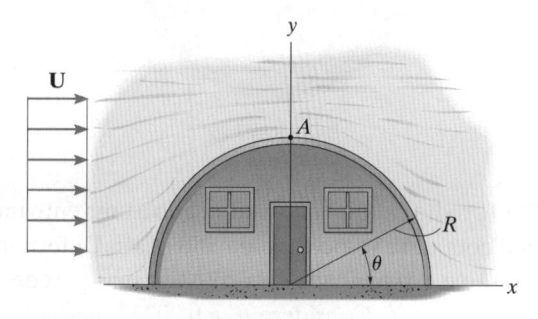

PROBLEMAS 7.82 e 7.83

*7.84. O barracão Quonset de raio R está sujeito a um vento uniforme com velocidade U. Determine a velocidade do vento e a pressão manométrica no ponto A. A densidade do ar é ρ.

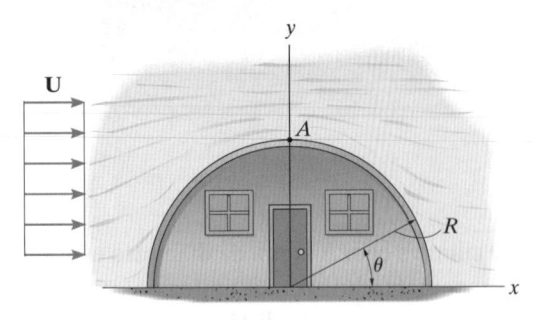

PROBLEMA 7.84

7.85. A água escoa em direção à coluna circular com uma velocidade uniforme de 3 pés/s. Se o raio externo da coluna é 4 pés e a pressão dentro do escoamento uniforme é 6 lb/pol.², determine a pressão no ponto A. Considere $\rho_{água} = 1{,}94$ slug/pé³.

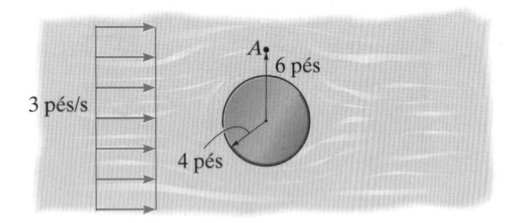

PROBLEMA 7.85

7.86. O prédio circular alto está sujeito a um vento uniforme com uma velocidade de 150 pés/s. Determine o local θ da janela que está sujeita à menor pressão. Qual é essa pressão? Considere $\rho_a = 0{,}00237$ slug/pé³.

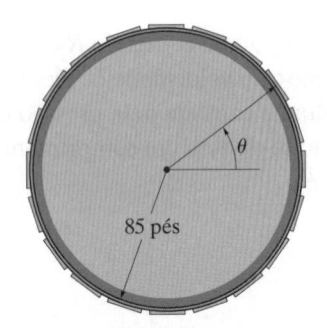

PROBLEMA 7.86

7.87. O prédio circular alto está sujeito a um vento uniforme com uma velocidade de 150 pés/s. Determine a pressão e a velocidade do vento em suas paredes a $\theta = 0°$, $90°$ e $150°$. Considere $\rho_a = 0{,}00237$ slug/pé³.

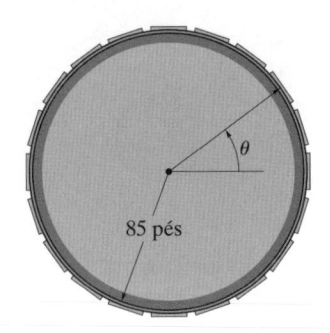

PROBLEMA 7.87

*7.88. O tubo é feito de quatro segmentos semicirculares iguais que são colados. Se ele for exposto a uma corrente de ar uniforme com uma velocidade de 8 m/s, determine a força resultante que a pressão exerce sobre o segmento AB por unidade de comprimento do tubo. Considere $\rho = 1{,}22$ kg/m³.

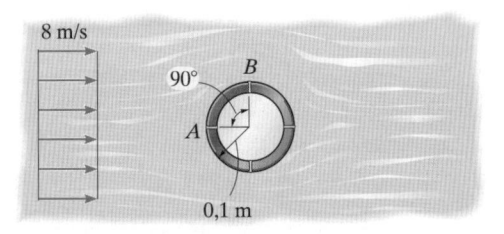

PROBLEMA 7.88

7.89. O cilindro com 1 pé de diâmetro está girando a $\omega = 5$ rad/s enquanto está sujeito a um escoamento uniforme com uma velocidade de 4 pés/s. Determine a força de sustentação no cilindro por unidade de comprimento. Considere $\rho = 2{,}38(10^{-3})$ slug/pés³.

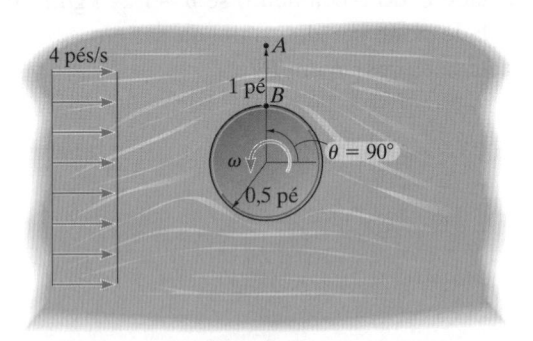

PROBLEMA 7.89

7.90. O cilindro com 1 pé de diâmetro está girando a $\omega = 8$ rad/s enquanto está sujeito a um escoamento com uma velocidade horizontal uniforme de 4 pés/s. Se a pressão dentro do escoamento uniforme é 80 lb/pés², determine a pressão sobre a superfície B do cilindro em $\theta = 90°$, e em A, onde $r = 1$ pé, $\theta = 90°$. Além disso, ache a força resultante que atua por unidade de comprimento do cilindro. Considere $\rho = 1{,}94$ slug/pé³.

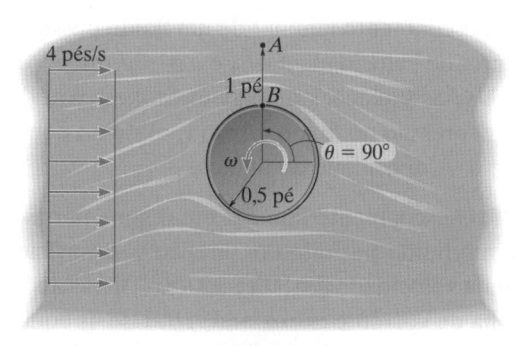

PROBLEMA 7.90

7.91. O cilindro gira em sentido anti-horário a 40 rad/s. Se a velocidade uniforme do ar é 10 m/s e a pressão dentro do escoamento uniforme é 300 Pa, determine a pressão máxima e mínima na superfície do cilindro. Além disso, qual é a força de sustentação no cilindro? Considere $\rho_a = 1,20$ kg/m³.

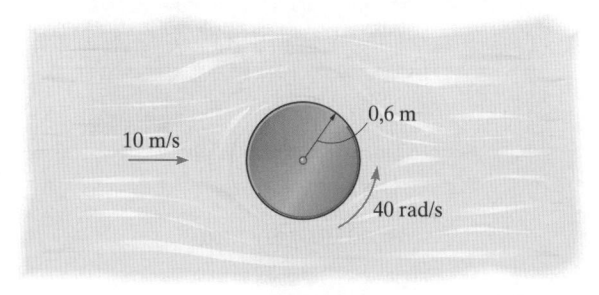

PROBLEMA 7.91

*__7.92.__ Um torque **T** é aplicado ao cilindro, fazendo com que ele gire em sentido anti-horário com uma velocidade angular constante de 120 rev/min. Se o vento estiver soprando a uma velocidade constante de 15 m/s, determine o local dos pontos de estagnação na superfície do cilindro e encontre a pressão máxima. A pressão dentro do escoamento uniforme é 400 Pa. Considere $\rho_a = 1,20$ kg/m³.

7.93. Um torque **T** é aplicado ao cilindro, fazendo com que ele gire em sentido anti-horário com uma velocidade angular constante de 120 rev/min. Se o vento estiver soprando a uma velocidade constante de 15 m/s, determine a sustentação por unidade de comprimento no cilindro e a pressão mínima no cilindro. A pressão dentro do escoamento uniforme é de 400 Pa. Considere $\rho_a = 1,20$ kg/m³.

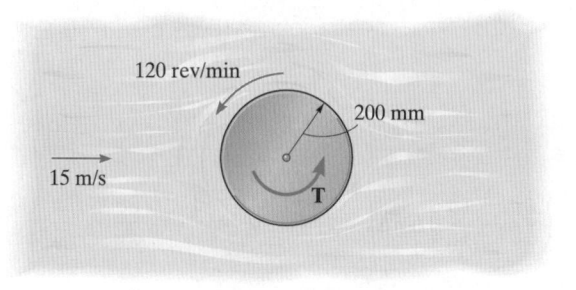

PROBLEMAS 7.92 e 7.93

7.94. O líquido está confinado entre uma placa superior com uma área A e uma superfície fixa. A força **F** é aplicada à placa e lhe dá uma velocidade **U**. Se isso causa um escoamento laminar e a pressão não varia, mostre que as equações de Navier-Stokes e da continuidade indicam que a distribuição de velocidade para esse escoamento é definida por $u = U(y/h)$, e que a tensão de cisalhamento dentro do líquido é $\tau_{xy} = F/A$.

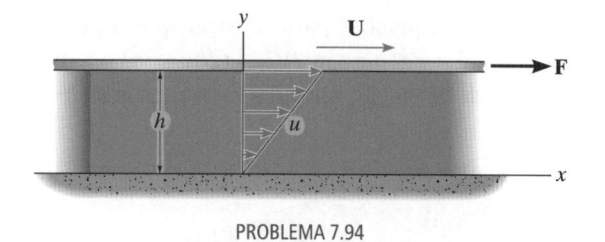

PROBLEMA 7.94

7.95. O canal para um líquido é formado por duas placas fixas. Se existe escoamento laminar entre as placas, mostre que as equações de Navier-Stokes e da continuidade se reduzem a $\partial^2 u/\partial y^2 = (1/\mu)\, \partial p/\partial x$ e $\partial p/\partial y = 0$. Integre essas equações para mostrar que o perfil de velocidade para o escoamento é $u = (1/(2\mu))(dp/dx)[y^2 - (d/2)^2]$. Desconsidere o efeito da gravidade.

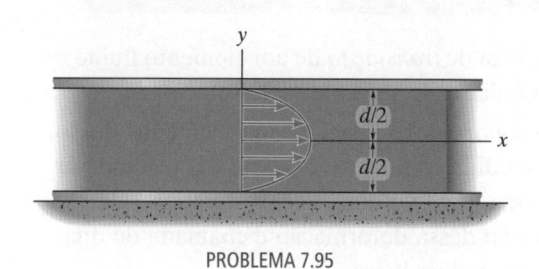

PROBLEMA 7.95

*__7.96.__ O fluido com uma densidade ρ e viscosidade μ preenche o espaço entre os dois cilindros. Se o cilindro externo é fixo e o interno está girando a ω, aplique as equações de Navier-Stokes para determinar o perfil de velocidade considerando um escoamento laminar.

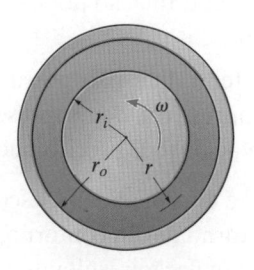

PROBLEMA 7.96

7.97. Um campo de velocidade horizontal é definido por $u = 2(x^2 - y^2)$ pés/s e $v = (-4xy)$ pés/s. Mostre que essas expressões satisfazem a equação da continuidade. Usando as equações de Navier-Stokes, mostre que a distribuição de pressão é definida por $p = C - \rho V^2/2 - \rho g z$.

7.98. O canal aberto inclinado possui escoamento laminar em regime permanente a uma profundidade h. Mostre que as equações de Navier-Stokes se reduzem a $\partial^2 u/\partial y^2 = -(\rho g \, \text{sen} \, \theta)/\mu$ e $\partial p/\partial y = -\rho g \cos \theta$. Integre essas equações para mostrar que o perfil de velocidade é $u = [(\rho g \, \text{sen} \, \theta)/2\mu] (2hy - y^2)$ e a distribuição de deformação-tensão é $\tau_{xy} = \rho g \, \text{sen} \, \theta \, (h - y)$.

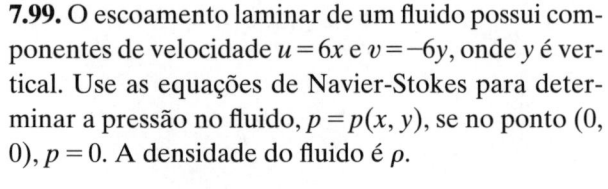

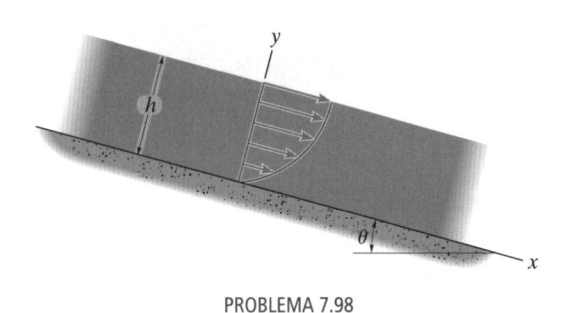

7.99. O escoamento laminar de um fluido possui componentes de velocidade $u = 6x$ e $v = -6y$, onde y é vertical. Use as equações de Navier-Stokes para determinar a pressão no fluido, $p = p(x, y)$, se no ponto (0, 0), $p = 0$. A densidade do fluido é ρ.

*7.100. O escoamento laminar em regime permanente de um fluido perfeito em direção à superfície fixa tem uma velocidade $u = [10(1 + 1/(8x^3))]$ m/s ao longo da linha de corrente horizontal AB. Use as equações de Navier-Stokes e determine a variação da pressão ao longo dessa linha de corrente, plotando-a para $-2,5 \text{ m} \leq x \leq -0,5 \text{ m}$. A pressão em A é de 5 kPa, e a densidade do fluido é $\rho = 1000$ kg/m³.

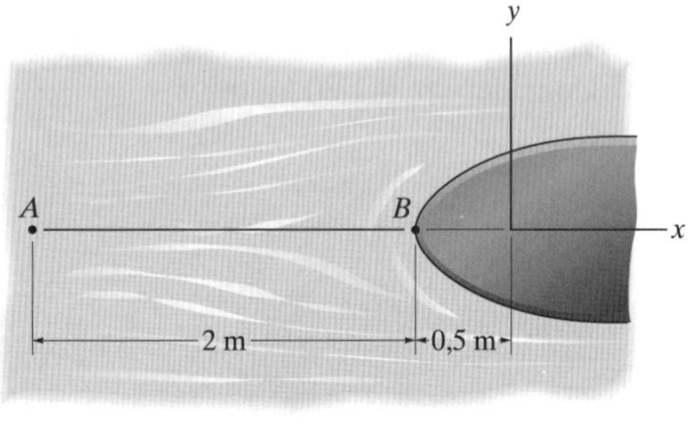

PROBLEMA 7.98

PROBLEMAS 7.99 e 7.100

Revisão do capítulo

A taxa de *translação* de um elemento fluido é definida pelo seu campo de velocidade.	$\mathbf{V} = \mathbf{V}(x, y, z, t)$
A *deformação linear* de um elemento fluido é medida como a variação de seu volume por unidade de volume. A taxa temporal de variação dessa deformação é chamada de dilatação volumétrica.	$\dfrac{\delta \mathcal{V}/d\mathcal{V}}{dt} = \dfrac{\partial u}{\partial x} + \dfrac{\partial v}{\partial y} + \dfrac{\partial w}{\partial z} \quad \nabla \cdot \mathbf{V}$
A taxa de rotação ou *velocidade angular* de um elemento fluido é medida pela velocidade angular média de dois lados adjacentes de um elemento diferencial, $\boldsymbol{\omega} = \frac{1}{2} \nabla \times \mathbf{V}$.	$\omega_z = \dfrac{1}{2}\left(\dfrac{\partial v}{\partial x} - \dfrac{\partial u}{\partial y}\right)$
A *deformação angular* de um elemento fluido é definida pela taxa de variação no tempo do ângulo de 90° entre seus lados adjacentes. Essa é a taxa de deformação por cisalhamento do elemento.	$\dot{\gamma}_{xy} = \dfrac{\partial v}{\partial x} + \dfrac{\partial u}{\partial y}$
Um fluido perfeito, que não possui viscosidade e é incompressível, pode apresentar escoamento irrotacional. É preciso que $\boldsymbol{\omega} = \mathbf{0}$.	
A *circulação* Γ é uma medida do escoamento resultante em torno de um contorno, e a vorticidade ζ é a circulação resultante em torno de cada unidade de área do fluido.	$\Gamma = \left(\dfrac{\partial v}{\partial x} - \dfrac{\partial u}{\partial y}\right)\Delta x \Delta y \qquad \zeta = \dfrac{\Gamma}{A} = \dfrac{\partial v}{\partial x} - \dfrac{\partial u}{\partial y}$

A conservação de massa é expressa pela equação da continuidade, que declara que $\partial \rho / \partial t + \nabla \cdot \rho \mathbf{V} = 0$, ou, para o escoamento em regime permanente e incompressível, $\nabla \cdot \mathbf{V} = 0$.	$$\frac{\partial u}{\partial x} + \frac{\partial v}{\partial y} = 0$$
As equações do movimento de Euler se aplicam a um *fluido perfeito*. Elas relacionam as forças de pressão e gravitacional que atuam sobre um elemento fluido diferencial aos componentes de sua aceleração. Quando integradas, elas produzem a equação de Bernoulli, que pode ser aplicada entre dois pontos quaisquer no fluido, desde que o fluido tenha escoamento em regime permanente e irrotacional.	$$\rho g_x - \frac{\partial p}{\partial x} = \rho\left(\frac{\partial u}{\partial t} + u\frac{\partial u}{\partial x} + v\frac{\partial u}{\partial y} + w\frac{\partial u}{\partial z}\right)$$ $$\rho g_y - \frac{\partial p}{\partial y} = \rho\left(\frac{\partial v}{\partial t} + u\frac{\partial v}{\partial x} + v\frac{\partial v}{\partial y} + w\frac{\partial v}{\partial z}\right)$$ $$\rho g_z - \frac{\partial p}{\partial z} = \rho\left(\frac{\partial w}{\partial t} + u\frac{\partial w}{\partial x} + v\frac{\partial w}{\partial y} + w\frac{\partial w}{\partial z}\right)$$
A função corrente $\psi(x, y)$ satisfaz a equação da continuidade. Se $\psi(x, y)$ for conhecida, então os componentes da velocidade do fluido em qualquer ponto podem ser determinados a partir de suas derivadas parciais.	$$u = \frac{\partial \psi}{\partial y} \qquad v = -\frac{\partial \psi}{\partial x}$$
O escoamento por unidade de profundidade, entre duas linhas de corrente quaisquer, $\psi_1(x, y) = C_1$ e $\psi_2(x, y) = C_2$, pode ser determinado a partir da diferença de suas constantes da função corrente.	$$q = C_2 - C_1$$
A função potencial $\phi(x, y)$ satisfaz as condições do escoamento irrotacional. Os componentes da velocidade do fluido podem ser determinados, em qualquer ponto, a partir de suas derivadas parciais.	$$u = \frac{\partial \phi}{\partial x}, \qquad v = \frac{\partial \phi}{\partial y}$$
As soluções para $\psi(x, y)$ e $\phi(x, y)$ foram obtidas para um escoamento uniforme, escoamento a partir de uma fonte linear e para um sorvedouro linear, um dipolo e escoamento de um vórtice livre. Essas soluções podem ser superpostas (somadas ou subtraídas uma da outra) para produzir escoamentos mais complicados, como o escoamento que passa por um semicorpo, escoamento em torno de uma oval de Rankine ou escoamento em torno de um cilindro.	
Quando as forças de pressão, gravidade e viscosidade são todas levadas em consideração, as equações do movimento são expressas como equações de Navier-Stokes. Junto com a equação da continuidade, somente um número limitado de soluções foram realmente obtidas, e estas são para o escoamento laminar. Os escoamentos laminares e turbulentos mais complexos exigem uma solução numérica dessas equações usando os métodos da dinâmica dos fluidos computacional (DFC).	$$\rho\left(\frac{\partial u}{\partial t} + u\frac{\partial u}{\partial x} + v\frac{\partial u}{\partial y} + w\frac{\partial u}{\partial z}\right) = \rho g_x - \frac{\partial p}{\partial x} + \mu\left(\frac{\partial^2 u}{\partial x^2} + \frac{\partial^2 u}{\partial y^2} + \frac{\partial^2 u}{\partial z^2}\right)$$ $$\rho\left(\frac{\partial v}{\partial t} + u\frac{\partial v}{\partial x} + v\frac{\partial v}{\partial y} + w\frac{\partial v}{\partial z}\right) = \rho g_y - \frac{\partial p}{\partial y} + \mu\left(\frac{\partial^2 v}{\partial x^2} + \frac{\partial^2 v}{\partial y^2} + \frac{\partial^2 v}{\partial z^2}\right)$$ $$\rho\left(\frac{\partial w}{\partial t} + u\frac{\partial w}{\partial x} + v\frac{\partial w}{\partial y} + w\frac{\partial w}{\partial z}\right) = \rho g_z - \frac{\partial p}{\partial z} + \mu\left(\frac{\partial^2 w}{\partial x^2} + \frac{\partial^2 w}{\partial y^2} + \frac{\partial^2 w}{\partial z^2}\right)$$

CAPÍTULO 8

Análise dimensional e semelhança

Túneis de vento geralmente são usados para testar modelos de aviões e outros veículos ou protótipos. Para fazer isso, o modelo precisa ser devidamente escalonado de modo que os resultados se correlacionem ao protótipo.

(© Georg Gerster/Science Source)

8.1 Análise dimensional

Nos capítulos anteriores, apresentamos muitas equações importantes da mecânica dos fluidos, e ilustramos sua aplicação para a solução de alguns problemas práticos. Em todos esses casos, pudemos obter uma *solução algébrica* na forma de uma equação que descreve o escoamento. Porém, em alguns casos, um problema pode envolver um escoamento complicado, e a combinação de variáveis físicas e propriedades que descrevem o fluido, como velocidade, pressão, densidade, viscosidade etc., pode não ser totalmente compreendida. Quando isso acontece, o escoamento pode então ser estudado por meio da realização de um *experimento*.

Infelizmente, o trabalho experimental pode ser caro e demorado, e, portanto, torna-se importante poder *minimizar a quantidade de dados experimentais* que precisam ser obtidos. A melhor maneira de fazer isso é primeiro realizar uma análise dimensional de todas as variáveis físicas e propriedades do fluido relevantes. Especificamente, a **análise dimensional** é um ramo da matemática que é usado para organizar todas essas *variáveis* em conjuntos de **grupos adimensionais**. Quando esses grupos são obtidos, podemos usá-los para obter a quantidade máxima de informação, a partir de um número mínimo de experimentos.

O método da análise dimensional é baseado no princípio da **homogeneidade dimensional**, discutido na Seção 1.4. Ele declara que *cada termo em uma equação precisa ter a mesma combinação de unidades*. Exceto para a temperatura, as variáveis em quase todos os problemas de escoamento de fluidos podem ser descritas por meio das dimensões básicas de massa M, comprimento L e tempo T; ou força F, comprimento L e tempo T.* Por

Objetivos

- Mostrar como usar a análise dimensional para especificar a menor quantidade de dados necessária para estudar o comportamento de um fluido experimentalmente.

- Discutir como o comportamento do escoamento depende dos tipos de forças que o influenciam, apresentando um importante conjunto de números adimensionais que envolvem essas forças.

- Formalizar um procedimento de análise dimensional, obtendo grupos de números adimensionais usando o teorema do Pi de Buckingham.

- Mostrar como se pode escalonar um modelo de uma estrutura ou máquina de tamanho real e depois usar o modelo para estudar experimentalmente os efeitos do escoamento de um fluido.

---

* Lembre-se de que força e massa não são independentes uma da outra. Ao contrário, elas estão relacionadas pela lei de Newton do movimento, $F = ma$. Assim, no sistema SI, a força tem as dimensões de ML/T^2 (ma), e no sistema comum dos EUA, a massa tem as dimensões de FT^2/L (F/a).

conveniência, a Tabela 8.1 lista as combinações dessas dimensões para muitas das variáveis na mecânica dos fluidos.

Embora uma análise dimensional não ofereça uma solução analítica direta para um problema, ela ajudará na formulação dele, de modo que a solução possa ser obtida experimentalmente da maneira mais simples possível. Para ilustrar esse ponto, e ao mesmo tempo mostrar o processo matemático envolvido, vamos considerar o problema de descobrir como a potência de saída $\dot{W}_s$ da bomba na Figura 8.1a *depende* do aumento de pressão Δp que ela desenvolve de A para B e da vazão Q que ela fornece. Uma maneira de obter essa relação incógnita experimentalmente seria medir uma vazão fixa específica fornecida pela bomba Q_1, variar a potência várias vezes e medir cada aumento de pressão correspondente. Os dados, quando plotados, dariam então a relação necessária $W_s = f(\Delta p, Q_1)$, mostrada na Figura 8.1b. Repetindo esse processo para Q_2 etc., podemos produzir uma família de linhas ou curvas, conforme mostra a figura. Infelizmente, sem um *grande número* desses gráficos, um para cada Q, seria difícil obter o valor de $\dot{W}_s$ para quaisquer Q e Δp específicos.

TABELA 8.1

Quantidade	Símbolo	M–L–T	F–L–T
Área	A	L^2	L^2
Volume	$\forall$	L^3	L^3
Velocidade	V	LT^{-1}	LT^{-1}
Aceleração	a	LT^{-2}	LT^{-2}
Velocidade angular	ω	T^{-1}	T^{-1}
Força	F	MLT^{-2}	F
Massa	m	M	FT^2L^{-1}
Densidade	ρ	ML^{-3}	FT^2L^{-4}
Peso específico	γ	$ML^{-2}T^{-2}$	FL^{-3}
Pressão	p	$ML^{-1}T^{-2}$	FL^{-2}
Viscosidade dinâmica	μ	$ML^{-1}T^{-1}$	FTL^{-2}
Viscosidade cinemática	ν	L^2T^{-1}	L^2T^{-1}
Potência	$\dot{W}_s$	ML^2T^{-3}	FLT^{-1}
Vazão volumétrica	Q	L^3T^{-1}	L^3T^{-1}
Vazão mássica	$\dot{m}$	MT^{-1}	FTL^{-1}
Tensão superficial	σ	MT^{-2}	FL^{-1}
Peso	W	MLT^{-2}	F
Torque	T	ML^2T^{-2}	FL

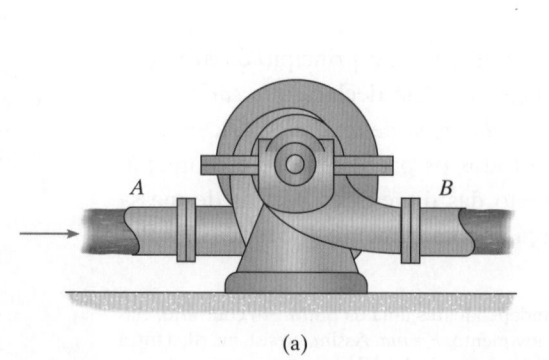

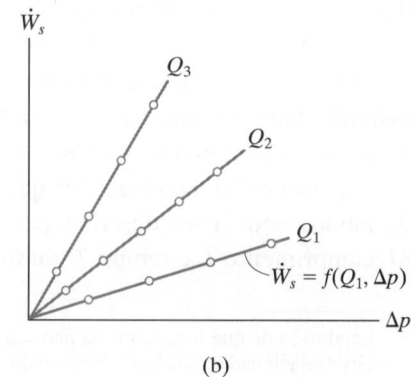

(a)   (b)

FIGURA 8.1

Uma maneira mais fácil de obter $\dot{W}_s = f(\Delta p, Q)$ é realizar primeiro uma análise dimensional das variáveis. Aqui, é preciso que Q e Δp sejam arranjados de modo que suas *unidades combinadas* sejam as *mesmas* daquelas usadas para descrever a potência. Além disso, como Q e Δp *isolados* não possuem unidades de potência, essas variáveis simplesmente não são somadas ou subtraídas uma da outra; em vez disso, elas precisam ser *multiplicadas ou divididas*. Logo, a relação funcional incógnita precisa ter a forma

$$\dot{W}_s = CQ^a(\Delta p)^b$$

Aqui, C é alguma constante desconhecida (adimensional) e a e b são expoentes desconhecidos, que mantenham a homogeneidade dimensional para as unidades de potência. Usando a Tabela 8.1 e o sistema M-L-T, as dimensões básicas para essas variáveis são $\dot{W}_s(ML^2/T^3)$, $Q(L^3/T)$ e $\Delta p(M/LT^2)$. Quando as dimensões são substituídas na equação anterior, ela se torna

$$ML^2T^{-3} = (L^3T^{-1})^a(ML^{-1}T^{-2})^b$$
$$= M^b L^{3a-b} T^{-a-2b}$$

Como as dimensões para M, L e T devem ser as *mesmas* em cada lado dessa equação,

$M:$ $1 = b$
$L:$ $2 = 3a - b$
$T:$ $-3 = -a - 2b$

Resolvendo, obtemos $a = 1$ e $b = 1$. Em outras palavras, a relação funcional exigida aqui, mostrada na Figura 8.1b, tem a forma

$$\dot{W}_s = CQ\Delta p$$

Naturalmente, em vez de usar esse procedimento formal, poderíamos também obter esse resultado *por inspeção*, observando que as unidades de Q e Δp, quando multiplicadas, se cancelam de modo a produzir as unidades de $\dot{W}_s$.

Agora que essa relação foi estabelecida, só precisamos realizar um *único experimento*, medindo a queda de pressão Δp_1 e o escoamento Q_1 para uma potência conhecida $(\dot{W}_s)_1$. Isso nos permitirá determinar a *única* constante desconhecida $C = (\dot{W}_s)_1/(Q_1 \Delta p_1)$ e, conhecendo isso, poderemos então calcular a potência requerida da bomba para *qualquer outra combinação* de Q e Δp.

8.2 Números adimensionais importantes

O método de aplicação da análise dimensional, como no exemplo anterior, foi desenvolvido originalmente por Lord Rayleigh. Depois, foi aperfeiçoado por Edgar Buckingham e, como mostraremos na Seção 8.3, seu método requer a combinação das variáveis que descrevem o escoamento em um conjunto de razões ou "números" *adimensionais*. Frequentemente, esses números são representados por uma razão das *forças* que atuam sobre o fluido dentro do escoamento. E como essas razões aparecem com muita frequência no estudo da mecânica dos fluidos experimental, vamos introduzir aqui algumas das mais importantes.

Por questão de convenção, cada razão adimensional é composta por uma força dinâmica ou de inércia, e alguma outra força desenvolvida pelo escoamento, como aquela causada pela pressão, viscosidade ou gravidade. A *força de inércia* é, na realidade, uma força fictícia, pois representa o termo de inércia ma na equação do movimento. Especificamente, se escrevermos $\Sigma F = ma$ como $\Sigma F - ma = 0$, então o termo $-ma$ pode ser imaginado como uma *força de inércia*, que é necessária para produzir uma força resultante zero sobre uma partícula do fluido. Vamos selecionar a força de inércia para todas essas razões adimensionais porque ela envolve a *aceleração* da partícula do fluido, e, portanto, desempenha um papel importante em quase todo problema que envolve escoamento de fluidos. Observe que a força de inércia tem uma magnitude de ma ou $\rho \forall a$ e, portanto, retendo a propriedade ρ do fluido, possui dimensões parciais de $\rho (L^3)(L/T^2)$. Como a velocidade V tem dimensões de L/T, podemos omitir a dimensão do tempo e também expressar essa força somente em termos da dimensão do comprimento, ou seja, $\rho V^2 L^2$.

Agora, vamos definir rapidamente o significado de cada razão de força adimensional, chamada de "número", e em outras seções discutiremos a importância dessas razões para aplicações específicas.

Número de Euler

É a diferença na pressão estática entre dois pontos em um fluido que faz o fluido escoar, e, portanto, a razão entre a força causada por essa diferença de pressão e a força de inércia, $\rho V^2 L^2$, é denominada *número de Euler* ou *coeficiente de pressão*. A força de pressão $\Delta p A$ pode ser expressa em termos de suas dimensões de comprimento por meio de $\Delta p L^2$, e com isso o número de Euler é

$$\text{Eu} = \frac{\text{força de pressão}}{\text{força de inércia}} = \frac{\Delta p}{\rho V^2} \quad (8.1)$$

Esse número adimensional controla o comportamento do escoamento quando as forças de pressão e de inércia são dominantes, como quando um líquido escoa por um tubo. Ele também desempenha um papel importante na cavitação de um líquido, e também no estudo dos efeitos do arrasto e da sustentação produzidos por um fluido.

Número de Reynolds

A razão entre a força de inércia $\rho V^2 L^2$ e a força viscosa é chamada de *número de Reynolds*. Para um fluido newtoniano, a força viscosa é determinada pela lei de Newton da viscosidade, $F_v = \tau A = \mu(dV/dy)A$. Retendo a propriedade μ do fluido, a força viscosa tem dimensões de comprimento $\mu(V/L)L^2$, ou μVL, de modo que o número de Reynolds torna-se

$$\text{Re} = \frac{\text{força de inércia}}{\text{força viscosa}} = \frac{\rho VL}{\mu} \quad (8.2)$$

Essa razão adimensional foi desenvolvida originalmente pelo engenheiro britânico Osborne Reynolds, enquanto investigava o comportamento do escoamento laminar e turbulento em tubos. Quando usada para esse propósito, o "comprimento característico" L é escolhido como o diâmetro do tubo. Observe que, quando Re for grande, as forças de inércia dentro do escoamento serão maiores do que as forças viscosas, e, quando isso ocorre, o escoamento se tornará turbulento. Usando essa ideia, na Seção 9.5, mostraremos que Reynolds foi capaz de prever de modo aproximado quando o escoamento laminar começa a fazer a transição para o escoamento turbulento. Além do escoamento em condutos fechados, como tubos, as forças viscosas também afetam o escoamento de ar em torno de uma aeronave movendo-se lentamente, e da água em torno de navios e submarinos. Por esse motivo, o número de Reynolds possui implicações importantes em diversos fenômenos de escoamento.

Número de Froude

A razão entre a força de inércia $\rho V^2 L^2$ e o peso do fluido $\rho \forall g = (\rho g) L^3$ torna-se V^2/gL. Se tomarmos a raiz quadrada dessa expressão adimensional, teremos outra razão adimensional chamada de *número de Froude*. Esse número é

$$\text{Fr} = \sqrt{\frac{\text{força de inércia}}{\text{força gravitacional}}} = \frac{V}{\sqrt{gL}} \qquad (8.3)$$

Esse número tem o nome de William Froude, um arquiteto naval que estudou as ondas de superfície produzidas pelo movimento de um navio. Seu valor indica a importância relativa dos efeitos da inércia e da gravidade sobre o escoamento do fluido. Por exemplo, se o número de Froude for maior que a unidade, então os efeitos da inércia serão superiores aos da gravidade. Esse número é importante no estudo de qualquer escoamento que possui uma superfície livre, como no caso de canais abertos, ou do escoamento sobre represas ou vertedouros.

Número de Weber

A razão entre a força de inércia $\rho V^2 L^2$ e a força de tensão superficial σL é chamada de *número de Weber*, que recebe o nome de Moritz Weber, que estudou os efeitos do escoamento em tubos capilares. Esse número é

$$\text{We} = \frac{\text{força de inércia}}{\text{força de tensão superficial}} = \frac{\rho V^2 L}{\sigma} \qquad (8.4)$$

Ele é importante porque os experimentos têm mostrado que o escoamento capilar é controlado pela força de tensão superficial dentro de uma passagem estreita, desde que o número de Weber seja menor que um. Para a maioria das aplicações na engenharia, a força de tensão superficial pode ser desprezada; porém, ela se torna importante quando se estuda o escoamento de filmes finos de líquido sobre superfícies, ou o escoamento de jatos ou borrifos de pequeno diâmetro.

Número de Mach

A raiz quadrada da razão entre a força de inércia $\rho V^2 L^2$ e a força que causa a compressibilidade de um fluido é chamada de *número de Mach*. Essa razão foi desenvolvida por Ernst Mach, um físico austríaco que a usou como referência para estudar os efeitos do escoamento compressível. Lembre-se de que a compressibilidade do fluido é medida por seu módulo de elasticidade, E_V, que é a pressão dividida pela variação volumétrica (Equação 1.12) $E_V = p/(\Delta V/V)$. Como as unidades de E_V são as mesmas daquelas da pressão, e a pressão produz uma força $F = pA$, a *força* de compressibilidade tem dimensões de comprimento de $F = E_V L^2$. A razão entre a força de inércia, $\rho V^2 L^2$, e a força de compressibilidade torna-se então $\rho V^2 / E_V$. Mostraremos no Capítulo 13 que, para um gás ideal, $E_V = \rho c^2$, onde c é a velocidade na qual um distúrbio de pressão (som) viajará naturalmente dentro de um meio fluido. Substituindo isso na razão e tirando a raiz quadrada, obtemos o número de Mach.

$$M = \sqrt{\frac{\text{força de inércia}}{\text{força de compressibilidade}}} = \frac{V}{c} \qquad (8.5)$$

Observe que, se M é maior que um, como no caso do escoamento supersônico, então os efeitos inerciais dominarão, e a velocidade do fluido será maior do que a velocidade c da propagação de qualquer distúrbio de pressão.

8.3 O teorema do Pi de Buckingham

Na Seção 8.1, discutimos um modo de realizar uma análise dimensional tentando combinar as variáveis de um escoamento de fluido como termos que terão um conjunto coerente de unidades. Como esse método é desajeitado quando se lida com problemas que possuem um grande número de variáveis, em 1914, o experimentalista Edgar Buckingham desenvolveu um método mais direto que, desde então, tornou-se conhecido como o teorema do Pi de Buckingham. Nesta seção, vamos formalizar a aplicação desse teorema e mostrar como ele se aplica em casos onde quatro ou mais variáveis físicas controlam o escoamento.

O *teorema do Pi de Buckingham* declara que, se um fenômeno do escoamento depende de n variáveis físicas, como velocidade, pressão e viscosidade, e se presentes com essas variáveis físicas houver m dimensões, como M, L e T, então, através da análise dimensional, as n variáveis podem ser arranjadas em $(n - m)$ números adimensionais ou agrupamentos independentes. Cada um desses agrupamentos é chamado de termo Π (Pi), pois, na matemática, esse símbolo é usado para simbolizar um produto. Os cinco agrupamentos (ou "números") adimensionais discutidos na seção anterior são termos Π típicos. Quando a relação fundamental entre os termos Π é estabelecida, ela pode então ser investigada experimentalmente, para ver como se relaciona com o comportamento do escoamento por meio de modelos. Os agrupamentos com mais influência são retidos, e aqueles com apenas um ligeiro efeito sobre o escoamento são rejeitados. Por fim, esse processo levará a uma equação empírica, onde quaisquer coeficientes e expoentes desconhecidos são então determinados por mais experimentos.

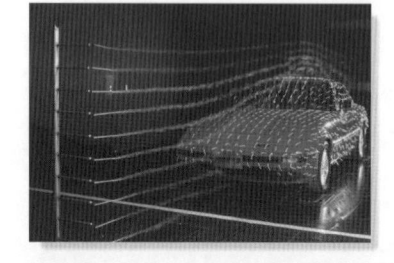

O arrasto deste carro é influenciado pela densidade, viscosidade e velocidade do ar, além da área projetada do carro dentro do escoamento. (© Takeshi Takahara/Science Source)

A prova do teorema do Pi de Buckingham é relativamente longa, e pode ser encontrada em livros relacionados à análise dimensional. Por exemplo, veja a Referência [1]. Aqui, estaremos interessados apenas em sua aplicação.

Procedimento para análise

O teorema do Pi de Buckingham é usado para encontrar os agrupamentos adimensionais entre as variáveis que descrevem determinado fenômeno do escoamento, e com isso estabelecer uma relação fundamental entre elas. O procedimento a seguir esboça as etapas necessárias para aplicá-lo.

- **Defina as variáveis físicas**

    Especifique as n variáveis físicas que afetam os fenômenos do escoamento, e depois veja se é possível formar quaisquer termos *por inspeção*. Se isso não puder ser feito, então determine o número m de dimensões básicas M, L, T ou F, L, T que estão envolvidas dentro da *coleção* de todas essas variáveis.* Isso resultará em $(n-m)$ termos Π que podem ser formulados para descrever os fenômenos. Por exemplo, se pressão, velocidade, densidade e comprimento forem as variáveis físicas suspeitas, então $n = 4$. Pela Tabela 8.1, as dimensões dessas variáveis são $ML^{-1}T^{-2}, LT^{-1}, ML^{-3}$ e L, respectivamente. Como M, L e T são representados nesta coleção, $m = 3$, e, portanto, isso resultará em $(4-3) = 1$ termo Π.

- **Selecione as variáveis repetitivas**

    Pela lista de n variáveis, selecione m delas de modo que todas essas m variáveis contenham as m dimensões básicas. Via de regra, selecione aquelas com a combinação mais simples de dimensões. Essas m variáveis são denominadas **variáveis repetitivas**. Para reduzir a quantidade de trabalho, nenhuma variável repetitiva adimensional deverá ser selecionada, pois, por si só, ela é um termo Π. Além disso, nenhuma variável repetitiva deverá ser selecionada se ela for definida em termos de outras variáveis repetitivas usando multiplicação ou divisão, como $Q = VA$. No exemplo anterior, podemos selecionar pressão, velocidade e densidade ($m = 3$) como variáveis repetitivas, pois sua coleção de dimensões envolve M, L, T ($m = 3$).

- **Termos Π**

    Pela lista restante de $(n-m)$ variáveis, selecione qualquer uma *delas*, chamada q, e multiplique-a pelas m variáveis repetitivas. Eleve cada uma das m variáveis a um expoente desconhecido, mas mantenha a variável q a uma potência conhecida, como um. Isso representa o primeiro termo Π. Continue o processo de seleção de qualquer outra variável q a partir das $(n-m)$ variáveis, e novamente escreva o produto de q e as *mesmas* m variáveis repetitivas, cada uma elevada a uma potência exponencial desconhecida, produzindo o segundo termo Π etc. Isso é feito até que todos os $(n-m)$ termos Π sejam escritos. Em nosso exemplo, o comprimento L seria selecionado como q, de modo que o único termo Π é então $\Pi = p^a V^b \rho^c L$.

- **Análise dimensional**

    Expresse cada um dos $(n-m)$ termos Π em termos das dimensões básicas (M, L, T ou F, L, T), e resolva para os expoentes desconhecidos exigindo que cada dimensão no termo Π seja cancelada, pois o termo Π deverá ser adimensional. Uma vez determinados, os termos Π são então coletados em uma expressão funcional $f(\Pi_1, \Pi_2, ...) = 0$, ou na forma de uma equação explícita, e os valores numéricos de quaisquer coeficientes ou expoentes restantes desconhecidos são então determinados pelo experimento.

    Os exemplos a seguir deverão ajudar a esclarecer essas quatro etapas, ilustrando assim a aplicação desse procedimento.

---

* Pode-se usar o sistema $M-L-T$ ou $F-L-T$ para realizar uma análise dimensional; porém, pode acontecer que as variáveis selecionadas tenham um *número diferente* de dimensões básicas m em cada um desses sistemas. Uma abordagem de matriz dimensional pode ser usada para identificar essa situação, mas como isso não ocorre com muita frequência, não iremos considerar seu uso neste texto. Veja a Referência [5].

EXEMPLO 8.1

Estabeleça o número de Reynolds para um fluido escoando pelo tubo da Figura 8.2 usando a análise dimensional, observando que o escoamento é uma função da densidade e da viscosidade μ do fluido, juntamente com sua velocidade V e o diâmetro D do tubo.

Solução

Defina as variáveis físicas

Aqui, $n = 4$. Usando o sistema $M-L-T$ e a Tabela 8.1, temos

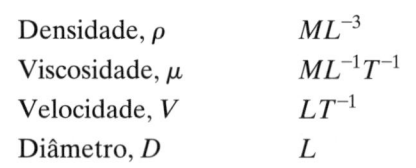

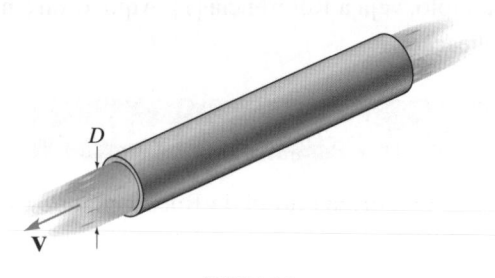

FIGURA 8.2

Densidade, ρ	ML^{-3}
Viscosidade, μ	$ML^{-1}T^{-1}$
Velocidade, V	LT^{-1}
Diâmetro, D	L

Como todas as três dimensões básicas (M, L, T) são usadas aqui, então $m = 3$. Assim, existe $(n - m) = (4 - 3) = 1$ termo Π.

Selecione a variável repetitiva

Vamos escolher ρ, μ, V como as $m = 3$ variáveis repetitivas, pois a coleção de suas dimensões contém as $m = 3$ dimensões básicas. (Naturalmente, outra seleção, usando μ, V, D, também poderia ter sido feita.)

Termo Π, D

Como D não foi selecionado, ele se torna a variável q, que será definida como a primeira potência (expoente um). Portanto, o termo Π é $\Pi = \rho^a \mu^b V^c D$.

Análise dimensional

As dimensões para esse termo Π são

$$\Pi = \rho^a \mu^b V^c D$$
$$= (M^a L^{-3a})(M^b L^{-b} T^{-b})(L^c T^{-c})L = M^{a+b} L^{-3a-b+c+1} T^{-b-c}$$

Π deverá ser adimensional, portanto

Para M: $0 = a + b$
Para L: $0 = -3a - b + c + 1$
Para T: $0 = -b - c$

A solução resulta em

$$a = 1, b = -1, c = 1$$

portanto,

$$\Pi_{Re} = \rho^1 \mu^{-1} V^1 D = \frac{\rho V D}{\mu} \qquad \textit{Resposta}$$

Esse resultado é o número de Reynolds (Equação 8.2), onde o "comprimento característico" L é o diâmetro D do tubo. Mais adiante no texto, daremos uma discussão mais completa de sua utilidade e mostraremos como as forças viscosas e inerciais desempenham um papel predominante na definição de quando o escoamento pelo tubo é laminar ou passa para um escoamento turbulento.

EXEMPLO 8.2

A asa do avião na Figura 8.3 está sujeita a um arrasto F_A criado pela corrente de ar sobre sua superfície. Antecipa-se que essa força seja uma função da densidade ρ e da viscosidade μ do ar, do comprimento L "característico" da asa e da velocidade V do escoamento. Mostre como a força do arrasto depende dessas variáveis.

Solução

FIGURA 8.3

Defina as variáveis físicas

Simbolicamente, a função desconhecida é $F_A = f(\rho, \mu, L, V)$. Para coletar todas as variáveis como uma função, podemos reescrever isso da seguinte forma:* $h(F_A, \rho, \mu, L, V) = 0$. Portanto, aqui, $n = 5$. Vamos resolver o problema usando o sistema $F-L-T$ e a Tabela 8.1. As dimensões básicas dessas cinco variáveis são

Arrasto, F_A	F
Densidade, ρ	FT^2L^{-4}
Viscosidade, μ	FTL^{-2}
Comprimento, L	L
Velocidade, V	LT^{-1}

Como todas as três dimensões básicas (F, L, T) estão envolvidas na coleção dessas variáveis, $m = 3$, portanto, temos $(n - m) = (5 - 3) = 2$ termos Π.

Selecione as variáveis repetitivas

A densidade, o comprimento e a velocidade serão escolhidos como as $m = 3$ variáveis repetitivas. Como é exigido, a coleção de suas dimensões contém as $m = 3$ dimensões básicas.

Termo Π_1, F_A

Vamos considerar F_A como a variável q para o primeiro termo Π, $\Pi_1 = \rho^a L^b V^c F_A$.

Análise dimensional

Este termo possui dimensões

$$\Pi_1 = \rho^a L^b V^c F_A$$
$$= \left(F^a T^{2a} L^{-4a}\right)\left(L^b\right)\left(L^c T^{-c}\right)F = F^{a+1} L^{-4a+b+c} T^{2a-c}$$

Portanto,

Para F: $\quad 0 = a + 1$
Para L: $\quad 0 = -4a + b + c$
Para T: $\quad 0 = 2a - c$

Resolvendo, obtemos $a = -1$, $b = -2$, $c = -2$, logo

$$\Pi_1 = \rho^{-1} L^{-2} V^{-2} F_A = \frac{F_A}{\rho L^2 V^2}$$

Termo Π_2, μ

Por fim, vamos considerar μ como a variável q, criando assim o segundo termo Π, $\Pi_2 = \rho^d L^e V^f \mu$.

Análise dimensional

Este termo possui dimensões

$$\Pi_2 = \rho^d L^e V^f \mu$$
$$= \left(F^d T^{2d} L^{-4d}\right)\left(L^e\right)\left(L^f T^{-f}\right)FTL^{-2} = F^{d+1} L^{-4d+e+f-2} T^{2d-f+1}$$

---

* Isso é como escrever $y = 5x + 6$ como $y - 5x - 6 = 0$, onde $y = f(x)$ e $h(x, y) = 0$.

Portanto,

Para F: $0 = d + 1$
Para L: $0 = -4d + e + f - 2$
Para T: $0 = 2d - f + 1$

Resolvendo, obtemos $d = -1, e = -1, f = -1$, logo

$$\Pi_2 = \rho^{-1}L^{-1}V^{-1}\mu = \frac{\mu}{\rho V L}$$

Também podemos substituir Π_2 por Π_2^{-1}, pois esta *também* é uma razão adimensional — o número de Reynolds, Re. A função desconhecida h entre as variáveis agora toma a forma

$$h\left(\frac{F_A}{\rho L^2 V^2}, \text{Re}\right) = 0 \qquad\qquad Resposta$$

Se resolvermos para $F_A/\rho L^2 V^2$ nesta equação, então poderemos especificar como F_A está relacionado ao número de Reynolds. A relação é

$$\frac{F_A}{\rho L^2 V^2} = f(\text{Re})$$

ou

$$F_A = \rho L^2 V^2 [f(\text{Re})] \qquad (1) \qquad Resposta$$

Mais adiante, no Capítulo 11, mostraremos que, para fins experimentais, em vez de obter $f(\text{Re})$, é conveniente expressar o arrasto em termos da carga dinâmica do fluido, $\rho V^2/2$, e usar um *coeficiente de arrasto* adimensional determinado *experimentalmente*, C_A. Se fizermos isso, então será preciso que $F_A = \rho L^2 V^2 [f(\text{Re})] = C_A L^2 (\rho V^2/2)$, ou $f(\text{Re}) = C_A/2$. Além disso, substituindo L^2 na Equação 1 pela área A da asa, podemos escrever a Equação 1 como

$$F_A = C_A \rho A \left(\frac{V^2}{2}\right) \qquad (2) \qquad Resposta$$

A análise dimensional não nos deu a solução completa para este problema, mas, conforme mostraremos na Seção 11.8, uma vez realizado um experimento para determinar C_A, então podemos usar a Equação 2 para obter F_A.

EXEMPLO 8.3

O navio na Figura 8.4 está sujeito a um arrasto F_A sobre o seu casco, criado pela água ao passar pela sua superfície. Antecipa-se que essa força é função da densidade ρ e da viscosidade μ da água, e como são produzidas ondas, seu peso, definido pela gravidade g, é importante. Além disso, o comprimento "característico" do navio, L, e a velocidade do escoamento, V, influenciam a magnitude do arrasto. Mostre de que maneira essa força depende de todas essas variáveis.

Solução
Defina as variáveis físicas

Aqui, a função desconhecida é $F_A = f(\rho, \mu, L, V, g)$, que é então expressa como $h(F_A, \rho, \mu, L, V, g) = 0$, onde vemos $n = 6$. Vamos resolver o problema usando o sistema F–L–T e a Tabela 8.1. As dimensões básicas das variáveis são

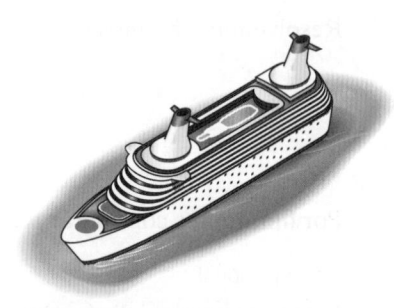

FIGURA 8.4

Arrasto, F_A F
Densidade, ρ FT^2L^{-4}
Viscosidade, μ FTL^{-2}
Comprimento, L L
Velocidade, V LT^{-1}
Gravidade, g LT^{-2}

Como as três dimensões básicas (F, L, T) estão envolvidas na coleção de todas essas variáveis, $m = 3$, portanto, haverá $(n - m) = (6 - 3) = 3$ termos Π.

Selecione as variáveis repetitivas

Densidade, comprimento e velocidade serão escolhidas como as variáveis repetitivas, pois a coleção de suas dimensões contém as $m = 3$ dimensões básicas.

Termo Π_1, F_A, e análise dimensional

Vamos considerar F_A como a variável q para o primeiro termo Π.

$$\Pi_1 = \rho^a L^b V^c F_A$$
$$= \left(F^a T^{2a} L^{-4a}\right)\left(L^b\right)\left(L^c T^{-c}\right) F = F^{a+1} L^{-4a+b+c} T^{2a-c}$$

Portanto,

Para F: $0 = a + 1$
Para L: $0 = -4a + b + c$
Para T: $0 = 2a - c$

Resolvendo, obtemos $a = -1$, $b = -2$, $c = -2$, logo

$$\Pi_1 = \rho^{-1} L^{-2} V^{-2} F_A = \frac{F_A}{\rho L^2 V^2}$$

Termo Π_2, μ, e análise dimensional

Aqui, vamos considerar μ como a variável q, criando assim o segundo termo Π.

$$\Pi_2 = \rho^d L^e V^f \mu$$
$$= \left(F^d T^{2d} L^{-4d}\right)\left(L^e\right)\left(L^f T^{-f}\right) FTL^{-2} = F^{d+1} L^{-4d+e+f-2} T^{2d-f+1}$$

Para F: $0 = d + 1$
Para L: $0 = -4d + e + f - 2$
Para T: $0 = 2d - f + 1$

Resolvendo, obtemos $d = -1$, $e = -1$, $f = -1$, logo

$$\Pi_2 = \rho^{-1} L^{-1} V^{-1} \mu = \frac{\mu}{\rho V L}$$

Como no exemplo anterior, podemos substituir Π_2 por Π_2^{-1}, pois isso representa o número de Reynolds, Re.

Termo Π_3, g, e análise dimensional

Por fim, vamos considerar g como a variável q para o terceiro termo Π.

$$\Pi_3 = \rho^h L^i V^j g$$
$$= \left(F^h T^{2h} L^{-4h}\right)\left(L^i\right)\left(L^j T^{-j}\right)\left(LT^{-2}\right)$$

Para F: $\quad 0 = h$
Para L: $\quad 0 = -4h + i + j + 1$
Para T: $\quad 0 = 2h - j - 2$

Resolvendo, obtemos $h = 0$, $i = 1$, $j = -2$, logo

$$\Pi_3 = \rho^0 L^1 V^{-2} g = gL/V^2$$

Reconhecendo que Π_3^{-1} é o quadrado do número de Froude, vamos considerá-lo no lugar de Π_3, pois ambos são adimensionais. Assim, a função desconhecida entre os termos Π tem a forma

$$h\left(\frac{F_A}{\rho L^2 V^2}, \text{Re}, (\text{Fr})^2\right) = 0 \qquad \textit{Resposta}$$

Se resolvermos para $F_A/\rho L^2 V^2$ nesta equação, então ela pode ser escrita simbolicamente como uma função dos números de Reynolds e Froude.

$$\frac{F_A}{\rho L^2 V^2} = f[\text{Re},(\text{Fr})^2]$$

$$F_A = \rho L^2 V^2 f[\text{Re},(\text{Fr})^2] \qquad \textit{Resposta}$$

Mais adiante, na Seção 8.5, vamos discutir como usar esse resultado para determinar o arrasto real sobre o navio.

EXEMPLO 8.4

Uma queda de pressão Δp fornece uma medida das perdas por cisalhamento de um fluido enquanto ele escoa por um tubo (Figura 8.5). Determine como Δp está relacionado às variáveis que o influenciam, a saber, o diâmetro do tubo D, seu comprimento L, a densidade do fluido ρ, a viscosidade μ, a velocidade V e o fator de rugosidade relativa ε/D, que é uma razão entre o tamanho médio das irregularidades da superfície e o diâmetro D do tubo.

Solução

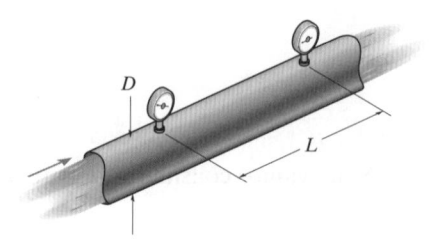

FIGURA 8.5

Defina as variáveis físicas

Neste caso, $\Delta p = f(D, L, \rho, \mu, V, \varepsilon/D)$ ou $h(\Delta p, D, L, \rho, \mu, V, \varepsilon/D) = 0$, portanto, $n = 7$. Usando o sistema $M-L-T$ e a Tabela 8.1, as dimensões básicas das variáveis são

Queda de pressão, Δp	$ML^{-1}T^{-2}$
Diâmetro, D	L
Comprimento, L	L
Densidade, ρ	ML^{-3}
Viscosidade, μ	$ML^{-1}T^{-1}$
Velocidade, V	LT^{-1}
Rugosidade relativa, ε/D	LL^{-1}

Como todas as três dimensões básicas estão envolvidas, $m = 3$, e haverá $(n - m) = (7 - 3) = 4$ termos Π.

Selecione as variáveis repetitivas

Aqui, D, V, ρ serão selecionadas como as $m = 3$ variáveis repetitivas. Observe que ε/D não pode ser selecionado porque *já é adimensional*. Além disso, não podemos selecionar o comprimento no lugar da velocidade porque *tanto* o diâmetro *quanto* o comprimento têm as *mesmas dimensões*.

Termos Π e análise dimensional

Os termos Π são construídos por meio das nossas variáveis repetitivas D, V, ρ, junto com Δp para Π_1, L para Π_2, μ para Π_3 e ε/D para Π_4. Assim, para Π_1,

$$\Pi_1 = D^a V^b \rho^c \Delta p$$
$$= (L^a)(L^b T^{-b})(M^c L^{-3c})(ML^{-1}T^{-2}) = M^{c+1} L^{a+b-3c-1} T^{-b-2}$$

Para M: $\quad 0 = c + 1$
Para L: $\quad 0 = a + b - 3c - 1$
Para T: $\quad 0 = -b - 2$

Resolvendo, obtemos $a = 0$, $b = -2$, $c = -1$, logo

$$\Pi_1 = D^0 V^{-2} \rho^{-1} \Delta p = \frac{\Delta p}{\rho V^2}$$

Este é o número de Euler.

Em seguida, para Π_2,

$$\Pi_2 = D^d V^e \rho^f L$$
$$= (L^d)(L^e T^{-e})(M^f L^{-3f})(L) = M^f L^{d+e-3f+1} T^{-e}$$

Para M: $\quad 0 = f$
Para L: $\quad 0 = d + e - 3f + 1$
Para T: $\quad 0 = -e$

Resolvendo, obtemos $d = -1$, $e = 0$, $f = 0$, logo

$$\Pi_2 = D^{-1} V^0 \rho^0 L = \frac{L}{D}$$

Agora, para Π_3,

$$\Pi_3 = D^g V^h \rho^i \mu$$
$$= (L^g)(L^h T^{-h})(M^i L^{-3i})(ML^{-1}T^{-1}) = M^{i+1} L^{g+h-3i-1} T^{-h-1}$$

Para M: $\quad 0 = i + 1$
Para L: $\quad 0 = g + h - 3i - 1$
Para T: $\quad 0 = -h - 1$

Resolvendo, obtemos $g = -1$, $h = -1$, $i = -1$, logo

$$\Pi_3 = D^{-1} V^{-1} \rho^{-1} \mu = \frac{\mu}{DV\rho}$$

Este é o inverso do número de Reynolds, portanto, vamos considerar

$$\Pi_3^{-1} = \frac{\rho V D}{\mu} = \text{Re}$$

Por fim, para Π_4,

$$\Pi_4 = D^j V^k \rho^l (\varepsilon/D)$$
$$= (L^j)(L^k T^{-k})(M^l L^{-3l})(LL^{-1}) = M^l L^{j+k-3l+1-1} T^{-k}$$

Para M: $\quad 0 = l$
Para L: $\quad 0 = j + k - 3l + 1 - 1$
Para T: $\quad 0 = -k$

Resolvendo, obtemos $j = 0$, $k = 0$, $l = 0$, logo

$$\Pi_4 = D^0 V^0 \rho^0 \left(\frac{\varepsilon}{D}\right) = \frac{\varepsilon}{D}$$

Observe que, no início, poderíamos ter *ganho algum tempo* na solução deste problema e determinado $\Pi_2 = L/D$ e $\Pi_4 = \varepsilon/D$ simplesmente *por inspeção*, pois cada um é uma razão de comprimento sobre comprimento, *e* cada razão não contém as *mesmas* duas variáveis. Se essa inspeção tivesse sido feita no início, então *apenas dois* termos Π precisariam ser determinados.

De qualquer forma, nossos resultados indicam

$$h\left(\frac{\Delta p}{\rho V^2}, \text{Re}, \frac{L}{D}, \frac{\varepsilon}{D}\right) = 0$$

Essa equação pode ser resolvida para a razão $\Delta p/\rho V^2$ e então escrita na forma

$$\Delta p = \rho V^2 g\left(\text{Re}, \frac{L}{D}, \frac{\varepsilon}{D}\right) \qquad \textit{Resposta}$$

No Capítulo 10, mostraremos como esse resultado possui aplicações importantes no projeto de sistemas de tubulação.

8.4 Considerações gerais relacionadas à análise dimensional

Os quatro exemplos anteriores ilustram o método relativamente simples para a aplicação do teorema do Pi de Buckingham para determinar a relação funcional entre uma variável dependente e uma série de agrupamentos adimensionais, ou termos Π. A parte mais importante do processo, no entanto, é definir com clareza as *variáveis* que influenciam o escoamento. Isso só pode ser feito se houver *experiência* suficiente em mecânica dos fluidos para compreender quais leis e forças controlam o escoamento. Para a seleção, essas variáveis incluem propriedades do fluido como densidade e viscosidade, as dimensões usadas para descrever o sistema e variáveis como gravidade, pressão e velocidade, que estão envolvidas na criação das forças dentro do escoamento.

Se a seleção *não* incluir uma variável importante, então uma análise dimensional produzirá um resultado incorreto, levando a um experimento que indica que algo está errado. Além disso, se variáveis irrelevantes forem selecionadas, ou as variáveis estiverem relacionadas uma à outra, como $Q = VA$, então isso resultará em muitos termos Π, e o trabalho experimental exigirá tempo e despesa adicional para eliminá-los.

Em suma, se as variáveis mais importantes que influenciam o escoamento forem devidamente selecionadas, então é possível minimizar o número resultante de termos Π que são envolvidos, reduzindo assim não apenas o tempo, mas também o custo de qualquer experimento necessário para obter o resultado final. Por exemplo, ao estudar o movimento de um navio, no Exemplo 8.3, descobrimos que os números de Reynolds e Froude eram importantes. Esses números dependem das forças viscosa e gravitacional, respectivamente. A tensão superficial, que corresponde ao número de Weber, não foi considerada porque essa força é desprezível para navios grandes, embora possa ser importante no caso de um brinquedo.

Pontos importantes

- As equações da mecânica dos fluidos são dimensionalmente homogêneas, o que significa que cada termo de uma equação precisa ter a mesma combinação de dimensões.
- A análise dimensional é usada para *reduzir* a quantidade de dados que precisam ser coletados das variáveis em um experimento a fim de compreender o comportamento de um escoamento. Isso é feito arranjando as variáveis em grupos selecionados, que são adimensionais. Quando isso é feito, então só é necessário encontrar uma relação entre os grupos adimensionais, e não encontrar diversas relações entre todas as variáveis separadamente.
- Cinco razões de força adimensionais importantes ocorrem com frequência na mecânica dos fluidos. Todas envolvem uma razão entre a força dinâmica ou de inércia e alguma outra força. Esses cinco "números" são o número de Euler para pressão, o número de Reynolds para viscosidade, o número de Froude para peso, o número de Weber para tensão superficial e o número de Mach para força elástica decorrente da compressibilidade.
- O teorema do Pi de Buckingham oferece um método sistemático para realizar uma análise dimensional. O teorema indica antecipadamente quantos grupos de variáveis adimensionais exclusivos (termos Π) são esperados, e oferece um meio de formular uma relação entre eles.

8.5 Semelhança

Os engenheiros às vezes lançam mão do uso de um ***modelo*** para estudar o escoamento tridimensional em torno de um objeto real ou ***protótipo***, como um prédio, um automóvel ou um avião. Eles fazem isso porque pode ser um tanto difícil descrever o escoamento usando uma solução analítica ou computacional. Mesmo que o escoamento possa ser descrito por uma análise computacional, em casos complicados, ela deve ser o suporte de uma investigação experimental correspondente, usando um modelo para verificar os resultados. Isso é necessário simplesmente porque as suposições feitas usando qualquer estudo computacional podem não refletir verdadeiramente a situação real envolvendo as complexidades do escoamento.

Se o modelo e seu ambiente de teste estiverem nas devidas proporções, o experimento permitirá que o engenheiro preveja como o escoamento afetará o protótipo. Por exemplo, usando um modelo, é possível obter medições de velocidade, profundidade do escoamento líquido, eficiências de bomba ou turbina, e assim por diante, e, com essa informação, o modelo poderá ser alterado, se necessário, de modo que o projeto do protótipo possa ser aperfeiçoado.

Normalmente, o modelo é construído menor que o protótipo; porém, pode ser que nem sempre seja assim. Por exemplo, modelos maiores foram construídos para estudar o escoamento de gasolina por um injetor, ou o escoamento de ar pelas lâminas de uma turbina usada para uma broca de dentista. Qualquer que seja seu tamanho, é muito importante que o modelo usado para um estudo experimental corresponda ao comportamento do protótipo quando este estiver sujeito ao escoamento real do fluido. A ***semelhança*** é um processo matemático para garantir que isso aconteça. Ela requer que o modelo e o escoamento em torno dele não apenas mantenham semelhança geométrica com o protótipo, mas também que mantenham semelhança cinemática e dinâmica.

Devido à complexidade do escoamento, os efeitos do vento sobre prédios altos geralmente são estudados em túneis de vento.

Semelhança geométrica

Se o modelo e o escoamento de fluido são geometricamente semelhantes ao protótipo, então todas as dimensões lineares do modelo deverão estar na mesma proporção que aquelas do protótipo, e todos os seus ângulos precisam ser iguais. Considere, por exemplo, o protótipo (avião) mostrado na Figura 8.6a. Podemos expressar essa proporção linear como uma **razão de escala**, que é a razão entre o comprimento L_m do modelo e o comprimento L_p do protótipo.

$$\frac{L_m}{L_p}$$

Se essa razão for mantida para todas as dimensões, então as *áreas* do modelo e do protótipo estarão na proporção L_m^2/L_p^2, e seus *volumes* estarão na proporção L_m^3/L_p^3.

A extensão alcançada da semelhança geométrica depende do tipo de problema e da exatidão exigida para sua solução. Por exemplo, a semelhança geométrica *exata também* requer que a rugosidade da superfície do modelo esteja em proporção com a do protótipo. Em alguns casos, porém, isso pode não ser possível, pois o tamanho reduzido de um modelo poderia exigir que sua superfície fosse impossivelmente lisa. Além disso, em alguns tipos de modelagem, a escala vertical do modelo pode ter de ser exagerada para produzir as características de escoamento apropriadas. Isso aconteceria no caso de estudos de rio, onde o fundo do rio pode ser difícil de ser reproduzido em escala.

(a)

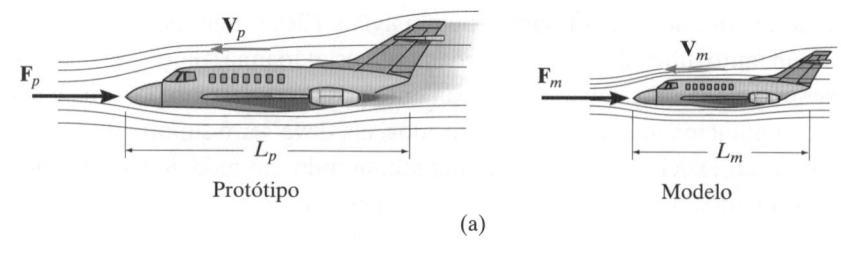

FIGURA 8.6 (continua)

Semelhança cinemática

As dimensões básicas que definem a *semelhança cinemática* são comprimento e tempo. Por exemplo, a velocidade do fluido em pontos correspondentes entre o modelo do jato e seu protótipo na Figura 8.6a deve ter uma magnitude proporcional e estar na mesma direção. Como a velocidade depende da distância e do tempo, $V = L/T$, então

$$\frac{V_m}{V_p} = \frac{L_m T_p}{L_p T_m}$$

Se esse requisito for mantido, então a razão do comprimento L_m/L_p para a semelhança geométrica deverá ser satisfeita, assim como a razão de tempo T_p/T_m. Satisfazendo essas razões, a aceleração também será proporcional para a semelhança cinemática. Um exemplo típico da existência de semelhança cinemática seria um modelo do sistema solar mostrando as posições relativas dos planetas e possuindo a escala de tempo apropriada para suas órbitas.

Semelhança dinâmica

Para manter um padrão semelhante de linhas de corrente em torno do protótipo e de seu modelo (Figura 8.6b), é preciso que as forças que atuam sobre as partículas do fluido nos dois casos sejam proporcionais. Como já dissemos, a força de inércia F_i geralmente é considerada *a força mais importante* que influencia o escoamento de fluido em torno de um objeto. Por esse motivo, é uma convenção padrão usar essa força, junto com cada uma das outras forças F que influenciam o escoamento, para produzir as razões de semelhança dinâmica entre o modelo e o protótipo. Podemos expressar cada razão de forças simbolicamente por

$$\frac{F_m}{(F_i)_m} = \frac{F_p}{(F_i)_p}$$

Os muitos tipos de forças a serem consideradas incluem aquelas decorrentes da pressão, viscosidade, gravidade, tensão superficial e elasticidade. Isso significa que, para a semelhança dinâmica *completa*, os números de Euler, Reynolds, Froude, Weber e Mach deverão ser os *mesmos* para o modelo e para o protótipo.

Na realidade, para a semelhança dinâmica completa, não é preciso satisfazer as condições para *todas* as forças que afetam o escoamento. Em vez disso, se a semelhança para *todas exceto uma força* for satisfeita, então as condições para essa força restante serão *automaticamente* satisfeitas. Para compreender por que isso acontece, vamos imaginar um caso onde apenas as forças de pressão (pr), viscosidade (v) e gravidade (g) atuam sobre duas partículas de fluido com a mesma massa m e localizadas na mesma posição relativa no protótipo e no modelo (Figura 8.6b). De acordo com a segunda lei de Newton, em qualquer instante, a soma dessas forças sobre cada partícula deverá ser igual à massa da partícula vezes sua aceleração, $m\mathbf{a}$.*

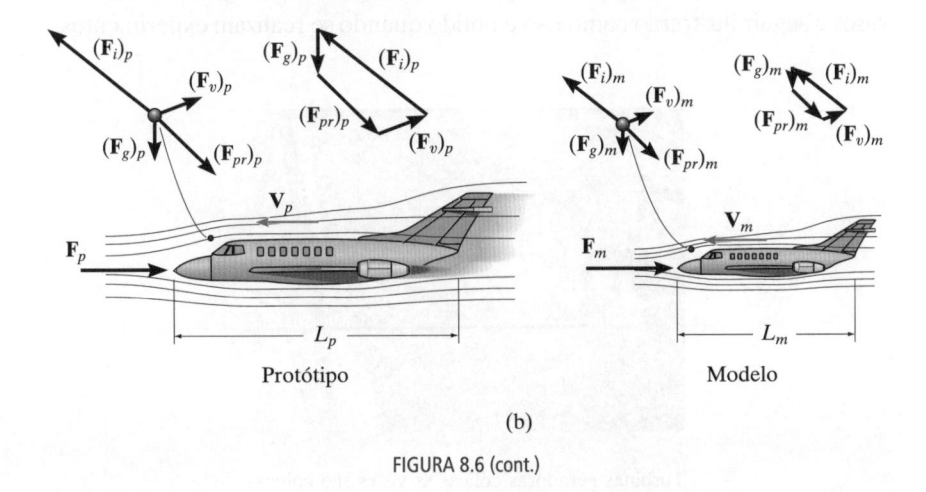

Protótipo

Modelo

(b)

FIGURA 8.6 (cont.)

---

* As partículas possuem aceleração porque a *magnitude* de sua velocidade pode flutuar, e as linhas de corrente ao longo das quais elas trafegam podem mudar a *direção* de sua velocidade.

Se expressarmos a lei de Newton como $\Sigma \mathbf{F} - m\mathbf{a} = \mathbf{0}$, e considerarmos a força de inércia $\mathbf{F}_i = -m\mathbf{a}$ atuando sobre cada partícula (Figura 8.6*b*), então, para cada caso, a soma vetorial dessas quatro forças pode ser vista graficamente pelos polígonos vetoriais.

Para a semelhança dinâmica, as quatro forças correspondentes nesses polígonos deverão ser proporcionais, ou seja, suas magnitudes precisam ter os mesmos comprimentos em escala. Porém, como os polígonos são *formas fechadas*, somente três dos lados (forças) precisam satisfazer essa proporcionalidade e, se isso acontecer, o quarto lado (força) será então *automaticamente* proporcional. Portanto, podemos escrever

$$\frac{(F_{pr})_p}{(F_{pr})_m} = \frac{(F_i)_p}{(F_i)_m}, \qquad \frac{(F_v)_p}{(F_v)_m} = \frac{(F_i)_p}{(F_i)_m}, \qquad \frac{(F_g)_p}{(F_g)_m} = \frac{(F_i)_p}{(F_i)_m}$$

Realizando a multiplicação cruzada, podemos então formar as seguintes importantes razões de força:

$$\text{Eu} = \frac{(F_{pr})_p}{(F_i)_p} = \frac{(F_{pr})_m}{(F_i)_m}, \quad \text{Re} = \frac{(F_i)_p}{(F_v)_p} = \frac{(F_i)_m}{(F_v)_m}, \quad \text{Fr} = \sqrt{\frac{(F_i)_p}{(F_g)_p}} = \sqrt{\frac{(F_i)_m}{(F_g)_m}}$$

Em outras palavras, os números de Euler, os números de Reynolds e os números de Froude, respectivamente, precisam ser idênticos entre o protótipo e o modelo. Pelo que foi dito anteriormente sobre os polígonos de força, podemos concluir que, se o escoamento satisfaz, digamos, a escala dos números de Reynolds e de Froude, então ele *automaticamente* satisfará a escala dos números de Euler. Além disso, como as forças de inércia $(F_i)_p$ e $(F_i)_m$ possuem unidades de ML/T^2, então a semelhança dinâmica *automaticamente* satisfará as semelhanças geométrica e cinemática, pois L e T deverão ser proporcionais quando as forças de inércia $\mathbf{F}_i$ forem proporcionais.

Na realidade, é muito difícil obter a *semelhança exata* entre um protótipo e seu modelo, devido às imprecisões na construção do modelo e aos procedimentos de teste. Em vez disso, usando o bom senso obtido por meio da experiência, podemos considerar apenas a semelhança dos parâmetros dominantes, enquanto aqueles de menor importância podem ser seguramente ignorados. Os três casos a seguir ilustrarão como isso é obtido quando se realizam experimentos.

Turbinas geradoras eólicas às vezes são colocadas dentro do mar, e os carregamentos devido à onda em suas colunas podem ser substanciais. Usando a semelhança, o efeito é estudado em um canal de ondas, de modo que esses suportes possam ser devidamente projetados.

Escoamento em regime permanente por um tubo

Se o escoamento de água por um tubo tiver de ser estudado usando um modelo do tubo (Figura 8.7), então a experiência mostra que as forças inercial e viscosa são importantes.* Portanto, para o escoamento em tubo, o número de Reynolds deverá ser o mesmo para o modelo e o protótipo, a fim de alcançar a semelhança dinâmica. Para essa razão, o diâmetro D do tubo torna-se o "comprimento característico" L, de modo que

$$\left(\frac{\rho VD}{\mu}\right)_m = \left(\frac{\rho VD}{\mu}\right)_p$$

Normalmente, o mesmo fluido é usado para o modelo e o protótipo, de modo que suas propriedades ρ e μ sejam as mesmas. Se isso acontecer, então

$$V_m D_m = V_p D_p$$

Portanto, para determinados valores de V_p, D_p e V_m, o modelo do tubo precisa ter um diâmetro $D_m = (VD)_p/V_m$ para que o escoamento tenha o *mesmo comportamento* pelo tubo real e pelo seu modelo.

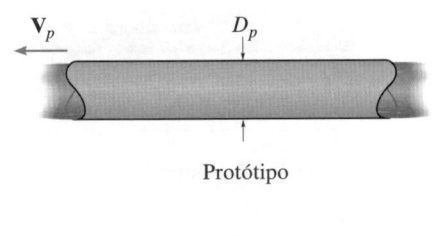

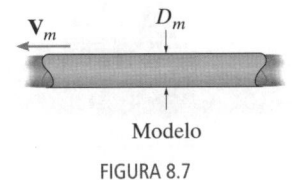

Escoamento em canal aberto

Para o escoamento em canal aberto (Figura 8.8), as forças causadas pela tensão superficial e pela compressibilidade podem ser desprezadas sem introduzir erros consideráveis; e, se o comprimento do canal for curto, então as perdas por cisalhamento serão desprezíveis, e, portanto, os efeitos viscosos também podem ser desprezados. Como resultado, o escoamento por um canal aberto é controlado principalmente pela força de inércia e pela gravidade. Portanto, o número de Froude Fr $= V/\sqrt{gL}$ pode ser usado para estabelecer a semelhança entre o protótipo e seu modelo. Para esse número, a profundidade do fluido, h, no canal é selecionada como o "comprimento característico" L, e como g é igual, temos

$$\frac{V_m}{\sqrt{h_m}} = \frac{V_p}{\sqrt{h_p}}$$

Além de modelar o escoamento em canais, o número de Froude também é usado para modelar o escoamento por uma série de estruturas hidráulicas, como comportas e vertedouros. Porém, para os rios, esse tipo de escalonamento pode causar problemas, pois escalonar o modelo para baixo pode resultar em profundidades *muito pequenas*, fazendo com que os efeitos da viscosidade e da tensão superficial predominem dentro do escoamento em torno do modelo. Porém, como já dissemos, essas forças geralmente são desprezadas, portanto, só poderá ser alcançada uma modelagem aproximada do escoamento.

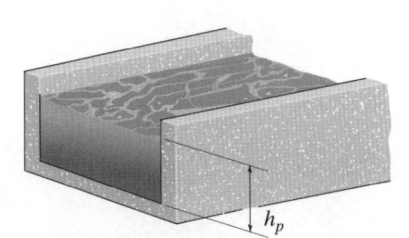

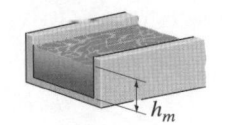

FIGURA 8.7

FIGURA 8.8

---

* A força de pressão também está presente, mas se as razões entre as forças viscosa e inercial forem iguais, a proporcionalidade das razões entre as forças de pressão e inércia será *automaticamente* satisfeita, conforme acabamos de discutir.

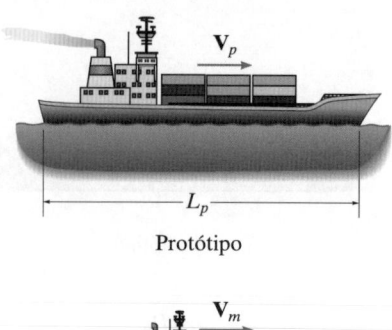

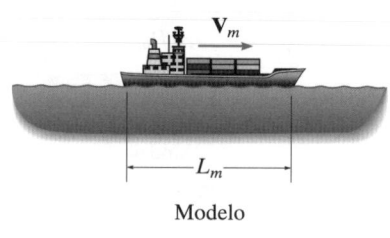

Navios

Conforme observamos nos dois casos anteriores, apenas uma razão adimensional teria de ser satisfeita para alcançar a semelhança. Porém, no caso de um navio (Figura 8.9), o arrasto ou a resistência ao movimento avante deve-se *tanto* ao cisalhamento ao longo do casco (viscosidade) quanto à movimentação ascendente da água contra o casco, para produzir ondas (gravidade). Como resultado, o arrasto total sobre o navio é uma função dos números de Reynolds *e* de Froude. A semelhança entre o modelo e o protótipo (navio) requer, portanto, que esses números sejam equivalentes. Assim,

$$\left(\frac{\rho V L}{\mu}\right)_m = \left(\frac{\rho V L}{\mu}\right)_p$$

$$\left(\frac{V}{\sqrt{gL}}\right)_m = \left(\frac{V}{\sqrt{gL}}\right)_p \qquad (8.6)$$

Como a viscosidade cinemática é $\nu = \mu/\rho$, e g é igual para o modelo e para o protótipo, essas duas equações tornam-se

$$\frac{V_p}{V_m} = \frac{\nu_p L_m}{\nu_m L_p}$$

$$\frac{V_p}{V_m} = \left(\frac{L_p}{L_m}\right)^{1/2}$$

Igualando essas razões para eliminar a razão da velocidade, obtemos

$$\frac{\nu_p}{\nu_m} = \left(\frac{L_p}{L_m}\right)^{3/2} \qquad (8.7)$$

Como aqui qualquer modelo será *muito menor* que seu protótipo, a razão L_p/L_m será *muito grande*. Como resultado, para preservar a igualdade na Equação 8.7, isso exigiria que o modelo fosse testado em um líquido com uma viscosidade cinemática *muito menor* que a água, o que é impraticável.*

Para contornar essa dificuldade, um método sugerido por Froude foi usado para resolver o problema. No Exemplo 8.3, mostramos que uma análise dimensional de todas as variáveis apresentadas produz uma relação funcional entre o arrasto total F_A e os números de Reynolds e Froude, que tem a forma

$$F_A = \rho L^2 V^2 f\left[\text{Re},(\text{Fr})^2\right]$$

Notando isso, Froude considerou que o arrasto total sobre o navio é a *soma de seus dois componentes*, a saber, o arrasto viscoso por cisalhamento ("skin friction"), com base no número de Reynolds, e o arrasto de resistência à criação de ondas, com base no número de Froude. Assim, a dependência funcional para o modelo e o protótipo torna-se uma soma de duas funções desconhecidas separadas.

---

* O mercúrio tem uma das mais baixas viscosidades cinemáticas, mas, mesmo que ele fosse usado, isso ainda exigiria que o modelo tivesse um comprimento muito grande para ser prático.

$$F_A = \rho L^2 V^2 f_1(\text{Re}) + \rho L^2 V^2 f_2\left[(\text{Fr})^2\right] \qquad (8.8)$$

O modelo é então construído com base no escalonamento de Froude, pois o efeito da ação das ondas (gravidade) é o mais difícil de prever. Assim, de acordo com a Equação 8.6, o comprimento do modelo e sua velocidade são escolhidos de modo que produzam o mesmo número de Froude que o protótipo. O *arrasto total* F_A sobre o modelo pode então ser medido encontrando a força necessária para puxar o modelo pela água a uma velocidade exigida. Isso representa a ação da onda *e* das forças viscosas sobre o modelo.

As *forças viscosas* sozinhas podem ser medidas realizando um teste separado sobre uma placa fina totalmente submersa, que esteja se movendo na mesma velocidade do modelo, feita do mesmo material e com a rugosidade do modelo e possua o mesmo comprimento e área superficial em contato com a água. A força das ondas sobre o modelo pode então ser obtida subtraindo esse arrasto viscoso do arrasto total, medido anteriormente.

Quando as forças viscosa e devida às ondas *sobre o modelo* são conhecidas, o arrasto total *no protótipo* (navio) pode ser determinado. Para fazer isso, pela Equação 8.8, as *forças da gravidade* no protótipo e no modelo precisam satisfazer

$$\frac{(F_p)_g}{(F_m)_g} = \frac{\rho_p L_p^2 V_p^2 f_2\left[(\text{Fr})^2\right]}{\rho_m L_m^2 V_m^2 f_2\left[(\text{Fr})^2\right]}$$

No entanto, como a função desconhecida $f_2\left[(\text{Fr})^2\right]$ deve ser a mesma para o modelo e para o protótipo, ela se cancelará, e, portanto, a força devida às ondas ou da gravidade sobre o protótipo (navio) é determinada por

$$\left(F_p\right)_g = \left(F_m\right)_g \left(\frac{\rho_p L_p^2 V_p^2}{\rho_m L_m^2 V_m^2}\right) \qquad \text{(gravidade)}$$

Por fim, a força viscosa no protótipo, definida como $\rho L^2 V^2 f_1(\text{Re})$ na Equação 8.8, é determinada então por um escalonamento semelhante, usando um coeficiente de arrasto que será discutido no Capítulo 11. Com essas duas forças calculadas, sua soma então representa o arrasto total no navio.

Revisão

Como notamos, é importante ter uma base bem estabelecida em mecânica dos fluidos para reconhecer as principais forças que controlam o escoamento, não apenas para realizar uma análise dimensional, mas também para realizar o trabalho experimental. Aqui estão alguns exemplos que mostram quais forças são importantes em certos casos, e a semelhança correspondente que precisa ser alcançada.

- As *forças de inércia, pressão* e *viscosa* predominam dentro do escoamento em torno de carros, de aeronaves em baixa velocidade e no escoamento através de tubos e dutos. Semelhança pelo número de Reynolds.

- As *forças de inércia, pressão* e *gravidade* predominam dentro do escoamento ao longo de canais abertos, sobre represas e vertedouros, ou pela ação de ondas sobre estruturas. Semelhança pelo número de Froude.

- As *forças de inércia, pressão* e *tensão superficial* predominam dentro do escoamento de filmes líquidos, formação de bolhas e pela passagem de líquidos em tubos capilares ou de pequeno diâmetro. Semelhança pelo número de Weber.

- As *forças de inércia, pressão* e *compressibilidade* predominam dentro do escoamento em torno de aviões em alta velocidade, ou pelo escoamento de alta velocidade de gás nos bocais exaustores de jatos ou foguetes, e através de tubos. Semelhança pelo número de Mach.

Em todos esses exemplos, e naqueles a seguir, lembre-se de que a semelhança da força de pressão (número de Euler) não precisa ser levada em consideração, pois ela será *automaticamente* satisfeita devido à segunda lei de Newton.

Pontos importantes

- Ao construir e testar um modelo, é importante que seja alcançada a semelhança ou similaridade entre o modelo e seu protótipo. A semelhança completa ocorre quando o modelo e o protótipo são geometricamente semelhantes e o escoamento é cinemática e dinamicamente semelhante.

- A semelhança geométrica ocorre quando as dimensões lineares do modelo e do protótipo estão na mesma proporção entre si, e todos os ângulos são iguais. A semelhança cinemática ocorre quando as velocidades e acelerações são proporcionais. Por fim, a semelhança dinâmica ocorre quando as forças que atuam sobre partículas de fluido correspondentes dentro do escoamento em torno do modelo e do protótipo estão em razões adimensionais específicas, definidas pelos números de Euler, Reynolds, Froude, Weber e Mach.

- Normalmente é difícil atingir semelhança *completa*. Em vez disso, os engenheiros considerarão apenas as variáveis dominantes no escoamento, a fim de economizar no custo e no tempo, ainda obtendo resultados razoáveis.

- Para satisfazer a semelhança dinâmica, é necessário que *todas exceto uma* das razões de força, que atuam sobre as partículas do fluido no modelo e no protótipo, sejam iguais. Como a segunda lei de Newton precisa ser satisfeita, a razão de força restante (geralmente considerada como o número de Euler) será automaticamente igual.

- É preciso bom senso e experiência para decidir quais forças são significativas na definição do escoamento, de modo que resultados razoáveis possam ser obtidos quando se testa um modelo usado para prever o desempenho de seu protótipo.

EXEMPLO 8.5

O escoamento pelo acoplamento (união) de tubos na Figura 8.10 deve ser estudado usando um modelo em escala. O tubo real tem 6 pol. de diâmetro, e o modelo usará um tubo com 2 pol. de diâmetro. O modelo será feito do mesmo material e transportará o mesmo fluido do protótipo. Se a velocidade do escoamento através do protótipo é estimada em 6 pés/s, determine a velocidade do escoamento exigida pelo modelo.

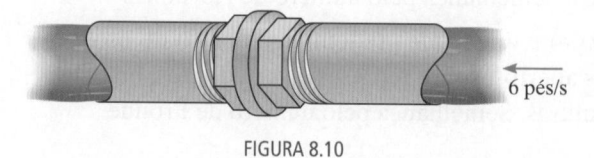

6 pés/s

FIGURA 8.10

Solução

As forças que dominam o escoamento são causadas pela inércia e pela viscosidade, de modo que a semelhança do número de Reynolds deverá ser satisfeita. É preciso que

$$\left(\frac{\rho VD}{\mu}\right)_m = \left(\frac{\rho VD}{\mu}\right)_p \tag{1}$$

Como o mesmo fluido é usado para os dois casos,

$$V_m D_m = V_p D_p$$

$$V_m = \frac{V_p D_p}{D_m} = \frac{(6 \text{ pés/s})(6 \text{ pol.})}{2 \text{ pol.}} = 18 \text{ pés/s} \qquad \textit{Resposta}$$

Conforme notamos, a semelhança do número de Reynolds leva a altas velocidades do escoamento para o modelo, devido a esse fator de escala. Para reduzir essa velocidade, pela Equação 1, pode-se usar um fluido com maior densidade ou menor viscosidade para o modelo.

EXEMPLO 8.6

Um modelo do carro, na Figura 8.11, é construído em uma escala de 1/4 e ele deve ser testado a 80°F em um túnel de água. Determine a velocidade exigida para a água se o carro real está viajando a 100 pés/s no ar nessa mesma temperatura.

FIGURA 8.11

Solução

Aqui, a viscosidade cria a força predominante, portanto, a semelhança dinâmica deverá satisfazer o número de Reynolds. Como $\nu = \mu/\rho$, para o número de Reynolds, temos

$$\left(\frac{VL}{\nu}\right)_m = \left(\frac{VL}{\nu}\right)_p$$

$$V_m = V_p \left(\frac{\nu_m}{\nu_p}\right)\left(\frac{L_p}{L_m}\right)$$

Usando os valores da viscosidade cinemática do ar e da água a 80°F, Apêndice A, temos

$$100 \text{ pés/s} \left(\frac{9{,}35(10^{-6}) \text{ pés}^2/\text{s}}{0{,}169(10^{-3}) \text{ pé}^2/\text{s}}\right)\left(\frac{4}{1}\right)$$

$$22{,}1 \text{ pés/s} \qquad \textit{Resposta}$$

EXEMPLO 8.7

A barragem na Figura 8.12 deve ser construída de modo que a vazão média estimada sobre seu topo seja $Q = 3000$ m³/s. Determine a vazão exigida sobre o topo de um modelo construído em uma escala de 1/25.

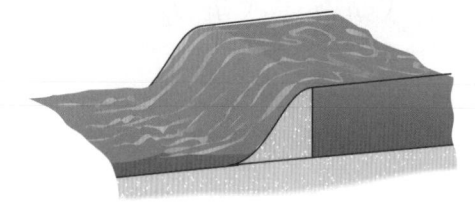

FIGURA 8.12

Solução

Aqui, o peso da água é a força mais significativa que influencia o escoamento, portanto, a semelhança do número de Froude deverá ser obtida. Logo,

$$\left(\frac{V}{\sqrt{gL}}\right)_m = \left(\frac{V}{\sqrt{gL}}\right)_p$$

ou

$$\frac{V_m}{V_p} = \left(\frac{L_m}{L_p}\right)^{1/2} = \left(\frac{1}{25}\right)^{1/2} \quad (1)$$

Podemos expressar a razão da velocidade em termos da vazão, pois $Q = VA$, onde A é o produto de uma altura, L_h, e a largura, L_w. Assim,

$$\frac{V_m}{V_p} = \frac{Q_m A_p}{Q_p A_m} = \frac{Q_m (L_h)_p (L_w)_p}{Q_p (L_h)_m (L_w)_m} = \frac{Q_m}{Q_p}\left(\frac{25}{1}\right)^2$$

Substituindo isso na Equação 1, obtemos

$$\frac{Q_m}{Q_p} = \left(\frac{1}{25}\right)^{5/2}$$

Assim,

$$Q_m = Q_p\left(\frac{1}{25}\right)^{5/2}$$
$$= (3000 \text{ m}^3/\text{s})\left(\frac{1}{25}\right)^{5/2} = 0{,}960 \text{ m}^3/\text{s} \quad \textit{Resposta}$$

EXEMPLO 8.8

Uma máquina deve ser operada com óleo cuja viscosidade cinemática é de $\nu = 0{,}035(10^{-3})$ m²/s. Se as forças viscosa e da gravidade predominam durante o escoamento, determine a viscosidade exigida de um líquido usado pelo modelo. O modelo é construído em uma escala de 1/10.

Solução

As forças viscosas serão semelhantes se os números de Reynolds forem equivalentes, e as forças da gravidade serão semelhantes se os números de Froude forem equivalentes. Assim, a Equação 8.7 pode ser usada, de modo que

$$\nu_m = \nu_p \left(\frac{L_m}{L_p}\right)^{3/2} = \left(0{,}035(10^{-3})\,\mathrm{m^2/s}\right)\left(\frac{1}{10}\right)^{3/2}$$

$$= 1{,}11(10^{-6})\,\mathrm{m^2/s} \qquad \textit{Resposta}$$

Esse valor é próximo daquele da água a 15°C, 1,15(10^{-6}) m²/s, conforme observado no Apêndice A.

Referências

1. BUCKINGHAM, E. Model experiments and the form of empirical equations. *Trans ASME*, v. 37, 1915, p. 263–296.
2. KLINE, S. J. *Similitude and Approximation Theory*. Nova York: McGraw-Hill, 1965.
3. BRIDGMAN, P. *Dimensional Analysis*. New Haven, Connecticut: Yale University Press, 1922.
4. BUCKINGHAM, E. On physically similar systems: illustrations of the use of dimensional equations. *Physical Reviews*, v. 4, n. 4, 1914, p. 345–376.
5. SZIRTES, T.; ROZA, P. *Applied Dimensional Analysis and Modeling*. Nova York: McGraw-Hill, 1997.
6. ETTEMA, R. *Hydraulic Modeling*: Concepts and Practice. Reston, Virginia: ASCE, 2000.

Problemas

Seções 8.1 a 8.4

8.1. Investigue se cada razão a seguir é adimensional.
(a) $\rho V^2/p$, (b) $L\rho/\sigma$, (c) $p/V^2 L$, (d) $\rho L^3/V\mu$.

8.2. Use a inspeção para arranjar cada uma das três variáveis a seguir como uma razão adimensional: (a) L, t, V, (b) σ, E_V, L, (c) V, g, L.

8.3. A variação de pressão que ocorre na artéria aorta durante um pequeno período de tempo pode ser modelada pela equação $\Delta p = c_a(\mu V/2R)^{1/2}$, onde μ é a viscosidade do sangue, V é sua velocidade e R é o raio da artéria. Determine as dimensões M, L, T para o coeficiente arterial c_a.

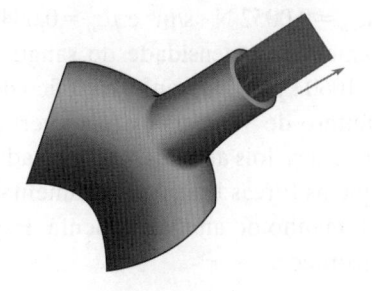

PROBLEMA 8.3

*8.4. Determine o número de Mach para um jato voando a 800 mi/h a uma altitude de 10000 pés. A velocidade do som no ar é determinada por $c = \sqrt{kRT}$, onde a razão de calor específico para o ar é $k = 1{,}40$. Observe que 1 mi = 5280 pés.

8.5. Determine as dimensões F, L, T dos termos a seguir. (a) $Q/\rho V$, (b) $\rho g/p$, (c) $V^2/2g$, (d) ρgh.

8.6. Determine as dimensões M, L, T dos termos a seguir. (a) $Q/\rho V$, (b) $\rho g/p$, (c) $V^2/2g$, (d) ρgh.

8.7. Mostre que o número de Weber é adimensional usando as dimensões M, L, T e as dimensões F, L, T. Determine seu valor para água a 70°F escoando a 8 pés/s para um comprimento característico de 2 pés. Considere $\sigma_{\text{água}} = 4{,}98(10^{-3})$ lb/pés.

*8.8. O número de Womersley é frequentemente utilizado para estudar a circulação sanguínea na biomecânica quando existe escoamento pulsante por um tubo circular de diâmetro d. Ele é definido como $\text{Wo} = \frac{1}{2}d\sqrt{2\pi f\rho/\mu}$, onde f é a frequência da pressão em ciclos por segundo. Assim como o número de Reynolds, Wo é uma razão entre forças de inércia e viscosa. Mostre que esse número é adimensional.

8.9. O número de Womersley é um parâmetro adimensional usado para estudar o fluxo sanguíneo transiente através das artérias durante os batimentos cardíacos. Ele é uma razão entre forças transiente e viscosa, sendo escrito como $\text{Wo} = r\sqrt{2\pi f\rho/\mu}$, onde r é o raio do vaso, f é a frequência do batimento cardíaco, μ é a viscosidade aparente e ρ é a densidade do sangue. A pesquisa mostrou que o raio r da aorta de um mamífero pode ser relacionado à sua massa m por $r = 0{,}0024m^{0{,}34}$, onde r está em metros e m em quilogramas. Determine o número de Womersley para um cavalo que possui uma massa de 350 kg e uma taxa de batimentos cardíacos de 30 batidas por minuto (bpm), e compare-o com o de um coelho com uma massa de 2 kg e taxa de batimento cardíaco de 180 bpm. As viscosidades do sangue para o cavalo e o coelho são $\mu_{ca} = 0{,}0052$ N · s/m^2 e $\mu_{co} = 0{,}0040$ N · s/m^2, respectivamente. A densidade do sangue para ambos é $\rho_a = 1060$ kg/m^3. Desenhe o gráfico dessa variação do número de Womersley (eixo vertical) com a massa para esses dois animais. Os resultados deverão mostrar que as forças transientes aumentam à medida que o tamanho do animal aumenta. Explique por que isso acontece.

8.10. Expresse o grupo de variáveis L, μ, ρ, V como uma razão adimensional.

8.11. Expresse o grupo de variáveis p, g, D, ρ como uma razão adimensional.

*8.12. A força de flutuação F é uma função do volume V de um corpo e o peso específico γ do fluido. Determine como F está relacionado a V e a γ.

8.13. Mostre que a pressão hidrostática p de um fluido incompressível pode ser determinada usando a análise dimensional, observando que ela depende da profundidade h no fluido e do peso específico γ do fluido.

8.14. Estabeleça a lei da viscosidade de Newton usando a análise dimensional, observando que a tensão de cisalhamento τ é função da viscosidade do fluido μ e da deformação angular du/dy. *Dica*: considere a função desconhecida como $f(\tau, \mu, du, dy)$.

8.15. O período de oscilação τ, medido em segundos, de uma boia depende de sua área transversal A, sua massa m e do peso específico γ da água. Determine a relação entre τ e esses parâmetros.

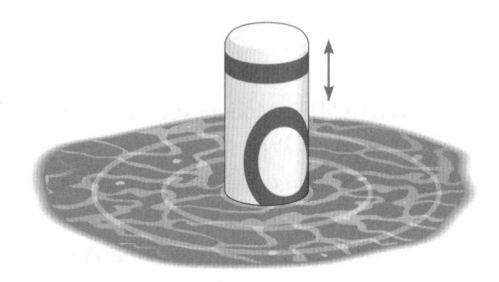

PROBLEMA 8.15

*8.16. O escoamento laminar por um tubo produz uma descarga Q que é uma função do diâmetro D do tubo, da variação na pressão Δp por unidade de comprimento, $\Delta p/\Delta x$, e da viscosidade do fluido, μ. Determine a relação entre Q e esses parâmetros.

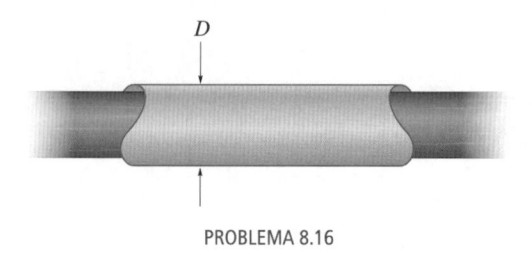

PROBLEMA 8.16

8.17. Considera-se que a velocidade do som V no ar dependa da viscosidade μ, da densidade ρ e da pressão p. Determine como V está relacionada a esses parâmetros.

8.18. O escoamento Q do gás pelo tubo é uma função da densidade ρ do gás, da gravidade g e do diâmetro D do tubo. Determine a relação entre Q e esses parâmetros.

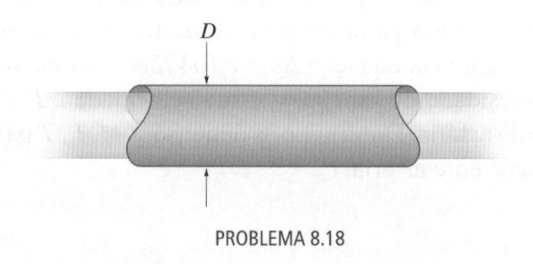

PROBLEMA 8.18

8.19. Considera-se que a velocidade V da corrente que escoa da lateral do tanque dependa da densidade ρ do líquido, da profundidade h e da aceleração da gravidade g. Determine a relação entre V e esses parâmetros.

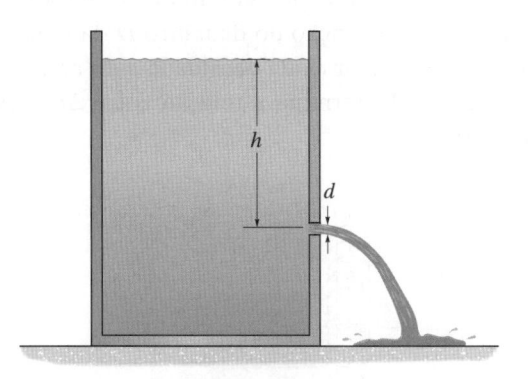

PROBLEMA 8.19

*__8.20.__ A pressão p dentro da bolha de sabão é uma função do raio da bolha r e da tensão superficial σ do filme líquido. Determine a relação entre p e esses parâmetros.

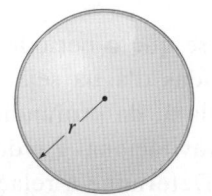

PROBLEMA 8.20

8.21. A velocidade c de uma onda na superfície de um líquido depende do comprimento de onda λ, da densidade ρ e da tensão superficial σ do líquido. Determine a relação entre c e esses parâmetros. Por qual porcentagem c diminuirá se a densidade do líquido aumentar por um fator de 1,5?

8.22. A descarga Q sobre a barragem A depende da largura b da barragem, da coluna d'água H e da aceleração da gravidade g. Se for sabido que Q é proporcional a b, determine a relação entre Q e essas variáveis. Se H for dobrado, como isso afetará Q?

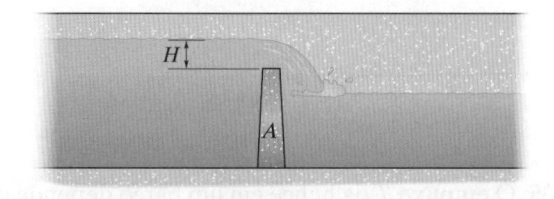

PROBLEMA 8.22

8.23. O efeito capilar de um fluido ao longo das paredes do tubo faz com que o fluido suba a uma distância h. Esse efeito depende do diâmetro d do tubo, da tensão superficial σ, da densidade ρ do fluido e da aceleração gravitacional g. Determine a relação entre h e esses parâmetros.

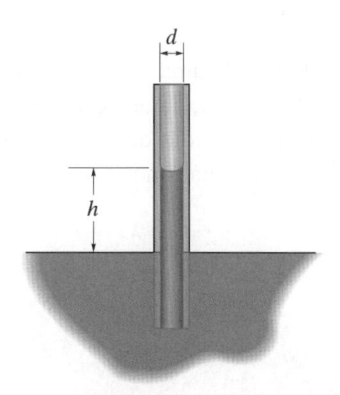

PROBLEMA 8.23

*__8.24.__ A resistência de torsão T do mancal axial depende do diâmetro D do eixo, da força axial F, da rotação do eixo ω e da viscosidade μ do fluido lubrificante. Determine a relação entre T e esses parâmetros.

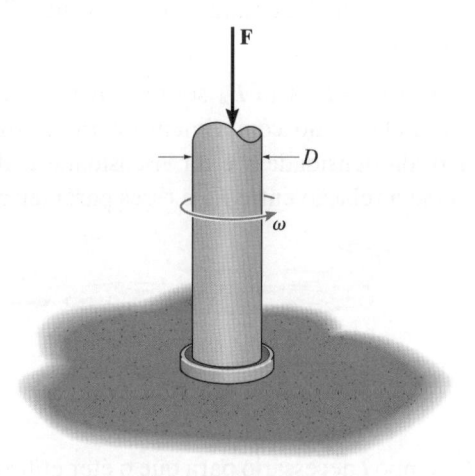

PROBLEMA 8.24

8.25. A espessura δ da camada limite para um fluido passando sobre uma placa plana depende da distância x do bordo de ataque da placa, da velocidade da corrente livre U do escoamento e da densidade ρ e da viscosidade μ do fluido. Determine a relação entre δ e esses parâmetros.

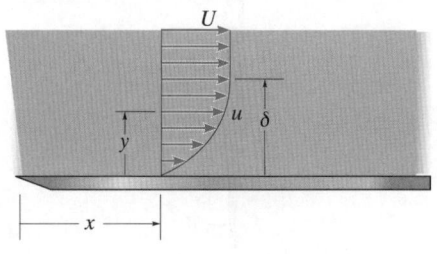

PROBLEMA 8.25

8.26. A descarga Q de uma turbina é função do torque gerado T, da rotação angular ω da turbina, do seu diâmetro D e da densidade do líquido, ρ. Determine a relação entre Q e esses parâmetros. Se Q varia linearmente com T, como ele varia com o diâmetro D da turbina?

8.27. A velocidade c de uma onda d'água é função do comprimento de onda λ, da aceleração da gravidade g e da profundidade média da água h. Determine a relação entre c e esses parâmetros.

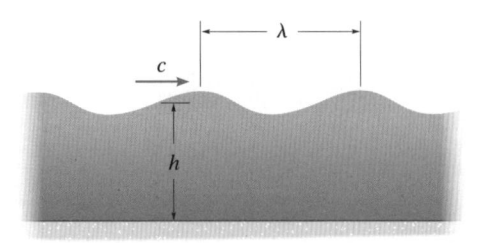

PROBLEMA 8.27

*8.28. O torque T desenvolvido por uma turbina depende da profundidade h da água na entrada, da densidade ρ da água, da descarga Q e da velocidade angular ω da turbina. Determine a relação entre T e esses parâmetros.

8.29. A força de arrasto F_A sobre o avião é função da velocidade V, do comprimento característico L do avião, da densidade ρ e da viscosidade μ do ar. Determine a relação entre F_A e esses parâmetros.

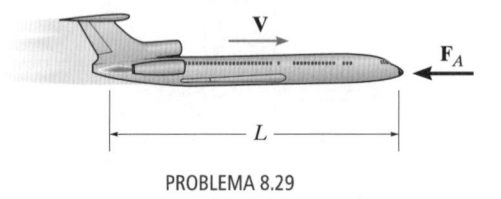

PROBLEMA 8.29

8.30. O tempo t necessário para que o éter etílico drene da pipeta é uma função da densidade ρ e da viscosidade μ do fluido, do diâmetro d do bocal e da gravidade g. Determine a relação entre t e esses parâmetros.

PROBLEMA 8.30

8.31. A perda de carga h_L em um tubo depende do seu diâmetro D, da velocidade do escoamento V e da densidade ρ e viscosidade μ do fluido. Determine a relação entre h_L e esses parâmetros.

*8.32. A diferença de pressão Δp do ar que sopra de um ventilador é função do diâmetro D da hélice, de sua rotação angular ω, da densidade ρ do ar e do escoamento Q. Determine a relação entre Δp e esses parâmetros.

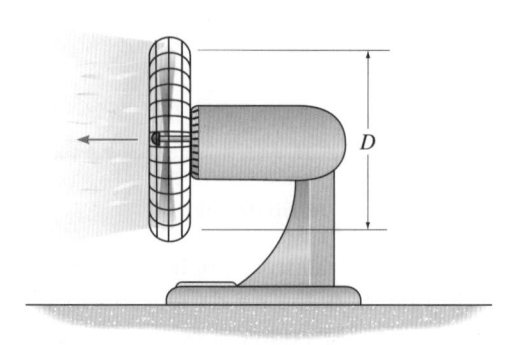

PROBLEMA 8.32

8.33. Considera-se que o período de tempo τ entre pequenas ondas d'água seja função do comprimento de onda λ, da profundidade h da água, da aceleração gravitacional g e da tensão superficial σ da água. Determine a relação entre τ e esses parâmetros.

8.34. O arrasto F_A sobre a placa quadrada mantida normal com relação ao vento depende da área A da placa e da velocidade do ar V, da densidade ρ e da viscosidade μ. Determine a relação entre F_A e esses parâmetros.

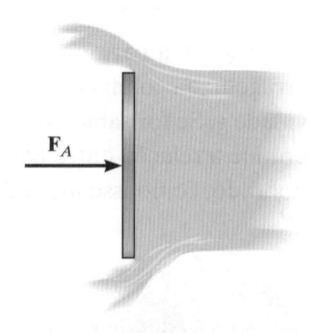

PROBLEMA 8.34

8.35. O empuxo T da hélice em um barco depende do diâmetro D da hélice, de sua velocidade angular ω, da velocidade V do barco e da densidade ρ e viscosidade μ da água. Determine a relação entre T e esses parâmetros.

PROBLEMA 8.35

e da densidade ρ e viscosidade μ do ar. Determine a relação entre F_A e esses parâmetros.

PROBLEMA 8.40

*8.36. A potência P de um soprador depende do diâmetro D do impelidor, de sua velocidade angular ω, da descarga Q e da densidade ρ e viscosidade μ do fluido. Determine a relação entre P e esses parâmetros.

8.37. A descarga Q de uma bomba é função do diâmetro D do impelidor, de sua velocidade angular ω, da saída de potência P e da densidade ρ e viscosidade μ do fluido. Determine a relação entre Q e esses parâmetros.

8.38. Quando a bola cai em um líquido, sua velocidade V é função do diâmetro D da bola, de sua densidade ρ_b, da densidade ρ e viscosidade μ do líquido, e da aceleração da gravidade g. Determine a relação entre V e esses parâmetros.

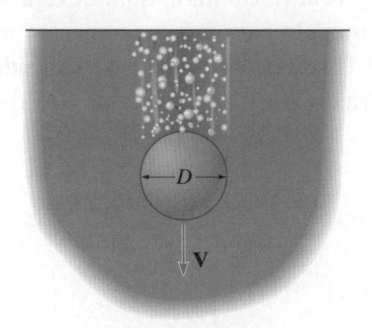

8.41. Quando ocorre uma explosão submarina, a pressão p da onda de choque em qualquer instante é função da massa do explosivo m, da pressão inicial p_0 formada pela explosão, do raio esférico r da onda de choque e da densidade ρ do módulo de elasticidade volumétrico E_V da água. Determine a relação entre p e esses parâmetros.

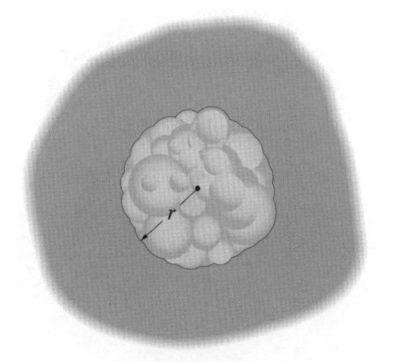

PROBLEMA 8.38

PROBLEMA 8.41

8.39. A variação na pressão Δp no tubo é função da densidade ρ e da viscosidade μ do fluido, do diâmetro D do tubo e da velocidade V do escoamento. Estabeleça a relação entre Δp e esses parâmetros.

8.42. A força de arrasto F_A que atua sobre um submarino depende do comprimento característico L da nave, da velocidade V em que ele está viajando e da densidade ρ e viscosidade μ da água. Determine a relação entre F_A e esses parâmetros.

8.43. Considera-se que a potência P fornecida por uma bomba seja função da descarga Q, da variação de pressão Δp entre a entrada e a saída, e da densidade ρ do fluido. Use o teorema do Pi de Buckingham para estabelecer uma relação geral entre esses parâmetros, de modo que um experimento possa ser realizado para determinar essa relação.

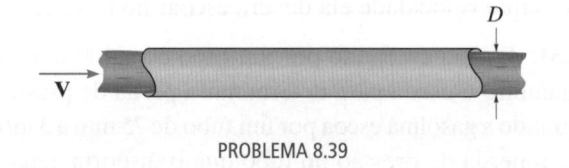

PROBLEMA 8.39

*8.40. A força de arrasto F_A no automóvel é função de sua velocidade V, de sua área projetada A no vento

*8.44. O diâmetro D das manchas de óleo feitas sobre uma folha de papel poroso depende do diâmetro d do bocal, da altura h entre a superfície do papel e o bocal, da velocidade V do óleo e de sua densidade ρ, viscosidade μ e tensão superficial σ. Determine as razões adimensionais que definem esse processo.

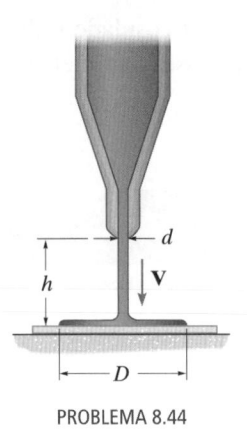

PROBLEMA 8.44

8.45. O borrifo de um aerossol produz gotículas com um diâmetro d, que depende do diâmetro do esguicho D, da tensão superficial σ das gotículas, da velocidade V em que as gotículas são ejetadas e da densidade ρ e viscosidade μ do ar. Determine a relação entre d e esses parâmetros.

PROBLEMA 8.45

8.46. O escoamento de fluido depende de viscosidade μ, módulo de elasticidade volumétrico E_V, gravidade g, pressão p, velocidade V, densidade ρ, tensão superficial σ e um comprimento característico L. Determine os agrupamentos adimensionais para essas oito variáveis.

8.47. A descarga Q sobre uma pequena barragem depende da coluna d'água H, da largura b e da altura h da barragem, da aceleração da gravidade g e da densidade ρ, viscosidade μ e tensão superficial σ do fluido. Determine a relação entre Q e esses parâmetros.

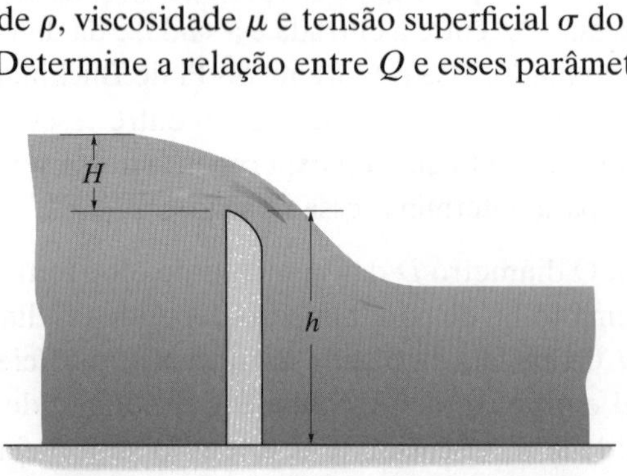

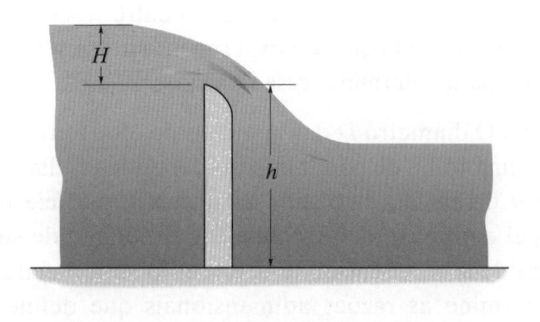

PROBLEMA 8.47

Seção 8.5

***8.48.** Se a água escoa por um tubo com diâmetro de 50 mm a 2 m/s, determine a velocidade do tetracloreto de carbono escoando por um tubo com 60 mm de diâmetro de modo que ambos possuam as mesmas características dinâmicas. A temperatura dos dois líquidos é 20°C.

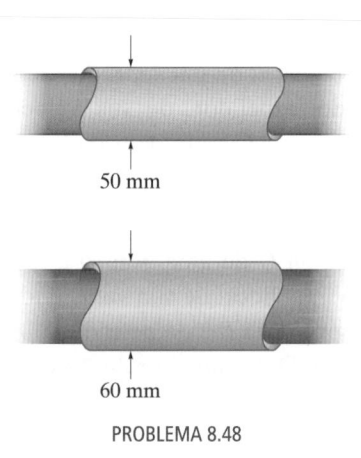

PROBLEMA 8.48

8.49. Para testar o escoamento sobre a superfície da asa de um avião, um modelo é construído em uma escala de 1/15 e é testado na água. Se o avião foi projetado para voar a 350 mi/h, qual deverá ser a velocidade do modelo para manter o mesmo número de Reynolds? Esse teste é realístico? Considere que a temperatura do ar e da água seja de 60°F.

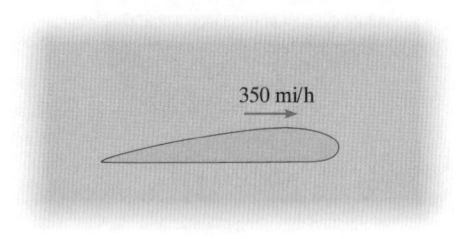

PROBLEMA 8.49

8.50. O modelo de um rio é construído em uma escala de 1/60. Se a água no rio está escoando a 38 pés/s, com que velocidade ela deverá escoar no modelo?

8.51. A água escoando por um tubo com 100 mm de diâmetro é usada para determinar a perda de pressão quando a gasolina escoa por um tubo de 75 mm a 3 m/s. Se a perda de pressão no tubo que transporta água é 8 Pa, determine a perda de pressão no tubo que transporta gasolina. Considere $\nu_g = 0{,}465(10^{-6})$ m²/s e $\nu_{\text{água}} = 0{,}890(10^{-6})$ m²/s, $\rho_g = 726$ kg/m³, $\rho_{\text{água}} = 997$ kg/m³.

*8.52. O efeito do arrasto sobre um aeromodelo deve ser testado em um túnel de vento com uma velocidade de vento de 200 mi/h. Se um teste semelhante for realizado sobre o mesmo modelo sob a água em um canal, qual deverá ser a velocidade da água para que se obtenha o mesmo resultado quando a temperatura for 60°F?

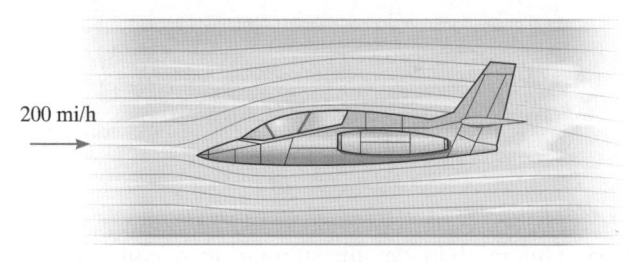

PROBLEMA 8.52

8.53. Quando uma esfera com 100 mm de diâmetro atravessa a 2 m/s a água com uma temperatura de 15°C, o arrasto é de 2,80 N. Determine a velocidade e o arrasto sobre uma esfera com 150 mm de diâmetro atravessando a água sob condições semelhantes.

8.54. Para determinar a formação de ondas em torno de obstruções em um rio, usa-se um modelo com uma escala de 1/10. Se o rio escoa a 6 pés/s, determine a velocidade da água para o modelo.

8.55. O desempenho ideal das pás de um misturador com 0,5 m de diâmetro deve ser testado usando um modelo com um quarto do tamanho do protótipo. Se o teste do modelo na água revelar que a velocidade ideal é 8 rad/s, determine a velocidade angular ideal do protótipo quando ele é usado para misturar álcool etílico. Considere $T = 20°C$.

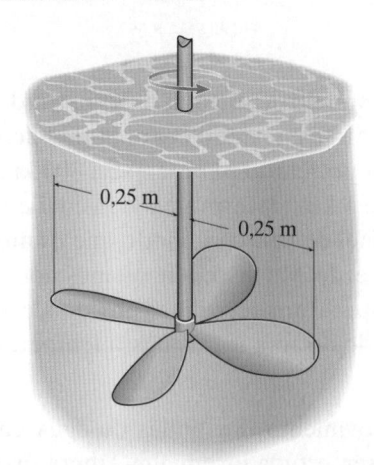

PROBLEMA 8.55

*8.56. O escoamento de água em torno do suporte estrutural é de 1,2 m/s quando a temperatura é 5°C. Se ele tiver de ser estudado por meio de um modelo construído na escala de 1/20, e usando água a uma temperatura de 25°C, determine a velocidade da água usada com o modelo.

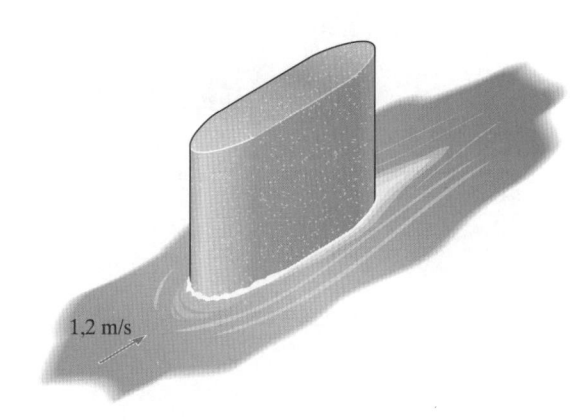

PROBLEMA 8.56

8.57. Um modelo de um navio é construído em uma escala de 1/20. Se o navio tiver de ser projetado para viajar a 4 m/s, determine a velocidade do modelo a fim de manter o mesmo número de Froude.

8.58. O escoamento em torno do avião voando a uma altitude de 10 km deve ser estudado usando um túnel de vento e um modelo que é construído em uma escala de 1/15. Se o avião possui uma velocidade no ar de 800 km/h, qual deverá ser a velocidade do ar dentro do túnel? Ela é viável?

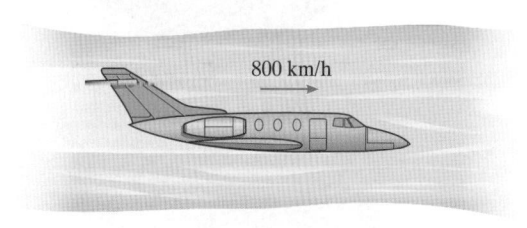

PROBLEMA 8.58

8.59. O modelo de um avião tem uma escala de 1/30. Se o arrasto no protótipo tiver de ser determinado quando o avião estiver voando a 600 km/h, determine a velocidade do ar em um túnel de vento para o modelo se o ar possui a mesma temperatura e pressão. A realização desse teste é viável?

*8.60. A resistência das ondas em um navio com 250 pés de extensão é testada em um canal usando um modelo com 15 pés de extensão. Se o navio viaja a 35 mi/h, qual deverá ser a velocidade do modelo para resistir às ondas?

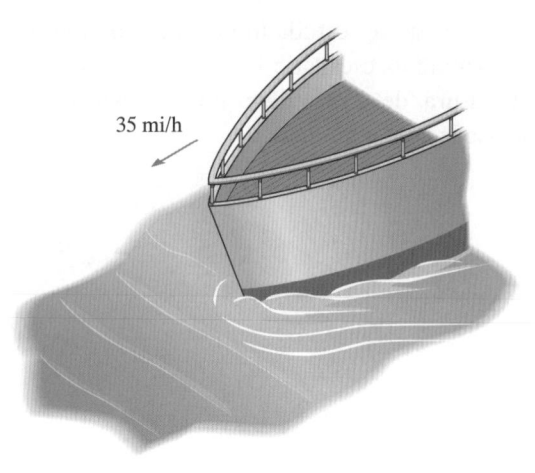

PROBLEMA 8.60

8.61. Um modelo de submarino é construído em uma escala de 1/25 e testado em um túnel de vento a uma velocidade do ar de 150 mi/h. Qual é a velocidade pretendida do protótipo se ele estiver na água na mesma temperatura de 60°F?

8.62. O escoamento de água em torno da coluna de uma ponte deve ser estudado por meio de um modelo construído na escala de 1/15. Se o rio escoa a 0,8 m/s, determine a velocidade correspondente da água no modelo, na mesma temperatura.

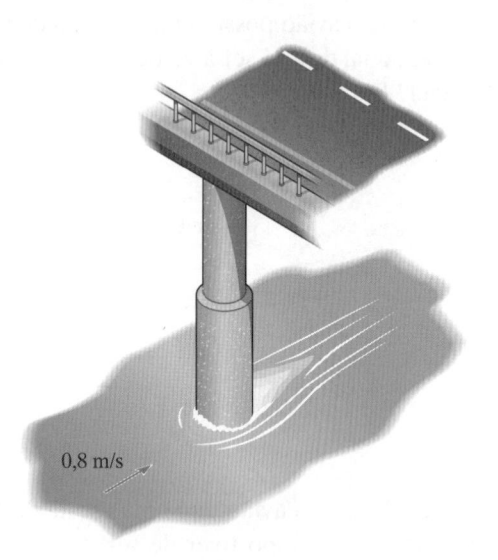

PROBLEMA 8.62

8.63. A resistência criada pelas ondas em um navio com 100 m de extensão é testada em um canal usando um modelo com 4 m de extensão. Se o navio viaja a 60 km/h, qual deverá ser a velocidade do modelo?

*__8.64.__ A velocidade das ondas de água em um canal é estudada em um laboratório por meio de um modelo do canal com um doze avos do seu tamanho real. Determine a velocidade das ondas no canal se elas tiverem uma velocidade de 6 m/s no modelo.

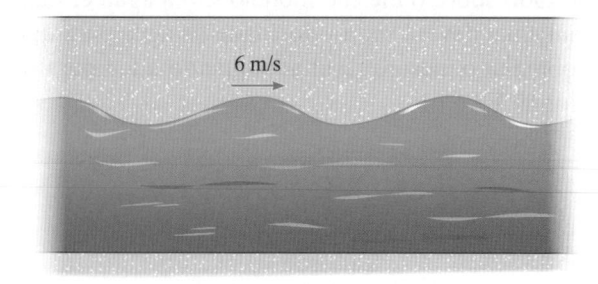

PROBLEMA 8.64

8.65. Um modelo de um submarino é construído para determinar a força de arrasto que atua sobre seu protótipo. A escala do comprimento é 1/100, e o teste é feito na água a 20°C, com uma velocidade de 8 m/s. Se o arrasto sobre o modelo é de 20 N, determine o arrasto sobre o protótipo se ele viajar na água à mesma velocidade e temperatura. Isso requer que o coeficiente de arrasto $C_A = 2F_A/\rho V^2 L^2$ seja o mesmo tanto para o modelo quanto para o protótipo.

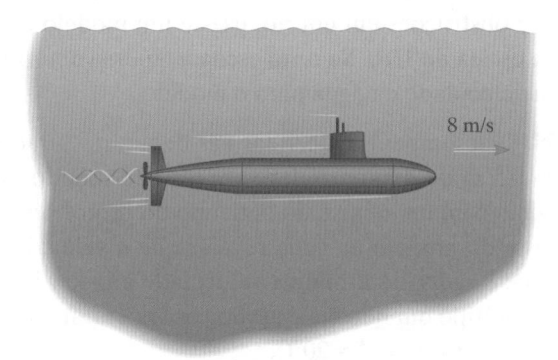

PROBLEMA 8.65

8.66. Um modelo de um avião é construído em uma escala de 1/15 e é testado em um túnel de vento. Se o avião foi projetado para viajar a 800 km/h a uma altitude de 5 km, determine a densidade do ar exigida no túnel de vento de modo que os números de Reynolds e de Mach sejam os mesmos. Suponha que a temperatura seja igual nos dois casos e que a velocidade do som no ar, nessa temperatura, seja 340 m/s.

8.67. O movimento das ondas de água em um canal deve ser estudado em um laboratório usando um modelo com um doze avos do tamanho do canal. Determine o tempo para que uma onda no canal atravesse 10 m se forem necessários 15 segundos para que a onda atravesse essa distância no modelo.

*8.68. É preciso que uma bomba seja projetada para uso em uma fábrica de produtos químicos, de modo que entregue 0,8 m³/s de benzeno com um aumento de pressão de 320 kPa. Quanto se espera que aumente o escoamento e a pressão produzidos por um modelo com um sexto do tamanho do protótipo? Se o modelo produz uma potência de saída de 900 kW, qual seria a potência de saída do protótipo?

8.69. Se o avião a jato pode voar em Mach 2 no ar a 35°F, determine a velocidade do vento necessária gerada em um túnel de vento a 65°F e usado em um modelo construído em uma escala de 1/25. *Dica:* use a Equação 13.24, $c = \sqrt{kRT}$, onde $k = 1{,}40$ para o ar.

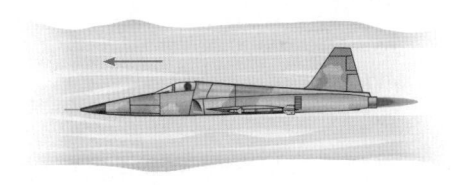

PROBLEMA 8.69

8.70. O coeficiente de arrasto em um avião é definido por $C_A = 2F_A/\rho V^2 L^2$. Se o arrasto que atua sobre o modelo de um avião testado no nível do mar é de 0,3 N, determine o arrasto no protótipo, que é 15 vezes maior e está voando em 20 vezes a velocidade do modelo, a uma altitude de 3 km.

8.71. O modelo de um barco com hidrofólio deve ser testado em um canal. O modelo é construído em uma escala de 1/20. Se a sustentação produzida pelo modelo é de 7 kN, determine a sustentação no protótipo. Suponha que a temperatura da água seja a mesma nos dois casos. Isso requer semelhança do número de Euler e do número de Reynolds.

*8.72. O modelo de um barco é construído em uma escala de 1/50. Determine a viscosidade cinemática da água exigida para testar o modelo, de modo que os números de Froude e Reynolds permaneçam iguais para o modelo e o protótipo. Este teste pode ser realizado na prática se o protótipo opera na água a $T = 20°C$?

8.73. Se um avião voa a 800 mi/h a uma altitude de 5000 pés, qual deverá ser sua velocidade de modo que tenha o mesmo número de Mach quando estiver a 15000 pés? Suponha que o ar tenha o mesmo módulo de elasticidade volumétrico. Use a Equação 13.25, $c = \sqrt{E_v/\rho}$.

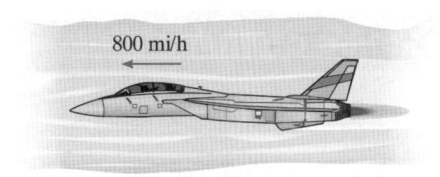

PROBLEMA 8.73

8.74. Uma barragem de contenção com 60 pés de extensão em um rio oferece um meio de coletar rejeitos que escoam a jusante. Se a corrente sobre a barragem é de 8000 pés³/s e um modelo dessa represa tiver de ser construído para uma escala de 1/20, determine a corrente sobre o modelo e a profundidade da água que escoa sobre sua crista. Suponha que a temperatura da água para o protótipo e para o modelo seja a mesma. O escoamento volumétrico sobre a represa pode ser determinado usando $Q = C_A \sqrt{g L H^{3/2}}$, onde C_A é o coeficiente de descarga, g a aceleração da gravidade, L é o comprimento da barragem e H é a altura da água acima da crista da barragem. Considere $C_A = 0{,}71$.

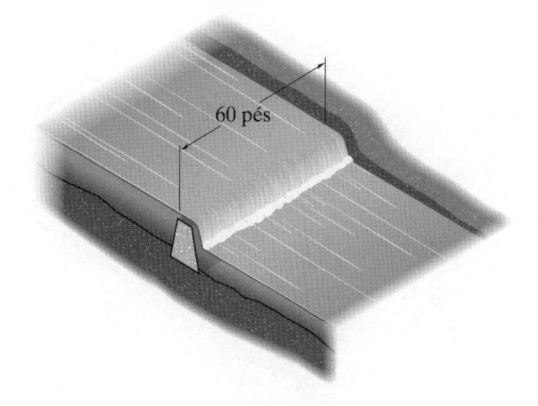

PROBLEMA 8.74

8.75. Um navio tem um comprimento de 180 m e viaja no mar, onde $\rho_m = 1030$ kg/m³. Um modelo do navio é construído em uma escala de 1/60, e ele desloca 0,06 m³ de água, de modo que seu casco possui uma área com superfície molhada de 3,6 m². Quando testado em um túnel de água a uma velocidade de 0,5 m/s, o arrasto total sobre o modelo foi de 2,25 N. Determine o arrasto sobre o navio e sua velocidade correspondente. Que potência é necessária para superar esse arrasto? O arrasto devido às forças viscosas (cisalhamento) pode ser determinado usando $(F_A)_f = \left(\frac{1}{2}\rho V^2 A\right) C_A$, onde C_A é o coeficiente de arrasto determinado de $C_A = 1{,}328/\sqrt{\text{Re}}$ para Re $< 10^6$ e $C_A = 0{,}455/(\log_{10}\text{Re})^{2{,}58}$ para $10^6 < \text{Re} < 10^9$. Considere $\rho = 1000$ kg/m³ e $\nu = 1{,}00(10^{-6})$ m²/s.

Revisão do capítulo

A análise dimensional oferece um meio de combinar as variáveis que influenciam um escoamento em grupos de números adimensionais. Isso reduz o número de medições experimentais exigidas para descrever o escoamento.

Ao estudar o comportamento do escoamento, normalmente ocorrem as seguintes importantes razões adimensionais entre a força dinâmica ou de inércia e alguma outra força:

$$\text{Número de Euler } Eu = \frac{\text{força de pressão}}{\text{força de inércia}} = \frac{\Delta p}{\rho V^2}$$

$$\text{Número de Reynolds } Re = \frac{\text{força de inércia}}{\text{força viscosa}} = \frac{\rho V L}{\mu}$$

$$\text{Número de Froud } Fr = \sqrt{\frac{\text{força de inércia}}{\text{força gravitacional}}} = \frac{V}{\sqrt{gL}}$$

$$\text{Número de Weber } We = \frac{\text{força de inércia}}{\text{força de tensão superficial}} = \frac{\rho V^2 L}{\sigma}$$

$$\text{Número de Mach } M = \sqrt{\frac{\text{força de inércia}}{\text{força de compressibilidade}}} = \frac{V}{c}$$

O teorema do Pi de Buckingham oferece um meio para determinar os grupos adimensionais de variáveis que podem ser obtidos a partir de um conjunto de variáveis.

A semelhança oferece um meio de garantir que o escoamento afeta o protótipo da mesma maneira que afeta seu modelo. O modelo precisa ser geometricamente semelhante ao protótipo, e o escoamento precisa ser cinemática e dinamicamente semelhante.

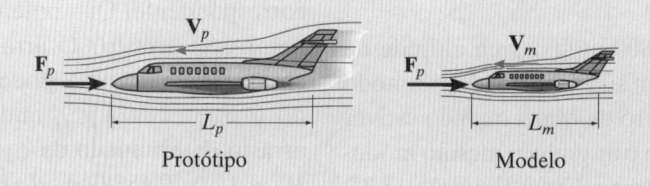

Protótipo   Modelo

CAPÍTULO 9

Escoamento viscoso dentro de superfícies delimitadas

Uma queda de pressão que ocorre ao longo de um conduto fechado, como em uma tubulação, deve-se às perdas por cisalhamento dentro do fluido. Essas perdas serão diferentes para escoamentos laminares e turbulentos.

(© Danicek/Shutterstock)

9.1 Escoamento laminar em regime permanente entre placas paralelas

Nesta seção, vamos considerar o caso do escoamento laminar de um fluido newtoniano (viscoso) confinado entre duas placas paralelas inclinadas. Como vemos na Figura 9.1a, as placas estão separadas por uma distância a, e possuem largura e comprimento suficientes para que os efeitos nas extremidades possam ser desprezados. Aqui, queremos determinar o perfil de velocidade do fluido, considerando que o fluido seja *incompressível* e tenha *escoamento em regime permanente*. Para generalizar um pouco a solução, também vamos supor que a placa superior esteja se movendo com uma velocidade **U** em relação à placa inferior. Sob essas condições, temos o escoamento unidimensional, pois a velocidade variará somente na direção y, enquanto permanece constante nas direções x e z para cada valor de y.

Objetivos

- Discutir como as forças da gravidade, pressão e viscosidade afetam o escoamento laminar de um fluido incompressível contido entre placas paralelas e dentro de um tubo.
- Ilustrar como classificar o escoamento usando o número de Reynolds.
- Apresentar algumas das maneiras que são usadas para modelar o escoamento turbulento em um tubo.

(a)

FIGURA 9.1 (continua)

Para analisar o escoamento, aplicaremos a equação da quantidade de movimento e selecionaremos um volume de controle diferencial com um comprimento Δx, uma espessura Δy e uma largura Δz (Figura 9.1b). As forças que atuam sobre o diagrama de corpo livre deste volume de controle ao longo da direção x incluem as forças de pressão sobre as superfícies de controle abertas (Figura 9.1c), as forças causadas pela tensão de cisalhamento nas superfícies de controle fechadas superior e inferior, e o componente x do peso do fluido dentro do volume de controle. As forças de cisalhamento são diferentes em suas superfícies opostas, pois o movimento do fluido é diferente em linhas de corrente adjacentes. Conforme indicado, consideramos que tanto a pressão quanto a tensão de cisalhamento *aumentam* nos sentidos *positivos* de x e y, respectivamente. Como o escoamento é em regime permanente e o fluido incompressível, e $\Delta A_{\text{entrada}} = \Delta A_{\text{saída}}$, então nenhuma variação local e convectiva ocorre, e, portanto, a equação da quantidade de movimento linear torna-se uma equação de equilíbrio, onde

$$\Sigma F_x = \frac{\partial}{\partial t}\int_{\text{vc}} \mathbf{V}\rho\, d\mathcal{V} + \int_{\text{sc}} \mathbf{V}\rho\, \mathbf{V} \cdot d\mathbf{A}$$

$$\left(p - \frac{\partial p}{\partial x}\frac{\Delta x}{2}\right)\Delta y\, \Delta z - \left(p + \frac{\partial p}{\partial x}\frac{\Delta x}{2}\right)\Delta y\, \Delta z$$
$$+ \left(\tau + \frac{\partial \tau}{\partial y}\frac{\Delta y}{2}\right)\Delta x\, \Delta z - \left(\tau - \frac{\partial \tau}{\partial y}\frac{\Delta y}{2}\right)\Delta x\, \Delta z + \gamma \Delta x\, \Delta y\, \Delta z\, \text{sen}\,\theta = 0 + 0$$

Dividindo pelo volume de controle $\Delta x\, \Delta y\, \Delta z$, notando que sen $\theta = -\Delta h/\Delta x$ (Figura 9.1d) e tomando o limite quando Δx e Δh aproximam-se de zero, obtemos, depois de simplificar,

$$\frac{\partial \tau}{\partial y} = \frac{\partial}{\partial x}(p + \gamma h)$$

O termo da direita é a soma do gradiente de pressão e do gradiente de elevação medida a partir de um datum. Como o escoamento é em regime permanente, essa soma é independente de y, e permanece a mesma ao longo de cada seção transversal. Portanto, como a pressão é apenas uma função de x, a integração da equação anterior em relação a y resulta em

$$\tau = \left[\frac{d}{dx}(p + \gamma h)\right]y + C_1$$

Essa expressão é baseada *somente em um equilíbrio de forças*, e, portanto, é válida para os escoamentos laminares *e* turbulentos.

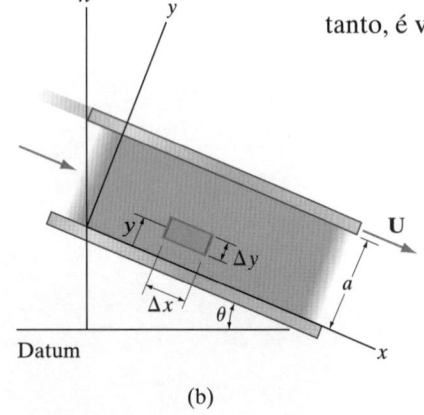

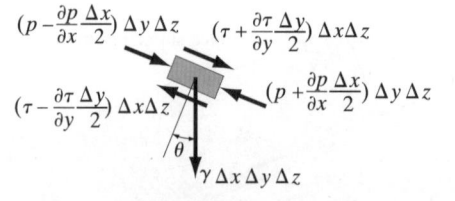

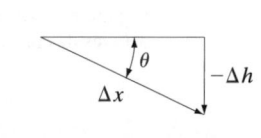

(b)

(c) Diagrama de corpo livre

(d)

FIGURA 9.1 (cont.)

Se tivermos um fluido newtoniano, para o qual o *escoamento laminar* prevalece, então podemos aplicar a lei de Newton da viscosidade, $\tau = \mu(du/dy)$, para obter o perfil de velocidade. Assim,

$$\mu \frac{du}{dy} = \left[\frac{d}{dx}(p + \gamma h)\right] y + C_1$$

Novamente, integrando com relação a y,

$$u = \frac{1}{\mu}\left[\frac{d}{dx}(p + \gamma h)\right]\frac{y^2}{2} + \frac{C_1}{\mu} y + C_2 \qquad (9.1)$$

As constantes de integração podem ser avaliadas usando as condições de contorno de "não deslizamento", a saber, em $y = 0$, $u = 0$ e em $y = a$, $u = U$. Depois de substituir e simplificar, as equações anteriores para τ e u agora se tornam

$$\boxed{\tau = \frac{U\mu}{a} + \left[\frac{d}{dx}(p + \gamma h)\right]\left(y - \frac{a}{2}\right)} \qquad (9.2)$$

Distribuição de tensão de cisalhamento
Escoamento laminar e turbulento

$$\boxed{u = \frac{U}{a} y - \frac{1}{2\mu}\left[\frac{d}{dx}(p + \gamma h)\right](ay - y^2)} \qquad (9.3)$$

Perfil de velocidade
Escoamento laminar

Se as pressões e as elevações em *dois pontos quaisquer* 1 e 2 em uma linha de corrente forem conhecidas (Figura 9.1e), então podemos obter os gradientes de pressão e elevação. Por exemplo, se os pontos 1 e 2 forem selecionados, então*

$$\frac{d}{dx}(p + \gamma h) = \frac{p_2 - p_1}{L} + \gamma \frac{h_2 - h_1}{L}$$

Gradientes de pressão e elevação

Agora, vamos considerar alguns casos especiais para entender melhor como as forças de viscosidade, pressão e gravidade influenciam o escoamento.

(e)

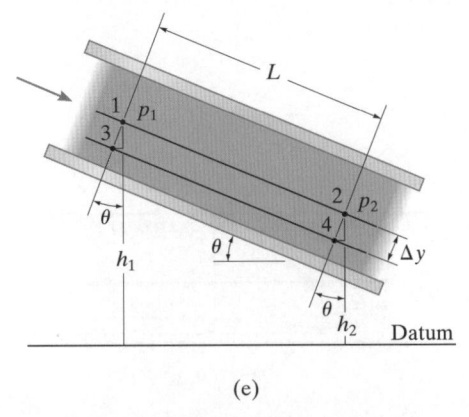

FIGURA 9.1 (cont.)

---

* Observe que, se escolhermos a linha de corrente passando pelos pontos 3 e 4 na Figura 9.1e, então p_1 e p_2 são ambos *aumentados* em $\gamma(\Delta y \cos \theta)$, mas as elevações h_1 e h_2 são diminuídas em $(\Delta y \cos \theta)$. Substituindo isso na equação anterior, obtemos o *mesmo* gradiente total.

Escoamento horizontal causado por um gradiente de pressão constante — ambas as placas fixas

Neste caso, $U = 0$ e $dh/dx = 0$ (Figura 9.2), de modo que as equações 9.2 e 9.3 tornam-se

$$\tau = \frac{dp}{dx}\left(y - \frac{a}{2}\right) \tag{9.4}$$

Distribuição de tensão
de cisalhamento

$$u = -\frac{1}{2\mu}\frac{dp}{dx}(ay - y^2) \tag{9.5}$$

Perfil de velocidade
Escoamento laminar

Para que o escoamento se mova para a direita, é preciso que dp/dx seja negativo. Em outras palavras, uma pressão mais alta precisa ser aplicada ao fluido na esquerda, fazendo-o escoar para a direita. É a tensão de cisalhamento causada pelo cisalhamento dentro do fluido que faz a pressão *diminuir* na direção do movimento.

Um gráfico da Equação 9.4 mostra que a tensão de cisalhamento varia linearmente com y, onde $\tau_{máx}$ ocorre na superfície de cada placa (Figura 9.2). Como há menos tensão de cisalhamento no fluido dentro da região central entre as placas, a velocidade lá é maior. Na verdade, a Equação 9.5 mostra que a distribuição de velocidade resultante é parabólica, e a velocidade máxima ocorre no centro, onde $du/dy = 0$. Substituir $y = a/2$ na Equação 9.5 revela que essa velocidade máxima é

$$u_{máx} = -\frac{a^2}{8\mu}\frac{dp}{dx} \tag{9.6}$$

Velocidade máxima

A vazão é determinada integrando a distribuição de velocidade pela área transversal entre as placas. Se as placas tiverem uma largura b, então $dA = b\,dy$, e temos

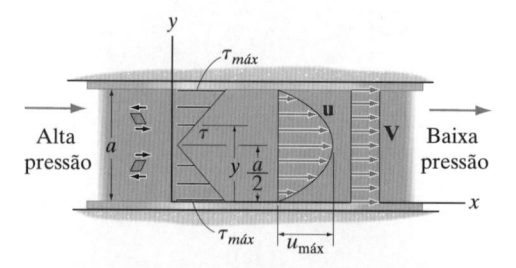

Distribuição de tensão de cisalhamento
e perfis de velocidade real e média
com gradiente de pressão *negativo*
e nenhum movimento das placas.

FIGURA 9.2

$$Q = \int_A u\,dA = \int_0^a -\frac{1}{2\mu}\frac{dp}{dx}(ay - y^2)(b\,dy)$$

$$Q = -\frac{a^3 b}{12\mu}\frac{dp}{dx} \quad (9.7)$$
Vazão

Por fim, a área transversal entre as placas é $A = ab$, de modo que a velocidade média (Figura 9.2) é determinada por

$$V = \frac{Q}{A} = -\frac{a^2}{12\mu}\frac{dp}{dx} \quad (9.8)$$
Velocidade média

Se compararmos esta equação com a Equação 9.6, encontraremos

$$u_{\text{máx}} = \frac{3}{2}V$$

Escoamento horizontal causado por um gradiente de pressão constante — placa superior movendo-se

Neste caso, $dh/dx = 0$, de modo que as equações 9.2 e 9.3 se reduzem a

$$\tau = \frac{U\mu}{a} + \frac{dp}{dx}\left(y - \frac{a}{2}\right) \quad (9.9)$$
Distribuição de tensão de cisalhamento

e

$$u = \frac{U}{a}y - \frac{1}{2\mu}\frac{dp}{dx}(ay - y^2) \quad (9.10)$$
Perfil de velocidade
Escoamento laminar

A vazão é, portanto,

$$Q = \int_A u\,dA = \int_0^a \left[\frac{U}{a}y - \frac{1}{2\mu}\frac{dp}{dx}(ay - y^2)\right]b\,dy$$

$$= \frac{Uab}{2} - \frac{a^3 b}{12\mu}\frac{dp}{dx} \quad (9.11)$$
Vazão

E como $A = ab$, a velocidade média é

$$V = \frac{Q}{A} = \frac{U}{2} - \frac{a^2}{12\mu}\frac{dp}{dx} \quad (9.12)$$
Velocidade média

O local de velocidade máxima é determinado definindo $du/dy = 0$ na Equação 9.10. Temos

$$\frac{du}{dy} = \frac{U}{a} - \frac{1}{2\mu}\frac{dp}{dx}(a - 2y) = 0$$

$$y = \frac{a}{2} - \frac{U\mu}{a(dp/dx)} \quad (9.13)$$

Se esse valor for substituído de volta na Equação 9.10, a velocidade máxima poderá ser obtida. Ela não ocorre no ponto intermediário; em vez disso, ela depende da velocidade da placa superior, U, e do gradiente de pressão, dp/dx. Por exemplo, se ocorrer um gradiente de pressão grande o suficiente, positivo ou crescente, dp/dx, então, de acordo com a Equação 9.10, poderá ocorrer um *escoamento reverso (negativo)* resultante. Um perfil de velocidade típico se parece com aquele mostrado na Figura 9.3*a*, onde a parte superior do fluido é arrastada para a *direita*, devido ao movimento **U** da placa, e o restante do fluido se move para a *esquerda*, sendo empurrado pelo gradiente de pressão positivo. Quando o gradiente de pressão for negativo, esse gradiente e o movimento da placa trabalharão juntos e farão com que o perfil de velocidade se pareça com aquele mostrado na Figura 9.3*b*.

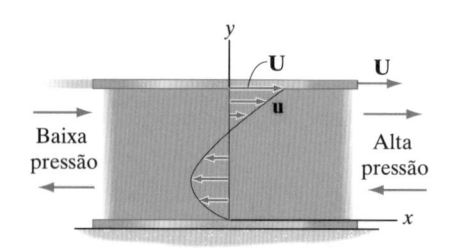

Perfil de velocidade causado por um grande gradiente de pressão positivo e movimento da placa superior.
(a)

Perfil de velocidade causado por um fraco gradiente de pressão negativo e movimento da placa superior.
(b)

FIGURA 9.3

Escoamento horizontal causado apenas pelo movimento da placa superior

Se o *gradiente de pressão dp/dx* e a inclinação *dh/dx* forem ambos zero, então o escoamento será causado totalmente pela placa móvel. Nesse caso, as equações 9.2 e 9.3 tornam-se

$$\tau = \frac{U\mu}{a} \tag{9.14}$$

Distribuição de tensão de cisalhamento

$$u = \frac{U}{a}y \tag{9.15}$$

Perfil de velocidade
Escoamento laminar

Esses resultados indicam que a tensão de cisalhamento é constante, enquanto o *perfil de velocidade é linear* (Figura 9.4).

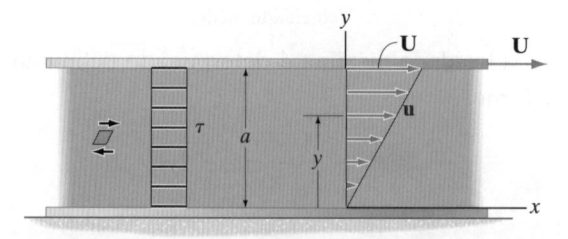

Distribuição de tensão de cisalhamento e perfil de velocidade
para gradiente de pressão zero e movimento da placa superior.

FIGURA 9.4

Discutimos essa situação na Seção 1.6, relacionada à lei de Newton da viscosidade. O movimento de fluidos causado somente pelo movimento do contorno (neste caso, uma placa) é conhecido como **escoamento de Couette**, em homenagem a Maurice Couette. Em geral, porém, o termo "escoamento de Couette" refere-se ao escoamento laminar ou turbulento causado apenas pelo movimento do contorno.

Limitações

É importante lembrar que todas as equações relacionadas à velocidade, desenvolvidas nesta seção, aplicam-se apenas ao *escoamento laminar* em regime permanente de um fluido newtoniano incompressível. Logo, para usar essas equações, devemos garantir que o escoamento laminar prevalece. Na Seção 9.5, discutiremos como o número de Reynolds $Re = \rho V L/\mu$ pode ser usado como um critério para identificar o escoamento laminar. Para fazer isso para placas paralelas, o número de Reynolds pode ser calculado usando a distância a entre as placas como "comprimento característico" L. Além disso, usando a velocidade média para calcular Re, temos então $Re = \rho V a/\mu$. Os experimentos têm mostrado que o escoamento laminar ocorrerá até uma certa faixa estreita de valores para esse número de Reynolds. Embora ele não tenha um valor exclusivo em particular, neste livro, vamos considerar que o limite superior seja Re = 1400. Portanto,

$$Re = \frac{\rho V a}{\mu} \le 1400$$
Escoamento laminar entre placas

Desde que essa inequação seja satisfeita, mostrou-se que os resultados do cálculo dos perfis de velocidade usando as equações apresentadas têm concordância muito boa com os perfis de velocidade obtidos a partir dos experimentos.

9.2 Solução de Navier-Stokes para o escoamento laminar em regime permanente entre placas paralelas

É instrutivo mostrar que o perfil de velocidade (Equação 9.3) *também* pode ser obtido usando a equação da continuidade e a aplicação das equações de Navier-Stokes, discutidas na Seção 7.11. Para fazer isso, vamos estabelecer os eixos x, y, z como na Figura 9.5. Como há um escoamento incompressível em regime permanente somente na direção x, então $v = w = 0$ e, como resultado, a equação da continuidade (Equação 7.10) resulta em

$$\frac{\partial \rho}{\partial t} + \frac{\partial(\rho u)}{\partial x} + \frac{\partial(\rho v)}{\partial y} + \frac{\partial(\rho w)}{\partial z} = 0$$

$$0 + \rho\frac{\partial u}{\partial x} + 0 + 0 = 0$$

de modo que $\partial u/\partial x = 0$.

A simetria na direção z e o escoamento em regime permanente indicam que u não é uma função de z e x, mas apenas uma função de y, ou seja, $u = u(y)$. Além disso, pela Figura 9.5, $g_x = g\,\text{sen}\,\theta = g(-dh/dx)$ e $g_y = -g\cos\theta$.

FIGURA 9.5

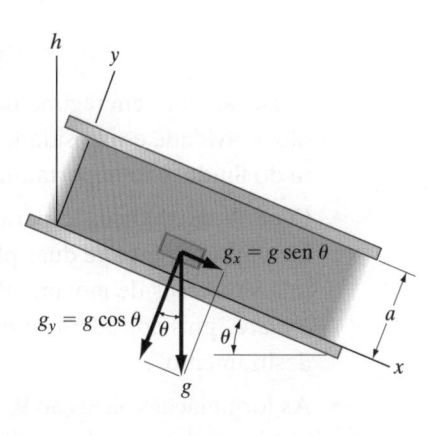

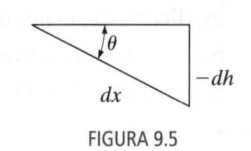

Usando esses resultados, as três equações de Navier-Stokes (equações 7.75) se reduzem a

$$\rho\left(\frac{\partial u}{\partial t} + u\frac{\partial u}{\partial x} + v\frac{\partial u}{\partial y} + w\frac{\partial u}{\partial z}\right) = \rho g_x - \frac{\partial p}{\partial x} + \mu\left(\frac{\partial^2 u}{\partial x^2} + \frac{\partial^2 u}{\partial y^2} + \frac{\partial^2 u}{\partial z^2}\right)$$

$$0 = \rho g\left(-\frac{dh}{dx}\right) - \frac{\partial p}{\partial x} + \mu\frac{d^2 u}{dy^2}$$

$$\rho\left(\frac{\partial v}{\partial t} + u\frac{\partial v}{\partial x} + v\frac{\partial v}{\partial y} + w\frac{\partial v}{\partial z}\right) = \rho g_y - \frac{\partial p}{\partial y} + \mu\left(\frac{\partial^2 v}{\partial x^2} + \frac{\partial^2 v}{\partial y^2} + \frac{\partial^2 v}{\partial z^2}\right)$$

$$0 = -\rho g \cos\theta - \frac{\partial p}{\partial y} + 0$$

$$\rho\left(\frac{\partial w}{\partial t} + u\frac{\partial w}{\partial x} + v\frac{\partial w}{\partial y} + w\frac{\partial w}{\partial z}\right) = \rho g_z - \frac{\partial p}{\partial z} + \mu\left(\frac{\partial^2 w}{\partial x^2} + \frac{\partial^2 w}{\partial y^2} + \frac{\partial^2 w}{\partial z^2}\right)$$

$$0 = 0 - \frac{\partial p}{\partial z} + 0$$

A última equação, quando integrada, mostra que p é constante na direção z, o que era de se esperar. Integrando a segunda equação, obtemos

$$p = -\rho(g\cos\theta)y + f(x)$$

O primeiro termo da direita mostra que a pressão varia de uma *maneira hidrostática* na direção y. O segundo termo da direita, $f(x)$, mostra que a pressão também varia na direção x. Isso ocorre devido à tensão de cisalhamento viscosa. Se reorganizarmos a primeira equação de Navier-Stokes apresentada, usando $\gamma = \rho g$, e a integrarmos duas vezes, obteremos

$$\frac{d^2 u}{dy^2} = \frac{1}{\mu}\frac{d}{dx}(p + \gamma h)$$

$$\frac{du}{dy} = \frac{1}{\mu}\frac{d}{dx}(p + \gamma h)y + C_1$$

$$u = \frac{1}{\mu}\left[\frac{d}{dx}(p + \gamma h)\right]\frac{y^2}{2} + C_1 y + C_2$$

Esse é o mesmo resultado da Equação 9.1, de modo que a análise prossegue como antes.

Pontos importantes

- O escoamento em regime permanente entre duas placas paralelas é um equilíbrio das forças de pressão, gravidade e viscosidade. A tensão de cisalhamento viscosa varia *linearmente* ao longo da espessura do fluido, não importando se o escoamento é laminar ou turbulento.

- O perfil de velocidade para o *escoamento laminar em regime permanente* de um fluido newtoniano incompressível entre duas placas paralelas é determinado usando a lei da viscosidade de Newton. Em todos os casos de movimento, o fluido em qualquer superfície da placa tem velocidade zero *relativa à placa*, pois considera-se que esteja em repouso onde encontra o contorno — a condição de "não deslizamento".

- As formulações na Seção 9.1 foram desenvolvidas a partir dos princípios básicos e, na Seção 9.2, resolvendo as equações da continuidade e de Navier-Stokes. Esses resultados estão bem de acordo com as medições experimentais. Além disso, os experimentos têm mostrado que o *escoamento laminar* entre placas paralelas ocorrerá até um valor crítico do número de Reynolds, que consideramos como sendo $\text{Re} = \rho V a/\mu \leq 1400$. Aqui, a é a distância entre as placas, e V é a velocidade média do escoamento.

Capítulo 9 – Escoamento viscoso dentro de superfícies delimitadas   415

Procedimento para análise

As equações na Seção 9.1 podem ser aplicadas por meio do procedimento a seguir.

Descrição do fluido

O escoamento precisa ser em regime permanente e o fluido precisa ser um fluido newtoniano incompressível. Além disso, *deve existir escoamento laminar*; portanto, esteja certo de verificar se as condições de escoamento produzem um número de Reynolds Re = $\rho V a/\mu \leq 1400$.

Análise

Estabeleça as coordenadas e siga sua convenção de sinal positivo. Aqui, x é positivo na direção do escoamento; y é positivo medido a partir da placa inferior, de baixo para cima e normal à placa, de modo que é perpendicular ao escoamento; e h é positivo verticalmente de baixo para cima (Figura 9.1a). Por fim, lembre-se de usar um conjunto de unidades consistente ao substituir dados numéricos em qualquer uma das equações.

EXEMPLO 9.1

A glicerina na Figura 9.6 escoa a 0,005 m³/s através da região estreita entre as duas placas lisas que estão afastadas por 15 mm. Determine o gradiente de pressão que atua sobre a glicerina.

Solução

Descrição do fluido

Para a análise, vamos considerar que as placas sejam largas o bastante (0,4 m) para desconsiderar os efeitos da extremidade. Além disso, vamos considerar um escoamento em regime permanente, incompressível e laminar. Pelo Apêndice A, $\rho_g = 1260$ kg/m³ e $\mu_g = 1{,}50$ N · s/m².

Análise

Visto que a vazão é conhecida, podemos obter o gradiente de pressão encontrando primeiramente o perfil de velocidade (Equação 9.3). Aqui, as placas não estão se movendo uma em relação à outra, de modo que $U = 0$, e, portanto,

$$u = -\frac{1}{2\mu}\left[\frac{d}{dx}(p + \gamma h)\right](ay - y^2)$$

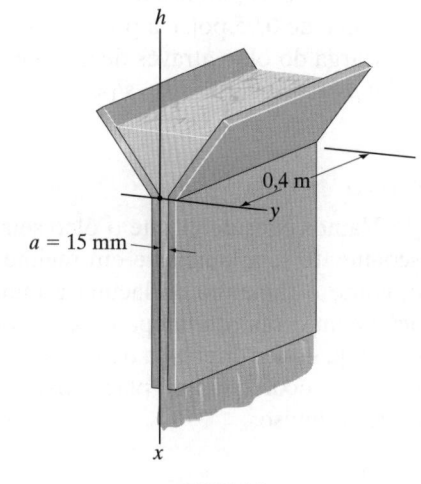

FIGURA 9.6

As coordenadas são estabelecidas com x ao longo da borda da placa esquerda, positivo na direção do escoamento (de cima para baixo) e h positivo de baixo para cima (Figura 9.6). Assim, $dh/dx = -1$, portanto, a equação apresentada torna-se

$$u = -\frac{1}{2\mu}\left(\frac{dp}{dx} - \gamma\right)(ay - y^2) \qquad (1)$$

Como Q é conhecida, podemos relacioná-lo a esse perfil de velocidade como a seguir.

$$Q = \int_A u\, dA = \int_0^a -\frac{1}{2\mu}\left(\frac{dp}{dx} - \gamma\right)(ay - y^2)\, b\, dy$$

$$= -\frac{b}{2\mu}\left(\frac{dp}{dx} - \gamma\right)\int_0^a (ay - y^2)\, dy = -\frac{b}{2\mu}\left(\frac{dp}{dx} - \gamma\right)\left(\frac{a^3}{6}\right)$$

Substituindo os dados nessa equação, obtemos

$$0{,}005 \text{ m}^3/\text{s} = \left(-\frac{0{,}4 \text{ m}}{2(1{,}50 \text{ N} \cdot \text{s}/\text{m}^2)}\right)\left[\frac{dp}{dx} - (1260 \text{ kg/m}^3)(9{,}81 \text{ m/s}^2)\right]\left(\frac{(0{,}015 \text{ m})^3}{6}\right)$$

$$\frac{dp}{dx} = -54{,}3(10^3) \text{ Pa/m} = -54{,}3 \text{ kPa/m} \qquad \textit{Resposta}$$

O sinal negativo indica que a pressão dentro da glicerina está diminuindo na direção do escoamento. Isso era esperado, devido ao arrasto por cisalhamento causado pela viscosidade.

Por fim, precisamos verificar se o escoamento é realmente laminar, usando nosso critério do número de Reynolds. Como $V = Q/A$, temos

$$\text{Re} = \frac{\rho V a}{\mu} = \frac{(1260 \text{ kg/m}^3)[(0{,}005 \text{ m}^3/\text{s})/(0{,}015 \text{ m})(0{,}4 \text{ m})](0{,}015 \text{ m})}{1{,}5 \text{ N} \cdot \text{s}/\text{m}^2}$$

$$= 10{,}5 \leq 1400 \qquad \text{(escoamento laminar)}$$

EXEMPLO 9.2

O tampão com 3 pol. de diâmetro na Figura 9.7 é colocado dentro da tubulação e apoiado de modo que o óleo possa escoar entre ele e as paredes do tubo. Se o espaço entre o tampão e o tubo é de 0,05 pol. e a pressão em A é de 50 psi, determine a descarga do óleo através dessa lacuna. Considere $\gamma_o = 54$ lb/pés^3 e $\mu_o = 0{,}760(10^{-3})$ lb $\cdot$ s/pé^2.

Solução

Descrição do fluido

Vamos considerar que o óleo seja incompressível e que o escoamento seja laminar e em regime permanente. Além disso, como o tamanho da lacuna é muito pequeno em comparação com o raio do tampão, vamos desprezar a curvatura do tubo e qualquer diferença de elevação, considerando que o escoamento ocorre entre "placas paralelas" horizontais que estão em repouso.

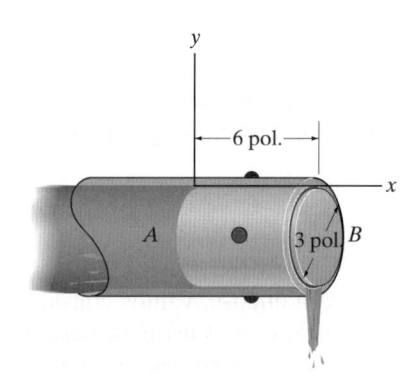

FIGURA 9.7

Análise

A descarga é determinada a partir da Equação 9.7. A coordenada x é positiva na direção do escoamento, logo $dp/dx = (p_B - p_A)/L_{AB}$. Visto que $p_A = 50$ psi, $p_B = 0$ e $L_{AB} = 6$ pol., temos

$$Q = -\frac{a^3 b}{12\mu_o}\frac{dp}{dx} = -\frac{\left(\frac{0{,}05}{12}\text{ pé}\right)^3\left[2\pi\left(\frac{1{,}5}{12}\text{ pé}\right)\right]}{12[0{,}760(10^{-3})] \text{ lb} \cdot \text{s}/\text{pés}^2}\left(\frac{0 - 50 \text{ lb/pol.}^2(12 \text{ pol.}/\text{pés})^2}{\left(\frac{6}{12}\text{ pés}\right)}\right)$$

$$= 0{,}08971 \text{ pé}^3/\text{s} = 0{,}0897 \text{ pé}^3/\text{s} \qquad \textit{Resposta}$$

Para verificar se o escoamento é laminar, primeiro obtemos a velocidade média usando a Equação 9.8.

$$V = -\frac{a^2}{12\mu_o}\frac{dp}{dx} = -\frac{\left(\frac{0{,}05}{12}\text{ pé}\right)^2}{12[0{,}760(10^{-3}) \text{ lb} \cdot \text{s}/\text{pé}]^2}\left[\frac{0 - \left(50\frac{\text{lb}}{\text{pol.}^2}\right)\left(12\frac{\text{pol.}}{\text{pés}}\right)^2}{\frac{6}{12}\text{ pés}}\right]$$

$$= 27{,}41 \text{ pés/s}$$

O número de Reynolds é, portanto,

$$\text{Re} = \frac{\rho_o V a}{\mu_o} = \frac{\left(\dfrac{54 \text{ lb/pés}^3}{32{,}2 \text{ pés/s}^2}\right)(27{,}41 \text{ pés/s})\left(\dfrac{0{,}05}{12}\text{ pé}\right)}{0{,}760(10^{-3}) \text{ lb}\cdot\text{s/pé}^2}$$

$$= 252{,}0 < 1400 \quad \text{(escoamento laminar)}$$

NOTA: uma análise mais exata desse problema pode ser feita considerando a curvatura do tubo e do tampão. Ela representa o escoamento laminar em regime permanente através de um ânulo, e as equações relevantes são desenvolvidas como parte do Problema 9.54. Além disso, se o fluido fosse a água, o valor calculado de Re seria > 1400, e a análise feita seria inválida.

EXEMPLO 9.3

Durante um processo de manufatura, uma tira de papel com 45 mm de largura é puxada para cima a 0,6 m/s através de um canal estreito de um reservatório de cola, como mostra a Figura 9.8a. Determine a força por unidade de comprimento exercida sobre a tira quando ela está no canal, se a espessura da cola em cada lado da tira for de 0,1 mm. Suponha que a cola seja um fluido newtoniano com uma viscosidade $\mu = 0{,}843(10^{-3})$ N·s/m² e uma densidade $\rho = 735$ kg/m³.

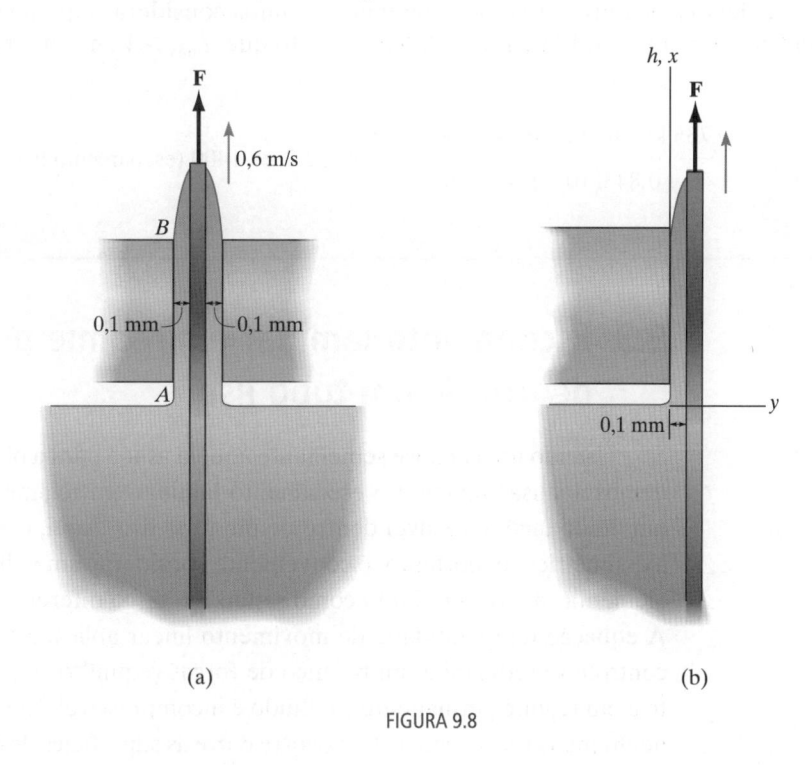

FIGURA 9.8

Solução

Descrição do fluido

Dentro do canal, ocorre um escoamento em regime permanente. Vamos supor que a cola seja incompressível e o escoamento seja laminar.

Análise

Neste problema, a gravidade e a viscosidade predominam. Não há gradiente de pressão por toda a cola, pois a pressão em A e B é atmosférica, ou seja, $p_A = p_B = 0$ e, portanto, $\Delta p = 0$ de A para B.

O papel atua como uma placa móvel, portanto, para obter a força por unidade de comprimento no papel, primeiro aplicaremos a Equação 9.2 para obter a tensão de cisalhamento no papel, ou seja,

$$\tau = \frac{U\mu}{a} + \left[\frac{\partial}{\partial x}(p + \gamma h)\right]\left(y - \frac{a}{2}\right)$$

As coordenadas são estabelecidas da forma usual para a cola no lado esquerdo (Figura 9.8b).

À medida que a tira se move para cima, a cola adere a ela, mas ela precisa superar a tensão de cisalhamento em sua superfície em $y = a = 0{,}1$ mm. Visto que $dh/dx = 1$ e $\partial p/\partial x = 0$, a equação anterior torna-se

$$\tau = \frac{U\mu}{a} + \gamma\left(\frac{a}{2}\right)$$

$$= \frac{(0{,}6 \text{ m/s})(0{,}843(10^{-3}) \text{ N}\cdot\text{s/m}^2)}{0{,}1(10^{-3}) \text{ m}} + (735 \text{ kg/m}^3)(9{,}81 \text{ m/s}^2)\left(\frac{0{,}1(10^{-3}) \text{ m}}{2}\right)$$

$$= 5{,}419 \text{ N/m}^2$$

Essa tensão precisa ser superada em *cada lado* da tira, e como o papel possui uma largura de 45 mm, a força por unidade de comprimento na tira é

$$w = 2(5{,}419 \text{ N/m}^2)(0{,}045 \text{ m}) = 0{,}488 \text{ N/m} \qquad \textit{Resposta}$$

Agora, temos de verificar nossa suposição de escoamento laminar. Em vez de estabelecer o perfil de velocidade real e depois encontrar a velocidade média, vamos considerar aqui a velocidade máxima, que ocorre na tira a $y = 0{,}1$ mm. Ela é $u_{máx} = 0{,}6$ m/s. Visto que $u_{máx} > V$, mesmo nessa velocidade máxima, temos

$$\text{Re} = \frac{\rho u_{máx} a}{\mu} = \frac{(735 \text{ kg/m}^3)(0{,}6 \text{ m/s})(0{,}0001 \text{ m})}{0{,}843(10^{-3}) \text{ N}\cdot\text{s/m}^2} = 52{,}3 \leq 1400 \text{ (escoamento laminar)}$$

9.3 Escoamento laminar em regime permanente dentro de um tubo liso

Usando uma análise semelhante àquela usada para a placa paralela, podemos analisar também o escoamento laminar em regime permanente de um fluido incompressível dentro de um tubo liso. Aqui, o escoamento será axissimétrico, e, portanto, é conveniente considerar um volume de controle elementar dentro do fluido como sendo um disco diferencial (Figura 9.9a). A equação da quantidade de movimento linear aplicada a esse volume de controle se reduzirá a um balanço de forças (equilíbrio), pois o escoamento é em regime permanente e o fluido é incompressível. Em outras palavras, nenhuma variação convectiva ocorre entre as superfícies de controle abertas nas partes anterior e posterior, e nenhuma variação local ocorre dentro do volume de controle. Como vemos no diagrama de corpo livre do volume de controle (Figura 9.9b), as forças a serem consideradas na direção x devem-se à pressão, gravidade e viscosidade. Temos

$$\Sigma F_x = \frac{\partial}{\partial t}\int_{vc} \mathbf{V}\rho\, dV + \int_{sc} \mathbf{V}\rho \mathbf{V}\cdot d\mathbf{A}$$

$$\left(p - \frac{\partial p}{\partial x}\frac{\Delta x}{2}\right)\Delta A - \left(p + \frac{\partial p}{\partial x}\frac{\Delta x}{2}\right)\Delta A + \tau \Delta A' + \gamma \Delta V \operatorname{sen}\phi = 0 + 0$$

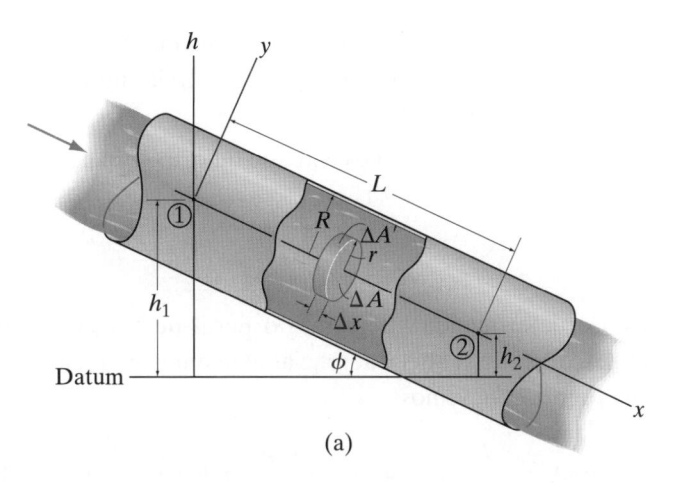

(a)

FIGURA 9.9 (continua)

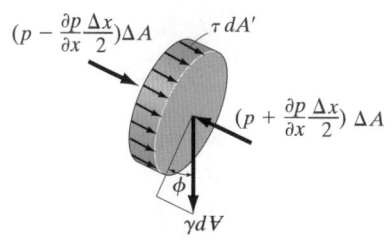

Pela Figura 9.9a, a área transversal de controle aberta é $\Delta A = \pi r^2$, a área na superfície de controle fechada é $\Delta A' = 2\pi r \Delta x$, e o volume de controle é $\Delta V = \pi r^2 \Delta x$. Substituindo esses resultados na equação anterior, observando que sen $\phi = -\Delta h/\Delta x$ (Figura 9.9c) e tomando o limite, obtemos

$$\tau = \frac{r}{2}\frac{\partial}{\partial x}(p + \gamma h) \qquad (9.16)$$

Distribuição de tensão de cisalhamento
Escoamento laminar e turbulento

Diagrama de corpo livre.
(b)

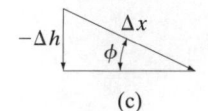

Esta equação resulta na distribuição de *tensão de cisalhamento* dentro do fluido. Observe que ela varia diretamente com r, sendo maior na parede, $r = R$, e zero no centro (Figura 9.9d). Como τ foi determinado a partir de um simples equilíbrio de forças, essa distribuição é válida para os *escoamentos laminar e turbulento*.

(c)

Se considerarmos o escoamento *laminar*, então podemos relacionar a tensão de cisalhamento à velocidade em qualquer ponto dentro do fluido usando a lei de Newton da viscosidade, $\tau = \mu(du/dr)$. Substituindo isso na Equação 9.16 e reorganizando os termos, temos

$$\frac{du}{dr} = \frac{r}{2\mu}\frac{\partial}{\partial x}(p + \gamma h)$$

O termo $\partial(p + \gamma h)/\partial x$ representa a soma dos gradientes de pressão e elevação. Como essa soma é o gradiente hidráulico, ele é independente de y, e, portanto, integrando a equação anterior com relação a r, temos

$$u = \frac{r^2}{4\mu}\frac{d}{dx}(p + \gamma h) + C$$

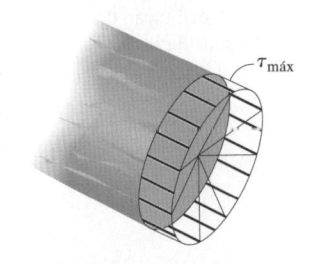

Distribuição da tensão de cisalhamento para o escoamento laminar e turbulento.
(d)

FIGURA 9.9 (cont.)

A constante de integração pode ser determinada usando a condição de "não deslizamento", de que $u = 0$ em $r = R$. Uma vez obtida a condição, o resultado é

$$u = -\frac{(R^2 - r^2)}{4\mu}\frac{d}{dx}(p + \gamma h) \qquad (9.17)$$

Perfil de velocidade
Escoamento laminar

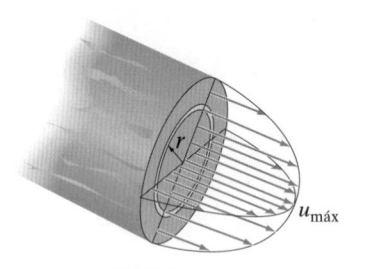

O *perfil de velocidade*, portanto, toma a forma de uma *paraboloide* (Figura 9.9e). Como τ é pequeno na região central do tubo (Figura 9.9d), o fluido tem a maior velocidade lá.

A velocidade máxima ocorre no centro do tubo, $r=0$, onde $du/dr=0$. Ela é

$$u_{máx} = -\frac{R^2}{4\mu}\frac{d}{dx}(p + \gamma h) \qquad (9.18)$$
Velocidade máxima

A vazão é determinada integrando o perfil de velocidade pela área transversal. Escolhendo o anel diferencial elementar de área $dA = 2\pi r\, dr$, mostrado na Figura 9.9f, temos

$$Q = \int_A u\, dA = \int_0^R u\, 2\pi r\, dr = -\frac{2\pi}{4\mu}\frac{d}{dx}(p + \gamma h)\int_0^R (R^2 - r^2) r\, dr$$

ou

$$Q = -\frac{\pi R^4}{8\mu}\frac{d}{dx}(p + \gamma h) \qquad (9.19)$$
Vazão

Como a área transversal do tubo é $A = \pi R^2$, a velocidade média (Figura 9.9g) é, portanto,

$$V = \frac{Q}{A} = -\frac{R^2}{8\mu}\frac{d}{dx}(p + \gamma h) \qquad (9.20)$$
Velocidade média

Por comparação com a Equação 9.18, vemos que

$$u_{máx} = 2V \qquad (9.21)$$

Os sinais negativos à direita das equações 9.17 a 9.20 resultam da convenção de sinal estabelecida para os gradientes de pressão e elevação, $d(p + \gamma h)/dx$. Por exemplo, como pode ser visto na Figura 9.9h, se as pressões p_1 e p_2 e as elevações h_1 e h_2 entre os dois pontos (cortes transversais) 1 e 2 em qualquer linha de corrente forem conhecidas, então esses gradientes tornam-se[*]

$$\frac{d}{dx}(p + \gamma h) = \frac{p_2 - p_1}{L} + \gamma\frac{h_2 - h_1}{L} \qquad (9.22)$$

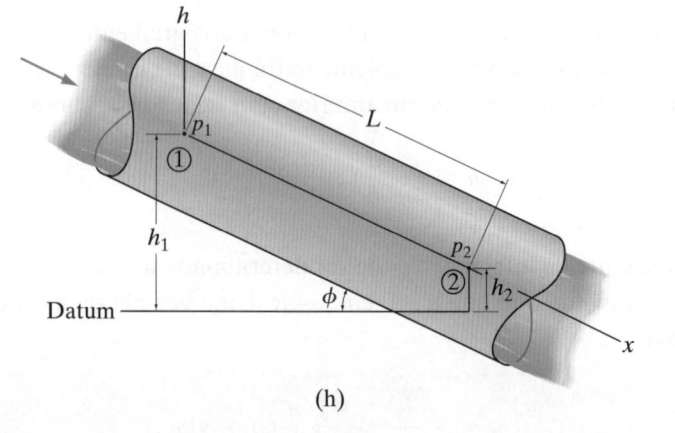

FIGURA 9.9 (cont.)

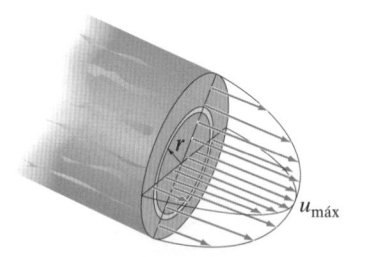

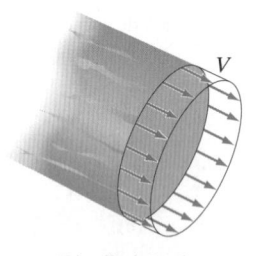

---

[*] Qualquer linha de corrente pode ser selecionada, conforme explicamos na nota de rodapé da página 409.

Escoamento horizontal por um tubo circular

Se o tubo for horizontal, então a força da gravidade não influenciará o escoamento, pois $dh/dx = 0$. Se houver uma pressão maior no lado esquerdo do tubo (Figura 9.10), então, pela extensão L, essa pressão "empurrará" o fluido para a direita, mas observe que ela diminuirá ao longo do tubo, devido ao cisalhamento do fluido. Isso causa um gradiente de pressão negativo ($\Delta p/L < 0$), de acordo com nossa convenção de sinais. Usando esse resultado (e nossos resultados anteriores), a velocidade máxima, a velocidade média e a vazão, expressas em termos do *diâmetro* interno do tubo, $D = 2R$, tornam-se então

$$u_{\text{máx}} = \frac{D^2}{16\mu}\left(\frac{\Delta p}{L}\right) \quad (9.23)$$

$$V = \frac{D^2}{32\mu}\left(\frac{\Delta p}{L}\right) \quad (9.24)$$

$$\boxed{Q = \frac{\pi D^4}{128\mu}\left(\frac{\Delta p}{L}\right)} \quad (9.25)$$

A Equação 9.25 é conhecida como a **equação de Hagen-Poiseuille**, pois foi desenvolvida originalmente por *um experimento* em meados do século XIX, pelo engenheiro alemão Gotthilf Hagen, e independentemente por um médico francês, Jean-Louis-Marie Poiseuille.[*] Pouco depois disso, a formulação analítica, conforme desenvolvida aqui, foi apresentada por Gustav Wiedemann.

Se conhecermos a vazão Q, poderemos resolver a equação de Hagen-Poiseuille para a queda de pressão que ocorre sobre a extensão L do tubo. Ela é

$$\Delta p = \frac{128\mu L Q}{\pi D^4} \quad (9.26)$$

Observe que a maior influência sobre a queda de pressão vem do diâmetro do tubo. Por exemplo, um tubo com metade do diâmetro experimentará uma queda de pressão dezesseis vezes maior, devido ao cisalhamento do fluido viscoso! Esse efeito pode ter sérias consequências sobre a capacidade das bombas de entregar um escoamento de água adequado por tubos que podem ter se estreitado devido ao acúmulo de corrosão ou por reduções.

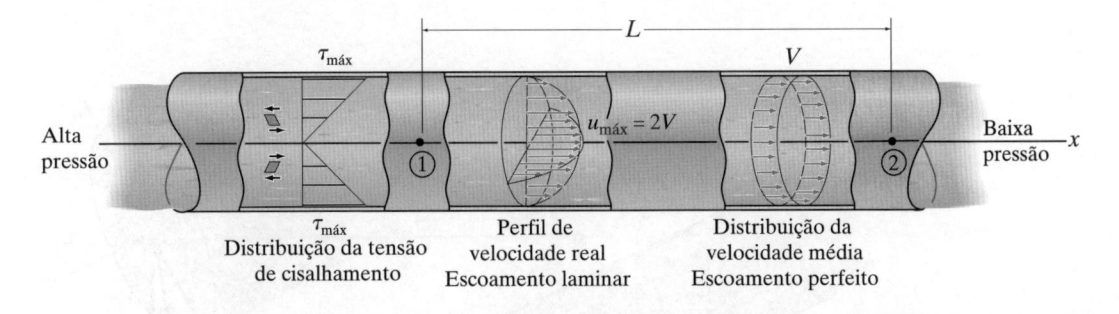

Tensão de cisalhamento e perfis de velocidade para gradiente de pressão negativo

FIGURA 9.10

---

[*] Poiseuille tentava estudar o escoamento de sangue usando água confinada em tubos de pequeno diâmetro. Porém, na realidade, as veias são flexíveis, e o sangue é um fluido não newtoniano, ou seja, ele não possui uma viscosidade constante.

9.4 Solução de Navier-Stokes para o escoamento laminar em regime permanente dentro de um tubo liso

Em vez de usar os princípios básicos, também podemos obter o perfil de velocidade dentro do tubo usando as equações da continuidade e de Navier-Stokes discutidas na Seção 7.11. Devido à simetria, aqui usaremos coordenadas cilíndricas, estabelecidas como mostra a Figura 9.11a.

Para este caso, o escoamento incompressível ocorre ao longo do eixo do tubo (Figura 9.11a), de modo que $v_r = v_\theta = 0$, e a equação da continuidade (Equação 7.78) resulta em

$$\frac{\partial \rho}{\partial t} + \frac{1}{r}\frac{\partial(r\rho v_r)}{\partial r} + \frac{1}{r}\frac{\partial(\rho v_\theta)}{\partial \theta} + \frac{\partial(\rho v_z)}{\partial z} = 0$$

$$0 + 0 + 0 + \rho\frac{\partial v_z}{\partial z} = 0 \quad \text{ou} \quad \frac{\partial v_z}{\partial z} = 0$$

Como o escoamento é em regime permanente e simétrico em torno do eixo z, a integração gera $v_z = v_z(r)$.

Observe cuidadosamente, pela Figura 9.11b, que os componentes cilíndricos de **g** são $g_r = -g \cos\phi \,\text{sen}\,\theta$, $g_\theta = -g \cos\phi \cos\theta$ e $g_z = g \,\text{sen}\,\phi$. Usando estes e o resultado apresentado, a primeira equação de Navier-Stokes se reduz a

$$\rho\left(\frac{\partial v_r}{\partial t} + v_r\frac{\partial v_r}{\partial r} + \frac{v_\theta}{r}\frac{\partial v_r}{\partial \theta} - \frac{v_\theta^2}{r} + v_z\frac{\partial v_r}{\partial z}\right)$$

$$= -\frac{\partial p}{\partial r} + \rho g_r + \mu\left[\frac{1}{r}\frac{\partial}{\partial r}\left(r\frac{\partial v_r}{\partial r}\right) - \frac{v_r}{r^2} + \frac{1}{r^2}\frac{\partial^2 v_r}{\partial \theta^2} - \frac{2}{r^2}\frac{\partial v_\theta}{\partial \theta} + \frac{\partial^2 v_r}{\partial z^2}\right]$$

$$0 = -\frac{\partial p}{\partial r} - \rho g \cos\phi \,\text{sen}\,\theta + 0$$

Integrando essa equação em relação a r, obtemos

$$p = -\rho g r \cos\phi \,\text{sen}\,\theta + f(\theta, z)$$

Para a segunda equação de Navier-Stokes,

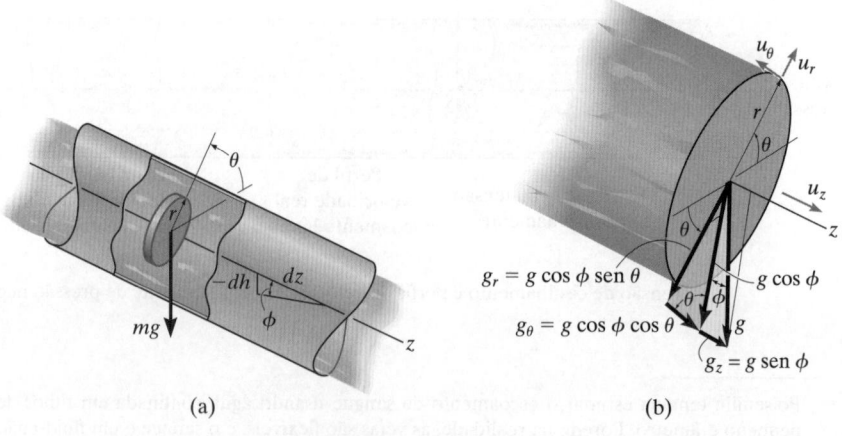

(a)   (b)

FIGURA 9.11 (continua)

$$\rho\left(\frac{\partial v_\theta}{\partial t} + v_r\frac{\partial v_\theta}{\partial r} + \frac{v_\theta}{r}\frac{\partial v_\theta}{\partial \theta} + \frac{v_r v_\theta}{r} + v_z\frac{\partial v_\theta}{\partial z}\right)$$

$$= -\frac{1}{r}\frac{\partial p}{\partial \theta} + \rho g_\theta + \mu\left[\frac{1}{r}\frac{\partial}{\partial r}\left(r\frac{\partial v_\theta}{\partial r}\right) - \frac{v_\theta}{r^2} + \frac{1}{r^2}\frac{\partial^2 v_\theta}{\partial \theta^2} + \frac{2}{r^2}\frac{\partial v_r}{\partial \theta} + \frac{\partial^2 v_\theta}{\partial z^2}\right]$$

$$0 = -\frac{1}{r}\frac{\partial p}{\partial \theta} - \rho g \cos\phi \cos\theta + 0$$

Integrando essa equação em relação a θ, obtemos

$$p = -\rho g r \cos\phi \operatorname{sen}\theta + f(r, z)$$

Comparando esses dois resultados, é preciso que $f(\theta, z) = f(r, z) = f(z)$, pois r, θ, z podem variar independentes um do outro. Pela Figura 9.11c, a *distância vertical* $h' = r\cos\phi \operatorname{sen}\theta$, logo

$$p = -\rho g h' + f(z)$$

Em outras palavras, a pressão é hidrostática no plano vertical, pois depende da distância vertical h'. O último termo, $f(z)$, é a variação na pressão causada pela viscosidade. Por fim, a terceira equação de Navier-Stokes torna-se

$$\rho\left(\frac{\partial v_z}{\partial t} + v_r\frac{\partial v_z}{\partial r} + \frac{v_\theta}{r}\frac{\partial v_z}{\partial \theta} + v_z\frac{\partial v_z}{\partial z}\right)$$

$$= -\frac{\partial p}{\partial z} + \rho g_z + \mu\left[\frac{1}{r}\frac{\partial}{\partial r}\left(r\frac{\partial v_z}{\partial r}\right) + \frac{1}{r^2}\frac{\partial^2 v_z}{\partial \theta^2} + \frac{\partial^2 v_z}{\partial z^2}\right]$$

$$0 = -\frac{\partial p}{\partial z} + \rho g \operatorname{sen}\phi + \mu\left[\frac{1}{r}\frac{\partial}{\partial r}\left(r\frac{\partial v_z}{\partial r}\right)\right]$$

(c)

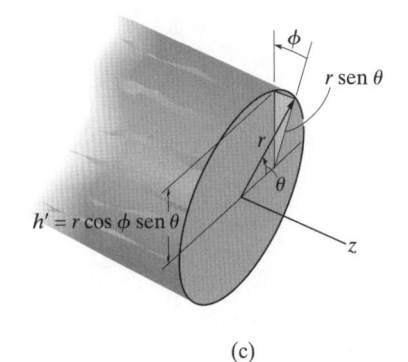

FIGURA 9.11 (cont.)

Pela Figura 9.11a, $\operatorname{sen}\phi = -dh/dz$, de modo que essa equação pode ser reorganizada e escrita como

$$\frac{\partial}{\partial r}\left(r\frac{\partial v_z}{\partial r}\right) = \frac{r}{\mu}\left[\frac{\partial p}{\partial z} + \rho g\left(\frac{\partial h}{\partial z}\right)\right]$$

Integrando duas vezes, obtemos

$$r\frac{\partial v_z}{\partial r} = \frac{r^2}{2\mu}\left[\frac{\partial p}{\partial z} + \rho g\left(\frac{\partial h}{\partial z}\right)\right] + C_1$$

$$v_z = \frac{r^2}{4\mu}\left[\frac{\partial p}{\partial z} + \rho g\left(\frac{\partial h}{\partial z}\right)\right] + C_1 \ln r + C_2$$

A velocidade v_z deverá ser finita no centro do tubo, e como $\ln r \to -\infty$ enquanto $r \to 0$, então $C_1 = 0$. Na parede do tubo, $r = R$, $v_z = 0$ devido à condição de "não deslizamento". Assim,

$$C_2 = -\frac{R^2}{4\mu}\left[\frac{\partial p}{\partial z} + \rho g\left(\frac{\partial h}{\partial z}\right)\right]$$

O resultado final, portanto, é

$$v_z = -\frac{R^2 - r^2}{4\mu}\frac{\partial}{\partial z}(p + \gamma h)$$

Isto é o mesmo que na Equação 9.17, e por isso uma análise mais profunda produzirá o restante das equações da Seção 9.3.

9.5 O número de Reynolds

Em 1883, Osborne Reynolds estabeleceu um critério para identificar o escoamento laminar dentro de um tubo. Ele fez isso controlando o escoamento de água que passava por um tubo de vidro, usando um aparelho semelhante ao que aparece na Figura 9.12a. Aqui, a tinta colorida foi injetada dentro da corrente em A e a válvula em B foi aberta. Para vazões baixas, observou-se que o escoamento no tubo era *laminar*, pois o traço de tinta permanecia reto e uniforme (Figura 9.12b). Quando a vazão aumentou, ao se abrir a válvula ainda mais, o traço de tinta começou a se desestabilizar, pois o escoamento passou a ser *transicional* (Figura 9.12c). Por fim, aumentando-se ainda mais a vazão, ocorre *turbulência*, pois a tinta se dispersou totalmente pela água no tubo (Figura 9.12d). Experimentos usando outros líquidos, assim como gases, mostraram esse mesmo tipo de comportamento. A partir desses experimentos, Reynolds *suspeitou* que essa mudança, de escoamento laminar para transicional e para turbulento, dependia da velocidade média V do fluido, de sua densidade ρ e de sua viscosidade μ, além do diâmetro D do tubo.

Para *quaisquer duas* montagens experimentais *diferentes* envolvendo essas quatro variáveis, Reynolds raciocinou que ocorrerá um escoamento *semelhante*, pois então as *forças* atuando sobre as partículas do fluido em *um escoamento* estariam na *mesma razão* daquelas atuando sobre as partículas em algum *outro escoamento* (Figura 9.13). Em outras palavras, conforme discutimos no Capítulo 8, essa *semelhança dinâmica* garantirá a semelhança geométrica e cinemática para o escoamento.

Além da força de inércia, as duas outras forças significativas que influenciam o movimento do escoamento de fluido dentro de um tubo são causadas por pressão e viscosidade e, por semelhança, todas essas forças precisam satisfazer a segunda lei de Newton do movimento. Porém, conforme observamos na Seção 8.4, a semelhança entre as forças viscosa e de inércia *automaticamente* garantirá a semelhança entre as forças de pressão e de inércia. Observando isso, Reynolds decidiu estudar a razão entre a força de inércia e a força viscosa e, como mostra a análise dimensional do Exemplo 8.1, produziu assim o "número de Reynolds" adimensional como critério para a semelhança do escoamento.

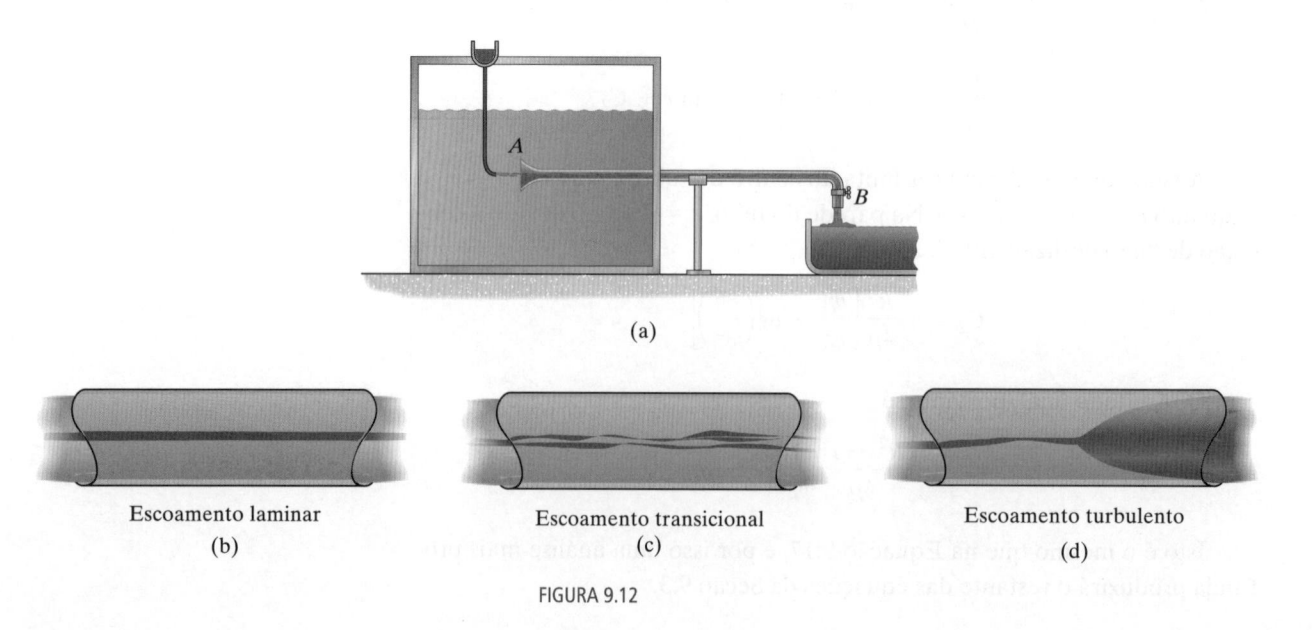

(a)

Escoamento laminar
(b)

Escoamento transicional
(c)

Escoamento turbulento
(d)

FIGURA 9.12

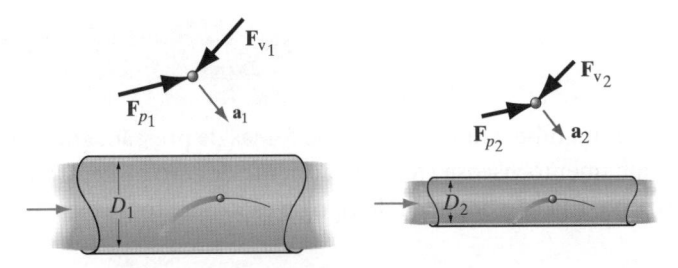

Semelhança entre forças de pressão, viscosa e de inércia
para duas montagens experimentais diferentes.

FIGURA 9.13

Embora *qualquer* velocidade e dimensão L do tubo possam ser escolhidas para essa razão, o importante é observar que, para duas situações de escoamento diferentes, elas deverão corresponder uma à outra. Na prática, a velocidade que foi aceita é a *velocidade média do escoamento* $V = Q/A$, e a dimensão, conhecida como "comprimento característico", é o *diâmetro interno* D do tubo. Usando V e D, o número de Reynolds torna-se então

$$\text{Re} = \frac{\rho V D}{\mu} = \frac{VD}{\nu} \qquad (9.27)$$

Os experimentos confirmaram que, quanto maior esse número, maior a chance de o escoamento laminar colapsar, pois as forças de inércia superarão as forças viscosas e começarão a dominar o escoamento. Portanto, pela Equação 9.2, quanto mais rapidamente o fluido escoa, mais chance ele tem de se tornar instável. De modo semelhante, quanto maior o diâmetro do tubo, maior o volume de fluido passando por ele, e, portanto, a instabilidade pode ocorrer mais prontamente. Por fim, uma viscosidade cinemática menor fará com que o escoamento se torne instável, pois há menos chance de que quaisquer distúrbios no escoamento sejam amortecidos pelas forças de cisalhamento viscoso.

Na prática, é muito difícil prever *exatamente* em que valor específico do número de Reynolds o escoamento em um tubo de repente mudará de laminar para transicional. Os experimentos mostram que a **velocidade crítica** em que isso acontece é altamente sensível a quaisquer vibrações ou perturbações iniciais no equipamento. Além disso, os resultados são afetados pelo movimento inicial do fluido, pelo tipo de entrada do tubo e pela rugosidade da superfície do tubo, ou qualquer ligeiro ajuste que ocorra quando a válvula for aberta ou fechada. No entanto, para a maioria das aplicações da engenharia, o escoamento laminar começa a mudar para transicional em cerca de Re = 2300.[*] Esse valor é conhecido como o **número de Reynolds crítico** e, neste livro, a menos que indicado de outra forma, vamos considerá-lo como o valor limite para o escoamento laminar em tubos retos uniformes e lisos. Portanto,

Re ≤ 2300   Escoamento laminar em tubos retos   (9.28)

Esse valor crítico se aplica apenas a fluidos newtonianos.[**] Usando este como um limite superior crítico para o escoamento laminar, poderemos então estimar a perda de energia ou queda de pressão que ocorre dentro de um tubo, determinando assim a vazão pelo tubo.

---

[*] Alguns autores usam outros limites, geralmente variando de 2000 a 2400.

[**] Até o momento, nenhum critério satisfatório foi estabelecido para um fluido não newtoniano.

Pontos importantes

- O escoamento em regime permanente por um tubo é um equilíbrio de forças de pressão, gravitacional e viscosa. Para este caso, a tensão de cisalhamento viscosa varia linearmente de zero no centro e possui seu maior valor ao longo da parede do tubo. Ela não depende do tipo de escoamento, se ele é laminar, transicional ou turbulento.

- O *perfil de velocidade* para o *escoamento laminar em regime permanente* de um fluido incompressível dentro de um tubo está na forma de uma *paraboloide*. A velocidade máxima é $u_{máx} = 2V$, e ela ocorre ao longo da linha de centro do tubo. A velocidade na parede é zero, pois essa é um contorno fixo — a condição de "não deslizamento".

- As formulações para o escoamento laminar em um tubo podem ser desenvolvidas a partir dos princípios básicos, e também resolvendo as equações da continuidade e de Navier-Stokes. Esses resultados estão em conformidade com dados experimentais.

- O escoamento dentro de um tubo horizontal depende das forças de pressão e viscosa. Reynolds reconheceu isso e formulou o número de Reynolds ($Re = \rho VD/\mu$) como critério para a semelhança dinâmica entre dois conjuntos diferentes de condições de escoamento.

- Experimentos indicaram que o escoamento laminar em qualquer tubo ocorrerá desde que $Re \leq 2300$. Esta estimativa geral de limite superior será usada neste livro.

Procedimento para análise

Sugerimos que as equações desenvolvidas na Seção 9.3 sejam aplicadas usando o procedimento a seguir.

Descrição do fluido

Cuide para que o fluido seja definido como incompressível e o escoamento seja em regime permanente. Como o escoamento laminar deverá prevalecer, então as condições de escoamento não deverão ultrapassar o critério do número de Reynolds, $Re \leq 2300$.

Análise

Estabeleça as coordenadas e siga sua convenção de sinal positivo. Aqui, o eixo longitudinal é positivo na direção do escoamento, o eixo radial é positivo para fora da linha de centro do tubo e o eixo vertical é positivo de baixo para cima. Por fim, não se esqueça de usar um conjunto de unidades consistente ao substituir os dados numéricos em qualquer uma das equações.

EXEMPLO 9.4

O óleo escoa por um tubo de 100 mm de diâmetro na Figura 9.14. Se a pressão em A é de 34,25 kPa, determine a descarga em B. Considere $\rho_o = 870$ kg/m^2 e $\mu_o = 0{,}0360$ N · s/m^2.

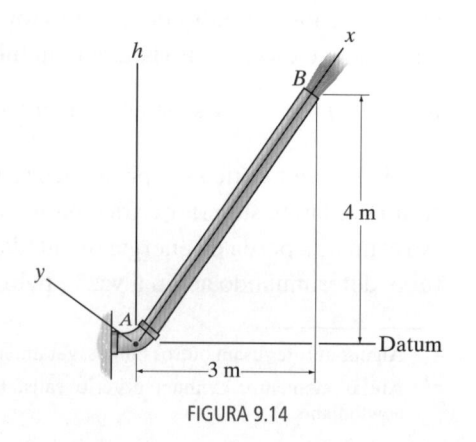

Solução

Descrição do fluido

Vamos considerar um escoamento em regime permanente e laminar, e que o óleo seja incompressível.

FIGURA 9.14

Análise

A descarga é determinada usando a Equação 9.19. A origem de coordenadas para x e h é em A, e por convenção, o eixo x positivo é estendido na direção do escoamento, e o eixo h positivo é considerado verticalmente de baixo para cima. Assim,

$$Q = -\frac{\pi R^4}{8\mu_o}\frac{d}{dx}(p + \gamma h)$$

$$= -\frac{\pi R^4}{8\mu_o}\left(\frac{p_B - p_A}{L} + \frac{\gamma(h_B - h_A)}{L}\right)$$

$$= -\frac{\pi(0{,}05\text{ m})^4}{8(0{,}0360\text{ N}\cdot\text{s/m}^2)}\left(\frac{0 - 34{,}25(10^3)\text{ N/m}^2}{5\text{ m}} + \frac{(870\text{ kg/m}^3)(9{,}81\text{ m/s}^2)(4\text{ m} - 0)}{5\text{ m}}\right)$$

$$= 0{,}001516\text{ m}^3/\text{s} = 0{,}00152\text{ m}^3/\text{s} \qquad \textit{Resposta}$$

Como esse resultado é *positivo*, o escoamento é realmente de A para B.

A suposição de escoamento laminar é verificada usando a velocidade média e o critério do número de Reynolds.

$$V = \frac{Q}{A} = \frac{0{,}001516\text{ m}^3/\text{s}}{\pi(0{,}05\text{ m})^2} = 0{,}1931\text{ m/s}$$

$$\text{Re} = \frac{\rho_o V D}{\mu_o} = \frac{(870\text{ kg/m}^3)(0{,}1931\text{ m/s})(0{,}1\text{ m})}{0{,}0360\text{ N}\cdot\text{s/m}^2} = 467 < 2300 \qquad \text{(escoamento laminar)}$$

EXEMPLO 9.5

Determine a pressão máxima em A de modo que o escoamento de água pelo tubo vertical da Figura 9.15 permaneça laminar. O tubo possui um diâmetro interno de 3 pol. Considere $\gamma_{\text{água}} = 62{,}4\text{ lb/pés}^3$ e $\mu_{\text{água}} = 20{,}5(10^{-6})\text{ lb}\cdot\text{s/pés}^2$.

Solução

Descrição do fluido

É requerido que ocorra um escoamento laminar. O escoamento também deverá ser em regime permanente, e vamos considerar que a água seja incompressível.

Análise

Para o escoamento laminar, a velocidade média máxima é baseada no critério do número de Reynolds.

$$\text{Re} = \frac{\rho_{\text{água}} V D}{\mu_{\text{água}}}$$

$$2300 = \frac{\left(\dfrac{62{,}4}{32{,}2}\text{ slug/pés}^3\right) V \left(\dfrac{3}{12}\text{ pés}\right)}{20{,}5(10^{-6})\text{ lb}\cdot\text{s/pés}}$$

$$V = 0{,}09732\text{ pé/s}$$

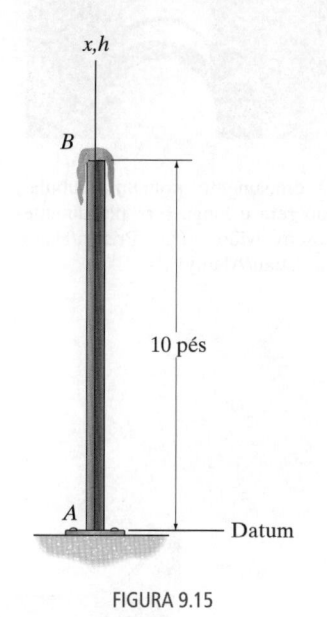

FIGURA 9.15

Vamos aplicar a Equação 9.20 para obter a pressão em A. Seguindo a convenção de sinais, o x positivo é na direção do escoamento, que é verticalmente para cima, e h positivo também é verticalmente de baixo para cima (Figura 9.15). Como $dh/dx = 1$, temos

$$V = -\frac{R^2}{8\mu}\frac{d}{dx}(p + \gamma h)$$

$$0{,}09732 \text{ pé/s} = -\frac{\left(\frac{1{,}5}{12}\text{ pé}\right)^2}{8[20{,}5(10^{-6})\text{ lb}\cdot\text{s/pés}]}\left[\left(\frac{0 - p_A}{10\text{ pés}}\right) + \left(62{,}4\frac{\text{lb}}{\text{pés}^3}\right)\left(\frac{10\text{ pés} - 0}{10\text{ pés}}\right)\right]$$

$$p_A = 624{,}01 \text{ lb/pés}^2 = 624 \text{ lb/pés}^2 \qquad \textit{Resposta}$$

Como a velocidade e a viscosidade são muito pequenas, essa pressão é basicamente hidrostática, ou seja, $p = \gamma h$ = (62,4 lb/pés³)(10 pés) = 624 lb/pés². Em outras palavras, a pressão em A é usada principalmente para *suportar* a coluna d'água, e pouco é necessário para empurrar a água pelo tubo e superar a pequena resistência cisalhante para manter o escoamento laminar.

9.6 Escoamento plenamente desenvolvido a partir de uma entrada

Quando o fluido escoa pela abertura de um tubo ou duto ligado a um reservatório, ele começa a *acelerar* e então passa para o escoamento em regime permanente plenamente desenvolvido laminar ou turbulento. Vamos agora considerar cada um desses casos separadamente.

Escoamento laminar

Como vemos na Figura 9.16a, na entrada do tubo, o perfil de velocidade do fluido será quase uniforme. Então, à medida que o fluido atravessa o tubo, sua viscosidade começa a diminuir a velocidade das partículas localizadas *perto das paredes*, pois as partículas nesse ponto precisam ter velocidade zero. Com um avanço maior, as camadas viscosas que se desenvolvem perto da parede começarão a se espalhar em direção à linha de centro do tubo, até que o núcleo central do fluido, que originalmente tinha velocidade uniforme, começa a desaparecer a uma distância de L'. Quando isso acontece, o escoamento torna-se **plenamente desenvolvido**, ou seja, o perfil parabólico da velocidade para o escoamento laminar torna-se constante.

O escoamento por uma tubulação reta e longa será plenamente desenvolvido. (© Prisma/Heeb Christian/Alamy)

A transição ou **comprimento de entrada** L' é, na realidade, uma função do diâmetro do tubo D e do número de Reynolds. Uma estimativa desse comprimento pode ser feita por meio de uma equação formulada por Henry Langhaar. Veja a Referência [2]. Ela é

$$L' = 0{,}06(\text{Re})D \qquad \text{Escoamento laminar} \qquad (9.29)$$

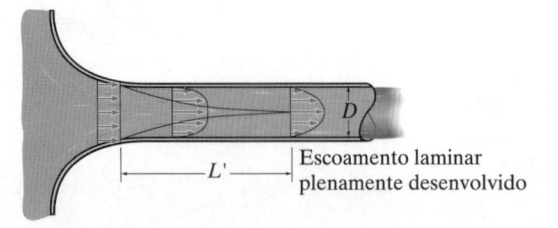

Transição para escoamento laminar
(a)

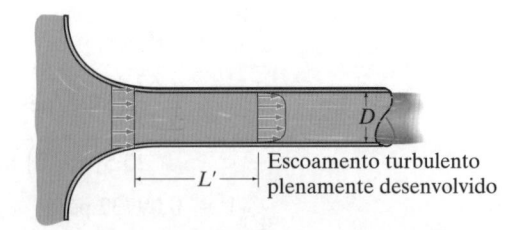

Transição para escoamento turbulento
(b)

FIGURA 9.16

Usando nosso critério para o escoamento laminar em tubos, de que Re ≤ 2300, então, como um *limite superior* para o comprimento da região de entrada, $L' = 0,06(2300)D = 138D$. Como veremos no problema do exemplo a seguir, o escoamento laminar plenamente desenvolvido raramente ocorre nos tubos, pois a velocidade será alta, ou o desenvolvimento do escoamento será perturbado por uma válvula, transição ou conexão no tubo.

Escoamento turbulento

Experimentos têm mostrado que a região de entrada para o escoamento turbulento plenamente desenvolvido não depende muito do número de Reynolds; em vez disso, depende mais da forma ou do tipo da entrada, além da rugosidade real das paredes do tubo. Por exemplo, uma entrada arredondada, como mostra a Figura 9.16b, produz um comprimento de transição mais curto para a turbulência plena do que uma entrada brusca ou em 90°. Além disso, os tubos com paredes rugosas produzem turbulência a uma distância mais curta do que aqueles com paredes lisas. Através de experimentos, juntamente com uma análise por computador, descobriu-se que o escoamento turbulento plenamente desenvolvido pode ocorrer dentro de uma distância relativamente curta. Veja a Referência [3]. Por exemplo, ele está na ordem de 12D para um número de Reynolds baixo, Re = 3000. Embora distâncias de transição maiores possam ocorrer em números de Reynolds maiores, para a maior parte das análises da engenharia, é razoável considerar que essa transição de escoamento instável para turbulento estável na média esteja *localizada perto da entrada*. E, como resultado, os engenheiros levam em consideração o cisalhamento ou a perda de energia que ocorre em uma região de entrada turbulenta usando um *coeficiente de perda*, algo que discutiremos no próximo capítulo.

EXEMPLO 9.6

Se a vazão pelo dreno com 3 pol. de diâmetro da Figura 9.17 é de 0,02 pé³/s, classifique o escoamento ao longo do tubo como laminar ou turbulento se o fluido for água e se for óleo. Determine a região de entrada para o escoamento plenamente desenvolvido se o fluido for óleo. Considere $\nu_{água} = 9,35(10^{-6})$ pés²/s e $\nu_o = 0,370(10^{-3})$ pé²/s.

Solução

Descrição do fluido

Após a região de entrada, consideramos o escoamento em regime permanente. A água e o óleo são ambos considerados incompressíveis.

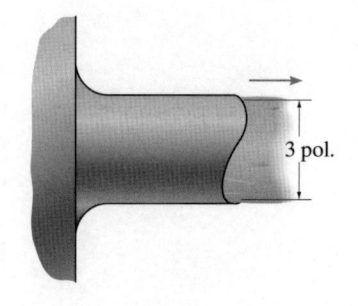

FIGURA 9.17

Análise

O escoamento é classificado com base no número de Reynolds. A velocidade média do escoamento é

$$V = \frac{Q}{A} = \frac{0,02 \text{ pé}^3/\text{s}}{\pi\left(\frac{1,5}{12}\text{ pé}\right)^2} = 0,4074 \text{ pé/s}$$

Água

Aqui, o número de Reynolds é

$$\text{Re} = \frac{VD}{\nu_{\text{água}}} = \frac{(0{,}4074 \text{ pé/s})\left(\frac{3}{12}\text{ pés}\right)}{9{,}35(10^{-6}) \text{ pés}^2/\text{s}} = 10894 > 2300 \qquad \textit{Resposta}$$

O escoamento é *turbulento*.

Por comparação, observe que, se Re = 2300, então a velocidade média para o escoamento laminar teria de ser

$$\text{Re} = \frac{VD}{\nu_{\text{água}}} = 2300; \qquad 2300 = \frac{V\left(\frac{3}{12}\text{ pés}\right)}{9{,}35(10^{-6})\text{ pés}^2/\text{s}}$$

$$V = 0{,}0860 \text{ pé/s}$$

Esse é realmente um valor muito pequeno, de modo que, na prática, devido principalmente à sua viscosidade relativamente baixa, *o escoamento de água por um tubo quase sempre será turbulento*.

Óleo

Neste caso,

$$\text{Re} = \frac{VD}{\nu_o} = \frac{0{,}4074 \text{ pé/s}\left(\frac{3}{12}\text{ pés}\right)}{0{,}370(10^{-3}) \text{ pé}^2/\text{s}} = 275 < 2300 \qquad \textit{Resposta}$$

Aqui, existe *escoamento laminar* no tubo, embora ele não seja plenamente desenvolvido na região perto da entrada. Aplicando a Equação 9.29, o comprimento transicional para o escoamento laminar plenamente desenvolvido do óleo é, portanto,

$$L' = 0{,}06 \,(\text{Re})\, D = 0{,}06(275)\left(\frac{3}{12}\text{ pés}\right) = 4{,}125 \text{ pés} \qquad \textit{Resposta}$$

Essa é uma distância um tanto grande, mas, uma vez ocorrendo, o escoamento laminar é bem compreendido e definido por um equilíbrio de forças de pressão e viscosa, conforme discutimos na Seção 9.3.

9.7 Tensão de cisalhamento laminar e turbulenta dentro de um tubo liso

Os tubos com seção transversal circular são de longe os condutos mais comuns para um fluido e, para qualquer projeto ou análise, é importante poder especificar como a tensão de cisalhamento, ou resistência cisalhante, se desenvolve dentro do tubo para o escoamento laminar e turbulento.

Escoamento laminar

Na Seção 9.3, obtivemos o perfil de velocidade para o escoamento laminar em regime permanente através de um tubo reto, considerando que o fluido seja viscoso (Figura 9.18*a*). Esse perfil parabólico requer que o fluido ao redor da *parede lisa* tenha velocidade zero, pois as partículas de fluido tendem a aderir (ou grudar) na parede. As camadas de fluido a uma distância maior da parede possuem velocidades maiores, com a velocidade máxima ocorrendo na linha de centro do tubo. Conforme discutimos na Seção 1.7, a **tensão de cisalhamento viscoso**, ou resistência cisalhante dentro do fluido, é causada pela troca contínua de quantidade de movimento linear entre as *moléculas do fluido*, pois cada camada desliza sobre uma camada adjacente.

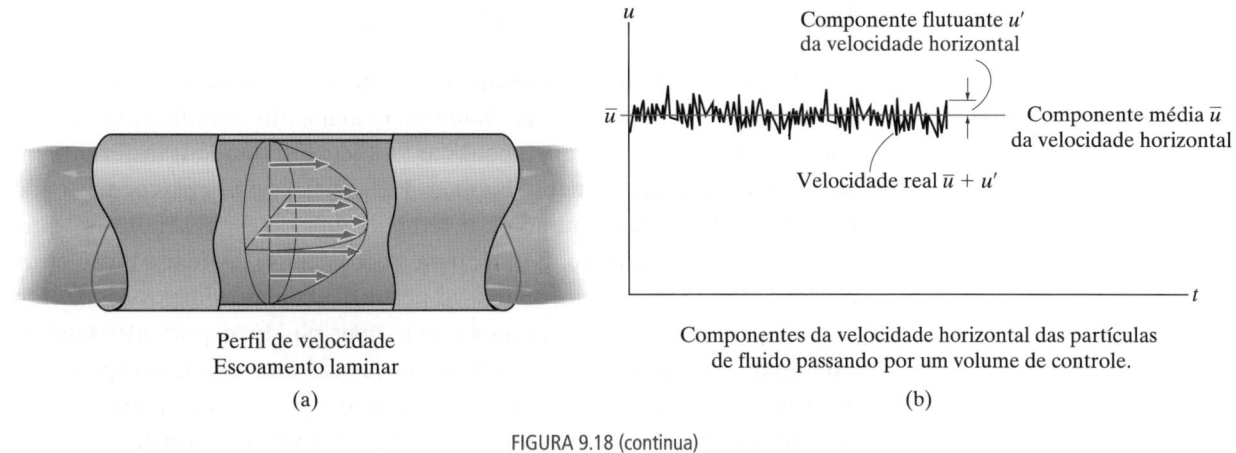

Perfil de velocidade
Escoamento laminar
(a)

Componentes da velocidade horizontal das partículas de fluido passando por um volume de controle.
(b)

FIGURA 9.18 (continua)

Escoamento turbulento

Se a vazão dentro do tubo for aumentada, as camadas laminares do fluido tornam-se instáveis e começam a se romper enquanto o escoamento passa para turbulento. Quando isso acontece, as partículas do fluido se movem de uma *maneira desordenada*, causando a formação de redemoinhos ou pequenos vórtices, causando assim a mistura do fluido ao longo do tubo. Esses efeitos causam uma maior perda de energia, e portanto uma maior queda na pressão, em comparação com o escoamento laminar.

Podemos estudar os efeitos do escoamento turbulento considerando um volume de controle pequeno, fixo, localizado em um ponto dentro do tubo (Figura 9.18b). As velocidades de todas as partículas do fluido que passam por esse volume de controle terão um *padrão aleatório*; porém, essas velocidades podem ser resolvidas *horizontalmente* para um valor médio, $\bar{u}$, e uma velocidade flutuante aleatória em torno da média, u', como mostra o gráfico. As *flutuações* terão um período muito curto, e sua magnitude será pequena em comparação com a velocidade média. Se esse componente de velocidade média permanecer *constante*, então podemos classificar o escoamento como **escoamento turbulento em regime permanente**, ou, mais corretamente, **escoamento em regime permanente médio**. A "mistura turbulenta" do fluido tende a *aplainar* o componente de velocidade horizontal média $\bar{u}$ dentro de uma grande região em torno do centro do tubo e, como resultado, o perfil de velocidade será mais uniforme do que o do escoamento laminar. A velocidade pode ter um perfil *real* "sinuoso", como aquele mostrado na Figura 9.18c, mas a média será aquela mostrada pela linha escura.

Embora a mistura turbulenta ocorra prontamente dentro da região central do tubo, ela costuma *diminuir* rapidamente perto da parede interna do tubo para satisfazer a condição de contorno de velocidade zero na parede. Essa região de baixa velocidade produz uma **subcamada laminar viscosa** perto da parede (Figura 9.18d). Quanto mais rápido o escoamento, maior é a região de turbulência dentro do fluido, e mais fina é essa subcamada. Entretanto, observe que a espessura dessa subcamada normalmente será uma fração muito pequena do diâmetro interno do tubo, como será mostrado no Exemplo 9.7.

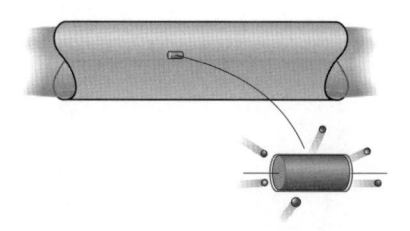

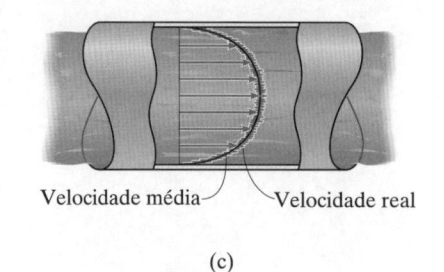

(c)

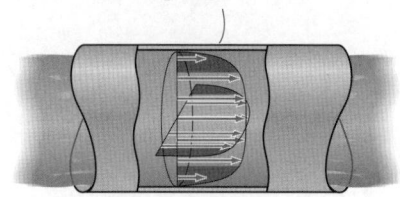

Perfil de velocidade
Escoamento turbulento
(d)

FIGURA 9.18 (cont.)

Tensão de cisalhamento turbulenta

As características de escoamento do fluido são bastante afetadas pela turbulência. As "partículas" do fluido no escoamento turbulento são muito maiores em tamanho do que apenas as "moléculas" sendo transferidas entre as camadas no escoamento laminar. Pense nessas partículas como sendo formadas pela mistura causada por redemoinhos ou espirais muito pequenas dentro do escoamento. Porém, para o escoamento laminar e turbulento, ocorre o mesmo fenômeno, ou seja, as partículas com movimento mais lento migram para as camadas com movimento mais rápido, e, portanto, tendem a diminuir a quantidade de movimento linear das camadas mais rápidas. As partículas que migram das camadas mais rápidas para as mais lentas terão o efeito contrário; elas aumentam a quantidade de movimento linear da camada mais lenta. Para o escoamento turbulento, esse tipo de transferência de quantidade de movimento faz surgir uma *tensão de cisalhamento aparente*, que será muitas vezes maior do que a tensão de cisalhamento viscoso que é criada pela troca *molecular* dentro do escoamento.

Para mostrar conceitualmente como a tensão de cisalhamento turbulenta aparente se desenvolve, considere o escoamento turbulento em regime permanente ao longo de duas camadas adjacentes de fluido, na Figura 9.19a. A qualquer instante, os componentes da velocidade na direção do escoamento podem ser escritos em termos de seus componentes médio no tempo, $\bar{u}$, e flutuante horizontal médio, u', como mostra a Figura 9.18b. Ou seja, para qualquer velocidade horizontal,

$$u = \bar{u} + u'$$

Os componentes verticais da velocidade só possuem um componente flutuante, e *nenhum* componente de velocidade média, pois não existe escoamento médio nessa direção. Assim,

$$v = v'$$

Agora, vamos considerar o movimento v'_1 de uma partícula de fluido de uma camada inferior com movimento mais lento para a camada superior com movimento mais rápido (Figura 9.19b). Essa transferência *aumentará* o componente de velocidade horizontal da partícula de fluido transferida em u'_1. Como o escoamento de massa através da área dA é $\rho v'_1 dA$, então a mudança resultante na quantidade de movimento linear, $u'_1 (\rho v'_1 dA)$, é o resultado de uma força dF que a camada superior produz sobre a partícula transferida. A tensão de cisalhamento é $\tau = dF/dA$, e, portanto, a tensão de cisalhamento turbulenta aparente produzida é, então,

$$\tau_{\text{turb}} = \rho \overline{u'_1 v'_1}$$

onde $\overline{u'_1 v'_1}$ é o produto médio de $u'_1 v'_1$.

O mesmo tipo de argumento pode ser feito para as partículas transferidas para baixo a partir da camada superior com movimento mais rápido para a inferior com movimento mais lento, exceto que aqui a transferência diminuirá o componente da velocidade horizontal da partícula de fluido transferida por u'_2. Essa tensão de cisalhamento turbulenta aparente, conforme descrita aqui, às vezes é chamada de **tensão de Reynolds**, em homenagem a Osborne Reynolds, que desenvolveu esses argumentos em 1886.

Perfil de velocidade para o escoamento turbulento
(a)

(b)

Distribuição da tensão de cisalhamento
(c)

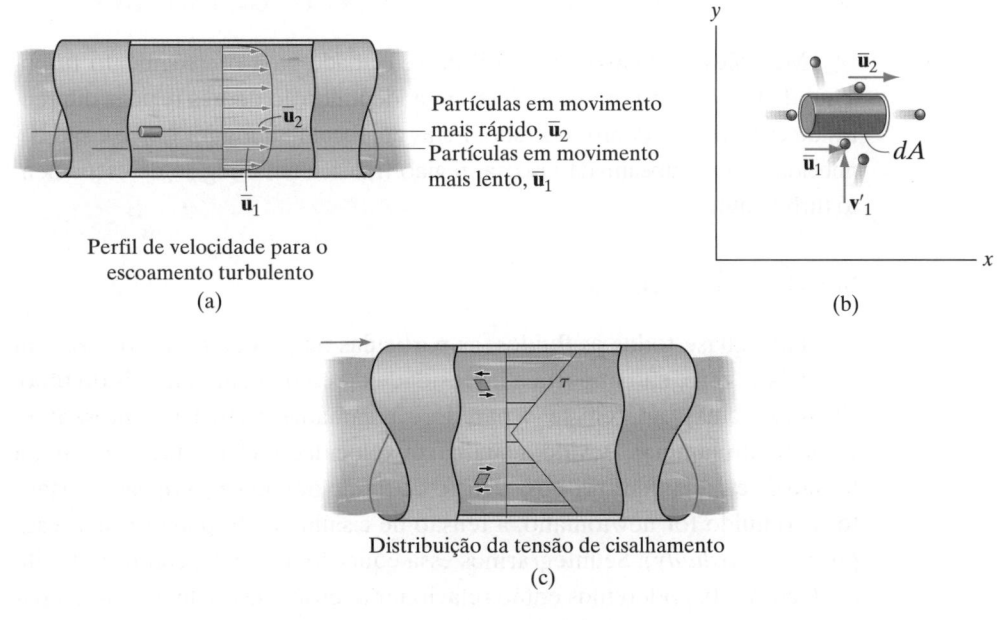

FIGURA 9.19

A tensão de cisalhamento dentro do escoamento turbulento, portanto, consiste em *dois componentes*. A tensão de cisalhamento viscosa deve-se à troca molecular, $\tau_{visc} = \mu \, d\bar{u}/dy$, que resulta do componente de velocidade médio no tempo $\bar{u}$, e a *tensão de cisalhamento turbulenta aparente* τ_{turb}, que é baseada na troca muito maior de partículas dos redemoinhos entre as camadas do fluido. Ela é o resultado do componente flutuante horizontal médio u'. Portanto, podemos escrever

$$\tau = \tau_{visc} + \tau_{turb}$$

Conforme observado pela Equação 9.16, τ tem uma variação linear no decorrer do escoamento, como mostra a Figura 9.19c.

Na prática, é difícil obter o componente de tensão de cisalhamento aparente ou turbulenta, pois os componentes flutuantes vertical e horizontal, v' e u', serão diferentes para cada local dentro do escoamento. Apesar disso, formulações empíricas para essa tensão, com base no trabalho de Reynolds, foram desenvolvidas pelo matemático francês Joseph Boussinesq, usando um conceito chamado de viscosidade turbulenta do escoamento. Isso foi seguido pelo trabalho de Ludwig Prandtl, que criou uma hipótese do comprimento de mistura, baseada no tamanho dos redemoinhos formados dentro do escoamento. Embora esses dois esforços ofereçam alguma compreensão da noção de tensão de cisalhamento turbulenta, e sua relação com a velocidade, eles possuem aplicação muito limitada e não são mais usados atualmente. O escoamento turbulento é muito complexo, devido ao movimento errático das partículas, e isso tornou praticamente impossível obter uma *única formulação matemática precisa* para descrever seu comportamento. Em vez disso, essa dificuldade levou a muitas investigações experimentais envolvendo o escoamento turbulento. Veja as referências [3] e [4]. A partir disso, os engenheiros têm produzido muitos modelos diferentes para prever o comportamento turbulento e, conforme discutimos na Seção 7.12, alguns deles foram incorporados em sofisticados programas de computador, usados para a dinâmica dos fluidos computacional (DFC).

9.8 Escoamento turbulento dentro de um tubo liso

Medições cuidadosas do perfil de velocidade para o escoamento turbulento dentro de um tubo possibilitaram a identificação de três regiões diferentes de escoamento dentro do tubo. Estas aparecem na Figura 9.20a, e são conhecidas como subcamada viscosa, região transicional e região de escoamento turbulento.

Subcamada viscosa

Para quase todos os fluidos, as partículas na parede do tubo possuem velocidade zero, não importa a intensidade do escoamento através do tubo. Essas partículas "aderem-se" à parede, e as camadas perto delas apresentam escoamento laminar, devido à sua baixa velocidade. Consequentemente, a tensão de cisalhamento viscosa dentro do fluido domina essa região, portanto, se o fluido for newtoniano, a tensão de cisalhamento pode ser expressa por $\tau_{visc} = \mu(du/dy)$. Se integrarmos essa equação, usando a condição limite $u = 0$ em $y = 0$, poderemos então relacionar a tensão de cisalhamento na parede τ_0 (uma constante) à velocidade. Visto que, para o escoamento laminar $u = \bar{u}$, que é a *velocidade média* ou *média no tempo* (Figura 9.20b), obtemos

$$\tau_0 = \mu \frac{\bar{u}}{y} \qquad (9.30)$$

Vamos expressar esse resultado como uma *razão adimensional*, a fim de compará-la com os resultados experimentais que normalmente são plotados em termos de variáveis "adimensionais". Para fazer isso, os pesquisadores usaram o fator $u^* = \sqrt{\tau_0/\rho}$. Essa constante possui unidades de velocidade, portanto, às vezes é conhecida como velocidade de "atrito" ou **velocidade de cisalhamento**. Se dividirmos os dois lados da equação anterior por ρ, e usarmos a viscosidade cinemática, $\nu = \mu/\rho$, obteremos

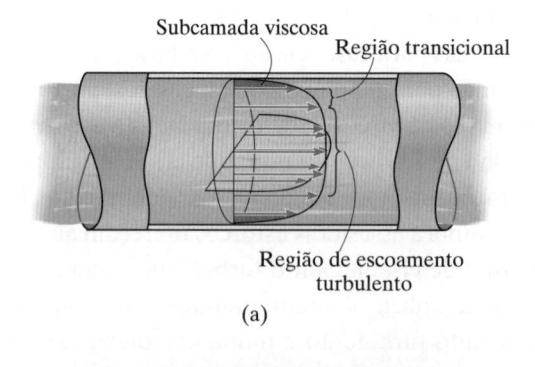

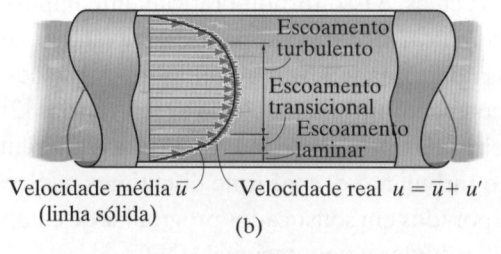

$$\frac{\bar{u}}{u^*} = \frac{u^* y}{\nu} \qquad (9.31)$$

FIGURA 9.20

Visto que u^* e ν são constantes, então $\bar{u}$ e y formam uma *relação linear* que representa o perfil de velocidade adimensional dentro da subcamada viscosa (Figura 9.21a). A Equação 9.31 às vezes é conhecida como a *lei da parede*. Em um gráfico semilogarítmico, ela é desenhada como uma curva (Figura 9.21b) e, conforme pode ser observado, combina com os dados experimentais, originalmente obtidos principalmente por Johann Nikuradse, para valores de $0 \leq u^*y/\nu \leq 5$. Veja a Referência [6].

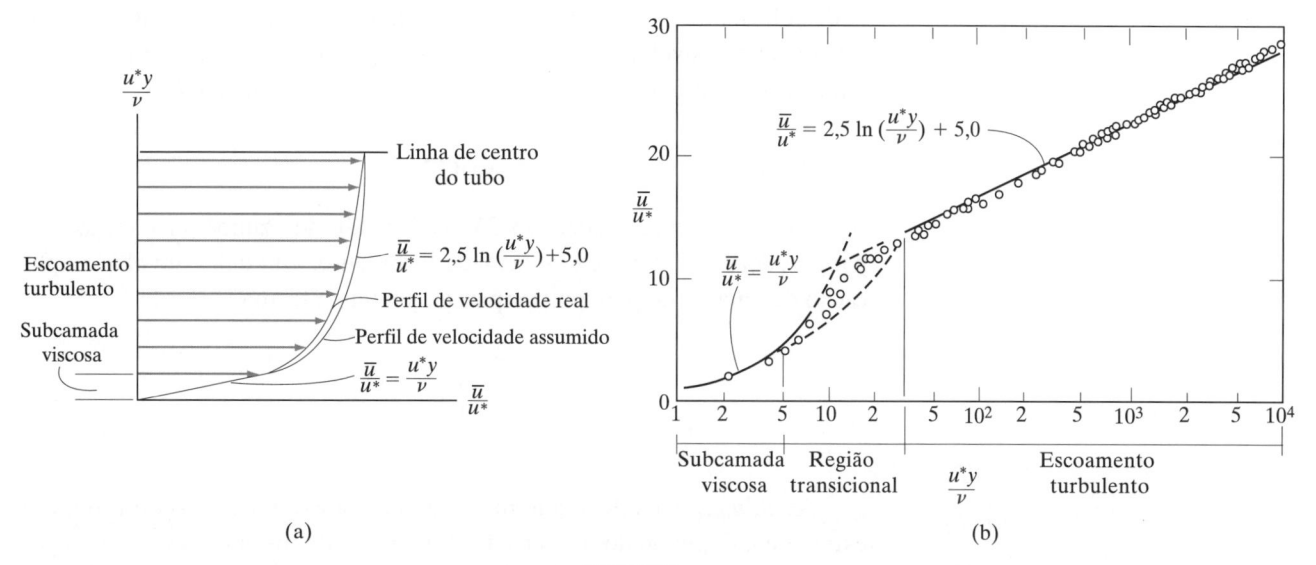

FIGURA 9.21

Região de escoamento transicional e turbulento

Dentro dessas duas regiões, o escoamento está sujeito à tensão de cisalhamento viscosa *e* turbulenta, e, portanto, aqui podemos expressar a tensão de cisalhamento resultante como

$$\tau = \tau_{\text{visc}} + \tau_{\text{turb}} = \mu\frac{d\bar{u}}{dy} + |\rho\overline{u'v'}| \qquad (9.32)$$

Lembre-se, pela discussão na seção anterior, de que a tensão de cisalhamento turbulenta (ou de Reynolds) resulta das trocas de grandes grupos de partículas entre as camadas do fluido. De certa forma, essa grande transferência de massa pode ser imaginada como a distribuição aleatória de flutuações rápidas e fluido em espiral, chamada **correntes de vórtices** dentro do escoamento. Dos dois componentes na Equação 9.32, a tensão de cisalhamento turbulenta predominará dentro do centro do tubo, mas seu efeito diminuirá rapidamente quando o escoamento se aproximar da parede e entrar na região transicional, onde a velocidade cai repentinamente (Figura 9.20a).

O perfil de velocidade para o escoamento turbulento também foi estabelecido experimentalmente, mais uma vez, principalmente por J. Nikuradse (Figura 9.21b). Com isso, Theodore von Kármán e Ludwig Prandtl puderam descrever esses dados pela equação

$$\boxed{\frac{\bar{u}}{u^*} = 2{,}5 \ln\left(\frac{u^*y}{\nu}\right) + 5{,}0} \qquad (9.33)$$

Quando plotado, isso gera a curva mostrada na Figura 9.21a, embora, em uma escala semilogarítmica, resulte em uma linha reta (Figura 9.21b).

Observe a escala na Figura 9.21b. A subcamada viscosa e a zona de transição tracejada se estendem apenas a uma pequena distância, $u^*y/\nu \leq 30$, enquanto a região de escoamento turbulento se estende para $u^*y/\nu = 10^4$. Por esse motivo, e para a maioria das aplicações da engenharia, o escoamento dentro da subcamada e da zona de transição pode ser desprezado. Em vez disso, a Equação 9.33 pode ser usada *sozinha* para modelar o perfil de velocidade para o tubo. Aqui, naturalmente, *considera-se* que o fluido seja incompressível, que o escoamento seja plenamente turbulento e em regime permanente na média, e que as paredes do tubo sejam *lisas*.

Aproximação da lei de potência

Além do uso da Equação 9.33, outros métodos também foram usados para modelar um perfil de velocidade turbulento. Um deles envolve a aplicação de uma lei de potência empírica, que tem a forma

$$\boxed{\frac{\bar{u}}{u_{\text{máx}}} = \left(1 - \frac{r}{R}\right)^{1/n}} \qquad (9.34)$$

TABELA 9.1

n	Re
6	4 (10⁶)
7	1 (10⁵)
9	1 (10⁶)
10	3 (10⁶)

Aqui, $u_{\text{máx}}$ é a velocidade máxima, que ocorre no centro do tubo, e o expoente n depende do número de Reynolds. Alguns valores de n para valores específicos de Re são listados na Tabela 9.1. Veja a Referência [4]. Os perfis de velocidade, incluindo aquele para o escoamento laminar, aparecem na Figura 9.22. Observe como esses perfis se achatam à medida que n fica maior. Isso se deve ao escoamento mais rápido, ou ao número de Reynolds mais alto. Desses perfis, $n = 7$ é frequentemente utilizado para cálculos e oferece resultados adequados para muitos casos.

Como o perfil de velocidade em um tubo é axissimétrico (Figura 9.23), podemos integrar a Equação 9.34 e determinar a vazão para qualquer valor de n. Temos

$$Q = \int_A \bar{u}\, dA = \int_0^R u_{\text{máx}} \left(1 - \frac{r}{R}\right)^{1/n}(2\pi r)\, dr$$

$$= 2\pi R^2 u_{\text{máx}} \frac{n^2}{(n+1)(2n+1)} \qquad (9.35)$$

FIGURA 9.22 Perfis de velocidade

Além disso, como $Q = V(\pi R^2)$, a velocidade média do escoamento é

$$V = u_{\text{máx}} \left[\frac{2n^2}{(n+1)(2n+1)}\right] \qquad (9.36)$$

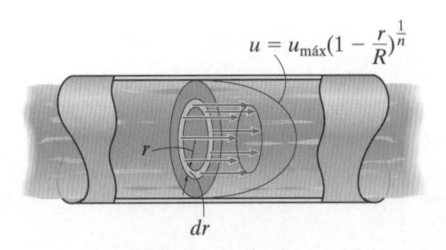

FIGURA 9.23 Aproximação do perfil de velocidade turbulento
$u = u_{\text{máx}}(1 - \frac{r}{R})^{\frac{1}{n}}$

Além de usar a Equação 9.34, também tem havido esforços para prever o escoamento turbulento médio no tempo usando diversos "modelos de turbulência", que incluem flutuações caóticas dentro do escoamento. Existem pesquisas em andamento nessa importante área, e espera-se que esses modelos continuem a ser aperfeiçoados com o passar dos anos.

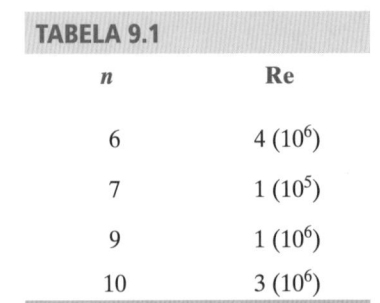

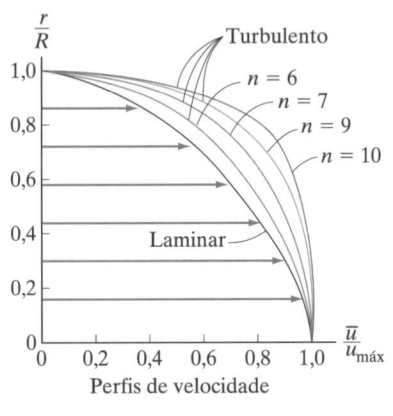

Capítulo 9 – Escoamento viscoso dentro de superfícies delimitadas   **437**

Pontos importantes

- Quando o fluido escoa por dentro de um tubo, a partir de um reservatório, ele acelera por uma certa distância ao longo do tubo, antes que seu perfil de velocidade se torne plenamente desenvolvido. Para o escoamento laminar em regime permanente, essa transição ou comprimento de entrada é uma função do número de Reynolds e do diâmetro do tubo. Para o escoamento turbulento em regime permanente, ele depende não apenas do tipo de entrada, mas também do diâmetro e da rugosidade da superfície do tubo.

- O escoamento turbulento envolve o movimento errático e complexo das partículas do fluido. Pequenos redemoinhos se formam dentro do escoamento e causam a mistura localizada do fluido. É por esse motivo que a tensão de cisalhamento e as perdas de energia para o escoamento turbulento são muito maiores do que aquelas para o escoamento laminar. A tensão de cisalhamento é uma combinação da tensão de cisalhamento viscosa e uma tensão de cisalhamento turbulenta "aparente", que é causada pela transferência de grupos de partículas do fluido de uma camada do fluido para uma camada adjacente.

- A ação misturadora do escoamento turbulento tende a "achatar" o perfil de velocidade e torná-lo mais uniforme, como um fluido perfeito. Esse perfil sempre terá uma subcamada viscosa estreita (escoamento laminar) perto das paredes do tubo. Aqui, o fluido precisa se mover lentamente, devido à condição de contorno de velocidade zero na parede. Quanto mais rápido o escoamento, mais fina se torna essa subcamada.

- Como o escoamento turbulento é muito errático, não se pode obter uma solução analítica para descrever o perfil de velocidade. Em vez disso, é preciso contar com métodos experimentais para definir essa forma e, então, ajustá-la a aproximações empíricas, como as equações 9.33 e 9.34.

EXEMPLO 9.7

A parede interna do tubo d'água com 50 mm de diâmetro na Figura 9.24a é lisa. Se existe escoamento turbulento e a pressão em A é de 10 kPa e em B é de 8,5 kPa, determine a magnitude da tensão de cisalhamento que atua ao longo da parede do tubo, e também a uma distância de 15 mm do seu centro. Qual é a velocidade no centro do tubo e qual é a espessura da subcamada viscosa? Considere $\rho_{água} = 1000$ kg/m³ e $\nu_{água} = 1,08(10^{-6})$ m²/s.

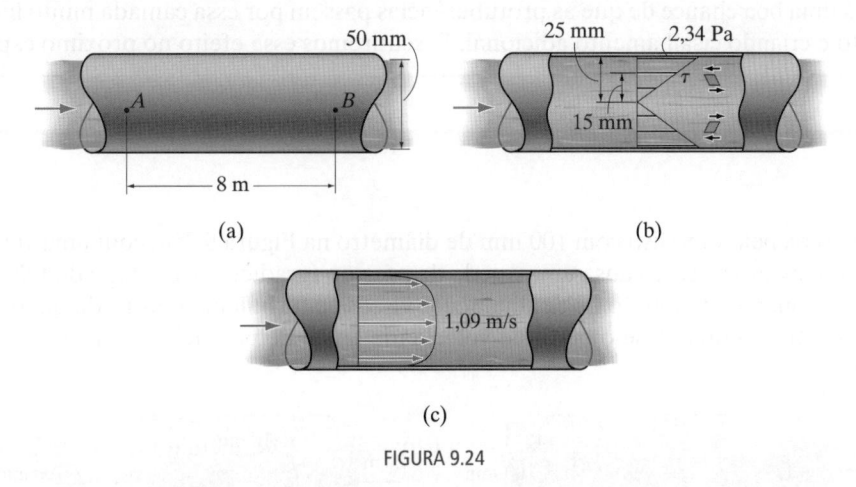

FIGURA 9.24

Solução

Descrição do fluido

Temos um escoamento turbulento em regime permanente médio, e consideramos que a água seja incompressível.

Tensão de cisalhamento

A tensão de cisalhamento ao longo da parede do tubo é causada pelo escoamento laminar, e, portanto, pode ser determinada usando a Equação 9.16. Como o tubo é horizontal, $h = 0$, temos

$$\tau_0 = \frac{r}{2}\frac{\Delta p}{L} = \left|\frac{(0{,}025\text{ m})}{2}\left(\frac{(8{,}5 - 10)(10^3)\text{ N/m}^2}{8\text{ m}}\right)\right| = 2{,}344\text{ Pa} = 2{,}34\text{ Pa} \qquad \textit{Resposta}$$

A distribuição de tensão de cisalhamento dentro do fluido varia *linearmente* a partir do centro do tubo, como mostra a Figura 9.24b. Lembre-se, da Seção 9.3, de que esse resultado vem de um equilíbrio de forças de pressão e viscosa, e é válido para o escoamento laminar *e* turbulento. Por proporção, podemos determinar a tensão de cisalhamento máxima em $r = 15$ m. Ela é

$$\frac{\tau}{15\text{ mm}} = \frac{2{,}344\text{ Pa}}{25\text{ mm}}; \qquad \tau = 1{,}41\text{ Pa} \qquad \textit{Resposta}$$

Velocidade

Como o escoamento é turbulento, usaremos a Equação 9.33 para determinar a velocidade na linha de centro (Figura 9.24c). Primeiro,

$$u^* = \sqrt{\tau_0/\rho_{\text{água}}} = \sqrt{(2{,}344\text{ N/m}^2)/(1000\text{ kg/m}^3)} = 0{,}04841\text{ m/s}$$

E na linha de centro do tubo, $y = 0{,}025$ m, portanto,

$$\frac{u_{\text{máx}}}{u^*} = 2{,}5\ln\left(\frac{u^* y}{\nu_{\text{água}}}\right) + 5{,}0$$

$$\frac{u_{\text{máx}}}{0{,}04841\text{ m/s}} = 2{,}5\ln\left[\frac{(0{,}04841\text{ m/s})(0{,}025\text{ m})}{1{,}08(10^{-6})\text{ m}^2/\text{s}}\right] + 5{,}0$$

$$u_{\text{máx}} = 1{,}09\text{ m/s} \qquad \textit{Resposta}$$

Subcamada viscosa

A subcamada viscosa estende-se até $u^* y/\nu = 5$ (Figura 9.21b). Logo,

$$y = \frac{5\nu_{\text{água}}}{u^*} = \frac{5[1{,}08(10^{-6})\text{ m}^2/\text{s}]}{0{,}04841\text{ m/s}} = 0{,}11154(10^{-3})\text{ m} = 0{,}112\text{ mm} \qquad \textit{Resposta}$$

Lembre-se de que esse resultado é apenas para um tubo *com parede lisa*. Se o tubo tem uma *superfície rugosa*, então há uma boa chance de que as protuberâncias passem por essa camada muito fina, atrapalhando o escoamento e criando cisalhamento adicional. Discutiremos esse efeito no próximo capítulo.

EXEMPLO 9.8

Querosene escoa pelo tubo liso com 100 mm de diâmetro na Figura 9.25a, com uma velocidade média de 20 m/s. O cisalhamento viscoso causa uma queda de pressão (gradiente) ao longo do tubo de 0,8 kPa/m. Determine os componentes da tensão de cisalhamento viscosa e turbulenta dentro do querosene em $r = 10$ mm da linha de centro do tubo. Use o perfil de velocidade da lei de potência e considere $\nu_q = 2(10^{-6})\text{ m}^2/\text{s}$ e $\rho_q = 820\text{ kg/m}^3$.

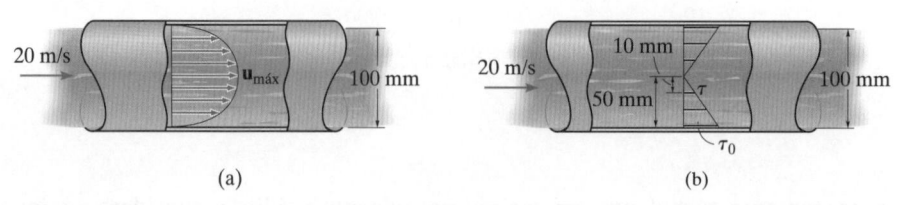

FIGURA 9.25

Solução

Descrição do fluido

Vamos considerar um escoamento turbulento em regime permanente médio. Além disso, o querosene pode ser considerado incompressível.

Análise

Para usar o perfil de velocidade da lei de potência, primeiro precisamos determinar o expoente n, que depende do número de Reynolds.

$$\text{Re} = \frac{VD}{\nu_q} = \frac{(20 \text{ m/s})(0,1 \text{ m})}{2(10^{-6}) \text{ m}^2/\text{s}} = 1(10^6)$$

Pela Tabela 9.1, para este número de Reynolds, $n = 9$.

A distribuição da tensão de cisalhamento é linear, como mostra a Figura 9.25b. A tensão de cisalhamento máxima é causada apenas pelos efeitos viscosos, pois ocorre *na parede* dentro da subcamada viscosa. A magnitude dessa tensão é determinada por meio da Equação 9.16. Com $h = 0$, temos

$$\tau_0 = \frac{r}{2}\frac{dp}{dx} = \left| \frac{(0,05 \text{ m})}{2} \frac{(800 \text{ N/m}^2)}{1 \text{ m}} \right| = 20 \text{ Pa}$$

Por proporção, a *tensão de cisalhamento total* em $r = 10$ mm é, portanto,

$$\frac{\tau}{10 \text{ mm}} = \frac{20 \text{ N/m}^2}{50 \text{ mm}}; \quad \tau = 4 \text{ Pa}$$

O *componente viscoso da tensão de cisalhamento* pode ser determinado em $r = 10$ mm, usando a lei de Newton da viscosidade e a lei de potência (Equação 9.34), pois ela define a forma do perfil de velocidade. Primeiro, porém, temos de determinar a velocidade máxima $u_{\text{máx}}$ (Figura 9.25a). Podemos fazer isso aplicando a Equação 9.36.

$$V = u_{\text{máx}} \frac{2n^2}{(n+1)(2n+1)}; \quad 20 \text{ m/s} = u_{\text{máx}} \left[\frac{2(9^2)}{(9+1)[2(9)+1]} \right]$$

$$u_{\text{máx}} = 23,46 \text{ m/s}$$

Agora, usando a Equação 9.34 para y, e $\mu_q = \rho\nu_q$, a lei de Newton da viscosidade torna-se

$$\tau_{\text{visc}} = \mu_q \frac{d\bar{u}}{dr} = \mu_q \frac{d}{dr}\left[u_{\text{máx}}\left(1 - \frac{r}{R}\right)^{1/n} \right] = \frac{\mu_q u_{\text{máx}}}{nR}\left(1 - \frac{r}{R}\right)^{(1-n)/n}$$

$$= \frac{(820 \text{ kg/m}^3)[2(10^{-6}) \text{ m}^2/\text{s}](23,46 \text{ m/s})}{9(0,05 \text{ m})}\left(1 - \frac{0,01 \text{ m}}{0,05 \text{ m}}\right)^{(1-9)/9}$$

$$= 0,1042 \text{ Pa}$$

Esta é uma contribuição muito pequena. Em vez disso, o componente turbulento da tensão de cisalhamento oferece a maior parte da tensão de cisalhamento em $r = 10$ mm. Ele é

$$\tau = \tau_{\text{visc}} + \tau_{\text{turb}}; \quad 4 \text{ N/m}^2 = 0,1042 \text{ Pa} + \tau_{\text{turb}}$$

$$\tau_{\text{turb}} = 3,90 \text{ Pa} \qquad \textit{Resposta}$$

Referências

1. YARUSEVYCH, S. et al. On vortex shedding from an airfoil in low-Reynolds--number flows. *J Fluid Mechanics*, v. 632, 2009, p. 245–271.
2. LANGHAAR, H. Steady flow in the transition length of a straight tube. *J Applied Mechanics*, v. 9, 1942, p. 55–58.
3. DAVIES, J. T. *Turbulent Phenomena*. Nova York: Academic Press, 1972.
4. HINZE, J. *Turbulence*. 2. ed. Nova York: McGraw-Hill, 1975.
5. WHITE, F. *Fluid Mechanics*. 7. ed. Nova York: McGraw-Hill, 2008.
6. SCHETZ, J. et. al. *Boundary Layer Analysis*. 2. ed. Nova York: American Institute of Aeronautics and Astronautics, 2011.
7. LEGER, T.; CELCIO, S. L. Examination of the flow near the leading edge of attached cavitation. *J Fluid Mechanics*, Cambridge University Press, Reino Unido, v. 373, 1998, p. 61–90.
8. PETERSON, D.; BRONZINO, J. *Biomechanics*: Principles and Applications. Boca Raton, Flórida: CRC Press, 2008.
9. CHANDRAN, K. et al. *Biofluid Mechanics*: The Human Circulation. Boca Raton, Flórida: CRC Press, 2007.
10. WADA, H. *Biomechanics at Micro and Nanoscale Levels*. Vol. 11. Singapura: World Scientific Publishing, 2006.
11. WAITE, L.; FINE, J. *Applied Biofluid Mechanics*. Nova York: McGraw-Hill, 2007.
12. DRAAD, A.; NIEUWSTADT, F. The Earth's rotation and laminar pipe flow. *J Fluid Mechanics*, v. 361, 1988, p. 297–308.

Problemas

Seções 9.1 e 9.2

9.1. O óleo cru escoa pela lacuna de 2 mm entre as duas placas paralelas fixas, devido a uma queda de pressão de A para B de 4 kPa. Se as placas têm 800 mm de largura, determine o escoamento.

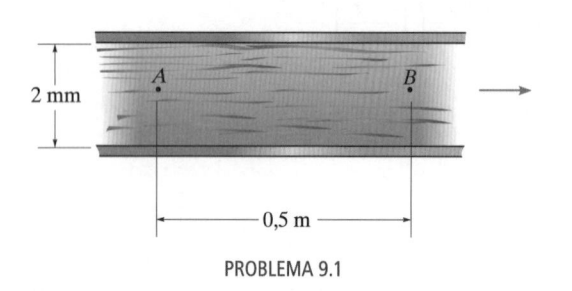

PROBLEMA 9.1

9.2. O óleo cru escoa pela lacuna entre as duas placas paralelas fixas, devido a uma queda de pressão de A para B de 4 kPa. Determine a velocidade máxima do óleo e a tensão de cisalhamento em cada placa.

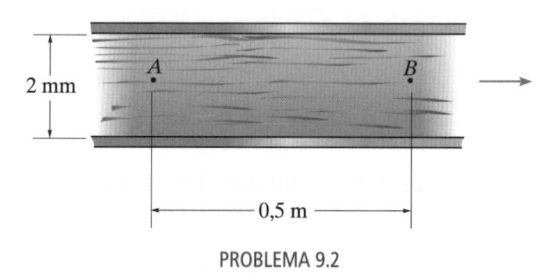

PROBLEMA 9.2

9.3. O ar a $T = 40°F$ escoa com uma velocidade média de 15 pés/s pelas placas carregadas do purificador de ar. As placas possuem 10 pol. de largura cada, e a lacuna entre elas é de 1/8 pol. Se o escoamento laminar plenamente desenvolvido é formado, determine a diferença de pressão $p_B - p_A$ entre a entrada A e a saída B.

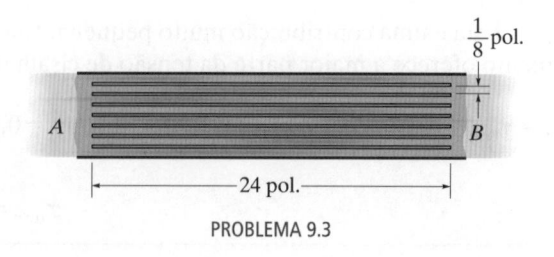

PROBLEMA 9.3

*9.4. A cola é aplicada à superfície da tira plástica, que possui uma largura de 200 mm, puxando a tira através do recipiente. Determine a força **F** que deverá ser aplicada à fita se ela se move a 10 mm/s. Considere $\rho_c = 730$ kg/m³ e $\mu_c = 0,860$ N · s/m².

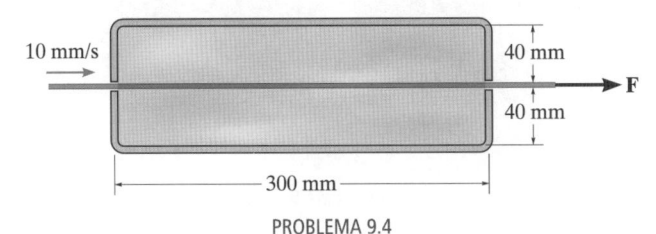

PROBLEMA 9.4

9.5. A placa uniforme de 20 kg é solta e desliza pelo plano inclinado. Se um filme de óleo sob essa superfície tem 0,2 mm de espessura, determine a velocidade terminal da placa ao longo do plano inclinado. A placa possui uma largura de 0,5 m. Considere $\rho_o = 880$ kg/m³ e $\mu_o = 0,0670$ N · s/m².

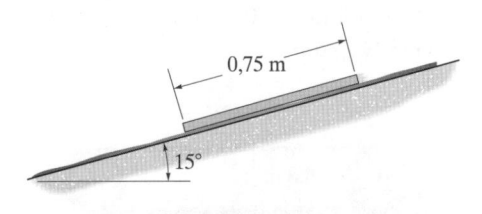

PROBLEMA 9.5

9.6. Usando pinos, o tampão é preso ao cilindro de modo que haja uma lacuna de 0,2 mm entre o tampão e as paredes. Se a pressão dentro do óleo contido no cilindro é de 4 kPa, determine a vazão inicial de óleo pelos lados do tampão. Suponha que o escoamento seja semelhante àquele entre placas paralelas, pois o tamanho da lacuna é muito menor do que o raio do tampão. Considere $\rho_o = 880$ kg/m³ e $\mu_o = 30,5(10^{-3})$ N · s/m².

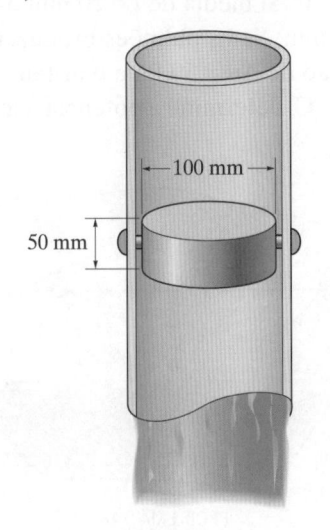

PROBLEMA 9.6

9.7. O garoto possui uma massa de 50 kg e tenta deslizar pelo plano inclinado. Se uma superfície com 0,3 mm de espessura de óleo se forma entre seus sapatos e o plano inclinado, determine sua velocidade terminal na parte mais baixa. Seus dois sapatos possuem uma área de contato total de 0,0165 m². Considere $\rho_o = 900$ kg/m³ e $\mu_o = 0,0638$ N · s/m².

PROBLEMA 9.7

*9.8. A placa com 2,5 lb, que possui 8 pol. de largura, é colocada em um plano inclinado em 3° e é solta. Se a sua velocidade terminal é 0,2 pé/s, determine a espessura aproximada do óleo por baixo da placa. Considere $\rho_o = 1,71$ slug/pé³ e $\mu_o = 0,632(10^{-3})$ lb · s/pé².

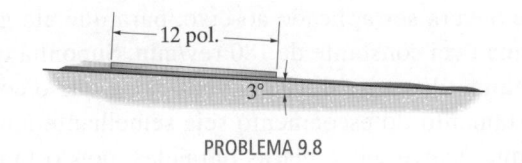

PROBLEMA 9.8

9.9. O tanque d'água possui uma fenda retangular em sua lateral, com uma largura de 100 mm e uma abertura média de 0,1 mm. Se o escoamento laminar ocorre através da fenda, determine a vazão de água que passa pela fenda. A água está a uma temperatura de $T = 20°C$.

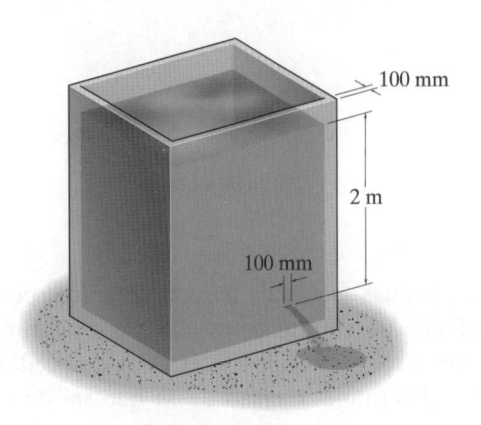

PROBLEMA 9.9

9.10. Um aquecedor solar consiste em duas placas planas que se apoiam no telhado. A água entra em A e sai em B. Se a queda de pressão de A para B é de 60 Pa, determine a maior lacuna a entre as placas para que o escoamento permaneça laminar. Para o cálculo, considere que a água possui uma temperatura média de 40°C.

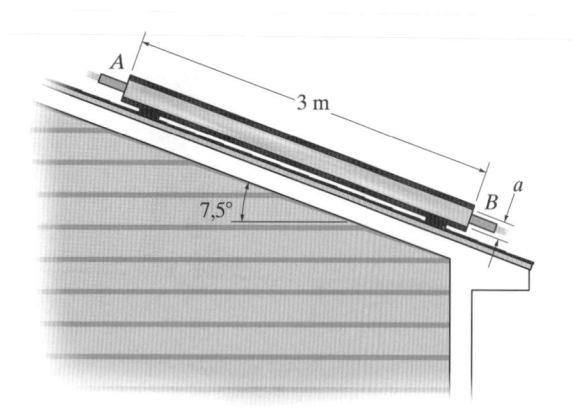

PROBLEMA 9.10

9.11. O eixo com 100 mm de diâmetro é apoiado por um mancal lubrificado a óleo. Se a lacuna dentro do mancal é de 2 mm, determine o torque **T** que deverá ser aplicado ao eixo, para que ele gire a uma taxa constante de 180 rev/min. Suponha que nenhum óleo vaze devido à vedação, e que o comportamento do escoamento seja semelhante àquele que ocorre entre placas paralelas, pois o tamanho da lacuna é muito menor do que o raio do eixo. Considere $\rho_o = 840$ kg/m³ e $\mu_o = 0{,}22$ N · s/m².

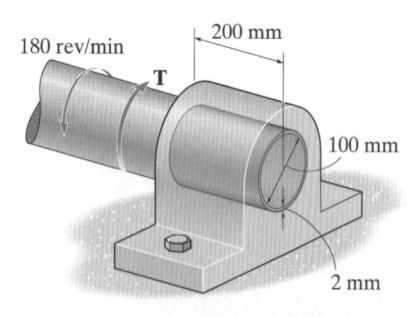

PROBLEMA 9.11

*** 9.12.** As duas seções da parede do prédio possuem uma fenda de 10 mm entre elas. Se a diferença na pressão entre o interior e o exterior do prédio é de 1,5 Pa, determine a vazão de ar que sai do prédio através da fenda. A temperatura do ar é de 30°C.

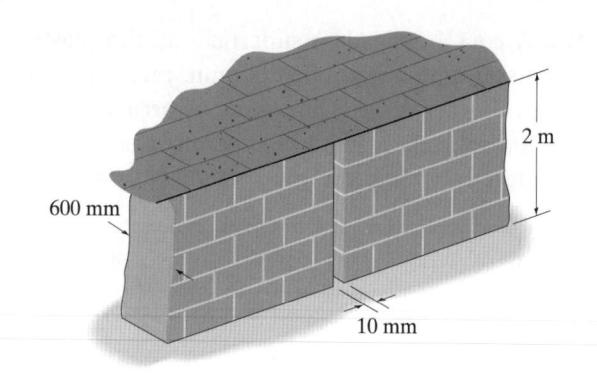

PROBLEMA 9.12

9.13. A correia está se movendo a uma taxa constante de 3 mm/s. A placa de 2 kg entre a correia e a superfície está apoiada em um filme de óleo com 0,5 mm de espessura, enquanto o óleo entre o topo da placa e a correia tem 0,8 mm de espessura. Determine a velocidade terminal da placa enquanto ela desliza ao longo da superfície. Suponha que o perfil da velocidade seja linear. Considere $\rho_o = 900$ kg/m³ e $\mu_o = 0{,}0675$ N · s/m².

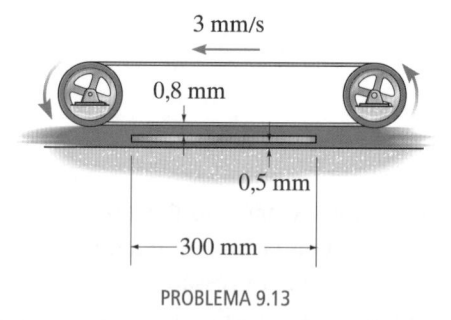

PROBLEMA 9.13

9.14. Quando você inala, o ar escoa pelos cornetos nasais, como mostra a figura. Suponha que, por um curto espaço de 15 mm, o escoamento esteja passando por placas paralelas, com as placas possuindo uma largura total média de $l = 20$ mm e espaçamento de $a = 1$ mm. Se os pulmões produzem uma queda de pressão de $\Delta p = 50$ Pa e o ar tem uma temperatura de 20°C, determine a potência necessária para inalar o ar.

PROBLEMA 9.14

9.15. O elevador hidráulico consiste em um cilindro com 1 pé de diâmetro que se encaixa na cavidade, de modo que a lacuna entre eles é de 0,001 pol. Se a plataforma suporta uma carga de 3000 lb, e o óleo é pressurizado a 25 psi, determine a velocidade terminal da plataforma. Considere $\rho_o = 1{,}70$ slug/pé^3 e $\mu_o = 0{,}630(10^{-3})$ lb · s/pé^2. Suponha que o escoamento seja laminar e que seja semelhante ao que ocorre entre placas paralelas, pois o tamanho da lacuna é muito menor do que o raio do cilindro.

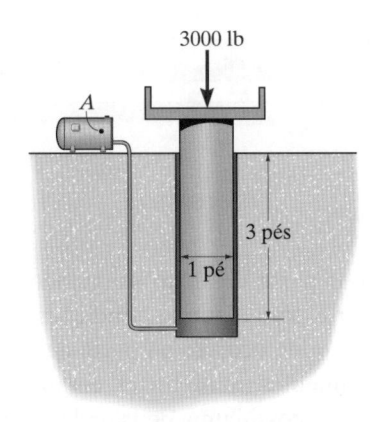

PROBLEMA 9.15

*9.16. O líquido possui escoamento laminar entre as duas placas fixas devido a um gradiente de pressão dp/dx. Usando o sistema de coordenadas mostrado, determine a distribuição da tensão de cisalhamento dentro do líquido e o perfil de velocidade para o líquido. A viscosidade é μ.

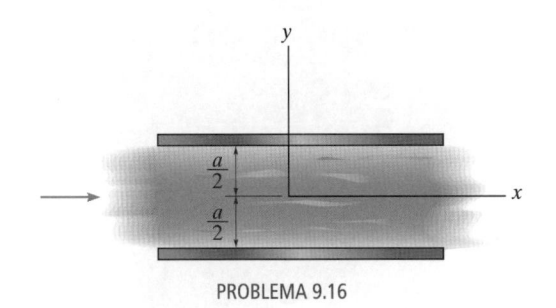

PROBLEMA 9.16

9.17. Uma fina camada de óleo de motor está acomodada entre as correias, que estão se movendo em direções diferentes e em diferentes velocidades, como mostra a figura. Desenhe o perfil da velocidade dentro do filme de óleo e a distribuição da tensão de cisalhamento. As pressões em A e B são atmosféricas. Considere $\mu_o = 0{,}22$ N · s/m^2 e $\rho_o = 876$ kg/m^3.

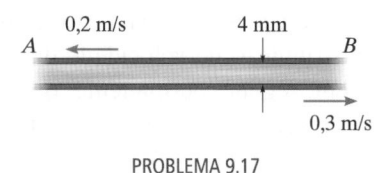

PROBLEMA 9.17

9.18. O reator nuclear para teste de materiais possui elementos combustíveis na forma de placas planas que permitem que a água de resfriamento escoe entre elas. As placas possuem um espaçamento de 1/16 pol. Determine a queda de pressão da água pela extensão dos elementos combustíveis se a velocidade média do escoamento for 0,5 pé/s através das placas. Cada elemento combustível possui 2 pés de extensão. Desconsidere os efeitos das extremidades no cálculo. Considere $\rho_{\text{água}} = 1{,}820$ slug/pé^3 e $\mu_{\text{água}} = 5{,}46(10^{-6})$ lb · s/pés^2.

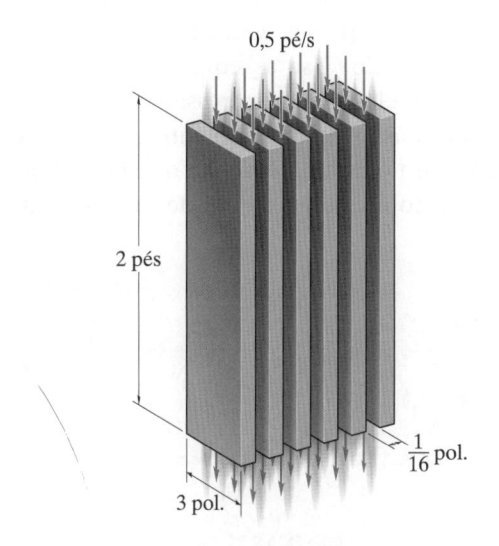

PROBLEMA 9.18

9.19. Os filmes de água e óleo possuem a mesma espessura a e estão sujeitos ao movimento da placa superior. Desenhe o perfil de velocidade e a distribuição da tensão de cisalhamento para cada fluido. Não existe gradiente de pressão entre A e B. As viscosidades da água e do óleo são $\mu_{\text{água}}$ e μ_o, respectivamente.

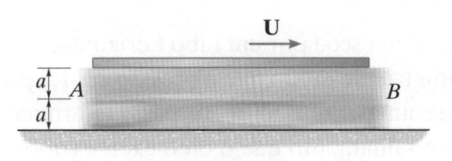

PROBLEMA 9.19

*9.20. Use as equações de Navier-Stokes para mostrar que a distribuição de velocidade do escoamento laminar em regime permanente de um fluido descendo pela superfície inclinada é definida por $u = [\rho g \operatorname{sen} \theta / (2\mu)] (2hy - y^2)$, onde ρ é a densidade do fluido e μ é a sua viscosidade.

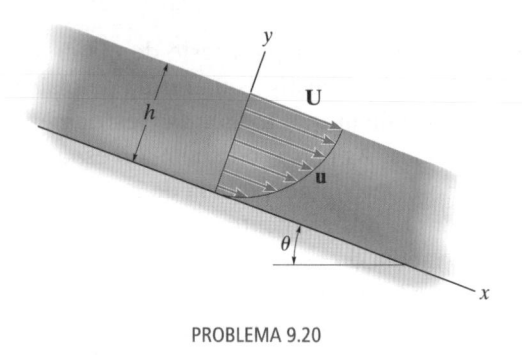

PROBLEMA 9.20

9.21. Um fluido possui escoamento laminar entre as duas placas paralelas, cada placa movendo-se na mesma direção, mas com velocidades diferentes, conforme mostrado. Use as equações de Navier-Stokes, e estabeleça uma expressão que dê a distribuição da tensão de cisalhamento e o perfil de velocidade para o fluido. Desenhe o gráfico desses resultados. Não existe gradiente de pressão entre A e B.

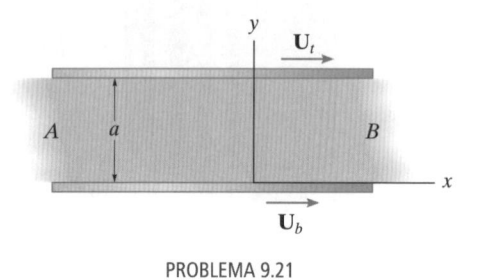

PROBLEMA 9.21

Seções 9.3 a 9.6

9.22. As arteríolas (artérias muito pequenas) da retina fornecem um fluxo sanguíneo à retina do olho. O diâmetro interno de uma arteríola é 0,08 mm, e a velocidade média do fluxo é 28 mm/s. Determine se esse fluxo é laminar ou turbulento. O sangue tem uma densidade de 1060 kg/m³ e uma viscosidade aparente de 0,0036 N · s/m².

9.23. O óleo escoa por um tubo horizontal com 3 pol. de diâmetro, de modo que a pressão cai 1,5 psi no espaço de uma extensão de 10 pés. Determine a tensão de cisalhamento que o óleo exerce sobre a parede do tubo.

*9.24. O tubo horizontal com 100 mm de diâmetro transporta óleo de rícino em uma fábrica de processamento. Se a pressão cai 100 kPa em uma extensão de 10 m do tubo, determine a velocidade máxima do óleo no tubo e a tensão de cisalhamento máxima no óleo. Considere $\rho_o = 960$ kg/m³ e $\mu_o = 0{,}985$ N · s/m².

PROBLEMA 9.24

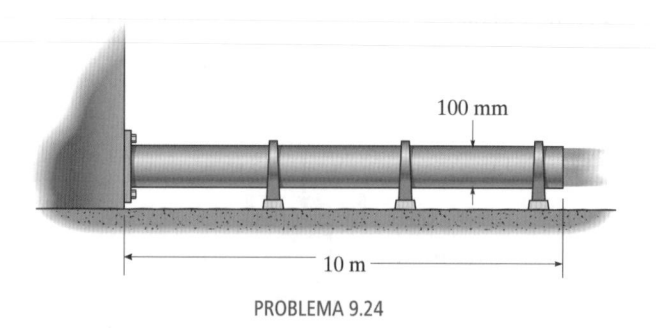

9.25. A maior parte do fluxo sanguíneo nos humanos é laminar e, fora algumas condições patológicas, a turbulência pode ocorrer na parte descendente da aorta em batimentos muito fortes, como ao se exercitar. Se o sangue possui uma densidade de 1060 kg/m³ e o diâmetro da aorta é de 25 mm, determine a maior velocidade média que o sangue pode ter antes que o fluxo se torne transicional. Suponha que o sangue seja um fluido newtoniano e tenha uma viscosidade $\mu_s = 0{,}0035$ N · s/m². Nessa velocidade, determine se a turbulência ocorre em uma arteríola do olho, onde o diâmetro é de 0,008 mm.

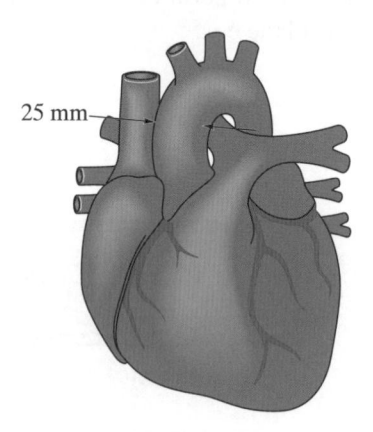

PROBLEMA 9.25

9.26. Um tubo vertical com 50 mm de diâmetro transporta óleo com uma densidade $\rho_o = 890$ kg/m³. Se a queda de pressão em uma extensão de 2 m do tubo é 500 Pa, determine a tensão de cisalhamento que atua ao longo da parede do tubo. O escoamento é de cima para baixo.

9.27. O tubo horizontal com 1 pol. de diâmetro é usado para transportar glicerina. Se a pressão em A é de 30 psi e em B é de 20 psi, determine se o escoamento é laminar ou turbulento.

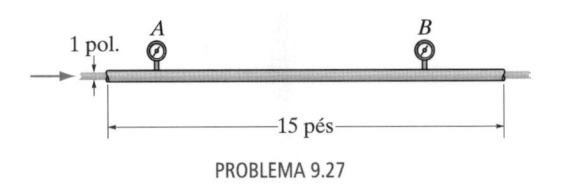

PROBLEMA 9.27

*9.28. O tubo horizontal com 1 pol. de diâmetro é usado para transportar água a 180°F. Se o escoamento tiver de ser laminar, qual é a diferença de pressão máxima entre os pontos A e B?

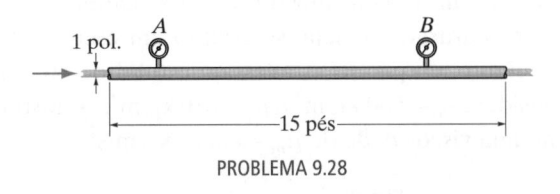

PROBLEMA 9.28

9.29. O óleo com uma densidade de 900 kg/m³ e uma viscosidade de 0,370 N · s/m² tem um escoamento de 0,05 m³/s através do tubo com 150 mm de diâmetro. Determine a queda na pressão causada pelo cisalhamento viscoso sobre a seção com 8 m de extensão.

9.30. O óleo tem um escoamento de 0,004 m³/s através do tubo com 150 mm de diâmetro. Determine a queda na pressão causada pelo cisalhamento viscoso pela seção com 8 m de extensão. Considere ρ_o = 900 kg/m³ e μ_o = 0,370 N · s/m².

PROBLEMAS 9.29 e 9.30

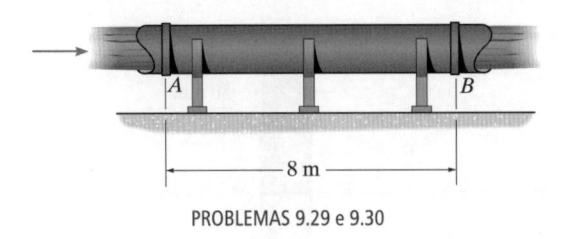

9.31. A linfa é um fluido que é filtrado do sangue e forma uma parte importante do sistema imunológico. Supondo que ela seja um fluido newtoniano, determine sua velocidade média se ela flui de uma artéria para um esfíncter pré-capilar com diâmetro de 0,08 μm a uma pressão de 120 mm de mercúrio, depois passa verticalmente para cima pela perna por uma extensão de 1200 mm e emerge a uma pressão de 25 mm de mercúrio. Considere ρ_l = 1030 kg/m³ e μ_l = 0,0016 N · s/m².

*9.32. Um tubo horizontal deverá ser usado para transportar óleo. Se a perda de pressão a ser esperada por uma extensão de 500 pés é 4 psi, determine o tubo com maior diâmetro que pode ser usado para que o escoamento laminar seja mantido. Considere ρ_o = 1,72 slug/pé³ e μ_o = 1,40(10^{-3}) lb · s/pé².

9.33. Um tubo liso com diâmetro de 100 mm transfere querosene a 20°C com uma velocidade média de 0,05 m/s. Determine a queda de pressão que ocorre ao longo da extensão de 20 m. Além disso, qual é a tensão de cisalhamento ao longo da parede do tubo?

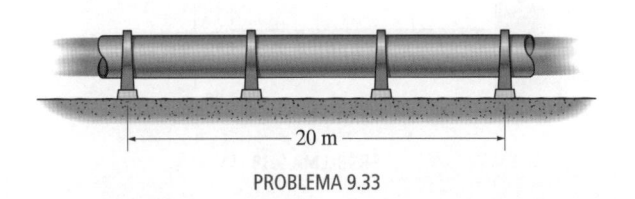

PROBLEMA 9.33

9.34. Determine a descarga máxima de um duto horizontal com 18 pol. de diâmetro usada para o ar a uma temperatura de 60°F, de modo que o escoamento permaneça laminar.

9.35. O ar a 120°F escoa por um duto com diâmetro de 3 pol. na horizontal. Determine a maior descarga que ele pode ter de modo que o escoamento permaneça laminar.

*9.36. O óleo cru escoa por um tubo horizontal com diâmetro de 3 pol. de modo que a pressão cai 5 psi dentro de uma extensão de 1000 pés. Determine a tensão de cisalhamento dentro do óleo a uma distância de 0,5 pol. da parede do tubo. Além disso, ache a tensão de cisalhamento ao longo da linha de centro do tubo e a velocidade máxima do escoamento. Considere ρ_o = 1,71 slug/pé³ e μ_o = 0,632(10^{-3}) lb · s/pé².

9.37. A glicerina está a uma pressão de 15 kPa em A, quando entra no segmento vertical do tubo com 100 mm de diâmetro. Determine a descarga em B.

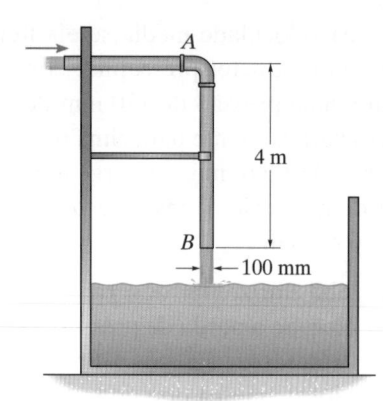

PROBLEMA 9.37

9.38. O tubo liso com 50 mm de diâmetro drena óleo de motor de um grande tanque a uma taxa de 0,01 m³/s. Determine a força horizontal que o tanque deve exercer no tubo para mantê-lo no lugar. Suponha que haja um escoamento plenamente desenvolvido ao longo do tubo. Considere $\rho_o = 876$ kg/m³ e $\mu_o = 0,22$ N · s/m².

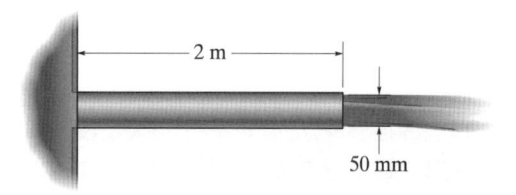

PROBLEMA 9.38

9.39. O óleo de rícino está sujeito a uma pressão de 550 kPa em A e a uma pressão de 200 kPa em B. Se o tubo possui um diâmetro de 30 mm, determine a tensão de cisalhamento que atua sobre a parede do tubo e a velocidade máxima do óleo. Além disso, qual é a vazão Q? Considere $\rho_o = 960$ kg/m³ e $\mu_o = 0,985$ N · s/m².

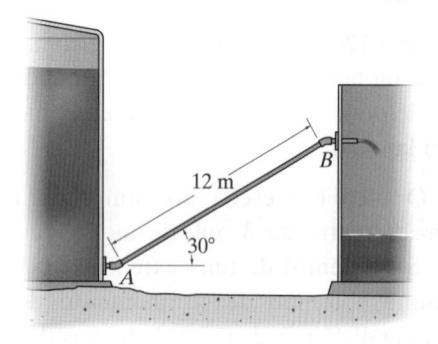

PROBLEMA 9.39

*****9.40.** A pressão do óleo cru no fundo de um poço de óleo é determinada baixando um manômetro de pressão dentro do poço, como mostra a figura. Se a leitura indica $p_A = 459,5$ psi, determine a vazão de óleo pelo tubo com diâmetro de 6 pol. no topo do poço. Suponha que o tubo seja liso. Considere $\rho_o = 1,71$ slug/pé³ e $\mu_o = 0,632(10^{-3})$ lb · s/pé².

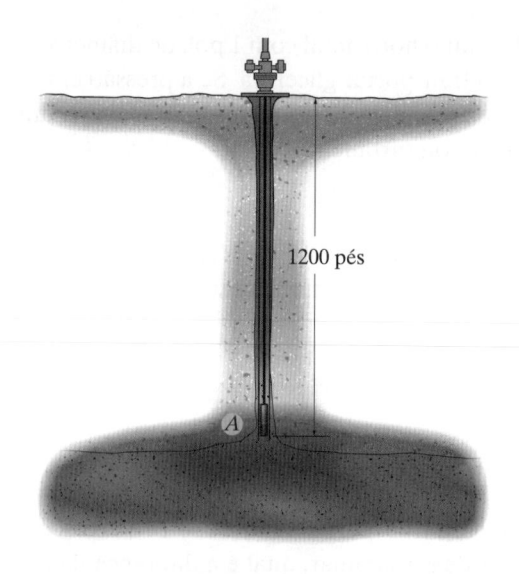

PROBLEMA 9.40

9.41. Óleo e querosene são reunidos por meio da conexão em Y, com mostra a figura. Determine se eles misturarão, ou seja, se criarão um escoamento turbulento, enquanto atravessam o tubo de 60 mm. Considere $\rho_o = 880$ kg/m³ e $\rho_q = 810$ kg/m³. A mistura tem uma viscosidade de $\mu_m = 0,024$ N · m/s².

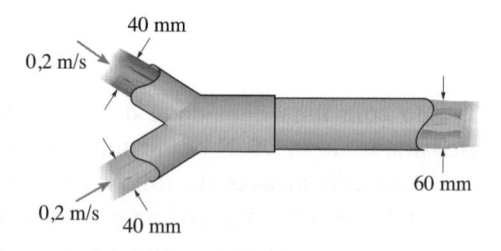

PROBLEMA 9.41

9.42. O óleo cru a 20°C é ejetado pelo tubo liso com diâmetro de 50 mm. Se a queda de pressão de A para B é 36,5 kPa, determine a velocidade máxima dentro do escoamento e desenhe o gráfico da distribuição da tensão de cisalhamento dentro do óleo.

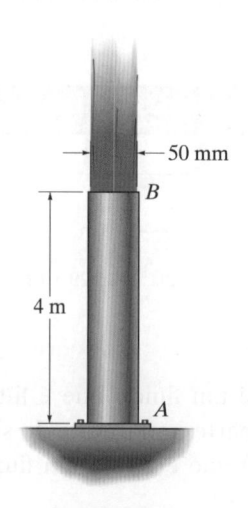

PROBLEMA 9.42

9.43. O óleo bruto está escoando verticalmente de baixo para cima por um tubo com 50 mm de diâmetro. Se a diferença na pressão entre dois pontos afastados por 3 m é de 26,4 kPa, determine a vazão. Considere $\rho_o = 880$ kg/m^3 e $\mu_o = 30,2(10^{-3})$ N · s/m^2.

*9.44. O óleo de rícino é jorrado no funil de modo que o nível de 200 mm seja mantido. Ele escoa pelo tubo fino a uma taxa estável e se acumula no recipiente cilíndrico. Determine o tempo necessário para o nível atingir $h = 50$ mm. Considere $\rho_o = 960$ kg/m^3 e $\mu_o = 0{,}985$ N · m/s^2.

9.45. O óleo de rícino é jorrado no funil de modo que o nível de 200 mm seja mantido. Ele escoa pelo tubo fino a uma taxa estável e se acumula no recipiente cilíndrico. Se são necessários 5 segundos para encher o recipiente a uma profundidade $h = 80$ mm, determine a viscosidade do óleo. Considere $\rho_o = 960$ kg/m^3.

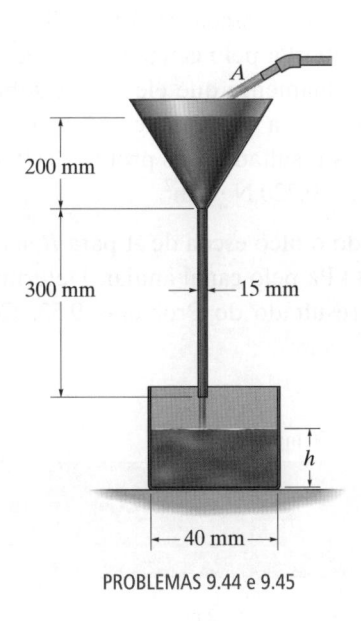

PROBLEMAS 9.44 e 9.45

9.46. A resistência à respiração pode ser medida usando um espirômetro que mede o tempo para expirar um volume completo de ar dos pulmões. Cerca de 20% da resistência ocorre nos brônquios de tamanho médio, onde existe um fluxo de ar laminar. A resistência ao escoamento R pode ser considerada como o gradiente de pressão principal motriz dp/dx dividido pela vazão Q. Determine seu valor em função do diâmetro D dos brônquios e desenhe um gráfico de seus valores para 2 mm $\leq D \leq$ 8 mm. Considere $\mu_a = 18,9(10^{-6})$ N · s/m^2.

9.47. Imagina-se que a tensão de cisalhamento nas células endoteliais que alinham as paredes de uma artéria pode ser importante para o desenvolvimento de diversos danos vasculares. Se considerarmos que o perfil do fluxo sanguíneo em uma arteríola é parabólico e o diâmetro do vaso é de 80 μm, determine a tensão de cisalhamento da parede em função da velocidade média. Desenhe um gráfico dos resultados para 20 mm/s $\leq V \leq$ 50 mm/s. Considere aqui que o sangue é um fluido newtoniano e considere $\mu_s = 0{,}0035$ N · s/m^2.

PROBLEMA 9.47

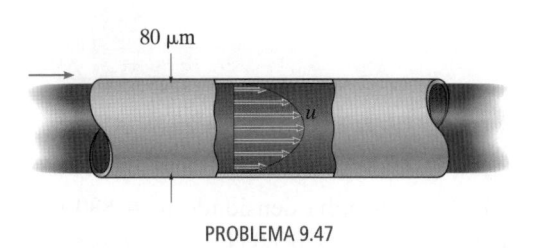

*9.48. O tanque cilíndrico deve ser enchido com glicerina usando o tubo com diâmetro de 50 mm. Se o escoamento tiver de ser laminar, determine o menor tempo necessário para encher o tanque a uma profundidade de 2,5 m. O ar escapa pelo topo do tanque.

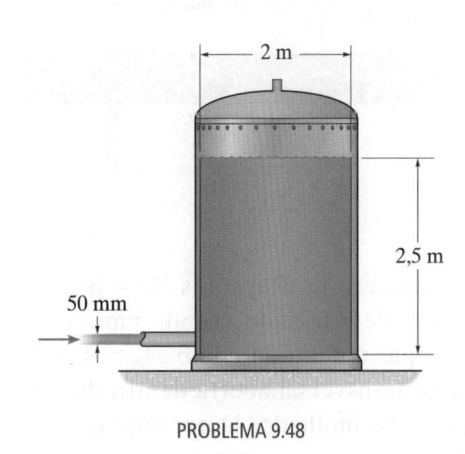

PROBLEMA 9.48

9.49. O frasco grande está cheio de um líquido com densidade ρ e viscosidade μ. Quando a válvula em A é aberta, o líquido começa a escoar pelo tubo horizontal, onde $d \ll D$. Se $h = h_1$ em $t = 0$, determine o tempo em que $h = h_2$. Considere que haja escoamento laminar dentro do tubo.

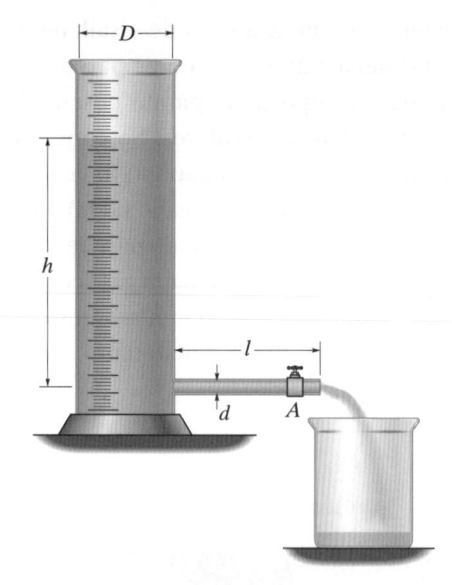

PROBLEMA 9.49

9.50. O óleo com uma densidade $\rho_o = 880$ kg/m^3 e uma viscosidade $\mu_o = 0{,}0680$ N · s/m^2 escoa pelo tubo com 20 mm de diâmetro a 0,001 m^3/s. Determine a distância h no manômetro de mercúrio. Considere $\rho_{Hg} = 13550$ kg/m^3.

9.51. O óleo com uma densidade $\rho_o = 880$ kg/m^3 e uma viscosidade $\mu_o = 0{,}0680$ N · s/m^2 escoa pelo tubo com 20 mm de diâmetro. Se o manômetro de mercúrio tem uma distância $h = 40$ mm, determine a vazão. Considere $\rho_{Hg} = 13550$ kg/m^3.

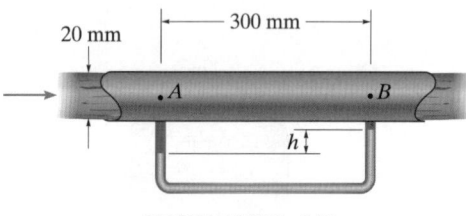

PROBLEMAS 9.50 e 9.51

*__9.52.__ O número de Reynolds Re $= \rho V D_h / \mu$ para um ânulo é determinado usando um *diâmetro hidráulico*, que é definido como $D_h = 4\,A/P$, onde A é a área transversal aberta dentro do ânulo e P é o perímetro molhado. Determine o número de Reynolds para a água a 30ºC se a vazão for de 0,01 m^3/s. O escoamento é laminar? Considere $r_i = 40$ mm e $r_o = 60$ mm.

9.53. Um fluido newtoniano possui escoamento laminar enquanto passa pelo ânulo. Use as equações de Navier-Stokes para mostrar que o perfil de velocidade para o escoamento é
$$v_z = \frac{1}{4\mu}\frac{dp}{dz}\left[r^2 - r_0^2 - \left(\frac{r_o^2 - r_i^2}{\ln(r_o/r_i)}\right)\ln\frac{r}{r_o}\right].$$

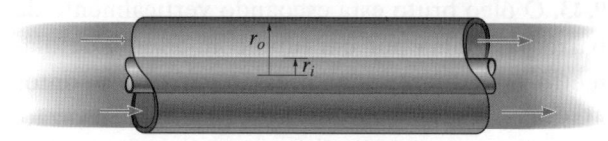

PROBLEMAS 9.52 e 9.53

9.54. Um fluido newtoniano possui escoamento laminar enquanto passa pelo ânulo. Use o resultado do Problema 9.53 e mostre que a distribuição da tensão de cisalhamento para o escoamento é
$$\tau_{rz} = \frac{1}{4}\frac{dp}{dz}\left(2r - \frac{r_o^2 - r_i^2}{r\ln(r_o/r_i)}\right).$$

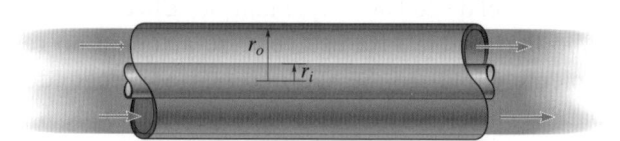

PROBLEMA 9.54

9.55. Quando o óleo escoa de A para B, a queda de pressão é de 40 kPa pelo canal anular. Determine a tensão de cisalhamento que ele exerce sobre as paredes do canal e a velocidade máxima do escoamento. Use os resultados dos problemas 9.53 e 9.54. Considere $\mu_o = 0{,}220$ N · s/m^2.

*__9.56.__ Quando o óleo escoa de A para B, a queda de pressão é 40 kPa pelo canal anular. Determine a vazão. Use o resultado do Problema 9.53. Considere $\mu_o = 0{,}220$ N · s/m^2.

PROBLEMAS 9.55 e 9.56

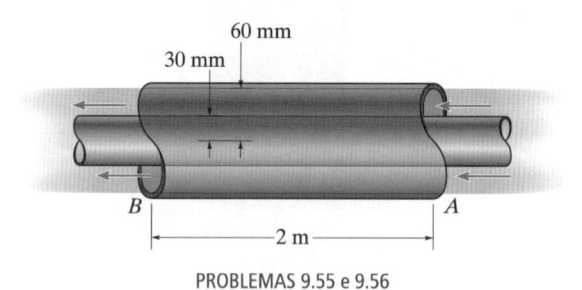

9.57. Quando o sangue corre por uma artéria grande, ele tende a se separar em um núcleo consistindo em células vermelhas e um ânulo externo denominado camada de plasma, que não possui células. Esse fenômeno pode ser descrito usando o "modelo de camada marginal sem células", onde a artéria é considerada um tubo circular com raio interno R e a região sem células possui uma espessura δ. As equações que controlam essas regiões são $-\dfrac{\Delta p}{L} = \dfrac{1}{r}\dfrac{d}{dr}\left[\mu_c r \dfrac{du_c}{dr}\right], 0 \le r \le R - \delta$; e

$$-\frac{\Delta p}{L} = \frac{1}{r}\frac{d}{dr}\left[\mu_p r \frac{du_p}{dr}\right], R - \delta \leq r \leq R, \text{ onde } \mu_c \text{ e } \mu_p$$

são as viscosidades (considerando que os fluidos são newtonianos), e u_c e u_p são as velocidades para cada região. Integre essas equações e mostre que a vazão é $Q = \frac{\pi \Delta p R^4}{8\mu_p L}\left[1 - \left(1 - \frac{\delta}{R}\right)^4\left(1 - \frac{\mu_p}{\mu_c}\right)\right]$.

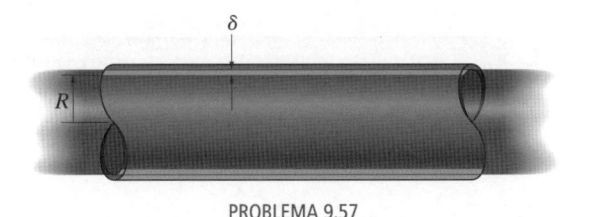

PROBLEMA 9.57

9.58. Use o resultado do Problema 9.57 para mostrar que, se a equação de Poiseuille fosse usada para calcular a viscosidade aparente do sangue, ela poderia ser escrita como $\mu_{ap} = \dfrac{\mu_p}{\left[1 - \left(1 - \dfrac{\delta}{R}\right)^4\left(1 - \dfrac{\mu_p}{\mu_c}\right)\right]}$.

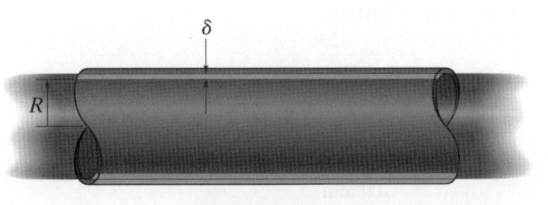

PROBLEMA 9.58

9.59. A glicerina escoa de um grande tanque através do tubo liso com diâmetro de 100 mm. Determine sua vazão volumétrica máxima se o escoamento tiver de permanecer laminar. A que distância L da entrada do tubo o escoamento laminar plenamente desenvolvido começará a ocorrer?

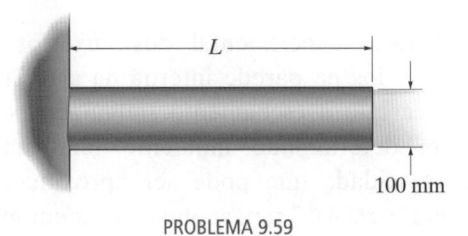

PROBLEMA 9.59

*9.60. A água escoa de uma jarra por um tubo com 4 mm de diâmetro a uma velocidade média de 0,45 m/s. Classifique o escoamento como laminar ou turbulento se a temperatura da água for 10°C e se for 30°C. Se o escoamento for laminar, então ache o comprimento do tubo para o escoamento plenamente desenvolvido.

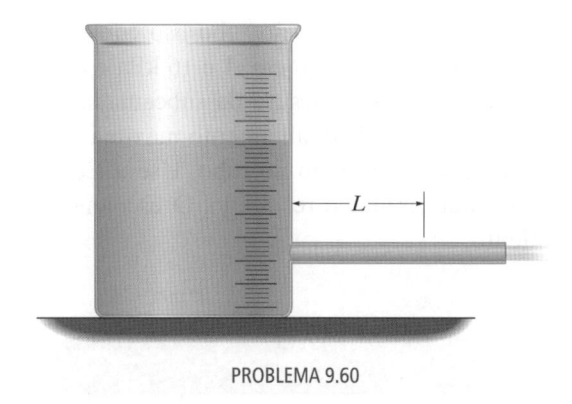

PROBLEMA 9.60

Seções 9.7 e 9.8

9.61. Um tubo horizontal com 70 mm de diâmetro possui uma superfície interna lisa e transporta óleo cru a 20°C. Se a queda de pressão por um segmento de 5 m de extensão for 180 kPa, determine a espessura da subcamada viscosa e a velocidade ao longo da linha de centro do tubo. O escoamento é turbulento.

9.62. O óleo cru escoa pelo tubo liso com 50 mm de diâmetro. Se a pressão em A é 16 kPa e em B é 9 kPa, determine a tensão de cisalhamento e a velocidade dentro do óleo a 10 mm da parede do tubo. Use a Equação 9.33 para determinar o resultado. O escoamento é turbulento.

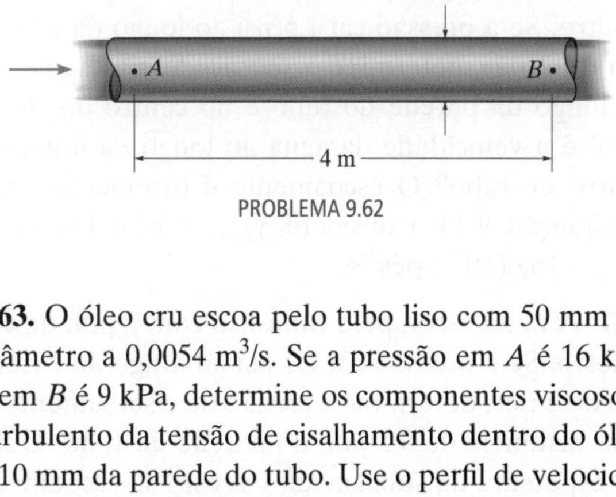

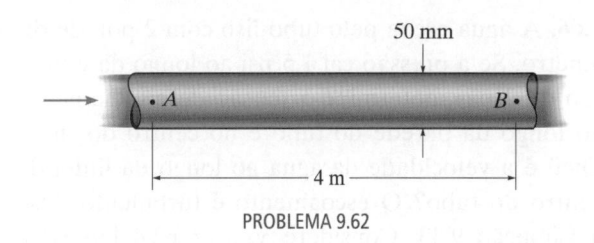

PROBLEMA 9.62

9.63. O óleo cru escoa pelo tubo liso com 50 mm de diâmetro a 0,0054 m³/s. Se a pressão em A é 16 kPa e em B é 9 kPa, determine os componentes viscoso e turbulento da tensão de cisalhamento dentro do óleo a 10 mm da parede do tubo. Use o perfil de velocidade da lei de potência (Equação 9.34) para determinar o resultado. O escoamento é turbulento.

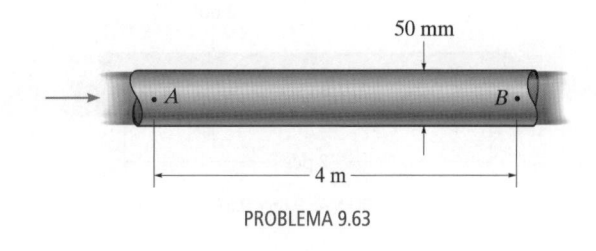

PROBLEMA 9.63

*9.64. O óleo cru escoa pelo tubo liso com 50 mm de diâmetro. Se a pressão em A é 16 kPa e em B é 9 kPa, determine a espessura da subcamada viscosa e ache a tensão de cisalhamento máxima e a velocidade máxima do óleo no tubo. Use a Equação 9.33 para determinar o resultado. O escoamento é turbulento.

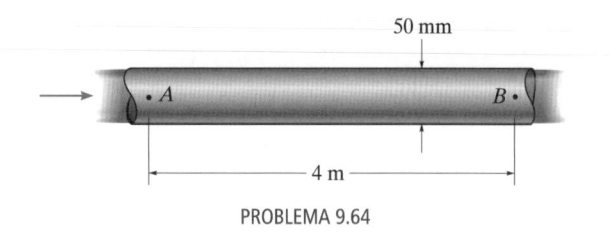

PROBLEMA 9.64

9.65. O óleo cru escoa pelo tubo liso com 50 mm de diâmetro a 0,0054 m³/s. Determine a velocidade dentro do óleo a 10 mm da parede do tubo. Use o perfil de velocidade da lei de potência (Equação 9.34) para determinar o resultado. O escoamento é turbulento.

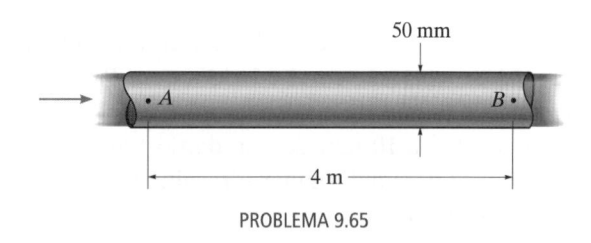

PROBLEMA 9.65

9.66. A água escoa pelo tubo liso com 2 pol. de diâmetro. Se a pressão cai 1,5 psi ao longo da extensão de 2 pés, determine a tensão de cisalhamento ao longo da parede do tubo e no centro do tubo. Qual é a velocidade da água ao longo da linha de centro do tubo? O escoamento é turbulento. Use a Equação 9.33. Considere $\gamma_{água} = 62,4$ lb/pés³ e $\nu_{água} = 16,6(10^{-6})$ pés²/s.

9.67. A água escoa pelo tubo liso com 2 pol. de diâmetro. Se a pressão cai 1,5 psi ao longo da extensão de 2 pés, determine a tensão de cisalhamento a uma distância de 0,5 pol. da parede do tubo. Qual é a espessura da subcamada viscosa? O escoamento é turbulento. Considere $\gamma_{água} = 62,4$ lb/pés³ e $\nu_{água} = 16,6(10^{-6})$ pés²/s.

PROBLEMAS 9.66 e 9.67

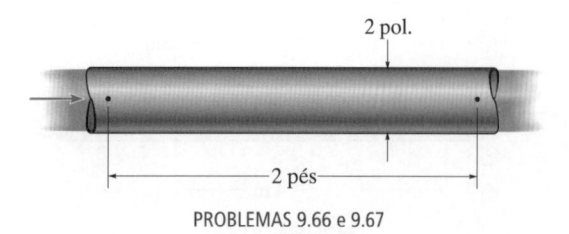

*9.68. O tubo liso com 4 pol. de diâmetro possui 12 pés de extensão e transporta água a 70°F com uma velocidade máxima de 30 pés/s. Determine o gradiente de pressão ao longo do tubo e a tensão de cisalhamento nas paredes do tubo. Além disso, qual é a espessura da subcamada viscosa? Use a Equação 9.33.

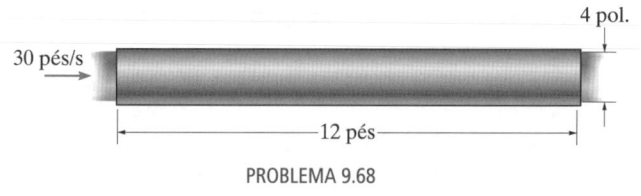

PROBLEMA 9.68

9.69. O tubo liso com 100 mm de diâmetro transporta benzeno com uma velocidade média de 7,5 m/s. Se a queda de pressão de A para B é de 400 Pa, determine os componentes viscoso e turbulento da tensão de cisalhamento dentro do benzeno a $r = 25$ mm e $r = 50$ mm da linha de centro do tubo. Use um perfil de velocidade da lei de potência (Equação 9.34). Considere $\rho_{bz} = 880$ kg/m³ e $\nu_{bz} = 0,75(10^{-6})$ m²/s.

PROBLEMA 9.69

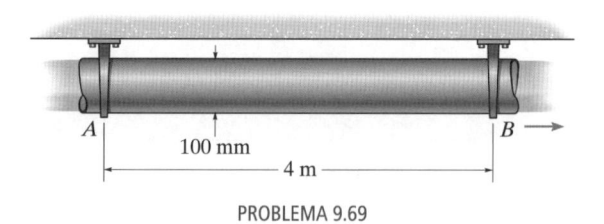

9.70. Um tubo horizontal com 3 pol. de diâmetro possui uma superfície interna lisa e transporta querosene a 68°F. Se a pressão cai 17 lb/pés² em 20 pés, determine a velocidade máxima do escoamento. Qual é a espessura da subcamada viscosa? Use a Equação 9.33.

9.71. O teste experimental dos enxertos artificiais colocados na parede interna da artéria carótida indica que o escoamento sanguíneo pela artéria em determinado momento tem um perfil de velocidade que pode ser aproximado por $u = 8,36(1 - r/3,4)^{1/n}$ mm/s, onde r está em milímetros e $n = 2,3 \log_{10} \text{Re} - 4,6$. Se $\text{Re} = 2(10^9)$, desenhe o perfil de velocidade sobre a parede da artéria e determine a vazão nesse momento.

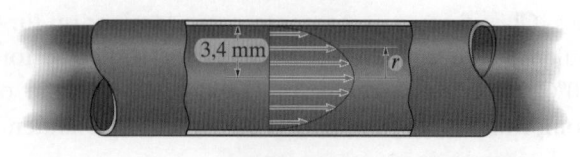

PROBLEMA 9.71

Revisão do capítulo

Se ocorre escoamento em regime permanente entre duas placas paralelas, ou dentro de um tubo, então, seja o escoamento laminar ou turbulento, a tensão de cisalhamento dentro do fluido varia de uma maneira semelhante, de modo que equilibrará as forças de pressão, gravidade e viscosidade.

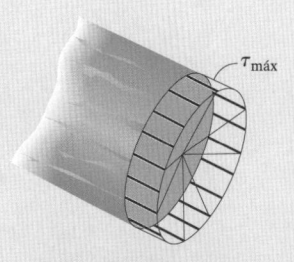

Distribuição de tensão de cisalhamento para o escoamento laminar e turbulento.

Neste livro, o escoamento laminar entre duas placas paralelas requer $Re \leq 1400$, e, para tubos, $Re \leq 2300$. Se isso acontecer, então, para fluidos newtonianos, a lei de Newton da viscosidade pode ser usada para determinar o perfil de velocidade e a queda de pressão ao longo desses condutos. Ao usar as equações relevantes, para placas ou tubos, lembre-se de seguir a convenção de sinal em relação às coordenadas estabelecidas.

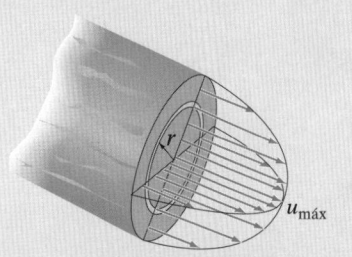

Distribuição de velocidade para o escoamento laminar

Quando o fluido escoa de um reservatório grande para um tubo, ele sofre aceleração por uma certa distância antes de se tornar um escoamento laminar ou turbulento em regime permanente e plenamente desenvolvido.

O escoamento turbulento dentro de um tubo causa perdas por cisalhamento adicionais devido à mistura errática do fluido. Essa mistura tende a "aplainar" o perfil da velocidade médio, tornando-o mais uniforme; porém, ao longo das paredes do tubo, sempre haverá uma estreita subcamada viscosa com escoamento laminar.

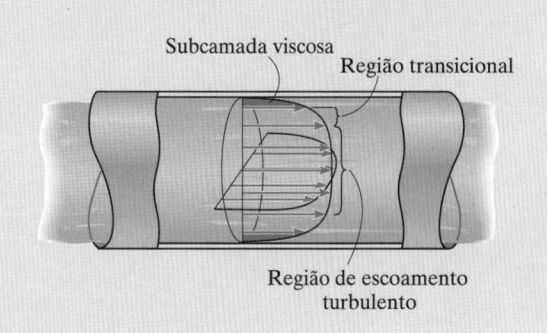

Subcamada viscosa
Região transicional
Região de escoamento turbulento

O perfil de velocidade para o escoamento turbulento não pode ser estudado analiticamente, pois é bastante imprevisível. Em vez disso, temos de usar os resultados dos experimentos para desenvolver equações empíricas que descrevam esse perfil.

$$\frac{\bar{u}}{u^*} = 2{,}5 \ln\left(\frac{u^* y}{v}\right) + 5{,}0$$

$$\frac{\bar{u}}{u_{máx}} = \left(1 - \frac{r}{R}\right)^{1/n}$$

CAPÍTULO 10

Análise e projeto para escoamento em tubos

Para projetar um sistema de tubulações, é preciso conhecer as perdas por cisalhamento dentro dos tubos, além de quaisquer perdas que ocorram nas conexões e ligações.

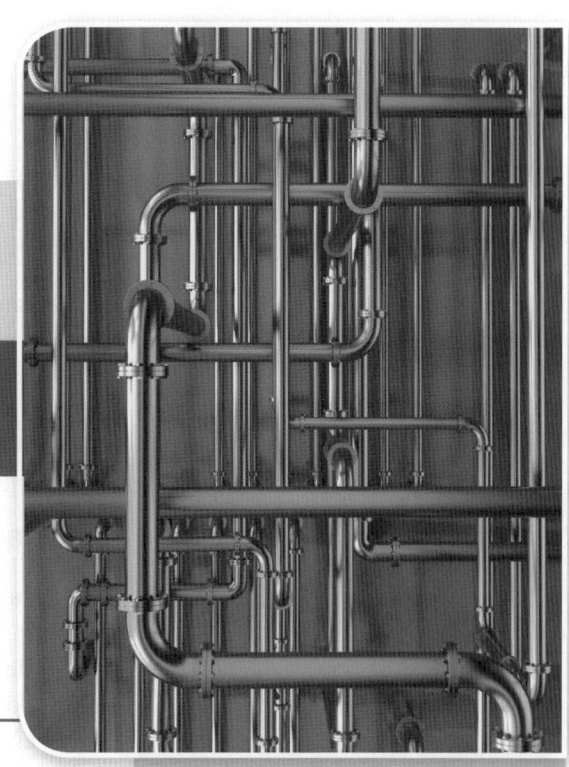

(© whitehoune/Fotolia)

10.1 Resistência ao escoamento em tubos rugosos

Agora, estenderemos nossa discussão do capítulo anterior, discutindo como a resistência por cisalhamento ao longo das *paredes rugosas* de um tubo contribui para a queda de pressão dentro do tubo. Isso é importante quando se projeta qualquer sistema de tubulações, ou na seleção de uma bomba que seja necessária para manter uma vazão específica. Aqui, vamos focar nos tubos retos que possuem uma seção transversal circular, pois essa geometria oferece a maior força estrutural para resistir à pressão, e além disso uma seção transversal circular transportará a maior quantidade de fluido com a menor resistência por cisalhamento.

Na prática da engenharia, qualquer perda de energia ou por cisalhamento decorrente *tanto* do cisalhamento do fluido *como* da rugosidade da parede é normalmente conhecida como uma **perda de carga principal**, h_L (*head loss*), ou simplesmente **perda principal**. Podemos determinar a perda principal em um tubo medindo a pressão em dois locais afastados por uma distância L (Figura 10.1) e depois aplicar a equação da energia entre esses dois pontos. Como nenhum trabalho de eixo é realizado, o tubo é horizontal, $z_{entrada} = z_{saída} = 0$ e $V_{entrada} = V_{saída} = V$, para um escoamento em regime permanente incompressível, temos

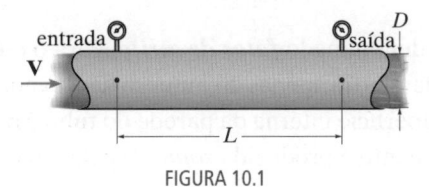

Objetivos

- Discutir as perdas por cisalhamento devido à rugosidade da superfície dentro de um tubo e descrever como usar dados experimentais para determinar essas perdas.
- Mostrar como analisar e projetar sistemas de tubulações com diversas ligações e conexões.
- Explicar alguns dos métodos que os engenheiros utilizam para medir a vazão por um tubo.

FIGURA 10.1

$$\frac{p_{entrada}}{\gamma} + \frac{V_{entrada}^2}{2g} + z_{entrada} + h_{bomba} = \frac{p_{saída}}{\gamma} + \frac{V_{saída}^2}{2g} + z_{saída} + h_{turb} + h_L$$

$$\frac{p_{entrada}}{\gamma} + \frac{V^2}{2g} + 0 + 0 = \frac{p_{saída}}{\gamma} + \frac{V^2}{2g} + 0 + 0 + h_L$$

$$h_L = \frac{p_{entrada} - p_{saída}}{\gamma} = \frac{\Delta p}{\gamma} \tag{10.1}$$

Assim, a perda de carga no tubo, $h_L = \Delta p/\gamma$, resulta em uma queda de pressão pela extensão L do tubo, pois a pressão precisa realizar trabalho para superar a resistência por cisalhamento que cria essa perda. Por esse motivo, $p_{entrada} > p_{saída}$. Naturalmente, se o fluido é um *fluido perfeito*, então $h_L = 0$, pois a resistência por cisalhamento não ocorreria.

Escoamento laminar

Para o escoamento laminar, a perda de carga principal ocorre dentro do fluido. Isso se deve à resistência por cisalhamento ou à tensão de cisalhamento desenvolvida *entre as camadas de fluido* quando elas deslizam uma sobre a outra com diferentes velocidades relativas. Para um fluido newtoniano, essa tensão de cisalhamento está relacionada ao gradiente de velocidade pela lei de Newton da viscosidade, $\tau = \mu(du/dy)$. Na Seção 9.3, pudemos usar essa expressão para relacionar a velocidade média do escoamento no tubo ao gradiente de pressão $\Delta p/L$. O resultado é a Equação 9.25, $V = (D^2/32\mu)(\Delta p/L)$. Com ela, e com a Equação 10.1, podemos agora escrever a perda de carga em termos da velocidade média como

$$h_L = \frac{32\mu V L}{D^2 \gamma} \tag{10.2}$$

Escoamento laminar

Observe que a perda *aumenta* à medida que o diâmetro interno do tubo *diminui*, pois as perdas variam inversamente com o *quadrado* de D. Essa perda é totalmente devida à viscosidade do fluido e é produzida por todo o escoamento. Qualquer rugosidade *suave* na superfície da parede do tubo geralmente não afetará o escoamento laminar de forma observável, e, portanto, terá um efeito insignificante sobre a perda.

Por conveniência, mais adiante, expressaremos a Equação 10.2 em termos do número de Reynolds, $Re = \rho V D/\mu$, reorganizando-o para a forma

$$h_L = f \frac{L}{D} \frac{V^2}{2g} \tag{10.3}$$

onde

$$\boxed{f = \frac{64}{Re}} \tag{10.4}$$

Escoamento laminar

Este termo f é denominado **fator de atrito**. Para o escoamento laminar, ele é visto como uma função apenas do número de Reynolds e, mais uma vez, não depende se a superfície interna da parede do tubo é lisa ou rugosa. Aqui, a perda por cisalhamento é produzida *somente* pela viscosidade do fluido.

Escoamento turbulento

Como não existe um meio analítico para determinar a perda de carga em um tubo sujeito ao escoamento turbulento, torna-se então necessário medir a queda de pressão, ou com dois manômetros, como na Figura 10.2a, ou usando um manômetro diferencial (Figura 10.2b). Esses experimentos têm mostrado que essa queda de pressão depende do diâmetro D do tubo, do comprimento L do tubo, da densidade ρ e da viscosidade μ do fluido, da velocidade média V e da rugosidade ou altura média ε das protuberâncias da superfície interna do tubo. No Capítulo 8, Exemplo 8.4, mostramos, usando a análise dimensional, que a relação entre essas variáveis e a queda de pressão pode ser escrita em termos de três razões adimensionais, a saber,

$$\Delta p = \rho V^2 g_1\left(\mathrm{Re}, \frac{L}{D}, \frac{\varepsilon}{D}\right)$$

onde g_1 define essa função desconhecida. Outros experimentos têm mostrado que a queda de pressão é *diretamente proporcional* ao comprimento do tubo — quanto maior o tubo, maior a queda de pressão, mas *inversamente proporcional* ao diâmetro do tubo — quanto menor o diâmetro, maior a queda de pressão. Como resultado, a relação anterior torna-se então

$$\Delta p = \rho V^2 \frac{L}{D} g_2\left(\mathrm{Re}, \frac{\varepsilon}{D}\right)$$

Por fim, usando esse resultado e aplicando a Equação 10.1 para determinar a perda de carga no tubo, observando que $\gamma = \rho g$, temos

$$h_L = \frac{L}{D}\frac{V^2}{2g} g_3\left(\mathrm{Re}, \frac{\varepsilon}{D}\right)$$

Por conveniência, incorporamos o fator 2, a fim de expressar h_L em termos da carga de velocidade $V^2/2g$. Em outras palavras, nossa função desconhecida agora é $g_3(\mathrm{Re}, \varepsilon/D) = 2g_2$. O fato de que a perda de carga também é *diretamente proporcional* à carga de velocidade é algo que tem sido confirmado por experimentos.

Se compararmos a equação anterior com a Equação 10.3, permitindo que o fator de atrito represente

$$f = g_3\left(\mathrm{Re}, \frac{\varepsilon}{D}\right)$$

então poderemos expressar a perda de carga para o escoamento turbulento da *mesma forma* como fizemos para o escoamento laminar, ou seja,

$$\boxed{h_L = f\frac{L}{D}\frac{V^2}{2g}} \qquad (10.5)$$

Esse resultado importante é denominado **equação de Darcy-Weisbach**, em homenagem a Henry Darcy e Julius Weisbach, que propuseram inicialmente seu uso no final do século XIX. Ela foi derivada pela análise dimensional, e aplica-se a fluidos que possuem escoamento laminar ou turbulento. No caso do escoamento laminar, o fator de atrito é determinado pela Equação 10.4; porém, para o escoamento turbulento, temos de determinar a relação do fator de atrito $f = g_3(\mathrm{Re}, \varepsilon/D)$ experimentalmente.

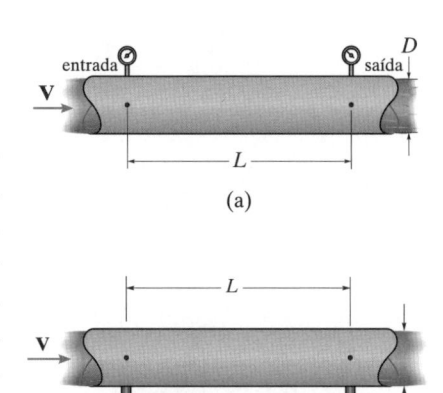

Manômetro
(b)

FIGURA 10.2

As primeiras tentativas de fazer isso foram feitas por Johann Nikuradse, e depois por outros, usando tubos feitos rugosos artificialmente por meio de grãos de areia de um tamanho específico, de modo que ε fosse bem definido. Infelizmente, para aplicações práticas, os tubos disponíveis comercialmente não possuem uma rugosidade uniforme e bem definida. Porém, usando uma abordagem semelhante, Lewis Moody e Cyril Colebrook puderam estender o trabalho de Nikuradse realizando experimentos com tubos disponíveis comercialmente.

Diagrama de Moody

Moody apresentou seus dados para $f = g_3(\text{Re}, \varepsilon/D)$ na forma de um gráfico plotado em uma escala log-log. Ele normalmente é denominado **diagrama de Moody** e, por conveniência, é reproduzido nas páginas finais deste livro. Para usar esse diagrama, é preciso conhecer a **rugosidade da superfície** ε média da parede interna do tubo (Figura 10.3c). A tabela apresentada sobre o diagrama de Moody oferece alguns valores típicos, desde que o tubo esteja em muito boa condição. Porém, observe que, com o uso, os tubos podem se corroer, ou incrustações podem se acumular em suas paredes. Isso pode alterar significativamente o valor de ε ou, em casos extremos, reduzir o valor de D. É por esse motivo que os engenheiros precisam exercer um *julgamento conservador* para a seleção apropriada de ε.

Quando ε é conhecido, então a **rugosidade relativa** ε/D e o número de Reynolds podem ser calculados e o fator de atrito *f* determinado a partir do diagrama de Moody. Observe nesse diagrama que o escoamento pelo tubo é dividido em diferentes regiões, dependendo do número de Reynolds.

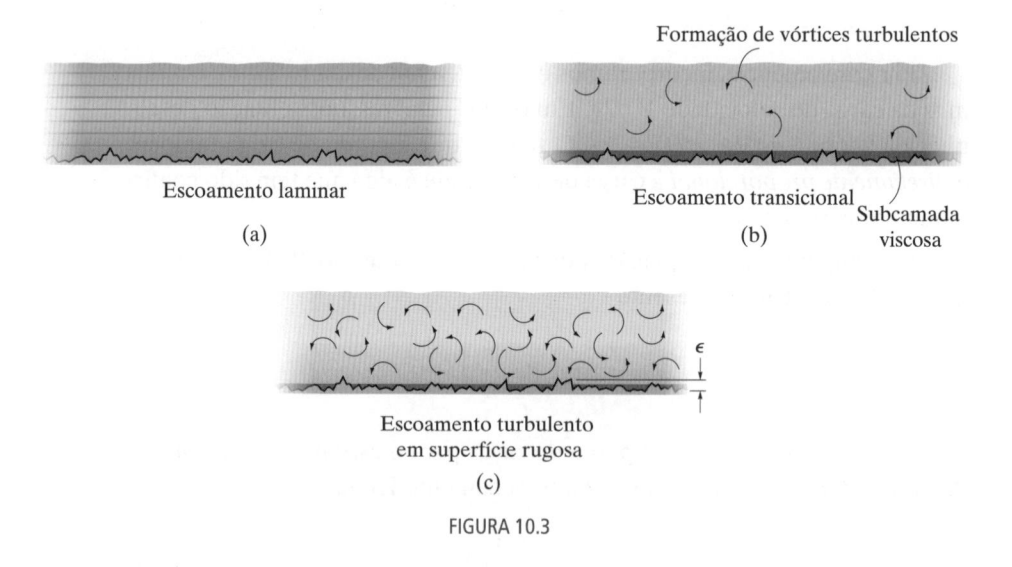

FIGURA 10.3

Escoamento laminar

A evidência experimental indica que, se o *escoamento laminar* for mantido, o fator de atrito será *independente* da rugosidade do tubo e, em vez disso, variará inversamente com o número de Reynolds, de acordo com a Equação 10.4, $f = 64/\text{Re}$. Isso é de se esperar, pois o número de Reynolds aqui é baixo, e a resistência ao escoamento é causada *somente* pela tensão de cisalhamento laminar dentro do fluido (Figura 10.3a).

Zona crítica e escoamento transicional

Se a vazão no tubo for aumentada, logo acima do número de Reynolds de Re = 2300, então os valores de f são incertos (zona crítica), pois o escoamento torna-se instável. Aqui e para o escoamento transicional, o escoamento pode alternar entre laminar e turbulento, ou pode ser uma combinação de ambos. Quando isso acontece, é importante ser conservador e selecionar um valor mais alto de f. Aqui, a turbulência começará a acontecer dentro de regiões do tubo. Ao longo da parede, porém, o fluido movendo-se mais lentamente ainda manterá um escoamento laminar. Essa *subcamada viscosa* se tornará mais fina à medida que a velocidade aumenta e, por fim, alguns dos elementos rugosos no tubo atravessarão essa subcamada (Figura 10.3b). Assim, o efeito da *rugosidade da superfície* começa a se tornar importante e, portanto, agora o fator de atrito torna-se uma função do número de Reynolds e da rugosidade relativa, $f = g_3(\text{Re}, \varepsilon/D)$.

Escoamento turbulento

Em números de Reynolds muito grandes, a maior parte dos elementos rugosos penetrará pela subcamada laminar, e, portanto, o fator de atrito depende então principalmente do tamanho ε desses elementos (Figura 10.3c). Aqui, as curvas do diagrama de Moody tendem a se *alinhar* e se tornar horizontais. Em outras palavras, os valores de f tornam-se menos dependentes do número de Reynolds. A tensão de cisalhamento turbulenta *perto da parede* influencia fortemente o fator de atrito, em vez da tensão de cisalhamento dentro do fluido.

O diagrama de Moody também mostra que *tubos muito lisos* (valor baixo de ε/D) possuem um fator de atrito que diminui rapidamente com o aumento do número de Reynolds, ao contrário daqueles com paredes rugosas. Além disso, como a rugosidade ε da superfície de determinado material é praticamente a mesma para todos os diâmetros de um tubo fabricado desse material, então os tubos de menor diâmetro (grande valor de ε/D) terão um fator de atrito maior em comparação com aqueles que possuem um diâmetro maior (pequeno valor de ε/D).

Soluções empíricas

Em vez de usar o diagrama de Moody para determinar f, também podemos obter esse valor usando uma fórmula empírica. Isso é particularmente útil quando se usa um programa de computador ou uma planilha eletrônica. A equação de Colebrook é usada com frequência para esse propósito, pois descreve as curvas do diagrama de Moody dentro do intervalo de turbulência completo [Referência 2]. Ela é

$$\frac{1}{\sqrt{f}} = -2 \log \left(\frac{\varepsilon/D}{3,7} + \frac{2,51}{\text{Re}\sqrt{f}} \right) \qquad (10.6)$$

Infelizmente, esta é uma equação transcendental que não pode ser resolvida explicitamente para f, e, portanto, deve ser resolvida usando um procedimento iterativo de tentativa e erro, algo que pode ser feito em uma calculadora de bolso ou computador pessoal.

Uma aproximação mais direta seria usar a seguinte formulação, desenvolvida por S. Haaland em 1983, Referência [5].

$$\frac{1}{\sqrt{f}} = -1{,}8 \log\left[\left(\frac{\varepsilon/D}{3{,}7}\right)^{1{,}11} + \frac{6{,}9}{\text{Re}}\right] \qquad (10.7)$$

Esta equação gera um resultado que é muito próximo daquele obtido usando a equação de Colebrook.*

Qualquer que seja o método utilizado para determinar f, lembre-se de que, realisticamente, como já dissemos, a rugosidade da superfície de um tubo e seu diâmetro mudarão com o tempo, devido a depósitos de sedimentos e incrustações, ou à corrosão. Assim, os cálculos baseados em f possuem uma confiabilidade um tanto limitada. Deve-se ficar suficientemente a favor da segurança para uso futuro, aumentando qualquer valor de f com o uso do bom senso.

Tubos não circulares

Após esta discussão, só consideramos os tubos que possuem uma seção transversal circular; porém, as formulações também podem ser aplicadas a dutos que possuem uma seção transversal não circular, como aqueles que são ovais ou retangulares. Nesses casos, o **diâmetro hidráulico** para o duto normalmente é usado como "comprimento característico" no cálculo do número de Reynolds. Esse "diâmetro" é $D_h = 4A/P$, onde A é a área transversal do duto e P o seu perímetro. Por exemplo, para um tubo circular, $D_h = [4(\pi D^2/4)] / (\pi D) = D$. Quando se conhece D_h, então o número de Reynolds, a rugosidade relativa e a Equação 10.4, $f = 64/\text{Re}$, e o diagrama de Moody podem ser usados da maneira normal. Os resultados obtidos geralmente estão dentro de uma faixa de precisão aceitável para a prática da engenharia, embora não sendo muito confiáveis para formas extremamente estreitas, como um ânulo ou uma abertura alongada; Referência [19].

Pontos importantes

- A resistência ao *escoamento laminar* em tubos rugosos é *independente* da rugosidade da superfície do tubo, pois as condições da superfície não interromperão o escoamento de modo severo. Em vez disso, o fator de atrito é função apenas do número de Reynolds e, para este caso, ele pode ser determinado analiticamente usando $f = 64/\text{Re}$.
- A resistência ao *escoamento turbulento* em tubos rugosos é caracterizada por um fator de atrito f que depende tanto do número de Reynolds quanto da rugosidade relativa ε/D da parede do tubo. Essa relação, $f = g_3(\text{Re}, \varepsilon/D)$, é expressa graficamente pelo diagrama de Moody, ou analiticamente pela equação empírica de Colebrook ou uma forma alternativa como a Equação 10.7. Como indica o diagrama de Moody, para *números de Reynolds muito altos*, f depende principalmente da rugosidade relativa da parede do tubo, e não muito do número de Reynolds.

---

* Outra fórmula comumente utilizada foi desenvolvida por P. K. Swamee e A. K. Jain. Ver Referência [10].

Procedimento para análise

Muitos problemas envolvendo a perda de carga dentro de um único tubo exigem que se satisfaçam as condições de três equações importantes.

- A perda de carga no tubo está relacionada às variáveis f, L, D e V pela equação de Darcy-Weisbach,

$$h_L = f\left(\frac{L}{D}\right)\frac{V^2}{2g}$$

- O fator de atrito f está relacionado a Re e ε/D, usando o diagrama de Moody, que representa $f = g_3(\text{Re}, \varepsilon/D)$ de forma gráfica, ou usando analiticamente a Equação 10.6 ou 10.7.
- A queda de pressão Δp por um comprimento de tubo está relacionada à perda de carga h_L usando a equação da energia.

$$\frac{p_{\text{entrada}}}{\gamma} + \frac{V_{\text{entrada}}^2}{2g} + z_{\text{entrada}} + h_{\text{bomba}} = \frac{p_{\text{saída}}}{\gamma} + \frac{V_{\text{saída}}^2}{2g} + z_{\text{saída}} + h_{\text{turb}} + h_L$$

Dependendo do problema, satisfazer a essas três equações pode ser bastante simples, como nos exemplos 10.1 e 10.2, mas nos casos onde f e h_L são *desconhecidos*, o uso do diagrama de Moody será exigido para a solução. Problemas desse tipo são representados pelos exemplos 10.3 e 10.4.

EXEMPLO 10.1

O tubo de ferro galvanizado com 6 pol. de diâmetro, na Figura 10.4, transporta água de um reservatório a uma temperatura de 100°F. Determine a perda de carga e a queda de pressão em 200 pés do tubo se a vazão for $Q = 400$ gal/min (gpm).

Solução

Descrição do fluido

Vamos considerar um escoamento em regime permanente plenamente desenvolvido, e a água pode ser considerada incompressível. Pelo Apêndice A, em $T = 100°F$, $\rho_{\text{água}} = 1,927$ slug/pé³ e $\nu_{\text{água}} = 7,39(10^{-6})$ pés²/s. Para classificar o escoamento, precisamos calcular o número de Reynolds.

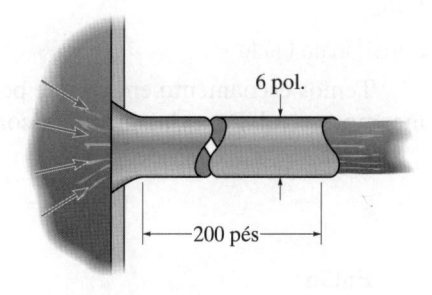

FIGURA 10.4

$$V = \frac{Q}{A} = \frac{\left(\dfrac{400 \text{ gal}}{1 \text{ min}}\right)\left(\dfrac{1 \text{ min}}{60 \text{ s}}\right)\left(\dfrac{1 \text{ pé}^3}{7,48 \text{ gal}}\right)}{\pi\left(\dfrac{3}{12}\text{pés}\right)^2} = 4,539 \text{ pés/s}$$

$$\text{Re} = \frac{VD}{\nu_{\text{água}}} = \frac{(4,539 \text{ pés/s})\left(\dfrac{6}{12}\text{pés}\right)}{7,39(10^{-6}) \text{ pés}^2/\text{s}} = 3,07(10^5) > 2300 \text{ (turbulento)}$$

Análise

O valor de ε é tomado da tabela no topo do diagrama de Moody para o tubo de ferro galvanizado. A rugosidade relativa é, então, $\varepsilon/D = 0,0005$ pé/(0,5 pé) = 0,0010. Usando esse valor e Re, o diagrama de Moody indica $f = 0,0208$. Portanto, pela equação de Darcy-Weisbach, a perda de carga é

$$h_L = f\frac{L}{D}\frac{V^2}{2g} = (0,0208)\left(\frac{200 \text{ pés}}{0,5 \text{ pé}}\right)\frac{(4,539 \text{ pés/s})^2}{2(32,2 \text{ pés/s}^2)} = 2,662 \text{ pés} = 2,66 \text{ pés} \qquad \textit{Resposta}$$

Isso representa a perda de energia ao longo de 200 pés do tubo, que resulta em uma queda de pressão que pode ser determinada a partir da equação da energia, que neste caso torna-se a Equação 10.1.

$$\frac{p_{entrada}}{\gamma} + \frac{V_{entrada}^2}{2g} + z_{entrada} + h_{bomba} = \frac{p_{saída}}{\gamma} + \frac{V_{saída}^2}{2g} + z_{saída} + h_{turb} + h_L$$

$$\frac{p_{entrada}}{\gamma_{água}} + \frac{V^2}{2g} + 0 + 0 = \frac{p_{saída}}{\gamma_{água}} + \frac{V^2}{2g} + 0 + 0 + h_L$$

$$h_L = \frac{\Delta p}{\gamma_{água}}$$

$$2{,}662 \text{ pés} = \frac{\Delta p}{(1{,}927 \text{ slug/pé}^3)(32{,}2 \text{ pés/s}^2)}$$

$$\Delta p = \left(165{,}17 \frac{\text{lb}}{\text{pés}^2}\right)\left(\frac{1 \text{ pé}}{12 \text{ pol.}}\right)^2 = 1{,}15 \text{ psi} \qquad Resposta$$

O "trabalho de escoamento" produzido por esta queda de pressão é necessário para superar a resistência por cisalhamento do fluido dentro do tubo.

EXEMPLO 10.2

Óleo combustível pesado escoa por 3 km de tubulação de ferro fundido com um diâmetro de 250 mm (Figura 10.5). Se a vazão é de 40 litros/s, determine a perda de carga no tubo. Considere $\nu_o = 0{,}120(10^{-3})$ m²/s.

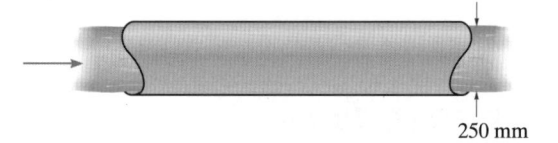

250 mm

FIGURA 10.5

Solução

Descrição do fluido

Temos escoamento em regime permanente plenamente desenvolvido, e consideraremos que o óleo é incompressível. Para classificar o escoamento, temos de verificar o número de Reynolds.

$$V = \frac{Q}{A} = \frac{(40 \text{ litros/s})(1 \text{m}^3/1000 \text{ litros})}{\pi(0{,}125 \text{ m})^2} = 0{,}8149 \text{ m/s}$$

Então

$$\text{Re} = \frac{VD}{\nu_o} = \frac{(0{,}8149 \text{ m/s})(0{,}250 \text{ m})}{0{,}120(10^{-3}) \text{ m}^2/\text{s}} = 1698 < 2300 \text{ (laminar)}$$

Análise

Em vez de usar o diagrama de Moody para obter f, para o escoamento laminar podemos obter f diretamente pela Equação 10.4.

$$f = \frac{64}{\text{Re}} = \frac{64}{1698} = 0{,}0377$$

Assim,

$$h_L = f\frac{L}{D}\frac{V^2}{2g} = (0{,}0377)\left(\frac{3000 \text{ m}}{0{,}250 \text{ m}}\right)\left(\frac{(0{,}8149 \text{ m/s})^2}{2(9{,}81 \text{ m/s}^2)}\right)$$

$$= 15{,}3 \text{ m} \qquad Resposta$$

Aqui, a perda de carga é uma consequência da viscosidade do óleo, e não depende da rugosidade da superfície do tubo.

EXEMPLO 10.3

O ventilador na Figura 10.6 é usado para forçar o ar, a uma temperatura de 60°F, a passar pelo duto metálico de chapa galvanizada com diâmetro de 8 pol. Determine a potência de saída necessária do ventilador se o comprimento do tubo é 200 pés e a vazão tiver de ser 240 pés³/min. Considere ε = 0,0005 pé.

FIGURA 10.6

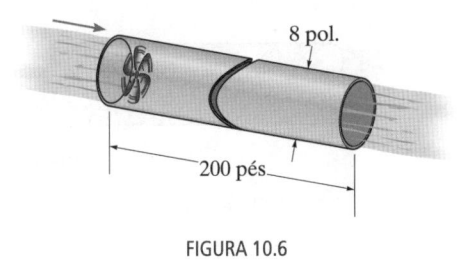

Solução

Descrição do fluido

Vamos considerar que o ar seja incompressível e o ventilador mantenha um escoamento em regime permanente plenamente desenvolvido. Pelo Apêndice A, para 60°F, o ar na pressão atmosférica, $\rho_a = 0{,}00237$ slug/pé³ e $\nu_a = 0{,}158 \, (10^{-3})$ pé²/s. O tipo de escoamento é determinado pelo número de Reynolds. Como

$$V = \frac{Q}{A} = \frac{240 \text{ pés}^3/\text{min} \, (1 \text{ min}/60 \text{ s})}{\pi(4/12 \text{ pés})^2} = 11{,}459 \text{ pés/s}$$

$$\text{Re} = \frac{VD}{\nu_a} = \frac{11{,}459 \text{ pés/s}(8/12 \text{ pés})}{0{,}158(10^{-3}) \text{ pé}^2/\text{s}} = 4{,}84(10^4) > 2300 \text{ (turbulento)}$$

Análise

Podemos determinar a "carga de eixo" do ventilador aplicando a equação da energia entre a entrada e a saída do duto, mas primeiro temos de determinar a perda de carga ao longo do duto. Aqui, $\varepsilon/D = 0{,}0005$ pé/(8/12 pés) = 0,00075. Usando esse valor e Re, o diagrama de Moody fornece $f = 0{,}0235$. Portanto, pela equação de Darcy-Weisbach, a perda de carga através do duto é

$$h_L = f \frac{L}{D} \frac{V^2}{2g} = (0{,}0235) \left[\frac{200 \text{ pés}}{(8/12) \text{ pés}}\right]\left[\frac{(11{,}459 \text{ pés/s})^2}{2(32{,}2 \text{ pés/s}^2)}\right] = 14{,}375 \text{ pés}$$

Vamos selecionar um volume de controle que inclui o ventilador, uma parte do ar parado imediatamente fora do duto, à esquerda do ventilador, e o ar que se move ao longo do duto. Então, a pressão $p_{\text{entrada}} = p_{\text{saída}} = 0$, pois ela é atmosférica, e $V_{\text{entrada}} \approx 0$, pois o ar está parado. O ventilador atua como uma bomba, e acrescentará energia ao ar. Portanto, a equação da energia torna-se

$$\frac{p_{\text{entrada}}}{\gamma} + \frac{V_{\text{entrada}}^2}{2g} + z_{\text{entrada}} + h_{\text{bomba}} = \frac{p_{\text{saída}}}{\gamma} + \frac{V_{\text{saída}}^2}{2g} + z_{\text{saída}} + h_{\text{turb}} + h_L$$

$$0 + 0 + 0 + h_{\text{vent}} = 0 + \frac{(11{,}459 \text{ pés/s})^2}{2(32{,}2 \text{ pés/s}^2)} + 0 + 0 + 14{,}375 \text{ pés}$$

$$h_{\text{vent}} = 16{,}414 \text{ pés}$$

Observe que, devido à alta velocidade, a maior parte dessa "carga de eixo" é usada para superar a resistência por cisalhamento do ar (14,375 pés) e pouco é usado (2,039 pés) para fornecer energia cinética. A potência de saída do ventilador é, portanto,

$$\dot{W}_s = \gamma_a Q h_{\text{vent}} = \left[(0{,}00237 \text{ slug/pé}^3)(32{,}2 \text{ pés/s}^2)\right](4 \text{ pés}^3/\text{s})(16{,}414 \text{ pés})$$

$$= (5{,}010 \text{ pés} \cdot \text{lb/s})(1 \text{ hp}/550 \text{ pés} \cdot \text{lb/s}) = 0{,}00911 \text{ hp} \qquad \textit{Resposta}$$

EXEMPLO 10.4

Óleo cru escoa pelo tubo de aço com diâmetro de 150 mm na Figura 10.7. Determine sua velocidade média máxima, para uma perda de carga que não seja maior que $h_L = 1{,}5$ m em 100 m de tubo. Considere $\nu_o = 40{,}0(10^{-6})$ m²/s e $\varepsilon = 0{,}045$ mm.

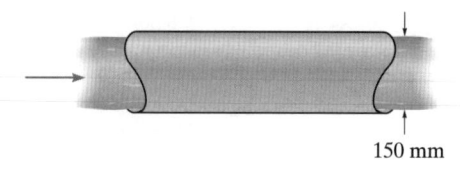

FIGURA 10.7

Solução
Descrição do fluido

Consideramos que o óleo seja incompressível e tenha um escoamento em regime permanente totalmente desenvolvido.

Análise

Como a perda de carga é dada, ela pode ser relacionada à velocidade usando a equação de Darcy-Weisbach,

$$h_L = f \frac{L}{D} \frac{V^2}{2g}; \quad 1{,}5 \text{ m} = f \left(\frac{100 \text{ m}}{0{,}15 \text{ m}} \right) \left(\frac{V^2}{2(9{,}81 \text{ m/s}^2)} \right)$$

portanto,

$$V = \sqrt{\frac{0{,}044145}{f}} \tag{1}$$

Para obter o fator de atrito, usaremos o diagrama de Moody. Para fazer isso, precisamos calcular o número de Reynolds. Ele pode ser expresso em termos da velocidade por meio de

$$\text{Re} = \frac{VD}{\nu_o} = \frac{V(0{,}15 \text{ m})}{40{,}0(10^{-6}) \text{ m}^2/\text{s}} = 3750V \tag{2}$$

Se *assumirmos* que Re é muito grande, em torno de 10^7, então, pelo diagrama de Moody, interpolando para $\varepsilon/D = 0{,}045$ mm/150 mm $= 0{,}0003$, uma *estimativa* para f seria $f = 0{,}015$. Assim, pela Equação 1,

$$V = \sqrt{\frac{0{,}044145}{0{,}015}} = 1{,}72 \text{ m/s}$$

E, pela Equação 2, isso produz um número de Reynolds igual a

$$\text{Re} = 3750(1{,}72 \text{ m/s}) = 6{,}43(10^3)$$

Com esse valor, o diagrama de Moody oferece um novo valor de $f = 0{,}034$. Com isso, usando as equações 1 e 2, $V = 1{,}14$ m/s e Re $= 4{,}27(10^3)$. Usando esse valor de Re, pelo diagrama de Moody, $f = 0{,}038$, que é próximo do valor anterior de 0,034 ($\leq 10\%$ de diferença normalmente é adequado). Assim, a Equação 1 resulta em

$$V = 1{,}08 \text{ m/s} \qquad \qquad \textit{Resposta}$$

Observe que também podemos resolver esse problema expressando Re em termos de f usando as equações 1 e 2, substituindo esse resultado na Equação 10.6 ou 10.7, e depois calculando f por meio de um método numérico em uma calculadora.

EXEMPLO 10.5

O tubo de ferro fundido na Figura 10.8 é usado para transportar água a 10 pés³/s. Se a perda de carga não puder ser maior que 0,006 pé para cada 1 pé de comprimento do tubo, determine o menor diâmetro D do tubo que poderá ser usado. Considere $\nu_{\text{água}} = 12{,}5\,(10^{-6})$ pés²/s.

FIGURA 10.8

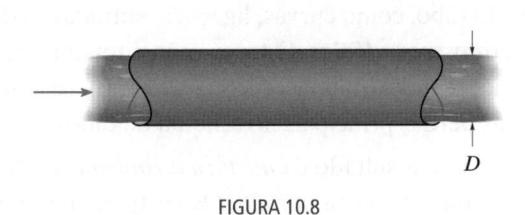

(© Prisma/Heeb Christian/Alamy)

Solução

Descrição do fluido

Consideramos que a água seja incompressível e que temos um escoamento em regime permanente plenamente desenvolvido.

Análise

Neste problema, tanto o fator de atrito f quanto o diâmetro D do tubo são desconhecidos. Porém, como a perda de carga é conhecida, podemos relacionar f e D usando a equação de Darcy-Weisbach.

$$h_L = f \frac{L}{D} \frac{V^2}{2g}$$

$$0{,}006\text{ pé} = f \left(\frac{1\text{ pé}}{D} \right) \frac{\left(\dfrac{10\text{ pés}^3/\text{s}}{(\pi/4)D^2} \right)^2}{2(32{,}2\text{ pés/s}^2)}$$

$$D^5 = 419{,}55 f \quad (1)$$

O número de Reynolds também pode ser expresso em termos do diâmetro do tubo como

$$\text{Re} = \frac{VD}{\nu_{\text{água}}} = \frac{\left(\dfrac{10\text{ pés}^3/\text{s}}{(\pi/4)D^2} \right) D}{12{,}5(10^{-6})\text{ pés}^2/\text{s}}$$

$$\text{Re} = \frac{1{,}0186(10^6)}{D} \quad (2)$$

O diagrama de Moody relaciona Re a f, mas não conhecemos esses valores, portanto, devemos usar uma abordagem de tentativa e erro. Começamos considerando um valor para f. Normalmente, escolhemos um valor intermediário de, digamos, $f = 0{,}025$. Depois, pelas equações 1 e 2, $D = 1{,}60$ pé e Re $= 6{,}37(10^5)$. Como $\varepsilon = 0{,}00085$ pé para tubos de ferro fundido, então $\varepsilon/D = 0{,}000531$. Usando esses valores de ε/D e Re, obtemos $f \approx 0{,}0175$ pelo diagrama de Moody. Substituindo esse valor nas equações 1 e 2, obtemos $D = 1{,}49$ pé e Re $= 6{,}84(10^5)$. Agora, $\varepsilon/D = 0{,}00057$, e nesse caso o diagrama de Moody indica $f \approx 0{,}0178$, que é próximo do valor anterior. Portanto,

$$D = 1{,}49\text{ pé}(12\text{ pol.}) = 17{,}9\text{ pol.} \qquad \textit{Resposta}$$

Aqui, devemos selecionar um tubo com diâmetro de 18 pol., pois esse é o tamanho em que é fabricado. Além disso, como observamos pela equação de Darcy-Weisbach, esse *tamanho maior de D* produzirá uma ligeira redução na perda de carga calculada.

10.2 Perdas decorrentes de conexões e transições no tubo

Nas seções anteriores, mostramos como ocorre uma perda de carga principal ao longo da extensão de um tubo, devido aos efeitos cisalhantes do escoamento plenamente desenvolvido. Além disso, perdas de carga também ocorrem em conexões do tubo, como curvas, ligações, entradas e transições. Estas são chamadas **perdas secundárias**. O termo não é totalmente correto, pois, para muitas aplicações industriais e comerciais, essas perdas geralmente são *maiores* do que as perdas principais no sistema de tubos.

Perdas secundárias são o resultado da *mistura turbulenta* do fluido dentro da conexão à medida que ele passa por ela. Os vórtices ou redemoinhos produzidos são transportados a jusante, onde se dissipam e geram calor, antes que o escoamento laminar ou turbulento plenamente desenvolvido seja restaurado. Embora uma perda secundária não esteja necessariamente localizada dentro da conexão, vamos considerar que esteja e expressaremos essa perda em termos da carga de velocidade, como fizemos no caso de uma perda principal. Aqui, vamos formulá-la como

$$\boxed{h_L = K_L \frac{V^2}{2g}} \tag{10.8}$$

Aqui, K_L é chamada de **coeficiente de resistência** ou **coeficiente de perda**, que é determinado através de experimento.[*] Manuais com dados de projeto geralmente fornecem esses dados; porém, deve-se ter cuidado ao selecionar um coeficiente de perda, pois os valores relatados podem variar para determinada conexão fabricada por fontes diferentes. Veja as referências [13] e [19]. Geralmente, as recomendações do fabricante deverão ser consideradas. O que vemos a seguir é uma lista parcial de valores para K_L para alguns tipos de conexões encontradas na prática. Usaremos esses valores para a solução de problemas.

Perdas de carga por cisalhamento devidas a válvulas, cotovelos, tês e outras conexões precisam ser consideradas quando se escolhe uma bomba a ser usada com esse sistema de tubos. (© Aleksey Stemmer/Fotolia)

---

[*] **Coeficientes de vazão** às vezes são usados no setor de válvulas para relatar as perdas secundárias. Isso acontece particularmente para válvulas de controle. Esse fator é semelhante ao coeficiente de resistência, e pode ser relacionado a ele pela equação de Darcy-Weisbach. Outros detalhes são dados na Referência [19]. Mais adiante neste capítulo, discutiremos como os **coeficientes de descarga** são usados para representar perdas incorridas em diversos tipos de bocais e medidores de escoamento.

Transições de entrada e saída

Quando o fluido entra em um tubo a partir de um reservatório, ele causa uma perda secundária, que depende do tipo de transição que é usada. Transições bem arredondadas, como na Figura 10.9a, causarão a menor perda, pois elas permitem uma variação gradual no escoamento. O valor de K_L depende do raio r da transição; porém, como notamos na figura, se $r/D \geq 0{,}15$ então $K_L = 0{,}04$ pode ser usado. As transições de entrada que produzem maiores perdas podem ter uma entrada com quinas vivas, $K_L = 0{,}5$ (Figura 10.9b) ou um tubo reentrante, $K_L = 1{,}0$ (Figura 10.9c). Essas situações podem fazer com que o fluido se separe da parede do tubo e forme uma **vena contracta**, ou "afunilamento" perto da entrada, pois as linhas de corrente do fluido não podem fazer uma curva de 90° em torno do canto vivo. Isso restringe o escoamento e causa um aumento na velocidade perto da entrada. Isso, por sua vez, reduz a pressão e cria separação do escoamento, produzindo vórtices localizados nesses locais.

Na extremidade de descarga de um tubo para um reservatório grande, o coeficiente de perda é $K_L = 1{,}0$, não importando a forma da transição (Figura 10.9d). Aqui, a energia cinética do fluido é convertida em energia térmica enquanto o fluido sai do tubo e, por fim, chega ao repouso dentro do reservatório.

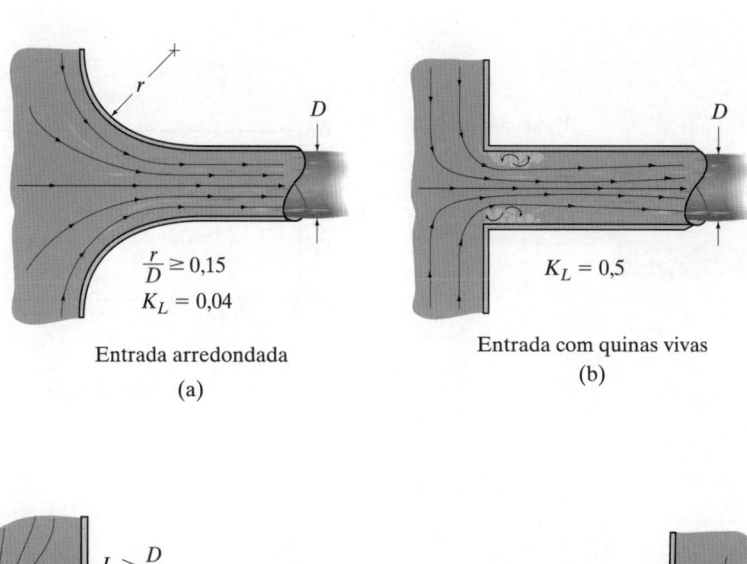

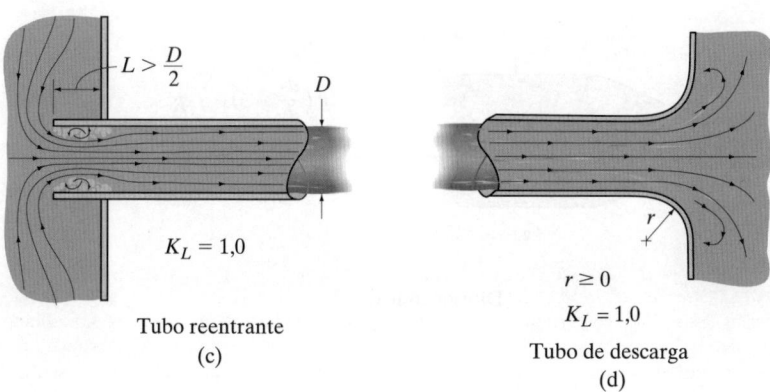

FIGURA 10.9

Expansão e contração

Uma expansão ou contração abrupta, de um diâmetro do tubo para outro, causarão uma perda secundária que depende das razões dos diâmetros das seções transversais (Figura 10.10*a*). Para uma *expansão abrupta*, a equação para K_L foi determinada a partir das equações da continuidade, energia e quantidade de movimento linear. Aqui, a estagnação que ocorre nos cantos *A* e *B* do tubo maior contribui muito pouco para a perda. Quando a ligação é uma *contração abrupta*, uma *vena contracta* se formará dentro do tubo com diâmetro menor, conforme mostra a figura. Como essa formação depende das razões entre os diâmetros, o coeficiente de perda precisa ser determinado experimentalmente, portanto, os resultados são indicados no gráfico da Figura 10.10*a*. Veja a Referência [3].

Se a mudança no escoamento for gradual, como no caso de um difusor cônico (Figura 10.10*b*) então, para ângulos um tanto pequenos, $\theta < 8°$, as perdas podem ser significativamente reduzidas. Valores maiores que θ produzirão não apenas perdas por cisalhamento nas paredes, mas também separação de escoamento e a formação de vórtices. Para esse caso, os valores de K_L podem ser maiores do que aqueles para uma expansão abrupta (veja a Referência [17]). Alguns valores típicos de K_L para essas ligações são dados na Figura 10.10*b*. Todos esses coeficientes se aplicam à carga de velocidade ($V^2/2g$) calculada para o tubo com o *menor* diâmetro.

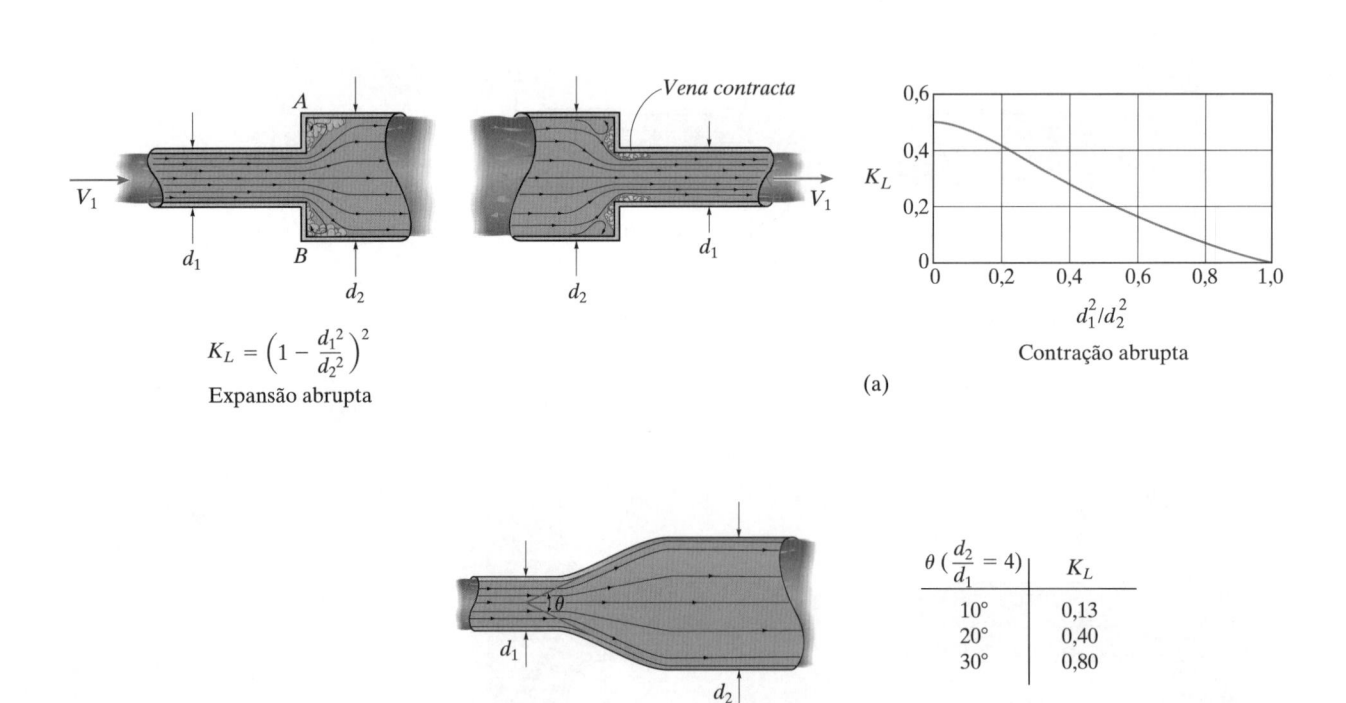

$$K_L = \left(1 - \frac{d_1^2}{d_2^2}\right)^2$$
Expansão abrupta

Contração abrupta

(a)

$\theta \left(\frac{d_2}{d_1} = 4\right)$	K_L
10°	0,13
20°	0,40
30°	0,80

Difusor cônico

(b)

FIGURA 10.10

Curvas

Mudanças na direção do escoamento podem causar separação do fluido a partir da parede interna do tubo devido às acelerações normais ou radiais ao longo das linhas de corrente (Figura 10.11a). A perda criada pode ser aumentada quando ocorre um ***escoamento secundário*** dentro da curva. Ele é produzido pela variação de pressão radial e resistência por cisalhamento, ambos dentro do fluido e ao longo da parede do tubo. O resultado é a formação de vórtices gêmeos com movimento angular contrarrotativo através da curva. Para evitar esses efeitos, pode-se usar uma curva com raio maior ou menor curvatura, ou então podem ser colocadas palhetas guias em curvas fechadas de tubos maiores, a fim de reduzir a perda de carga (Figura 10.11b).

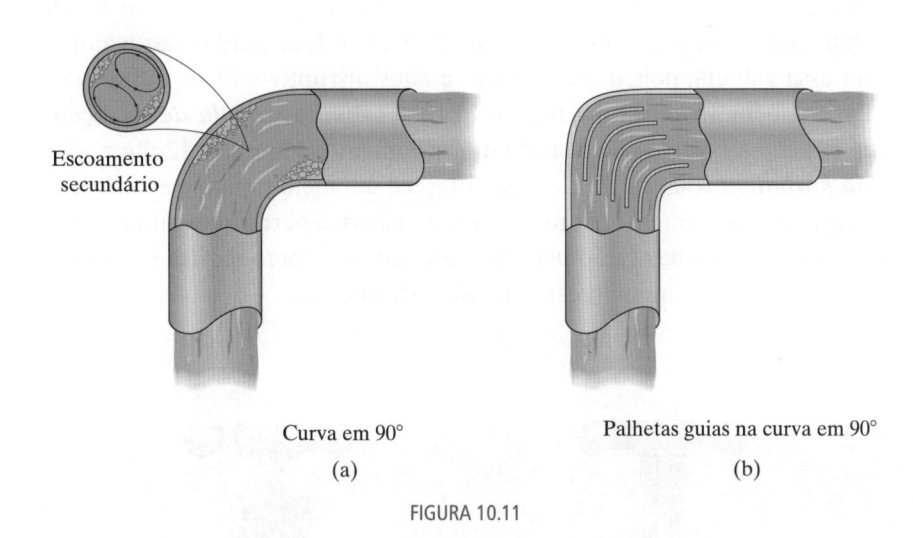

Curva em 90°
(a)

Palhetas guias na curva em 90°
(b)

FIGURA 10.11

Ligações em série

Uma lista representativa dos coeficientes de perda para algumas ligações de tubo em série, como válvulas, cotovelos, curvas e tês, pode ser vista na Tabela 10.1.

Mesmo para sistemas de tubos com grande diâmetro, como este, deve-se avaliar a perda de carga de filtros, cotovelos e tês.

TABELA 10.1

Coeficientes de perda para ligações de tubo	K_L
Válvula gaveta (totalmente aberta)	0,19
Válvula globo (totalmente aberta)	10
Cotovelo em 90°	0,90
Curva em 45°	0,40
Tê ao longo do tubo	0,40
Tê ao longo do ramal	1,8

Válvulas

Existem muitos tipos de válvulas usadas para controlar o escoamento de fluidos para aplicações industriais e comerciais. Em particular, a **válvula gaveta** funciona bloqueando o escoamento com uma "gaveta" ou placa que é perpendicular ao escoamento, como mostra a Figura 10.12a. As válvulas gaveta são usadas principalmente para permitir ou impedir o escoamento de líquidos e, como resultado, elas ficam totalmente abertas ou fechadas. Na posição aberta, elas permitem pouca ou nenhuma obstrução ao escoamento, e por isso possuem uma resistência muito baixa. A **válvula globo**, mostrada na Figura 10.12b, tem a finalidade de regular o escoamento. Ela consiste em um disco tampão que sobe e desce sobre o assento de vedação fixo (anel). O nome "globo" refere-se à forma esférica da blindagem externa, embora os projetos modernos geralmente não sejam totalmente esféricos. Como vemos na Tabela 10.1, as perdas são maiores para essa válvula, pois o escoamento é mais disruptivo. Duas outras válvulas também aparecem na Figura 10.12, a saber, a **válvula de retenção**, que impede a inversão do sentido do escoamento (Figura 10.12c) e a **válvula borboleta** (Figura 10.12d), que oferece um meio rápido e econômico de regular o escoamento. Para todos esses casos, a perda aumenta bastante quando as válvulas estão parcialmente abertas, como mostra cada figura, ao contrário de quando estão totalmente abertas.

Válvula borboleta típica

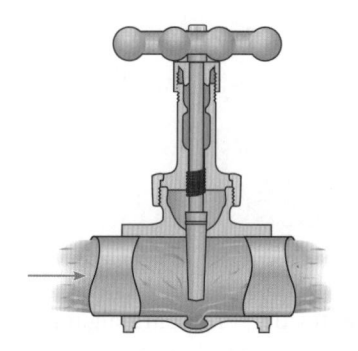

Válvula gaveta parcialmente aberta
(a)

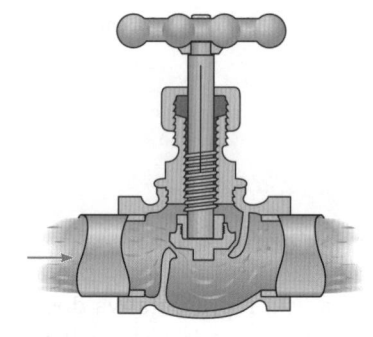

Válvula globo parcialmente aberta
(b)

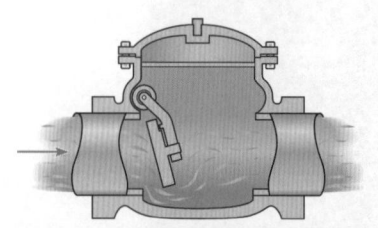

Válvula de retenção parcialmente aberta
(c)

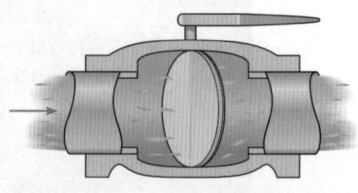

Válvula borboleta parcialmente aberta
(d)

FIGURA 10.12

Conexões de tubos

Também se deve considerar a possibilidade de perdas de carga nas conexões entre tubos. Por exemplo, tubos de pequeno diâmetro geralmente são encaixados, de modo que, se restarem rebarbas nas seções cortadas, então elas podem perturbar o escoamento e causar mais perdas através da conexão. De modo semelhante, tubos com diâmetro maior são soldados, flangeados ou colados, e essas juntas também podem produzir mais perda de carga, a menos que sejam devidamente fabricadas e conectadas.

Para qualquer análise de escoamento, todas as perdas secundárias devem ser cuidadosamente levadas em consideração, de modo a conseguir uma precisão suficiente na previsão da perda de carga total. Isso é verdade particularmente se um sistema de tubos for composto de muitas extensões curtas e tiver diversas conexões e transições.

Comprimento equivalente

Outra forma de descrever a resistência hidráulica de válvulas e conexões é usar uma **razão de comprimento equivalente**, L_{eq}/D. Isso requer a conversão da perda por cisalhamento dentro de uma conexão ou válvula em um comprimento equivalente do tubo, L_{eq}, que produziria a mesma perda devida ao seu coeficiente de perda K_L. Como a perda de carga através de um tubo reto é determinada pela equação de Darcy-Weisbach, $h_L = f(L_{eq}/D)V^2/2g$, e a perda de carga através de uma válvula ou conexão é expressa como $h_L = K_L V^2/2g$, então, por comparação

$$K_L = f\left(\frac{L_{eq}}{D}\right)$$

Portanto, o comprimento equivalente do tubo que produz a perda é

$$L_{eq} = \frac{K_L D}{f} \qquad (10.9)$$

A perda de carga ou queda de pressão total para o sistema é calculada então a partir do comprimento total do tubo mais os comprimentos equivalentes determinados para cada conexão.

Pontos importantes

- A perda por cisalhamento em um tubo reto é expressa como uma perda de carga "principal", que é determinada pela equação de Darcy-Weisbach, $h_L = f(L/D)V^2/2g$.
- Perdas de carga "secundárias" ocorrem em ligações de tubo, entradas, transições e conexões diversas. Elas são expressas como $h_L = K_L(V^2/2g)$, onde o coeficiente de perda K_L é determinado por dados tabelados obtidos através de experimentos e publicados em manuais de projeto ou catálogos de fabricantes.
- Perdas de carga principais e secundárias são responsáveis por uma queda de pressão ao longo do tubo.

10.3 Escoamento em uma tubulação

Muitas tubulações consistem em um tubo de único diâmetro com curvas, válvulas, filtros e transições, como na Figura 10.13. Esses sistemas são frequentemente utilizados para transportar água para uso industrial e residencial, e também para energia hidrelétrica. Eles também podem ser usados para transportar petróleo ou lubrificantes através de equipamentos mecânicos. O procedimento a seguir pode ser usado para se projetar corretamente um sistema desse tipo.

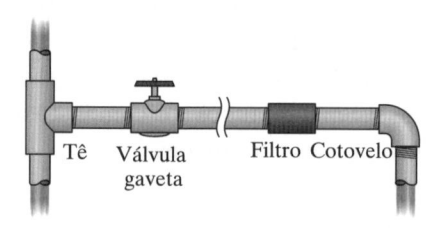

FIGURA 10.13

Procedimento para análise

Problemas que envolvem escoamento por *uma tubulação* precisam satisfazer a *equação da energia e a equação da continuidade*, considerando todas as perdas de carga principais e secundárias através do sistema. Para o escoamento incompressível e em regime permanente, essas duas equações, em referência aos pontos onde o escoamento realiza "entrada" e "saída", são

$$\frac{p_{entrada}}{\gamma} + \frac{V_{entrada}^2}{2g} + z_{entrada} + h_{bomba} = \frac{p_{saída}}{\gamma} + \frac{V_{saída}^2}{2g} + z_{saída} + h_{turb} + f\frac{L}{D}\frac{V^2}{2g} + \Sigma K_L\left(\frac{V^2}{2g}\right)$$

e

$$Q = V_{entrada}A_{entrada} = V_{saída}A_{saída}$$

Dependendo do que se conhece e desconhece, isso resulta em três tipos básicos de problemas.

Determinação da queda de pressão

- A queda de pressão para um tubo contendo comprimento, diâmetro, elevação, rugosidade e descarga conhecidos pode ser determinada diretamente por meio da equação da energia.

Determinação da vazão

- Quando comprimento, diâmetro, rugosidade, elevação e queda de pressão são todos conhecidos, então a solução por tentativa e erro é necessária para determinar a vazão (ou velocidade média V), pois o número de Reynolds, $Re = VD/\nu$, não é conhecido, e, portanto, o fator de atrito não pode ser determinado diretamente pelo diagrama de Moody.

Determinação do comprimento ou diâmetro do tubo

- Um projeto de um tubo geralmente requer a especificação do comprimento do tubo e seu diâmetro. Qualquer um desses parâmetros pode ser encontrado se o outro for conhecido, juntamente com a vazão (ou velocidade média) e queda de pressão ou perda de carga permitida. Com o diagrama de Moody, a solução requer um procedimento de tentativa e erro porque, como no caso anterior, precisam ser obtidos o número de Reynolds e o fator de atrito.

Os exemplos a seguir ilustram a aplicação de cada um desses tipos de problemas.

EXEMPLO 10.6

Quando a válvula globo em B na Figura 10.14 está totalmente aberta, observa-se que a água escoa pelo tubo de ferro fundido com diâmetro de 65 mm a uma velocidade média de 2 m/s. Determine a pressão no tubo em A. Considere $\rho_{\text{água}} = 998$ kg/m³ e $\nu_{\text{água}} = 0{,}8\,(10^{-6})$ m²/s.

Solução

Descrição do fluido

Consideramos o escoamento incompressível, em regime permanente e usamos velocidades médias.

Análise

A queda de pressão pode ser determinada pela equação da energia, mas primeiro temos de determinar as perdas de carga principal e secundária.

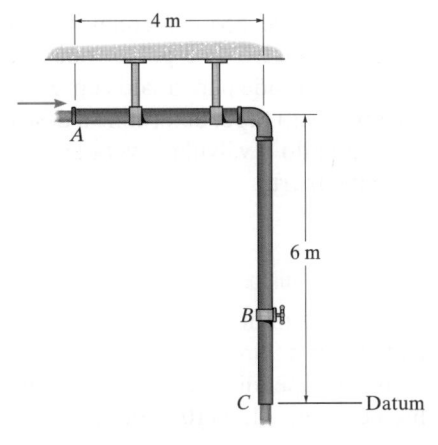

FIGURA 10.14

Para a perda de carga principal, o fator de atrito é determinado pelo diagrama de Moody. Para o tubo de ferro fundido, $\varepsilon/D = 0{,}26$ mm/65 mm $= 0{,}004$. Além disso,

$$\text{Re} = \frac{VD}{\nu_{\text{água}}} = \frac{(2\text{ m/s})(0{,}065\text{ m})}{0{,}8(10^{-6})\text{ m}^2/\text{s}} = 1{,}625(10^5)$$

Assim, $f = 0{,}0290$.

A perda de carga secundária para o cotovelo é $0{,}9(V^2/2g)$, e para a válvula globo totalmente aberta, ela é $10(V^2/2g)$. Assim, a perda de carga total é

$$h_L = f\frac{L}{D}\frac{V^2}{2g} + 0{,}9\left(\frac{V^2}{2g}\right) + 10\left(\frac{V^2}{2g}\right)$$

$$= 0{,}0290\left(\frac{10\text{ m}}{0{,}065\text{ m}}\right)\left[\frac{(2\text{ m/s})^2}{2(9{,}81\text{ m/s}^2)}\right] + (0{,}9 + 10)\left[\frac{(2\text{ m/s})^2}{2(9{,}81\text{ m/s}^2)}\right]$$

$$= 0{,}9096\text{ m} + 2{,}222\text{ m} = 3{,}132\text{ m}$$

Comparando os dois termos, observe que as perdas secundárias oferecem a *maior* contribuição (2,222 m) para a perda total, embora essa perda seja chamada de "secundária".

Vamos considerar que o volume de controle contenha a água no tubo de A para C. Como o tubo tem o mesmo diâmetro em toda a extensão, a continuidade requer que $V_A A = V_C A$ ou $V_A = V_C = 2$ m/s. Com o datum gravitacional atravessando C, a equação da energia torna-se

$$\frac{p_A}{\gamma_{\text{água}}} + \frac{V_A^2}{2g} + z_A + h_{\text{bomba}} = \frac{p_C}{\gamma_{\text{água}}} + \frac{V_C^2}{2g} + z_C + h_{\text{turb}} + h_L$$

$$\frac{p_A}{(998\text{ kg/m}^3)(9{,}81\text{ m/s}^2)} + \frac{(2\text{ m/s})^2}{2(9{,}81\text{ m/s}^2)} + 6\text{m} + 0 = 0 + \frac{(2\text{ m/s})^2}{2(9{,}81\text{ m/s}^2)} + 0 + 0 + 3{,}132\text{ m}$$

A solução resulta em

$$p_A = -28{,}08(10^3)\text{ Pa} = -28{,}1\text{ kPa} \qquad\qquad \textit{Resposta}$$

O resultado indica que ocorre uma sucção no tubo, mas essa pressão não causará cavitação, pois é maior do que a pressão de vapor.

EXEMPLO 10.7

O tubo de aço comercial na Figura 10.15 tem um diâmetro de 3 pol. e transfere glicerina do tanque grande para a saída em B. Se o tanque está aberto no topo, determine a descarga inicial em B quando a válvula gaveta em C estiver totalmente aberta.

Solução

Descrição do fluido

Consideramos o escoamento incompressível e em regime permanente com $V_A \approx 0$. Usando o Apêndice A, para a glicerina, $\rho_g = 2,44$ slug/pés^3 e $\nu_g = 12,8(10^{-3})$ pés^2/s.

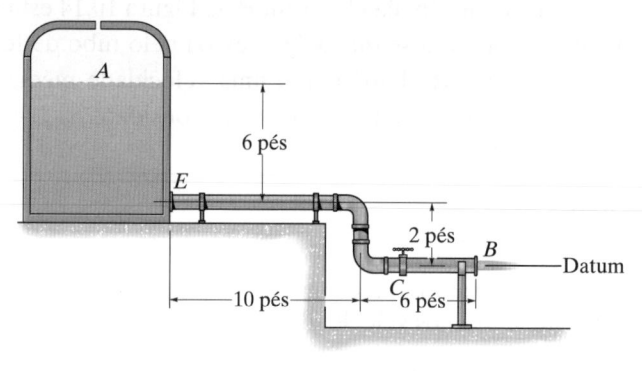

FIGURA 10.15

Análise

O volume de controle contém a glicerina no reservatório e no tubo. A equação da energia será aplicada entre A e B, com o datum gravitacional em B. A perda de carga principal no tubo é determinada pela equação de Darcy-Weisbach. As perdas de carga secundárias são calculadas para a entrada com cantos vivos em E, $0,5(V^2/2g)$, os dois cotovelos, $2[0,9(V^2/2g)]$ e a válvula gaveta totalmente aberta em C, $0,19(V^2/2g)$. Temos então

$$\frac{p_A}{\gamma} + \frac{V_A^2}{2g} + z_A + h_{bomba} = \frac{p_B}{\gamma} + \frac{V_B^2}{2g} + z_B + h_{turb} + h_L$$

$$0 + 0 + 8\,\text{pés} + 0 = 0 + \frac{V^2}{2g} + 0 + 0 + f\left(\frac{10\,\text{pés} + 2\,\text{pés} + 6\,\text{pés}}{\frac{3}{12}\,\text{pés}}\right)\left(\frac{V^2}{2g}\right)$$

$$+ 0,5\left(\frac{V^2}{2g}\right) + 2\left[0,9\left(\frac{V^2}{2g}\right)\right] + 0,19\left(\frac{V^2}{2g}\right)$$

$$8 = (72f + 3,49)\left(\frac{V^2}{2(32,2\,\text{pés/s}^2)}\right) \quad (1)$$

Uma segunda relação entre f e V pode ser obtida usando o diagrama de Moody e um procedimento de tentativa e erro. Para fazer isso, assumimos um valor de f ou V e depois encontramos o outro usando a Equação 1. Depois, calculamos o número de Reynolds e verificamos o valor de f usando o diagrama de Moody.

Porém, em vez de fazer isso, vamos considerar que o escoamento seja laminar, pois a glicerina possui uma alta viscosidade cinemática. Então, a Equação 10.4 pode ser usada para relacionar f a V.

$$f = \frac{64}{\text{Re}} = \frac{64\nu_g}{VD} = \frac{64[12,8(10^{-3})\,\text{pés}^2/\text{s}]}{V\left(\frac{3}{12}\,\text{pés}\right)} = \frac{3,2768}{V}$$

Substituindo essa relação na Equação 1,

$$8 = \left[72\left(\frac{3,2768}{V}\right) + 3,49\right]\left[\frac{V^2}{2(32,2\,\text{pés/s}^2)}\right]$$

ou

$$3,49V^2 + 235,93V - 515,2 = 0$$

Resolvendo a raiz positiva, obtemos

$$V = 2{,}117 \text{ pés/s}$$

Verificando o número de Reynolds, descobrimos que

$$\text{Re} = \frac{VD}{\nu_g} = \frac{2{,}117 \text{ pés/s}\left(\frac{3}{12}\text{ pés}\right)}{12{,}8(10^{-3})\text{ pés}^2/\text{s}} = 41{,}4 < 2300 \quad \text{(escoamento laminar)}$$

Assim,

$$Q = VA = (2{,}117 \text{ pés/s})\left[\pi\left(\frac{1{,}5}{12}\text{ pé}\right)^2\right] = 0{,}104 \text{ pé}^3/\text{s}$$

Resposta

EXEMPLO 10.8

Determine o diâmetro necessário do tubo de ferro galvanizado na Figura 10.16 se a descarga em C tiver de ser 0,475 m³/s quando a válvula gaveta em A estiver totalmente aberta. O reservatório está cheio de água até a profundidade mostrada. Considere $\nu_{\text{água}} = 1\,(10^{-6})$ m²/s.

FIGURA 10.16

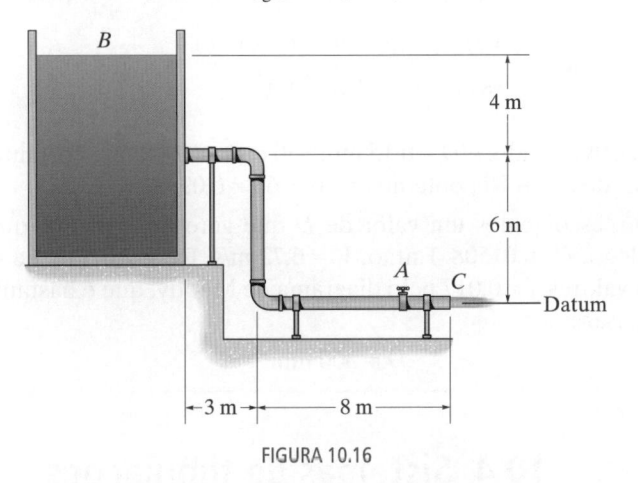

Solução

Descrição do fluido

Vamos supor que o reservatório seja grande, de modo que $V_B \approx 0$, e, portanto, o escoamento será em regime permanente. Além disso, a água é considerada incompressível.

Análise

A continuidade requer que a velocidade pelo tubo seja a mesma em todos os pontos, pois o tubo tem o mesmo diâmetro em toda a extensão. Portanto,

$$Q = VA; \qquad 0{,}475 \text{ m}^3/\text{s} = V\left(\frac{\pi}{4}D^2\right)$$

$$V = \frac{0{,}6048}{D^2} \qquad (1)$$

Para obter uma segunda equação relacionando V e D, a equação da energia será aplicada entre B e C, com o datum gravitacional passando por C (Figura 10.16). O volume de controle para este caso contém a água no reservatório e no tubo.

A perda principal é determinada pela equação de Darcy-Weisbach. As perdas secundárias através do tubo vêm da entrada com cantos vivos, $0{,}5(V^2/2g)$, dos dois cotovelos, $2[0{,}9(V^2/2g)]$ e da válvula gaveta totalmente aberta, $0{,}19(V^2/2g)$. Assim,

$$\frac{p_B}{\gamma_{\text{água}}} + \frac{V_B^2}{2g} + z_B + h_{\text{bomba}} = \frac{p_C}{\gamma_{\text{água}}} + \frac{V_C^2}{2g} + z_C + h_{\text{turb}} + h_L$$

$$0 + 0 + (4\,\text{m} + 6\,\text{m}) + 0 = 0 + \frac{V^2}{2g} + 0 + 0 +$$

$$\left[f\left(\frac{17\,\text{m}}{D}\right)\left(\frac{V^2}{2g}\right) + 0{,}5\left(\frac{V^2}{2g}\right) + 2\left[0{,}9\left(\frac{V^2}{2g}\right)\right] + 0{,}19\left(\frac{V^2}{2g}\right) \right]$$

ou

$$10 = \left[f\left(\frac{17}{D}\right) + 3{,}49 \right]\left[\frac{V^2}{2(9{,}81\,\text{m/s}^2)}\right] \qquad (2)$$

Combinando as equações 1 e 2 eliminando V, obtemos

$$536{,}40 D^5 - 3{,}49 D - 17 f = 0 \qquad (3)$$

Para evitar assumir um valor de f e depois resolver essa equação de quinta ordem para D, é mais fácil considerar um valor de D, calcular f e depois verificar esse resultado usando o diagrama de Moody. Por exemplo, se considerarmos $D = 0{,}350$ m, então, pela Equação 3, $f = 0{,}0939$. Pela Equação 1, $V = 4{,}937$ m/s, portanto

$$\text{Re} = \frac{VD}{\nu_{\text{água}}} = \frac{4{,}937\,\text{m/s}\,(0{,}350\,\text{m})}{1(10^{-6})\text{m}^2/\text{s}} = 1{,}73(10^6)$$

Para o tubo de ferro galvanizado, $\varepsilon/D = 0{,}15\,\text{mm}/350\,\text{mm} = 0{,}000429$. Portanto, a partir do diagrama de Moody, com esses valores de ε/D e Re, obtemos $f = 0{,}0165 \neq 0{,}0939$.

Na próxima iteração, escolhemos um valor de D que gere um f menor que $f = 0{,}0939$ na Equação 3. Digamos, $D = 0{,}3$ m, logo, $f = 0{,}01508$. Então, $V = 6{,}72$ m/s, $\text{Re} = 2{,}02(10^6)$ e $\varepsilon/D = 0{,}15\,\text{mm}/300\,\text{mm} = 0{,}0005$. Com esses novos valores, $f = 0{,}017$ pelo diagrama de Moody, que é bastante próximo do valor anterior (0,01508). Portanto, usaremos

$$D = 300\,\text{mm} \qquad \textit{Resposta}$$

10.4 Sistemas de tubulações

Se vários tubos, com diferentes diâmetros e comprimentos, estão conectados, eles formam um *sistema de tubulações*. Em particular, se os tubos são conectados sucessivamente, como mostra a Figura 10.17a, o sistema é em **série**, enquanto se os tubos fizerem com que o escoamento seja dividido em ramais diferentes (Figura 10.17b), o sistema está em **paralelo**. Agora, daremos um tratamento separado a cada um desses casos.

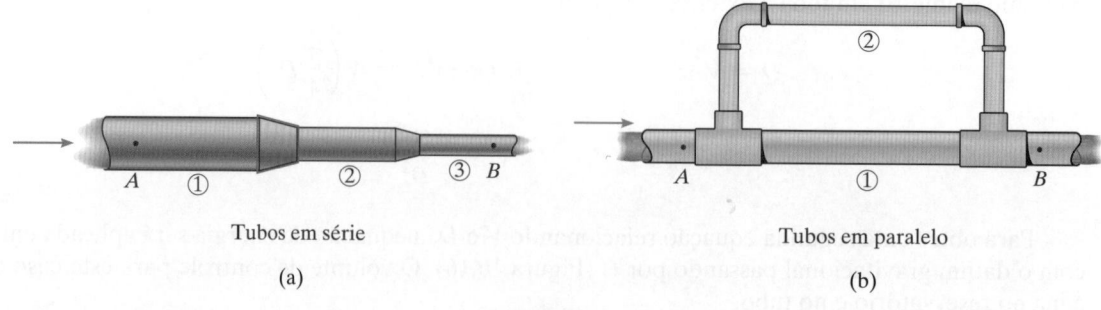

Tubos em série
(a)

Tubos em paralelo
(b)

FIGURA 10.17

Tubos em série

A análise de um sistema de tubulações em série é semelhante àquela usada para analisar um tubo único. Neste caso, porém, para satisfazer a continuidade, a vazão por cada tubo precisa ser a mesma, de modo que, para o sistema inteiro de três tubos na Figura 10.17a, é preciso que

$$Q = Q_1 = Q_2 = Q_3$$

Além disso, a perda de carga total para o sistema é igual à soma da perda de carga principal ao longo de cada extensão do tubo, mais todas as perdas de carga secundárias para o sistema. Portanto, a equação da energia entre A (entrada) e B (saída) torna-se

$$\frac{p_A}{\gamma} + \frac{V_A^2}{2g} + z_A = \frac{p_B}{\gamma} + \frac{V_B^2}{2g} + z_B + h_L$$

onde

$$h_L = h_{L1} + h_{L2} + h_{L2} + h_{sec}$$

Em comparação com ter um tubo único, como na seção anterior, o problema aqui é mais complexo, pois o fator de atrito e o número de Reynolds serão diferentes para cada tubo.

Tubos em paralelo

Embora seja possível que o sistema em paralelo tenha vários ramais, vamos considerar aqui um sistema com apenas dois, como mostra a Figura 10.17b. Se o problema requer achar a queda de pressão entre A e B e a vazão em cada um dos tubos, então, para a continuidade do escoamento, é preciso que

$$Q_A = Q_B = Q_1 + Q_2$$

Se a equação da energia for aplicada entre A (entrada) e B (saída), então

$$\frac{p_A}{\gamma} + \frac{V_A^2}{2g} + z_A = \frac{p_B}{\gamma} + \frac{V_B^2}{2g} + z_B + h_L$$

Sistema de tubos usado em uma fábrica de processamento químico.

Como o fluido sempre tomará o caminho de menor resistência, a vazão por cada ramal de tubo se ajustará automaticamente, para manter a *mesma perda de carga* ou resistência ao escoamento em cada ramal. Portanto, para cada extensão, é preciso que $h_{L1} = h_{L2}$. Usando isto, a análise de um sistema com dois ramais é simples e baseada nas duas equações anteriores.

Naturalmente, se um sistema em paralelo tiver mais de dois ramais, então a análise se torna mais difícil. Por exemplo, considere o caso de uma rede de tubos mostrada na Figura 10.18. Esse sistema forma circuitos (*loops*) e é representativo do tipo usado para grandes prédios, processos industriais ou sistemas municipais de abastecimento de água. Devido à sua complexidade, a direção do escoamento e sua vazão dentro de cada circuito podem não ser certas, portanto, uma análise de tentativa e erro será necessária para a solução. O método mais eficiente para fazer isso é baseado na álgebra matricial, usando um computador. Esse método é bastante utilizado para aplicações industriais e comerciais. Os detalhes de sua aplicação não serão tratados aqui; em vez disso, a discussão se encontra em artigos ou livros relacionados à análise do escoamento em redes de tubulações. Veja, por exemplo, a Referência [14].

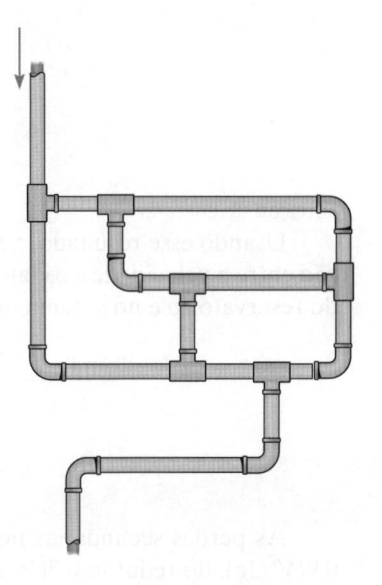

Rede de tubos

FIGURA 10.18

476 MECÂNICA DOS FLUIDOS

> **Procedimento para análise**
>
> - A solução dos problemas envolvendo sistemas de tubulações em série ou em paralelo segue o mesmo procedimento esboçado na seção anterior. Em geral, o escoamento precisa satisfazer a equação da continuidade e a equação da energia, e a ordem em que essas equações são aplicadas depende do tipo de problema que deve ser resolvido.
> - Para tubos em *série*, a vazão por cada tubo deverá ser a *mesma*, e a *perda de carga* é a *total* para todos os tubos. Para tubos em *paralelo*, a *vazão total* é a soma das vazões por cada ramal no sistema. Além disso, como o escoamento segue o caminho de menor resistência, a *perda de carga* para cada ramal será a *mesma*.

EXEMPLO 10.9

Os tubos BC e CE na Figura 10.19 são feitos de ferro galvanizado e têm diâmetros de 6 pol. e 3 pol., respectivamente. Se a válvula gaveta em F estiver totalmente aberta, determine a descarga de água em E em gal/min. O redutor em C tem $K_L = 0{,}7$. Considere $\nu_{\text{água}} = 10{,}6\,(10^{-6})$ pés²/s.

Solução

Descrição do fluido

Consideramos que ocorre um escoamento incompressível e em regime permanente, onde $V_A \approx 0$.

Equação da continuidade

Se a velocidade média pelo tubo com diâmetro maior é V, e pelo tubo com diâmetro menor é V', então, escolhendo um volume de controle localizado em torno da água dentro do redutor em C e aplicando a equação da continuidade, temos

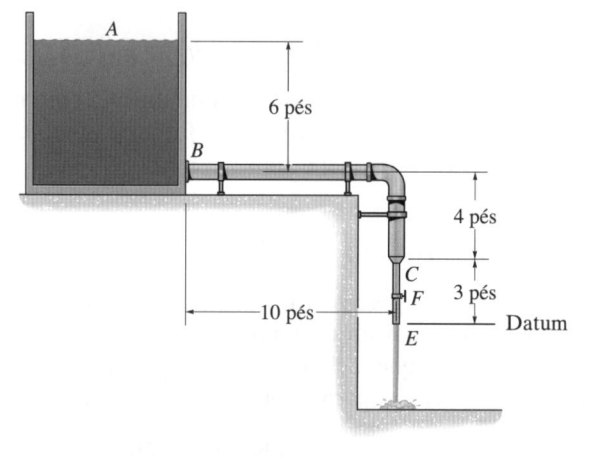

FIGURA 10.19

$$\frac{\partial}{\partial t}\int_{vc}\rho\,d\forall + \int_{sc}\rho\mathbf{V}\cdot d\mathbf{A} = 0$$

$$0 - V\pi\left(\frac{3}{12}\text{pés}\right)^2 + V'\pi\left(\frac{1{,}5}{12}\text{pé}\right)^2 = 0$$

$$V' = 4V$$

Equação da energia

Usando esse resultado, agora aplicaremos a equação da energia entre A e E, a fim de obter uma relação entre a velocidade e os fatores de atrito. O volume de controle para este caso contém a água no interior do reservatório e no sistema de tubulações.

$$\frac{p_A}{\gamma_{\text{água}}} + \frac{V_A^2}{2g} + z_A + h_{\text{bomba}} = \frac{p_E}{\gamma_{\text{água}}} + \frac{V_E^2}{2g} + z_E + h_{\text{turb}} + h_L$$

$$0 + 0 + 13\,\text{pés} + 0 = 0 + \frac{(4V)^2}{2g} + 0 + 0 + h_L \tag{1}$$

As perdas secundárias no sistema vêm da entrada com cantos vivos em B, $0{,}5(V^2/2g)$, do cotovelo, $0{,}9(V^2/2g)$, do redutor, $0{,}7(V'^2/2g)$, e da válvula gaveta totalmente aberta, $0{,}19(V'^2/2g)$. Usando a equação de Darcy-Weisbach para a perda de carga principal em cada tubo, e expressando a perda de carga total no sistema de tubulações em termos de V, temos

$$h_L = \left[\frac{14 \text{ pés}}{\left(\frac{6}{12}\text{ pés}\right)}\right]\frac{V^2}{2g} + f'\left[\frac{3 \text{ pés}}{\left(\frac{3}{12}\text{ pés}\right)}\right]\left[\frac{(4V)^2}{2g}\right] + 0{,}5\left(\frac{V^2}{2g}\right) + 0{,}9\left(\frac{V^2}{2g}\right) + 0{,}7\left[\frac{(4V)^2}{2g}\right] + 0{,}19\left[\frac{(4V)^2}{2g}\right]$$

$$h_L = (28f + 192f' + 15{,}64)\frac{V^2}{2g}$$

Aqui, f e f' são fatores de atrito para os tubos com diâmetro grande e pequeno, respectivamente. Substituindo na Equação 1 e simplificando, obtemos

$$837{,}2 = (28f + 192f' + 31{,}64)V^2 \qquad (2)$$

Diagrama de Moody

Para o tubo de ferro galvanizado, $\varepsilon = 0{,}0005$ pé, logo

$$\frac{\varepsilon}{D} = \frac{0{,}0005 \text{ pé}}{(6/12) \text{ pés}} = 0{,}001$$

$$\frac{\varepsilon}{D'} = \frac{0{,}0005 \text{ pé}}{(3/12) \text{ pés}} = 0{,}002$$

Assim,

$$\text{Re} = \frac{VD}{\nu_{\text{água}}} = \frac{V\left(\frac{6}{12}\text{ pés}\right)}{10{,}6(10^{-6}) \text{ pés}^2/\text{s}} = 4{,}717(10^4)V \qquad (3)$$

$$\text{Re}' = \frac{V'D}{\nu_{\text{água}}} = \frac{4V\left(\frac{3}{12}\text{ pés}\right)}{10{,}6(10^{-6}) \text{ pés}^2/\text{s}} = 9{,}434(10^4)V \qquad (4)$$

Para satisfazer as condições do diagrama de Moody, vamos considerar valores intermediários para f e f', digamos, $f = 0{,}021$ e $f' = 0{,}024$. Assim, pelas equações 2, 3 e 4, obtemos $V = 4{,}767$ pés/s, $\text{Re} = 2{,}25(10^5)$ e $\text{Re}' = 4{,}50(10^5)$. Usando esses resultados e verificando o diagrama de Moody, obtemos $f = 0{,}021$ e $f' = 0{,}024$. Como esses valores são os mesmos daqueles que assumimos, então, na realidade, $V = 4{,}767$ pés/s, portanto, a descarga pode ser determinada considerando, digamos, o tubo com 6 pol. de diâmetro. Ela é

$$Q = VA = 4{,}767 \text{ pés/s}\left[\pi\left(\frac{3}{12}\text{ pés}\right)^2\right] = 0{,}936 \text{ pé}^3/\text{s}$$

Ou, como há 7,48 gal/pés^3, então

$$Q = 0{,}936 \text{ pé}^3/\text{s}\left(\frac{7{,}48 \text{ gal}}{\text{pés}^3}\right)\left(\frac{60 \text{ s}}{1 \text{ min}}\right) = 420 \text{ gal/min} \qquad \textit{Resposta}$$

EXEMPLO 10.10

A água escoa a uma taxa de 0,03 m³/s pelo sistema de tubulações com ramal mostrado na Figura 10.20. O tubo de 100 mm de diâmetro possui um filtro e uma válvula globo, e o tubo de derivação com 50 mm de diâmetro possui uma válvula gaveta. Os tubos são feitos de ferro galvanizado. Determine a vazão por cada tubo e a queda de pressão entre A e B quando as duas válvulas estão totalmente abertas. A perda de carga devido ao filtro é $1{,}6(V^2/2g)$. Considere $\gamma_{\text{água}} = 9810$ N/m³ e $\nu_{\text{água}} = 1(10^{-6})$ m²/s.

FIGURA 10.20

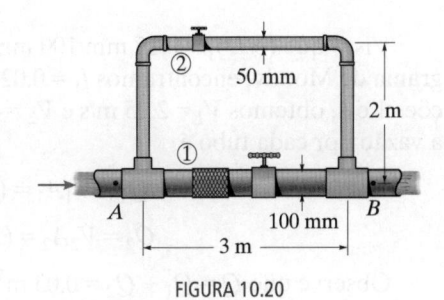

Solução

Descrição do fluido

Vamos considerar que o escoamento seja em regime permanente, incompressível e plenamente desenvolvido.

Equação da continuidade

Se considerarmos a água no tê em A como o volume de controle, então a continuidade requer

$$Q = V_1 A_1 + V_2 A_2$$
$$0{,}03 \text{ m}^3/\text{s} = V_1 [\pi (0{,}05 \text{ m})^2] + V_2[\pi (0{,}025 \text{ m})^2]$$
$$15{,}279 = 4V_1 + V_2 \tag{1}$$

Diagrama de Moody

Com essa relação, agora usaremos o diagrama de Moody para obter as velocidades através de cada ramal. O ramal 1 possui escoamento através de dois tês, do filtro e da válvula globo totalmente aberta. Usando a Tabela 10.1, a perda de carga total é

$$(h_L)_1 = f_1\left(\frac{3 \text{ m}}{0{,}1 \text{ m}}\right)\left(\frac{V_1^2}{2g}\right) + 2(0{,}4)\left(\frac{V_1^2}{2g}\right) + 1{,}6\left(\frac{V_1^2}{2g}\right) + 10\left(\frac{V_1^2}{2g}\right)$$

$$= (30 f_1 + 12{,}4)\frac{V_1^2}{2g} \tag{2}$$

O ramal 2 tem escoamento por meio de dois tês, dois cotovelos e a válvula gaveta totalmente aberta. Portanto,

$$(h_L)_2 = f_2\left(\frac{7 \text{ m}}{0{,}05 \text{ m}}\right)\left(\frac{V_2^2}{2g}\right) + 2(1{,}8)\left(\frac{V_2^2}{2g}\right) + 2(0{,}9)\left(\frac{V_2^2}{2g}\right) + 0{,}19\left(\frac{V_2^2}{2g}\right)$$

$$= (140 f_2 + 5{,}59)\frac{V_2^2}{2g} \tag{3}$$

É preciso que as perdas de carga sejam as mesmas em cada ramal, $(h_L)_1 = (h_L)_2$, portanto

$$(30 f_1 + 12{,}4)V_1^2 = (140 f_2 + 5{,}59)V_2^2 \tag{4}$$

As equações 1 e 4 contêm quatro incógnitas. Como as condições do diagrama de Moody também precisam ser satisfeitas, vamos *assumir* valores intermediários para esses fatores de atrito, digamos, $f_1 = 0{,}02$ e $f_2 = 0{,}025$. Portanto, as equações 1 e 4 resultam em

$$V_1 = 2{,}941 \text{ m/s}$$
$$V_2 = 3{,}517 \text{ m/s}$$

de modo que

$$(\text{Re})_1 = \frac{V_1 D_1}{\nu_{\text{água}}} = \frac{(2{,}941 \text{ m/s})(0{,}1 \text{ m})}{1(10^{-6}) \text{ m}^2/\text{s}} = 2{,}94(10^5)$$

$$(\text{Re})_2 = \frac{V_2 D_2}{\nu_{\text{água}}} = \frac{(3{,}517 \text{ m/s})(0{,}05 \text{ m})}{1(10^{-6}) \text{ m}^2/\text{s}} = 1{,}76(10^5)$$

Visto que $(\varepsilon/D)_1 = 0{,}15 \text{ mm}/100 \text{ mm} = 0{,}0015$ e $(\varepsilon/D)_2 = 0{,}15 \text{ mm}/50 \text{ mm} = 0{,}003$, então, usando o diagrama de Moody, encontramos $f_1 = 0{,}022$ e $f_2 = 0{,}027$. Repetindo os cálculos com esses valores, pelas equações 1 e 4, obtemos $V_1 = 2{,}95$ m/s e $V_2 = 3{,}48$ m/s, que são muito próximos dos valores anteriores. Portanto, a vazão por cada tubo é

$$Q_1 = V_1 A_1 = (2{,}95 \text{ m/s})[\pi(0{,}05 \text{ m})^2] = 0{,}0232 \text{ m}^3/\text{s} \qquad \textit{Resposta}$$
$$Q_2 = V_2 A_2 = (3{,}48 \text{ m/s})[\pi(0{,}025 \text{ m})^2] = 0{,}0068 \text{ m}^3/\text{s} \qquad \textit{Resposta}$$

Observe que $Q = Q_1 + Q_2 = 0{,}03$ m³/s, conforme é exigido.

Capítulo 10 – Análise e projeto para escoamento em tubos **479**

Equação da energia

A queda de pressão entre A e B é determinada pela equação da energia. O volume de controle contém toda a água no sistema de A para B. Com o datum cruzando A (entrada) e B (saída), $z_A = z_B = 0$ e $V_A = V_B = V$. Temos

$$\frac{p_A}{\gamma_{\text{água}}} + \frac{V_A^2}{2g} + z_A + h_{\text{bomba}} = \frac{p_B}{\gamma_{\text{água}}} + \frac{V_B^2}{2g} + z_B + h_{\text{turb}} + h_L$$

$$\frac{p_A}{\gamma_{\text{água}}} + \frac{V^2}{2g} + 0 + 0 = \frac{p_B}{\gamma_{\text{água}}} + \frac{V^2}{2g} + 0 + 0 + h_L$$

ou

$$p_A - p_B = \gamma_{\text{água}} h_L$$

Usando a Equação 2, temos

$$p_A - p_B = (9810 \text{ N/m}^3)[30(0,022) + 12,4]\left[\frac{(2,95 \text{ m/s})^2}{2(9,81 \text{ m/s}^2)}\right]$$

$$= 56,8(10^3) \text{ Pa} = 56,8 \text{ kPa} \qquad \textit{Resposta}$$

Como $(h_L)_1 = (h_L)_2$ para este sistema paralelo, também podemos obter esse mesmo resultado usando a Equação 3.

10.5 Medição de vazão

Com o passar dos anos, muitos dispositivos foram desenvolvidos para medir a vazão ou a velocidade de um fluido que passa por um tubo ou um conduto fechado. Cada método possui aplicações específicas, e a escolha depende da precisão exigida, do custo, da vazão e da facilidade de uso. Nesta seção, vamos descrever alguns dos métodos mais comuns usados para esse propósito. Mais detalhes poderão ser encontrados nas referências listadas ao final do capítulo, ou no site do fabricante específico.

Medidor de Venturi

O medidor de Venturi foi discutido na Seção 5.3, e aqui iremos revisar rapidamente seus princípios. Como vemos na Figura 10.21, esse dispositivo impõe uma transição convergente ao escoamento de um tubo para uma garganta, e depois uma transição *gradual* divergente de volta para o tubo. Esse projeto impede a separação do escoamento das paredes do tubo, e assim minimiza as perdas por cisalhamento dentro do fluido. Foi mostrado na Seção 5.3 que, aplicando as equações de Bernoulli e da continuidade, podemos obter a velocidade média do escoamento na garganta usando a equação

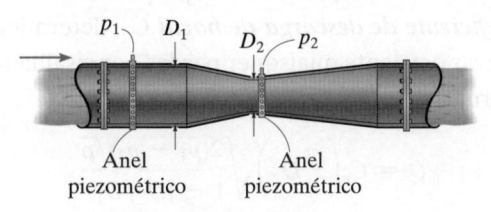

Medidor de Venturi

FIGURA 10.21

$$V_2 = \sqrt{\frac{2(p_1 - p_2)/\rho}{1 - (D_2/D_1)^4}} \qquad (10.10)$$

Por precisão, um medidor de Venturi geralmente é ajustado com dois **anéis piezométricos**, um localizado a montante do medidor e o outro na sua garganta (Figura 10.21). Cada anel envolve uma série de furos anulares no tubo, de modo que uma pressão média é produzida dentro do anel. Um manômetro ou transdutor de pressão é conectado a esses anéis, para medir a pressão estática diferencial $(p_1 - p_2)$ entre eles.

Como a equação de Bernoulli *não* considera quaisquer perdas por cisalhamento dentro do escoamento, na prática, os engenheiros modificam a equação anterior, multiplicando-a por um **coeficiente de descarga do Venturi**, C_v, determinado experimentalmente. Esse coeficiente representa a razão entre a velocidade média real na garganta e sua velocidade teórica, ou seja,

$$C_v = \frac{(V_2)_{\text{real}}}{(V_2)_{\text{teo}}}$$

Valores específicos de C_v geralmente são relatados pelo fabricante em função do número de Reynolds. Quando C_v é obtido, a velocidade real dentro da garganta é, então,

$$(V_2)_{\text{real}} = C_v \sqrt{\frac{2(p_1 - p_2)/\rho}{1 - (D_2/D_1)^4}}$$

Observando que $Q = V_2 A_2$, a vazão volumétrica pode então ser determinada por

$$Q = C_v \left(\frac{\pi}{4}D_2^2\right) \sqrt{\frac{2(p_1 - p_2)/\rho}{1 - (D_2/D_1)^4}}$$

Bocal de vazão

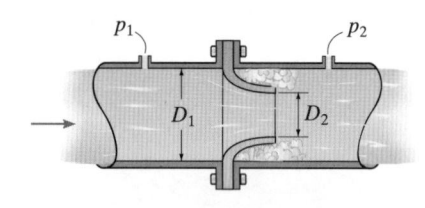

Medidor bocal de vazão

FIGURA 10.22

Um medidor bocal de vazão funciona basicamente da mesma forma que um medidor de Venturi. Quando esse dispositivo é inserido no caminho do escoamento, como mostra a Figura 10.22, este é afunilado na frente do bocal, passa por sua garganta e depois sai do bocal sem divergir o escoamento. Isso causa uma turbulência localizada, devido à aceleração do escoamento através do bocal, e então desaceleração quando o escoamento se ajusta mais adiante. Como resultado, as perdas por cisalhamento através do bocal serão maiores do que o escoamento através de um medidor de Venturi. As medições da queda de pressão nas tomadas 1 e 2 são usadas para determinar a velocidade teórica, V_2, aplicando a Equação 10.10. Aqui, os engenheiros usam um **coeficiente de descarga de bocal** C_n, determinado experimentalmente, para levar em conta quaisquer perdas por cisalhamento. Portanto, o escoamento torna-se

$$Q = C_n \left(\frac{\pi}{4}D_2^2\right) \sqrt{\frac{2(p_1 - p_2)/\rho}{1 - (D_2/D_1)^4}}$$

Os valores de C_n em função do número de Reynolds a montante são fornecidos pelo fabricante para diversas razões entre as áreas do bocal e do tubo.

Medidor placa de orifício

Outra forma de medir a vazão em um tubo é restringir o escoamento com um *medidor placa de orifício* (Figura 10.23). Ele consiste simplesmente em uma placa chata com um furo no centro. A pressão é medida a montante e na *vena contracta*, onde as linhas de corrente são paralelas e a pressão estática é constante. Como antes, as equações de Bernoulli e da continuidade, aplicadas nesses pontos, resultam em uma velocidade média teórica, definida pela Equação 10.10. O escoamento real através do medidor é determinado usando um **coeficiente de descarga de placa de orifício**, C_o, fornecido pelo fabricante, que considera as perdas por cisalhamento no escoamento e o efeito da *vena contracta*. Assim,

$$Q = C_o\left(\frac{\pi}{4}D_2^2\right)\sqrt{\frac{2(p_1 - p_2)/\rho}{1-(D_2/D_1)^4}}$$

Desses três medidores, o medidor de Venturi é o mais caro, mas dará a medição mais precisa, pois as perdas dentro dele são minimizadas. O medidor placa de orifício é o mais barato e mais fácil de instalar, mas tem menos precisão, visto que o tamanho da *vena contracta* não é muito bem definido. Além disso, esse medidor sujeita o escoamento à maior perda de carga, ou queda de pressão. No entanto, independentemente de qual seja o medidor selecionado, é importante que ele seja instalado ao longo de uma seção reta do tubo, com comprimento suficiente para estabelecer um escoamento plenamente desenvolvido. Desse modo, os resultados deverão estar bem correlacionados aos que são obtidos experimentalmente.

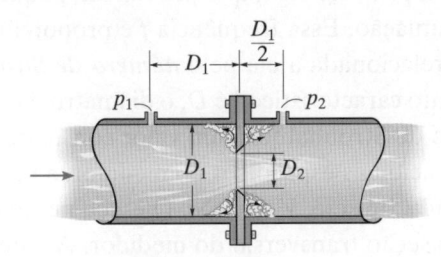

Medidor placa de orifício

FIGURA 10.23

Rotâmetro

Um *rotâmetro* pode ser conectado a um tubo vertical, como mostra a Figura 10.24. O escoamento entra por baixo, passa por um tubo de vidro *afunilado* e retorna ao tubo depois de sair pelo topo. Dentro do tubo há um flutuador pesado, que é empurrado para cima pelo escoamento. Como a área transversal do tubo torna-se maior à medida que o flutuador sobe, a velocidade do escoamento torna-se menor, e o flutuador por fim atinge um nível de equilíbrio, indicado pelas graduações no tubo. Esse nível está diretamente relacionado à vazão no tubo, e, portanto, a leitura no nível do flutuador indicará a vazão. Para tubos horizontais, um dispositivo semelhante fará com que uma obstrução comprima uma mola por uma distância medida, e sua posição pode ser vista por um tubo de vidro. Esses dois medidores podem medir a vazão com uma precisão de aproximadamente 99%, mas eles são um pouco limitados, pois não podem ser usados para medir a vazão de um fluido opaco, como um óleo.

Vazão alta

Vazão baixa

Rotâmetro

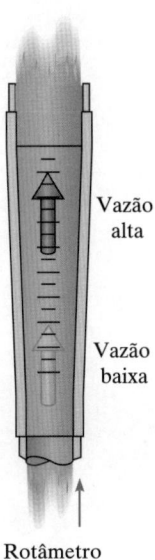

FIGURA 10.24

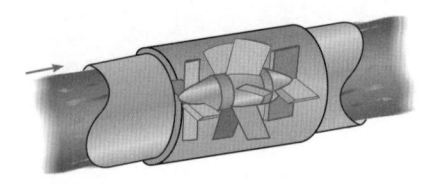

Medidor de escoamento tipo turbina
FIGURA 10.25

Anemômetro

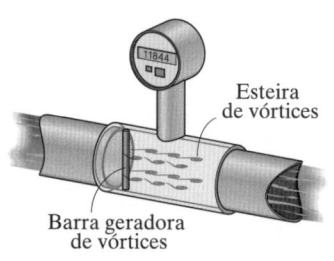

Barra geradora de vórtices
Esteira de vórtices
Medidor de vazão vortex
FIGURA 10.26

Medidor tipo turbina

Para tubos de grande diâmetro, por exemplo, de 1,5 pol. a 12 pol., um rotor de turbina pode ser instalado dentro de uma seção do tubo, de modo que o escoamento do fluido pelo tubo faça com que as pás do rotor girem (Figura 10.25). Para líquidos, esses dispositivos normalmente possuem apenas algumas pás, mas para gases, são necessárias mais pás, a fim de gerar um torque suficiente para girá-las. Quanto maior o escoamento, mais rapidamente as pás girarão. Uma delas é marcada, de modo que, enquanto gira, a rotação é detectada por um impulso elétrico, que é produzido quando essa pá passa por um sensor. Os medidores tipo turbina são muito usados para medir a vazão de gás natural ou água em sistemas de distribuição municipais. Eles também podem ser projetados para serem portáteis, de modo que as pás podem ser direcionadas ao vento, por exemplo, para medir sua velocidade. Um *anemômetro*, mostrado na foto, funciona de modo semelhante. Ele usa copos montados em um eixo, onde a medição da rotação do eixo está relacionada à velocidade do vento.

Medidor de vazão Vortex

Se uma obstrução cilíndrica, chamada **barra geradora de vórtices**, for colocada dentro do escoamento, como mostra a Figura 10.26, então, quando o fluido passa ao redor da barra, a perturbação que ela produz gerará uma esteira de vórtices, chamada **esteira de vórtices de Von Kármán**. A frequência f em que cada vórtice troca de lado da barra pode ser *medida* usando um cristal piezoelétrico, que produz um pequeno pulso de voltagem para cada flutuação. Essa frequência f é proporcional à velocidade V do fluido e está relacionada a ela pelo **número de Strouhal**, $St = fD/V$, onde o "comprimento característico" é D, o diâmetro da barra de obstáculo. Como o número de Strouhal terá um valor constante conhecido, dentro dos limites operacionais específicos do medidor, a velocidade média V pode ser determinada, ou seja, $V = fD/St$. O escoamento é então $Q = VA$, onde A é a área da seção transversal do medidor. A vantagem do uso do medidor de vórtices é que ele não possui partes móveis e tem uma precisão aproximada de 99%. Uma desvantagem do seu uso é a perda de carga criada pelo obstáculo ao escoamento.

Medidor térmico de vazão mássica

Como o nome sugere, esse dispositivo mede a temperatura para determinar a velocidade local de um gás no escoamento. Um dos tipos mais populares é chamado de **anemômetro de fio quente**. Ele consiste em um fio fino muito pequeno, normalmente feito de tungstênio e tendo, por exemplo, diâmetro de 0,5 μm e extensão de 1 mm (Figura 10.27). Quando colocado no escoamento, ele é aquecido a uma temperatura constante, que é mantida eletricamente enquanto o escoamento tende a resfriá-lo. A velocidade do escoamento pode ser correlacionada à tensão que deve ser aplicada ao fio para manter sua temperatura. Vários desses sensores podem ser arranjados dentro de uma pequena região para medir a vazão em duas e três direções.

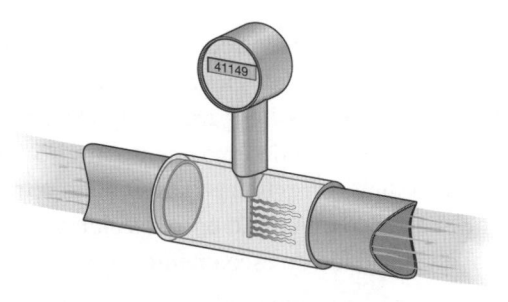

FIGURA 10.27

Como o fio é muito frágil, deve-se ter o cuidado para que partículas dentro do gás não o danifiquem ou quebrem. O escoamento em velocidade mais alta, ou gases com um grande número de contaminadores, podem ser medidos com menos sensibilidade usando um **anemômetro de filme quente**, que funciona com o mesmo princípio, mas consiste em um sensor feito de um filme metálico fino preso a um suporte cerâmico muito mais espesso.

Medidor de deslocamento positivo

Um tipo de medidor de vazão que pode ser usado para determinar a quantidade de um líquido que escoa por ele é chamado **medidor de deslocamento positivo** (também *medidor volumétrico* ou *medidor de lóbulos rotativos*). Ele consiste em uma câmara de medição, como o volume entre os lóbulos de duas engrenagens dentro do medidor (Figura 10.28). Garantindo tolerâncias próximas entre os lóbulos e a carcaça, cada rotação permite que uma quantidade medida de líquido passe pelo mecanismo. Contando essas rotações, mecanicamente ou através de impulsos elétricos, a quantidade total de líquido poderá ser medida.

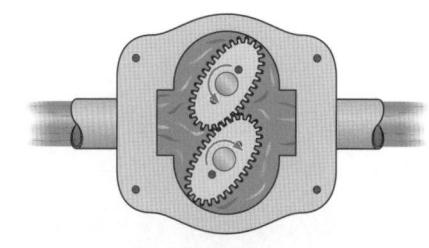

FIGURA 10.28

Medidor de disco oscilante

Esse medidor normalmente é usado para medir o fornecimento de água residencial ou a quantidade de gasolina que passa por uma bomba. Ele tem uma precisão aproximada de 99%. Como vemos na Figura 10.29, ele consiste em um disco inclinado que isola o volume medido do líquido dentro da câmara do medidor. A pressão do líquido força o disco a oscilar, ou girar em torno do eixo vertical, pois o centro do disco é fixado em uma bola e um fuso. O volume de líquido contido passa pela câmara para cada rotação em torno do fuso. Cada uma dessas oscilações pode ser registrada, seja por uma flutuação magnética causada por um ímã preso ao disco rotativo, ou por um arranjo do tipo engrenagem e mostrador, ligado ao fuso.

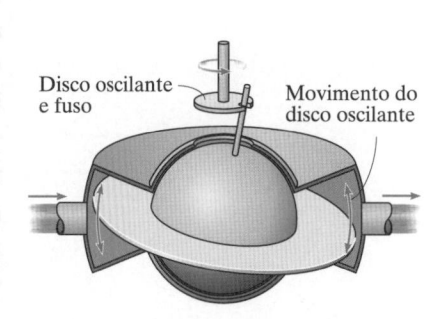

FIGURA 10.29

Medidor de vazão eletromagnético

Este tipo de medidor de vazão requer muito pouca manutenção e mede a velocidade média de um líquido condutor de eletricidade, como a água do mar, água de esgoto, sódio líquido e muitos tipos de soluções ácidas. O princípio de operação é baseado na lei de Michael Faraday, que declara que a *tensão* induzida através de qualquer condutor (líquido), movendo-se em ângulos retos por um campo magnético, é proporcional à velocidade do condutor. Para medir a vazão, dois eletrodos são colocados em lados opostos da parede interior do tubo e ligados a um voltímetro. Para um ***medidor de vazão eletromagnético tipo wafer*** (Figura 10.30), um campo magnético é estabelecido pela seção transversal do escoamento inteiro, sujeitando a bobina dentro dos *wafers* a uma corrente elétrica. O voltímetro mede então a diferença do potencial elétrico ou tensão entre os eletrodos, e isso é diretamente proporcional à velocidade do escoamento.

Os medidores de vazão eletromagnéticos podem ter uma precisão de 99% a 99,5%, e são utilizados em tubos de até 12 pol. de diâmetro. As leituras são bastante sensíveis a bolhas de ar que entram nos eletrodos e a qualquer eletricidade estática presente dentro do fluido e do tubo. Por esse motivo, o tubo precisa ser devidamente aterrado para que se obtenha o melhor desempenho.

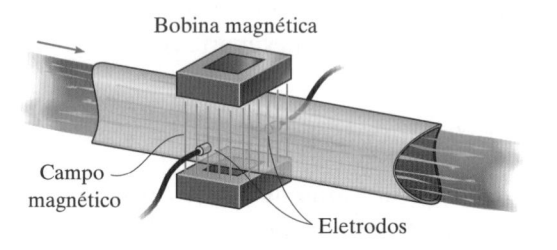

Medidor de vazão eletromagnético
FIGURA 10.30

Outros tipos de medidores

Existem outros tipos de medidores que também podem ser usados para medir, com precisão, a velocidade local em uma pequena região dentro do escoamento. Um ***medidor a laser Doppler*** é baseado no direcionamento de um feixe de laser para uma área visada, e na medição da mudança de frequência do feixe, após ele ser refletido por pequenas partículas que passam pela região.* Esses dados são então convertidos para que se obtenha a velocidade em determinada direção. Essa técnica oferece alta precisão e, embora cara, pode ser ajustada para determinar os componentes de velocidade das partículas dentro de uma região em todas as três direções. ***Medidores de vazão ultrassônicos*** também funcionam com base no princípio Doppler. Eles enviam ondas de som pelo fluido, e as variações na frequência de quaisquer ondas refletidas de volta são medidas por meio de um transdutor piezoelétrico, e depois convertidas para determinar a velocidade. Por fim, o ***velocímetro de imagem de partículas (PIV, na sigla em inglês)*** é um método onde partículas muito pequenas são liberadas no fluido. Usando uma câmera e um laser estroboscópico, a velocidade e a direção do escoamento podem então ser medidas, rastreando-se as partículas iluminadas.

---

* O princípio Doppler declara que uma *frequência mais alta* de uma onda de luz ou de som é produzida quando a fonte se move *em direção* ao observador, e uma *frequência mais baixa* é produzida quando ela se move *para longe*. O efeito pode ser muito bem observado quando se ouve uma sirene em um carro da polícia ou de bombeiros em movimento.

Referências

1. MOODY, L. F. Friction factors for pipe flow. *Trans ASME*, v. 66, 1944, p. 671–684.
2. COLEBROOK, F. Turbulent flow in pipes with particular reference to the transition region between the smooth and rough pipe laws. *J Inst Civil Engineers*, Londres, v. 11, 1939, p. 133–156.
3. STREETER, V. *Handbook of Fluid Dynamics*. Nova York: McGraw-Hill, 1961.
4. STREETER, V.; WYLIE, E. *Fluid Mechanics*. 8. ed. Nova York: McGraw-Hill, 1985.
5. HAALAND, S. E. Simple and explicit formulas for the friction-factor in turbulent pipe flow. *Trans ASME, J Fluids Engineering*, v. 105, 1983.
6. ITO, H. Pressure losses in smooth pipe bends. *J Basic Engineering*, n. 82, v. 1, 1960, p. 131–134.
7. LAM, C. L.; WOLLA, M. L. Computer analysis of water distribution systems. *Proceedings of the ASCE, J Hydraulics Division*, v. 98, 1972, p. 335–344.
8. BEAN, H. S. *Fluid Meters*: Their Theory and Application. Nova York: ASME, 1971.
9. GOLDSTEIN, R. J. *Fluid Mechanics Measurements*. 2. ed. Nova York: Taylor and Francis, 1996.
10. SWAMEE, P. K.; JAIN, A. K. Explicit equations for pipe-flow problems. *Proceedings of the ASCSE, J Hydraulics Division*, v. 102, mai. 1976, p. 657–664.
11. BRUNN, H. H. *Hot-Wire Anemometry*: Principles and Signal Analysis. Nova York: Oxford University Press, 1995.
12. MILLER, R. W. *Flow Measurement Engineering Handbook*. 3. ed. Nova York: McGraw-Hill, 1996.
13. BRATER, E. F. et al. *Handbook of Hydraulics*. 7. ed. Nova York: McGraw-Hill, 1996.
14. JEPPSON, R. W. *Analysis of Flow in Pipe Networks*. Woburn, MA: Butterworth-Heinemann, 1976.
15. PIGOTT, R. J. S. Pressure Losses in Tubing, Pipe, and Fittings. *Trans. ASME*, v. 73, 1950, p. 679–688.
16. ASME. *Measurement of Fluid Flow on Pipes using Orifice, Nozzle, and Venturi*. ASME MFC-3M-2004.
17. VENNARD, J.; STREET, R. *Elementary Fluid Mechanics*. 5. ed. Nova York: John Wiley and Sons, 1975.
18. ASME. *Fluid Meters*. 6. ed. Nova York: ASME, 1971.
19. CRANE CO. *Flow of Fluid through Valves, Fittings and Pipe*. Technical Paper A10. Stamford, Connecticut: Crane Co., 2011.

Problemas

Seção 10.1

10.1. O óleo escoa por um tubo horizontal com 100 mm de diâmetro a 4 m/s. Se o tubo é feito de ferro fundido, determine o fator de atrito. Considere $\nu_o = 0{,}0344(10^{-3})$ m²/s.

10.2. O óleo escoa por um tubo horizontal com 12 pol. de diâmetro a uma taxa de 8 pés/s. Se o tubo é liso, determine a perda de carga em uma porção horizontal dele com 20 pés de extensão. Considere $\nu_o = 0{,}820(10^{-3})$ pé²/s.

10.3. A glicerina tem uma densidade de 2,46 slug/pés³ e escoa por um tubo com 10 pol. de diâmetro a 3 pés/s. Se a pressão cai 0,035 psi em um segmento do tubo com 8 pés de extensão, determine o fator de atrito para o tubo.

*10.4. Se o ar escoa por um duto circular a 4 m/s, determine a queda de pressão que ocorre por uma extensão do duto com 6 m. O fator de atrito é $f = 0,0022$. Considere $\rho_a = 1,092$ kg/m³.

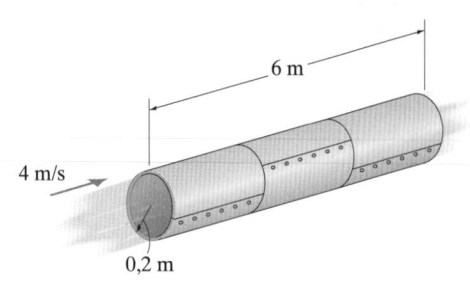

PROBLEMA 10.4

PROBLEMA 10.9

10.5. A água corre pelo tubo de dreno de concreto com 15 pol. de diâmetro em plena capacidade a 15 pés³/s. Determine a queda de pressão do ponto A ao ponto B. O tubo é horizontal. Considere $f = 0,07$.

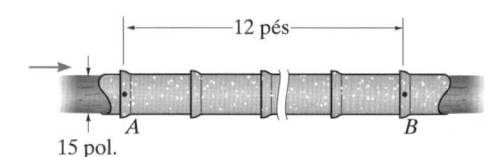

PROBLEMA 10.5

10.6. A água escoa por um tubo horizontal com 2 pol. de diâmetro. Se o fator de atrito é $f = 0,028$ e o escoamento é 0,006 pé³/s, determine a queda de pressão que ocorre por 3 pés de sua extensão.

10.7. O ar é forçado para o interior do duto circular. Se o escoamento é de 0,3 m³/s e a pressão cai 0,5 Pa para cada 1 m de extensão, determine o fator de atrito para o duto. Considere $\rho_a = 1,202$ kg/m³.

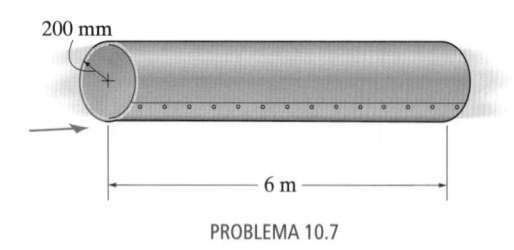

PROBLEMA 10.7

*10.8. Um tubo de aço comercial com 45 mm de diâmetro é usado para transportar água a $T = 20°C$. Se a perda de carga em uma extensão de 2 m for de 5,60 m, determine a vazão em litros por segundo.

10.9. A água a 60°F escoa para cima pelo tubo de ferro galvanizado de $\frac{3}{4}$ pol. a 2 pés/s. Determine a perda de carga principal que ocorre pelo segmento AB com 10 pés de extensão. Além disso, qual é a pressão em B se a pressão em A for 40 psi?

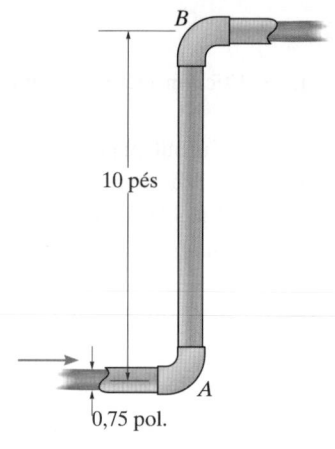

10.10. Determine o diâmetro de um tubo de PVC com 100 m de extensão que precisa transportar 125 litros/s de óleo de terebintina para que a queda de pressão não seja superior a 500 kPa. Considere $\varepsilon = 0,0015$ mm, $\rho_t = 860$ kg/m³ e $\mu_t = 1,49(10^{-3})$ N · s/m².

10.11. Um tubo tem um diâmetro de 60 mm e possui 90 m de extensão. Quando a água a 20°C escoa por ele a 6 m/s, ele produz uma perda de carga de 0,3 m quando está liso. Determine o fator de atrito do tubo se, anos depois, o mesmo escoamento produz uma perda de carga de 0,8 m.

*10.12. O tubo de drenagem em concreto com 15 pol. de diâmetro está completamente cheio de água com uma vazão de 15 pés³/s. Determine a queda de pressão de A para B. O tubo está inclinado para baixo em 4 pés/100 pés. $f = 0,07$.

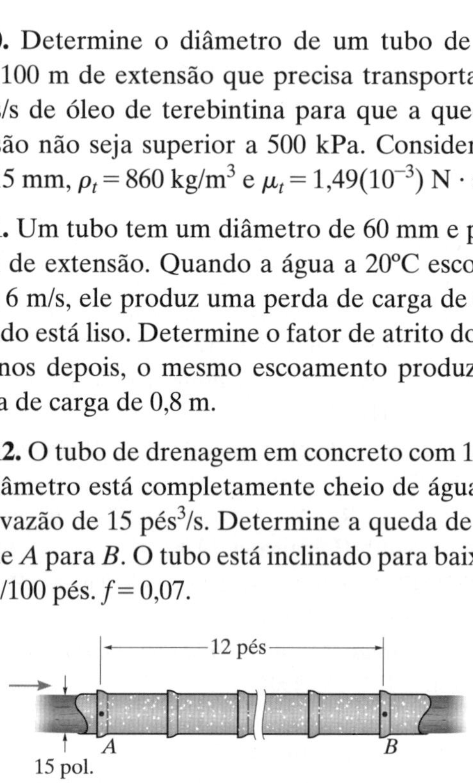

PROBLEMA 10.12

10.13. Uma usina de processamento utiliza água a 70°F, fornecida por uma bomba a uma pressão de 80 psi. Determine o diâmetro de um tubo de ferro galvanizado horizontal se a vazão tiver de ser 1200 gal/min e a pressão no tubo após 300 pés for 20 psi.

10.14. Uma pistola de pregos opera usando ar comprimido, que é fornecido pela mangueira com 10 mm de diâmetro. A pistola requer 680 kPa para operar com um fluxo de ar de 0,003 m³/s. Se o compressor de ar desenvolve 700 kPa, determine o comprimento máximo da mangueira que pode ser permitido para uso nessa operação. Suponha que o escoamento seja incompressível e a mangueira lisa. Considere $\rho_a = 1,202$ kg/m³, $\nu_a = 15,1(10^{-6})$ m²/s.

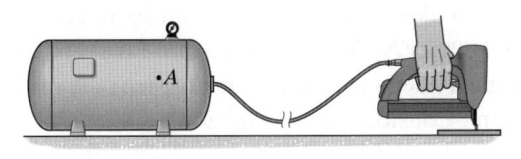

PROBLEMA 10.14

10.15. Um tubo de ferro galvanizado com 75 mm de diâmetro, com uma rugosidade $\varepsilon = 0,2$ mm, é usado para transportar água a uma temperatura de 60°C e com uma velocidade de 3 m/s. Determine a queda de pressão por sua extensão de 12 m se ele for horizontal.

*__10.16.__ O ar escoa pelo duto de aço galvanizado com uma velocidade de 4 m/s. Determine a queda de pressão ao longo de uma extensão de 2 m do duto. Considere $\rho_a = 1,202$ kg/m^3, $\nu_a = 15,1(10^{-6})$ m^2/s

10.17. Determine a maior vazão de ar Q pelo duto de aço galvanizado, de modo que o escoamento permaneça laminar. Qual é a queda de pressão ao longo de uma seção do tubo de 200 m neste caso? Considere $\rho_a = 1,202$ kg/m^3, $\nu_a = 15,1(10^{-6})$ m^2/s.

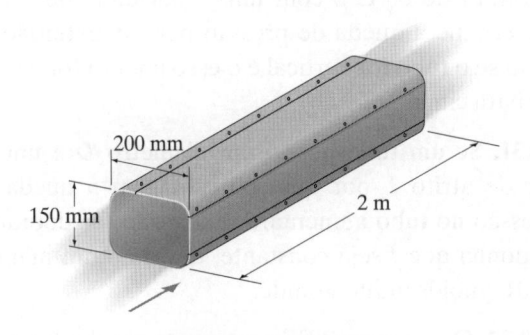

PROBLEMAS 10.16 e 10.17

10.18. A água a 20°C passa pela turbina T usando um tubo de aço comercial com 150 mm de diâmetro. Se a extensão do tubo é de 50 m e a descarga é 0,02 m^3/s, determine a potência extraída da água pela turbina.

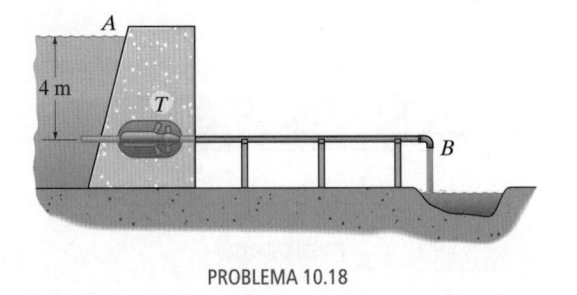

PROBLEMA 10.18

10.19. A serpentina de cobre com 20 mm de diâmetro é usada para um aquecedor solar de água. Se a água a uma temperatura média $T = 50$°C passa pela serpentina a 9 litros por minuto, determine a perda de carga principal que ocorre dentro da serpentina. Despreze a extensão de cada curva. Considere $\varepsilon = 0,03$ mm para a serpentina.

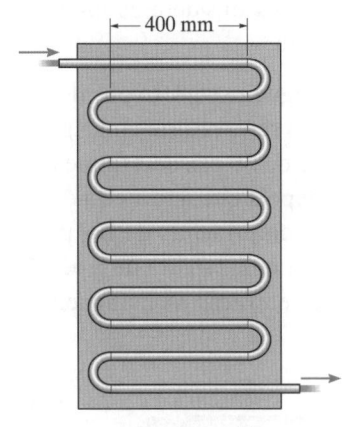

PROBLEMA 10.19

*__10.20.__ A água a 20°C precisa escoar por um tubo de aço comercial horizontal, de modo que descarregue a 0,013 m^3/s. Se a queda de pressão máxima por uma extensão de 5 m não puder ser maior do que 15 kPa, determine o menor diâmetro D permissível para o tubo.

10.21. Determine a potência de saída exigida para bombear 30 litros/s de óleo bruto por um tubo de ferro fundido horizontal com 200 m de extensão e um diâmetro de 100 mm. O tubo é aberto para a atmosfera na sua extremidade. Compare esse requisito de potência com o bombeamento de água pelo mesmo tubo. A temperatura $T = 20$°C nos dois casos.

10.22. O ar a 60°F é transportado pelo ventilador a uma taxa de 2 pés^3/s através do duto de ferro galvanizado com 12 pol. de diâmetro. Determine a queda de pressão que ocorre por uma seção horizontal com 40 pés de extensão do duto.

10.23. O ar a 60°F é transportado pelo ventilador a uma taxa de 2 pés^3/s através do duto de ferro galvanizado com 12 pol. de diâmetro. Determine a perda de carga pela extensão de 40 pés.

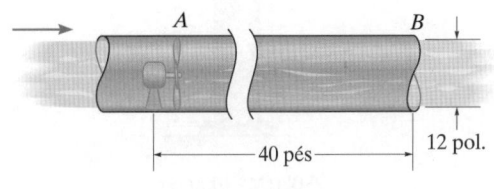

PROBLEMAS 10.22 e 10.23

10.24. Uma mangueira com 0,5 pol. de diâmetro é usada para encher o reservatório com água. Se a pressão na torneira A é de 38 psi, determine o tempo necessário para aumentar a profundidade do reservatório $h = 4$ pés. A mangueira tem um comprimento de 100 pés e $f = 0,018$. O reservatório tem uma largura de 8 pés. Desconsidere as mudanças de elevação na mangueira.

10.25. Uma mangueira com 0,5 pol. de diâmetro é usada para encher o reservatório com água. Se a pressão na torneira A é de 38 psi, determine a profundidade h duas horas depois que a torneira é aberta. A mangueira tem um comprimento de 100 pés e $f = 0,018$. O reservatório tem uma largura de 8 pés. Desconsidere as mudanças de elevação na mangueira.

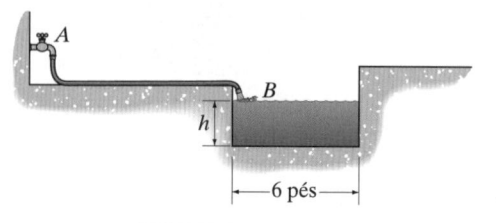

PROBLEMAS 10.24 e 10.25

10.26. A água escoa pelo tubo com 50 mm de diâmetro. Se a pressão em A e B for a mesma, determine a vazão. Considere $f = 0,035$.

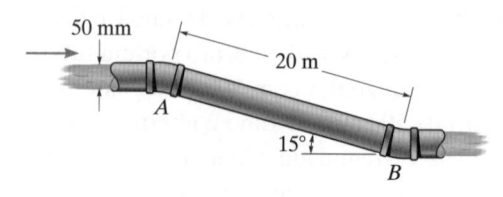

PROBLEMA 10.26

10.27. O óleo é ejetado de um tubo com 3 pol. de diâmetro. Se o fator de atrito para o tubo é $f = 0,083$, determine a menor descarga do tubo que fará com que os parafusos do flange em A comecem a suportar uma força de tensão. O tubo pesa 30 lb. Considere $\rho_o = 1,75$ slug/pé^3.

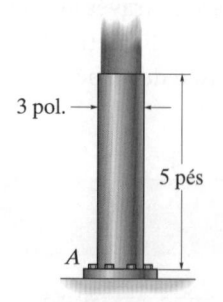

PROBLEMA 10.27

10.28. O óleo escoa pelo tubo com 50 mm de diâmetro a 0,009 m^3/s. Se o fator de atrito for $f = 0,026$, determine a queda de pressão que ocorre pela extensão de 80 m. Considere $\rho_o = 900$ kg/m^3.

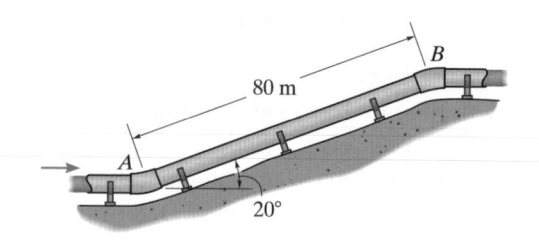

PROBLEMA 10.28

10.29. O óleo escoa por um tubo de ferro fundido com 50 mm de diâmetro. Se a queda de pressão por um segmento horizontal com 10 m de extensão for de 18 kPa, determine a vazão mássica pelo tubo. Considere $\rho_o = 900$ kg/m^3, $\nu_o = 0,430(10^{-3})$ m^2/s.

10.30. Um tubo de ferro galvanizado com 75 mm de diâmetro, possuindo uma rugosidade $\varepsilon = 0,2$ mm, deverá ser usado para transportar água a uma temperatura de 60°C e com uma velocidade de 3 m/s. Determine a queda de pressão por sua extensão de 12 m se o tubo for vertical e o escoamento for de baixo para cima.

10.31. Se um tubo possui um diâmetro D e um fator de atrito f, por qual porcentagem a queda de pressão no tubo aumentará se a vazão for dobrada? Suponha que f seja constante, devido a um número de Reynolds muito grande.

10.32. O metano a 20°C escoa por um tubo horizontal com 30 mm de diâmetro a 8 m/s. Se o tubo tem 200 m de extensão e uma rugosidade $\varepsilon = 0,4$ mm, determine a queda de pressão pela extensão do tubo.

10.33. O tubo de ferro galvanizado é usado para transportar água a 20°C com uma velocidade de 3 m/s. Determine a queda de pressão que ocorre por uma extensão de 4 m do tubo.

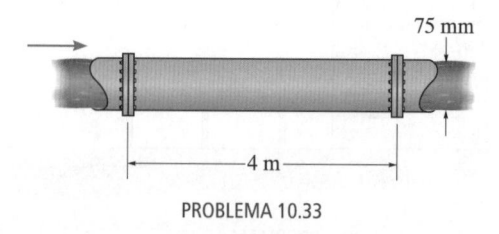

PROBLEMA 10.33

10.34. A água a 70°F usada para irrigação deve ser sifonada a partir de um canal para um campo usando um tubo com uma rugosidade de $\varepsilon = 0,00006$ pé. Se o tubo tem 300 pés de extensão, determine seu diâmetro exigido, de modo que ofereça uma vazão de 0,5 pé³/s.

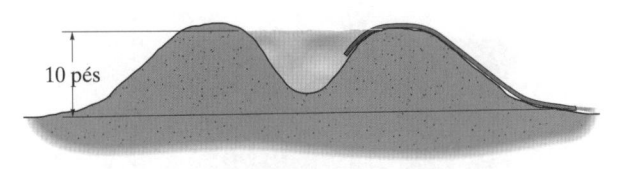

PROBLEMA 10.34

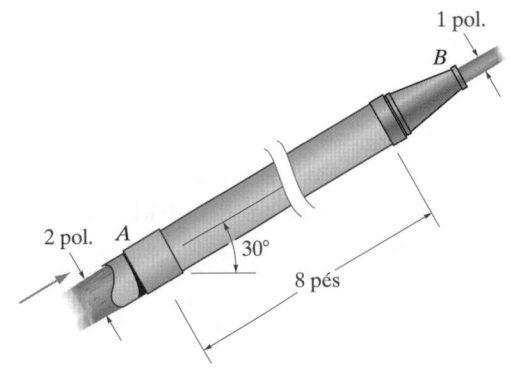

PROBLEMAS 10.38 e 10.39

10.35. O óleo escoa a 2 m/s por um tubo de ferro galvanizado horizontal com 50 mm de diâmetro. Determine se o escoamento é laminar ou turbulento. Além disso, ache a queda de pressão que ocorre por uma extensão de 10 m do tubo. Considere $\rho_o = 850$ kg/m³, $\mu_o = 0,0678$ N · s/m².

*10.36. Para determinada vazão, a queda de pressão é de 5 kPa em um tubo horizontal. Determine a queda de pressão se o escoamento for dobrado. O escoamento continua sendo laminar.

10.37. A água é bombeada do rio por meio de uma mangueira com diâmetro de 40 mm por uma extensão de 3 m. Determine a descarga volumétrica máxima da mangueira, em C, de modo que a cavitação não ocorra dentro da mangueira. O fator de atrito é $f = 0,028$ para a mangueira, e a pressão manométrica do vapor para a água é −98,7 kPa.

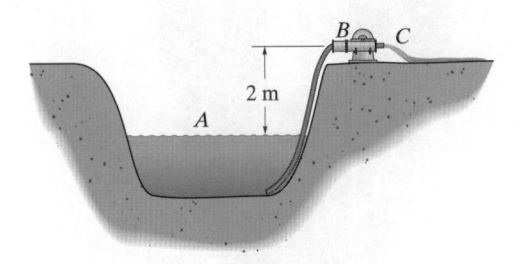

*10.40. A seção AB do tubo de ferro galvanizado com 100 mm de diâmetro tem uma massa de 15 kg. Se a glicerina é descarregada do tubo a 3 litros/s, determine a pressão em A e a força sobre os parafusos do flange em A.

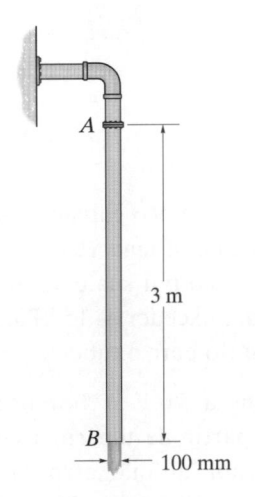

PROBLEMA 10.40

10.41. O óleo é ejetado do tubo com 3 pol. de diâmetro. Se o fator de atrito para o tubo é $f = 0,083$, determine a força de tensão nos parafusos do flange em A se o óleo é ejetado para o ar a uma altura de 12 pés acima da extremidade do tubo em B. O tubo pesa 30 lb. Considere $\rho_o = 1,75$ slug/pé³.

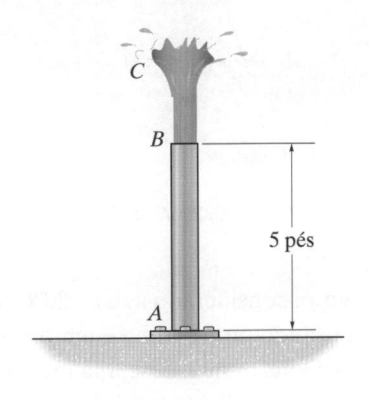

PROBLEMA 10.37

10.38. O tubo com 2 pol. de diâmetro possui uma rugosidade $\varepsilon = 0,0006$ pé. Se a descarga de água a 60°F pelo bocal com 1 pol. de diâmetro em B é 0,15 pé³/s, determine a pressão em A.

10.39. O tubo com 2 pol. de diâmetro possui uma rugosidade $\varepsilon = 0,0006$ pé. Se a água está a $T = 60$°F e a pressão em A é de 18 psi, determine a descarga em B.

PROBLEMA 10.41

10.42. O tubo com 50 mm de diâmetro possui uma rugosidade $\varepsilon = 0,01$ mm. Se a descarga de água a 20°C é 0,006 m³/s, determine a pressão em A.

10.43. O tubo com 50 mm de diâmetro possui uma rugosidade $\varepsilon = 0,01$ mm. Se a água tem uma temperatura de 20°C e a pressão em A é 50 kPa, determine a descarga em B.

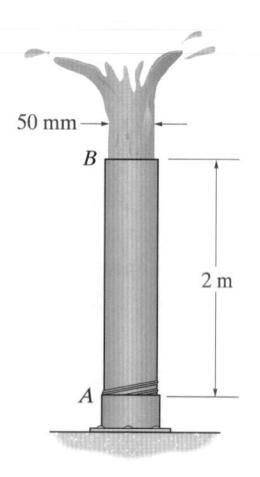

PROBLEMAS 10.42 e 10.43

*10.44. Um tubo de aço galvanizado precisa transportar água a 20°C a uma velocidade de 3 m/s. Se a queda de pressão por sua extensão horizontal de 200 m não puder exceder os 15 kPa, determine o diâmetro necessário para o tubo.

10.45. A água a 70°F é bombeada à taxa de 90 gal/min a partir de um rio usando uma mangueira de 1,5 pol. de diâmetro. Se a bomba tiver de fornecer uma pressão de 30 psi à água na mangueira em C antes de entrar no aspersor, determine a potência necessária que deve ser desenvolvida pela bomba. O tubo tem 120 pés de extensão e $\varepsilon = 0,05(10^{-3})$ pé.

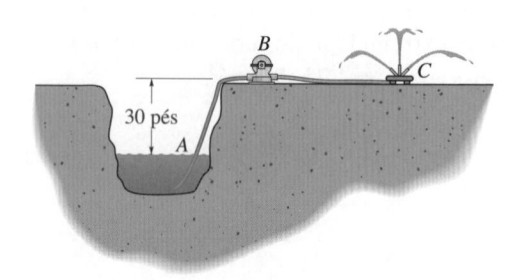

PROBLEMA 10.45

10.46. O esgoto, considerado água a 20°C, é bombeado da fossa usando uma bomba e um tubo de 50 mm de diâmetro. Determine a descarga máxima da bomba sem causar cavitação. O fator de atrito é $f = 0,026$. A pressão de vapor (manométrica) para a água a 20°C é de $-98,7$ kPa.

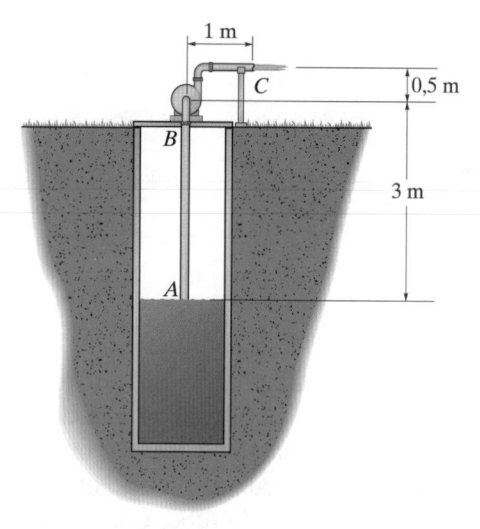

PROBLEMA 10.46

10.47. O esgoto, considerado água a 20°C, é bombeado da fossa usando uma bomba e um tubo de 50 mm de diâmetro com um fator de atrito $f = 0,026$. Se a bomba fornece 500 W de potência à água, determine a descarga da bomba.

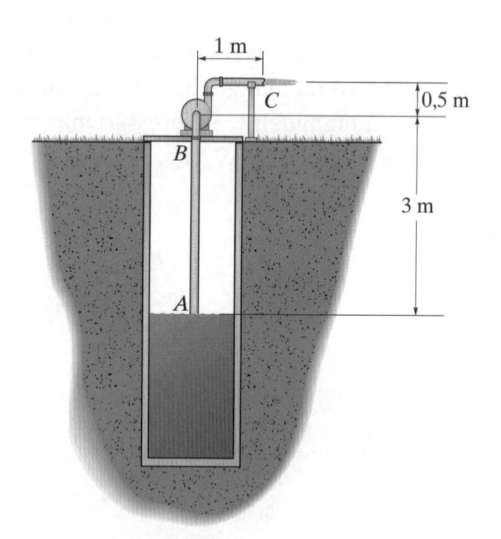

PROBLEMA 10.47

*10.48. A água a 20°C é bombeada do reservatório em A e escoa pelo tubo liso com 250 mm de diâmetro. Se a descarga em B é de 0,3 m³/s, determine a potência de saída exigida para a bomba que está conectada a uma extensão de 200 m do tubo. Desenhe a linha de energia e a linha piezométrica para o tubo. Desconsidere quaisquer diferenças na elevação.

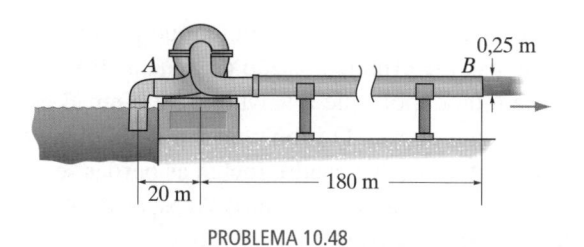

PROBLEMA 10.48

10.49. A água é sifonada do lago em A para um rio em B através de um tubo de ferro fundido com 150 pés de extensão. Determine o menor diâmetro D do tubo para que a descarga seja de 0,65 pé^3/s. Considere $\nu_{água} = 1{,}15 \, (10^{-6})$ pé^2/s.

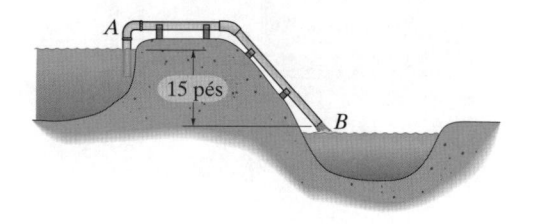

PROBLEMA 10.49

10.50. A água é fornecida ao caminhão pipa usando uma bomba que cria uma vazão de 300 litros por minuto através de uma mangueira com 40 mm de diâmetro. Se a extensão total da mangueira é de 8 m, o fator de atrito é $f = 0{,}018$ e o tanque do caminhão está aberto para a atmosfera, determine a potência que precisa ser fornecida pela bomba.

10.51. A água é fornecida a 0,003 m^3/s para o caminhão pipa usando uma bomba e uma mangueira com 40 mm de diâmetro. Se o comprimento da mangueira de C até A é 10 m e o fator de atrito é $f = 0{,}018$, determine a potência de saída da bomba.

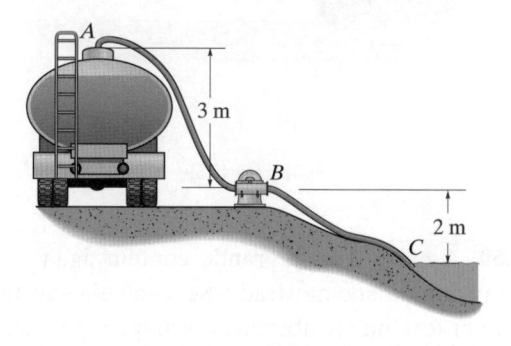

PROBLEMAS 10.50 e 10.51

Seções 10.2 e 10.3

*__10.52.__ O tubo de aço comercial com 20 m de extensão e 30 mm de diâmetro transporta água a 20°C. Se a pressão em A é 200 kPa, determine a vazão através do tubo.

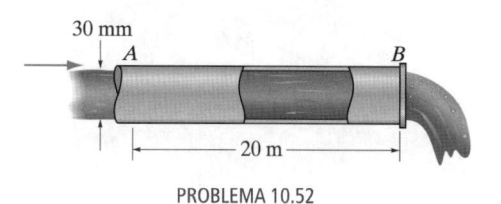

PROBLEMA 10.52

10.53. Determine a potência que a bomba precisa fornecer para descarregar 0,02 m^3/s de água em B a partir da mangueira com 100 mm de diâmetro. O fator de atrito é $f = 0{,}028$, e a mangueira tem 95 m de extensão. Desconsidere as perdas secundárias.

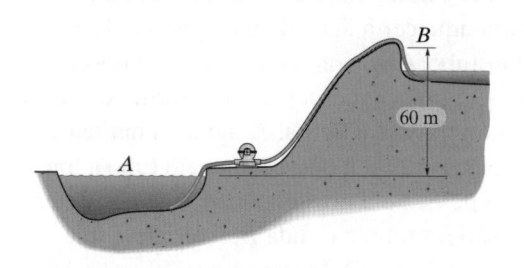

PROBLEMA 10.53

10.54. Determine a potência extraída da água pela turbina em C se a descarga do tubo em B é 0,02 m^3/s. O tubo tem 38 m de extensão, tem um diâmetro de 100 mm e o fator de atrito é $f = 0{,}026$. Além disso, desenhe a linha de energia e a linha piezométrica para o tubo. Desconsidere as perdas secundárias.

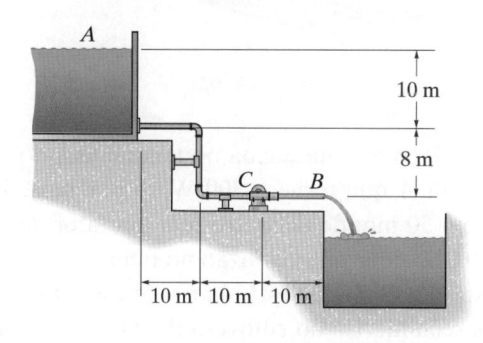

PROBLEMA 10.54

10.55. A bomba de aquecimento geotérmico funciona em um sistema de circuito fechado. O circuito consiste em um tubo de plástico com um diâmetro de 40 mm, um comprimento total de 40 m e um fator de rugosidade $\varepsilon = 0{,}003$ mm. Se a água a 40°C precisar ter uma vazão de 0,002 m^3/s, determine a potência de saída da bomba. Inclua as perdas secundárias para a curva de 180°, $K_L = 0{,}6$, e para cada um dos cotovelos de 90°, $K_L = 0{,}4$.

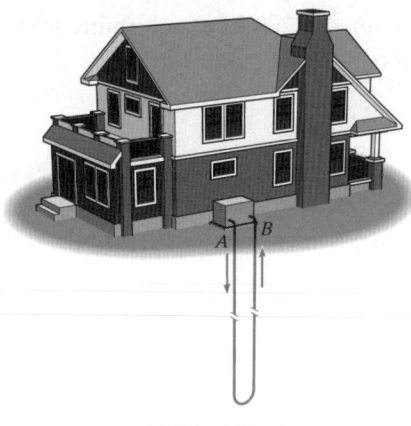

492 MECÂNICA DOS FLUIDOS

PROBLEMA 10.55

***10.56.** O coletor solar com placas horizontais é usado para aquecer a água de uma piscina. Ele consiste em um tubo ABS com 60 pés de extensão e diâmetro de 1,5 pol. e que possui uma forma de serpentina, como mostra a figura. A água a uma temperatura média de 120°F é bombeada pelo tubo a uma taxa de 0,05 pé³/s. Se a pressão em A é 32 psi, determine a pressão no tubo na saída B. Considere que o fator de atrito é $f = 0,019$. Inclua as perdas secundárias de cada curva de 180°, $K_L = 0,6$, e para cada cotovelo de 90°, $K_L = 0,4$.

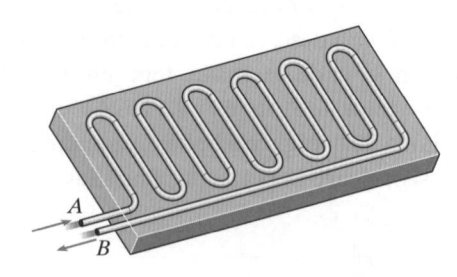

PROBLEMA 10.56

10.57. A água é armazenada no tanque usando uma bomba em A que fornece 300 W de potência. Se o tubo com 50 mm de diâmetro tem um fator de atrito $f = 0,022$, determine a vazão no tanque no instante mostrado. O tanque está aberto no topo. Inclua as perdas secundárias do cotovelo de 90° e a descarga no reservatório em B.

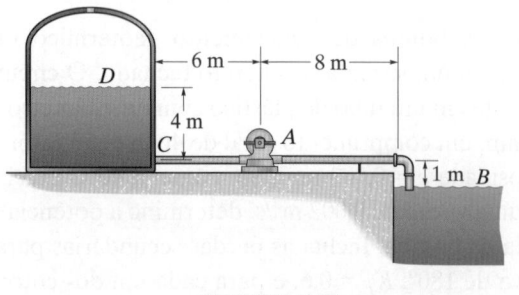

PROBLEMA 10.57

10.58. A pressão do ar em um tanque grande em A é de 40 psi. Determine a vazão de água a 70°F a partir do tanque depois que a válvula gaveta em B estiver totalmente aberta. O tubo com 2 pol. de diâmetro é feito de ferro galvanizado. Inclua as perdas secundárias para a entrada com cantos vivos, os dois cotovelos e a válvula gaveta.

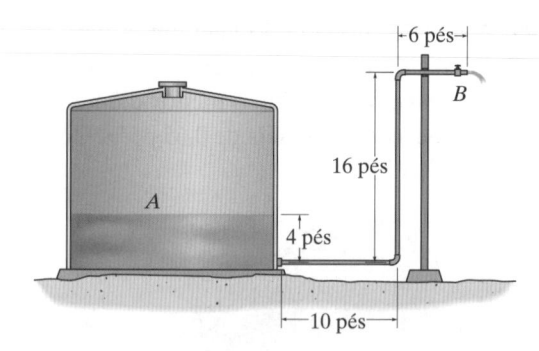

PROBLEMA 10.58

10.59. A água a 70°F escoa pelo tanque através do tubo de ferro galvanizado com 1 pol. de diâmetro. Se a torneira (válvula gaveta) está totalmente aberta, determine a descarga volumétrica em A. Inclua as perdas secundárias da entrada com cantos vivos, dos dois cotovelos e da válvula gaveta.

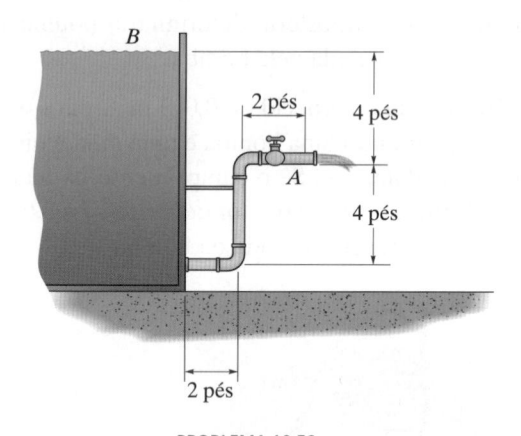

PROBLEMA 10.59

*10.60. A caixa d'água grande contém água a 70°F até a profundidade mostrada. Se a válvula gaveta em C estiver totalmente aberta, determine a potência da água fluindo pela ponta do bocal em B. Além disso, qual é a perda de carga no sistema? O tubo de ferro galvanizado tem 80 pés de extensão e um diâmetro de 2 pol. Desconsidere a perda secundária através do bocal, mas inclua as perdas secundárias na entrada com cantos vivos, nos dois cotovelos e na válvula gaveta.

PROBLEMA 10.60

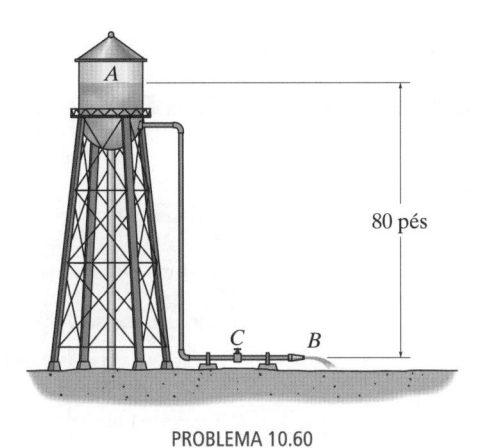

10.61. A água deve ser entregue a 0,04 m³/s ao ponto B no solo, a 500 m de distância do reservatório. Determine o menor diâmetro do tubo que pode ser usado se a bomba fornece 40 kW de potência. Desconsidere quaisquer variações na elevação e considere $f = 0,02$.

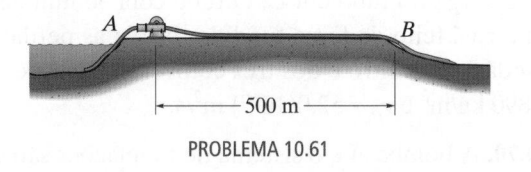

PROBLEMA 10.61

10.62. Para uma aplicação industrial, a água a 70°F escoa pelo tubo de aço comercial com 0,5 pol. de diâmetro, de modo que deve sair na válvula gaveta com uma descarga é de 0,05 pé³/s. Se o diâmetro aberto da válvula gaveta também de 0,5 pol., determine a pressão que a bomba deverá produzir em A. Considere apenas as perdas principais no tubo. Desenhe a linha de energia e a linha piezométrica para o tubo.

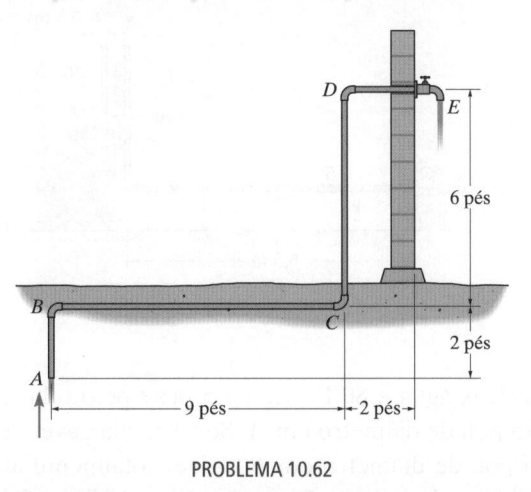

PROBLEMA 10.62

10.63. A água a 70°F escoa pelo tubo de aço comercial com 0,5 pol. de diâmetro, de modo que precisa sair pela válvula gaveta totalmente aberta com uma descarga de 0,05 pé³/s. Se o diâmetro aberto da válvula gaveta também é de 0,5 pol., determine a pressão necessária que uma bomba deverá produzir no tubo em A. Inclua as perdas secundárias dos três cotovelos e da válvula gaveta. Desenhe a linha de energia e a linha piezométrica para o tubo.

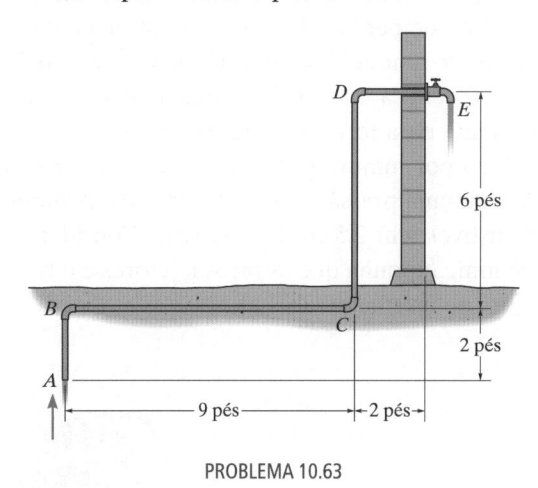

PROBLEMA 10.63

*__10.64.__ A água a 200°F entra no radiador em A com uma velocidade média de 4 pés/s e uma pressão de 60 psi. Se cada curva de 180° possui um coeficiente de perda secundária $K_L = 1,03$, determine a pressão na saída B. O tubo de cobre tem um diâmetro de 0,25 pol. Considere $\varepsilon = 5(10^{-6})$ pés. O radiador está no plano vertical.

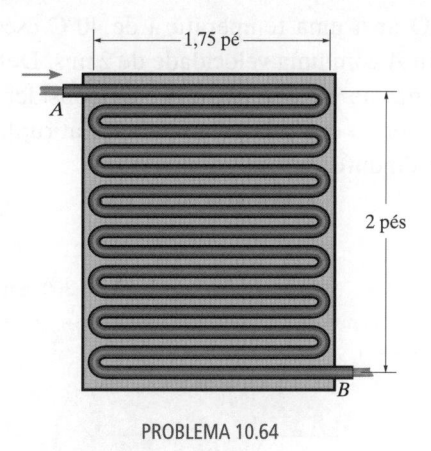

PROBLEMA 10.64

10.65. A água escoa a 900 gal/min pelo tubo com 8 pol. de diâmetro. Ao passar pelo filtro, a queda de pressão é de 0,2 psi. Determine o coeficiente de perda para o filtro. Existem 7,48 gal/pés³.

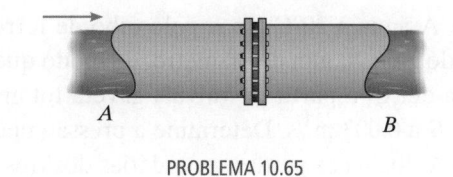

PROBLEMA 10.65

10.66. A gasolina do tanque de um automóvel A é bombeada em B através do filtro de combustível C e depois para os bicos injetores de combustível no motor. A linha de combustível é uma tubulação de aço inoxidável com 4 mm de diâmetro. Cada bico injetor de combustível possui um diâmetro de 0,5 mm. Se o coeficiente de perda é $K_L = 0,5$ na entrada com cantos vivos do tanque de combustível, $K_L = 1,5$ no filtro e $K_L = 4,0$ em cada bico, determine a potência de saída exigida para fornecer combustível a uma taxa de 0,15 litro por minuto para quatro dos cilindros que estão sob uma pressão média de 300 kPa. A linha de combustível tem 2,5 m de extensão. Considere $\varepsilon = 0,006$ mm. Suponha que os bicos injetores e o tanque estejam no mesmo nível.

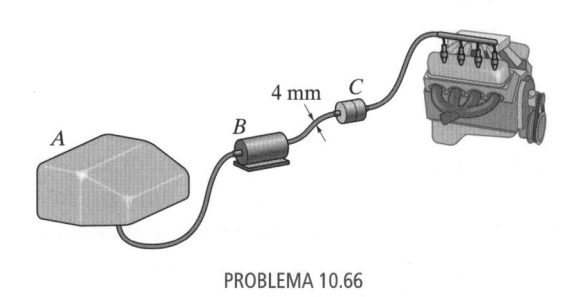

PROBLEMA 10.68

PROBLEMA 10.66

10.67. O ar a uma temperatura de 40°C escoa pelo duto em A com uma velocidade de 2 m/s. Determine a mudança na pressão entre A e B. Considere a perda secundária causada pela mudança abrupta no diâmetro do duto.

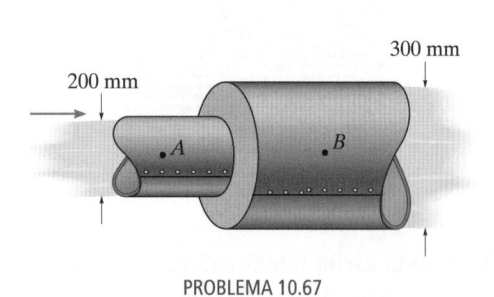

10.69. A bomba A e o sistema de tubulações são usados para transportar óleo para o tanque. Se a pressão desenvolvida pela bomba é de 400 kPa e o filtro em B tem um coeficiente de perda $K_L = 2,30$, determine a descarga do tubo em C. O tubo com 50 mm de diâmetro é feito de ferro fundido. Inclua as perdas secundárias do filtro e dos três cotovelos. Considere $\rho_o = 890$ kg/m^3 e $\nu_o = 52,0(10^{-6})$ m^2/s.

10.70. A bomba A e o sistema de tubulações são usados para transportar óleo para o tanque. Determine a pressão necessária desenvolvida pela bomba a fim de fornecer uma descarga de 0,003 m^3/s no tanque. O filtro em B tem um coeficiente de perda de $K_L = 2,30$. O tubo com 50 mm de diâmetro é feito de ferro fundido. Inclua as perdas secundárias do filtro e dos três cotovelos. Considere $\rho_o = 890$ kg/m^3 e $\nu_o = 52,0(10^{-6})$ m^2/s.

PROBLEMA 10.67

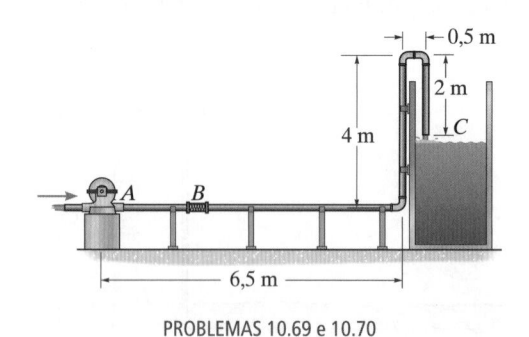

PROBLEMAS 10.69 e 10.70

10.71. A água a 80°F escoa a 5 pés/s pelo tubo com 0,75 pol. de diâmetro em A. Se a válvula gaveta com 0,5 pol. de diâmetro em B estiver totalmente aberta, determine a pressão na água em A. O coeficiente de perda secundário é $K_L = 0,6$ para o bico em B. Considere também a perda secundária no cotovelo, no tê e na válvula gaveta totalmente aberta. Para o tubo, considere $f = 0,016$.

*__10.68.__ A água a 20°C escoa pelo tubo de ferro galvanizado com 20 mm de diâmetro, de modo que descarrega em C, a partir da válvula gaveta totalmente aberta B a 0,003 m^3/s. Determine a pressão necessária em A. Inclua as perdas secundárias dos três cotovelos e da válvula gaveta.

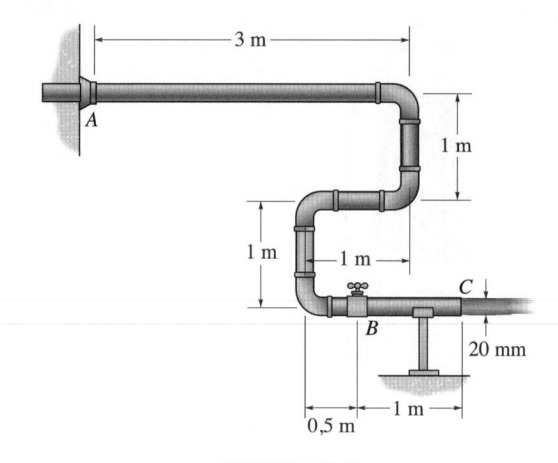

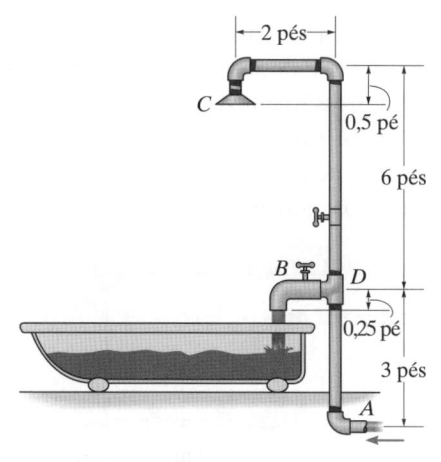

PROBLEMA 10.71

*10.72. A água a 80°F escoa a 5 pés/s pelo tubo de cobre com $\frac{3}{4}$ pol. de diâmetro em A. À medida que a água está fluindo, ela emerge do chuveiro que consiste em 100 furos, cada um com o diâmetro de $\frac{1}{16}$ pol. Determine a pressão da água em A se o coeficiente de perda secundário é $K_L = 0{,}45$ para o chuveiro. Considere também a perda secundária nos dois cotovelos, na válvula gaveta totalmente aberta e no tê. Para o tubo de cobre, considere $f = 0{,}016$.

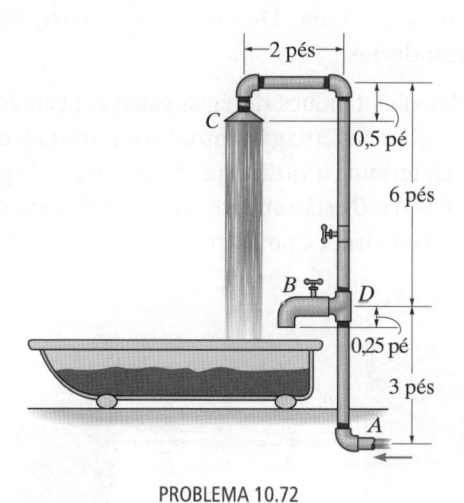

PROBLEMA 10.72

10.73. A água a 20°C é bombeada do reservatório A usando uma bomba que fornece 3 kW de potência. Determine a descarga em C se o tubo for feito de ferro galvanizado e possuir um diâmetro de 50 mm. Desconsidere as perdas secundárias.

10.74. A água a 20°C é bombeada do reservatório A usando uma bomba que fornece 3 kW de potência. Determine a descarga em C se o tubo for feito de ferro galvanizado e possuir um diâmetro de 50 mm. Inclua as perdas secundárias dos quatro cotovelos.

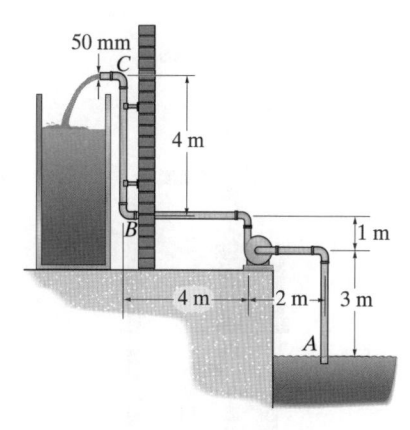

PROBLEMAS 10.73 e 10.74

10.75. Se a torneira (válvula gaveta) em E está totalmente aberta e a bomba produz uma pressão de 350 kPa em A, determine a pressão imediatamente à direita da conexão tê em C. A válvula em B permanece fechada. O tubo e a torneira possuem um diâmetro interno de 30 mm, e $f = 0{,}04$. Inclua as perdas secundárias do tê, dos dois cotovelos e da válvula gaveta.

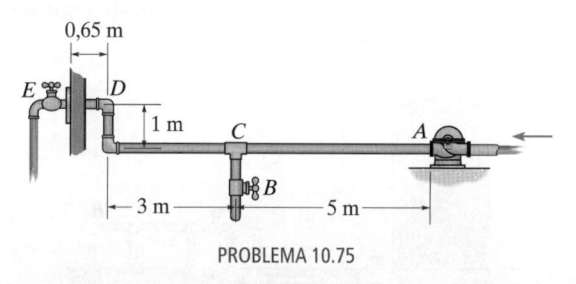

PROBLEMA 10.75

*10.76. A água do reservatório A é bombeada para o grande tanque B. Se o topo do tanque está aberto e a potência de saída da bomba é 500 W, determine a vazão para dentro do tanque quando $h = 2$ m. O tubo de ferro fundido tem um comprimento total de 6 m e um diâmetro de 50 mm. Inclua as perdas secundárias para o cotovelo e a expansão abrupta na entrada do tanque. A água tem uma temperatura de 20°C.

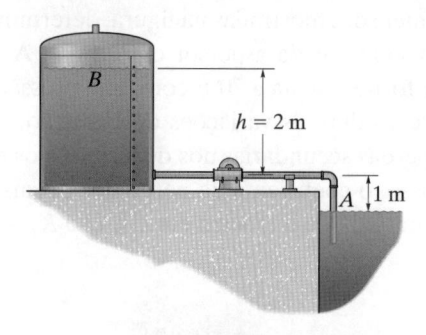

PROBLEMA 10.76

10.77. A água escoa pelo tubo vertical a uma taxa de 3 m/s. Se a elevação diferencial do manômetro de mercúrio é de 30 mm, conforme mostrado na figura, determine o coeficiente de perda K_L para o filtro C contido dentro do tubo. $\rho_{Hg} = 13550$ kg/m^3.

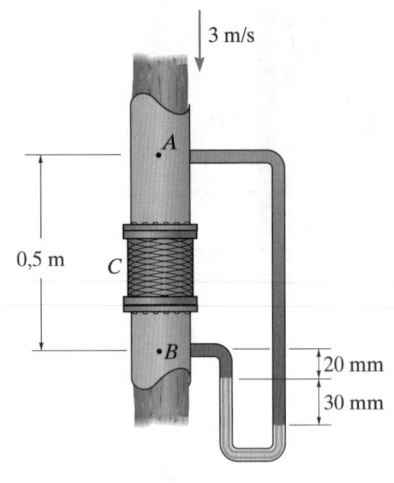

PROBLEMA 10.77

10.78. A água a $T = 20°C$ escoa do tanque aberto através do tubo de ferro galvanizado com 50 mm de diâmetro. Determine a descarga na extremidade B se a válvula globo estiver totalmente aberta. O tubo tem um comprimento de 50 m. Inclua as perdas secundárias da entrada com cantos vivos, dos quatro cotovelos e da válvula globo.

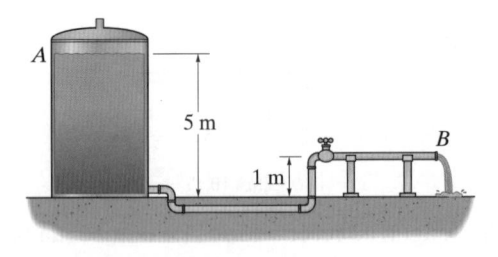

PROBLEMA 10.78

Seção 10.4

10.79. Um sistema automático de aspersores para jardim é composto de um tubo de PVC com $\frac{1}{2}$ pol. de diâmetro, para o qual $\varepsilon = 5(10^{-6})$ pés. Se o sistema possui as dimensões mostradas na figura, determine a vazão fornecida a cada aspersor em C e D. A torneira em A fornece água a 70°F com uma pressão de 32 psi. Desconsidere as variações de elevação, mas inclua as perdas secundárias nos dois cotovelos e no tê. Além disso, o coeficiente de perda dos bocais aspersores com $\frac{1}{8}$ pol. de diâmetro em C e D é $K_L = 0,05$.

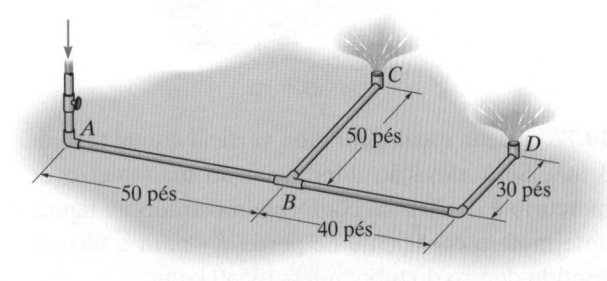

PROBLEMA 10.79

*__10.80.__ Quando a válvula globo é totalmente aberta, a água a 20°C é descarregada a 0,003 m³/s em C. Determine a pressão em A. Os tubos de ferro galvanizado AB e BC possuem diâmetros de 60 mm e 30 mm, respectivamente. Considere as perdas secundárias somente dos cotovelos e da válvula globo.

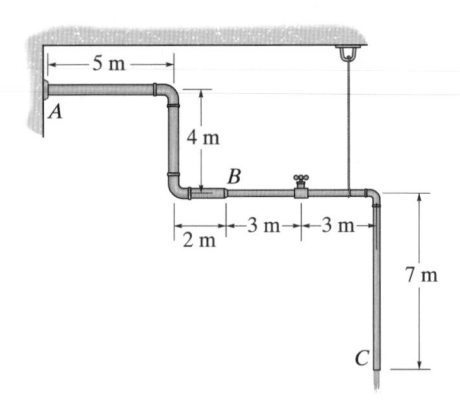

PROBLEMA 10.80

10.81. Os dois tanques de água estão conectados por meio de tubos com 100 mm de diâmetro. Se o fator de atrito para cada tubo é $f = 0,024$, determine a vazão a partir do tanque C quando a válvula em A estiver aberta, enquanto a válvula em B permanece fechada. Desconsidere quaisquer perdas secundárias.

10.82. Os dois tanques de água estão conectados por meio de tubos de ferro galvanizado com 100 mm de diâmetro. Determine a vazão a partir do tanque C quando as válvulas A e B estão abertas. Desconsidere quaisquer perdas secundárias. Considere $\nu_{\text{água}} = 1,00 \, (10^{-6}) \, \text{m}^2/\text{s}$.

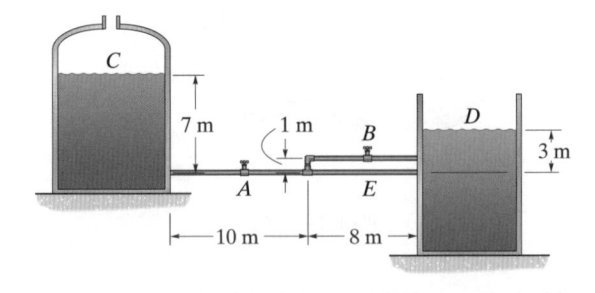

PROBLEMAS 10.81 e 10.82

10.83. A água do reservatório em A é drenada pela tubulação com 30 mm de diâmetro. Se forem usados tubos de aço comercial, determine a descarga inicial em B quando a válvula E está fechada e F está aberta. Desconsidere quaisquer perdas secundárias. Considere $\nu_{\text{água}} = 1,00 \, (10^{-6}) \, \text{m}^2/\text{s}$.

*__10.84.__ A água do reservatório em A é drenada pela tubulação com 30 mm de diâmetro. Se forem usados tubos de aço comercial, determine a vazão inicial no tubo D a partir do reservatório A quando as válvulas E e F estão totalmente abertas. Desconsidere quaisquer perdas secundárias. Considere $\nu_{água} = 1,00\ (10^{-6})\ m^2/s$.

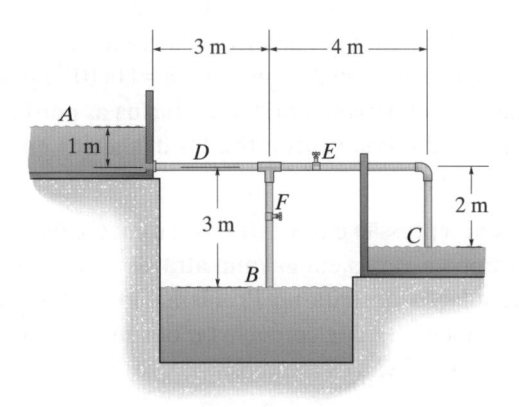

PROBLEMAS 10.83 e 10.84

10.85. A água a 20°C é bombeada pelos dois tubos de aço comercial com comprimentos e diâmetros mostrados. Se a pressão desenvolvida em A é de 230 kPa, determine a descarga em C. Desconsidere as perdas secundárias.

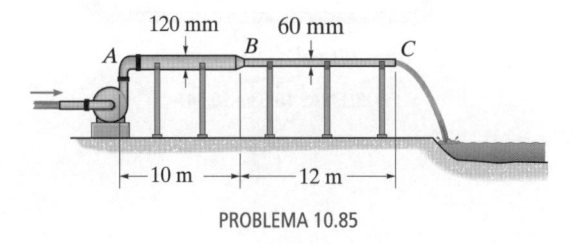

PROBLEMA 10.85

10.86. O sistema de tubos de ferro galvanizado na posição horizontal é usado para fins de irrigação e fornece água a duas saídas diferentes. Se a bomba fornece uma vazão de 0,01 m³/s no tubo em A, determine a descarga em cada saída, C e D. Desconsidere as perdas secundárias. Cada tubo tem um diâmetro de 30 mm. Além disso, qual é a pressão em A?

10.87. Determine a descarga em cada saída, C e D, para a tubulação no Problema 10.86 considerando as perdas secundárias do cotovelo e do tê.

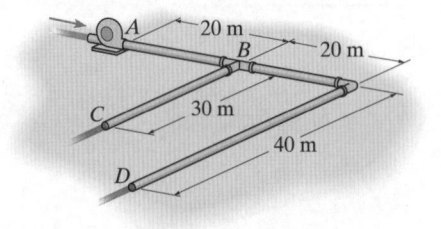

PROBLEMAS 10.86 e 10.87

*__10.88.__ A água a 70°F no recipiente em A é dispensada nos baldes em B e C usando a tubulação de aço comercial com 0,5 pol. de diâmetro. Determine a descarga inicial em B e C. Desconsidere quaisquer perdas secundárias.

10.89. A água a 70°F no recipiente em A é dispensada nos baldes em B e C usando a tubulação de aço comercial com 0,5 pol. de diâmetro. Determine a descarga inicial em B e C. Inclua as perdas no tê e nos cotovelos e na entrada com cantos vivos para o tubo, em D.

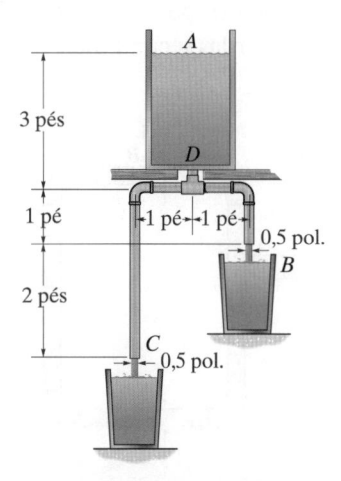

PROBLEMAS 10.88 e 10.89

10.90. Os dois tubos de ferro galvanizado se ramificam para formar o circuito. O ramal CAD possui 200 pés de extensão, e o ramal CBD, 100 pés de extensão. Que potência de bomba deve ser usada no ramal CAD se ocorre um escoamento igual de 70°F de água em cada ramal? Todos os tubos possuem um diâmetro de 3 pol. As linhas são todas horizontais. Desconsidere as perdas secundárias.

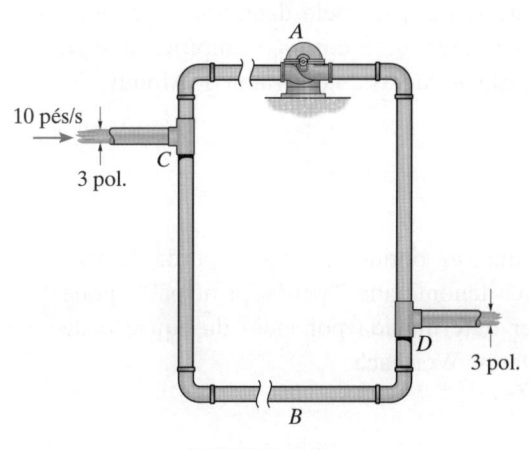

PROBLEMA 10.90

10.91. A água a 60°F escoa pelo tubo de ferro galvanizado com 2 pol. de diâmetro a 0,3 pé³/s. Se o tubo se ramifica em dois tubos horizontais com 1 pol. de diâmetro ABD e ACD, que possuem 4 pés e 6 pés de extensão, respectivamente, determine a vazão por cada tubo em gal/min. Desconsidere as perdas secundárias.

*10.92. A água a 60°F escoa pelo tubo de ferro galvanizado com 2 pol. de diâmetro a 0,3 pé³/s. Se o tubo se ramifica em dois tubos horizontais com 1 pol. de diâmetro ABD e ACD, que possuem 4 pés e 6 pés de extensão, respectivamente, determine a queda de pressão que ocorre por cada ramal de A até D. Desconsidere as perdas secundárias.

10.93. A tubulação de cobre, que transporta água a 70°F, consiste em dois ramais. O ramal ABC tem um diâmetro de 0,5 pol. e extensão de 8 pés, enquanto o ramal ADC tem um diâmetro de 1 pol. e extensão de 30 pés. Se uma bomba oferece uma vazão de entrada em A de 67,3 gal/min, determine a vazão em gal/min através de cada ramal. Considere $\varepsilon = 80(10^{-6})$ pés. O sistema está no plano horizontal. Inclua as perdas secundárias dos cotovelos e tês. Os diâmetros em A e C são iguais.

10.94. Se a pressão em A é de 60 psi e em C é de 15 psi, determine a vazão em gal/min através de cada ramo da tubulação descrita no Problema 10.93. Inclua as perdas menores dos cotovelos e dos tês. Os diâmetros em A e C são os mesmos.

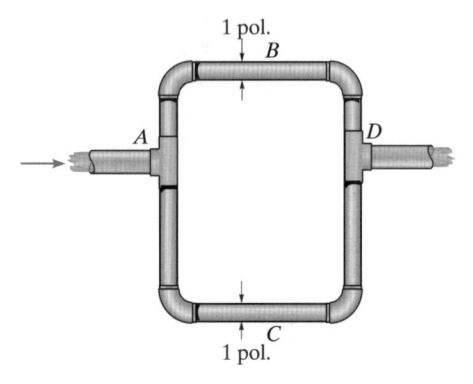

PROBLEMAS 10.91 e 10.92

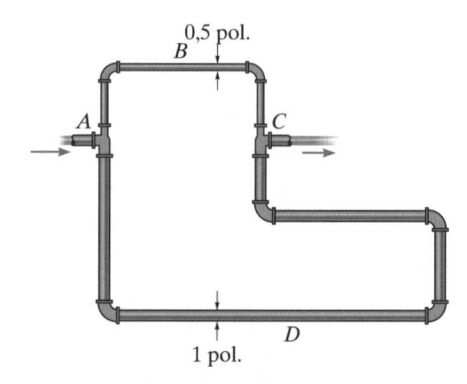

PROBLEMAS 10.93 e 10.94

Revisão do capítulo

A perda por cisalhamento dentro de um tubo pode ser determinada analiticamente para o escoamento laminar. Ela é definida pelo fator de atrito $f = 64/\mathrm{Re}$. Para o escoamento transicional e turbulento, podemos determinar f ou pelo diagrama de Moody ou usando uma equação empírica que se ajusta às curvas do diagrama de Moody.

Uma vez obtido f, então a perda de carga, denominada "perda principal", pode ser determinada por meio da equação de Darcy–Weisbach.

$$h_L = f \frac{L}{D} \frac{V^2}{2g}$$

Se uma tubulação possui ligações e conexões, então a perda de carga produzida por essas conexões precisa ser levada em consideração. Essas perdas são denominadas "perdas secundárias".

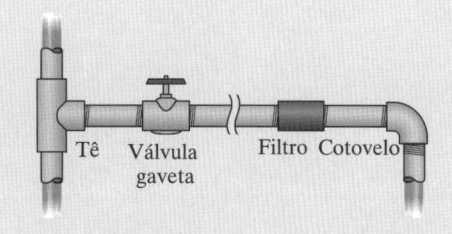

$$h_L = K_L \frac{V^2}{2g}$$

Sistemas de tubulações podem ser arranjados *em série*, quando a vazão por cada tubo deve ser a mesma, e a perda de carga é a perda total para todos os tubos.

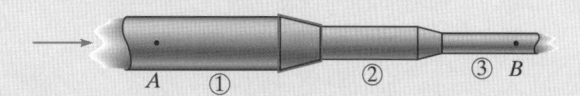

$Q = Q_1 = Q_2 = Q_3$ $\qquad h_L = h_{L1} + h_{L2} + h_{L3} + h_{sec}$

As tubulações também podem ser arranjadas *em paralelo*, quando a vazão total é a soma das vazões em cada ramal tubular do sistema, e a perda de carga para cada ramal tubular é a mesma.

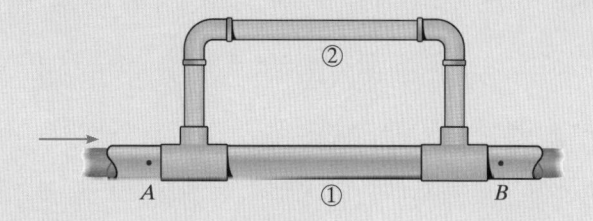

$Q_A = Q_B = Q_1 + Q_2$ $\qquad (h_L)_1 = (h_L)_2$

A vazão por um tubo pode ser medida de várias maneiras diferentes. Entre elas estão o uso de um medidor de Venturi, medidor bocal de vazão ou medidor de placa de orifício. Além disso, outros medidores de vazão utilizados são o rotâmetro, medidor tipo turbina, além de vários outros tipos de medidores.

CAPÍTULO 11

Escoamento viscoso sobre superfícies externas

O escoamento de ar sobre a superfície deste avião cria arrasto e sustentação. A análise dessas forças requer uma investigação experimental.

(© B.A.E. Inc./Alamy)

11.1 O conceito da camada limite

Quando um fluido escoa sobre uma superfície plana, a camada de partículas de fluido adjacentes à superfície terá *velocidade zero* e, quanto mais longe da superfície, a velocidade de cada camada aumentará até que alcance a velocidade da corrente livre **U**, como mostra a Figura 11.1. Esse comportamento é causado pela tensão de cisalhamento que atua entre as camadas do fluido e, para um fluido newtoniano, essa tensão é diretamente proporcional ao gradiente de velocidade, $\tau = \mu(du/dy)$. Observe que esse gradiente e a tensão de cisalhamento têm valores *máximos na superfície*, mas ambos se enfraquecem, até que, mais longe da superfície, o gradiente e a tensão de cisalhamento se aproximam de zero. Aqui, o escoamento se comporta como se fosse não viscoso, pois ele é *uniforme*, resultando em pouco ou nenhum cisalhamento ou deslizamento entre as camadas adjacentes de fluido. Em 1904, Ludwig Prandtl reconheceu essa diferença no comportamento do fluido e chamou de **camada limite** a região localizada onde a velocidade é variável.

Objetivos

- Introduzir o conceito da camada limite e discutir suas características.
- Mostrar como determinar a tensão de cisalhamento ou o arrasto de cisalhamento criado por camadas limite laminares e turbulentas que se formam sobre uma superfície plana.
- Determinar as forças normal e de arrasto sobre um corpo, causadas pela pressão de uma corrente de fluido.
- Discutir o efeito da sustentação e separação do escoamento sobre corpos com vários formatos.

Cisalhamento viscoso nesta região
$\dfrac{du}{dy} = 0, \tau = 0$
Camada limite
$\dfrac{du}{dy}$ pequeno, τ pequeno
$\dfrac{du}{dy}$ grande, τ grande

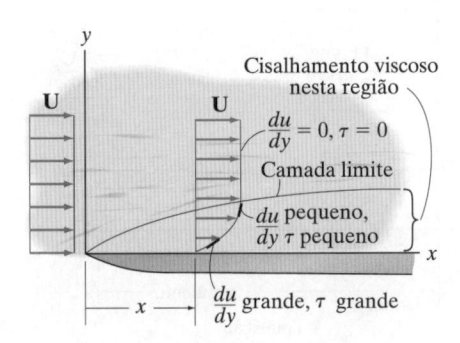

Cisalhamento é proporcional ao gradiente de velocidade

FIGURA 11.1

É muito importante compreender a formação da camada limite quando for necessário determinar a *resistência ao movimento* de um corpo através de um fluido. O projeto de hélices, asas, pás de turbina e outros elementos mecânicos e estruturais que interagem com fluidos em movimento depende de uma análise do escoamento que atua dentro da camada limite. Neste capítulo, estudaremos apenas os efeitos criados por uma camada limite delgada, que ocorre quando o fluido possui uma baixa viscosidade e o escoamento sobre a superfície é *relativamente rápido*. Como vemos na Figura 11.2, fluidos que se movimentam *lentamente*, ou aqueles com alta viscosidade, produzem uma camada limite espessa, e a compreensão do seu efeito sobre o escoamento requer uma análise experimental especializada ou a modelagem numérica por meio de um computador. Veja a Referência [5].

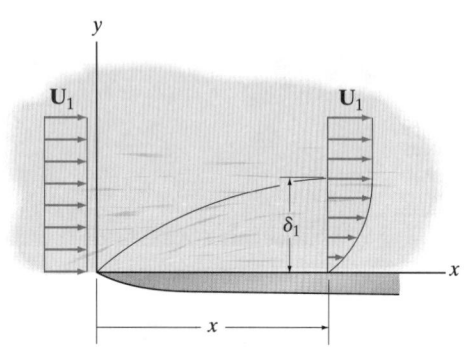

Fluidos em movimento lento, ou fluidos com alta viscosidade, produzem uma camada limite espessa.

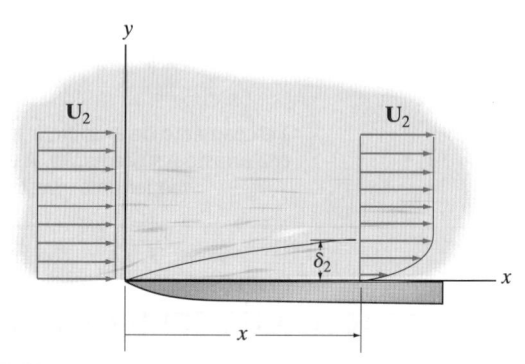

Fluidos em movimento rápido, $U_2 > U_1$, ou fluidos com baixa viscosidade, produzem uma camada limite delgada, $\delta_2 < \delta_1$

FIGURA 11.2

Descrição da camada limite

O desenvolvimento ou o crescimento da camada limite pode ser mais bem ilustrado considerando-se o escoamento uniforme em regime permanente de um fluido sobre uma placa plana longa, que é semelhante ao que ocorre ao longo do casco de um navio, em uma seção plana de um avião ou na parede lateral de um prédio. As características básicas da camada limite podem ser divididas em três regiões, que são mostradas na Figura 11.3.

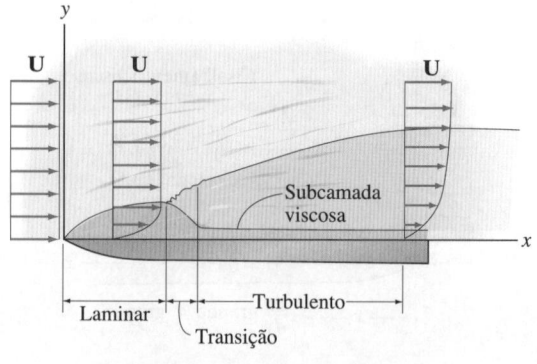

Camada limite sobre uma placa plana
(escala y bastante exagerada)

FIGURA 11.3

Escoamento laminar

À medida que o fluido escoa sobre bordo de ataque de uma placa com uma velocidade de corrente livre **U** uniforme, as partículas em sua superfície aderem à superfície, enquanto aquelas logo acima dela *reduzem a sua velocidade* e se organizam em *camadas lisas* a jusante. Nessa região inicial, o escoamento é laminar. Mais adiante na placa, a espessura da camada limite aumenta, à medida que mais e mais camadas de fluido são influenciadas pelo efeito do cisalhamento viscoso.

Escoamento transicional

Há um ponto que é atingido ao longo da placa onde a organização do escoamento laminar *torna-se instável* e depois tende a ser quebrada. Essa é uma *região de transição*, onde algumas das partículas do fluido começam a sofrer turbulência, caracterizada pela mistura aleatória de grandes grupos de partículas movendo-se de uma camada de fluido para outra.

Escoamento turbulento

A mistura de fluido que ocorre faz com que a espessura da camada limite aumente rapidamente, por fim formando uma *camada limite turbulenta*. Apesar dessa transformação de escoamento laminar para turbulento, sempre permanece, sob a camada limite turbulenta, uma **subcamada laminar** ou **viscosa** muito fina, com "movimento lento", pois o fluido adere-se à superfície da placa.

Espessura da camada limite

Em cada local ao longo da placa, o perfil de velocidade dentro da espessura da camada limite se aproximará *assintoticamente* da velocidade de corrente livre. Como essa espessura não é bem definida, os engenheiros usam três métodos para especificar seu valor.

Espessura de distúrbio

O modo mais simples de relatar a espessura da camada limite em cada local x é defini-la como a altura δ, onde a velocidade máxima alcançada é igual a uma certa porcentagem da velocidade de corrente livre. O valor aceito é $u = 0{,}99U$, como mostra a Figura 11.4.

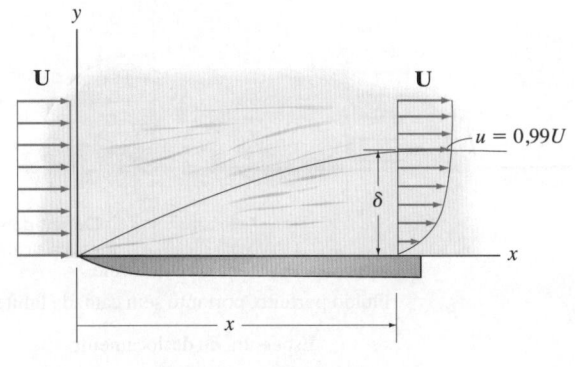

Espessura de distúrbio

FIGURA 11.4

Espessura de deslocamento

A espessura da camada limite também pode ser especificada como uma *espessura de deslocamento*, δ^*. Isso se refere à distância que a superfície real deverá ser *deslocada*, de modo que, se tivéssemos um *fluido perfeito*, a vazão mássica com esse novo contorno (Figura 11.5b) seria a mesma que para o fluido real (Figura 11.5a). Esse conceito é normalmente utilizado para projetar túneis de vento e a tomada de ar de um motor de jato.

Para determinar a distância δ^*, temos de encontrar a diminuição na vazão mássica ou o *déficit de vazão mássica* para cada caso. Se a superfície (ou placa) possui uma largura b, então, no caso do fluido real (Figura 11.5a), a vazão mássica em y através da área diferencial $dA = b\,dy$ é $d\dot{m} = \rho u\, dA = \rho u (b\, dy)$. Se houvesse um fluido perfeito, então os efeitos viscosos não ocorreriam, portanto, $u = U$, e a vazão mássica em y seria então $d\dot{m}_0 = \rho U (b\, dy)$. O *déficit de vazão mássica* devido à viscosidade é, portanto, $d\dot{m}_0 - d\dot{m} = \rho(U - u)(b\, dy)$. Para a camada limite inteira, a integração por essa altura é necessária para determinar esse déficit total, mostrado em um tom escuro abaixo da curva ascendente na Figura 11.5a. Esse déficit precisa ser *o mesmo* para o fluido perfeito na Figura 11.5b. Como ele é $\rho U(b\delta^*)$, então,

$$\underbrace{\rho U \left(b\delta^*\right)}_{\text{Perda no escoamento uniforme}} = \underbrace{\int_0^\infty \rho(U - u)(b\,dy)}_{\text{Perda na camada limite}}$$

Visto que ρ, U e b são constantes, podemos escrever esta equação como

$$\delta^* = \int_0^\infty \left(1 - \frac{u}{U}\right) dy \qquad (11.1)$$

Portanto, para determinar a espessura de deslocamento, o perfil de velocidade $u = u(y)$ da camada limite precisa ser conhecido. Se for, então essa integral pode ser avaliada, seja analiticamente ou numericamente, em cada local x ao longo da placa.

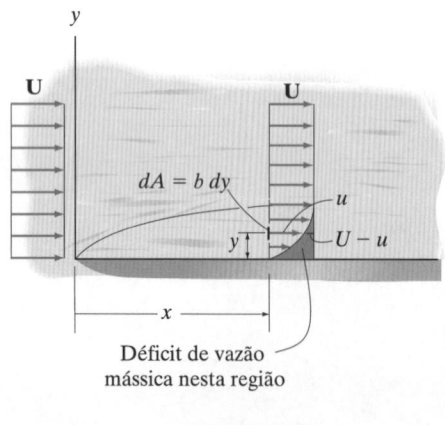

Camada limite
(a)

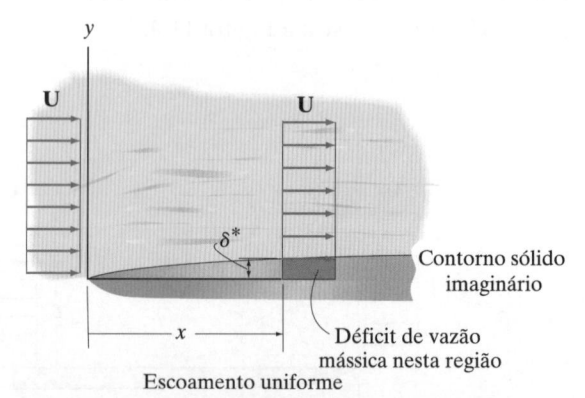

Fluido perfeito, portanto sem camada limite
Espessura de deslocamento
(b)

FIGURA 11.5

Espessura de quantidade de movimento

Outra forma de tratar o distúrbio de velocidade ocasionado pela camada limite é considerar como a superfície real deveria ser deslocada, de modo que a *taxa de quantidade de movimento* do escoamento fosse a *mesma* que para o fluido perfeito. Essa variação na altura da superfície é denominada *espessura de quantidade de movimento* Θ (Figura 11.6b). Ela representa a perda de quantidade de movimento na camada limite em comparação com a existência de um escoamento perfeito. Para descobri-la, temos de determinar a taxa de déficit de quantidade de movimento do escoamento em cada caso. Se a placa possui uma largura b, então, para o fluido real, mostrado na Figura 11.6a, na altura y, o fluido passando pela área dA tem a taxa de quantidade de movimento $d\dot{m}\,u = \rho(dQ)u = \rho(u\,dA)u$. Visto que $dA = b\,dy$, então $d\dot{m}\,u = \rho(ub\,dy)u$. Porém, se a vazão mássica $d\dot{m}$ tivesse uma velocidade U, então a taxa de *déficit* da quantidade de movimento seria $\rho[ub\,dy](U - u)$. Para o caso do fluido perfeito (Figura 11.6b), a taxa de déficit de quantidade de movimento é $\rho dQU = \rho(U\Theta b)U$. Portanto, exige-se que

$$\rho(U\Theta b)U = \int_0^\infty \rho u (U - u)b\,dy$$

ou

$$\Theta = \int_0^\infty \frac{u}{U}\left(1 - \frac{u}{U}\right)dy \qquad (11.2)$$

Resumindo, agora temos três definições para a espessura da camada limite: δ refere-se à altura até a qual a camada limite causa distúrbio no escoamento, na qual a velocidade torna-se $0,99U$; e δ^* e Θ definem as alturas para as quais a superfície precisa ser deslocada ou reposicionada de modo que, se o fluido fosse *perfeito* e escoando com a velocidade de corrente livre **U**, ele produziria as mesmas vazão mássica e quantidade de movimento, respectivamente, que no caso do fluido *real*.

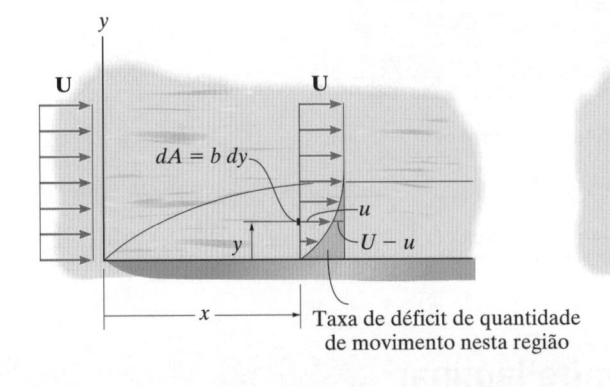

Camada limite
(a)

Escoamento uniforme
Fluido perfeito, portanto sem camada limite
Espessura de quantidade de movimento
(b)

FIGURA 11.6

Classificação da camada limite

A magnitude da tensão de cisalhamento que um fluido desenvolve sobre a superfície de uma placa depende do *tipo de escoamento* dentro da camada limite, e por isso é importante encontrar o ponto onde a transição de escoamento laminar para turbulento começa. O número de Reynolds pode ser usado para fazer isso, pois as forças de inércia e viscosa desempenham um papel importante no desenvolvimento da camada limite. Para o escoamento ao longo de uma placa plana, definiremos o número de Reynolds com base no "comprimento característico" x, que é a distância a jusante a partir do bordo de ataque da placa (Figura 11.7). Portanto,

$$\text{Re}_x = \frac{Ux}{\nu} = \frac{\rho U x}{\mu} \tag{11.3}$$

Pelos experimentos, descobriu-se que o escoamento laminar começa a ser quebrado em torno de $\text{Re}_x = 1(10^5)$, mas pode chegar até a $3(10^6)$. O valor específico de quando isso acontece é de certa forma sensível à rugosidade da superfície da placa, à uniformidade do escoamento e a quaisquer variações de temperatura ou pressão que ocorram ao longo da superfície da placa (veja a Referência [11]). Neste livro, para estabelecer um *valor consistente*, vamos considerar que o valor crítico do número de Reynolds seja

$$\left(\text{Re}_x\right)_{cr} = 5(10^5)$$
Placa plana

Por exemplo, para o ar a uma temperatura de 20°C e pressão padrão, escoando a 25 m/s, a camada limite manterá o escoamento laminar até uma distância crítica de $x_{cr} = (\text{Re}_x)_{cr} \, \nu \, / \, U = 5(10^5)(15{,}1(10^{-6}) \text{ m}^2/\text{s})/(25 \text{ m/s}) = 0{,}302$ m a partir do bordo de ataque da placa.

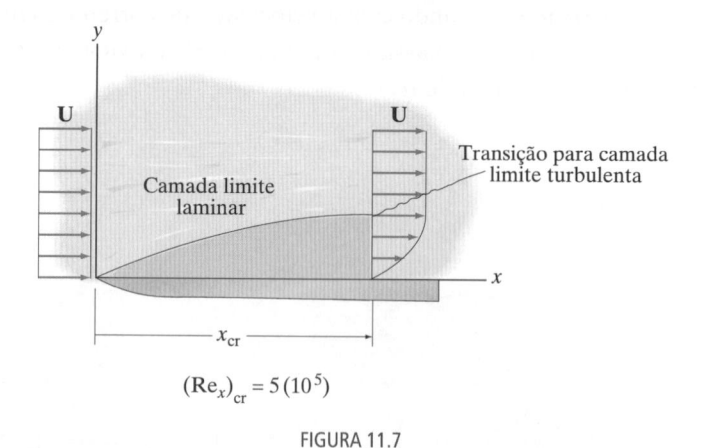

FIGURA 11.7

11.2 Camada limite laminar

Se $\text{Re}_x \leq 5(10^5)$, então somente uma camada limite laminar será formada na superfície. Nesta seção, discutiremos como a velocidade e a tensão de cisalhamento variam dentro desse tipo de camada limite. Para fazer isso, será preciso satisfazer as equações da continuidade e da quantidade de movimento, levando em consideração o *escoamento viscoso* dentro da camada limite. Na Seção 7.11, mostramos que os componentes da equação da quantidade de movimento, escrita para um elemento de fluido diferencial, tornaram-se as equações de Navier-Stokes. Essas equações formam um conjunto complexo de equações diferenciais parciais, que não possuem uma solução geral conhecida, embora, quando aplicadas dentro da região da camada limite, com certas suposições, elas possam ser simplificadas para produzir uma solução utilizável.

Aqui, apresentaremos essa solução e discutiremos sua aplicação ao escoamento sobre a placa plana na Figura 11.8, onde o fluido é incompressível e possui *escoamento laminar* em regime permanente. Os experimentos têm mostrado que, quando um fluido se move sobre a placa, as linhas de corrente do escoamento gradualmente começam a se encurvar para cima, de modo que uma partícula localizada em (x, y) tem componentes de velocidade u e v. Para números de Reynolds *altos*, a camada limite é muito fina, portanto, o componente vertical v será muito menor do que o componente horizontal u. Além disso, devido à viscosidade, as variações de u e v na direção y, ou seja, $\partial u/\partial y$, $\partial v/\partial y$ e $\partial^2 u/\partial y^2$, serão *muito maiores* do que as variações $\partial u/\partial x$, $\partial v/\partial x$ e $\partial^2 u/\partial x^2$ na direção x. Além disso, como as linhas de corrente dentro da camada limite só se encurvam *ligeiramente* para cima, a variação de pressão na direção y, que causa essa curvatura, é *praticamente constante*, de modo que $\partial p/\partial y \approx 0$. Por fim, como a pressão acima da camada limite é constante, então, dentro dessa camada, devido à sua pequena altura, $\partial p/\partial x \approx 0$. Com essas suposições, Prandtl foi capaz de reduzir as três equações de Navier-Stokes, Equação 7.75, para apenas uma na direção x, e esta, juntamente com a equação da continuidade, torna-se

$$u\frac{\partial u}{\partial x} + v\frac{\partial u}{\partial y} = \nu\frac{\partial^2 u}{\partial y^2}$$

$$\frac{\partial u}{\partial x} + \frac{\partial v}{\partial y} = 0$$

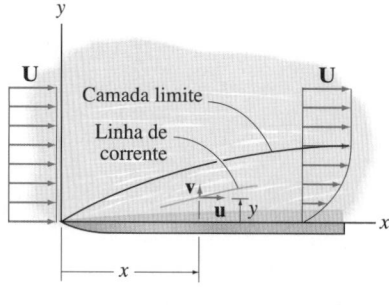

FIGURA 11.8

Para obter a distribuição de velocidade dentro da camada limite, é preciso resolver essas equações simultaneamente para u e v, usando as condições de contorno $u = v = 0$ em $y = 0$ e $u = U$ em $y = \infty$. Em 1908, Paul Blasius, que foi um dos alunos de pós-graduação de Prandtl, fez isso usando uma análise numérica (veja a Referência [16]). Ele apresentou seus resultados na forma de uma curva, mostrada na Figura 11.9, que é plotada sobre os eixos da velocidade adimensional u/U contra o parâmetro adimensional $(y/x)\sqrt{Re_x}$. Aqui, Re_x é definido pela Equação 11.3. Por conveniência, os valores numéricos para esta curva são listados na Tabela 11.1. Assim, para um ponto especificado (x, y) e velocidade de corrente livre U (Figura 11.8), a velocidade u para uma partícula dentro da camada limite pode ser determinada a partir da curva ou da tabela. Como era esperado, a solução indica que a velocidade da camada limite aproxima-se da velocidade da corrente livre assintoticamente, de modo que $u/U \to 1$ quando $y \to \infty$.

Perfil de velocidade adimensional da camada limite para o escoamento laminar

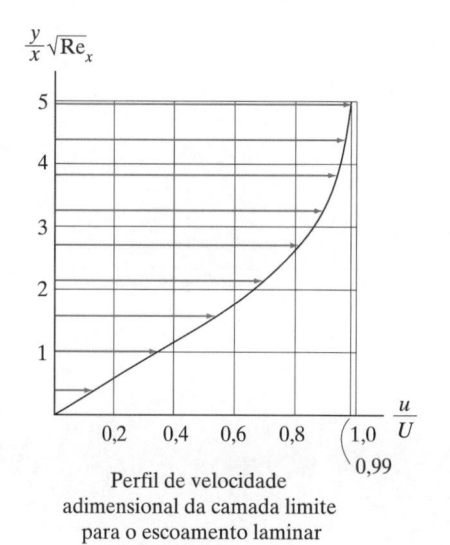

FIGURA 11.9

TABELA 11.1 A solução de Blasius — camada limite laminar.

$\frac{y}{x}\sqrt{Re_x}$	u/U	$\frac{y}{x}\sqrt{Re_x}$	u/U
0,0	0,0	2,8	0,81152
0,4	0,13277	3,2	0,87609
0,8	0,26471	3,6	0,92333
1,2	0,39378	4,0	0,95552
1,6	0,51676	4,4	0,97587
2,0	0,62977	4,8	0,98779
2,4	0,72899	∞	1,00000

Espessura de distúrbio

Essa espessura, $y = \delta$, é o ponto onde a velocidade do escoamento u está em 99% da velocidade da corrente livre, ou seja, $u/U = 0,99$. Pela solução de Blasius na Figura 11.9, ela ocorre quando

$$\frac{y}{x}\sqrt{Re_x} = 5,0$$

Assim,

$$\delta = \frac{5,0}{\sqrt{Re_x}} x \qquad (11.4)$$

Espessura da camada limite laminar

Usando esse resultado, vale a pena observar o quanto essa camada limite laminar pode ser realmente fina. Por exemplo, se a velocidade U é grande o suficiente para que o número de Reynolds alcance seu valor crítico de $(Re_x)_{cr} = 5(10^5)$ em $x_{cr} = 100$ mm, então a espessura da camada limite laminar nessa distância é de apenas 0,707 mm.

Espessura de deslocamento

Se a solução de Blasius para u/U (Figura 11.9) for substituída na Equação 11.1, pode-se mostrar que, após a integração numérica, a espessura de deslocamento para camadas limite laminares torna-se

$$\delta^* = \frac{1,721}{\sqrt{Re_x}} x \qquad (11.5)$$

Uma vez obtida, essa espessura pode então ser usada para *simular* a nova localização do contorno sólido sobre o qual o escoamento laminar é considerado invíscido ou perfeito. Por exemplo, pode-se *aumentar* a abertura de um túnel de vento para acomodar δ^* (Figura 11.10). Desse modo, a vazão mássica pelo túnel será *uniforme por uma seção transversal constante*.

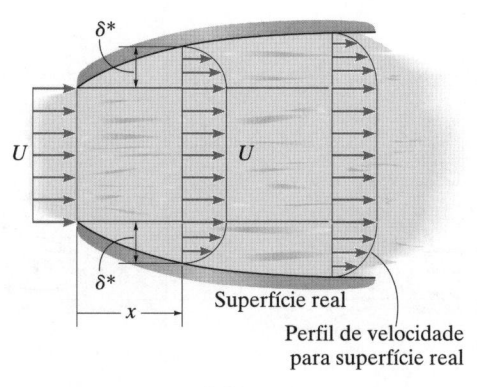

FIGURA 11.10

Espessura de quantidade de movimento

Para obter a espessura de quantidade de movimento da camada limite, devemos integrar a Equação 11.2, usando a solução de Blasius para u/U. Depois da integração numérica, o resultado torna-se

$$\Theta = \frac{0{,}664}{\sqrt{Re_x}} x \qquad (11.6)$$

Como $Re_x = Ux/\nu$, observe que, em cada um desses casos, as espessuras δ, δ^* e Θ *diminuem* à medida que o número de Reynolds ou a velocidade da corrente livre U aumenta.

Tensão de cisalhamento

Para a camada limite laminar mostrada na Figura 11.11a, um *fluido newtoniano* exerce uma tensão de cisalhamento sobre a superfície da placa igual a

$$\tau_0 = \mu \left(\frac{du}{dy} \right)_{y=0} \qquad (11.7)$$

O gradiente de velocidade em $y = 0$ pode ser obtido medindo-o a partir do gráfico da solução de Blasius (Figura 11.9). Pode-se mostrar que ele é

$$\left. \frac{d\left(\frac{u}{U}\right)}{d\left(\frac{y}{x}\sqrt{Re_x}\right)} \right|_{y=0} = 0{,}332$$

Para um local x específico e valores constantes de U e ν, o número de Reynolds $Re_x = Ux/\nu$ também será constante, portanto, $d(u/U) = du/U$ e $d(y\sqrt{Re_x}/x) = dy\sqrt{Re_x}/x$. Após reorganizar, a derivada du/dy torna-se então

$$\frac{du}{dy} = 0{,}332 \left(\frac{U}{x} \right) \sqrt{Re_x}$$

Substituindo isso na Equação 11.7, obtemos o resultado

$$\tau_0 = 0{,}332 \mu \left(\frac{U}{x} \right) \sqrt{Re_x} \qquad (11.8)$$

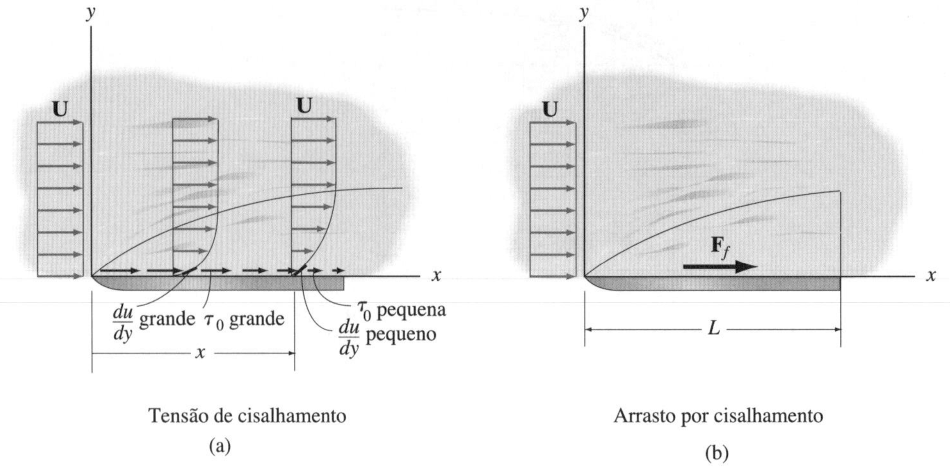

Tensão de cisalhamento
(a)

Arrasto por cisalhamento
(b)

FIGURA 11.11

Com essa equação, agora podemos calcular a tensão de cisalhamento sobre a placa em qualquer posição x a partir do bordo de ataque da placa. Observe que essa tensão se tornará menor à medida que a distância x aumenta (Figura 11.11a).

Como τ_0 causa um arrasto sobre a placa, na mecânica dos fluidos, geralmente expressamos esse efeito escrevendo-o em termos do produto da carga dinâmica do fluido, ou seja,

$$\tau_0 = c_f\left(\frac{1}{2}\rho U^2\right) \tag{11.9}$$

Substituindo a Equação 11.8 para τ_0 e usando $\text{Re}_x = \rho U x/\mu$, o **coeficiente de cisalhamento superficial** c_f é determinado por

$$c_f = \frac{0{,}664}{\sqrt{\text{Re}_x}} \tag{11.10}$$

Assim como a tensão de cisalhamento, c_f torna-se menor à medida que a distância x da borda inicial da placa aumenta.

Arrasto por cisalhamento

Se a força resultante atuando sobre a superfície da placa tiver de ser determinada, então é necessário integrar a Equação 11.8 sobre a superfície. Essa força é chamada de *arrasto por cisalhamento*, e se a largura da placa for b e seu comprimento L (Figura 11.11b), então temos

$$F_{Af} = \int_A \tau_0\, dA = \int_0^L 0{,}332\mu\left(\frac{U}{x}\right)\left(\sqrt{\frac{\rho U x}{\mu}}\right)(b\, dx) = 0{,}332b\, U^{3/2}\sqrt{\mu\rho}\int_0^L \frac{dx}{\sqrt{x}}$$

$$F_{Af} = \frac{0{,}664 b \rho U^2 L}{\sqrt{\text{Re}_L}} \tag{11.11}$$

onde

$$\text{Re}_L = \frac{\rho UL}{\mu} \qquad (11.12)$$

Foram executados experimentos para medir o arrasto por cisalhamento em uma placa, causado por camadas limite laminares, e os resultados foram bem próximos daqueles obtidos pela Equação 11.11.

Um ***coeficiente de arrasto por cisalhamento*** adimensional para uma placa de comprimento L pode ser definido em termos da carga dinâmica do fluido, de uma maneira semelhante à Equação 11.9. Como o arrasto por cisalhamento atua sobre a área bL, temos

$$\boxed{F_{Af} = C_{Af} bL \left(\frac{1}{2} \rho U^2 \right)} \qquad (11.13)$$

Substituindo a Equação 11.11 para F_{Af} e explicitando C_{Af}, obtemos

$$\boxed{C_{Af} = \frac{1{,}328}{\sqrt{\text{Re}_L}}} \qquad (11.14)$$

Pontos importantes

- Uma camada limite muito fina se formará sobre a superfície de uma placa plana quando um fluido de baixa viscosidade e movimento rápido escoar sobre ela. Dentro dessa camada, a tensão de cisalhamento muda o perfil de velocidade do fluido, de modo que ela é zero na superfície da placa e depois aproxima-se assintoticamente da velocidade U na corrente livre do escoamento, acima da superfície.

- Devido à viscosidade, a espessura da camada limite aumentará ao longo da extensão da placa. Ao fazer isso, o fluido dentro da camada limite pode passar de laminar para transicional e turbulento, desde que a placa sobre a qual ele está escoando tenha tamanho suficiente. Por convenção, neste livro, definimos o comprimento máximo x_{cr} de uma camada limite *laminar* como tendo o número de Reynolds de $(\text{Re}_x)_{\text{cr}} = 5(10^5)$.

- Um dos principais propósitos de uso da teoria da camada limite é determinar a distribuição da tensão de cisalhamento que o escoamento exerce sobre a superfície de uma placa e, com isso, determinar o arrasto por cisalhamento sobre a superfície.

- Em qualquer local ao longo da placa, definimos a *espessura de distúrbio* δ da camada limite como a altura na qual o escoamento alcança uma velocidade de $0{,}99U$. A *espessura de deslocamento* δ^* e a *espessura de quantidade de movimento* Θ são as alturas para as quais a superfície do contorno sólido deve ser deslocada, ou reposicionada, de modo que, se o fluido fosse perfeito e fluindo com uma velocidade uniforme U, ele produziria a mesma vazão mássica e quantidade de movimento, respectivamente, que no caso do fluido real.

- Blasius obteve uma solução numérica para espessura, perfil de velocidade e distribuição de tensão de cisalhamento para uma camada limite *laminar* ao longo da superfície de uma placa plana. Seus resultados são apresentados em formato gráfico e em tabela.

- O arrasto por cisalhamento F_{Af} causado por uma camada limite geralmente é relatado por meio do coeficiente de arrasto por cisalhamento adimensional C_{Af}, juntamente com o produto da área da placa bL pela carga dinâmica do fluido, $F_{Af} = C_{Af}(bL)(\frac{1}{2}\rho U^2)$. Os valores de C_{Af} são em função do número de Reynolds.

EXEMPLO 11.1

A água escoa em torno da placa da Figura 11.12a com uma velocidade média de 0,25 m/s. Determine a distribuição de tensão de cisalhamento e a espessura da camada limite ao longo de suas laterais, esboçando a camada limite para 1 m de sua extensão. Considere $\rho_{\text{água}} = 1000 \text{ kg/m}^3$ e $\mu_{\text{água}} = 0{,}001 \text{ N} \cdot \text{s/m}^2$.

(a)

(b)

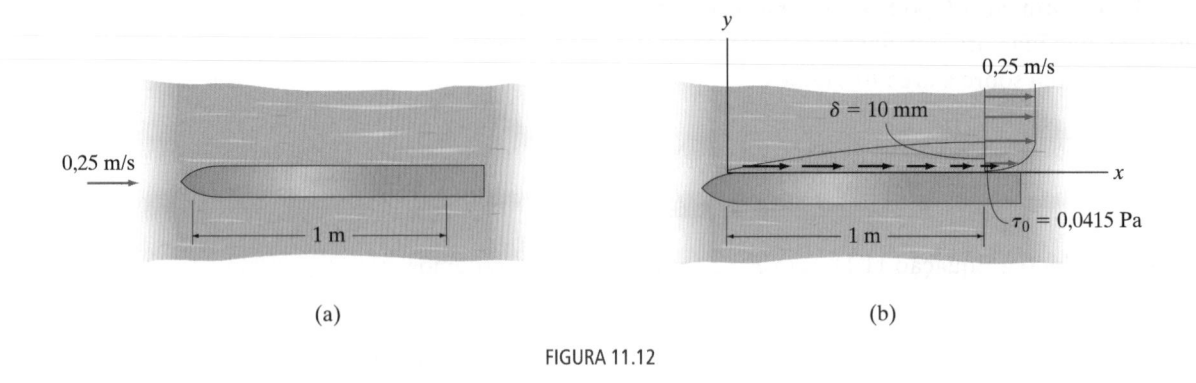

FIGURA 11.12

Solução

Descrição do fluido

Consideramos o escoamento em regime permanente e incompressível ao longo da placa.

Análise

Usando a Equação 11.3, o número de Reynolds para o escoamento em termos de x é

$$\text{Re}_x = \frac{\rho_{\text{água}} U x}{\mu_{\text{água}}} = \frac{(1000 \text{ kg/m}^3)(0{,}25 \text{ m/s})x}{0{,}001 \text{ N} \cdot \text{s/m}^2} = 2{,}5(10^5)x$$

Quando $x = 1$ m, $\text{Re}_x = 2{,}5(10^5) < 5(10^5)$, de modo que a camada limite permanece laminar. Assim, a distribuição de tensão de cisalhamento pode ser determinada pela Equação 11.8.

$$\tau_0 = 0{,}332 \, \mu_{\text{água}} \frac{U}{x} \sqrt{\text{Re}_x}$$

$$= 0{,}332 (0{,}001 \text{ N} \cdot \text{s/m}^2) \left(\frac{0{,}25 \text{ m/s}}{x}\right) \sqrt{2{,}5(10^5)x}$$

$$= \left(\frac{0{,}0415}{\sqrt{x}}\right) \text{Pa} \qquad \textit{Resposta}$$

A espessura da camada limite pode ser determinada aplicando-se a Equação 11.4.

$$\delta = \frac{5{,}0}{\sqrt{\text{Re}_x}} x = \frac{5{,}0}{\sqrt{2{,}5(10^5)x}} x = 0{,}010 \sqrt{x} \text{ m} \qquad \textit{Resposta}$$

Esses resultados podem ser vistos na Figura 11.12b para $0 \leq x \leq 1$ m. Observe que, quando x aumenta, τ_0 diminui e δ aumenta. Em particular, quando $x = 1$ m, $\tau_0 = 0{,}0415$ Pa e $\delta = 10$ mm.

EXEMPLO 11.2

O navio na Figura 11.13a está se movendo lentamente a 0,2 m/s pela água parada. Determine a espessura δ da camada limite em um ponto $x = 1$ a partir da proa. Além disso, nesse local, ache a velocidade da água dentro da camada limite em $y = \delta$ e $y = \delta/2$. Considere $\nu_{\text{água}} = 1{,}10(10^{-6})$ m²/s.

(a) (b)

FIGURA 11.13

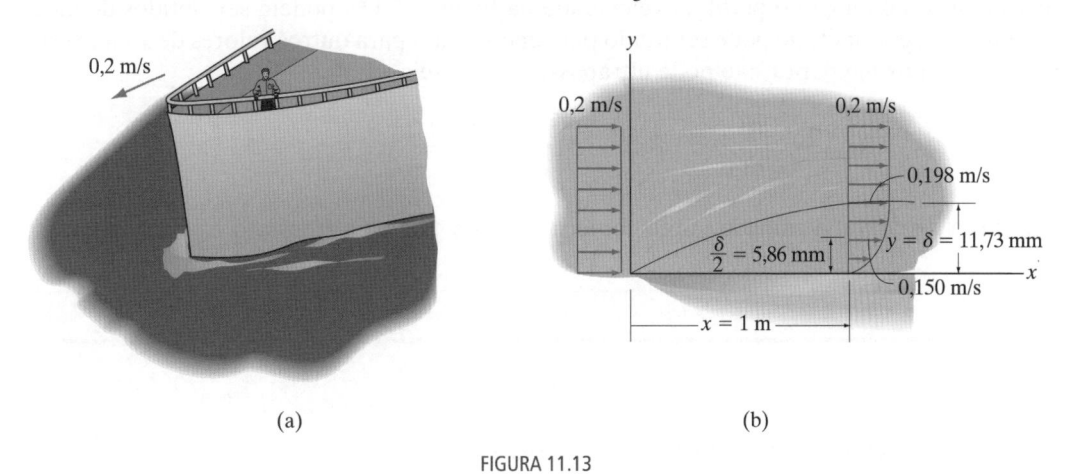

Solução

Descrição do fluido

Vamos supor que o casco do navio seja uma placa plana e, em relação ao navio, a água apresenta escoamento em regime permanente e incompressível.

Espessura de distúrbio

Primeiro, verificaremos se a camada limite permanece laminar em $x = 1$ m.

$$\text{Re}_x = \frac{Ux}{\nu_{\text{água}}} = \frac{0{,}2 \text{ m/s}(1 \text{ m})}{1{,}10(10^{-6}) \text{ m}^2/\text{s}} = 1{,}818(10^5) < (\text{Re}_x)_{cr} = 5(10^5) \quad \text{OK}$$

Agora, podemos usar a solução de Blasius, Equação 11.4, para determinar a espessura da camada limite em $x = 1$ m.

$$\delta = \frac{5{,}0}{\sqrt{\text{Re}_x}} x = \frac{5{,}0}{\sqrt{1{,}818(10^5)}}(1 \text{ m}) = 0{,}01173 \text{ m} = 11{,}7 \text{ mm} \qquad \textit{Resposta}$$

Velocidade

Em $x = 1$ m e $y = \delta = 0{,}01173$ m, por definição, $u/U = 0{,}99$. Assim, a velocidade da água nesse ponto (Figura 11.13b) é

$$u = 0{,}99(0{,}2 \text{ m/s}) = 0{,}198 \text{ m/s} \qquad \textit{Resposta}$$

Para determinar a velocidade da água em $x = 1$ m e $y = \delta/2 = 5{,}86(10^{-3})$ m, primeiro devemos achar o valor de u/U, seja pelo gráfico na Figura 11.9a ou pela Tabela 11.1. Aqui,

$$\frac{y}{x}\sqrt{\text{Re}_x} = \frac{5{,}86(10^{-3}) \text{ m}}{1 \text{ m}}\sqrt{1{,}818(10^5)} = 2{,}5$$

Usando a interpolação linear entre os valores 2,4 e 2,8 dados na tabela, para 2,5, obtemos

$$\frac{u/U - 0,72899}{2,5 - 2,4} = \frac{0,81152 - 0,72899}{2,8 - 2,4}; \quad u/U = 0,7496$$

$$u = 0,7496(0,2 \text{ m/s}) = 0,150 \text{ m/s} \qquad \textit{Resposta}$$

Outros pontos ao longo do perfil da velocidade na Figura 11.13b podem ser obtidos de modo semelhante. Além disso, esse método pode ser usado para encontrar u para outros valores de x também, mas observe que o valor máximo para x não pode ultrapassar x_{cr}, ou seja,

$$(\text{Re}_x)_{cr} = \frac{Ux_{cr}}{\nu_{\text{água}}}; \quad 5(10^5) = \frac{(0,2 \text{ m/s})x_{cr}}{1,10(10^{-6}) \text{ m/s}}; \quad x_{cr} = 2,75 \text{ m}$$

Além desta distância, a camada limite começa a passar por uma transição e, mais adiante, torna-se turbulenta.

EXEMPLO 11.3

O ar escoa pelo duto retangular na Figura 11.14a a 3 m/s. Determine a espessura de deslocamento ao final de sua extensão de 2 m e a velocidade uniforme do ar à medida que ele escoa pelo duto. Considere $\rho_a = 1,20$ kg/m^3 e $\mu_a = 18,1(10^{-6})$ N · s/m^2.

Solução
Descrição do fluido

Vamos considerar que o ar seja incompressível e tenha um escoamento em regime permanente.

Espessura de deslocamento

Usando a Equação 11.3, o número de Reynolds para o ar enquanto se move pelo duto é

$$\text{Re}_x = \frac{\rho_a U x}{\mu_a} = \frac{(1,20 \text{ kg/m}^3)(3 \text{ m/s})x}{18,1(10^{-6}) \text{ N}\cdot\text{s/m}^2} = 0,1989(10^6)x$$

Quando $x = 2$ m, então $\text{Re}_x = 3,978(10^5) < 5(10^5)$, de modo que temos uma camada limite laminar ao longo do duto. Portanto, podemos usar a Equação 11.5 para determinar a espessura de deslocamento.

$$\delta^* = \frac{1,721}{\sqrt{\text{Re}_x}} x = \frac{1,721}{\sqrt{0,1989(10^6)x}} x = 3,859(10^{-3})\sqrt{x} \text{ m} \qquad (1)$$

Onde $x = 2$ m, $\delta^* = 0,005457$ m $= 5,46$ mm. *Resposta*

Velocidade

Se o ar fosse um fluido perfeito, então as dimensões da seção transversal do duto em $x = 2$ m teriam sido encurtadas, como vemos à direita na Figura 11.14b, a fim de produzir a *mesma* vazão mássica por todo o duto como no caso do escoamento real. Em outras palavras, a área transversal da saída, mostrada em tom claro na Figura 11.14c, deverá ser

$$A_{\text{saída}} = [0,3 \text{ m} - 2(0,005457 \text{ m})][0,4 \text{ m} - 2(0,005457 \text{ m})] = 0,1125 \text{ m}^2$$

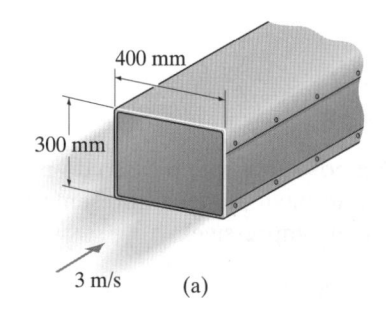

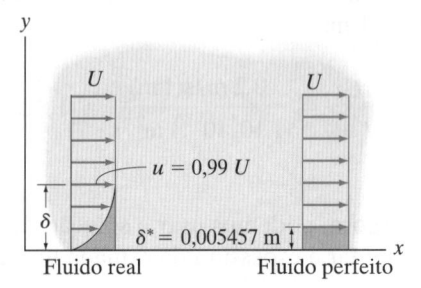

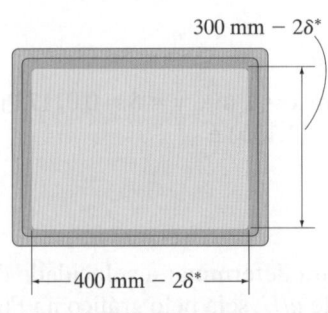

FIGURA 11.14

Embora uma vazão mássica constante passe por cada seção transversal, a parte uniforme do ar que sai do duto terá uma velocidade maior do que a corrente de ar uniforme que entra no duto. Para determinar seu valor, exigimos a continuidade do escoamento.

$$\frac{\partial}{\partial t}\int_{vc} \rho\, d\mathcal{V} + \int_{sc} \rho \mathbf{V}\cdot d\mathbf{A} = 0$$

$$0 - \rho U_{\text{entrada}} A_{\text{entrada}} + \rho U_{\text{saída}} A_{\text{saída}} = 0$$

$$-(3\text{ m/s})(0,3\text{ m})(0,4\text{ m}) + U_{\text{saída}}(0,1125\text{ m}^2) = 0$$

$$U_{\text{saída}} = 3,20\text{ m/s} \qquad \textit{Resposta}$$

Esse aumento em U ocorreu porque a camada limite restringe o escoamento. Em outras palavras, a seção transversal diminui pela espessura de deslocamento. Se, em vez disso, quiséssemos manter uma velocidade uniforme e constante de 3 m/s pelo duto, seria então necessário que a seção transversal se tornasse divergente, de modo que suas dimensões aumentariam em $2\delta^*$ ao longo do seu comprimento, de acordo com a Equação 1.

EXEMPLO 11.4

Um pequeno submarino possui um estabilizador triangular em sua cauda, com as dimensões mostradas na Figura 11.15a. Se a temperatura da água é 50°F, determine o arrasto no estabilizador quando o submarino está viajando a 3 pés/s.

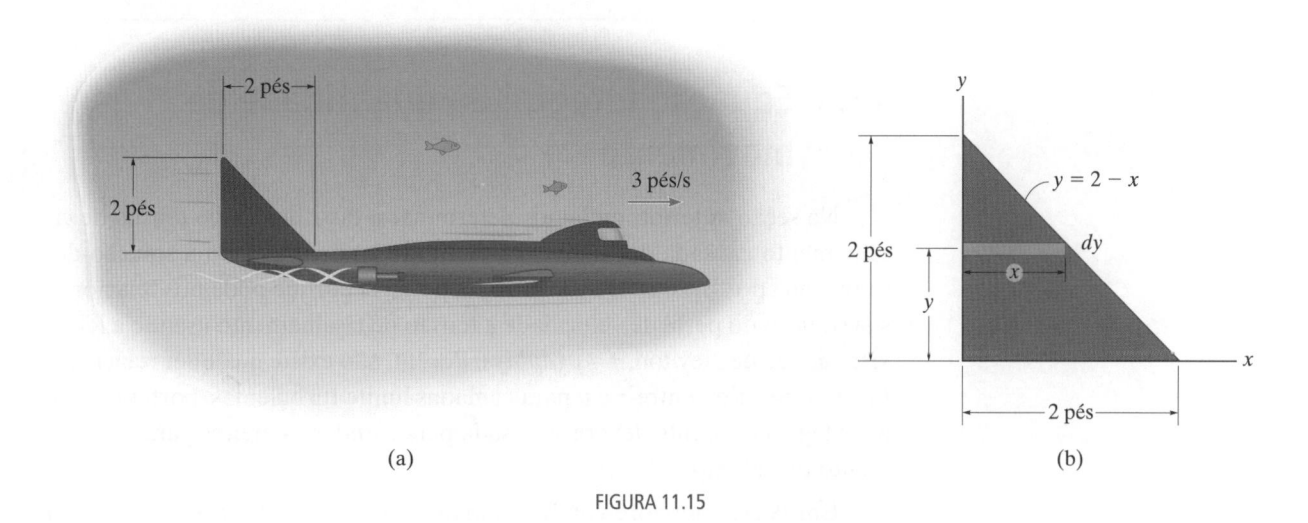

FIGURA 11.15

Solução

Descrição do fluido

Em relação ao submarino, este é um caso de escoamento em regime permanente e incompressível. Pelo Apêndice A, para a água a 50°F, $\rho = 1{,}940$ slug/pé^3 e $\nu = 14{,}1(10^{-6})$ pés^2/s.

Análise

Primeiro, vamos determinar se o escoamento dentro da camada limite permanece laminar. Como o escoamento cria o maior número de Reynolds na base do estabilizador, onde x na Figura 11.15b é maior, então

$$(\text{Re})_{\text{máx}} = \frac{Ux}{\nu} = \frac{(3\text{ pés/s})(2\text{ pés})}{14{,}1(10^{-6})\text{ pés}^2/\text{s}} = 4{,}26(10^5) < 5(10^5) \quad \text{Laminar}$$

A integração é necessária aqui porque o comprimento x do estabilizador muda com y. Se estabelecermos os eixos x e y como mostra a Figura 11.15b, então uma faixa diferencial qualquer do estabilizador possui uma área $dA = x\,dy$. Visto que $y = 2 - x$, então $dA = (2 - y)dy$. Aplicando a Equação 11.11, o arrasto nos *dois lados* da faixa é, portanto,

$$d\mathbf{F}_{Af} = 2\left[\frac{0{,}664 b \rho U^2 L}{\sqrt{\mathrm{Re}_x}}\right] = 2\left[\frac{0{,}664\,dy\,(1{,}940\ \mathrm{slug/pé^2})(3\ \mathrm{pés/s})^2(2-y)}{\sqrt{\dfrac{(3\ \mathrm{pés/s})(2-y)}{14{,}1(10^{-6})\ \mathrm{pés^2/s}}}}\right]$$

$$= 0{,}05027\,\frac{(2-y)}{(2-y)^{1/2}}\,dy = 0{,}05027(2-y)^{1/2}\,dy$$

E assim, o arrasto total que atua sobre todas as faixas que compõem a área do estabilizador torna-se

$$F_{Af} = 0{,}05027\int_0^{2\ \mathrm{pés}}(2-y)^{1/2}\,dy$$

$$= 0{,}05027\left[-\frac{2}{3}(2-y)^{3/2}\right]_0^{2\ \mathrm{pés}} = 0{,}0948\ \mathrm{lb} \qquad\qquad Resposta$$

Esse é um valor realmente muito pequeno, resultado da pequena velocidade e baixa viscosidade cinemática.

11.3 Equação integral da quantidade de movimento

Na seção anterior, pudemos determinar a distribuição de tensão de cisalhamento causada por uma camada limite laminar usando a solução desenvolvida por Blasius. Essa análise foi possível porque pudemos relacionar sua solução do perfil de velocidade à tensão de cisalhamento usando a lei da viscosidade de Newton, $\tau = \mu(du/dy)$. Porém, não existe qualquer relacionamento desse tipo entre τ e u para camadas limite turbulentas, portanto uma abordagem diferente deverá ser usada para estudar os efeitos para o escoamento turbulento.

Em 1921, Theodore von Kármán propôs um *método aproximado* para análise de camada limite, que é adequado para o *escoamento laminar e o turbulento*. Em vez de escrever as equações da continuidade e da quantidade de movimento para um volume de controle diferencial em um *ponto*, von Kármán considerou fazer isso para um volume de controle diferencial com uma espessura dx e estendê-lo da superfície da placa acima até uma *linha de corrente* que cruze a camada limite (Figura 11.16a). Através desse elemento, o escoamento é em regime permanente, e devido à sua pequena altura, a pressão dentro dele é praticamente constante. Com o tempo, o componente x do escoamento entra na superfície de controle aberta no lado esquerdo, ABC, e sai pela superfície de controle aberta DE no lado direito. Nenhum escoamento pode cruzar a superfície de controle fixa AE ou o contorno da linha de corrente CD, pois a velocidade é sempre tangente ao longo da linha de corrente.

FIGURA 11.16

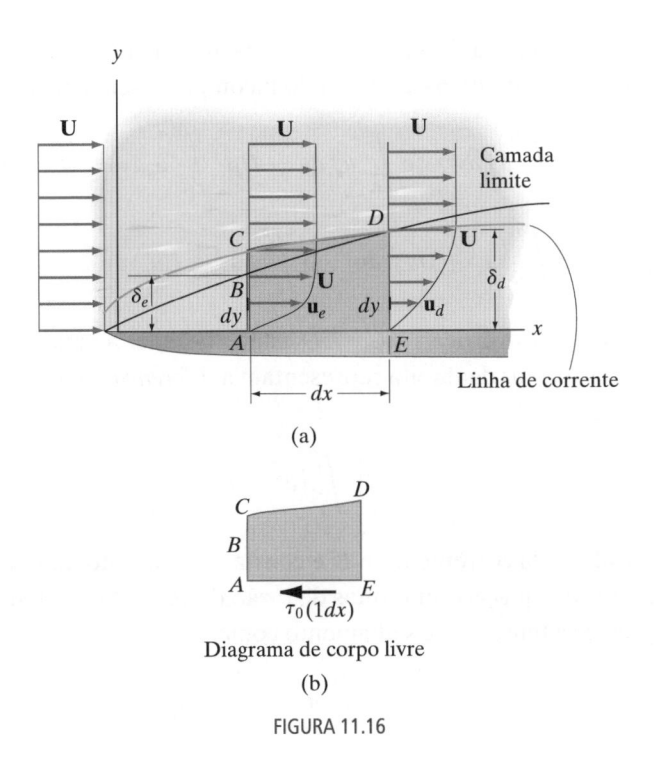

Equação da continuidade

Se considerarmos uma placa com *largura unitária* perpendicular à página, então, para o escoamento em regime permanente, a equação da continuidade torna-se

$$\frac{\partial}{\partial t}\int_{vc}\rho d\forall + \int_{sc}\rho \mathbf{V}\cdot d\mathbf{A} = 0$$

$$0 - \int_0^{\delta_e}\rho u_e dy - \dot{m}_{BC} + \int_0^{\delta_d}\rho u_d dy = 0 \qquad (11.15)$$

Aqui, $\dot{m}_{BC}$ deve-se ao escoamento constante U na região entre o topo da camada limite e a linha de corrente.

Equação da quantidade de movimento

O diagrama de corpo livre do volume de controle aparece na Figura 11.16b. Como a pressão p dentro do volume de controle é basicamente constante, e a altura $h_{AC} \approx h_{ED}$, como $AE = dx$, então as forças resultantes causadas por pressão em cada superfície de controle aberta serão canceladas. A única força externa atuando sobre as superfícies de controle fechadas deve-se à tensão de cisalhamento a partir da placa. Essa força é $\tau_0(1dx)$. Aplicando a equação da quantidade de movimento, temos

$$\rightarrow \Sigma F_x = \frac{\partial}{\partial t}\int_{vc} V\rho d\forall + \int_{sc} V\rho \mathbf{V}\cdot d\mathbf{A}$$

$$-\tau_0(1dx) = 0 + \int_0^{\delta_d}\rho u_d^2 dy - \int_0^{\delta_e}\rho u_e^2 dy - U\dot{m}_{BC}$$

Explicitando $\dot{m}_{BC}$ na Equação 11.15 e substituindo na equação anterior, notando que ρ é constante para um fluido incompressível, temos

$$-\tau_0 dx = \rho \int_0^{\delta_d} u_d^2 \, dy - \rho \int_0^{\delta_e} u_e^2 \, dy - U\rho\left[\int_0^{\delta_d} u_d \, dy - \int_0^{\delta_e} u_e \, dy\right]$$

$$-\tau_0 dx = \rho \int_0^{\delta_d} \left(u_d^2 - Uu_d\right) dy - \rho \int_0^{\delta_e} \left(u_e^2 - Uu_e\right) dy$$

Como as laterais verticais AC e ED estão afastadas a uma distância diferencial dx, os termos da direita representam a *diferença* diferencial das integrais, ou seja,

$$-\tau_0 dx = \rho \, d\left[\int_0^{\delta} \left(u^2 - Uu\right) dy\right]$$

A velocidade da corrente livre U é constante, portanto, também podemos escrever esta equação em termos da razão da velocidade adimensional, u/U, e expressar a tensão de cisalhamento como

$$\tau_0 = \rho U^2 \frac{d}{dx} \int_0^{\delta} \frac{u}{U}\left(1 - \frac{u}{U}\right) dy \qquad (11.16)$$

Reconhecendo que a integral representa a espessura de quantidade de movimento (Equação 11.2), também podemos escrever

$$\tau_0 = \rho U^2 \frac{d\Theta}{dx} \qquad (11.17)$$

Qualquer uma das duas equações apresentadas é chamada de **equação da integral da quantidade de movimento** para uma placa plana. Para aplicá-la, devemos ou conhecer o perfil de velocidade $u = u(y)$ em cada posição x, ou aproximá-lo por uma equação com a forma $u/U = f(y/\delta)$. Alguns desses perfis estão listados na Tabela 11.2. Com qualquer um destes, podemos avaliar a integral na Equação 11.16, mas, devido ao limite de integração superior, o resultado será em termos de δ. Para determinar δ em função de x, τ_0 também deverá estar relacionado a δ. Para camadas limite laminares, podemos fazer isso usando a lei da viscosidade de Newton, o que será feito no exemplo a seguir. Isso ilustra a aplicação desse processo para mostrar como os resultados de δ, c_f e C_{Af} relatados na Tabela 11.2 foram determinados. Na próxima seção, mostraremos como aplicar esse método ao escoamento da camada limite turbulenta.

TABELA 11.2

	Perfil de velocidade	δ	c_f	C_{Af}
Blasius		$5{,}00 \dfrac{x}{\sqrt{\mathrm{Re}_x}}$	$0{,}664/\sqrt{\mathrm{Re}_x}$	$1{,}328/\sqrt{\mathrm{Re}_x}$
Linear	$\dfrac{u}{U} = \dfrac{y}{\delta}$	$3{,}46 \dfrac{x}{\sqrt{\mathrm{Re}_x}}$	$0{,}578/\sqrt{\mathrm{Re}_x}$	$1{,}156/\sqrt{\mathrm{Re}_x}$
Parabólico	$\dfrac{u}{U} = -\left(\dfrac{y}{\delta}\right)^2 + 2\left(\dfrac{y}{\delta}\right)$	$5{,}48 \dfrac{x}{\sqrt{\mathrm{Re}_x}}$	$0{,}730/\sqrt{\mathrm{Re}_x}$	$1{,}460/\sqrt{\mathrm{Re}_x}$
Cúbico	$\dfrac{u}{U} = -\dfrac{1}{2}\left(\dfrac{y}{\delta}\right)^3 + \dfrac{3}{2}\left(\dfrac{y}{\delta}\right)$	$4{,}64 \dfrac{x}{\sqrt{\mathrm{Re}_x}}$	$0{,}646/\sqrt{\mathrm{Re}_x}$	$1{,}292/\sqrt{\mathrm{Re}_x}$

EXEMPLO 11.5

O perfil de velocidade para uma camada limite laminar desenvolvida sobre a placa com largura b e extensão L é aproximado pela parábola $u/U = -(y/\delta)^2 + 2(y/\delta)$, conforme mostrado na Figura 11.17. Determine, em função de x, a espessura δ da camada limite, o coeficiente de cisalhamento superficial c_f e o coeficiente de arrasto por cisalhamento C_{Af}.

Solução

Descrição do fluido

Aqui temos um escoamento laminar, em regime permanente e incompressível sobre a superfície.

Espessura da camada limite

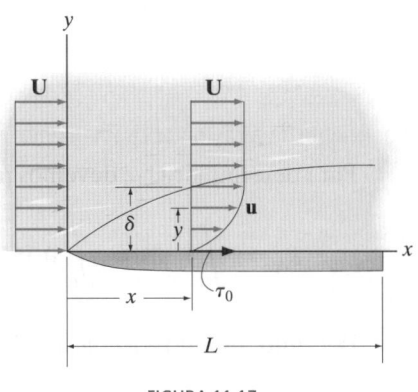

FIGURA 11.17

Substituindo a função u/U na Equação 11.16 e integrando, obtemos

$$\tau_0 = \rho U^2 \frac{d}{dx} \int_0^\delta \frac{u}{U}\left(1 - \frac{u}{U}\right) dy$$

$$\tau_0 = \rho U^2 \frac{d}{dx} \int_0^\delta \left(-\left(\frac{y}{\delta}\right)^2 + 2\frac{y}{\delta}\right)\left(1 + \left(\frac{y}{\delta}\right)^2 - 2\frac{y}{\delta}\right) dy = \rho U^2 \frac{d}{dx}\left[\frac{2}{15}\delta\right]$$

$$\tau_0 = \rho U^2 \left[\frac{2}{15}\frac{d\delta}{dx}\right] \quad (1)$$

Para obter δ, devemos agora expressar τ_0, que atua na superfície da placa ($y = 0$), em termos de δ. Como existe escoamento laminar, isso pode ser feito por meio da lei de Newton da viscosidade, avaliada em $y = 0$.

$$\tau_0 = \mu \left.\frac{du}{dy}\right|_{y=0} = \mu U \frac{d}{dy}\left[-\left(\frac{y}{\delta}\right)^2 + 2\left(\frac{y}{\delta}\right)\right]_{y=0} = \frac{2\mu U}{\delta} \quad (2)$$

Portanto, a Equação 1 torna-se

$$\frac{2\mu U}{\delta} = \rho U^2 \left[\frac{2}{15}\frac{d\delta}{dx}\right] \quad \text{ou} \quad \rho U \delta\, d\delta = 15\mu\, dx$$

Visto que $\delta = 0$ em $x = 0$, ou seja, onde o fluido entra em contato inicialmente com a placa, então a integração resulta em

$$\rho U \int_0^\delta \delta\, d\delta = \int_0^x 15\mu\, dx; \quad \delta = \sqrt{\frac{30\mu x}{\rho U}} \quad (3)$$

Como $\text{Re}_x = \rho U x/\mu$, também podemos escrever esta expressão como

$$\delta = \frac{5{,}48 x}{\sqrt{\text{Re}_x}} \qquad \qquad \textit{Resposta}$$

Coeficiente de cisalhamento superficial

Substituindo a Equação 3 na Equação 2, a tensão de cisalhamento na placa em função de x é, portanto,

$$\tau_0 = \frac{2\mu U}{\sqrt{\dfrac{30\mu x}{\rho U}}} = 0{,}365\sqrt{\frac{\mu \rho U^3}{x}} = 0{,}365\frac{\mu U}{x}\sqrt{\text{Re}_x}$$

Usando a Equação 11.9, obtemos

$$c_f = \frac{\tau_0}{(1/2)\rho U^2} = \frac{0{,}365\frac{\mu U}{x}\sqrt{\text{Re}_x}}{(1/2)\rho U^2} = \frac{0{,}730}{\sqrt{\text{Re}_x}} \qquad \textit{Resposta}$$

Coeficiente de arrasto por cisalhamento

Para determinar C_{Af}, devemos primeiro achar F_{Af}.

$$F_{Af} = \int_A \tau_0 \, dA = \int_0^x 0{,}365\sqrt{\frac{\mu\rho U^3}{x}}(b\,dx) = 0{,}365b\sqrt{\mu\rho U^3}\left(2x^{1/2}\right)\Big|_0^x = 0{,}730b\sqrt{\mu\rho U^3 x}$$

Portanto, usando a Equação 11.13,

$$C_{Af} = \frac{F_{Af}/bx}{(1/2)\rho U^2} = \frac{1{,}460 b\sqrt{\mu\rho U^3 x}}{\rho U^2 bx}$$

$$C_{Af} = \frac{1{,}460}{\sqrt{\text{Re}_x}} \qquad \textit{Resposta}$$

Os três resultados obtidos aqui estão listados na Tabela 11.2.

11.4 Camada limite turbulenta

As camadas limite turbulentas são mais espessas do que as laminares, e o perfil de velocidade dentro delas é mais uniforme, devido à mistura errática do fluido. Podemos usar a equação integral da quantidade de movimento para determinar o arrasto causado por uma camada limite turbulenta; porém, primeiro é necessário expressar o perfil de velocidade como uma função de y. A precisão do resultado, naturalmente, depende da concordância dessa função com o perfil de velocidade verdadeiro. Embora muitas fórmulas diferentes tenham sido propostas, uma das mais simples, e que funciona bem, é a lei da potência um sétimo de Prandtl. Ela é

$$\frac{u}{U} = \left(\frac{y}{\delta}\right)^{1/7} \qquad (11.18)$$

Essa equação aparece na Figura 11.18a. Observe que, aqui, o perfil é *mais cheio* do que aquele desenvolvido para uma camada limite laminar. O achatamento é necessário porque, como já dissemos, há um alto grau de mistura do fluido e transferência de quantidade de movimento dentro do escoamento turbulento. Além disso, devido a esse achatamento, há um gradiente de velocidade *maior* perto da superfície da placa. Como resultado, a tensão de cisalhamento desenvolvida na superfície será muito *maior* do que aquela causada por uma camada limite laminar.

A equação de Prandtl não se aplica dentro da subcamada viscosa, pois o gradiente de velocidade, $du/dy = (U/7\delta)(y/\delta)^{-6/7}$, em $y = 0$ torna-se infinito, algo que não pode acontecer. Portanto, como em todos os casos de camadas limite turbulentas, a tensão de cisalhamento na superfície τ_0 precisa ser *relacionada a δ experimentalmente*. Uma fórmula empírica que combina bem com os dados foi desenvolvida por Prandtl e Blasius. Ela é

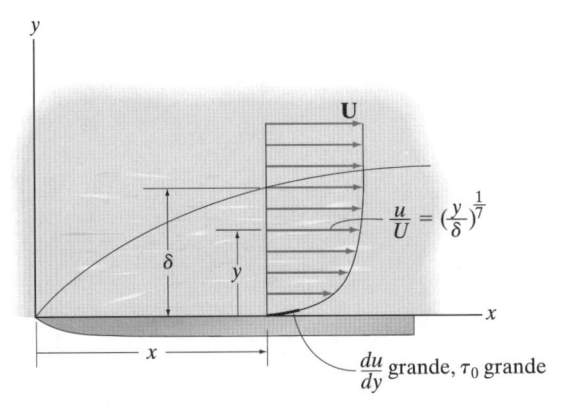

Lei de potência um sétimo de Prandtl
(a)
FIGURA 11.18 (continua)

$$\tau_0 = 0{,}0225\rho U^2 \left(\frac{\nu}{U\delta}\right)^{1/4} \qquad (11.19)$$

Agora, aplicaremos a equação integral da quantidade de movimento com essas duas equações, obtendo assim a altura δ da *camada limite turbulenta* em função de sua posição x. Aplicando a Equação 11.16, temos

$$\tau_0 = \rho U^2 \frac{d}{dx}\int_0^\delta \frac{u}{U}\left(1 - \frac{u}{U}\right)dy$$

$$0{,}0225\rho U^2\left(\frac{\nu}{U\delta}\right)^{1/4} = \rho U^2 \frac{d}{dx}\int_0^\delta \left(\frac{y}{\delta}\right)^{1/7}\left(1 - \left(\frac{y}{\delta}\right)^{1/7}\right)dy$$

$$0{,}0225\left(\frac{\nu}{U\delta}\right)^{1/4} = \frac{d}{dx}\left(\frac{7}{8}\delta - \frac{7}{9}\delta\right) = \frac{7}{72}\frac{d\delta}{dx}$$

$$\delta^{1/4}d\delta = 0{,}231\left(\frac{\nu}{U}\right)^{1/4}dx$$

Embora todas as camadas limite sejam inicialmente laminares (Figura 11.3), aqui iremos *assumir* que a superfície da frente da placa é bastante rugosa, e, portanto, a camada limite será forçada a se tornar turbulenta, praticamente no começo. Portanto, integrando a partir de $x = 0$, onde $\delta = 0$, temos

$$\int_0^\delta \delta^{1/4}d\delta = 0{,}231\left(\frac{\nu}{U}\right)^{1/4}\int_0^x dx \quad \text{ou} \quad \delta = 0{,}371\left(\frac{\nu}{U}\right)^{1/5}x^{4/5}$$

Usando a Equação 11.3 para expressar a espessura em termos do número de Reynolds, temos

$$\delta = \frac{0{,}371}{(\text{Re}_x)^{1/5}}x \qquad (11.20)$$

Tensão de cisalhamento na placa
(b)

Arrasto na placa
(c)

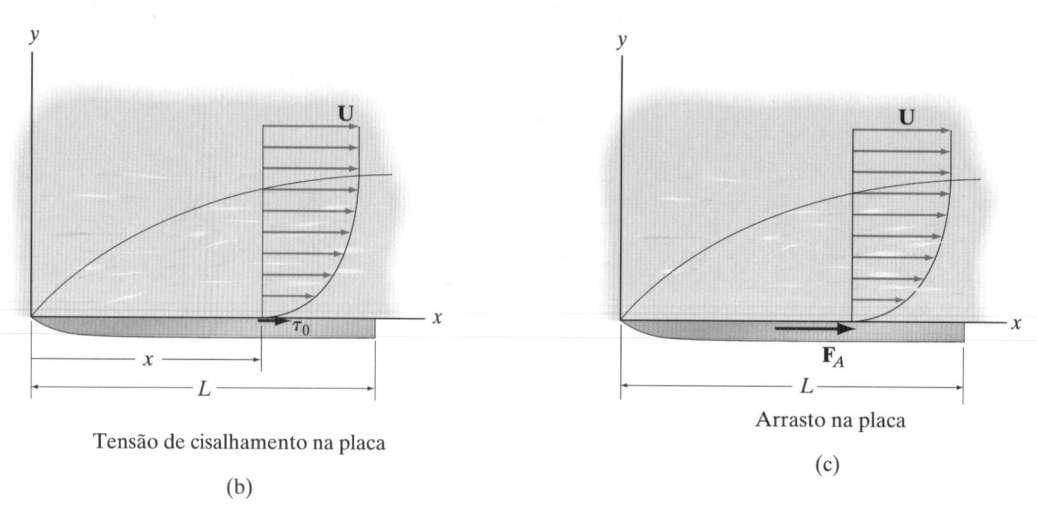

FIGURA 11.18 (cont.)

Tensão de cisalhamento ao longo da placa

Substituindo a Equação 11.20 na Equação 11.19, obtemos a tensão de cisalhamento ao longo da placa em função de x (Figura 11.18b).

$$\tau_0 = 0{,}0225\rho U^2 \left(\frac{\nu (\mathrm{Re}_x)^{1/5}}{U(0{,}371x)} \right)^{1/4}$$

$$= \frac{0{,}0288\rho U^2}{(\mathrm{Re}_x)^{1/5}} \qquad (11.21)$$

Arrasto na placa

Se a placa possui uma extensão L e uma largura b, então o arrasto pode ser encontrado integrando a tensão de cisalhamento pela área da placa (Figura 11.18c).

$$F_{Af} = \int_A \tau_0 \, dA = \int_0^L \frac{0{,}0288\rho U^2}{\left(\dfrac{Ux}{\nu}\right)^{1/5}} (b\,dx) = 0{,}0360\rho U^2 \frac{bL}{(\mathrm{Re}_L)^{1/5}} \qquad (11.22)$$

O coeficiente de arrasto por cisalhamento (Equação 11.13) é, portanto,

$$C_{Af} = \frac{F_{Af}/bL}{(1/2)\rho U^2} = \frac{0{,}0721}{(\mathrm{Re}_L)^{1/5}} \qquad (11.23)$$

Esse resultado tem sido verificado por diversos experimentos, e descobriu-se que um *valor ligeiramente mais preciso* para C_{Af} pode ser obtido substituindo a constante 0,0721 por 0,0740. O resultado funciona bem dentro da seguinte faixa de números de Reynolds:

$$C_{Af} = \frac{0{,}0740}{(\mathrm{Re}_L)^{1/5}} \qquad 5(10^5) < \mathrm{Re}_L < 10^7 \qquad (11.24)$$

O limite inferior representa nosso limite para camadas limite laminares. Para valores mais altos do número de Reynolds, outra equação empírica que se ajusta bem a dados experimentais relevantes tem sido proposta por Hermann Schlichting (ver Referência [16]). Ela é

$$C_{Af} = \frac{0{,}455}{(\log_{10} \text{Re}_L)^{2{,}58}} \qquad 10^7 \leq \text{Re}_L < 10^9 \qquad (11.25)$$

Lembre-se de que todas essas equações são válidas somente se uma *camada limite turbulenta* se estender por *toda a extensão* da placa.

11.5 Camadas limite laminares e turbulentas

Conforme dissemos na Seção 11.1, uma camada limite real em uma placa plana e lisa desenvolve-se laminar em uma região, cresce em altura para se tornar instável em cerca de $(\text{Re}_x)_{cr} = 5(10^5)$, e depois por fim torna-se turbulenta. Portanto, para desenvolver uma abordagem mais exata quando se calcula o arrasto por cisalhamento na placa, é necessário considerar as partes laminar e turbulenta da camada limite. Através de experimentos, Prandtl descobriu que isso poderia ser feito desconsiderando o arrasto por cisalhamento dentro da região de transição, pois, para escoamentos rápidos, ele cobre uma distância muito curta ao longo da placa. Em outras palavras, podemos modelar a camada limite como aquela mostrada na Figura 11.19a.

Para calcular o arrasto por cisalhamento, Prandtl primeiro considerou que a camada limite é totalmente turbulenta sobre toda a extensão L da placa (Figura 11.19b), e assim o arrasto pode ser encontrado usando a Equação 11.25 para os números de Reynolds maiores ou uma distância x maior. Então, o ajuste desse resultado é feito subtraindo um segmento do arrasto turbulento até o início da zona de transição, $x = x_{cr}$ (Equação 11.24, Figura 11.19c) e, por fim, preenchendo o arrasto causado pela parte laminar até esse ponto (solução de Blasius, Equação 11.14, Figura 11.19d). O arrasto por cisalhamento sobre a placa é, portanto,

$$F_{Af} = \frac{0{,}455}{(\log_{10} \text{Re}_L)^{2{,}58}} (1/2)\rho U^2 (bL) - \frac{0{,}0740}{(\text{Re}_x)_{cr}^{1/5}} (1/2)\rho U^2 (bx_{cr})$$
$$+ \frac{1{,}328}{\sqrt{(\text{Re}_x)_{cr}}} (1/2)\rho U^2 (bx_{cr})$$

Como C_{Af} para a placa é definido pela Equação 11.13, o coeficiente de arrasto por cisalhamento é

$$C_{Af} = \frac{0{,}455}{(\log_{10} \text{Re}_L)^{2{,}58}} - \frac{0{,}0740}{(\text{Re}_x)_{cr}^{1/5}} \frac{x_{cr}}{L} + \frac{1{,}328}{\sqrt{(\text{Re}_x)_{cr}}} \frac{x_{cr}}{L}$$

Finalmente, como por proporção $x_{cr}/L = (\text{Re}_x)_{cr}/\text{Re}_L$, e se $(\text{Re}_x)_{cr} = 5(10^5)$, então, para ajustar os dados experimentais para valores do número de Reynolds entre $5(10^5) \leq \text{Re}_L < 10^9$, temos

$$\boxed{C_{Af} = \frac{0{,}455}{(\log_{10} \text{Re}_L)^{2{,}58}} - \frac{1700}{\text{Re}_L} \qquad 5(10^5) \leq \text{Re}_L < 10^9} \qquad (11.26)$$

Um gráfico das equações usadas para determinar o coeficiente de arrasto por cisalhamento para uma faixa de números de Reynolds comuns aparece na Figura 11.20. Observe que os pontos de dados experimentais, obtidos a partir de vários pesquisadores diferentes, indicam uma forte

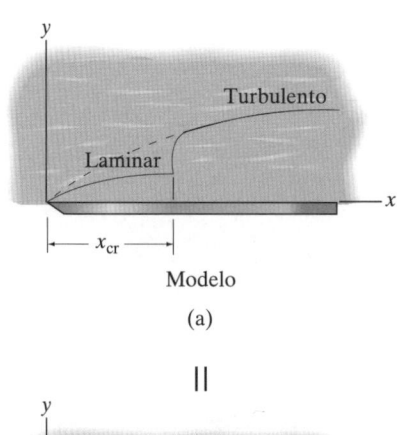

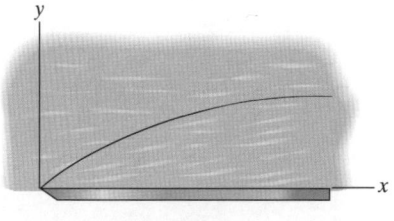

Modelo
(a)

=

Tudo turbulento
(b)

−

Segmento turbulento
(c)

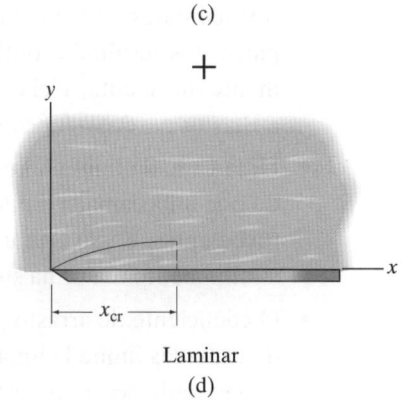

+

Laminar
(d)

FIGURA 11.19

concordância com essa teoria. Observe que as curvas são válidas apenas quando a transição no escoamento da camada limite ocorre em um número de Reynolds de $5(10^5)$. Se a velocidade da corrente livre estiver sujeita a qualquer turbulência repentina, ou a superfície da placa for um pouco rugosa, então a transição no escoamento ocorrerá em um número de Reynolds mais baixo. Quando isso ocorre, a constante no segundo termo (1700) na Equação 11.26 terá de ser alterada para levar em conta essa mudança. Os cálculos considerando esses efeitos não serão esboçados aqui; em vez disso, eles são abordados na literatura relacionada a esse assunto. Veja a Referência [16].

Coeficiente de arrasto por cisalhamento para uma placa plana

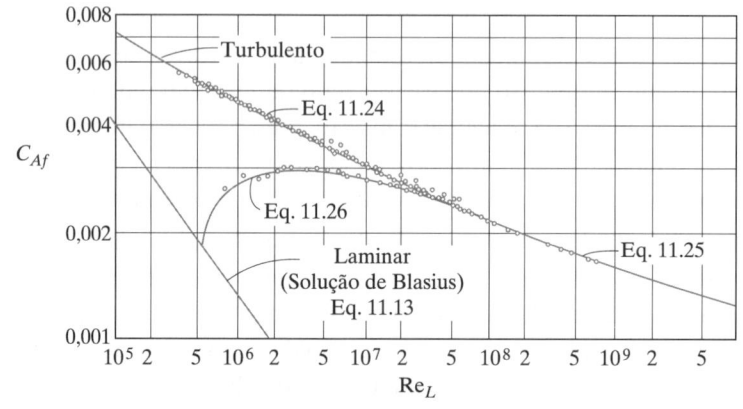

FIGURA 11.20

Pontos importantes

- A equação integral da quantidade de movimento oferece um método aproximado para obter a espessura e a distribuição da tensão de cisalhamento na superfície causada por uma camada limite laminar ou turbulenta. Para aplicar essa equação, é preciso conhecer o perfil de velocidade $u = u(y)$ e poder expressar a tensão de cisalhamento em termos da espessura δ da camada limite, $\tau_0 = f(\delta)$.

- A solução de Blasius para $u = u(y)$ pode ser usada para camadas limite laminares e a tensão de cisalhamento τ_0 pode ser relacionada a δ usando a lei de Newton da viscosidade. Para camadas limite turbulentas, o escoamento é errático, portanto, as relações necessárias precisam ser aproximadas a partir dos resultados obtidos através de experimentos. Por exemplo, para uma camada limite totalmente turbulenta, a lei de potência um sétimo de Prandtl juntamente com uma formulação de Prandtl e Blasius parecem funcionar bem.

- Uma camada limite laminar exerce uma tensão de cisalhamento muito *menor* sobre uma superfície do que uma camada limite turbulenta. Há um alto grau de mistura do fluido dentro de camadas limite turbulentas, e isso cria um gradiente de velocidade maior na superfície e, portanto, uma tensão de cisalhamento maior na superfície.

- O coeficiente de arrasto por cisalhamento sobre uma superfície plana, causado por uma combinação de camadas limite laminar e turbulenta, pode ser determinado por sobreposição, desconsiderando a região onde ocorre o escoamento transicional.

EXEMPLO 11.6

O óleo escoa sobre o topo da placa plana na Figura 11.21 com uma velocidade de corrente livre de 20 m/s. Se a placa tem 2 m de comprimento e 1 m de largura, determine o arrasto por cisalhamento sobre a placa devido à formação de uma combinação de camada limite laminar e turbulenta. Considere $\rho_o = 890$ kg/m³ e $\mu_o = 3{,}40(10^{-3})$ N · s/m².

Solução

Descrição do fluido

Temos um escoamento em regime permanente e consideramos que o óleo seja incompressível.

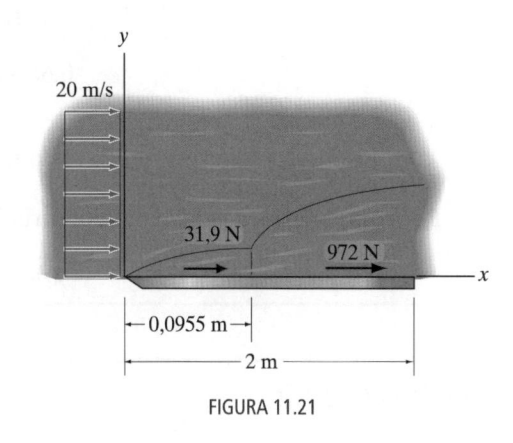

FIGURA 11.21

Análise

Primeiro, determinaremos a posição x_{cr} onde a camada limite laminar começa a fazer a transição para turbulenta. Aqui, $(Re_x)_{cr} = 5(10^5)$, portanto,

$$(Re_x)_{cr} = \frac{\rho_o U x}{\mu_o}$$

$$5(10^5) = \frac{(890 \text{ kg/m}^3)(20 \text{ m/s})x_{cr}}{3{,}40(10^{-3}) \text{ N} \cdot \text{s/m}^2}$$

$$x_{cr} = 0{,}0955 \text{ m} < 2 \text{ m}$$

Além disso, no final da placa,

$$Re_L = \frac{\rho_o U L}{\mu_o} = \frac{(890 \text{ kg/m}^3)(20 \text{ m/s})(2 \text{ m})}{3{,}40(10^{-3}) \text{ N} \cdot \text{s/m}^2} = 1{,}047(10^7)$$

Usando a Equação 11.26 para determinar o coeficiente de arrasto, como essa equação se aplica para camadas limite laminar-turbulenta dentro do intervalo de $5(10^5) \le Re_L < 10^9$, temos

$$C_{Af} = \frac{0{,}455}{(\log_{10} Re_L)^{2{,}58}} - \frac{1700}{Re_L}$$

$$= \frac{0{,}455}{[\log_{10} 1{,}047(10^7)]^{2{,}58}} - \frac{1700}{1{,}047(10^7)}$$

$$= 0{,}002819$$

O *arrasto por cisalhamento total* na placa agora pode ser determinado usando a Equação 11.13.

$$F_{Af} = C_{Af}\left(\frac{1}{2}\right)\rho U^2 b L$$

$$= 0{,}002819\left(\frac{1}{2}\right)(890 \text{ kg/m}^3)(20 \text{ m/s})^2(1 \text{ m})(2 \text{ m})$$

$$= 1004 \text{ N} \qquad\qquad\qquad\qquad\qquad\qquad\qquad\qquad\qquad\qquad\qquad \textit{Resposta}$$

A parte dessa força criada pela *camada limite laminar*, que se estende ao longo dos primeiros 0,0955 m da placa, pode ser determinada pela Equação 11.11.

$$(F_{Af})_{lam} = \frac{0{,}664b\rho U^2 L}{\sqrt{(Re_x)_{cr}}}$$

$$= \frac{0{,}664(1\,m)(890\,kg/m^3)(20\,m/s)^2(0{,}0955\,m)}{\sqrt{5(10^5)}}$$

$$= 31{,}9\,N$$

Por comparação, a camada limite turbulenta contribui mais para o arrasto por cisalhamento. Ela é

$$(F_{Af})_{tur} = 1004\,N - 31{,}9\,N = 972\,N$$

EXEMPLO 11.7

A água tem uma velocidade de corrente livre de 10 m/s sobre a superfície *rugosa* da placa na Figura 11.22, fazendo com que a camada limite de repente se torne turbulenta. Determine a tensão de cisalhamento na superfície em $x = 2$ m, e a espessura da camada limite nessa posição. Considere $\rho_{água} = 1000\,kg/m^3$ e $\mu_{água} = 1{,}00(10^{-3})\,N\cdot s/m^2$.

Solução

Descrição do fluido

Temos um escoamento em regime permanente e consideramos a água como incompressível.

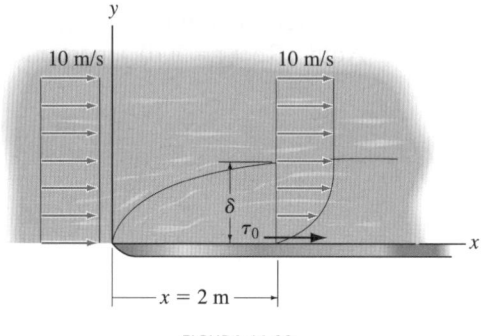

FIGURA 11.22

Análise

Para este caso, o número de Reynolds é

$$Re_x = \frac{\rho_{água} Ux}{\mu_{água}} = \frac{(1000\,kg/m^3)(10\,m/s)(2\,m)}{1{,}00(10^{-3})\,N\cdot s/m^2} = 20(10^6)$$

Usando a Equação 11.21, como a camada limite foi definida como totalmente turbulenta, a tensão de cisalhamento na superfície em $x = 2$ m é

$$\tau_0 = \frac{0{,}0288\rho_{água}U^2}{(Re_x)^{1/5}} = \frac{0{,}0288(1000\,kg/m^3)(10\,m/s)^2}{[20(10^6)]^{1/5}}$$

$$= 99{,}8\,Pa \qquad\qquad Resposta$$

E pela Equação 11.20, a espessura da camada limite em $x = 2$ m é

$$\delta = \frac{0{,}370x}{(Re_x)^{1/5}} = \frac{0{,}370(2\,m)}{[20(10^6)]^{1/5}} = 0{,}02565\,m = 25{,}6\,mm \qquad Resposta$$

Embora esta seja uma espessura pequena, é muito maior do que a de uma camada limite laminar. Além disso, a tensão de cisalhamento calculada em $x = 2$ m será maior do que aquela causada por uma camada limite laminar.

EXEMPLO 11.8

Estime o arrasto por cisalhamento sobre a asa do avião na Figura 11.23 se ela for considerada uma placa plana, com uma largura média de 6 pés e comprimento de 18 pés. O avião está voando a 300 pés/s. Suponha que o ar seja incompressível. Considere $\rho_a = 0{,}00204$ slug/pé^3 e $\mu_a = 0{,}364(10^{-6})$ lb · s/pé^2.

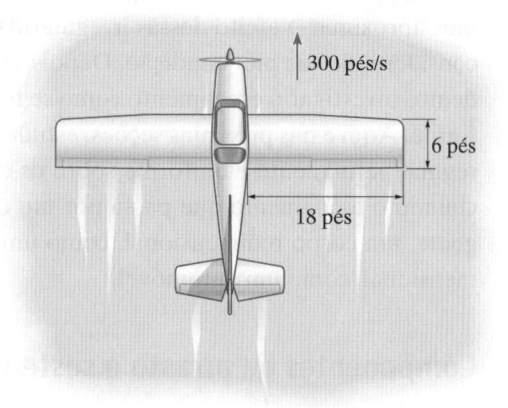

FIGURA 11.23

Solução

Descrição do fluido

Temos um escoamento em regime permanente e incompressível em relação ao avião.

Análise

No bordo de fuga da asa, o número de Reynolds é

$$\text{Re}_L = \frac{\rho_a U L}{\mu_a} = \frac{(0{,}00204 \text{ slug/pé}^3)(300 \text{ pés/s})(6 \text{ pés})}{0{,}364(10^{-6}) \text{ lb·s/pé}^2} = 1{,}009(10^7) > 5(10^5)$$

Portanto, a asa está sujeita a uma camada limite laminar e turbulenta combinada. Aplicando a Equação 11.26, pois aplica-se a $5(10^5) < \text{Re}_L < 10^9$, temos

$$C_{Af} = \frac{0{,}455}{(\log_{10} \text{Re}_L)^{2,58}} - \frac{1700}{\text{Re}_L}$$

$$= \frac{0{,}455}{[\log_{10} 1{,}009(10^7)]^{2,58}} - \frac{1700}{1{,}009(10^7)}$$

$$= 0{,}002831$$

Como o arrasto por cisalhamento atua sobre as superfícies superior *e* inferior da asa, então, usando a Equação 11.13,

$$F_{Af} = 2C_{Af} b L \left(\frac{1}{2}\rho_a U^2\right)$$

$$= 2\left[(0{,}002831)(18 \text{ pés})(6 \text{ pés})\left(\frac{1}{2}(0{,}00204 \text{ slug/pé}^3)(300 \text{ pés/s})^2\right)\right]$$

$$= 56{,}1 \text{ lb} \qquad\qquad Resposta$$

11.6 Arrasto e sustentação

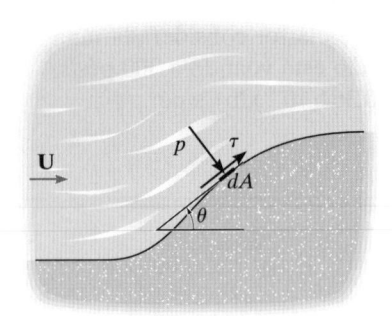

Em quase todos os casos, o escoamento natural de um fluido será transitório e não uniforme. Por exemplo, a velocidade do vento varia com o tempo e a elevação, e o mesmo ocorre para a velocidade da água em um rio ou córrego. Mesmo assim, para aplicações de engenharia, normalmente podemos aproximar o efeito dessas irregularidades, ou calculando sua média ou considerando sua pior condição. Depois, com uma dessas aproximações, podemos investigar o escoamento como se fosse em regime permanente e uniforme. Aqui e nas próximas seções, estudaremos o efeito do escoamento em regime permanente e uniforme sobre os corpos com diferentes formas, incluindo o escoamento que passa por um corpo axissimétrico, como um foguete, um corpo bidimensional, como uma chaminé alta e um corpo tridimensional, como um automóvel.

Pressão e tensão de cisalhamento sobre uma superfície fixa
(a)

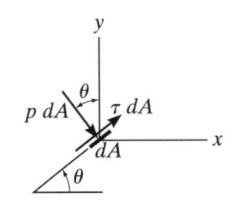

Forças sobre um elemento de área da superfície
(b)

FIGURA 11.24

Componentes de arrasto e sustentação

Se um fluido possui uma velocidade de corrente livre **U** em regime permanente e uniforme, e encontra um corpo com uma superfície curva, como mostra a Figura 11.24a, então o fluido exercerá uma tensão de cisalhamento tangencial viscosa τ e uma pressão normal p sobre a superfície do corpo. Para um elemento dA na superfície, podemos determinar as forças produzidas por τ e p em seus componentes horizontal (x) e vertical (y) (Figura 11.24b). O *arrasto* ("drag") está no *sentido e direção* de **U**. Quando integrada pela superfície inteira do corpo, essa força torna-se

$$F_A = \int_A \tau \cos \theta \, dA + \int_A p \, \text{sen} \, \theta \, dA \qquad (11.27)$$

A *sustentação* ("lift") é a força que atua *perpendicular* a **U**. Ela é

$$F_S = \int_A \tau \, \text{sen} \theta \, dA - \int_A p \cos \theta \, dA \qquad (11.28)$$

Desde que as distribuições de τ e p sejam conhecidas sobre a superfície, essas integrações podem ser executadas. A seguir vemos um exemplo de como isso pode ser feito.

Como as rampas de carregamento estão mantidas na posição vertical, elas impõem um grande arrasto de pressão sobre o caminhão, reduzindo sua eficiência no consumo de combustível.

EXEMPLO 11.9

O galpão semicircular na Figura 11.25a tem 12 m de extensão e está sujeito a um vento uniforme e em regime permanente com uma velocidade de 18 m/s. Supondo que o ar seja um fluido perfeito, determine a sustentação e arrasto sobre o prédio. Considere $\rho = 1{,}23$ kg/m^3.

Solução

Descrição do fluido

Como o ar é considerado um fluido perfeito, não existe viscosidade, portanto, nenhuma camada limite ou tensão de cisalhamento viscosa atua sobre o galpão, mas apenas uma distribuição de pressão. Também vamos supor que o prédio seja longo o suficiente para que os efeitos de borda não atrapalhem esse escoamento em regime permanente bidimensional.

Análise

Usando a teoria do escoamento perfeito, esboçada na Seção 7.10, determinamos que a distribuição de pressão sobre a superfície de um cilindro é simétrica e, portanto, para um semicilindro, como o que é mostrado na Figura 7.25b, ela pode ser descrita pela Equação 7.67, a saber,

$$p = p_0 + \frac{1}{2}\rho U^2 (1 - 4 \operatorname{sen}^2 \theta)$$

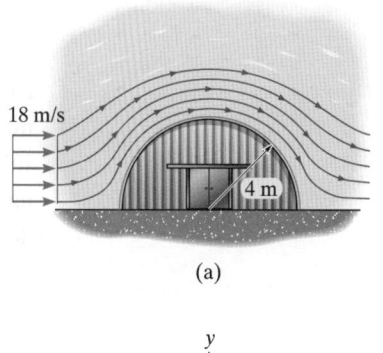

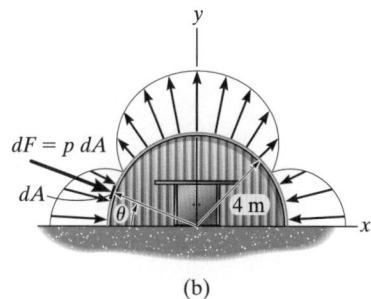

FIGURA 11.25

Como $p_0 = 0$ (pressão manométrica), temos

$$p = 0 + \frac{1}{2}(1{,}23 \text{ kg/m}^3)(18 \text{ m/s})^2(1 - 4\operatorname{sen}^2\theta)$$
$$= 199{,}26(1 - 4\operatorname{sen}^2\theta)$$

O arrasto é o componente horizontal (ou x) de $d\mathbf{F}$, mostrado na Figura 11.25b. Para o galpão inteiro, ele é

$$F_A = \int_A (p\,dA)\cos\theta = \int_0^\pi (199{,}26)(1 - 4\operatorname{sen}^2\theta)\cos\theta[(12\text{ m})(4\text{ m})d\theta]$$
$$= 9564{,}48 \int_0^\pi (1 - 4\operatorname{sen}^2\theta)\cos\theta\,d\theta$$
$$= 9564{,}48\left[\operatorname{sen}\theta - \frac{4}{3}\operatorname{sen}^3\theta\right]_0^\pi = 0 \qquad \textit{Resposta}$$

Esse resultado era de se esperar, pois a distribuição de pressão é *simétrica* em torno do eixo y.

A sustentação é o componente vertical (ou y) de $d\mathbf{F}$. Aqui, $d\mathbf{F}_y$ é negativo, pois está na direção $-y$, de modo que

$$F_S = \int_A (p\,dA)\operatorname{sen}\theta = -\int_0^\pi (199{,}26)(1 - 4\operatorname{sen}^2\theta)\operatorname{sen}\theta[(12\text{ m})(4\text{ m})d\theta]$$
$$= -9564{,}48 \int_0^\pi (1 - 4\operatorname{sen}^2\theta)\operatorname{sen}\theta\,d\theta$$
$$= -9564{,}48\left[3\cos\theta - \frac{4}{3}\cos^3\theta\right]_0^\pi$$
$$= 31{,}88(10^3)\text{ N} = 31{,}9\text{ kN} \qquad \textit{Resposta}$$

O sinal positivo indica que a corrente de ar tende a *puxar o galpão para cima*, como a palavra em inglês para sustentação ("lift") sugeriria.

11.7 Efeitos do gradiente de pressão

Na seção anterior, observamos que as forças de arrasto e sustentação são resultantes de uma combinação de tensão de cisalhamento viscosa e pressão atuando sobre a superfície de um corpo. Por exemplo, considere o caso de uma placa plana. Quando sua superfície está alinhada com o escoamento (Figura 11.26a), somente o *arrasto de cisalhamento* será produzido sobre a placa. Porém, quando o escoamento é perpendicular à placa (como na Figura 11.26b), então a placa atua como um *corpo rombudo*. Aqui, é criado apenas o *arrasto de pressão*. O arrasto de pressão é causado pela mudança na quantidade de movimento do fluido, conforme discutido no Capítulo 6. O arrasto de cisalhamento resultante é zero neste caso, pois as tensões de cisalhamento atuam igualmente acima e abaixo da superfície frontal da placa. Observe que, nesses dois casos, a sustentação é zero, pois nenhum dos efeitos produz uma força resultante na direção vertical, perpendicular ao escoamento. Para conseguir sustentação e arrasto, a placa precisa estar orientada formando um ângulo com o escoamento, como mostra a Figura 11.26c. Um corpo que possui uma superfície curva ou irregular também pode estar sujeito às forças de sustentação e arrasto, e para entender melhor como essas forças são criadas, vamos considerar o escoamento uniforme sobre a superfície de um cilindro longo.

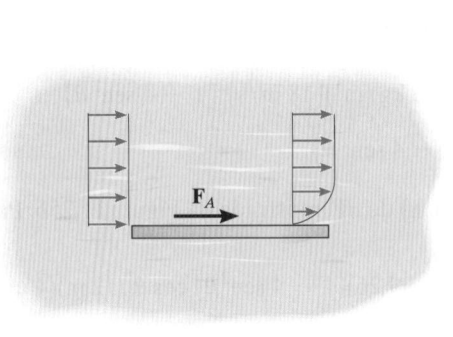

Arrasto por cisalhamento
causado pela camada
limite cisalhante viscosa
(a)

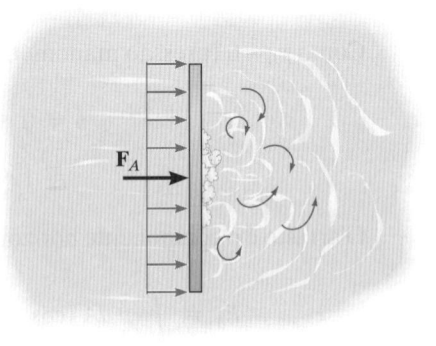

Arrasto por pressão causado
pela variação na quantidade
de movimento do fluido
(b)

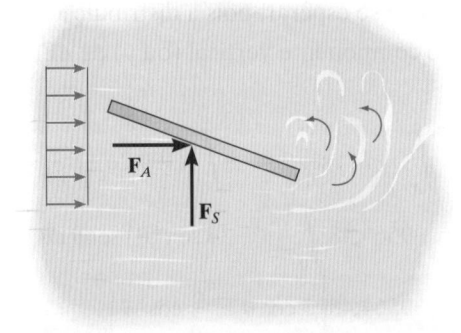

Combinação de arrasto por
cisalhamento e arrasto por pressão
(c)

FIGURA 11.26

Escoamento perfeito em torno de um cilindro

Na Seção 7.10, discutimos como o escoamento uniforme de um *fluido perfeito* em torno de um cilindro cria uma *distribuição de pressão variável* sobre sua superfície. O resultado aparece na Figura 11.27a. Embora algumas partes da superfície estejam sujeitas a uma pressão positiva (empurrão), outras partes estão sujeitas a uma pressão negativa (sucção). Aqui, estaremos interessados apenas em como essa pressão *varia*. Essa variação é o **gradiente de pressão**. A equação de Bernoulli ($p/\gamma + V^2/2g$ = constante) indica que o *gradiente de pressão decrescente* ou *negativo*, que ocorre de *A* para *B*, causará um *aumento* na *velocidade* dentro dessa região (Figura 11.27b). Isso é conhecido como **gradiente de pressão favorável**, pois a velocidade do escoamento é *aumentada*, neste caso de zero no ponto de estagnação *A* até um valor máximo em *B*. De modo semelhante, o *gradiente de pressão crescente* ou *positivo*, que ocorre de *B* para *C*, causa uma *diminuição* na *velocidade*. Isso é conhecido como **gradiente de pressão adverso**, pois diminui a velocidade do fluido, aqui do seu máximo em *B* até zero em seu ponto de estagnação *C*. Como temos um fluido perfeito, a distribuição de pressão é *simétrica* em torno do cilindro, e, portanto, o *arrasto de pressão resultante* (força horizontal) no cilindro será igual a zero. Além disso, como um fluido perfeito não possui viscosidade, também não há *arrasto de cisalhamento viscoso* no cilindro.

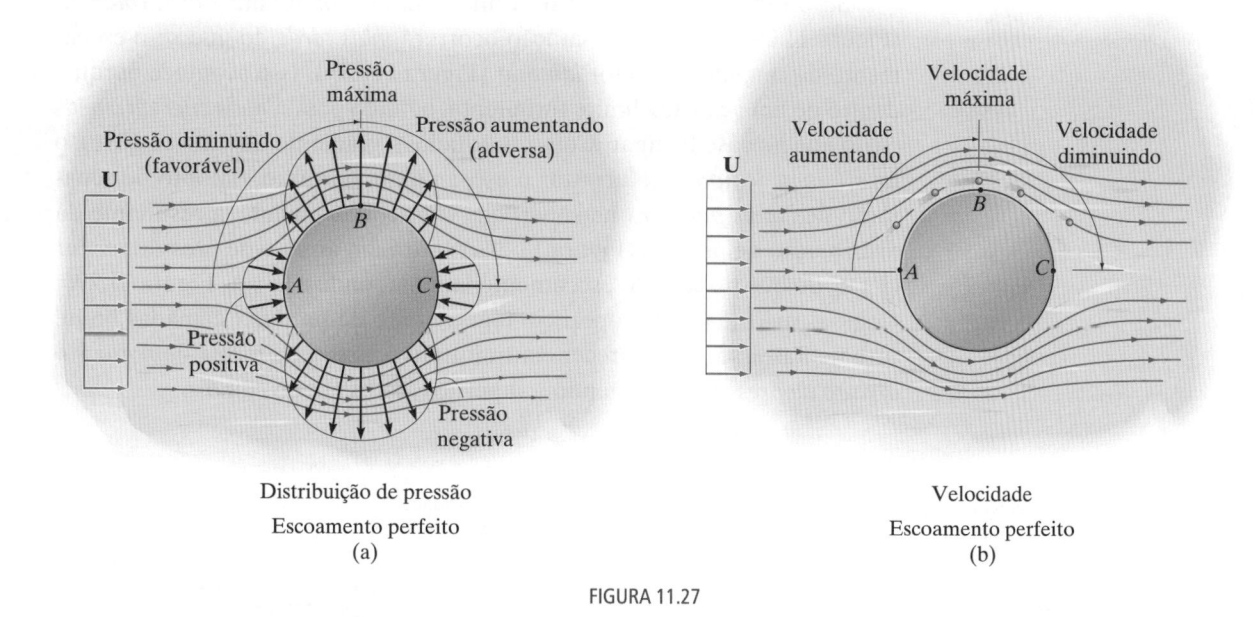

Distribuição de pressão
Escoamento perfeito
(a)

Velocidade
Escoamento perfeito
(b)

FIGURA 11.27

Escoamento real em torno de um cilindro

Diferente de um fluido perfeito que pode se deslocar livremente em torno de um cilindro, um fluido real possui viscosidade e, como resultado, o fluido tenderá a formar uma camada limite e *aderir* à superfície do cilindro enquanto escoa em torno dele. Esse fenômeno foi estudado no início do século XX pelo engenheiro romeno Henri Coanda, e por isso é chamado de **efeito Coanda**.

O efeito Coanda, indicado pelo encurvamento da corrente de água enquanto ela adere ao vidro.

A separação do escoamento nos lados do poste é evidente nesta foto.

Para entender esse comportamento viscoso, vamos considerar o cilindro longo mostrado na Figura 11.28a. O escoamento começa do ponto de estagnação em A, e depois disso ele forma uma camada limite laminar no cilindro enquanto o fluido começa a contornar a superfície. O *gradiente de pressão* favorável (diminuição de pressão) dentro dessa região inicial aumenta a velocidade (Figura 11.28b). Como o escoamento precisa *superar* o efeito do arrasto do cisalhamento viscoso dentro da camada limite, a pressão mínima e a velocidade máxima ocorrerão no ponto B'. Isso acontece *mais cedo* do que no caso do escoamento do fluido perfeito.

Embora a camada limite continue a crescer em espessura após o ponto B', a velocidade diminui aqui por causa do gradiente de pressão adverso (pressão crescente) atuando dentro dessa região (Figura 11.28a). O ponto C' marca uma separação do escoamento do cilindro, pois a velocidade das partículas com movimento mais lento perto da superfície é finalmente reduzida a zero nesse ponto. Após C', dentro da camada limite, o escoamento começará a recuar e mover-se no sentido oposto ao escoamento da corrente livre. Isso por fim formará um vórtice, que se desprenderá do cilindro, como mostra a Figura 11.28b. Uma série desses vórtices ou redemoinhos produzirá uma **esteira** ("wake"), cuja energia por fim se dissipará como calor. A pressão dentro da esteira é relativamente constante, e o resultante da distribuição total de pressão em torno do cilindro produz o *arrasto de pressão* $\mathbf{F}_{Ap}$ (Figura 11.28a). Observe que a magnitude dessa força depende até certo ponto do local do ponto C', onde o escoamento se separa do cilindro.

Se o escoamento dentro da camada limite for totalmente *turbulento* (Figura 11.29a), então a separação ocorrerá *mais tarde* do que se o escoamento da camada limite for *laminar* (Figura 11.29b). Isso acontece porque, dentro de uma camada limite turbulenta, o fluido possui *mais energia cinética* do que no caso laminar. Como resultado, o gradiente de pressão adverso levará *mais tempo* para arrastar o escoamento, portanto, o ponto de separação fica *mais para trás* na superfície. Consequentemente, a resultante da distribuição de pressão (Figura 11.29a) criará um arrasto de pressão *menor* $(\mathbf{F}_{Ap})_t$, do que no caso do escoamento laminar, onde é $(\mathbf{F}_{Ap})_l$, Figura 11.29b. Como a rugosidade da superfície tem o efeito de produzir camadas limite turbulentas, isso pode parecer contraintuitivo, mas uma forma de *reduzir o arrasto de pressão* é enrugando a superfície da frente do cilindro.

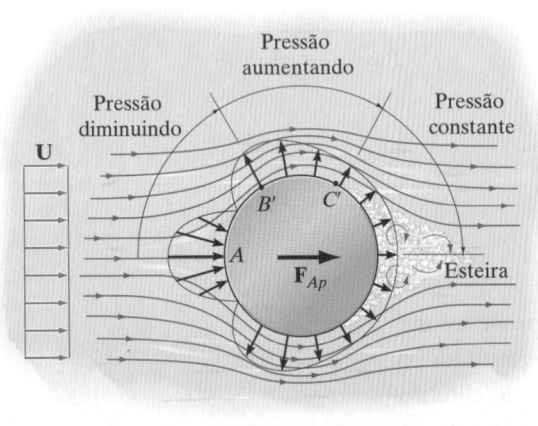

Distribuição de pressão
Fluido viscoso
(a)

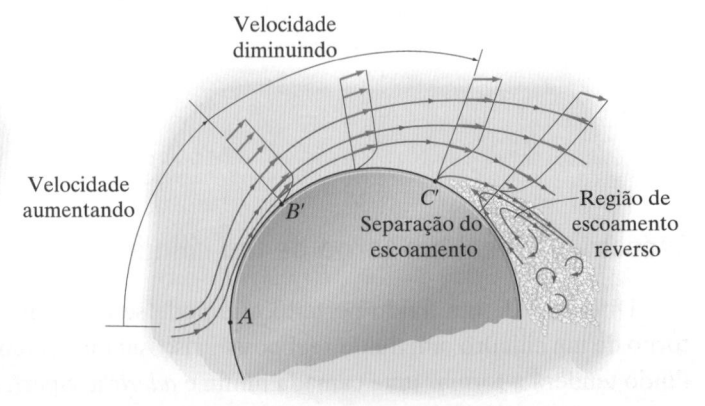

Separação da camada limite
Fluido viscoso
(b)

FIGURA 11.28

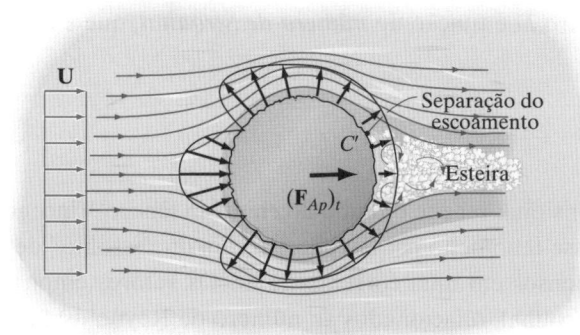

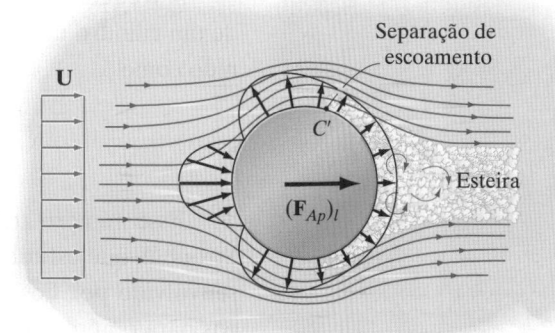

Cilindro rugoso
Camada limite turbulenta
Força de arrasto menor
(a)

Cilindro liso
Camada limite laminar
Força de arrasto maior
(b)

FIGURA 11.29

Infelizmente, o ponto C' real da separação do escoamento para camadas limite laminar ou turbulenta não pode ser determinado analiticamente, exceto por métodos aproximados. Porém, experimentos têm mostrado que, conforme esperado, o ponto de transição de escoamento laminar para turbulento é função do número de Reynolds; portanto, o arrasto de pressão, como o arrasto viscoso ou por cisalhamento, será função desse parâmetro. Para um cilindro, o "comprimento característico" para encontrar o número de Reynolds é o seu diâmetro D, de modo que $Re = \rho V D/\mu$.

Desprendimento de vórtices

Quando o escoamento em torno de um cilindro está em um número de Reynolds baixo, o *escoamento laminar* prevalece, e a camada limite se separará da superfície simetricamente em cada lado, formando vórtices que giram em direções opostas, como mostra a Figura 11.30. À medida que o número de Reynolds aumenta, esses vórtices se alongam e um começará a se quebrar a partir de um lado da superfície antes que outro se quebre do outro lado. Essa corrente de vórtices alternados causa flutuação de pressão em cada lado do cilindro, que por sua vez tende a vibrar na direção *perpendicular* ao escoamento. Theodore von Kármán foi um dos primeiros a investigar esse efeito, e a corrente de vórtices formada dessa maneira geralmente é chamada de **rastro de vórtice** ou **esteira de vórtices de von Kármán**, visto que os vórtices são posicionados como objetos viajando sobre uma esteira.

Nadadeiras de baleia possuem tubérculos na borda dianteira, como mostra esta foto. Testes com túnel de água revelaram que o escoamento de água entre cada par de tubérculos produz vórtices em sentido horário e anti-horário, o que energiza o escoamento turbulento dentro da camada limite, evitando assim que a camada limite se separe da nadadeira. Isso dá à baleia mais manobabilidade e menos arrasto. (© MASA USHIODA/Alamy)

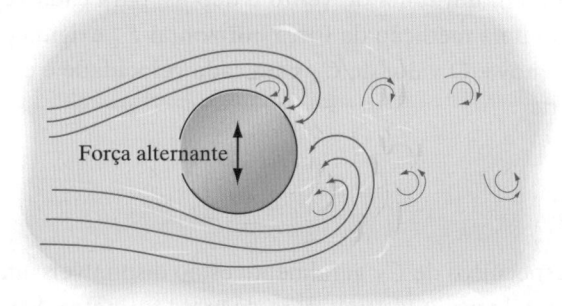

Esteira de vórtices de von Kármán

FIGURA 11.30

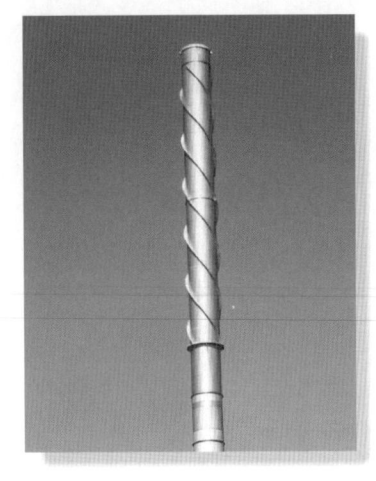

Esta chaminé metálica alta com parede fina pode estar sujeita a cargas de vento intensas. A uma velocidade crítica do vento, sua forma cilíndrica produzirá uma esteira de vórtices de von Kármán que se desprenderá de cada lado conforme observado na Figura 11.30. Isso pode fazer com que a chaminé oscile perpendicularmente à direção do vento. Para evitar isso, o enrolamento espiral, conhecido como cerca ou "cinta", perturba o escoamento e impede a formação de vórtices.

A frequência f em que os vórtices se desprendem a partir de cada lado de um cilindro de diâmetro D é função do **número de Strouhal**, que é definido como

$$\mathrm{St} = \frac{fD}{V}$$

Esse número adimensional recebe o nome do cientista tcheco Vincenc Strouhal, que estudou esse fenômeno para explicar o som de "assobio" desenvolvido por fios suspensos em uma corrente de ar. Os valores empíricos para o número de Strouhal, relacionados ao número de Reynolds para o escoamento em torno de um cilindro, foram desenvolvidos e podem ser encontrados na literatura. Veja a Referência [29]. Porém, em números de Reynolds muito altos, a corrente de vórtices produz vibrações que devem ser levadas em consideração no projeto de estruturas como chaminés altas, antenas, periscópios de submarinos e até mesmo cabos de pontes suspensas.

11.8 O coeficiente de arrasto

Como já foi dito, o *arrasto* e a *sustentação* em um corpo são uma combinação dos efeitos do cisalhamento viscoso *e* da pressão, e se as distribuições de cisalhamento e pressão sobre a superfície puderem ser estabelecidas, então essas forças poderão ser determinadas, conforme demonstrado pelo Exemplo 11.9. Infelizmente, as distribuições de p e especialmente τ geralmente são difíceis de obter, ou através de experimentos ou por algum procedimento analítico. Um método mais simples para encontrar o arrasto e a sustentação é medi-los *diretamente* através de experimentos. Nesta seção, vamos considerar como isso é feito para o arrasto; mais adiante, na Seção 11.11, vamos considerar a sustentação.

Um procedimento que tem se tornado padrão na mecânica dos fluidos é expressar o arrasto em termos da carga dinâmica do fluido, da *área projetada* A_p do corpo na corrente de fluido e de um **coeficiente de arrasto** C_A adimensional. A relação é

$$F_A = C_A A_p \left(\frac{\rho V^2}{2}\right) \tag{11.29}$$

O valor de C_A é determinado a partir de experimentos, normalmente realizados em um protótipo ou modelo colocado em um túnel de vento ou água, ou em um canal. Por exemplo, o C_A para um carro é determinado colocando-o em um túnel de vento e depois, para cada velocidade do vento V, é feita uma medição da força horizontal F_A exigida para impedir que o carro se mova. O valor de C_A para cada velocidade é então determinado a partir de

$$C_A = \frac{F_A}{(1/2)\rho V^2 A_p}$$

Valores específicos de C_A geralmente estão disponíveis em manuais de engenharia e catálogos industriais para diversos formatos. Seu valor não é constante; em vez disso, experimentos indicam que esse coeficiente depende de diversos fatores, e agora discutiremos alguns destes para vários casos diferentes.

Número de Reynolds

Em geral, o coeficiente de arrasto depende bastante do número de Reynolds. Em particular, objetos ou partículas que possuem tamanho e peso muito pequenos, como o pó que cai pelo ar, ou o lodo que cai pela água, têm um número de Reynolds muito baixo (Re ≪ 1). Aqui, não ocorre separação de escoamento dos lados da partícula, e o arrasto deve-se apenas ao cisalhamento viscoso causado pelo escoamento laminar.

Se o objeto possui uma forma esférica, então, para o escoamento laminar, o arrasto pode ser determinado analiticamente usando uma solução desenvolvida em 1851 por George Stokes. Ele obteve seu resultado resolvendo as equações de Navier-Stokes e da continuidade, e seu resultado foi confirmado por experimentos. Veja a Referência [7]. Ela é[*]

$$F_A = 3\pi\mu V D$$

Usando a definição do coeficiente de arrasto na Equação 11.29, onde a *área projetada* da esfera no escoamento é $A_p = (\pi/4)D^2$, podemos agora expressar C_A em termos do número de Reynolds, Re = $\rho V D/\mu$. Ele é

$$C_A = 24/\text{Re} \qquad (11.30)$$

Experimentos têm mostrado que C_A, para outras formas, também tem essa dependência recíproca de Re, desde que Re ≤ 1. Por exemplo, um disco circular mantido em posição normal ao escoamento tem um $C_A = 20{,}4/\text{Re}$ (veja a Referência [19]).

Cilindro

Valores experimentais de C_A para o escoamento em torno dos lados de um cilindro liso e um rugoso em função do número de Reynolds aparecem no gráfico da Figura 11.31 (a partir da Referência [18]). Observe que, quando o número de Reynolds aumenta, C_A começa a *diminuir*, até que atinja um valor constante em cerca de Re ≈ 10^3. Deste ponto até Re ≈ 10^5, o escoamento laminar permanece em torno do cilindro. A *queda* repentina em C_A, nos números de Reynolds dentro da faixa alta $10^5 < \text{Re} < 10^6$, ocorre porque a camada limite sobre a superfície muda de laminar para turbulenta, fazendo com isso com que o ponto de separação do escoamento ocorra mais adiante, na parte posterior do cilindro. Como dissemos na seção anterior, isso resulta em uma região menor para a esteira viscosa e um *arrasto de pressão inferior*. Embora haja um *ligeiro aumento no arrasto viscoso*, o resultado ainda causará uma redução do arrasto total. Além disso, observe que a queda em C_A ocorre mais cedo para o cilindro com a superfície rugosa, Re ≈ $6(10^4)$, pois uma superfície rugosa perturba a camada limite para que se torne turbulenta mais cedo do que uma superfície lisa.

A aceleração ocorre quando o peso dessas pessoas é maior do que a força de arrasto causada pelo ar. À medida que sua velocidade aumenta, o arrasto aumenta até que, na velocidade terminal, é alcançado o equilíbrio a cerca de 200 km/h ou 120 mi/h.

---

[*] Esta equação às vezes é usada para medir a viscosidade de um fluido com uma *viscosidade muito alta*. O experimento é feito largando uma pequena esfera de peso e diâmetro conhecidos no fluido contido em um longo cilindro, medindo sua velocidade terminal. Então, $\mu = F_A/(3\pi V D)$. Outros detalhes sobre como obter F_A são dados no Exemplo 11.12.

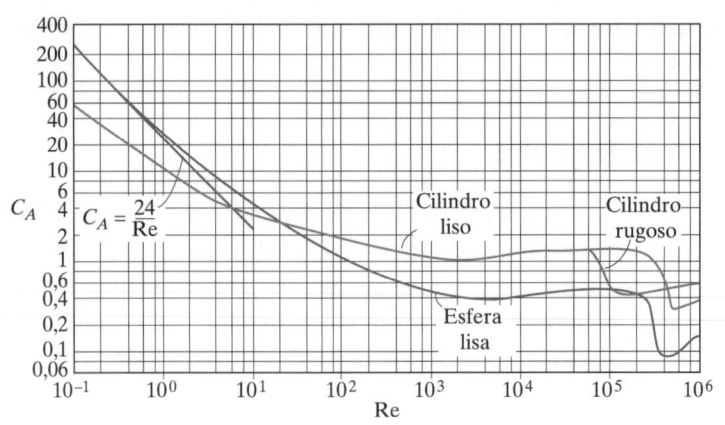

Coeficientes de arrasto para uma esfera e cilindro longo

FIGURA 11.31

Esfera

Quando um fluido escoa em torno de um corpo tridimensional, ele se comporta praticamente da mesma forma que no caso bidimensional. Porém, aqui o escoamento pode contornar as extremidades do corpo e também suas laterais. Isso tem o efeito de *estender* o ponto de separação do escoamento e, assim, diminui o arrasto sobre o corpo. Por exemplo, a força de arrasto que atua sobre uma esfera lisa também aparece na Figura 11.31, Referência [18]. Observe que ela inicialmente segue a equação de Stokes para Re < 1. A forma dessa curva é semelhante à do cilindro; porém, para números de Reynolds altos, os valores de C_A para a esfera são cerca de metade daqueles obtidos para o cilindro. Como antes, a *queda* característica em C_A nos números de Reynolds altos é atribuída à transição antecipada de uma camada limite laminar para turbulenta; e assim como no cilindro, uma *superfície rugosa* em uma esfera também contribuirá para uma queda ainda maior em C_A. É por isso que os fabricantes colocam covinhas nas bolas de golfe e encrespam a superfície das bolas de tênis. Esses objetos se movem em altas velocidades; portanto, dentro do alcance do número de Reynolds onde isso ocorre, a superfície rugosa produzirá um coeficiente de arrasto menor e a bola irá mais longe do que iria se tivesse uma superfície lisa.

Número de Froude

Quando a gravidade desempenha um papel importante no arrasto, então o coeficiente de arrasto será uma função do número de Froude, $Fr = V/\sqrt{gl}$. Lembre-se, da Seção 8.4, de que os números de Froude e de Reynolds são usados para estudos de semelhança de navios. Esses números são importantes, pois o arrasto é produzido pelo cisalhamento viscoso no casco e pela sustentação da água para criar ondas. Mostramos como os modelos podem ser testados para estudar esses efeitos *independentemente*. Em particular, pode-se estabelecer uma relação experimental entre o coeficiente de arrasto da onda $(C_A)_{onda}$ e o número de Froude, e plotando os dados de Fr *versus* $(C_A)_{onda}$ para diferentes geometrias de casco do modelo do navio, é possível então fazer comparações antes de escolher o formato apropriado para o projeto.

Número de Mach

Quando o fluido é um gás, como o ar, os efeitos da compressibilidade podem ter relevância ao se determinar o arrasto sobre o corpo. Como resultado, o coeficiente de arrasto, então, será uma função do número de Reynolds e do número de Mach, pois, além da pressão, as forças dominantes sobre o corpo serão causadas por inércia, viscosidade e compressibilidade.[*]

Embora o arrasto seja afetado pelo cisalhamento viscoso *e* pela pressão sobre o corpo, quando a compressibilidade se torna significativa, o efeito desses dois componentes será muito diferente daquele quando o escoamento é incompressível. Para entender por que isso acontece, considere a variação em C_A versus M para um corpo rombudo (cilindro) e para um com um nariz cônico ou carenado (Figura 11.32, Referência [6]). Em números de Mach baixos (M ≪ 1), ou velocidades abaixo da velocidade do som, o arrasto é afetado principalmente pelo número de Reynolds. Como resultado, nos dois casos, C_A aumenta apenas ligeiramente. À medida que se aproxima do escoamento sônico, há um aumento brusco em C_A. No ponto M = 1, uma onda de choque é formada sobre ou na frente do corpo. As ondas de choque são muito finas, na ordem de 0,3 μm, e causam mudanças bruscas nas características do escoamento, conforme discutiremos no Capítulo 13. O importante aqui é observar que ocorre um repentino *aumento de pressão* através da onda, e esse aumento causa um arrasto adicional sobre o corpo. Em aeronáutica, isso é conhecido como **arrasto de onda**. Nessas altas velocidades, o arrasto será independente do número de Reynolds. Em vez disso, somente o arrasto de onda, criado pela mudança de pressão através da onda de choque, produz a quantidade predominante do arrasto.

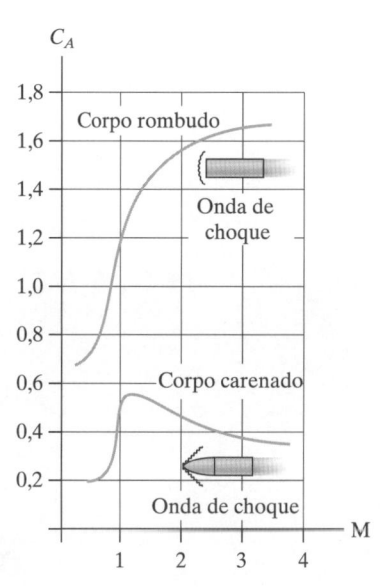

Observe que a maior redução no arrasto ocorre quando o nariz é carenado, como em um avião a jato, pois assim o arrasto de onda é confinado à pequena região "frontal" no nariz. À medida que o número de Mach aumenta, para corpos rombudos e carenados, a onda de choque torna-se mais inclinada a jusante, e assim a largura da esteira por trás da onda é reduzida, fazendo com que C_A diminua. A propósito, a forma da extremidade posterior dos corpos rombudos e carenados tem muito pouco efeito sobre a redução de C_A para o escoamento supersônico, pois o arrasto predominante é causado pela onda de choque. Porém, para o escoamento subsônico, nenhuma onda de choque é formada, e assim o arrasto viscoso é reduzido se a extremidade posterior for carenada, pois isso desencoraja a separação do escoamento.

O bulbo no ponto inferior da proa deste navio reduz significativamente a altura da onda na proa e o escoamento turbulento em torno da proa. Assim, um coeficiente de arrasto menor reduz os custos com combustível.

Coeficiente de arrasto para um corpo rombudo e um corpo carenado

FIGURA 11.32

11.9 Coeficientes de arrasto para corpos com formas variadas

O escoamento em torno de corpos com diversas formas diferentes segue o mesmo comportamento do escoamento em torno de um cilindro e uma esfera. Os experimentos têm mostrado que, para números de Reynolds grandes, geralmente na ordem de Re > 10^4, o coeficiente de arrasto C_A é basicamente *constante* para muitas dessas formas, pois o escoamento se separará

---

[*] Lembre-se de que o número de Mach é M = V/c, onde c é a velocidade do som medida no fluido.

nas arestas vivas do corpo e, portanto, se tornará bem definido. Valores típicos de coeficientes de arrasto para algumas formas comuns podem ser vistos na Tabela 11.3, para Re > 10^4. Muitos outros exemplos podem ser encontrados na literatura (veja a Referência [19]). Observe que cada valor de C_A depende não apenas da forma do corpo e do número de Reynolds, mas também do ângulo no qual o corpo está orientado dentro do escoamento e da rugosidade da superfície do corpo.

Aplicações

Se um *corpo composto* for construído a partir das formas listadas na Tabela 11.3, e cada um estiver totalmente exposto ao escoamento, então o arrasto, determinado pela Equação 11.30, $F_A = C_A A_p(\rho V^2/2)$, torna-se uma sobreposição das forças calculadas para cada forma. Ao usar a tabela, ou outros dados disponíveis para C_D, deve-se ter algum cuidado considerando as condições sob as quais ela é aplicada. Na prática real, corpos próximos podem influenciar o padrão de escoamento em torno do objeto sendo estudado, e isso pode afetar bastante o valor real de C_A. Por exemplo, em uma cidade grande, os engenheiros estruturais constroem modelos dos prédios existentes ao redor do prédio a ser projetado, e depois testam esse sistema inteiro em um túnel de vento. Ocasionalmente, o padrão complicado do escoamento de vento levará a uma carga de pressão *aumentada* sobre o prédio sendo considerado; portanto, esse aumento deverá ser levado em consideração como parte da carga do projeto. Por fim, lembre-se de que esses dados foram preparados para o escoamento uniforme em regime permanente, algo que realmente nunca ocorre na natureza. Consequentemente, deve-se exercer um bom julgamento de engenharia, com base na experiência e na intuição sobre o escoamento, sempre que qualquer valor de C_A for selecionado.

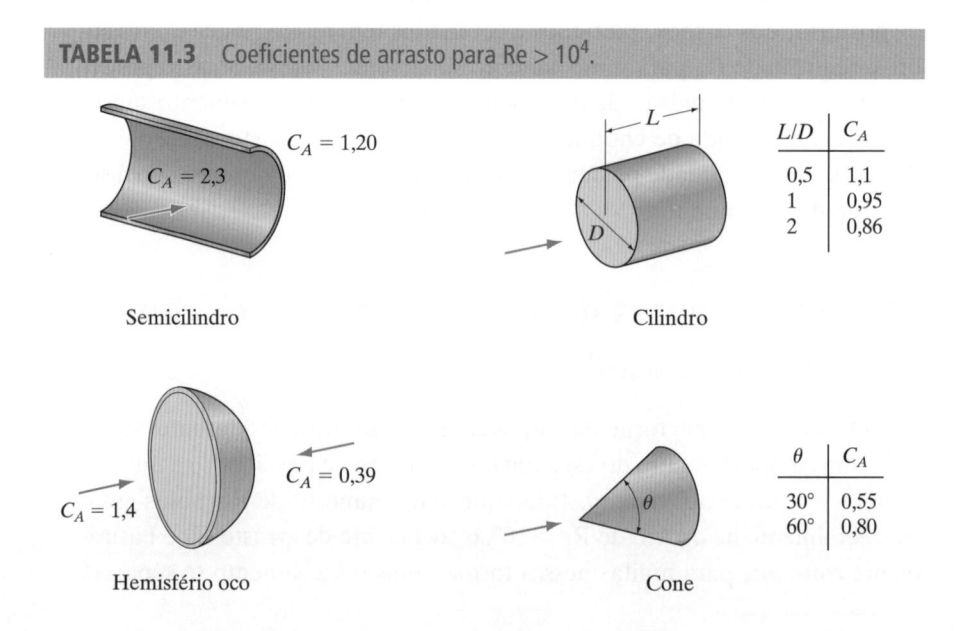

TABELA 11.3 Coeficientes de arrasto para Re > 10^4.

Semicilindro: $C_A = 1{,}20$; $C_A = 2{,}3$

Cilindro:

L/D	C_A
0,5	1,1
1	0,95
2	0,86

Hemisfério oco: $C_A = 1{,}4$; $C_A = 0{,}39$

Cone:

θ	C_A
30°	0,55
60°	0,80

(continua)

(continuação)

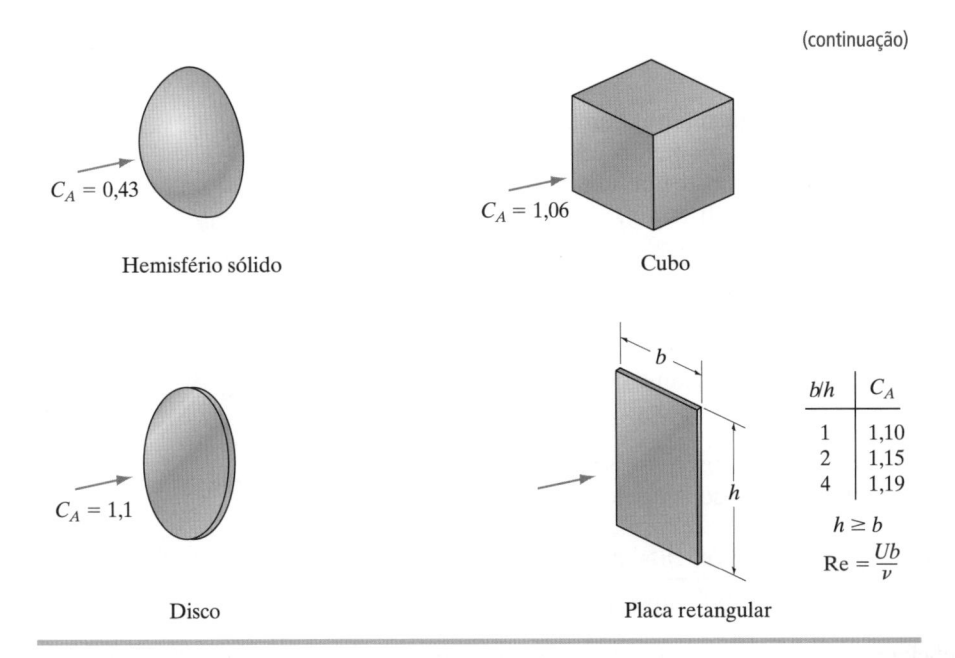

$C_A = 0{,}43$
Hemisfério sólido

$C_A = 1{,}06$
Cubo

$C_A = 1{,}1$
Disco

Placa retangular

b/h	C_A
1	1,10
2	1,15
4	1,19

$h \geq b$

$\mathrm{Re} = \dfrac{Ub}{\nu}$

Pontos importantes

- O escoamento pode criar dois tipos de arrasto sobre um objeto: um *arrasto por cisalhamento* viscoso tangencial, causado pela camada limite, e um *arrasto de pressão* normal, causado pela variação de quantidade de movimento da corrente de fluido. O *efeito combinado* dessas forças é representado por um coeficiente de arrasto C_A adimensional, que é determinado por experimentos.

- Quando um fluido escoa sobre uma *superfície curva*, um gradiente de pressão é desenvolvido sobre a superfície. Esse gradiente *acelera* o escoamento quando a pressão se torna *menor*, ou o gradiente está diminuindo (favorável), e ele *desacelera* o escoamento quando a pressão se torna *maior*, ou o gradiente está aumentando (adverso). Se o escoamento for muito desacelerado, ele se separará da superfície e formará uma esteira, ou região de turbulência, por trás do corpo. Experimentos têm mostrado que a pressão dentro da esteira é basicamente constante e aproximadamente a mesma que dentro do escoamento da corrente livre.

- A separação do escoamento da camada limite de uma superfície curva fará surgir uma distribuição de pressão desigual sobre a superfície do corpo, e isso produz o arrasto de pressão.

- O escoamento uniforme de um *fluido perfeito* em torno de um corpo simétrico não produzirá camada limite e, portanto, nenhuma tensão de cisalhamento sobre a superfície, pois não existe viscosidade do fluido. Além disso, a distribuição de pressão em torno do corpo será simétrica, e, portanto, possui uma força zero resultante. Consequentemente, o corpo não estará sujeito ao arrasto.

- Superfícies cilíndricas podem estar sujeitas à separação da camada limite, o que pode levar ao desprendimento de vórtices para números de Reynolds altos. Isso pode produzir forças de oscilação sobre o corpo, que devem ser consideradas no projeto.

- A literatura contém coeficientes de arrasto C_A determinados experimentalmente para cilindros, esferas e muitas outras formas simples. Valores específicos são tabulados ou apresentados em formato gráfico. De qualquer forma, C_A é função do número de Reynolds, da forma do corpo, de sua orientação dentro do escoamento e de sua rugosidade na superfície. Para algumas aplicações, forças além da viscosidade tornam-se importantes; portanto, C_A pode, por exemplo, depender também do número de Froude ou do número de Mach.

EXEMPLO 11.10

O disco hemisférico na Figura 11.33 está sujeito a uma velocidade de vento uniforme de 60 pés/s. Determine o momento da força criada pelo vento sobre o disco em torno da base do poste em A. Para o ar, considere $\rho_a = 0{,}00238$ slug/pé^3 e $\mu_a = 0{,}374(10^{-6})$ lb · s/pé^2.

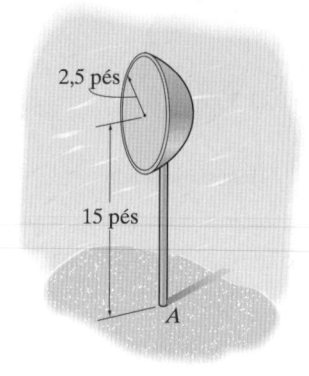

Solução

Descrição do fluido

Devido à velocidade relativamente lenta, vamos considerar que o ar seja incompressível e o escoamento seja em regime permanente.

Análise

O "comprimento característico" para o disco é o seu diâmetro, 5 pés. Portanto, o número de Reynolds para o escoamento é

$$\text{Re} = \frac{\rho_a V D}{\mu_a} = \frac{(0{,}00238 \text{ slug/pé}^3)(60 \text{ pés/s})(5 \text{ pés})}{0{,}374(10^{-6}) \text{ lb·s/pé}^2} = 1{,}91(10^6) > (10^4)$$

FIGURA 11.33

Pela Tabela 11.3, o coeficiente de arrasto é $C_A = 1{,}4$, de modo que a aplicação da Equação 11.29 resulta em

$$F_A = C_A A_p \left(\frac{\rho_a V^2}{2} \right)$$

$$= 1{,}4 [\pi(2{,}5 \text{ pés})^2] \left(\frac{(0{,}00238 \text{ slug/pé}^3)(60 \text{ pés/s})^2}{2} \right)$$

$$= 117{,}8 \text{ lb}$$

Observe quanto o diâmetro e a velocidade afetam esse resultado, pois cada um é elevado ao quadrado. Devido à uniformidade da distribuição de vento, F_A atua através do centro geométrico do disco. O momento dessa força em torno de A é, portanto,

$$M = (117{,}8 \text{ lb})(15 \text{ pés}) = 1766 \text{ lb·pés} \qquad \textit{Resposta}$$

Uma quantidade de movimento adicional da carga do vento sobre o poste (cilindro) também pode ser incluída.

EXEMPLO 11.11

O carro esportivo e o motorista na Figura 11.34a possuem uma massa total de 2,3 Mg (toneladas). O carro está viajando a 11 m/s quando o motorista o coloca em ponto morto e o carro segue livremente até que, depois de 165 s, sua velocidade atinge 10 m/s. Determine o coeficiente de arrasto para o carro, supondo que seu valor seja constante. Desconsidere a rolagem dos pneus e outros efeitos da resistência mecânica. A área frontal projetada do carro é 0,75 m^2.

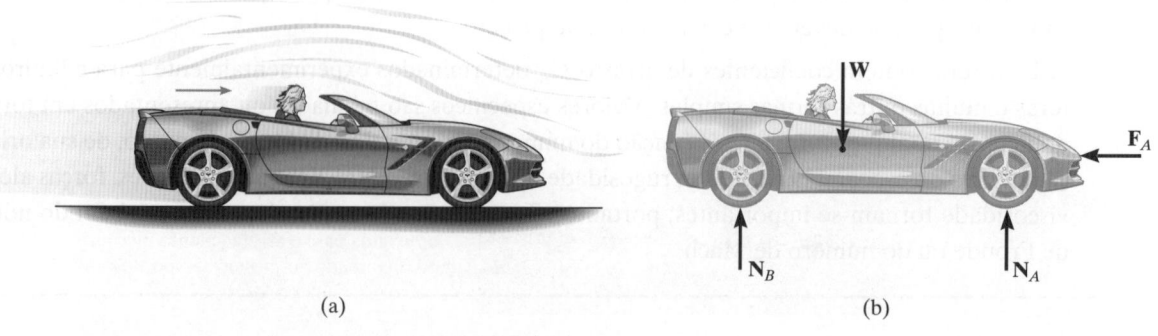

FIGURA 11.34

Solução

Descrição do fluido

Em relação ao carro, temos um escoamento transitório uniforme, pois o carro está desacelerando. Vamos considerar que o ar seja incompressível. Na temperatura padrão, $\rho_a = 1{,}23$ kg/m³.

Análise

Como o carro pode ser considerado um corpo rígido, podemos aplicar a equação do movimento, $\Sigma F = ma$, e depois usar $a = dV/dt$ para relacionar a velocidade do carro ao tempo. Como alternativa, embora isso seja a mesma coisa, podemos escolher o carro como um "volume de controle", desenhar seu diagrama de corpo livre (Figura 11.34b) e depois aplicar a equação da quantidade de movimento,

$$\overset{+}{\to} \Sigma F_x = \frac{\partial}{\partial t} \int_{vc} V\rho \, d\forall + \int_{sc} V\rho V \, dA$$

Visto que não existem superfícies de controle abertas, o último termo é zero. O primeiro termo à direita pode ser simplificado, observando que $V\rho$ é independente do volume do carro, e, portanto, $\int_{vc} d\forall = \forall$. Porém, $\rho \forall = m$, a massa do carro e do motorista, e com isso a equação anterior torna-se

$$\overset{+}{\to} \Sigma F_x = \frac{d(mV)}{dt} = m\frac{dV}{dt}$$

Por fim, como F_A é o arrasto sobre o carro, temos

$$-C_A A_p \left(\frac{\rho_a V^2}{2} \right) = m \frac{dV}{dt}$$

Separando as variáveis V e t, e integrando, obtemos

$$\frac{1}{2} C_A A_p \rho_a \int_0^t dt = -m \int_{V_0}^V \frac{dV}{V^2}$$

$$\frac{1}{2} C_A A_p \rho_a t \Big|_0^t = m \frac{1}{V} \Big|_{V_0}^V$$

$$\frac{1}{2} C_A A_p \rho_a t = m \left(\frac{1}{V} - \frac{1}{V_0} \right)$$

Substituindo os dados,

$$\frac{1}{2} C_A (0{,}75 \text{ m}^2)(1{,}23 \text{ kg/m}^3)(165 \text{ s}) = (2{,}3(10^3) \text{ kg}) \left(\frac{1}{10 \text{ m/s}} - \frac{1}{11 \text{ m/s}} \right)$$

$$C_A = 0{,}275 \qquad \textit{Resposta}$$

O projeto aerodinâmico do Corvette C7 2014 usado neste exemplo foi baseado em uma análise da dinâmica dos fluidos computacional (DFC) e mais de 700 horas de testes em túnel de vento. A finalidade foi alcançar um equilíbrio ideal de zero sustentação e corrente de ar exigida para o arrefecimento mecânico, mantendo ao mesmo tempo um C_A baixo. (© General Motors, LLC)

EXEMPLO 11.12

A bola de 0,5 kg possui um diâmetro de 100 mm e é largada no tanque de óleo (Figura 11.35a). Determine sua velocidade terminal à medida que a bola desce. Considere $\rho_o = 900$ kg/m^3 e $\mu_o = 0,0360$ N · s/m^2.

Solução

Descrição do fluido

Em relação à bola, temos inicialmente um escoamento transitório, até que a bola atinja sua velocidade terminal, quando teremos então um escoamento em regime permanente. Vamos supor que o óleo seja incompressível.

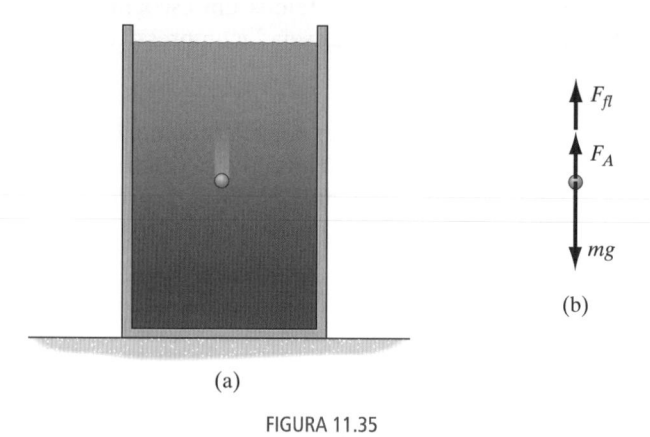

FIGURA 11.35

Análise

As forças que atuam sobre a bola incluem seu peso (mg), flutuação (F_{fl}) e arrasto (F_A) (Figura 11.35b). Como ocorre equilíbrio quando a bola atinge velocidade terminal, temos

$$+\uparrow \Sigma F_y = 0; \qquad F_{fl} + F_A - mg = 0$$

A força de flutuação é $F_{fl} = \rho_o g \forall$ e o arrasto é expresso pela Equação 11.29. Assim,

$$\rho_o g \forall + C_A A_p \left(\frac{\rho_o V_t^2}{2} \right) - mg = 0$$

$$(900 \text{ kg/m}^3)(9,81 \text{ m/s}^2)\left(\frac{4}{3}\right)\pi(0,05 \text{ m})^3 + C_A \pi (0,05 \text{ m})^2 \left(\frac{(900 \text{ kg/m}^3) V_t^2}{2} \right)$$

$$- (0,5 \text{ kg})(9,81 \text{ m/s}^2) = 0$$

$$C_A V_t^2 = 0,07983 \text{ m}^2/\text{s}^2 \qquad (1)$$

O valor para C_A é encontrado a partir da Figura 11.31, mas depende do número de Reynolds.

$$\text{Re} = \frac{\rho_o V_t D}{\mu_o} = \frac{(900 \text{ kg/m}^3)(V_t)(0,1 \text{ m})}{0,0360 \text{ N} \cdot \text{s/m}^2} = 2500 V_t \qquad (2)$$

A solução prosseguirá usando um processo de iteração. Primeiro, vamos assumir um valor de C_A e depois calcular V_t usando a Equação 1. Esse resultado será então usado na Equação 2 para calcular o número de Reynolds. Usando esse valor na Figura 11.31, o valor correspondente de C_A é obtido. Se ele não estiver próximo do valor assumido, temos que repetir o mesmo procedimento até que eles sejam aproximadamente iguais. As iterações são tabuladas.

Iteração	C_A (Assumido)	V_t (m/s) (Eq. 1)	Re (Eq. 2)	C_A (Fig. 11.31)
1	1	0,2825	706	0,55
2	0,55	0,3810	952	0,50
3	0,50	0,3996	999	0,48 (ok)

Portanto, a velocidade terminal é

$$V_t = 0,3996 \text{ m/s} = 0,400 \text{ m/s} \qquad \textit{Resposta}$$

11.10 Métodos para reduzir o arrasto

Na Seção 11.7, mostramos que, quando a frente de um cilindro é enrugada artificialmente, a turbulência ocorre mais cedo na camada limite, movendo assim o ponto de separação do escoamento mais para trás do cilindro (Figura 11.29a). Como resultado, o arrasto de pressão é reduzido. Outra forma de mover o ponto de separação para trás é *carenar* o corpo, de modo que tome a forma de uma gota, como mostra a Figura 11.36. Embora o *arrasto de pressão* seja *reduzido*, mais superfície fica em contato com a corrente do fluido, e, portanto, o *arrasto por cisalhamento* é *aumentado*. A forma ideal ocorre quando o *arrasto total*, que é uma combinação do arrasto de pressão e do arrasto por cisalhamento, é reduzido para o mínimo.

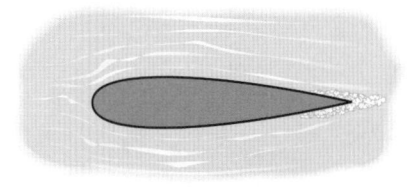

Corpo carenado
FIGURA 11.36

O escoamento em torno de um corpo de forma irregular pode ser complexo, e, portanto, a forma ideal para qualquer corpo carenado deve ser determinada por experimentos. Além disso, um projeto que funciona bem dentro de uma faixa dos números de Reynolds pode não ser tão eficiente em outras faixas. Via de regra, para números de Reynolds *baixos*, o cisalhamento viscoso criará o componente máximo do arrasto e, para números *altos*, o componente de arrasto de pressão dominará.

Aerofólios

Uma forma carenada comum é a de um aerofólio (Figura 11.37a), e o arrasto atuando sobre ele depende do seu **ângulo de ataque** α com a corrente de ar do escoamento livre (Figura 11.37b). Como vemos, esse ângulo é definido da horizontal até a **corda** da asa, ou seja, o comprimento medido do bordo de ataque até o bordo de fuga. Observe que, à medida que α aumenta, o ponto de separação de escoamento move-se *em direção* ao bordo de ataque, e isso faz com que o arrasto de pressão aumente, pois a inclinação da asa projeta uma área maior dentro da corrente de ar e a pressão no lado traseiro diminui.

Para projetar corretamente um aerofólio para reduzir o arrasto por pressão, o ponto de separação deverá ficar o mais afastado possível do bordo de ataque. Para conseguir isso, as asas modernas possuem uma superfície lisa no lado dianteiro da asa, para manter uma camada limite laminar e, depois, no ponto onde ocorre a transição para a turbulência, a camada limite é energizada, seja por uma superfície rugosa ou pelo uso de geradores de vórtices, que são pequenas aletas protuberantes no topo da asa. Isso faz a camada limite *aderir* mais para adiante na superfície da asa e, embora aumente o arrasto por cisalhamento, também diminuirá o arrasto de pressão, como vimos para o cilindro.

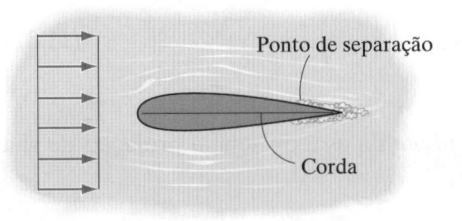

(a) Ponto de separação — Corda

(b) Ponto de separação

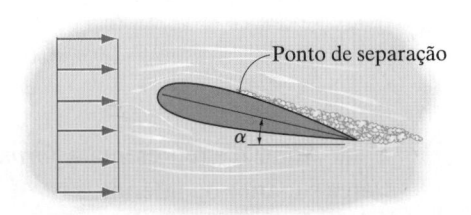

Separação do escoamento no ângulo de ataque α

FIGURA 11.37

Além de definir uma forma apropriada para um aerofólio, os engenheiros aeronáuticos criaram outros métodos para o controle da camada limite. A separação adiada para grandes ângulos de ataque pode ser obtida usando *flaps* abertos ou aberturas na borda frontal, como mostra a Figura 11.38. Esses dispositivos são projetados para transferir o ar com movimento rápido da parte de baixo da asa para a sua superfície superior, em um esforço para energizar a camada limite. Outro método produz sucção do ar com movimento lento dentro da camada limite, seja através de aberturas ou com o uso de uma superfície porosa. Ambos os métodos aumentarão a velocidade do escoamento dentro da camada limite e, portanto, adiarão sua separação. Eles também têm a vantagem de afinar a camada limite e, assim, adiar sua transição de laminar para turbulenta. Porém, pode ser difícil realizar esses projetos, pois isso requer alguma engenhosidade no tratamento dos problemas estruturais e mecânicos que aparecem.

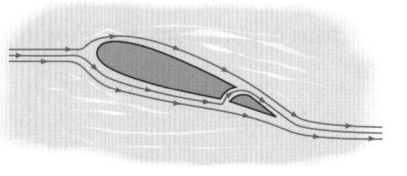

Flap aberto   Abertura na borda frontal

FIGURA 11.38

Coeficientes de arrasto de aerofólio

O arrasto em aerofólios foi amplamente estudado pelo *National Advisory Committee for Aeronautics* (NACA).* Eles, e outros, publicaram gráficos que têm sido usados por engenheiros aeronáuticos para determinar o **coeficiente de arrasto de asa**, $(C_A)_\infty$, que se aplica a asas de avião de várias formas. Conforme indicado, esse coeficiente é para o **arrasto de asa**; ou seja, ele considera que a asa tenha *envergadura infinita*, de modo que o escoamento em torno da ponta da asa *não é considerado*. Um exemplo típico para um perfil de asa 2409 aparece na Figura 11.39. O escoamento adicional em torno da ponta da asa produz um *arrasto induzido* sobre a asa, e estudaremos seus efeitos na próxima seção. Quando $(C_A)_\infty$ e o coeficiente de arrasto induzido $(C_A)_i$ são conhecidos, então o coeficiente de arrasto "total" $C_A = (C_A)_\infty + (C_A)_i$ pode ser determinado. O arrasto sobre o aerofólio, portanto, é

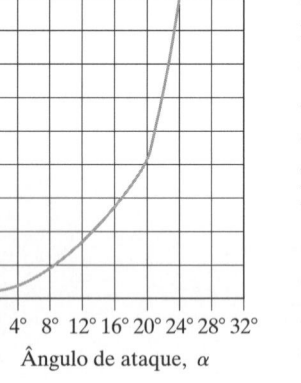

Coeficiente de arrasto $(C_A)_\infty$
para asa de aerofólio NACA 2409
com envergadura infinita

FIGURA 11.39

$$F_A = C_A A_{pl}\left(\frac{\rho V^2}{2}\right) \tag{11.31}$$

Aqui, A_{pl} representa a *forma plana* da asa, ou seja, a projeção de sua área superior ou inferior.

---

* Em 1958, essa agência foi incorporada à então recém-criada *National Aeronautics and Space Administration* (NASA).

Veículos de estrada

Através dos anos, tornou-se importante reduzir o arrasto aerodinâmico sobre carros, ônibus e caminhões para economizar o consumo de combustível. Embora a carenagem seja limitada para esses casos, por restrições de comprimento do veículo, é possível diminuir C_A para os carros redesenhando seus perfis frontal e traseiro, arredondando as superfícies da frente dos espelhos retrovisores, recuando as maçanetas das portas, eliminando antenas externas e arredondando os cantos da carroceria. Fazendo isso, os engenheiros automotivos têm conseguido reduzir os coeficientes de arrasto de valores tão altos quanto 0,60 para algo em torno de 0,30. Para carretas, os coeficientes de arrasto podem ser de até 1,35. Porém, pode-se alcançar uma redução de cerca de 20% acrescentando defletores de vento que direcionam a corrente de ar suavemente em torno da cabine e ao longo das laterais inferiores da carreta. Veja as fotos.

O coeficiente de arrasto para qualquer tipo de veículo é função do número de Reynolds; porém, dentro da faixa típica de velocidade na estrada, o valor de C_A é praticamente constante. A Tabela 11.4 lista os valores para alguns veículos modernos, embora os valores específicos para qualquer veículo em particular possam ser obtidos em manuais publicados (veja a Referência [23]). Quando C_A for obtido, o arrasto poderá ser determinado usando a Equação 11.29, ou seja,

$$F_A = C_A A_p \left(\frac{\rho V^2}{2}\right)$$

As carretas modernas possuem formas arredondadas na frente, saias nas partes inferiores das laterais e um invólucro aerodinâmico no teto da cabine que, se ajustado corretamente, ajudará a reduzir o arrasto e produzirá economias de combustível de cerca de 6%. Além disso, os para-choques na lateral traseira reduzirão ainda mais a turbulência e diminuirão o arrasto.

Aqui, A_p é a *área projetada* do veículo para o escoamento. Para caminhonetes e SUVs, essa área é cerca de 2,32 m² (25 pés²), e para um carro de passageiros de tamanho médio é cerca de 0,790 m² (8,5 pés²).

TABELA 11.4

Veículo	C_A
Caminhonete	0,6–0,8
Veículo utilitário esportivo (SUV)	0,35–0,4
Lamborghini Countach	0,42
Fusca	0,38
Toyota Celica conversível	0,36
Chevrolet Corvette C5	0,29
Toyota Prius	0,25
Bicicleta	1–1,5

Carros de corrida precisam maximizar a força de cima para baixo no carro para manter a estabilidade e ainda minimizar o arrasto. (© Bob Daemmrich / Alamy)

11.11 Sustentação e arrasto em um aerofólio

O efeito de um fluido que escoa pela superfície de um corpo não apenas cria arrasto sobre o corpo, mas também pode criar sustentação. Mencionamos que o arrasto atua na direção do movimento da corrente de ar, mas a sustentação atua perpendicularmente a ele.

Sustentação do aerofólio

O fenômeno de sustentação produzido por um aerofólio ou asa pode ser explicado de diferentes maneiras. Normalmente, a equação de Bernoulli é usada para fazer isso.* Basicamente, o argumento indica que, quanto maior a velocidade, mais baixa a pressão, e vice-versa ($p/\gamma + V^2/2g$ = constante). Como o escoamento sobre o topo mais longo de um aerofólio (Figura 11.40a) é mais rápido do que aquele sob seu fundo mais curto, a pressão no topo será menor que a do fundo. Isso cria uma distribuição de pressão como aquela mostrada na Figura 11.40b, e sua força resultante F_S produz a sustentação.

A sustentação, porém, pode ser explicada de forma mais completa usando o efeito Coanda, que foi discutido na Seção 11.7. Por exemplo, considere a corrente de ar que passa sobre a superfície da asa na Figura 11.41a. Como a viscosidade causa a *aderência* do ar à superfície, as camadas de ar logo acima da superfície começam a se mover mais e mais rapidamente à medida que formam a camada limite, até que a velocidade do ar por fim corresponde à velocidade uniforme da corrente de ar em relação à asa, $V_{a/w}$. As forças de cisalhamento e pressão entre essas camadas em movimento fazem com que o escoamento *se curve* na direção de cada camada com movimento mais lento. Em outras palavras, o ar é forçado a acompanhar a superfície da asa. Esse efeito de *redirecionar* a corrente de ar se propaga para cima a partir da superfície da asa na velocidade do som, pois a pressão dentro da corrente de ar tende a impedir a formação de vazios entre as camadas de fluido. Como resultado, um volume muito grande de ar acima da asa será redirecionado para baixo e por fim se produzirá uma indução descendente ("downwash") do escoamento por trás da asa (Figura 11.41b). Se a asa se move pelo ar calmo com uma velocidade V_w, como na Figura 11.41c, então a velocidade do ar saindo do bordo de fuga da asa, conforme observado da asa (ou pelo piloto), será $V_{a/w}$. Pela adição vetorial (Figura 11.41d), a velocidade de "descida" do ar vista por um *observador no solo* será quase *vertical*, pois $V_a = V_w + V_{a/w}$. Em outras palavras, quando um avião voa próximo e sobre um observador no solo, este sentirá o ar direcionado quase que de cima para baixo, verticalmente.

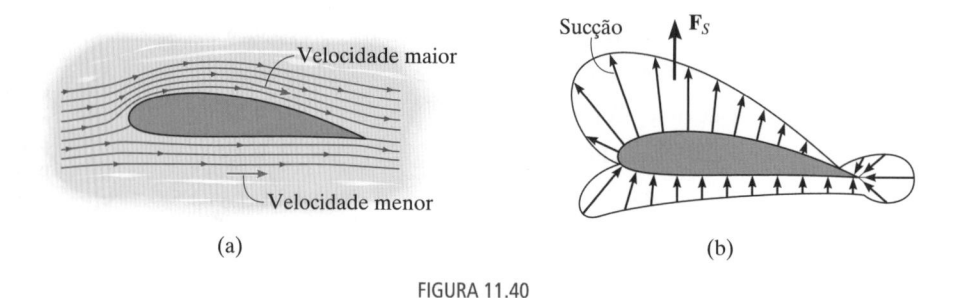

FIGURA 11.40

---

* Essa equação fornece a razão conceitual pela qual ocorrerá a sustentação, mas não poderá ser usada para realmente calcular a sustentação, pois o escoamento sobre a superfície superior da asa não será diretamente correspondente ao escoamento pela superfície inferior.

Segmento da corrente de ar sobre a asa, visto da asa
(a)

(b)

(c)

$\mathbf{V}_a = \mathbf{V}_w + \mathbf{V}_{a/w}$

(d)

FIGURA 11.41

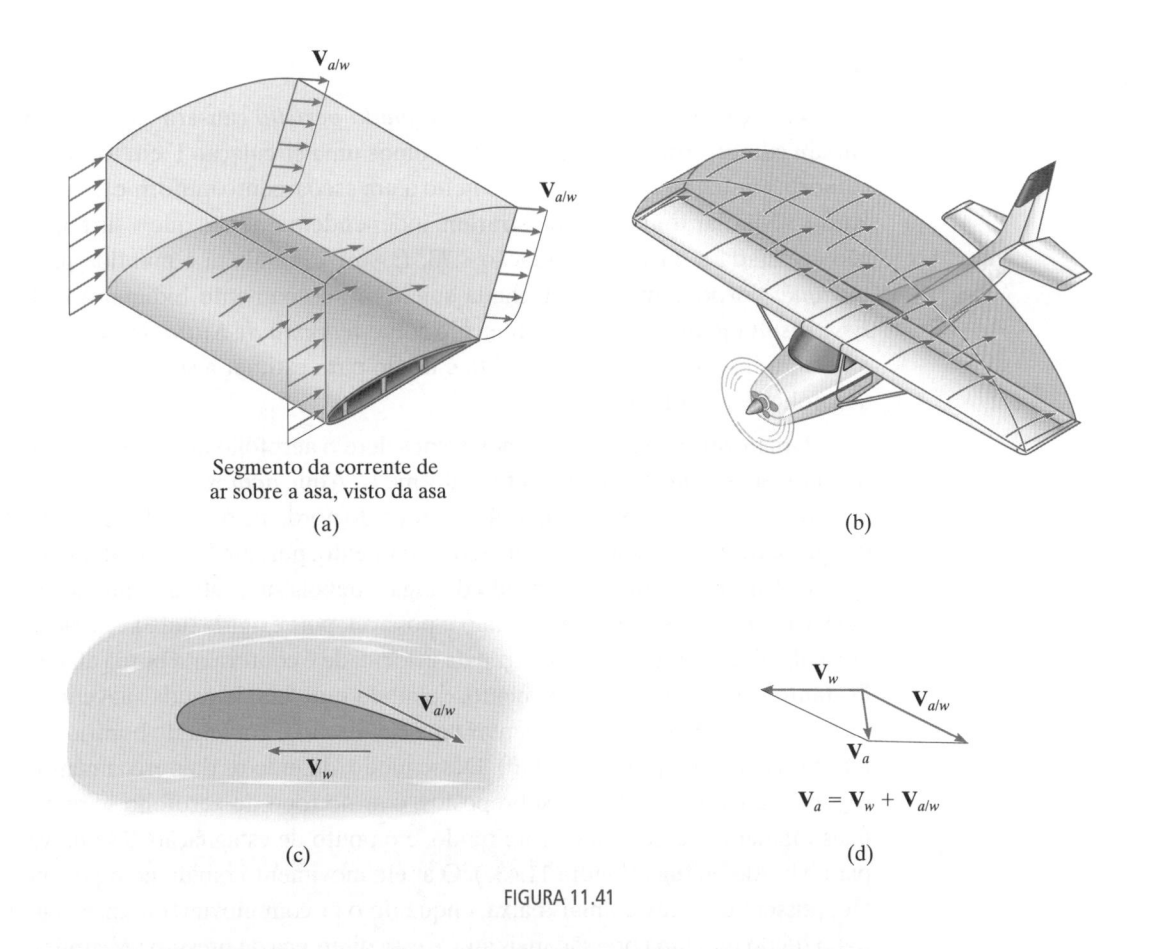

Com efeito, a inclinação do ar em torno da asa da maneira que descrevemos gera no ar uma quantidade de movimento (quase) vertical. Para fazer isso, a *asa precisa produzir uma força de cima para baixo sobre a corrente de ar* e, pela terceira lei de Newton, a corrente de ar deverá produzir uma *força igual, porém em sentido oposto, de baixo para cima sobre a asa*. É essa força que produz *sustentação*. Observe, pela distribuição de pressão (Figura 11.42a), que a maior sustentação (maior pressão negativa ou de sucção) é produzida na terça parte dianteira da asa, pois aqui a corrente de ar deverá se encurvar mais para acompanhar a superfície da asa. Na superfície inferior há também um componente de sustentação, causado por um redirecionamento do escoamento, embora aqui a pressão seja positiva. Naturalmente, essa sustentação resultante será ainda maior se o perfil da asa for um tanto curvado ou arqueado, como na Figura 11.42*b*.

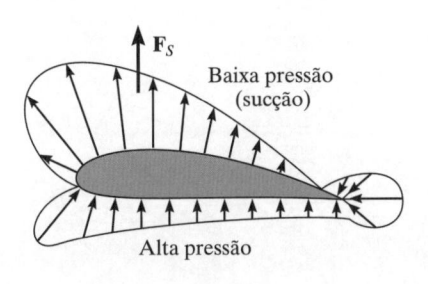

Distribuição de pressão
(a)

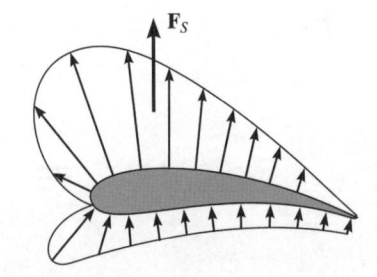

Distribuição de pressão — aerofólio curvado
(b)

FIGURA 11.42

Circulação

Na Seção 7.10, mostramos que um *fluido perfeito* causará sustentação em um cilindro rotativo quando sobrepomos uma circulação Γ em torno do cilindro, enquanto o cilindro está sujeito a um escoamento uniforme. Martin Kutta e Nikolai Joukowski mostraram, independentemente, que a sustentação calculada a partir da Equação 7.73, $L = \rho U \Gamma$, também é mantida para *qualquer* corpo com forma fechada sujeito ao escoamento bidimensional. Esse resultado importante é conhecido como **teorema de Kutta-Joukowski**, e na aerodinâmica ele normalmente é usado para estimar a sustentação em aerofólios e hidrofólios.

Para mostrar como isso funciona, considere o aerofólio na Figura 11.43a, quando está sujeito ao escoamento uniforme U. Aqui, *pontos de estagnação* se desenvolvem no bordo de ataque A e no topo do bordo de fuga B. Porém, fluidos perfeitos não podem suportar esse escoamento, pois um fluido perfeito teria que contornar o fundo do bordo de fuga e depois subir até o ponto de estagnação em B. Fisicamente, isso não é possível, pois exigiria uma aceleração normal infinita para mudar a *direção* da velocidade e contornar a borda afiada. Portanto, para alinhar o escoamento, de modo que saia da cauda suavemente, em 1902 Kutta propôs acrescentar uma circulação Γ em sentido horário em torno do aerofólio (Figura 11.43b). Desse modo, quando os dois escoamentos (figuras 11.43a e 11.43b) são sobrepostos, o ar no topo do aerofólio se move mais rapidamente do que o ar no fundo, e o ponto de estagnação B se move para o bordo de fuga (Figura 11.43c). O ar em movimento rápido no topo, então, possui uma pressão mais baixa, enquanto o ar com movimento mais lento no fundo tem uma pressão mais alta, e essa diferença de pressão faz surgir a sustentação calculada por $L = \rho U \Gamma$. Engenheiros aeronáuticos têm usado essa equação, que mostrou estar em conformidade com a sustentação medida experimentalmente para aerofólios com baixos ângulos de ataque.

Escoamento sem circulação

(a)

+

Escoamento com circulação

(b)

=

Sobreposição de escoamentos

(c)

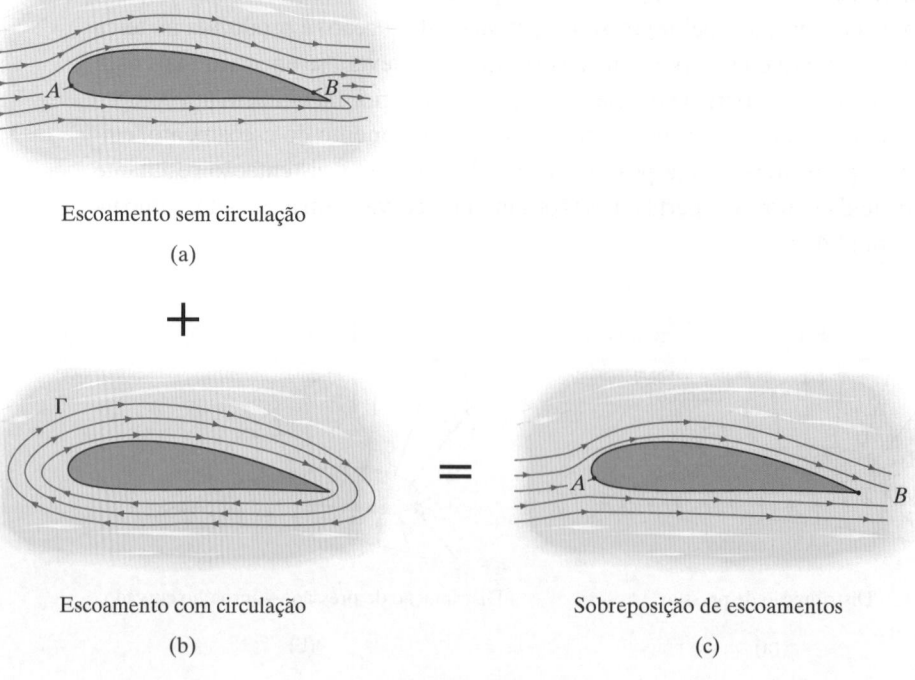

FIGURA 11.43

Dados experimentais

Embora o *coeficiente de sustentação* C_S possa ser calculado analiticamente usando a circulação para pequenos ângulos de ataque, para ângulos maiores, os valores de C_S precisam ser determinados através de experimentos. Os valores de C_S normalmente são plotados em função do ângulo de ataque α, e eles se parecem com a Figura 11.44 que, novamente, é para a seção de asa do aerofólio NACA 2409. Com esses dados, juntamente com a área plana A_{pl} da asa, a força de sustentação é calculada usando a equação

$$F_S = C_S A_{pl} \left(\frac{\rho V^2}{2} \right) \qquad (11.32)$$

É interessante observar o que acontece com a sustentação quando o ângulo de ataque de um aerofólio aumenta. Como vemos na Figura 11.45a, para um aerofólio devidamente projetado, o ponto de separação da camada limite será perto do bordo de fuga da asa quando o ângulo de ataque for zero. Contudo, à medida que α *aumenta*, isso força o ar dentro da camada limite a se mover mais rápido sobre o topo do bordo de ataque, fazendo com que o ponto de separação se mova para a frente. Quando o ângulo de ataque alcança um valor crítico, forma-se uma grande esteira turbulenta sobre a superfície superior da asa, o que aumenta o arrasto e faz com que a sustentação caia repentinamente. Essa é uma condição de *estol* ("*stall*") (Figura 11.45b). Na Figura 11.44, esse é o ponto com o máximo de coeficiente de sustentação, $C_S = 1,5$, que ocorre em $\alpha \approx 20°$. Obviamente, um *estol* é perigoso para qualquer aeronave voando baixo que possa não ter altitude suficiente para recuperar o voo nivelado.

Além da mudança do ângulo de ataque para gerar sustentação, aeronaves modernas também possuem *flaps* móveis em suas bordas dianteira e traseira para aumentar a curvatura da asa (Figura 11.46). Eles são usados durante decolagens e pousos, quando a velocidade é baixa e é mais importante controlar a sustentação do que o arrasto.

Coeficiente de sustentação C_S
para aerofólio NACA 2409

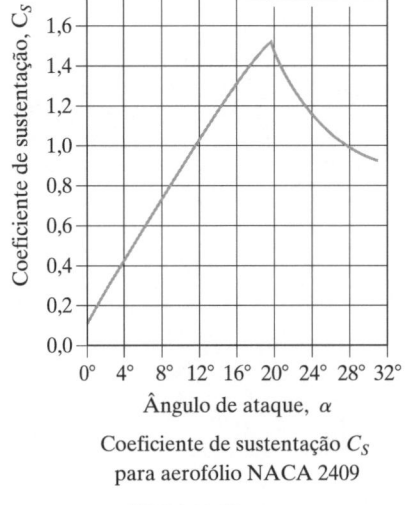

FIGURA 11.44

FIGURA 11.45

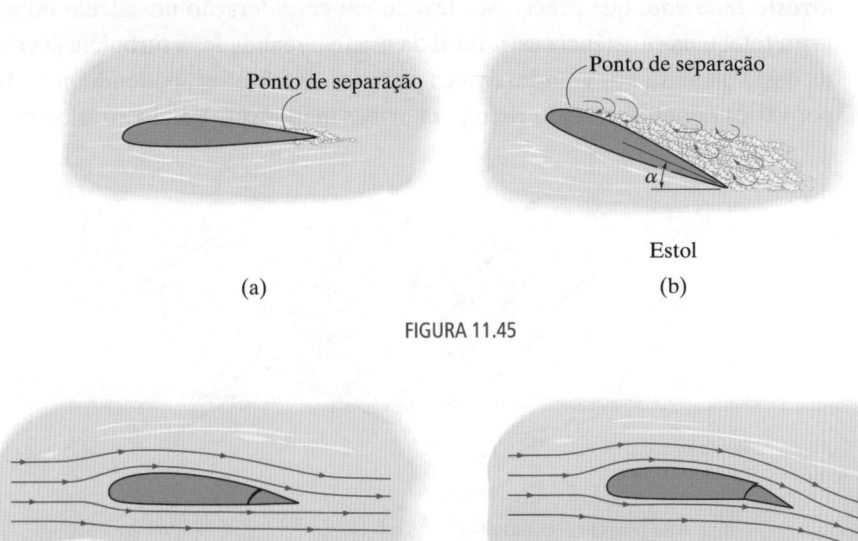

FIGURA 11.46

Carros de corrida

Aerofólios, como aqueles descritos aqui, também estão em carros de corrida (veja a foto na p. 545). Esses dispositivos, juntamente com uma forma de carroceria exclusiva, são projetados para aprimorar a *frenagem* do carro, criando uma *força para baixo* devido aos efeitos aerodinâmicos do aerofólio. Além disso, sem um aerofólio, as forças de sustentação desenvolvidas por baixo do carro poderiam fazer com que os pneus perdessem contato com a pista, resultando em uma perda de estabilidade e controle. Infelizmente, um aerofólio usado para essa finalidade pode resultar em um coeficiente de arrasto maior do que o normal. Por exemplo, um carro de corrida de Fórmula 1 pode ter um coeficiente de arrasto na faixa de 0,7 a 1,1.

Vórtices de fuga e arrasto induzido

Nossa discussão anterior sobre o arrasto produzido por um aerofólio (asa) foi em referência ao escoamento sobre a asa *sem considerar* a variação na envergadura da asa ou condições nas pontas dela. Em outras palavras, a asa foi considerada como tendo uma *envergadura infinita*. Se considerarmos o escoamento sobre uma *asa real*, então o ar direcionado para baixo no bordo de fuga e na ponta da asa produzirá um rodopio, chamado **vórtice de ponta de asa**, que contribui com um arrasto adicional na aeronave.

Para mostrar como isso acontece, considere a asa da Figura 11.47. Como vemos, a *maior pressão* no *fundo* da asa fará com que o escoamento *suba e contorne* o bordo de fuga, e *também* contorne a ponta da asa. Isso puxará o escoamento para a esquerda sob a asa e, quando contornar a ponta, empurrará o escoamento no topo da asa para a direita. Como resultado, o *escoamento cruzado* a partir do bordo de fuga formará uma série de *vórtices "de fuga"* nas pontas da asa. A partir de observações, verificou-se que esses vórtices se tornam instáveis, então eles se deslocam para as bordas e formam dois vórtices "de fuga" resistentes nas pontas de asa. A produção dessa perturbação requer energia e, portanto, coloca um peso extra na sustentação, resultando em um **arrasto induzido**, que precisa ser levado em consideração no cálculo do arrasto total e da resistência estrutural da asa. Na realidade, a turbulência criada dessa maneira por grandes aviões pode ser significativa, podendo persistir por vários minutos, criando risco para aviões mais leves voando atrás deles.

Baixa pressão no topo da asa

Alta pressão sob a asa faz o ar *subir* e sair da ponta e do bordo de fuga da asa

Vórtice de fuga

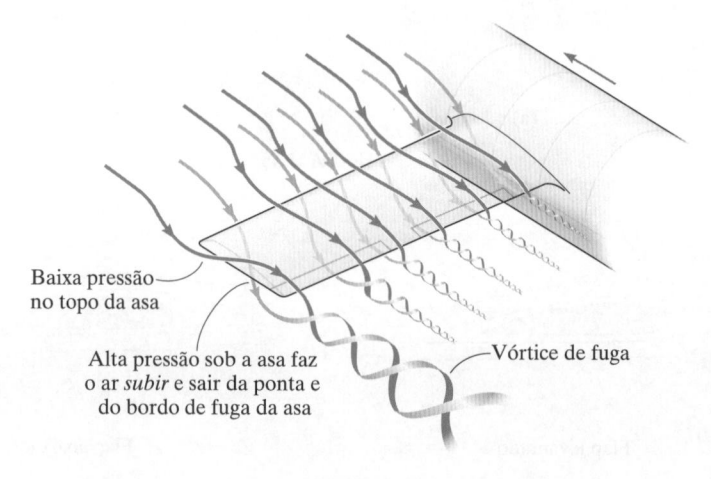

FIGURA 11.47

O arrasto induzido em um avião a jato típico geralmente chega a ser de 30% a 50% do arrasto total e, em baixas velocidades, como em decolagens e pousos, essa porcentagem é ainda maior. Para reduzir esse componente de força, os aviões modernos acrescentam **winglets**, ou pequenos aerofólios voltados para cima nas pontas de asa, como podemos ver na foto. Experimentos nos túneis de vento têm mostrado que, quando são usados *winglets*, os vórtices de fuga perdem força, ocasionando uma redução de cerca de 5% no arrasto total da aeronave em velocidade de cruzeiro, e uma redução ainda maior durante pousos e decolagens.

O vórtice de ponta de asa fica evidente a partir da ponta da asa deste avião usado na agricultura. (© NASA Archive/Alamy)

Coeficiente de arrasto induzido

Um aerofólio de *comprimento infinito* e trafegando a V_0 só precisa superar seu arrasto de asa; portanto, em voo ele estará direcionado no *ângulo efetivo de ataque* α_0 para manter a sustentação $(F_S)_0$ (Figura 11.48a). Porém, qualquer aerofólio de *comprimento finito* precisa contornar não apenas o arrasto de asa, mas também o arrasto induzido. Se o ar abaixo da ponta da asa subir e depois descer com uma velocidade *induzida* V', então, por adição de vetores, V_0 torna-se V (Figura 11.48b). Para fornecer a sustentação necessária, isso mudará o ângulo de ataque de α_0 para um ângulo maior α. A diferença nesses ângulos, $\alpha_i = \alpha - \alpha_0$, é muito pequena, portanto, a sustentação real F_S é apenas ligeiramente maior que $(F_S)_0$. Pela adição vetorial (Figura 11.48c), vemos que o componente horizontal $(F_A)_i$ é o arrasto induzido, e, portanto, para ângulos pequenos, sua magnitude pode ser relacionada à sustentação por $(F_A)_i = F_S \alpha_i$.

A maioria dos aviões a jato agora possui pontas de asa viradas para cima, para reduzir os vórtices de fuga que produzem arrasto induzido. (© Konstantin Yolshin / Alamy)

Através de experimento e análise, Prandtl mostrou que, se o ar que é perturbado sobre a asa tiver uma *forma elíptica*, como na Figura 11.41b, que se aproxima bastante de muitos casos reais, então α_i torna-se uma função do coeficiente de sustentação C_S, do comprimento b da asa e de sua área plana A_{pl}. Seu resultado é

$$\alpha_i = \frac{C_S}{\pi b^2 / A_{pl}} \qquad (11.33)$$

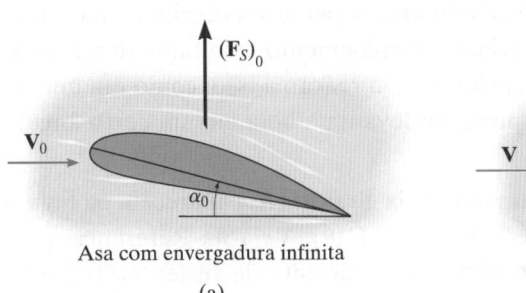

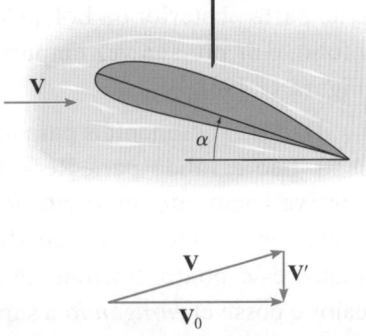

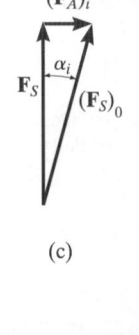

Asa com envergadura infinita
(a)

Asa com envergadura finita
(b)

(c)

FIGURA 11.48

Como o arrasto induzido e os coeficientes de sustentação são proporcionais às suas respectivas forças, então, pela Figura 11.48c,

$$\alpha_i = \frac{(F_A)_i}{F_S} = \frac{(C_A)_i}{C_S}$$

Portanto, usando a Equação 11.33, o **coeficiente de arrasto induzido** é determinado por

$$(C_A)_i = \frac{C_S^2}{\pi b^2 / A_{pl}}$$

Observe que, se $b \to \infty$, então $(C_A)_i \to 0$, conforme o esperado.

A equação anterior representa o coeficiente de arrasto induzido *mínimo* para qualquer forma de asa e, se for usado, então o coeficiente de arrasto total para a asa é

$$C_A = (C_A)_\infty + \frac{C_S^2}{\pi b^2 / A_{pl}} \tag{11.34}$$

Bola giratória

A sustentação também pode afetar bastante a trajetória de uma bola giratória, pois o giro alterará a distribuição de pressão em torno da bola, alterando assim a direção da quantidade de movimento do ar. Para mostrar isso, considere a bola movendo-se para a esquerda, sem giro (Figura 11.49a). Aqui, o ar escoa simetricamente em torno da bola, portanto, a bola experimenta um arrasto horizontal. Se considerarmos o que acontece somente quando a bola gira, veremos que sua superfície rugosa puxará o ar em torno dela, formando uma camada limite na direção do giro (Figura 11.49b). O acréscimo desses dois efeitos produz a condição mostrada na Figura 11.49c. Ou seja, nas figuras 11.49a e b, o ar está fluindo no *topo* da bola na mesma direção. Isso aumenta sua energia e permite que a camada limite permaneça ligada à superfície por um tempo maior. O ar que passa *sob* a bola segue em sentidos opostos para os dois casos, perdendo assim energia e causando uma separação antecipada da camada limite. Esses dois efeitos criam um escoamento resultante descendente na parte posterior da bola. Como uma reação a isso, como em um aerofólio, o ar por sua vez empurra ou levanta a bola em um certo ângulo (Figura 11.49c).

Dados experimentais para uma bola giratória *lisa* aparecem na Figura 11.50. Isso é válido para Re = $VD/\nu = 6(10^4)$. Veja na Referência [20]. Observe como, até um certo ponto, o coeficiente de sustentação é altamente dependente da velocidade angular da bola. Qualquer aumento em ω após esse ponto dificilmente afetará a sustentação. Uma sustentação maior é possível *enrugando* a superfície, pois isso causa turbulência e uma maior circulação em torno da bola, fornecendo uma diferença de pressão ainda maior entre as partes superior e inferior. Além disso, a superfície rugosa reduzirá o arrasto, pois a separação da camada limite é adiada. Essa tendência de uma bola giratória produzir sustentação, conforme

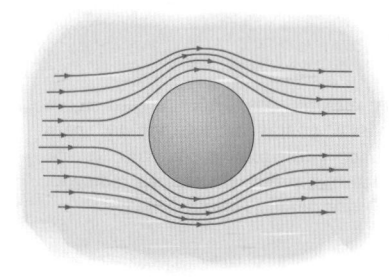

Escoamento uniforme perfeito
(a)

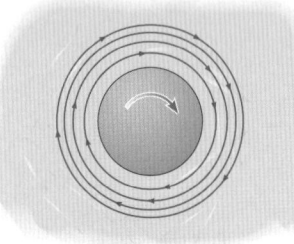

+

Circulação
(b)

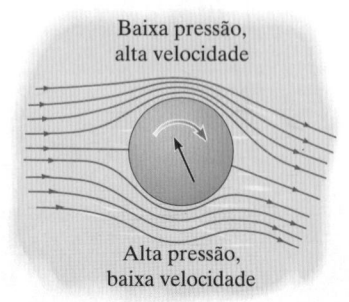

=

Baixa pressão, alta velocidade

Alta pressão, baixa velocidade

Escoamento combinado
(c)

FIGURA 11.49

descrevemos aqui, é chamada de **efeito Magnus**, em homenagem ao cientista alemão Heinrich Magnus, que o descobriu. A maioria dos jogadores de beisebol, tênis ou pingue-pongue instintivamente conhece esse fenômeno e tira proveito disso quando lança ou rebate uma bola.

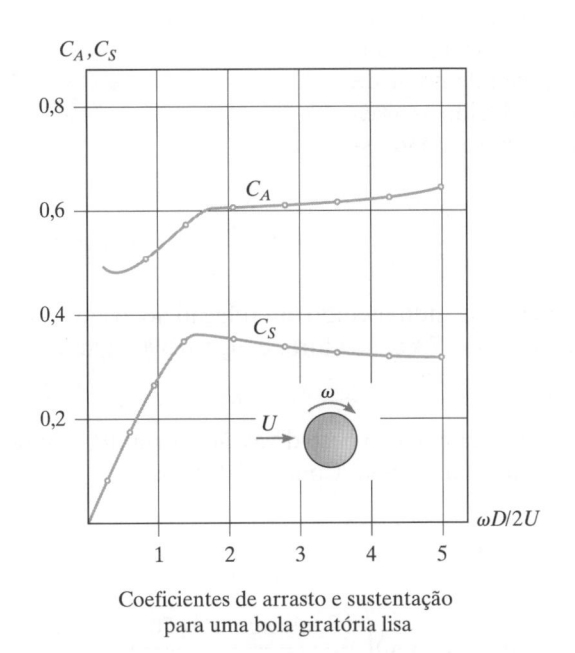

Coeficientes de arrasto e sustentação para uma bola giratória lisa

FIGURA 11.50

Esta bola giratória é suspensa na corrente de ar devido ao efeito Magnus, ou seja, a sustentação fornecida pela rotação e pelo redirecionamento da corrente de ar equilibra o peso da bola.

Pontos importantes

- A carenagem de um corpo tende a diminuir o arrasto de pressão sobre o corpo, mas tem o efeito de aumentar o arrasto de cisalhamento. Para o projeto apropriado, esses dois efeitos deverão ser minimizados.
- O arrasto de pressão é reduzido sobre um corpo carenado pela extensão da camada limite laminar sobre a superfície, ou por impedir que a camada limite se separe da superfície. Para aerofólios, os métodos incluem o uso de aberturas de asa, geradores de vórtice, enrugamento da superfície e uso de uma superfície porosa para lançar o ar em direção à camada limite.
- Tanto o arrasto quanto a sustentação são importantes quando se projeta um aerofólio. Essas forças estão relacionadas aos seus coeficientes de arrasto e sustentação, C_A e C_S, que são determinados por experimentos, e são representados graficamente em função do ângulo de ataque.
- A sustentação é produzida por um aerofólio, pois a corrente de ar é redirecionada enquanto passa sobre a asa. A forma da asa gera uma força que muda a quantidade de movimento do ar, de modo que o ar escoa para baixo. Isso resulta em uma força de reação oposta do ar na asa, que produz a sustentação.
- Vórtices de fuga são produzidos a partir das pontas das asas da aeronave, devido a diferenças na pressão que atua sobre as superfícies superior e inferior da asa. À medida que o ar migra, deixa as pontas das asas, esses vórtices produzem um arrasto induzido, que deve ser levado em consideração no projeto.
- A trajetória de uma bola giratória se encurvará em uma corrente de ar em regime permanente, pois o giro causa uma distribuição de pressão desigual na superfície da bola, e isso resulta em uma mudança na direção da quantidade de movimento do ar, produzindo assim sustentação.

EXEMPLO 11.13

O avião na Figura 11.51 tem uma massa de 1,20 Mg e está voando horizontalmente a uma altitude de 7 km. Se cada asa é classificada como uma seção NACA 2409, com uma envergadura de 6 m e um comprimento de corda de 1,5 m, determine o ângulo de ataque quando o avião possui uma velocidade no ar de 70 m/s. Além disso, qual é o arrasto sobre o avião devido às asas, e qual é o ângulo de ataque e a velocidade que fará o avião estolar ("*stall*")?

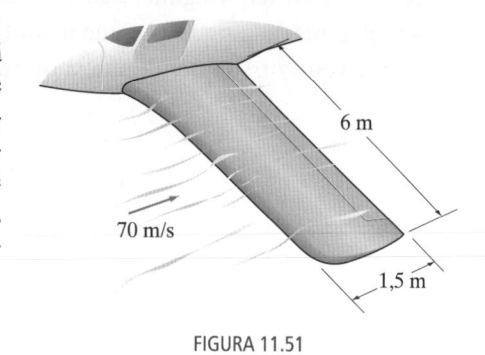

FIGURA 11.51

Solução
Descrição do fluido

Temos um escoamento em regime permanente quando medido em relação ao avião. Além disso, o ar é considerado incompressível. Usando o Apêndice A, a 7 km de altitude, $\rho_a = 0{,}590$ kg/m³.

Ângulo de ataque

Para o equilíbrio vertical, a sustentação precisa ser igual ao peso do avião, portanto, usando a Equação 11.32, podemos determinar o coeficiente de sustentação exigido. Como há duas asas,

$$F_S = 2C_S A_{pl}\left(\frac{\rho V^2}{2}\right)$$

$$(1{,}20(10^3) \text{ kg})(9{,}81 \text{ m/s}^2) = 2C_S(6 \text{ m})(1{,}5 \text{ m})\left(\frac{(0{,}590 \text{ kg/m}^3)(70 \text{ m/s}^2)}{2}\right)$$

$$C_S = 0{,}452$$

Pela Figura 11.44, o ângulo de ataque precisa ser aproximadamente

$$\alpha = 5°$$ *Resposta*

Arrasto

O coeficiente de arrasto da asa nesse ângulo de ataque é determinado pela Figura 11.39. Ele é para uma asa com comprimento infinito. Temos, aproximadamente,

$$(C_A)_\infty = 0{,}02$$

O coeficiente de arrasto total para as asas é determinado pela Equação 11.34.

$$C_A = (C_A)_\infty + \frac{C_S^2}{\pi b^2 / A_{pl}}$$

$$= 0{,}02 + \frac{(0{,}452)^2}{\pi(6 \text{ m})^2/[(6 \text{ m})(1{,}5 \text{ m})]}$$

$$= 0{,}02 + 0{,}0163 = 0{,}0363$$

Portanto, o arrasto nas duas asas é

$$F_A = 2C_A A_{pl}\left(\frac{\rho V^2}{2}\right)$$

$$= 2(0{,}0363)[(6 \text{ m})(1{,}5 \text{ m})]\left(\frac{(0{,}590 \text{ kg/m}^3)(70 \text{ m/s})^2}{2}\right)$$

$$F_A = 944 \text{ N}$$ *Resposta*

Estol

Pela Figura 11.44, o *estol* ocorrerá quando o ângulo de ataque for aproximadamente 20°, de modo que $C_S = 1,5$. A velocidade do avião quando isso ocorre é, então

$$F_S = 2C_S A_{pl}\left(\frac{\rho V^2}{2}\right)$$

$$\left(1,20(10^3)\text{ kg}\right)\left(9,81\text{ m/s}^2\right) = 2(1,5)(6\text{ m})(1,5\text{ m})\left(\frac{(0,590\text{ kg/m}^3)V_s^2}{2}\right)$$

$$V_s = 38,4\text{ m/s} \qquad \text{Resposta}$$

Referências

1. KÁRMÁN, T. von. Turbulence and skin friction. *J Aeronautics and Science*, v. 1, n. 1. 1934, p. 1-20.
2. GRAEBEL, W. P. *Engineering Fluid Mechanics*. Nova York: Taylor Francis, 2001.
3. WOLANSKY, W. et al. *Fundamentals of Fluid Power*. Boston, Massachusetts: Houghton Mifflin, 1985.
4. AZUMA, A. *The Biokinetics of Flying and Swimming*. 2. ed. Reston, Virginia: American Institute of Aeronautics and Astronautics, 2006.
5. SCHETZ, J.; BOWERSOX, R. *Boundary Layer Analysis*. 2. ed. Reston, Virginia: American Institute of Aeronautics and Astronautics, 2011.
6. VENNARD, J.; STREET, R. *Elementary Fluid Mechanics*. 5. ed. New Jersey: John Wiley, 1976.
7. TOKATY, G. *A History and Philosophy of Fluid Mechanics*. Nova York: Dover Publications, 1994.
8. TORENBEEK, E.; WITTENBERG, H. *Flight Physics*. Nova York: Springer-Verlag, 2009.
9. KÁRMÁN, T. von. *Aerodynamics*. Nova York: McGraw-Hill, 1963.
10. PRANDTL, L.; TIETJENS, O. G. *Applied Hydro– and Aeromechanics*. Nova York: Dover Publications, 1957.
11. ANDERSON, D. F.; EBERHARDT, S. *Understanding Flight*. Nova York: McGraw-Hill, 2000.
12. BLASIUS, H. The boundary layers in fluids with little friction. Artigo traduzido pelo National Advisory Committee for Aeronautics, Relatório/número de patente NACA-TM-1256, 1950.
13. PRANDTL, L. Fluid motion with very small friction. Artigo traduzido pelo National Advisory Committee for Aeronautics, Relatório/número de patente NACA-TM-452, 1928.
14. BRADSHAW, P. T. et al. *Engineering Calculation Methods for Turbulent Flow*. Nova York: Academic Press, 1981.
15. GRIFFIN, O. M.; RAMBERG, S. E. The vortex-street wakes of vibrating cylinders. *J Fluid Mechanics*, v. 66, 1974, p. 553–576.
16. SCHLICHTING, H.; GERSTEN, K. *Boundary-Layer Theory*. 8. ed. Nova York: Springer-Verlag, 2000.
17. WHITE, F. M. *Viscous Fluid Flow*. 3. ed. Nova York: McGraw-Hill, 2005.
18. PRANDTL, L. *Ergebnisse der Aerodynamischen Versuchsanstalt zu Göttingen*, V. II, p. 29, R. Oldenbourg, 1923.
19. BOLZ, R. E.; TUVE, G. L. (orgs.) *CRC Handbook of Tables for Applied Engineering Science*. 2. ed. Boca Raton, Flórida: CRC Press, 1973.

20. GOLDSTEIN, S. (org.) *Modern Developments in Fluid Dynamics*. Londres: Oxford University Press, 1938.
21. ANDERSON, J. D. *Fundamentals of Aerodynamics*. 4. ed. Nova York: McGraw-Hill, 2007.
22. JACOBS, E. et al. The Characteristics of 78 Related Airfoil Sections from Tests in the Variable-Density Wind Tunnel. National Advisory Committee for Aeronautics, Relatório 460, U.S. Government Printing Office, Washington, D.C.
23. ROSHKO, A. Experiments on the flow past a circular cylinder at very high Reynolds numbers. *J Fluid Mechanics*, v. 10, n. 3, 1961, p. 345–356.
24. HUCHO, W.-H. *Aerodynamics of Road Vehicles*. 4. ed. Warrendale, Pennsylvania: Society of Automotive Engineers, 1998.
25. WERELEY, S. T.; MEINHORT, C. D. Recent Advances in Micro-Particle Image Velocimetry. *Annual Review of Fluid Mechanics*, v. 42, n. 1, p. 557-576, 2010.

Problemas

11.1. O óleo escoa com uma velocidade em corrente livre de $U = 3$ pés/s sobre a placa plana. Determine a distância x_{cr} até onde a camada limite começa a transicionar de escoamento laminar para turbulento. Considere $\mu_o = 1{,}40(10^{-3})$ lb · s/pé e $\gamma_o = 55{,}1$ lb/pés^3.

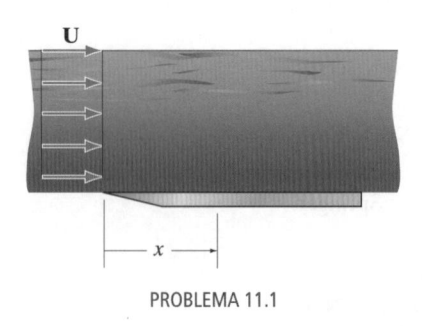

PROBLEMA 11.1

11.2. A água a 15°C escoa com uma velocidade em corrente livre de $U = 2$ m/s sobre a placa plana. Determine a tensão de cisalhamento na superfície da placa no ponto A.

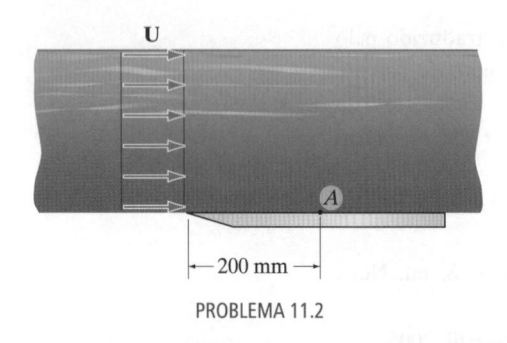

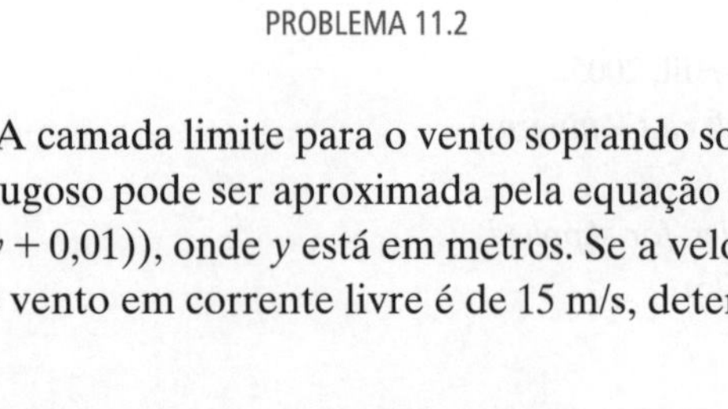

PROBLEMA 11.2

11.3. A camada limite para o vento soprando sobre o solo rugoso pode ser aproximada pela equação $u/U = (y/(y+0{,}01))$, onde y está em metros. Se a velocidade do vento em corrente livre é de 15 m/s, determine a velocidade a uma elevação $y = 0{,}1$ m e em $y = 0{,}3$ m da superfície do solo.

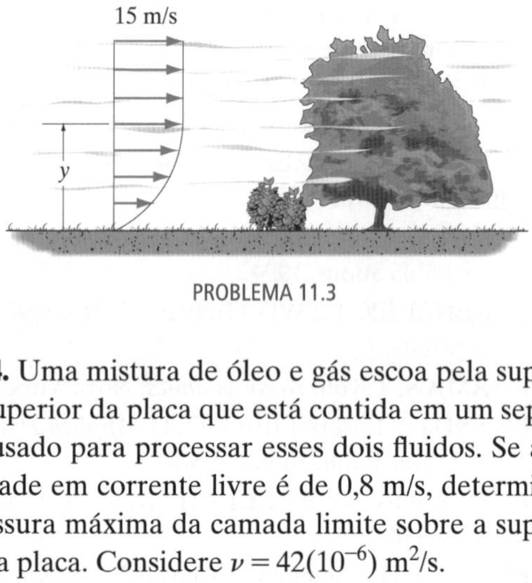

PROBLEMA 11.3

*11.4.** Uma mistura de óleo e gás escoa pela superfície superior da placa que está contida em um separador usado para processar esses dois fluidos. Se a velocidade em corrente livre é de 0,8 m/s, determine a espessura máxima da camada limite sobre a superfície da placa. Considere $\nu = 42(10^{-6})$ m^2/s.

11.5. Uma mistura de óleo e gás escoa pela superfície superior da placa que está contida em um separador usado para processar esses dois fluidos. Se a velocidade em corrente livre é de 0,8 m/s, determine o arrasto por cisalhamento atuando sobre a superfície da placa. Considere $\nu = 42(10^{-6})$ m^2/s e $\rho = 910$ kg/m^3.

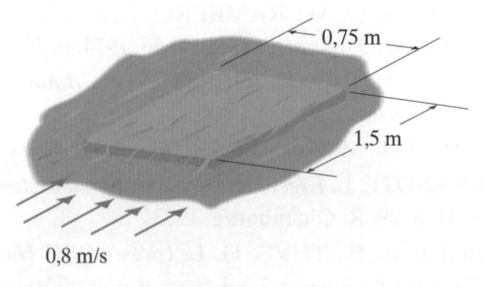

PROBLEMAS 11.4 e 11.5

11.6. O vento sopra ao longo da lateral da placa retangular. Se o ar está a uma temperatura de 60°F e possui velocidade em corrente livre de 6 pés/s, determine o arrasto por cisalhamento na superfície frontal da placa.

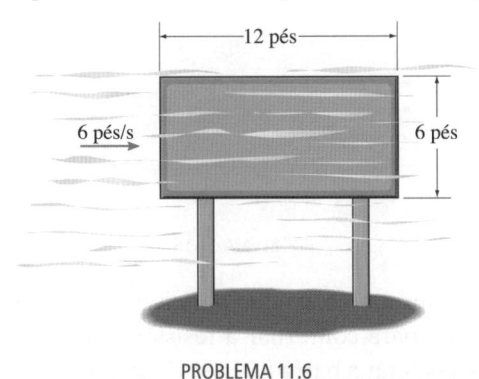

PROBLEMA 11.6

11.7. Uma placa plana deve ser coberta com um polímero. Se a espessura da camada limite laminar que ocorre durante o processo de cobertura a uma distância de 0,5 m do bordo de ataque da placa é 10 mm, determine a velocidade em corrente livre desse fluido. Considere $\nu = 4,68(10^{-6})$ m²/s.

*__11.8.__ Compare a espessura da camada limite da água com o ar ao final da placa plana com 0,4 m de extensão. Os dois fluidos estão a 20°C e têm uma velocidade em corrente livre de $U = 0,8$ m/s.

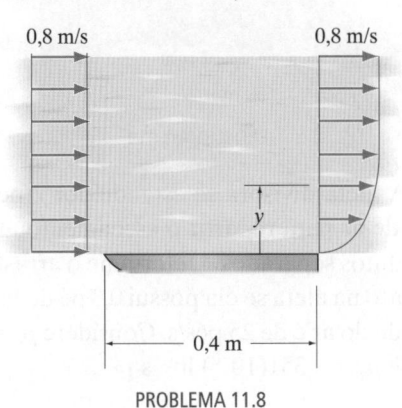

PROBLEMA 11.8

11.9. Um líquido com uma viscosidade μ, uma densidade ρ e uma velocidade em corrente livre U escoa sobre a placa. Determine a distância x onde a camada limite tem uma espessura de distúrbio que é metade da profundidade a do líquido. Considere um escoamento laminar.

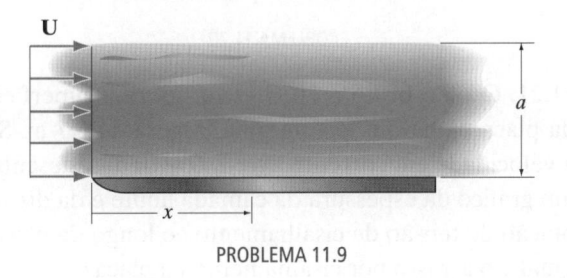

PROBLEMA 11.9

11.10. Um fluido possui escoamento laminar e passa sobre uma placa plana. Se a espessura da camada limite a uma distância de 0,5 m da borda da placa é de 10 mm, determine a espessura da camada limite a uma distância de 1 m.

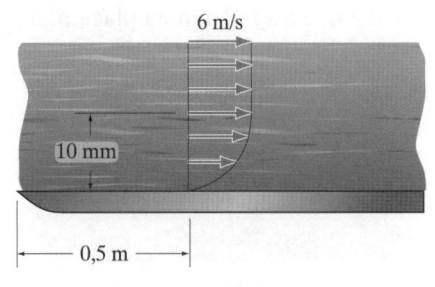

PROBLEMA 11.10

11.11. O ar a 60°C escoa por um duto muito largo. Determine a dimensão exigida a do duto em $x = 4$ m, de modo que a velocidade do escoamento no núcleo central de 200 mm mantenha a velocidade de corrente livre constante de 0,5 m/s.

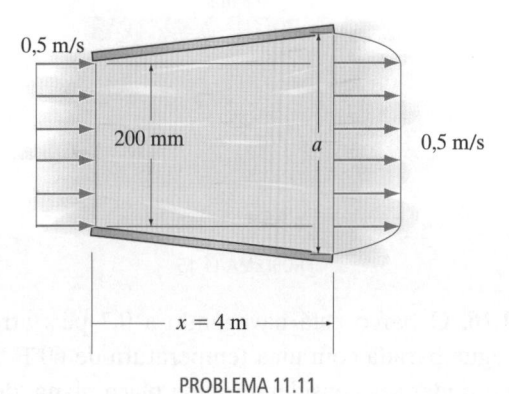

PROBLEMA 11.11

*__11.12.__ O óleo confinado em um canal escoa pela aleta divisora a $U = 6$ m/s. Determine o arrasto por cisalhamento atuando nos dois lados da aleta. Considere $\nu_o = 40(10^{-6})$ m²/s e $\rho_o = 900$ kg/m³. Desconsidere os efeitos das extremidades.

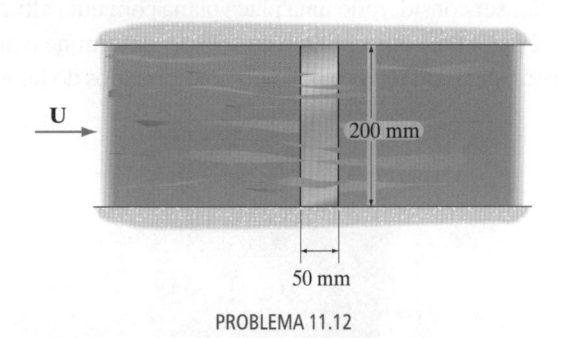

PROBLEMA 11.12

11.13. O ar a 80°F e pressão atmosférica tem uma velocidade em corrente livre de 4 pés/s. Se ele passa ao longo da superfície de uma janela de vidro liso de um prédio, determine a espessura da camada limite a uma distância de 0,2 pé da borda inicial da janela. Além disso, qual é a velocidade do ar a 0,003 pé de distância da superfície da janela nesse ponto?

11.14. A água a 40°C tem uma velocidade em corrente livre de 0,3 m/s. Determine a espessura da camada limite a $x = 0,2$ m e a $x = 0,4$ m na placa plana.

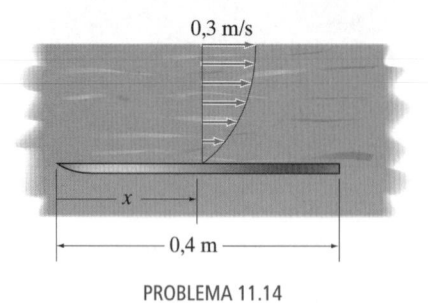

PROBLEMA 11.14

11.15. A água a 40°C tem uma velocidade em corrente livre de 0,3 m/s. Determine a tensão de cisalhamento sobre a superfície da placa a $x = 0,2$ m e a $x = 0,4$ m.

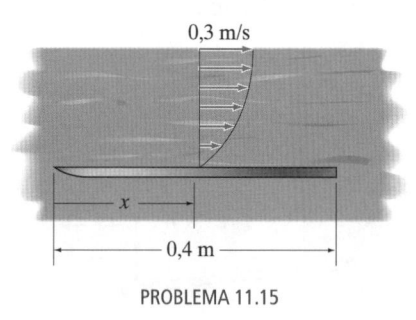

PROBLEMA 11.15

*__11.16.__ O barco está navegando a 0,7 pé/s através da água parada com uma temperatura de 60°F. Se o leme puder ser considerado uma placa plana, determine a espessura da camada limite no bordo de fuga A. Além disso, qual é a espessura de deslocamento da camada limite nesse ponto?

11.17. O barco está navegando a 0,7 pé/s através da água parada com uma temperatura de 60°F. Se o leme puder ser considerado uma placa plana com uma altura de 2 pés e um comprimento de 1,75 pé, determine o arrasto por cisalhamento atuando nos dois lados do leme.

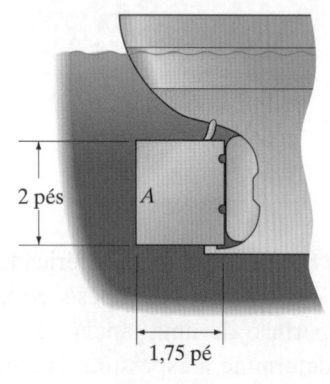

PROBLEMAS 11.16 e 11.17

11.18. O ar a uma temperatura de 40°F escoa a 0,6 pé/s sobre a placa. Determine a distância x onde a espessura do distúrbio da camada limite torna-se 1,5 pol.

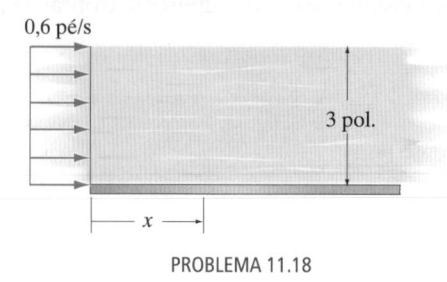

PROBLEMA 11.18

11.19. Determine o arrasto por cisalhamento na barra exigido para contornar a resistência da tinta se a força **F** levantar a barra a 3 m/s. Considere $\rho = 920$ kg/m^3 e $\nu = 42(10^{-6})$ m^2/s.

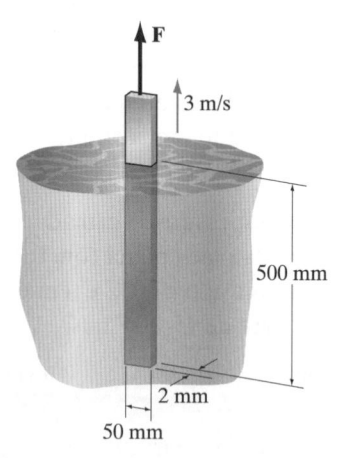

PROBLEMA 11.19

*__11.20.__ A aleta divisora se estende por 2 pés dentro do duto de ar para repartir o escoamento através de dois condutos separados. Determine o arrasto por cisalhamento na aleta se ela possui 0,3 pé de largura e a velocidade do ar é de 25 pés/s. Considere $\rho_a = 0,00257$ slug/pé^3 e $\mu_a = 0,351(10^{-6})$ lb · s/pé^2.

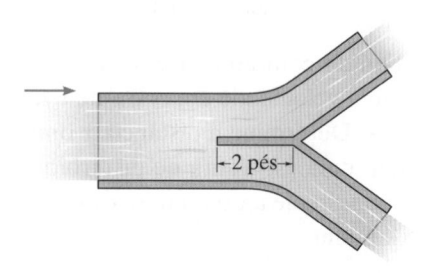

PROBLEMA 11.20

11.21. O óleo bruto a 20°C escoa sobre a superfície da placa plana que possui uma largura de 0,7 m. Se a velocidade em corrente livre é $U = 10$ m/s, desenhe um gráfico da espessura da camada limite e da distribuição de tensão de cisalhamento ao longo da placa. Qual é o arrasto por cisalhamento na placa?

PROBLEMA 11.21

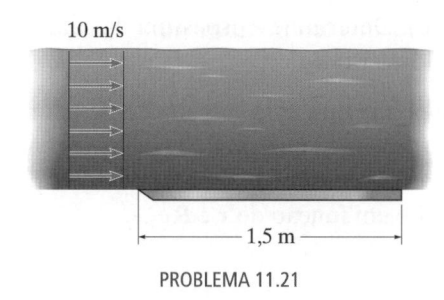

11.22. Óleo de rícino escoa sobre a superfície da placa plana a uma velocidade de corrente livre de 2 m/s. A placa tem 0,5 m de largura e 1 m de extensão. Desenhe o gráfico da camada limite e da tensão de cisalhamento em relação a x. Indique valores para cada intervalo de 0,5 m. Calcule também o arrasto por cisalhamento na placa. Considere $\rho_o = 960$ kg/m^3 e $\mu_o = 985(10^{-3})$ N · s/m^2.

PROBLEMA 11.22

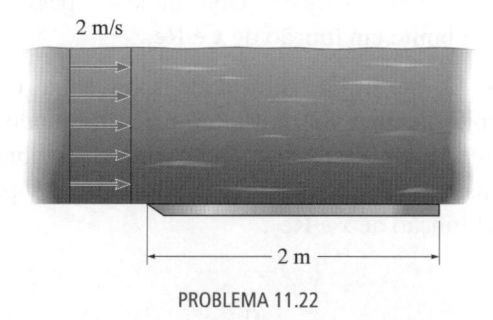

11.23. Suponha que a camada limite tenha um perfil de velocidade que é linear e definido por $u = U(y/\delta)$. Use a equação da integral da quantidade de movimento a fim de determinar τ_0 para o fluido que passa sobre a placa.

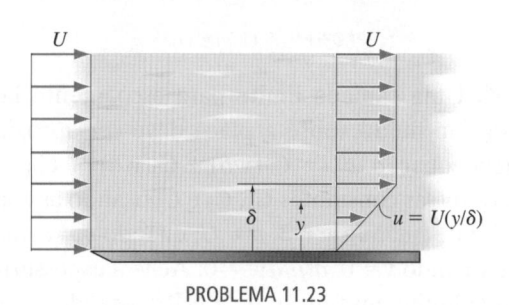

PROBLEMA 11.23

*****11.24.** O túnel de vento opera usando ar a uma temperatura de 20°C com uma velocidade em corrente livre de 40 m/s. Se essa velocidade tiver que ser mantida no núcleo central de 1 m através do tubo, determine a dimensão a na saída para que acomode a camada limite crescente. Mostre que a camada limite é turbulenta e use $\delta^* = 0{,}0463x/(\text{Re}_x)^{1/5}$ para calcular a espessura de deslocamento.

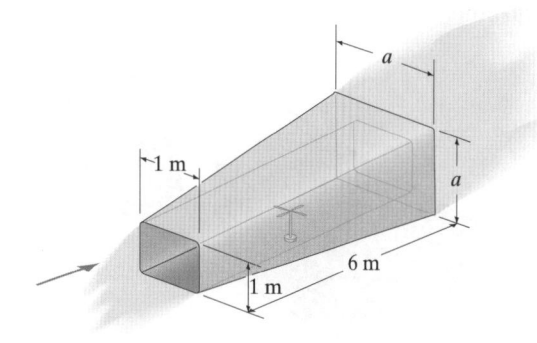

PROBLEMA 11.24

11.25. Suponha que a camada limite turbulenta para um fluido tenha um perfil de velocidade que pode ser aproximado por $u = U(y/\delta)^{1/6}$. Use a equação da integral da quantidade de movimento para determinar a espessura da camada limite em função de x. Use a fórmula empírica, Equação 11.19, desenvolvida por Prandtl e Blasius.

11.26. O ar entra no coletor de admissão quadrado de um sistema de tratamento de ar com uma velocidade de 6 m/s e uma temperatura de 10°C. Determine a espessura da camada limite e a espessura de quantidade de movimento da camada limite, em $x = 1$ m.

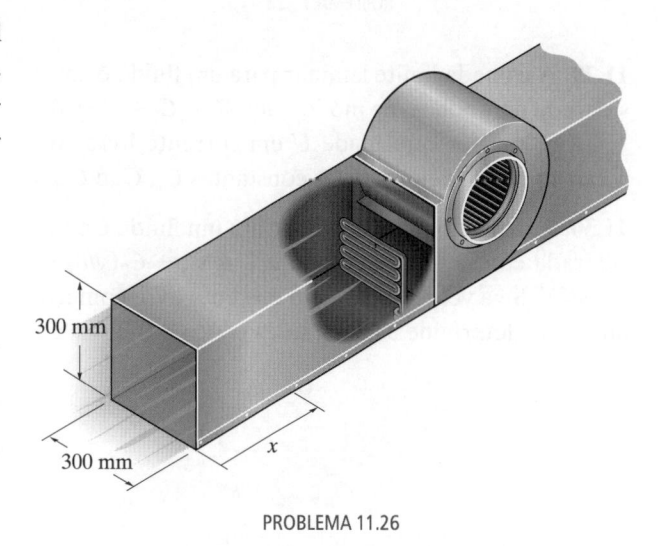

PROBLEMA 11.26

11.27. O ar entra no coletor de admissão quadrado de um sistema de tratamento de ar com uma velocidade de 6 m/s e uma temperatura de 10°C. Determine a espessura de deslocamento δ^* da camada limite em um ponto $x = 1$ m adiante. Além disso, qual é a velocidade uniforme do ar nesse local?

PROBLEMA 11.27

*11.28. Suponha que a camada limite turbulenta para um fluido possui um perfil de velocidade que pode ser aproximado por $u = U(y/\delta)^{1/6}$. Use a equação da integral da quantidade de movimento para determinar a espessura de deslocamento em função de x e Re_x. Use a fórmula empírica, Equação 11.19, desenvolvida por Prandtl e Blasius.

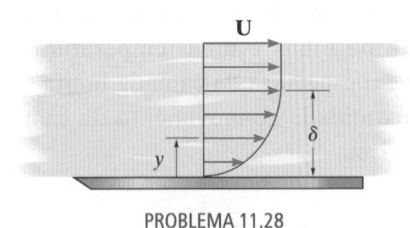

PROBLEMA 11.28

11.29. A camada limite laminar para um fluido é considerada parabólica, de modo que $u/U = C_1 + C_2(y/\delta) + C_3(y/\delta)^2$. Se a velocidade U em corrente livre começa em $y = \delta$, determine as constantes C_1, C_2 e C_3.

11.30. A camada limite laminar para um fluido é considerada cúbica, de modo que $u/U = C_1 + C_2(y/\delta) + C_3(y/\delta)^3$. Se a velocidade U em corrente livre começa em $y = \delta$, determine as constantes C_1, C_2 e C_3.

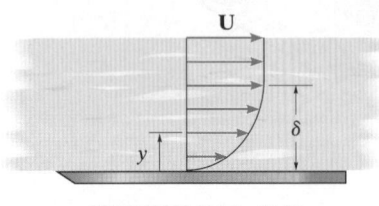

PROBLEMAS 11.29 e 11.30

11.31. Suponha que uma camada limite laminar para um fluido possa ser aproximada por $u/U = y/\delta$. Determine a espessura da camada limite em função de x e Re_x.

*11.32. Suponha que uma camada limite laminar para um fluido possa ser aproximada por $u/U = \text{sen}(\pi y/2\delta)$. Determine a espessura da camada limite em função de x e Re_x.

11.33. Suponha que uma camada limite laminar para um fluido possa ser aproximada por $u/U = \text{sen}(\pi y/2\delta)$. Determine a espessura de deslocamento δ^* para a camada limite em função de x e Re_x.

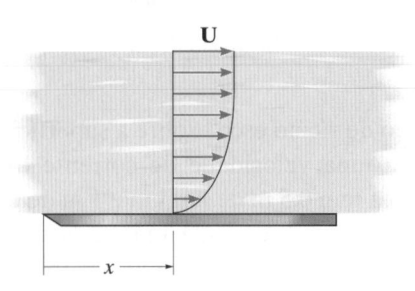

PROBLEMAS 11.31, 11.32 e 11.33

11.34. O perfil de velocidade para uma camada limite laminar de um fluido é representado por $u/U = 1,5(y/\delta) - 0,5(y/\delta)^3$. Determine a espessura da camada limite em função de x e Re_x.

11.35. O perfil de velocidade para uma camada limite laminar de um fluido é representado por $u/U = 1,5(y/\delta) - 0,5(y/\delta)^3$. Determine a distribuição de tensão de cisalhamento atuando sobre a superfície em função de x e Re_x.

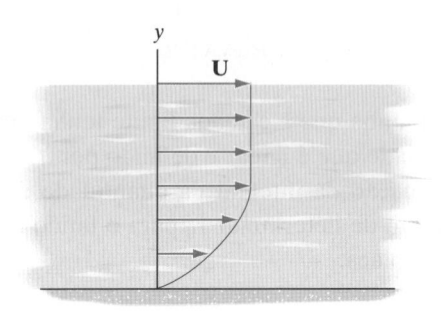

PROBLEMAS 11.34 e 11.35

*11.36. Uma camada limite para escoamento laminar de um fluido sobre a placa deve ser aproximada pela equação $u/U = C_1(y/\delta) + C_2(y/\delta)^2 + C_3(y/\delta)^3$. Determine as constantes C_1, C_2 e C_3 usando as condições limite quando $y = \delta$, $u = U$; quando $y = \delta$, $du/dy = 0$; e quando $y = 0$, $d^2u/dy^2 = 0$. Ache a espessura da camada limite em função de x e Re_x usando a equação da integral da quantidade de movimento.

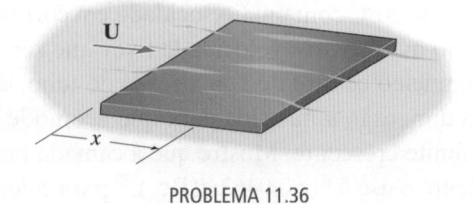

PROBLEMA 11.36

11.37. O trem viaja a 30 m/s e consiste em uma locomotiva e uma série de vagões. Determine a espessura aproximada da camada limite no topo de um vagão a $x = 18$ m da frente do trem. O ar está parado e possui uma temperatura de 20°C. Suponha que as superfícies sejam lisas e planas, e a camada limite seja totalmente turbulenta.

11.38. O trem viaja a 30 m/s e consiste em uma locomotiva e uma série de vagões. Determine a tensão de cisalhamento aproximada que atua no topo de um vagão a $x = 18$ m da frente do trem. O ar está parado e possui uma temperatura de 20°C. Suponha que as superfícies sejam lisas e planas, e a camada limite seja totalmente turbulenta.

PROBLEMAS 11.37 e 11.38

11.39. Um navio está navegando para a frente a 10 m/s em um lago. Se ele possui 100 m de comprimento e a lateral do navio pode ser considerada uma placa plana, determine a força de arrasto sobre uma faixa com 1 m de largura ao longo do comprimento inteiro do navio. A água é parada e possui uma temperatura de 15°C. Suponha que a camada limite seja totalmente turbulenta.

*11.40. Um avião possui asas que, na média, medem 5 m de comprimento e 3 m de largura. Determine o arrasto por cisalhamento sobre as asas quando o avião está voando a 600 km/h no ar parado a uma altitude de 2 km. Suponha que as asas sejam placas planas e a camada limite seja totalmente turbulenta.

11.41. O petroleiro possui uma superfície de $4,5(10^3)$ m² em contato com o mar. Determine o coeficiente de cisalhamento em seu casco e a potência exigida para contornar essa força se a velocidade do navio é de 2 m/s. Considere $\rho = 1030$ kg/m³ e $\mu = 1,14(10^{-3})$ N · s/m².

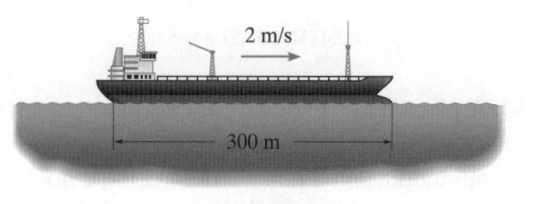

PROBLEMA 11.41

11.42. O vento está soprando a 2 m/s enquanto o caminhão se move para a frente contra o vento a 8 m/s. Se o ar tem uma temperatura de 20°C, determine o arrasto por cisalhamento atuando sobre o lado plano $ABCD$ do caminhão. Suponha que a camada limite seja totalmente turbulenta.

11.43. O vento está soprando a 2 m/s enquanto o caminhão se move para a frente contra o vento a 8 m/s. Se o ar tem uma temperatura de 20°C, determine o arrasto por cisalhamento atuando sobre a superfície superior $BCFE$ do caminhão. Suponha que a camada limite seja totalmente turbulenta.

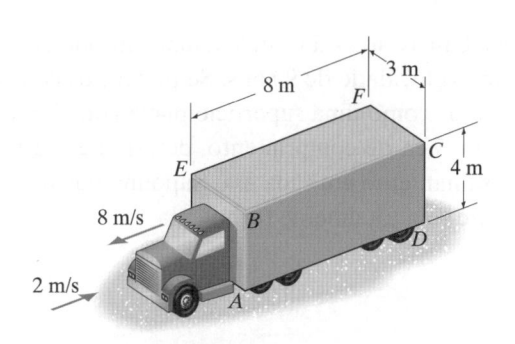

PROBLEMAS 11.42 e 11.43

*11.44. O barco com fundo chato está navegando a 4 m/s em um lago para o qual a temperatura da água é 15°C. Determine o arrasto aproximado que atua sobre o fundo do barco se seu comprimento é de 10 m e sua largura é de 2,5 m. Suponha que a camada limite seja totalmente turbulenta.

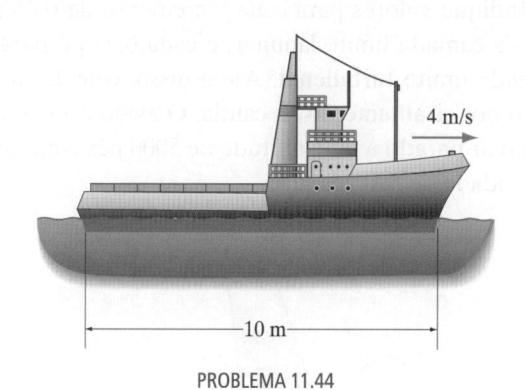

PROBLEMA 11.44

11.45. Um avião está voando a 170 pés/s através do ar parado a uma altitude de 5000 pés. Se as asas puderem ser consideradas placas planas, cada uma com 7 pés, determine a espessura da camada limite em seu bordo de ataque ou de fuga se a camada limite for considerada totalmente turbulenta.

11.46. Um avião está voando a 170 pés/s através do ar parado a uma altitude de 5000 pés. Se as asas puderem ser consideradas placas planas, cada uma com 7 pés e um comprimento de 15 pés, determine o arrasto por cisalhamento em cada asa se a camada limite for considerada totalmente turbulenta.

11.47. Um avião está voando a uma velocidade de 90 m/s. Se for considerado que as asas possuem uma superfície plana com 2,5 m de largura, determine a espessura δ da camada limite e a tensão de cisalhamento no bordo de fuga. Suponha que a camada limite seja totalmente turbulenta. O avião voa a uma altitude de 1 km.

*11.48. Um avião está voando a uma altitude de 1 km e a uma velocidade de 90 m/s. Se pudermos considerar as asas como uma superfície plana com 2,5 m de largura e 7 m de comprimento, determine o arrasto por cisalhamento em cada asa. Suponha que a camada limite seja totalmente turbulenta.

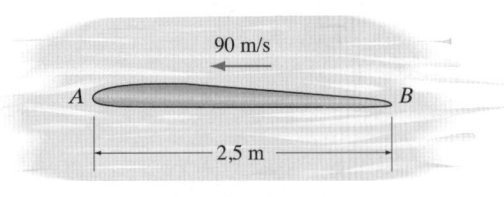

PROBLEMAS 11.47 e 11.48

11.49. A asa na cauda do avião tem aproximadamente 1,5 pé de largura e 4,5 pés de comprimento. Supondo que a corrente de ar na cauda seja uniforme, faça um gráfico da espessura δ da camada limite. Indique valores para cada incremento de 0,05 pé para a camada limite laminar, e cada 0,25 pé para a camada limite turbulenta. Além disso, calcule o arrasto por cisalhamento na cauda. O avião está voando no ar parado a uma altitude de 5000 pés com uma velocidade de 500 pés/s.

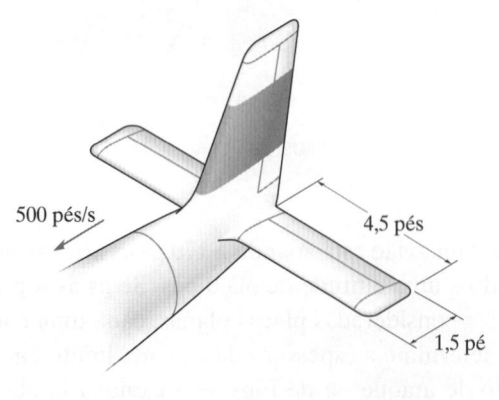

PROBLEMA 11.49

11.50. Dois hidrofólios são usados no barco que está navegando a 20 m/s. Se a água está a 15°C, e se cada lâmina pode ser considerada uma placa plana, com 4 m de comprimento e 0,25 m de largura, determine a espessura da camada limite no bordo de fuga de cada lâmina. Qual é o arrasto em cada lâmina? Suponha que o escoamento seja totalmente turbulento.

11.51. Dois hidrofólios são usados no barco que está navegando a 20 m/s. Se a água está a 15°C, e se cada lâmina pode ser considerada uma placa plana, com 4 m de comprimento e 0,25 m de largura, determine o arrasto em cada lâmina. Considere camadas limite laminares e turbulentas.

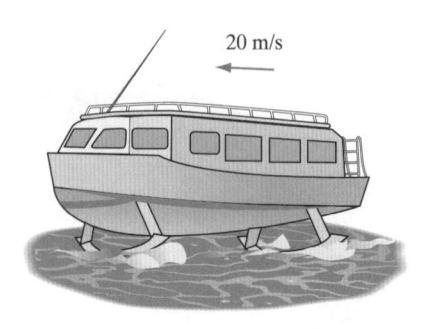

PROBLEMAS 11.50 e 11.51

*11.52. Um avião está voando a uma altitude de 3 km e uma velocidade de 700 km/h. Se assumirmos que cada asa tem uma superfície plana com 2 m de largura e 6 m de comprimento, determine o arrasto por cisalhamento atuando em cada asa. Considere camadas limite laminares e turbulentas.

11.53. A balsa está navegando para a frente a 15 pés/s em águas paradas com uma temperatura de 60°F. Se o fundo da balsa puder ser considerado uma placa plana com 120 pés de comprimento e 25 pés de largura, determine a potência do motor exigida para contornar a resistência ao cisalhamento da água no fundo da balsa. Considere camadas limite laminares e turbulentas.

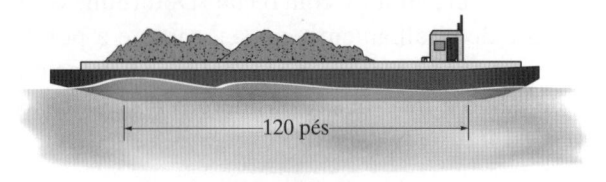

PROBLEMAS 11.52 e 11.53

11.54. A placa tem 2 m de largura e é mantida em um ângulo de 12° com o vento, conforme mostrado. Se a pressão média sob a placa é de 40 kPa, e no topo é de 60 kPa, determine o arrasto de pressão na placa.

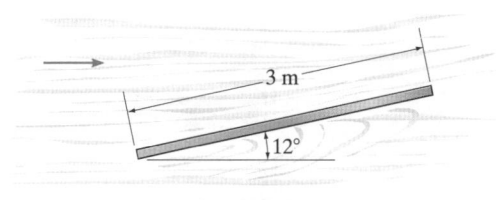

PROBLEMA 11.54

11.55. O vento sopra sobre a superfície inclinada e produz a distribuição de pressão aproximada que aparece na figura. Determine o arrasto de pressão atuando sobre a superfície se ela possui 3 m de largura.

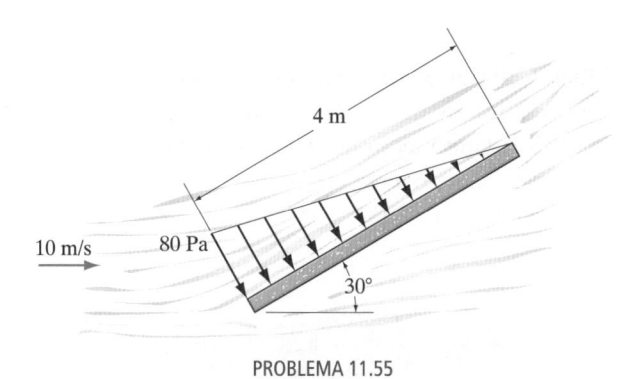

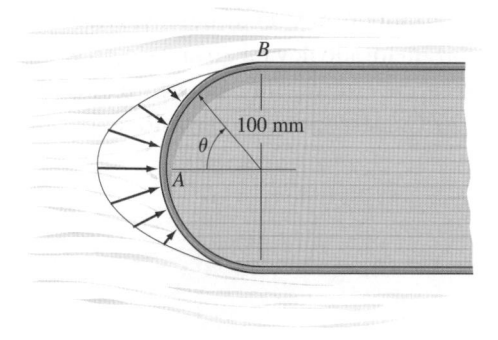

PROBLEMA 11.57

11.58. A pressão do ar atuando sobre as superfícies inclinadas é aproximada pelas distribuições lineares mostradas. Determine a força horizontal resultante que atua sobre a superfície se ela possui 3 m de largura.

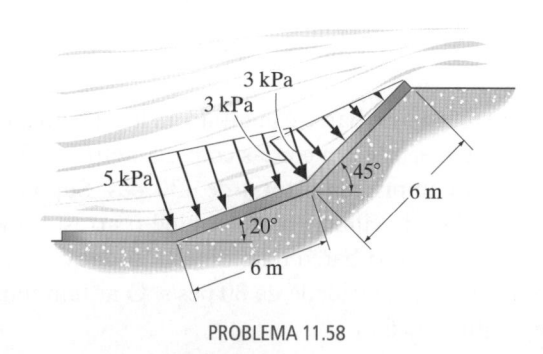

PROBLEMA 11.55

PROBLEMA 11.58

***11.56.** O cartaz está sujeito a um perfil de vento que produz uma distribuição de pressão que pode ser aproximada por $p = (112{,}5\, \rho y^{0{,}6})$ Pa, onde y está em metros. Determine a força de pressão resultante no cartaz devida ao vento. O ar está a uma temperatura de 20°C e o cartaz tem 0,5 m de largura.

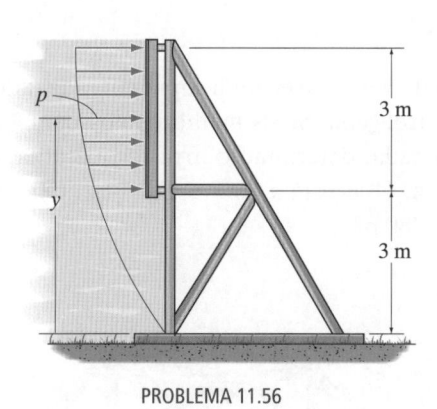

11.59. A frente do prédio está sujeita a um vento que exerce uma pressão de $p = (0{,}25 y^{1/2})$ lb/pé², onde y está em pés, medidos a partir do solo. Determine a força de pressão resultante na fachada do prédio virada para o vento devido a essa carga.

***11.60.** O prédio está sujeito a um vento uniforme com uma velocidade de 80 pés/s. Se a temperatura do ar é 40°F, determine a força de pressão resultante na frente do prédio se o coeficiente de arrasto é 1,43.

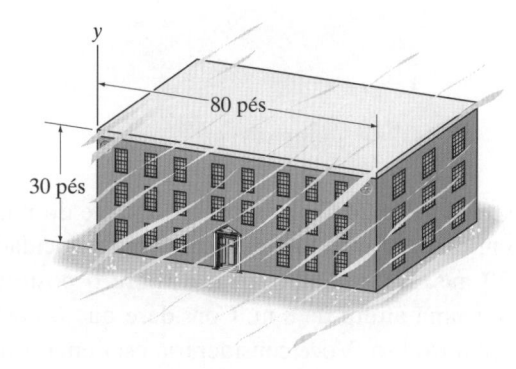

PROBLEMA 11.56

11.57. A pressão do ar atuando de A para B na superfície de um corpo curvo pode ser aproximada como $p = (5 - 1{,}5\theta)$ kPa, onde θ está em radianos. Determine o arrasto de pressão atuando sobre o corpo de $0° \leq \theta \leq 90°$. O corpo tem uma largura de 300 mm.

PROBLEMAS 11.59 e 11.60

11.61. Determine o momento desenvolvido na base *A* do cartaz quadrado devido ao arrasto do vento se a frente do cartaz está sujeita a um vento de 16 m/s. O ar está a 20°C. Desconsidere o arrasto no poste.

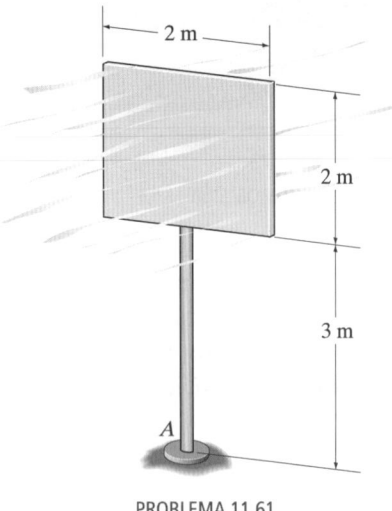

PROBLEMA 11.61

11.62. O mastro no barco é mantido no local pelo cordame, que consiste em cordas com diâmetro de 0,75 pol. e um comprimento total de 130 pés. Supondo que a corda seja cilíndrica, determine o arrasto que ela exerce sobre o barco quando este se move para a frente a uma velocidade de 30 pés/s. O ar tem uma temperatura de 60°F.

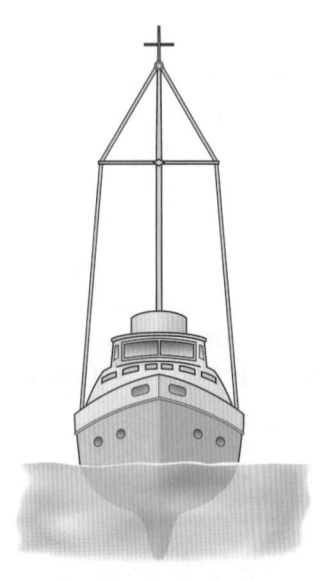

PROBLEMA 11.62

11.63. O vento a 20°C sopra contra o poste do mastro com diâmetro de 100 mm, com uma velocidade de 1,20 m/s. Determine o arrasto sobre o poste se ele tiver uma altura de 8 m. Considere que o poste é um cilindro liso. Você consideraria esta uma força significativa?

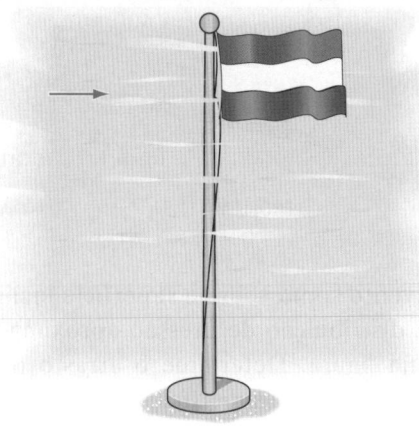

PROBLEMA 11.63

*11.64. Cada uma das pilastras da ponte lisas (cilindros) tem um diâmetro de 0,75 m. Se o rio mantém uma velocidade média de 0,08 m/s, determine o arrasto que a água exerce sobre cada pilastra. A temperatura da água é 20°C.

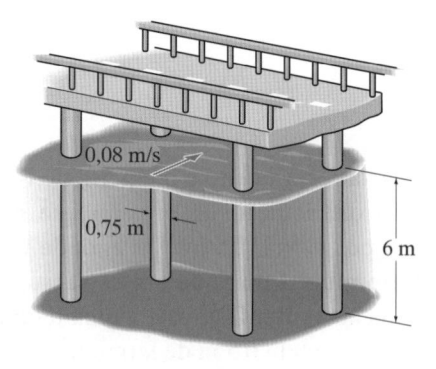

PROBLEMA 11.64

11.65. Um vento de 60 mi/h sopra em cada lado da estrutura treliçada. Se os membros possuem 4 pol. de largura cada, determine o arrasto que atua sobre a estrutura. O ar está a 60°F e $C_A = 1,2$. Observe que 1 mi = 5280 pés.

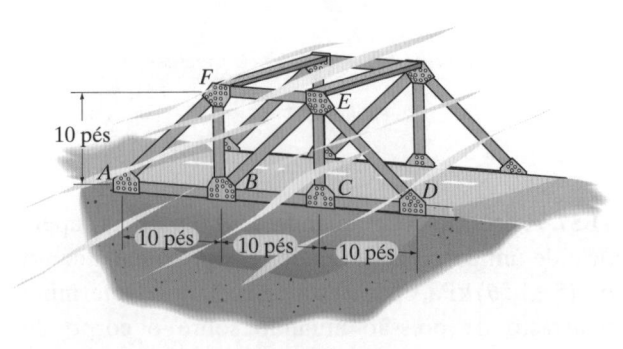

PROBLEMA 11.65

11.66. Um periscópio em um submarino tem um comprimento submerso de 2,5 m e um diâmetro de 50 mm. Se o submarino estiver viajando a 8 m/s, determine o momento desenvolvido na base do periscópio. A água está a uma temperatura de 15°C. Considere o periscópio como sendo um cilindro liso.

11.67. A antena no prédio tem 20 pés de altura e 12 pol. de diâmetro. Determine o momento em sua base para mantê-la em equilíbrio se ela estiver sujeita a um vento com uma velocidade média de 80 pés/s. O ar está a uma temperatura de 60°F. Considere que a antena é um cilindro liso.

PROBLEMA 11.67

***11.68.** O caminhão tem um coeficiente de arrasto de $C_A = 1{,}12$ quando se move com velocidade constante de 80 km/h. Determine a potência necessária para impulsionar o caminhão em sua velocidade se a área média projetada da frente do caminhão é de 10,5 m². O ar está a uma temperatura de 10°C.

11.69. O caminhão tem um coeficiente de arrasto de $C_A = 0{,}86$ quando se move com velocidade constante de 60 km/h. Determine a potência necessária para impulsionar o caminhão em sua velocidade se a área média projetada da frente do caminhão é de 10,5 m². O ar está a uma temperatura de 10°C.

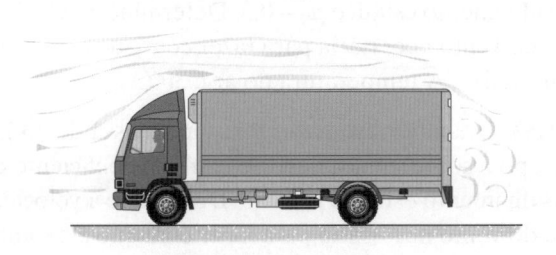

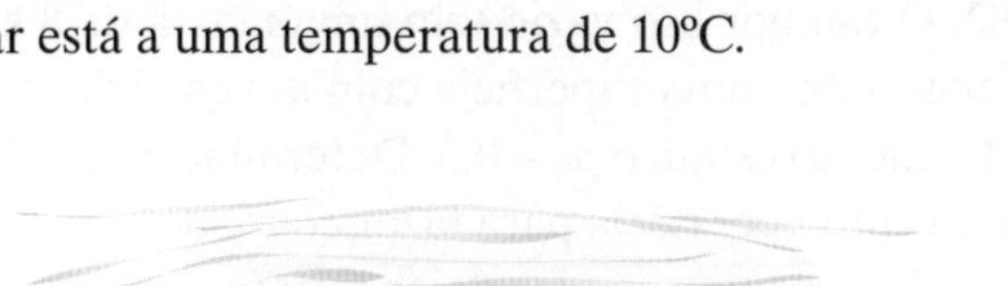

PROBLEMAS 11.68 e 11.69

11.70. O vento a 10°C sopra contra a chaminé com 30 m de altura a 2,5 m/s. Se o diâmetro da chaminé é de 2 m, determine o momento que deve ser desenvolvido em sua base para mantê-la no lugar. Considere a chaminé como um cilindro rugoso.

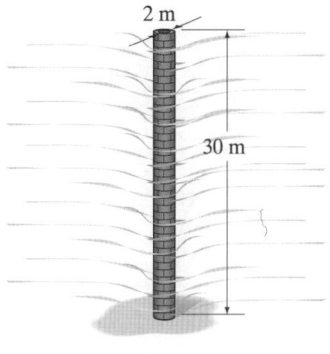

PROBLEMA 11.70

11.71. Uma placa retangular é imersa em uma corrente de óleo fluindo a 0,5 m/s. Compare o arrasto atuando sobre a placa se ele estiver orientado de modo que AB seja a borda da frente e depois quando ela é girada 90° em sentido anti-horário, de modo que BC seja a borda da frente. A placa tem 0,8 m de largura. Considere $\rho_o = 880$ kg/m³.

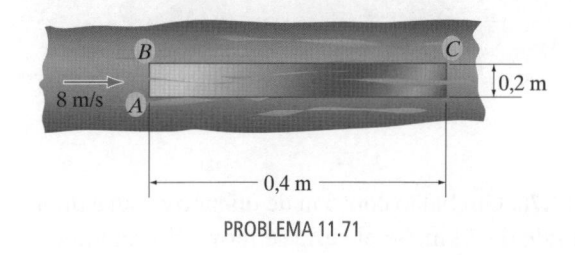

PROBLEMA 11.71

*ABUT**11.72.** O paraquedas tem um coeficiente de arrasto $C_A = 1{,}36$ e um diâmetro de 4 m quando aberto. Determine a velocidade terminal quando o homem desce de paraquedas. O ar está a 20°C. A massa total do paraquedas e do homem é 90 kg. Desconsidere o arrasto sobre o homem.

11.73. O paraquedas tem um coeficiente de arrasto $C_A = 1{,}36$. Determine o diâmetro aberto exigido do paraquedas para que o homem atinja uma velocidade terminal de 10 m/s. O ar está a 20°C. A massa total do paraquedas e do homem é 90 kg. Desconsidere o arrasto sobre o homem.

11.74. O homem e o paraquedas têm uma massa total de 90 kg. Se o paraquedas tem um diâmetro de 6 m quando aberto e o homem atinge uma velocidade terminal de 5 m/s, determine o coeficiente de arrasto do paraquedas. O ar está a 20°C. Desconsidere o arrasto sobre o homem.

PROBLEMAS 11.72, 11.73 e 11.74

11.75. O carro tem uma área frontal projetada de 14,5 pés². Determine a potência exigida para impulsionar a uma velocidade constante de 60 mi/h se o coeficiente de arrasto é $C_A = 0{,}83$ e o ar está a 60°F. Observe que 1 mi = 5280 pés.

PROBLEMA 11.75

*11.76. Um balão com 5 m de diâmetro está a uma altitude de 2 km. Se ele está se movendo com uma velocidade terminal de 12 km/h, determine o arrasto sobre o balão.

11.77. O coeficiente de arrasto para o carro é $C_A = 0{,}28$, e a área projetada à corrente de ar a 20°C é 2,5 m². Determine a potência que o motor precisa fornecer para manter uma velocidade constante de 160 km/h.

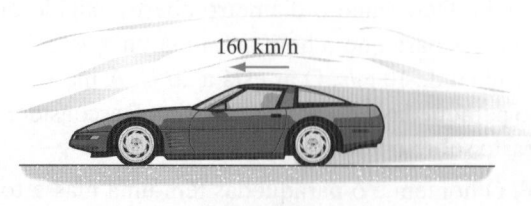

PROBLEMA 11.77

11.78. O nariz cônico do foguete tem 60° e um diâmetro na base de 1,25 m. Determine o arrasto do ar sobre o cone quando o foguete está viajando a 60 m/s no ar a uma temperatura de 10°C. Use a Tabela 11.3 para o cone, mas explique por que esta pode não ser uma suposição precisa.

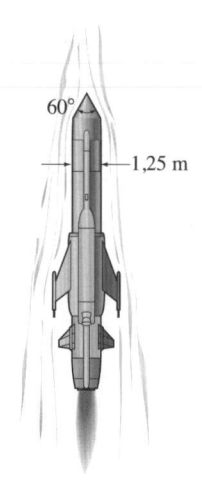

PROBLEMA 11.78

11.79. Um barco viajando a uma velocidade constante de 2 m/s reboca uma tora com a metade submersa, que possui um diâmetro de 0,35 m. Se o coeficiente de arrasto é $C_A = 0{,}85$, determine a tensão na corda de guincho se ela for horizontal. A tora está orientada de modo que o escoamento ocorre ao longo do seu comprimento.

*11.80. Uma bola de 0,25 lb possui 3 pol. de diâmetro. Determine a aceleração inicial da bola quando ela é lançada verticalmente para baixo com uma velocidade inicial de 20 pés/s. O ar está a uma temperatura de 60°F.

11.81. Uma placa quadrada com 1 pé de lado é mantida no ar a 60°F, que está soprando a 50 pés/s. Compare o arrasto sobre a placa quando ela é mantida normal e depois paralela à corrente de ar.

11.82. O tambor liso vazio tem uma massa de 8 kg e se apoia sobre uma superfície com um coeficiente de cisalhamento estático $\mu_s = 0{,}3$. Determine a velocidade do vento necessária para fazer com que ele tombe ou deslize. A temperatura do ar é 30°C.

11.83. O tambor liso vazio tem uma massa de 8 kg e se apoia sobre uma superfície com um coeficiente de cisalhamento estático $\mu_s = 0{,}6$. Determine a velocidade do vento necessária para fazer com que ele tombe ou deslize. A temperatura do ar é 30°C.

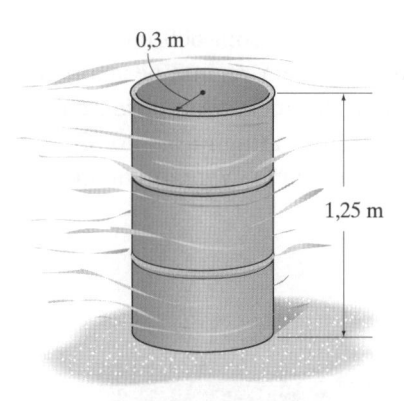

PROBLEMAS 11.82 e 11.83

*11.84. As lâminas lisas de uma batedeira são usadas para misturar um líquido com densidade ρ e viscosidade μ. Se cada lâmina possui um comprimento L e largura w, determine o torque **T** necessário para girar as lâminas a uma velocidade angular constante ω. Considere que o coeficiente de arrasto da asa transversal da lâmina é C_A.

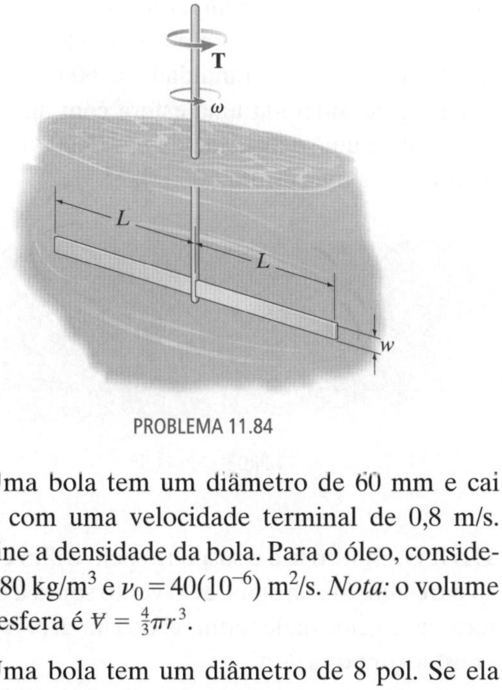

PROBLEMA 11.84

11.85. Uma bola tem um diâmetro de 60 mm e cai no óleo com uma velocidade terminal de 0,8 m/s. Determine a densidade da bola. Para o óleo, considere $\rho_o = 880$ kg/m^3 e $\nu_0 = 40(10^{-6})$ m^2/s. *Nota:* o volume de uma esfera é $\Psi = \frac{4}{3}\pi r^3$.

11.86. Uma bola tem um diâmetro de 8 pol. Se ela for chutada com uma velocidade de 18 pés/s, determine o arrasto inicial atuando sobre a bola. Essa força permanece constante? O ar está a uma temperatura de 60°F.

11.87. Partículas em suspensão a uma altitude de 8 km na atmosfera superior tem um diâmetro médio de 3 μm. Se uma partícula tem uma massa de 42,5 (10^{-12})g, determine o tempo necessário para que ela se deposite na Terra. Suponha que a gravidade seja constante e, para o ar, $\rho = 1,202$ kg/m^3 e $\mu = 18,1(10^{-6})$ N · s/m^2.

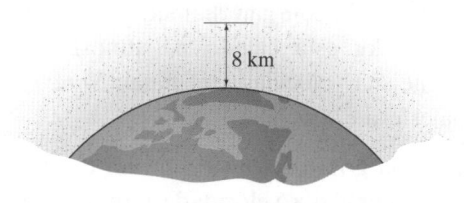

PROBLEMA 11.87

*11.88. Uma bola sólida tem um diâmetro de 20 mm e uma densidade de 3,00 Mg/m^3. Determine sua velocidade terminal se ela for solta em um líquido com densidade $\rho = 2,30$ Mg/m^3 e viscosidade $\nu = 0,052$ m^2/s. *Nota:* o volume da esfera é $\Psi = \frac{4}{3}\pi r^3$.

11.89. Determine a velocidade das partículas sólidas do aerossol quando $t = 10$ μs se, quando $t = 0$, elas saem da lata com uma velocidade horizontal de 30 m/s. Suponha que o diâmetro médio das partículas seja 0,4 μm e cada uma tenha uma massa de $0,4(10^{-12})$g. O ar está a 20°C. Desconsidere o componente vertical da velocidade. *Nota:* o volume da esfera é $\Psi = \frac{4}{3}\pi r^3$.

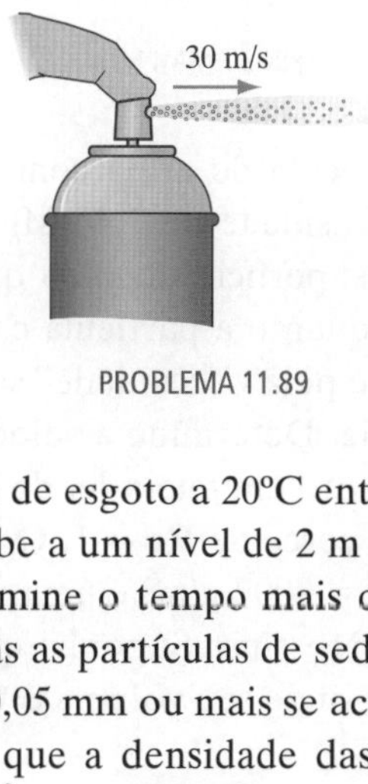

PROBLEMA 11.89

11.90. A água de esgoto a 20°C entra no tanque de retenção e sobe a um nível de 2 m quando para de entrar. Determine o tempo mais curto necessário para que todas as partículas de sedimento com um diâmetro de 0,05 mm ou mais se acumulem no fundo. Suponha que a densidade das partículas seja $\rho = 1,6$ Mg/m^3 ou maior. *Nota:* o volume da esfera é $\Psi = \frac{4}{3}\pi r^3$.

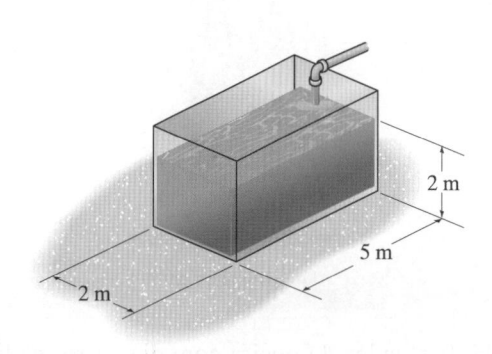

PROBLEMA 11.90

11.91. Uma bola com um diâmetro de 0,6 m e massa de 0,35 kg está caindo na atmosfera a 10°C. Determine sua velocidade terminal. *Nota:* o volume de uma esfera é $V = \frac{4}{3}\pi r^3$.

*11.92. Uma gota de chuva tem um diâmetro de 1 mm. Determine sua velocidade terminal aproximada enquanto ela cai. Suponha que o ar tenha densidade e viscosidade constantes de $\rho_a = 1,247$ kg/m³ e $\nu_a = 14,2(10^{-6})$ m²/s. Desconsidere a flutuação. *Nota:* o volume de uma esfera é $V = \frac{1}{6}\pi D^3$.

11.93. O carro de corrida de 2 Mg (toneladas) tem uma área frontal projetada de 1,35 m² e um coeficiente de arrasto de $(C_A)_C = 0,28$. Se o carro está viajando a 60 m/s, determine o diâmetro do paraquedas necessário para reduzir a velocidade do carro a 20 m/s em 4 s. Considere $(C_A)_p = 1,15$ para o paraquedas. O ar está a 20°C. As rodas estão livres para rolar.

PROBLEMA 11.93

11.94. Uma partícula de areia com 2 mm de diâmetro e uma densidade de 2,40 Mg/m³ é lançada do repouso na superfície do óleo que está contido no tubo. Enquanto a partícula cai, um "escoamento dominado pela viscosidade" será estabelecido em torno dela. Determine a velocidade da partícula e o momento em que a lei de Stokes se torna inválida, em cerca de Re = 1. O óleo tem uma densidade de $\rho_o = 900$ kg/m³ e uma viscosidade de $\mu_o = 30,2(10^{-3})$ N · s/m². Suponha que a partícula seja uma esfera, onde seu volume é $V = \frac{4}{3}\pi r^3$.

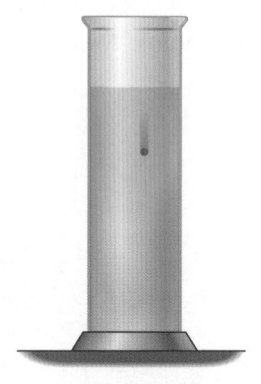

PROBLEMA 11.94

11.95. Partículas de poeira com diâmetro médio de 0,05 mm e densidade média de 450 kg/m³ são agitadas por uma corrente de ar e sopradas para fora da beira de uma mesa com 600 mm de altura em um vento horizontal em regime permanente a 0,5 m/s. Determine a distância *d* da borda da mesa onde a maior parte delas atingirá o solo. O ar está a uma temperatura de 20°C. *Nota:* o volume de uma esfera é $V = \frac{4}{3}\pi r^3$.

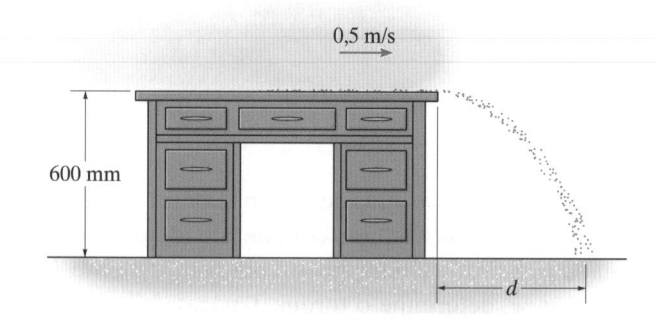

PROBLEMA 11.95

*11.96. Uma pedra é largada do repouso na superfície do lago, onde a temperatura média da água é 15°C. Se $C_A = 0,5$, determine sua velocidade quando ela atinge uma profundidade de 600 mm. A pedra pode ser considerada uma esfera com um diâmetro de 50 mm e uma densidade de $\rho_r = 2400$ kg/m³. *Nota:* o volume de uma esfera é $V = \frac{4}{3}\pi r^3$.

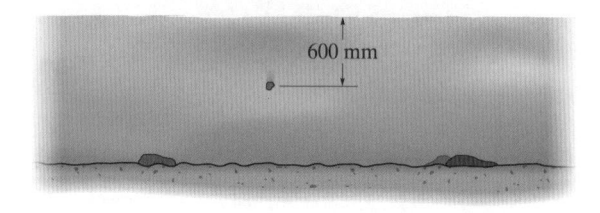

PROBLEMA 11.96

11.97. O cilindro liso é suspenso pelo trilho e submerso parcialmente na água. Se o vento sopra a 8 m/s, determine a velocidade terminal do cilindro. A água e o ar estão ambos a 20°C.

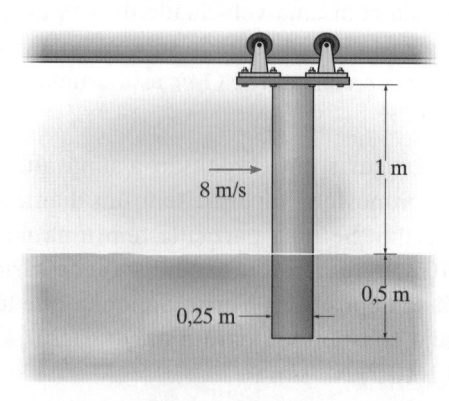

PROBLEMA 11.97

11.98. Um balão com 5 m de diâmetro e o gás dentro dele têm uma massa de 80 kg. Determine sua velocidade terminal de descida. Suponha que a temperatura do ar esteja a 20°C. *Nota:* o volume de uma esfera é $V = \frac{4}{3}\pi r^3$.

11.99. Uma bola lisa tem um diâmetro de 43 mm e uma massa de 45 g. Quando ela é lançada verticalmente para cima com uma velocidade de 20 m/s, determine a desaceleração inicial da bola. A temperatura é 20°C.

***11.100.** A paraquedista tem uma massa total de 90 kg e está em queda livre a 6 m/s quando abre seu paraquedas com 3 m de diâmetro. Determine o tempo para que sua velocidade seja aumentada para 10 m/s. Além disso, qual é sua velocidade terminal? Para o cálculo, considere que o paraquedas seja semelhante a um hemisfério oco. O ar tem uma densidade $\rho_a = 1,25$ kg/m³.

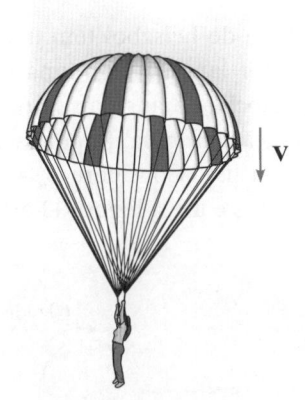

PROBLEMA 11.100

11.101. Um avião de 3 Mg está voando a uma velocidade de 70 m/s. Se cada asa pode ser considerada retangular com comprimento de 5 m e largura de 1,75 m, determine o menor ângulo de ataque α para fornecer sustentação supondo que a asa seja uma seção NACA 2409. A densidade do ar é $\rho = 1,225$ kg/m³.

11.102. O avião de 5 Mg possui asas com 5 m de extensão cada e 1,75 m de largura. Ele está voando horizontalmente a uma altitude de 3 km com uma velocidade de 150 m/s. Determine o coeficiente de sustentação.

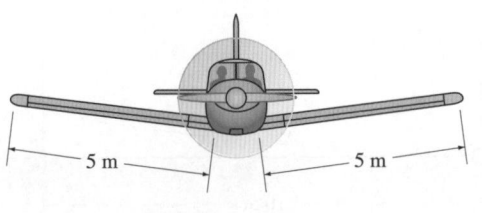

PROBLEMAS 11.101 e 11.102

11.103. O avião de 5 Mg possui asas com 5 m de extensão cada e 1,75 m de largura. Determine sua velocidade a fim de gerar a mesma sustentação quando voa horizontalmente a uma altitude de 5 km como faz quando voa horizontalmente a 3 km com velocidade de 150 m/s.

PROBLEMA 11.103

***11.104.** Um avião de 4 Mg está voando a uma velocidade de 70 m/s. Se cada asa pode ser considerada retangular com extensão de 5 m e largura de 1,75 m, determine o arrasto em cada asa quando ele está voando no ângulo de ataque apropriado α. Suponha que cada asa seja uma seção NACA 2409. A densidade do ar é $\rho_a = 1,225$ kg/m³.

11.105. O avião pode decolar a 250 km/h quando está em um aeroporto localizado a uma elevação de 2 km. Determine a velocidade de decolagem de um aeroporto no nível do mar.

PROBLEMA 11.105

11.106. O planador tem um peso de 350 lb. Se o coeficiente de arrasto $C_A = 0,456$, o coeficiente de sustentação $C_S = 1,20$ e a área total das asas $A = 80$ pés², determine o ângulo θ em que ele está descendo com uma velocidade constante.

11.107. O planador tem um peso de 350 lb. Se o coeficiente de arrasto $C_A = 0,316$, o coeficiente de sustentação $C_S = 1,20$ e a área total das asas $A = 80$ pés², determine se ele pode aterrissar em uma faixa de pista que possui 1,5 km de extensão e localizada a 5 km de onde sua altitude é 1,5 km. Considere que a densidade do ar permaneça constante.

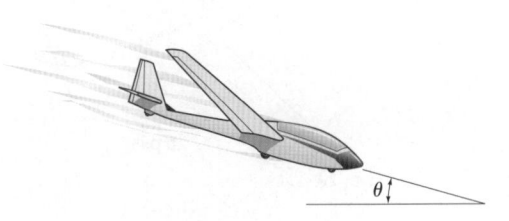

PROBLEMAS 11.106 e 11.107

11.108. Cada uma das duas asas em um avião com 20000 lb deverá ter uma extensão de 25 pés e uma distância de corda média de 5 pés. Quando um modelo na escala 1/15 da seção da asa (considerada infinita) é testado em um túnel de vento a 1500 pés/s, usando um gás para o qual $\rho_g = 7{,}80(10^{-3})$ slug/pés^3, o arrasto total é 160 lb. Determine o arrasto total sobre a asa quando o avião está voando a uma altitude constante com uma velocidade de 400 pés/s, onde $\rho_a = 1{,}75\,(10^{-3})$ slug/pé^3. Considere uma distribuição de sustentação elíptica.

11.109. O planador tem uma velocidade constante de 8 m/s através do ar parado. Determine o ângulo de descida θ se tiver um coeficiente de sustentação de $C_S = 0{,}70$ e um coeficiente de arrasto da asa de $C_A = 0{,}04$. O arrasto na fuselagem é considerado desprezível em comparação com o das asas, pois o planador tem uma envergadura de asa muito longa.

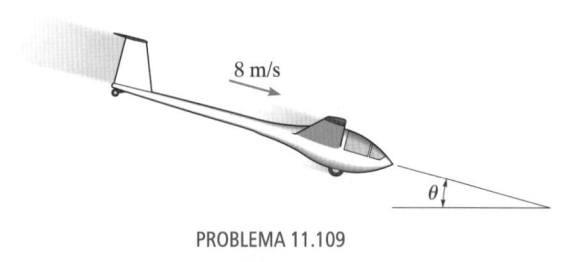

PROBLEMA 11.109

11.110. O avião com 2000 lb está voando a uma altitude de 5000 pés. Cada asa tem uma envergadura de 16 pés e um comprimento de corda de 3,5 pés. Se cada asa pode ser classificada como uma seção NACA 2409, determine o coeficiente de arrasto e o ângulo de ataque quando o avião está voando a 225 pés/s.

11.111. O avião com 2000 lb está voando a uma altitude de 5000 pés. Cada asa tem uma envergadura de 16 pés e um comprimento de corda de 3,5 pés, e pode ser classificada como uma seção NACA 2409. Se o avião está voando a 225 pés/s, determine o arrasto total sobre as asas. Além disso, qual é o ângulo de ataque e a velocidade correspondente em que ocorre a condição de estol?

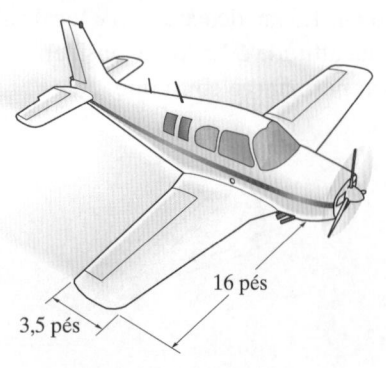

PROBLEMAS 11.110 e 11.111

*11.112. Se são necessários 80 kW de potência para um avião voar a 20 m/s, quanta potência é necessária para que o avião voe a 25 m/s na mesma altitude? Considere que C_A permaneça constante.

11.113. O avião pesa 9000 lb e pode decolar a partir de um aeroporto quando alcança uma velocidade no ar de 125 mi/h. Se ele transportar uma carga adicional de 750 lb, qual deverá ser sua velocidade no ar antes da decolagem no mesmo ângulo de ataque?

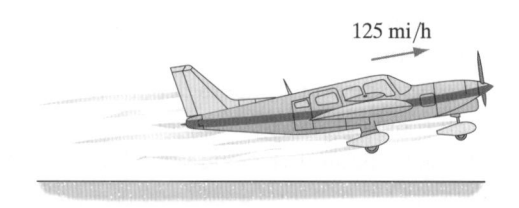

PROBLEMA 11.113

11.114. Uma bola de beisebol tem um diâmetro de 73 mm. Se ela for lançada com uma velocidade de 5 m/s e uma velocidade angular de 60 rad/s, determine a sustentação na bola. Suponha que a superfície da bola seja lisa. Considere $\rho_a = 1{,}20$ kg/m^3 e $\nu_a = 15{,}0(10^{-6})$ m^2/s e use a Figura 11.50.

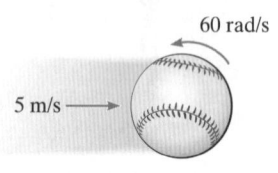

PROBLEMA 11.114

11.115. Uma bola com 0,5 kg tendo um diâmetro de 50 mm é lançada com uma velocidade de 10 m/s e tem uma velocidade angular de 400 rad/s. Determine seu desvio horizontal d de um alvo a uma distância de 10 m. Considere $\rho_a = 1{,}20$ kg/m^3 e $\nu_a = 15{,}0(10^{-6})$ m^2/s, e use a Figura 11.50.

Vista de cima

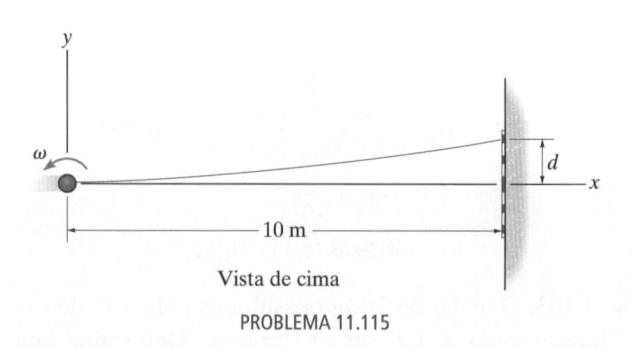

PROBLEMA 11.115

Problemas conceituais

P11.1. Quando uma xícara de café quente é agitada, como na foto de cima, as "folhas" parecem que por fim se acomodam ao fundo no *centro* da xícara. Por que elas fazem isso, em vez de se acumularem na borda? Explique.

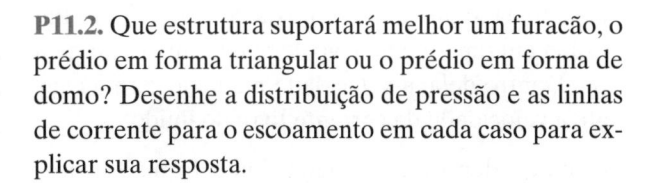

P11.2. Que estrutura suportará melhor um furacão, o prédio em forma triangular ou o prédio em forma de domo? Desenhe a distribuição de pressão e as linhas de corrente para o escoamento em cada caso para explicar sua resposta.

P11.1

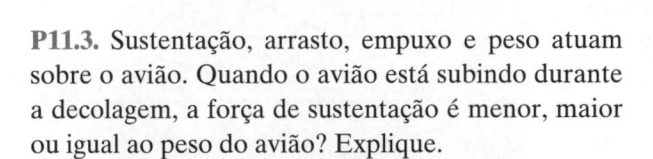

P11.2

P11.3. Sustentação, arrasto, empuxo e peso atuam sobre o avião. Quando o avião está subindo durante a decolagem, a força de sustentação é menor, maior ou igual ao peso do avião? Explique.

P11.4. Uma bola de beisebol é lançada diretamente para cima. O tempo para alcançar o ponto mais alto será maior, menor ou igual ao tempo para que ela caia até a mesma altura de onde foi lançada?

P11.3

P11.4

Revisão do capítulo

A camada limite é uma camada de fluido muito fina, localizada em uma região logo acima da superfície de um corpo. Dentro dela, a velocidade muda de zero na superfície até a velocidade da corrente livre do fluido.

O fluido dentro da camada limite formada sobre a superfície de uma placa plana será laminar até a distância crítica x_{cr}. Neste livro, essa distância é determinada por $(Re_x)_{cr} = U x_{cr}/\nu = 5(10^5)$.

O perfil de velocidade para uma camada limite de *escoamento laminar* foi solucionado por Blasius. A solução é dada em formato gráfico e tabular. Conhecendo esse perfil de velocidade, pode-se achar a espessura da camada limite e o arrasto por cisalhamento que o escoamento exerce sobre uma placa plana.

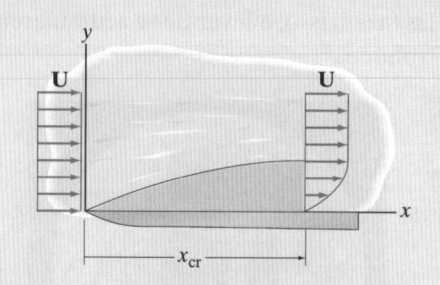

O arrasto por cisalhamento causado pelas camadas limite de *escoamento turbulento* é determinado através de experimentos. Para os casos laminar e turbulento, essa força é relatada usando um coeficiente de arrasto por cisalhamento adimensional C_{Af}, que é função do número de Reynolds.

$$F_{Af} = C_{Af} A \left(\frac{1}{2}\rho U^2\right)$$

A espessura e a distribuição da tensão de cisalhamento para as camadas limite laminar e turbulenta podem ser determinadas por um método aproximado, usando a equação da integral da quantidade de movimento.

Como o escoamento turbulento cria uma tensão de cisalhamento maior sobre a superfície, em comparação com o escoamento laminar, as camadas limite turbulentas criam um maior arrasto por cisalhamento sobre a superfície.

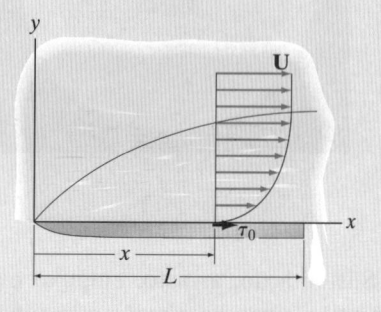

Coeficientes de arrasto experimentais C_A, causados pelo cisalhamento viscoso e a pressão, têm sido determinados para o cilindro, a esfera e corpos de muitas outras formas. Em geral, C_A é uma função do número de Reynolds, da forma do corpo, de sua orientação dentro do escoamento e da rugosidade de sua superfície. Para alguns casos, esse coeficiente também pode depender do número de Froude ou do número de Mach.

$$F_A = C_A A_p \left(\frac{\rho V^2}{2}\right)$$

Ao projetar um aerofólio, tanto o arrasto quanto a sustentação são importantes. Seus coeficientes, C_A e C_S, são determinados por experimento e representados graficamente como uma função do ângulo de ataque.

CAPÍTULO 12

Escoamento em canais abertos

Canais abertos são usados com frequência para drenagem e irrigação. É importante que eles sejam devidamente projetados para que seja mantida a vazão adequada através deles.

(© Tim Roberts Photography/Shutterstock)

12.1 Tipos de escoamento em canais abertos

Um ***canal aberto*** é qualquer conduto que tenha uma superfície aberta ou livre. Alguns exemplos são rios, canais, galerias e calhas. Destes, os rios e os córregos possuem seções transversais variáveis, que mudam com o tempo, devido à erosão e ao acúmulo de sedimentos. ***Canais*** geralmente são muito longos e retos, sendo usados para drenagem, irrigação ou navegação. ***Galerias*** normalmente não são totalmente inundadas, e em geral são feitas de concreto ou alvenaria. Elas são frequentemente usadas para transportar o esgoto sob as ruas. Por fim, uma ***calha*** é um conduto que é apoiado acima do solo, projetada para transportar as águas sobre uma depressão.

Se o canal possui uma seção transversal constante, ele é conhecido como ***canal prismático***. Por exemplo, os canais normalmente são construídos com seções transversais retangulares ou trapezoidais, enquanto galerias e calhas frequentemente possuem formas circulares ou elípticas. Rios e córregos possuem seções transversais não prismáticas; porém, para uma análise aproximada, eles às vezes são modelados por uma série de seções prismáticas de tamanhos diferentes, como trapezoides e semielipses.

Escoamentos laminares e turbulentos

Embora o escoamento laminar possa ocorrer em um canal aberto, na prática da engenharia, ele raramente é encontrado. Isso porque o escoamento tem de ser muito lento para atender a qualquer critério de número de Reynolds para o escoamento laminar. Em vez disso, os escoamentos em canal aberto são predominantemente turbulentos. A mistura do líquido que realmente ocorre pode ser causada pelo cisalhamento do vento soprando sobre sua superfície e o cisalhamento ao longo das laterais do canal. Esses efeitos farão com que o perfil de velocidade se torne altamente irregular; como

Objetivos

- Estudar o escoamento em um canal aberto com base no conceito de energia específica.
- Discutir o escoamento sobre uma rampa e sob uma comporta.
- Mostrar como analisar o escoamento em regime permanente uniforme e não uniforme através de um canal.
- Discutir sobre o ressalto hidráulico e mostrar como medir a vazão em um canal aberto usando diferentes tipos de vertedores.

Contornos de velocidade típicos, em m/s, para um canal retangular

FIGURA 12.1

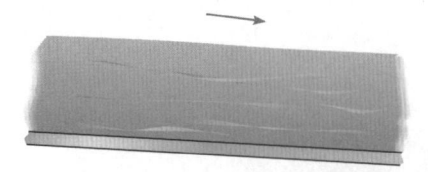

Escoamento em regime permanente uniforme, profundidade constante
(a)

Escoamento não uniforme acelerado
(b)

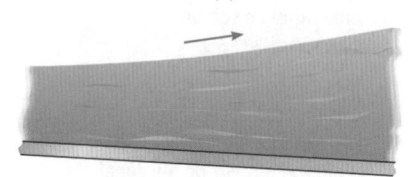

Escoamento não uniforme retardado
(c)

FIGURA 12.2

resultado, a velocidade máxima estará em algum ponto perto do topo da superfície do líquido, mas normalmente não na superfície. Um perfil de velocidade típico para a água que escoa por um canal retangular aberto pode se parecer com o desenho da Figura 12.1. Logo, embora a superfície possa parecer calma, como se o escoamento fosse laminar, por baixo da superfície ele será turbulento. Apesar dessa irregularidade, geralmente podemos *aproximar* o escoamento real tratando-o como um escoamento unidimensional uniforme, e ainda assim alcançar resultados razoáveis na estimativa da vazão.

Escoamento uniforme e em regime permanente

Além de ser laminar ou turbulento, o escoamento em canal aberto também pode ser classificado de outra maneira.

O **escoamento uniforme** ocorre quando a *profundidade* do líquido *permanece a mesma* ao longo da *extensão* do canal, pois assim a velocidade do líquido não mudará de um local para o seguinte. Um exemplo ocorre quando o canal tem uma inclinação pequena, de modo que a força da gravidade que causa o escoamento é equilibrada pela força de cisalhamento que o retarda (Figura 12.2a). Se a profundidade varia ao longo da extensão, então o escoamento é *não uniforme*. Isso pode acontecer se houver uma mudança na inclinação, ou onde existe uma mudança na área transversal do canal. O *escoamento não uniforme acelerado* ocorre quando a profundidade do escoamento diminui a jusante (Figura 12.2b). Um exemplo seria a água que escoa de uma rampa ou vertedor. O *escoamento não uniforme retardado* ocorre se a profundidade for aumentando (Figura 12.2c), como quando a água em um canal inclinado recua ao encontrar a soleira de uma represa.

O **escoamento em regime permanente** em um canal ocorre quando o escoamento *permanece constante com o tempo*, como na Figura 12.2a, e, portanto, sua profundidade em um local específico permanece constante. Esse é o caso para a maioria dos problemas envolvendo escoamento em canal aberto. Porém, se uma onda passa por um local específico, a profundidade e daí o escoamento mudará com o tempo, e isso é classificado como *escoamento transitório*.

Ressalto hidráulico

Além dos tipos de escoamento mencionados anteriormente, existe outro fenômeno que pode ocorrer em canais abertos. Um **ressalto hidráulico** é uma turbulência localizada que rapidamente dissipa a energia cinética do escoamento. Ela geralmente ocorre no fundo de uma rampa ou vertedor (Figura 12.3).

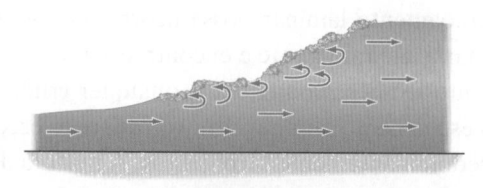

Ressalto hidráulico

FIGURA 12.3

12.2 Classificações do escoamento em canal aberto

Mais adiante nesta seção, mostraremos que o tipo de escoamento que ocorre em um canal aberto pode ser classificado comparando a velocidade do líquido no canal com a velocidade de uma onda em sua superfície. Porém, para fazer essa comparação, primeiro é preciso formular um meio de obter a velocidade da onda. Especificamente, a velocidade da onda em relação à velocidade do líquido no canal é chamada de *celeridade da onda*, c.

Para determinar c, vamos considerar a altura da onda Δy pequena em comparação com a profundidade y do líquido (Figura 12.4a). Excluindo os efeitos da tensão superficial, a propagação da onda ao longo do canal será causada pela gravidade.* Para um observador fixo, haverá escoamento transitório, pois inicialmente o líquido está em repouso e depois, quando a onda passar, o líquido sob a onda será agitado e terá uma velocidade **V**. Observe que o *perfil da onda* só move o fluido para cima e para baixo enquanto passa, embora crie a *ilusão* de que o líquido compondo a onda esteja realmente se movendo sobre a superfície com a velocidade c, o que não acontece.

Para a análise a seguir, é mais fácil fixar uma referência em um volume de controle que *se move com a onda*, de modo que, para um observador na onda, o escoamento parecerá ser em regime permanente (Figura 12.4b). Em outras palavras, para o escoamento unidimensional, o líquido na superfície de controle aberta 2 parece mover-se para a esquerda com c, e o líquido na superfície de controle aberta 1 parece mover-se para a esquerda com **V**. Se o líquido for considerado perfeito e o canal tiver uma largura constante b, então a equação da continuidade resulta em

$$\frac{\partial}{\partial t}\int_{vc} \rho \, d\forall + \int_{sc} \rho \mathbf{V}_{f/sc} \cdot d\mathbf{A} = 0$$

$$0 + \rho(-c)(yb) + \rho[V(y + dy)b] = 0$$

$$V = \frac{cy}{y + \Delta y}$$

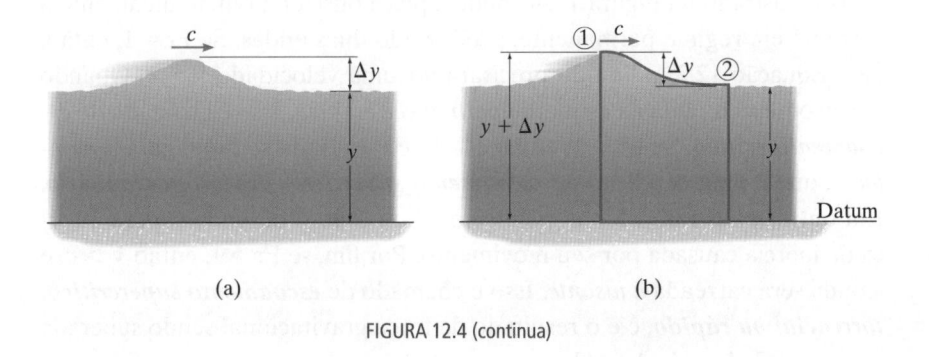

(a) (b)

FIGURA 12.4 (continua)

---

* Para obter uma discussão mais completa do movimento da onda, consulte a Referência [6].

A equação de Bernoulli pode ser aplicada aos pontos 1 e 2 na linha de corrente superficial.* Temos

$$\frac{p_1}{\gamma} + \frac{V_1^2}{2g} + z_1 = \frac{p_2}{\gamma} + \frac{V_2^2}{2g} + z_2$$

$$0 + \frac{V^2}{2g} + (y + \Delta y) = 0 + \frac{c^2}{2g} + y$$

Substituindo V, usando o resultado da equação da continuidade e isolando c, obtemos

$$c = \left[\frac{2g(y^2 + 2y\Delta y + (\Delta y)^2)}{2y + \Delta y}\right]^{1/2}$$

Como a onda tem uma pequena altura Δy em comparação com a profundidade y do líquido, então Δy pode ser desprezado, portanto, o resultado torna-se

$$\boxed{c = \sqrt{gy}} \tag{12.1}$$

A velocidade da onda é apenas uma função da profundidade do líquido e independe de qualquer uma das propriedades físicas do fluido. É interessante observar que, no oceano, as velocidades de onda podem atingir valores muito altos. Por exemplo, se a profundidade do oceano for de 3 km, ondas de *tsunami* geradas por algo como um terremoto se movimentarão a 172 m/s (619 km/h)!

Número de Froude

A força motriz para todo escoamento em canal aberto deve-se à *gravidade*; assim, em 1871, William Froude formulou o número de Froude e mostrou como ele pode ser usado para descrever esse escoamento. Lembre-se de que, no Capítulo 8, definimos o número de Froude como a raiz quadrada da razão entre a força de inércia e a força gravitacional. O resultado é expresso como

$$\text{Fr} = \frac{V}{\sqrt{gy}} = \frac{V}{c} \tag{12.2}$$

onde V é a velocidade média do líquido no canal e y é a profundidade. Para mostrar por que o número de Froude é importante, considere, por exemplo, o caso mostrado na Figura 12.4c, onde a placa obstrui momentaneamente a corrente em regime permanente, produzindo duas ondas. Se Fr = 1, então, pela Equação 12.2, o líquido precisará ter uma velocidade $V = c$. Quando isso acontece, a onda da esquerda *permanece estática*. Isso é chamado de *escoamento crítico*. Se Fr < 1, então $c > V$, e essa onda se propagará *a montante*, que é uma condição de **escoamento subcrítico, fluvial ou tranquilo**. Em outras palavras, a força gravitacional ou o peso da onda supera a força de inércia causada por seu movimento. Por fim, se Fr > 1, então $V > c$, e a onda será carreada *a jusante*. Isso é chamado de **escoamento supercrítico, torrencial ou rápido**, e é o resultado da força gravitacional sendo superada pela força de inércia da onda.

---

* Quaisquer pontos na superfície de controle aberta podem ser selecionados, conforme observado no Exemplo 5.11.

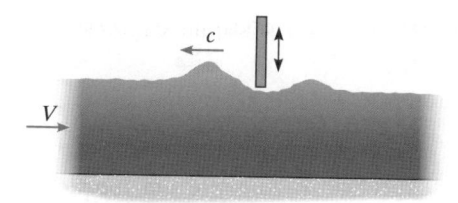

Escoamento subcrítico ou fluvial:
ondas movem-se a montante $c > V$
Escoamento crítico: onda parada $V = c$
Escoamento supercrítico ou torrencial:
ondas movem-se a jusante $V > c$

(c)

FIGURA 12.4 (cont.)

12.3 Energia específica

O comportamento real do escoamento em cada local ao longo de um canal aberto depende da *energia total* do escoamento nesse local. Para encontrar essa energia, aplicaremos a equação de Bernoulli, que considera o escoamento em regime permanente de um líquido ideal. Se estabelecermos o datum no fundo do canal, como mostra a Figura 12.5, e escolhermos a linha de corrente na superfície do líquido, onde a pressão é atmosférica, então $p_1 = p_2 = 0$, e a equação de Bernoulli torna-se*

$$\frac{p_1}{\gamma} + \frac{V_1^2}{2g} + y_1 = \frac{p_2}{\gamma} + \frac{V_2^2}{2g} + y_2$$

$$y_1 + \frac{V_1^2}{2g} = y_2 + \frac{V_2^2}{2g} \quad (12.3)$$

Portanto, em *qualquer local intermediário* (Figura 12.5), também podemos escrever a energia total para o escoamento. Ela é

$$E = \frac{V^2}{2g} + y \quad (12.4)$$

Essa soma é conhecida como a **energia específica**, E, pois indica a quantidade de energia cinética e potencial por unidade de peso do líquido em um local específico. Em outras palavras, ela também é chamada de **carga específica**, pois possui unidades de comprimento e, desse modo, representa a distância vertical do *fundo do canal* até a linha de energia (Figura 12.5).

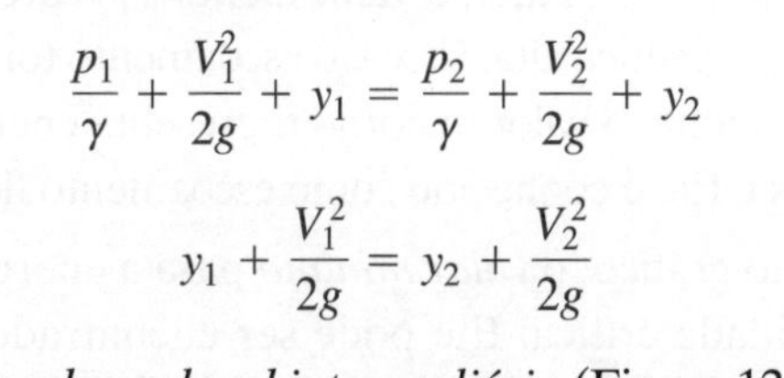

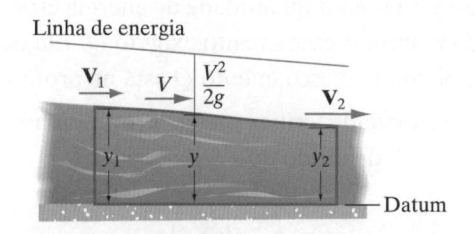

FIGURA 12.5

---

* Quaisquer pontos na superfície de controle aberta podem ser selecionados conforme observado no Exemplo 5.11.

A energia específica também pode ser expressa em termos da vazão, usando $Q = VA$. Assim,

$$E = \frac{Q^2}{2gA^2} + y \qquad (12.5)$$

Podemos ainda expressar E somente em função de y, considerando uma seção transversal única.

Seção transversal retangular

Se a seção transversal for retangular (Figura 12.6a), então $A = by$, portanto

$$\boxed{E = \frac{Q^2}{2gb^2y^2} + y} \qquad (12.6)$$

Energia específica

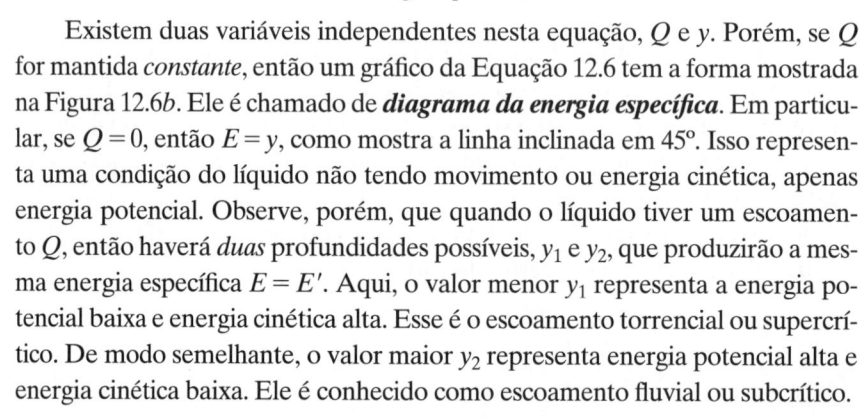

Existem duas variáveis independentes nesta equação, Q e y. Porém, se Q for mantida *constante*, então um gráfico da Equação 12.6 tem a forma mostrada na Figura 12.6b. Ele é chamado de **diagrama da energia específica**. Em particular, se $Q = 0$, então $E = y$, como mostra a linha inclinada em 45°. Isso representa uma condição do líquido não tendo movimento ou energia cinética, apenas energia potencial. Observe, porém, que quando o líquido tiver um escoamento Q, então haverá *duas* profundidades possíveis, y_1 e y_2, que produzirão a mesma energia específica $E = E'$. Aqui, o valor menor y_1 representa a energia potencial baixa e energia cinética alta. Esse é o escoamento torrencial ou supercrítico. De modo semelhante, o valor maior y_2 representa energia potencial alta e energia cinética baixa. Ele é conhecido como escoamento fluvial ou subcrítico.

Como vemos no gráfico, o *valor mínimo* para a energia específica, $E_{mín}$, ocorre na profundidade crítica. Ele pode ser encontrado definindo a derivada da Equação 12.6 como igual a zero e avaliando o resultado em $y = y_c$. Como Q é constante,

$$\frac{dE}{dy} = \frac{-Q^2}{gb^2y_c^3} + 1 = 0$$

$$y_c = \left(\frac{Q^2}{gb^2}\right)^{1/3} \qquad (12.7)$$

Substituindo isso na Equação 12.6, o valor de $E_{mín}$ é, portanto,

$$E_{mín} = \frac{y_c^3}{2y_c^2} + y_c = \frac{3}{2}y_c \qquad (12.8)$$

Resumindo, essa é a menor quantidade de energia específica que o líquido pode ter e ainda manter o escoamento exigido Q. Ela ocorre no nariz da curva da Figura 12.6b, onde o escoamento Q está na profundidade crítica y_c.

Para achar a velocidade crítica nessa profundidade, substitua $Q = V_c(by_c)$ na Equação 12.7, de modo que

$$y_c = \left(\frac{V_c^2 b^2 y_c^2}{gb^2}\right)^{1/3}$$

portanto,

$$V_c = \sqrt{gy_c} \qquad (12.9)$$

Canais com seções transversais retangulares são usados com frequência para pequenos escoamentos ou dentro de espaços confinados em bairros com muitas casas.

Seção transversal retangular
(a)

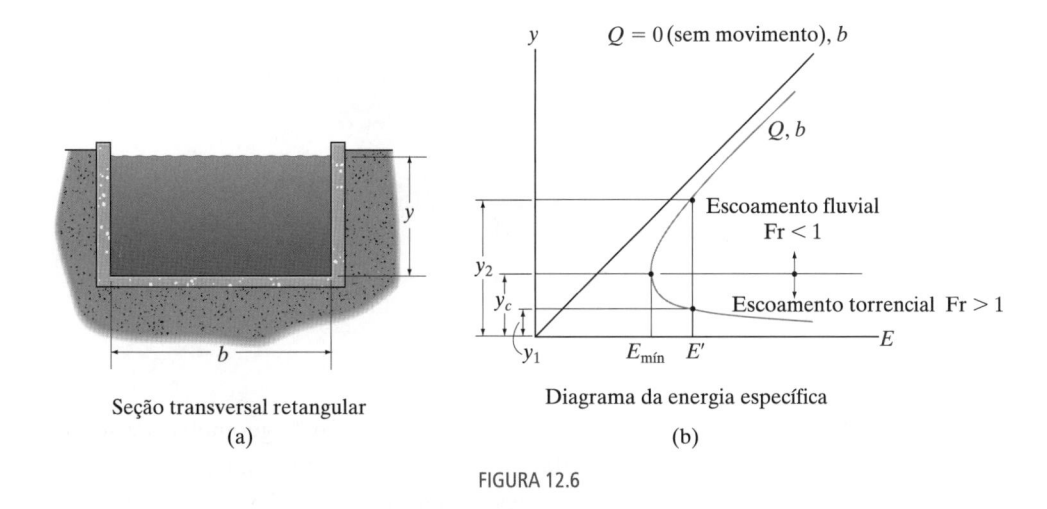

Diagrama da energia específica
(b)

FIGURA 12.6

Observe que, quando o escoamento está nessa velocidade crítica, o número de Froude torna-se

$$\text{Fr} = \frac{V_c}{\sqrt{gy_c}} = 1$$

Portanto, para qualquer ponto no *ramo superior* da curva na Figura 12.6*b*, a profundidade do escoamento excederá a profundidade crítica, $y = y_2 > y_c$. Quando isso acontece, $V < V_c$, portanto, Fr < 1. Esse é o escoamento subcrítico, ou fluvial. De modo semelhante, para qualquer ponto no *ramo inferior* da curva, a profundidade do escoamento será menor que a profundidade crítica, $y = y_1 < y_c$, e então $V > V_c$ e Fr > 1. Esse é o escoamento supercrítico, ou torrencial. Essas três classificações são, portanto,

Fr < 1, $y > y_c$ ou $V < V_c$	Escoamento subcrítico (fluvial)
Fr = 1, $y = y_c$ ou $V = V_c$	Escoamento crítico
Fr > 1, $y < y_c$ ou $V > V_c$	Escoamento supercrítico (torrencial)

(12.10)

Devido ao desvio do diagrama da energia específica que ocorre em y_c, os engenheiros não projetam canais com escoamento na profundidade crítica. Se o fizessem, então **ondas estacionárias** ou **ondulações** se desenvolveriam na superfície do líquido, e qualquer ligeira perturbação na profundidade do escoamento faria com que o líquido constantemente se ajustasse entre o escoamento subcrítico e supercrítico, gerando uma condição instável.

Grandes canais de drenagem frequentemente são construídos em um formato trapezoidal, pois essa forma é relativamente fácil de construir. Observe que os engenheiros colocaram "furos de alívio" ao longo das paredes inclinadas, a fim de reduzir a pressão hidrostática na parede interna, causada pela absorção de águas subterrâneas.

Seção transversal não retangular

Quando a seção transversal do canal é não retangular (Figura 12.7), então a energia específica mínima precisa ser obtida tomando a derivada da Equação 12.5 e definindo-a como igual a zero, e exigindo que $A = A_c$. Isso resulta em

$$\frac{dE}{dy} = \frac{-Q^2}{gA_c^3}\frac{dA}{dy} + 1 = 0$$

No topo do canal, a faixa de área elementar $dA = b_{topo}\,dy$, portanto, obtemos

$$\frac{gA_c^3}{Q^2 b_{topo}} = 1 \qquad (12.11)$$

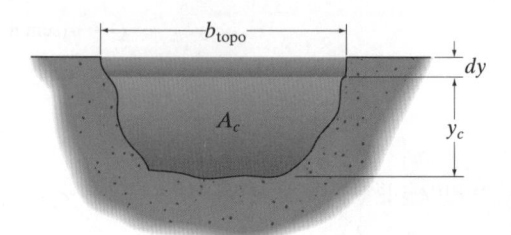

Profundidade crítica no canal com seção transversal arbitrária

FIGURA 12.7

Desde que b_{topo} e A_c possam ser relacionados pela geometria da seção transversal à profundidade crítica y_c (Figura 12.7), então uma solução para y_c pode ser determinada a partir dessa equação. Veja o Exemplo 12.3.

Para encontrar a velocidade crítica do escoamento, substitua $Q = V_c A_c$ na equação anterior e resolva para V_c. Obtemos

$$V_c = \sqrt{\frac{gA_c}{b_{topo}}} \tag{12.12}$$

Nessa velocidade, Fr = 1, portanto, para qualquer outro V, o escoamento pode ser classificado como supercrítico ou subcrítico, de acordo com as equações 12.10.

Pontos importantes

- O escoamento em canal aberto é predominantemente um fenômeno turbulento, devido à ação de mistura que ocorre dentro do líquido. Embora o perfil de velocidade seja altamente irregular, para uma análise razoável, podemos considerar que o líquido seja um fluido perfeito, de modo que o escoamento é unidimensional e possui uma velocidade média por sua seção transversal.

- O escoamento em regime permanente requer que o perfil de velocidade em determinada seção transversal permaneça constante com o tempo. O escoamento uniforme requer que esse perfil permaneça igual em todas as seções transversais. Quando o escoamento uniforme ocorre em um canal aberto, a profundidade do escoamento permanece constante por todo o canal.

- O escoamento em canal aberto é classificado de acordo com o número de Froude, que é a raiz quadrada da razão entre a força de inércia e a força gravitacional. Quando Fr = 1, ocorre *escoamento crítico* na profundidade y_c. Uma onda produzida na superfície permanecerá *estacionária*. Quando Fr < 1, ocorre *escoamento fluvial* na profundidade $y > y_c$. Quaisquer ondas na superfície se moverão *a montante*. Por fim, quando Fr > 1, ocorre *escoamento torrencial* na profundidade $y < y_c$. As ondas serão carreadas *a jusante*.

- A energia específica ou carga específica E do escoamento em canal aberto é a soma de suas energias cinética e potencial, medidas a partir de um datum *localizado no fundo do canal*. Ela possui unidades de comprimento. O diagrama da energia específica é um gráfico de $E = f(y)$ para determinado escoamento Q. Ele indica que, quando o escoamento tem uma energia específica E, ele se moverá torrencialmente, $V > V_c$, em uma profundidade rasa, $y < y_c$ (alta energia cinética e baixa energia potencial), ou se moverá lentamente como escoamento fluvial, $V < V_c$, a uma profundidade maior, $y > y_c$ (baixa energia cinética e alta energia potencial).

- A energia específica de determinado escoamento Q é um *mínimo* quando o escoamento está na *profundidade crítica* y_c.

EXEMPLO 12.1

A água tem uma velocidade média de 4 m/s ao escoar no canal retangular mostrado na Figura 12.8a. Se a profundidade do escoamento é de 3 m, classifique-o. Qual é a velocidade do escoamento na profundidade alternativa que oferece a mesma energia específica para ele?

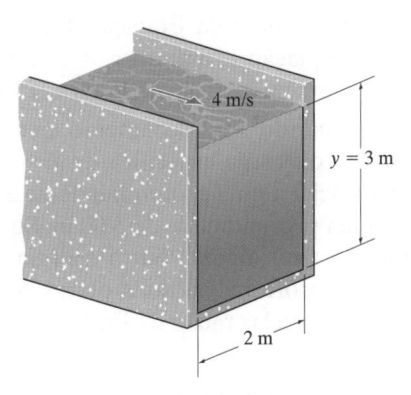

Solução

Descrição do fluido

O escoamento é em regime permanente, e a água é considerada um fluido perfeito.

Análise

Para classificar o escoamento, precisamos primeiro determinar a profundidade crítica pela Equação 12.7. Como a vazão é $Q = VA = (4 \text{ m/s})(3 \text{ m})(2 \text{ m}) = 24 \text{ m}^3/\text{s}$,

$$y_c = \left(\frac{Q^2}{gb^2}\right)^{1/3} = \left(\frac{(24 \text{ m}^3/\text{s})^2}{(9{,}81 \text{ m/s}^2)(2 \text{ m})^2}\right)^{1/3} = 2{,}45 \text{ m}$$

Aqui, $y_c < y = 3$ m, de modo que o escoamento será subcrítico, ou fluvial. *Resposta*

Para a profundidade arbitrária y, a energia específica para o escoamento é determinada por meio da Equação 12.6.

$$E = \frac{(24 \text{ m}^3/\text{s})^2}{2(9{,}81 \text{ m/s}^2)(2 \text{ m})^2 y^2} + y \quad (1)$$

Um gráfico dessa equação aparece na Figura 12.8c. Em $y = 3$ m,

$$E = \frac{Q^2}{2gb^2 y^2} + y = \frac{(24 \text{ m}^3/\text{s})^2}{2(9{,}81 \text{ m/s}^2)(2 \text{ m})^2(3 \text{ m})^2} + 3 \text{ m} = 3{,}815 \text{ m}$$

Para achar a profundidade alternativa que oferece a *mesma energia específica* de $E = 3{,}815$ m, devemos substituir esse valor na Equação 1, que, após a simplificação, resulta em

$$y^3 - 3{,}815 y^2 + 7{,}339 = 0$$

Resolvendo para as três raízes, obtemos

$y = 3{,}00$ m $> 2{,}45$ m	Subcrítico (como antes)
$y = 2{,}02$ m $< 2{,}45$ m	Supercrítico *Resposta*
$y = -1{,}21$ m	Impraticável

Para o caso do escoamento supercrítico ou torrencial (Figura 12.8b), quando a profundidade é $y = 2{,}02$ m, a velocidade deverá ser

$Q = VA$; $24 \text{ m}^3/\text{s} = V(2{,}02 \text{ m})(2 \text{ m})$

$V = 5{,}93$ m/s   *Resposta*

Escoamento subcrítico
(a)

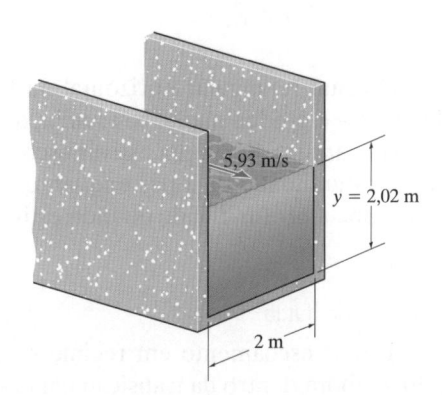

Escoamento supercrítico
(b)

FIGURA 12.8 (continua)

A energia específica no escoamento crítico pode ser determinada pela Equação 12.8, $E_{mín} = \left(\frac{3}{2}\right)y_c$, ou pela Equação 1, usando $y_c = 2{,}45$ m. Seu valor, 3,67 m, também aparece na Figura 12.8c.

Resumindo, um escoamento com uma energia específica ou carga específica de $E = 3{,}815$ m pode ser torrencial a uma profundidade de 2,02 m ou fluvial a uma profundidade de 3,00 m. Se o mesmo escoamento tiver alguma outra energia específica E, então ele ocorrerá em duas outras profundidades, encontradas pelas raízes da Equação 1.

(c)

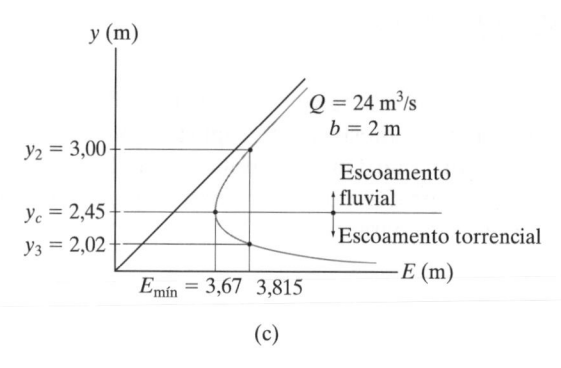

FIGURA 12.8 (cont.)

EXEMPLO 12.2

O canal retangular horizontal na Figura 12.9a tem 6 pés de largura e gradualmente se afunila, de modo que passa a ter 3 pés de largura. Se a água estiver escoando a 300 pés³/s e tiver uma profundidade de 2 pés enquanto está na seção de 6 pés, determine a profundidade quando estiver na seção de 3 pés.

Solução

Descrição do fluido

Temos escoamento em regime permanente em cada região, embora dentro da transição haja escoamento não uniforme. A água é considerada um fluido perfeito.

Análise

A energia específica para o escoamento precisa ser a *mesma* em cada seção, pois não ocorre qualquer perda por cisalhamento. Dentro da seção mais larga, a profundidade crítica é

$$y_c = \left(\frac{Q^2}{gb^2}\right)^{1/3} = \left(\frac{(300 \text{ pés}^3/\text{s})^2}{(32{,}2 \text{ pés/s}^2)(6 \text{ pés})^2}\right)^{1/3} = 4{,}27 \text{ pés}$$

Como a profundidade $y = 2$ pés $< 4{,}27$ pés, o escoamento é *supercrítico*, ou torrencial, na seção larga.

Podemos achar a energia específica para o escoamento nesta seção, $b = 6$ pés, usando a Equação 12.6.

$$E = \frac{Q^2}{2gb^2y^2} + y = \frac{(300 \text{ pés}^3/\text{s})^2}{2(32{,}2 \text{ pés/s}^2)(6 \text{ pés})^2 y^2} + y \quad (1)$$

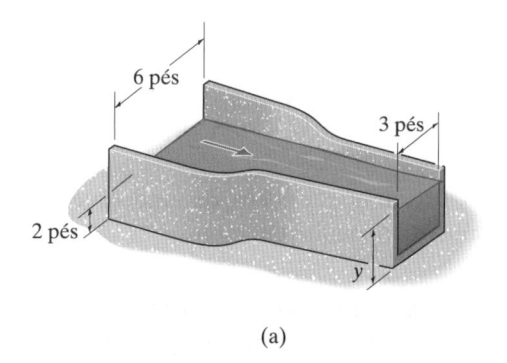

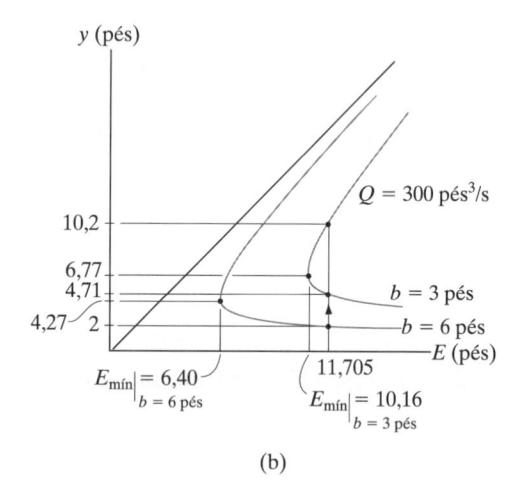

FIGURA 12.9

Esse valor de E precisa permanecer *constante* por todo o canal, pois o fundo do canal permanece horizontal, e não existem perdas por cisalhamento. Quando a largura é 3 pés, a Equação 12.6 torna-se

$$E = \frac{Q^2}{2gb^2y^2} + y = \frac{(300 \text{ pés}^3/\text{s})^2}{2(32{,}2 \text{ pés/s}^2)(3 \text{ pés})^2 y^2} + y \quad (2)$$

Quando $y = 2$ pés, $E = 11{,}705$ pés. Usando este valor quando $b = 3$ pés, temos

$$11{,}705 \text{ pés} = \frac{(300 \text{ pés}^3/\text{s})^2}{2(32{,}2 \text{ pés}/\text{s}^2)(3 \text{ pés})^2 y^2} + y$$

$$y^3 - 11{,}705 y^2 + 155{,}28 = 0 \tag{3}$$

A profundidade crítica nesta seção é

$$y_c = \left(\frac{Q^2}{gb^2}\right)^{1/3} = \left(\frac{(300 \text{ pés}^3/\text{s})^2}{(32{,}2 \text{ pés}/\text{s}^2)(3 \text{ pés})^2}\right)^{1/3} = 6{,}77 \text{ pés}$$

Resolvendo a Equação 3 para as profundidades, obtemos

$y = 10{,}2$ pés $> 6{,}77$ pés   Subcrítico
$y = 4{,}71$ pés $< 6{,}77$ pés   Supercrítico
$y = -3{,}22$ pés   Impraticável

Como o escoamento era *originalmente supercrítico*, ele permanece nesse estado, e, portanto, a profundidade na seção de 3 pés será

$$y = 4{,}71 \text{ pés} \qquad \textit{Resposta}$$

Se criarmos um gráfico das equações 1 e 2 (Figura 12.9*b*), ele ajudará a entender por que o escoamento de 300 pés³/s *permanece supercrítico* durante todo o canal. Na figura, os valores de $E_{mín}$ foram encontrados a partir da Equação 12.8. Como a largura do canal gradualmente se estreita de 6 pés para 3 pés, a água sobe de $y = 2$ pés na curva para $b = 6$ pés, até que atinge o ponto na curva para $b = 3$ pés. Isso ocorre na profundidade $y = 4{,}71$ pés. Não é possível que a água alcance a profundidade maior de $y = 10{,}2$ pés nessa seção, pois a energia específica precisa permanecer constante, e, portanto, ela não pode *diminuir* para $E_{mín} = 10{,}16$ pés e depois *aumentar* novamente para $E = 11{,}705$ pés que é exigido.

EXEMPLO 12.3

O canal possui uma seção transversal triangular conforme mostra a Figura 12.10. Determine a profundidade crítica se a vazão é de 12 m³/s.

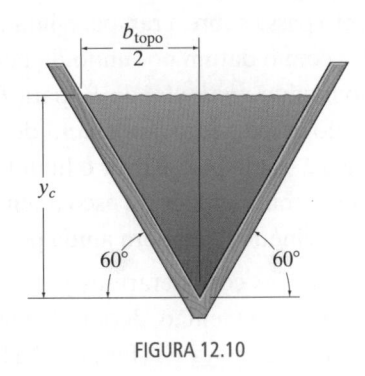

FIGURA 12.10

Solução

Descrição do fluido

Consideramos um escoamento em regime permanente de um fluido perfeito.

Análise

Para o escoamento crítico, é preciso que a energia específica seja a mínima, o que significa que precisamos satisfazer a Equação 12.11. Pela Figura 12.10,

$$b_{topo} = 2(y_c \cotg 60°) = 1{,}1547 y_c$$

$$A_c = 2\left(\frac{1}{2}(y_c \cotg 60°)(y_c)\right) = 0{,}5774 y_c^2$$

Assim,

$$\frac{gA_c^3}{Q^2 b_{topo}} = 1$$

$$\frac{(9{,}81\,\text{m/s}^2)(0{,}5774 y_c^2)^3}{(12\,\text{m}^3/\text{s})^2 (1{,}1547 y_c)} = 1$$

Resolvendo, temos

$$y_c = 2{,}45 \text{ m} \qquad \textit{Resposta}$$

12.4 Escoamento em canal aberto sobre uma rampa ou obstáculo

Quando o líquido escoa por uma rampa em um leito do canal, como mostra a Figura 12.11a, ele muda a profundidade do escoamento, pois o *aumento na elevação* do leito do canal aumentará a energia potencial da massa líquida. Para investigar esse efeito, vamos considerar o escoamento unidimensional, ou seja, horizontal, supondo que a mudança na elevação seja pequena e ocorra gradualmente. Também vamos desprezar quaisquer efeitos de cisalhamento, pois a mudança ocorre por uma distância curta.

Rampa

Vamos primeiro considerar o caso em que $y_1 < y_c$, de modo que o escoamento que se aproxima é torrencial (Figura 12.11a). À medida que o escoamento passa sobre a rampa, o líquido é *elevado* por uma distância h, e, portanto, com o datum no fundo da parte inferior do canal, a energia específica do líquido *diminuirá* de E_1 para E_2 (Figura 12.11b) enquanto a profundidade do escoamento *aumentará* de y_1 para y_2. Em outras palavras, quando energia é usada para elevar o líquido em h (aumento em energia potencial), devido à continuidade do escoamento, o líquido desacelerará (diminuirá em energia cinética), embora ainda permaneça em escoamento torrencial.*

Se agora considerarmos $y_1 > y_c$, como no caso do escoamento fluvial (Figura 12.11c), então, depois de passar pela rampa, a energia específica *diminuirá* de E_1 para E_2 (Figura 12.11d). Aqui, uma *diminuição* na profundidade do escoamento (queda de energia potencial) de y_1 para y_2 faz com que a velocidade do escoamento aumente (aumento de energia cinética); porém, o escoamento fluvial prevalece.

---

* A continuidade do escoamento requer $Q = V_1(y_1 b) = V_2(y_2 b)$ ou $V_2 = V_1(y_1/y_2)$. Mas $y_1/y_2 < 1$, de modo que $V_2 < V_1$.

Obstáculo

Se um obstáculo ou morro for colocado no leito do canal (Figura 12.11e), então haverá um *limite* superior pelo qual E poderá diminuir ao elevar o fluido. Como vemos na Figura 12.11f, ele é $(E_1 - E_{mín})$. Isso gera uma *elevação máxima* do obstáculo igual a $(y_c - y_1) = h_c$. Se essa elevação ocorrer, e o obstáculo for projetado corretamente, uma energia específica poderá seguir em torno do nariz da curva, e o escoamento, portanto, mudará de torrencial para fluvial.* Em outras palavras, exatamente quando atinge o topo do obstáculo, o escoamento estará na profundidade crítica. Então, quando o obstáculo começa a inclinar *para baixo*, a energia cinética será somada de volta ao escoamento. Esta é convertida em energia potencial e subirá a profundidade para y_2 à medida que a energia específica retorna para E_1.

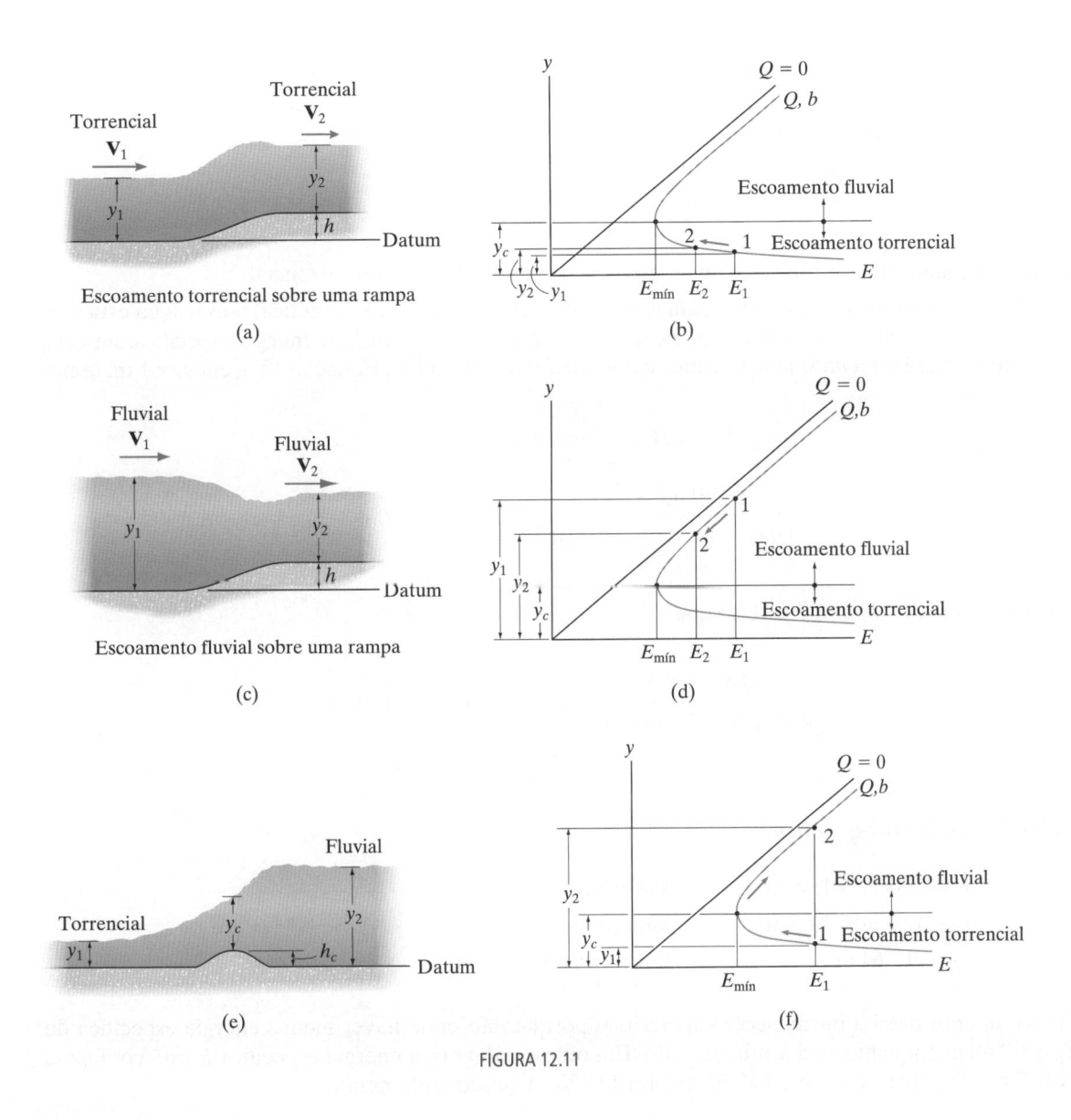

FIGURA 12.11

---

* Sem um projeto adequado, o escoamento retornará ao escoamento torrencial. Além disso, um obstáculo pode mudar de escoamento fluvial para escoamento torrencial.

EXEMPLO 12.4

A água escoa pelo canal aberto retangular na Figura 12.12a que tem 1,5 m de largura. A profundidade inicial é de 1 m e a vazão é de 10 m³/s. Se o leito do canal sobe 0,15 m, determine a nova profundidade.

Solução

Descrição do fluido

Temos escoamento em regime permanente. A água é considerada um fluido perfeito.

Análise

A profundidade crítica para o escoamento é determinada pela Equação 12.7. Temos

$$y_c = \left(\frac{Q^2}{gb^2}\right)^{1/3} = \left(\frac{(10 \text{ m}^3/\text{s})^2}{(9{,}81 \text{ m/s}^2)(1{,}5 \text{ m})^2}\right)^{1/3} = 1{,}65 \text{ m}$$

E a energia específica mínima (Equação 12.8) é

$$E_{\text{mín}} = \frac{3}{2}y_c = \frac{3}{2}(1{,}65 \text{ m}) = 2{,}48 \text{ m}$$

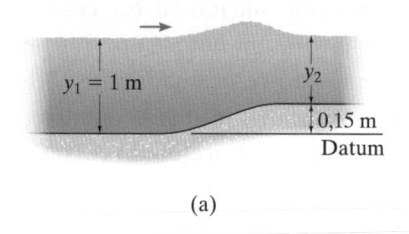

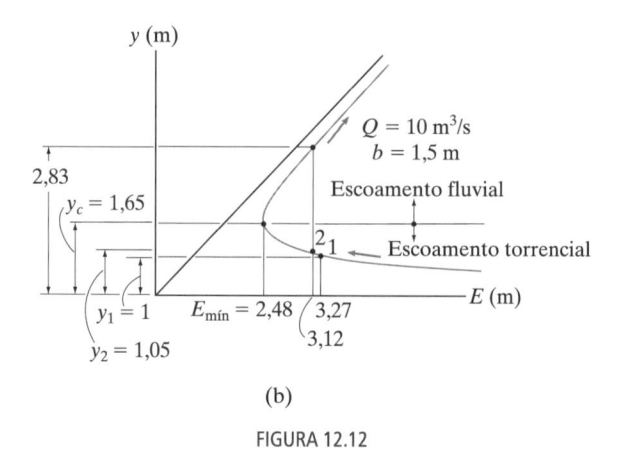

FIGURA 12.12

Como originalmente $y = 1$ m $< 1{,}65$ m, o escoamento é supercrítico, ou torrencial.

Quando a água passa sobre a rampa, ela abandona parte de sua energia cinética, pois a água está sendo elevada para aumentar sua energia potencial. Para a vazão, $Q = 10$ m³/s, a energia específica em cada lado da rampa deverá ser a *mesma se* usarmos o *mesmo datum*. Usando a Equação 12.6, em $y_1 = 1$ m, temos

$$E = \frac{Q^2}{2gb^2y_1^2} + y_1$$

$$\frac{(10 \text{ m}^3/\text{s})^2}{2(9{,}81 \text{ m/s}^2)(1{,}5 \text{ m})^2(1 \text{ m})^2} + 1 \text{ m} = 3{,}27 \text{ m}$$

e, em y_2, para o *mesmo datum*, é preciso que

$$\frac{(10 \text{ m}^3/\text{s})^2}{2(9{,}81 \text{ m/s}^2)(1{,}5 \text{ m})^2 y_2^2} + (y_2 + 0{,}15 \text{ m}) = 3{,}27 \text{ m}$$

$$y_2^3 - 3{,}115 y_2^2 + 2{,}265 = 0$$

Isolando as três raízes, obtemos

$y_2 = 2{,}83$ m $> 1{,}65$ m	Subcrítico
$y_2 = 1{,}05$ m $< 1{,}65$ m	Supercrítico
$y_2 = -0{,}764$ m	Impraticável

O escoamento precisa permanecer supercrítico porque não pode haver menos energia específica do que $E_{\text{mín}} = 2{,}48$ m enquanto está sendo elevado. Em outras palavras, a energia específica E está confinada entre $(3{,}27 \text{ m} - 0{,}15 \text{ m}) = 3{,}12$ m e $3{,}27$ m (Figura 12.12b). Consequentemente,

$$y_2 = 1{,}05 \text{ m} \qquad \textit{Resposta}$$

EXEMPLO 12.5

A água escoa pelo canal na Figura 12.13a com uma largura de 3 pés. Se a vazão é de 80 pés³/s e a profundidade é originalmente de 2 pés, mostre que o escoamento a montante é torrencial, e determine a altura exigida h de um obstáculo colocado no leito do canal para que o escoamento seja capaz de mudar para fluvial a jusante do obstáculo.

Solução

Descrição do fluido

Aqui, ocorre escoamento em regime permanente. A água será considerada um fluido perfeito.

Análise

A profundidade crítica para o escoamento é

$$y_c = \left(\frac{Q^2}{gb^2}\right)^{1/3} = \left(\frac{(80 \text{ pés}^3/\text{s})^2}{(32{,}2 \text{ pés}/\text{s}^2)(3 \text{ pés})^2}\right)^{1/3} = 2{,}81 \text{ pés}$$

Como $y = 2$ pés $< 2{,}81$ pés, então, antes do obstáculo, o escoamento é torrencial. Além disso, a energia específica mínima é

$$E_{\text{mín}} = \frac{3}{2}y_c = 4{,}21 \text{ pés}$$

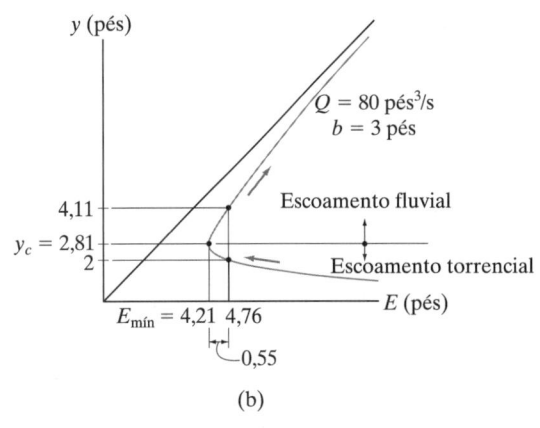

FIGURA 12.13

Em geral, a energia específica para o escoamento é

$$E = \frac{Q^2}{2gb^2y^2} + y \qquad E = \frac{(80 \text{ pés}^3/\text{s})^2}{2(32{,}2 \text{ pés}/\text{s}^2)(3 \text{ pés})^2 y^2} + y$$

$$E = \frac{11{,}04}{y^2} + y \qquad (1)$$

Na profundidade $y = 2$ pés, então $E = 4{,}76$ pés (Figura 12.13b). A profundidade para o escoamento fluvial nessa *mesma energia específica* pode ser determinada resolvendo

$$4{,}76 = \frac{11{,}04}{y^2} + y$$

$$y^3 - 4{,}76y^2 + 11{,}04 = 0$$

As três raízes são

$y_2 = 4{,}11$ pés $> 2{,}81$ pés	Subcrítico
$y_2 = 2$ pés $< 2{,}81$ pés	Supercrítico (como antes)
$y_2 = -1{,}34$ pé	Impraticável

Como vemos na Figura 12.13b, para produzir um escoamento fluvial após o obstáculo, a elevação precisa primeiro *remover* $4{,}76$ pés $- 4{,}21$ pés $= 0{,}55$ pé da energia específica da água. Então, logo depois do topo do obstáculo, se este for projetado corretamente, a mesma quantidade de energia será retornada, de modo que o escoamento fluvial ocorre na nova profundidade de $y_2 = 4{,}11$ pés. Assim, a altura exigida para o obstáculo é

$$h = 0{,}55 \text{ pé} \qquad \textit{Resposta}$$

12.5 Escoamento em canal aberto sob uma comporta

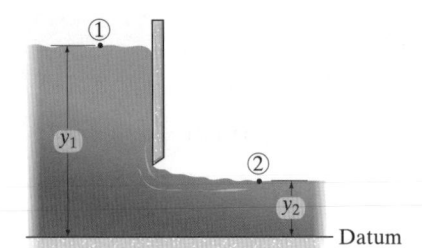

Uma **comporta** é uma estrutura que é usada frequentemente para regular a descarga de um líquido de um reservatório para um canal. Um exemplo pode ser visto na Figura 12.14, onde a comporta está parcialmente aberta. Se desprezarmos as perdas por cisalhamento através da comporta e considerarmos que temos um escoamento em regime permanente de um fluido perfeito, então podemos aplicar a equação de Bernoulli na linha de corrente entre o ponto 1, onde basicamente não existe escoamento, e o ponto 2, onde o escoamento é em regime permanente e possui uma velocidade média V_2. Isso resulta em

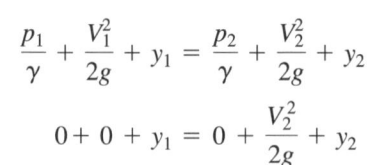

$$\frac{p_1}{\gamma} + \frac{V_1^2}{2g} + y_1 = \frac{p_2}{\gamma} + \frac{V_2^2}{2g} + y_2$$

$$0 + 0 + y_1 = 0 + \frac{V_2^2}{2g} + y_2$$

Escoamento sob uma comporta

FIGURA 12.14

Para obter a vazão em função da profundidade, podemos usar $Q = V_2 b y_2$, onde b é a largura do canal (retangular). Substituindo V_2 e isolando Q, obtemos

$$y_1 = \frac{Q^2}{2gb^2 y_2^2} + y_2$$

$$Q = \sqrt{2gb^2}\left(y_2^2 y_1 - y_2^3\right)^{1/2} \tag{12.13}$$

Abrir e fechar a comporta variará y_2 e também a vazão pela comporta. A vazão máxima pode ser determinada tomando a derivada da equação anterior e definindo-a como igual a zero.

$$\frac{dQ}{dy_2} = \sqrt{2gb^2}\left(\frac{1}{2}\right)\left[\left(y_2^2 y_1 - y_2^3\right)^{-1/2}\left(2y_2 y_1 - 3y_2^2\right)\right] = 0$$

A solução requer

$$y_2 = \frac{2}{3}y_1 \tag{12.14}$$

Quando y_2 é esta profundidade crítica, então a vazão máxima é determinada pela Equação 12.13. Temos

$$Q_{máx} = \sqrt{\frac{8}{27}gb^2 y_1^3} \tag{12.15}$$

Comportas são colocadas no topo desta represa para manter o controle do nível da água no reservatório atrás da represa.

O número de Froude na vazão máxima, ou seja, quando $y_2 = \frac{2}{3}y_1$ e $V = Q_{máx}/by_2$, é

$$Fr = \frac{V}{\sqrt{gy_2}} = \frac{Q_{máx}/by_2}{\sqrt{gy_2}} = \frac{1}{by_2\sqrt{gy_2}}\sqrt{\frac{8gb^2 y_1^3}{27}}$$

$$= \sqrt{\frac{8}{27}\left(\frac{y_1}{\frac{2}{3}y_1}\right)^3} = 1$$

Portanto, a classificação do escoamento logo após a comporta é

Fr < 1   Escoamento subcrítico (fluvial)
Fr = 1   Escoamento crítico
Fr > 1   Escoamento supercrítico (torrencial)

Esses resultados podem ser interpretados da seguinte forma. Quando a comporta está inicialmente aberta, a vazão *aumenta*, de modo que (Fr > 1). O escoamento atinge uma descarga máxima quando a profundidade $y_2 = \frac{2}{3}y_1$, (Fr = 1). Uma abertura maior da comporta agora fará com que a vazão *diminua* (Fr < 1). Aqui, a força gravitacional torna-se maior do que a força inercial. Em outras palavras, é mais difícil para o líquido passar sob a comporta, pois no outro lado, y_2 é alto o bastante para que o peso do fluido restrinja qualquer aumento na vazão. Na prática, os resultados dessa análise são modificados um pouco para considerar as perdas por cisalhamento sob a comporta. Isso normalmente é feito usando um *coeficiente de descarga* determinado experimentalmente, que é multiplicado pela vazão. Discutiremos isso na Seção 12.9, onde também se aplica a barragens.

Pontos importantes

- Um escoamento *permanecerá* fluvial ou torrencial antes e depois que o canal experimenta uma mudança na largura ou uma mudança na elevação (subida ou queda).
- Um obstáculo pode ser projetado para mudar o escoamento de um tipo para outro; por exemplo, de torrencial para fluvial. Isso ocorre porque o obstáculo pode primeiro remover a energia específica do escoamento, levando-o à profundidade crítica, e depois retorná-lo à sua energia específica original. Isso permite que a energia seja transferida em torno do "nariz" do diagrama da energia específica.
- O escoamento em regime permanente sobre uma rampa de canal, sobre um obstáculo ou sob uma comporta pode ser considerado um escoamento unidimensional, sem perdas por cisalhamento, pois o comprimento da transição normalmente é curto. O escoamento em cada lado da transição é classificado de acordo com o número de Froude.
- A vazão máxima sob uma comporta ocorrerá se ela estiver aberta de modo que a profundidade do escoamento de saída é $y_2 = \frac{2}{3}y_1$.

EXEMPLO 12.6

A comporta na Figura 12.15 é usada para controlar a vazão de água de um reservatório grande que tem uma profundidade de 6 m. Se ela for aberta para um canal com uma largura de 4 m, determine a vazão máxima que pode ocorrer pelo canal e a profundidade associada do escoamento.

Solução
Descrição do fluido

A superfície da água no reservatório é considerada como estando em uma elevação constante, de modo que temos um escoamento em regime permanente. Além disso, a água é considerada um fluido perfeito.

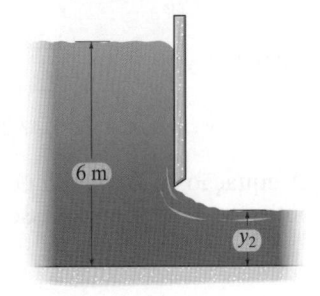

FIGURA 12.15

Análise

A vazão máxima ocorre na profundidade crítica, que é determinada pela Equação 12.14.

$$y_2 = \frac{2}{3}y_1 = \frac{2}{3}(6 \text{ m}) = 4 \text{ m}$$ *Resposta*

A vazão nessa profundidade é determinada pela Equação 12.15.

$$Q_{máx} = \sqrt{\frac{8}{27}gb^2y_1^3}$$

$$= \sqrt{\frac{8}{27}(9{,}81 \text{ m/s}^2)(4 \text{ m})^2(6 \text{ m})^3}$$

$$= 100{,}23 \text{ m}^3/\text{s} = 100 \text{ m}^3/\text{s} \qquad \textit{Resposta}$$

Como era esperado, o número de Froude para este escoamento é

$$\text{Fr} = \frac{V_c}{\sqrt{gy_c}} = \frac{(100{,}23 \text{ m}^3/\text{s})/[4 \text{ m}(4 \text{ m})]}{\sqrt{(9{,}81 \text{ m/s}^2)(4 \text{ m})}} = 1$$

EXEMPLO 12.7

A vazão no canal com 8 pés de largura na Figura 12.16a é controlada pela comporta, que está parcialmente aberta, de modo a fazer com que a profundidade da água perto da comporta seja de 4 pés, com uma velocidade média de 1,25 pé/s. Determine a profundidade da água longe dali, a montante, onde está basicamente em repouso, e ache também sua profundidade a jusante da comporta.

Solução

Descrição do fluido

A água a uma distância longe da comporta é considerada como tendo uma profundidade constante, de modo que o escoamento nos pontos 1 e 2 será em regime permanente. Além disso, a água é considerada um fluido ideal.

Análise

Se a equação de Bernoulli for aplicada entre os pontos 0 e 1, localizados em uma linha de corrente na superfície da água, teremos

$$\frac{p_0}{\gamma} + \frac{V_0^2}{2g} + y_0 = \frac{p_1}{\gamma} + \frac{V_1^2}{2g} + y_1$$

$$0 + 0 + y_0 = 0 + \frac{(1{,}25 \text{ pé/s})^2}{2(32{,}2 \text{ pés/s}^2)} + 4 \text{ pés}$$

$$y_0 = 4{,}024 \text{ pés} = 4{,}02 \text{ pés} \qquad \textit{Resposta}$$

FIGURA 12.16

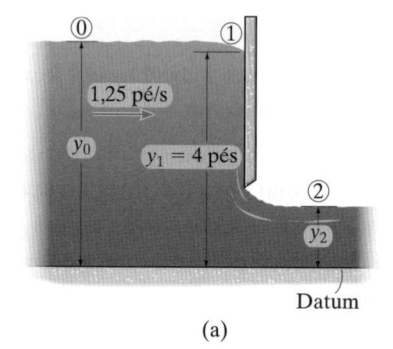

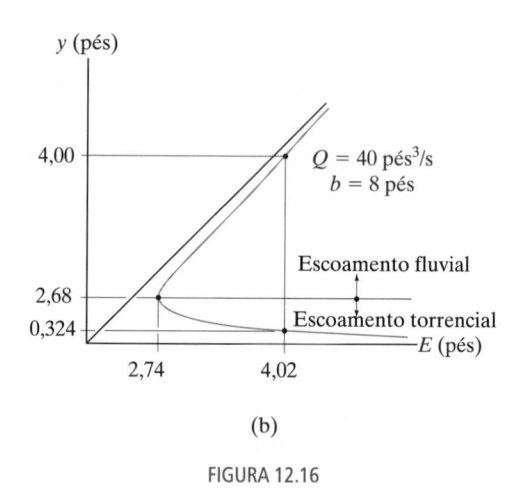

A equação de Bernoulli pode ser aplicada entre os pontos 1 e 2, mas *também* podemos aplicá-la entre os pontos 0 e 2. Se fizermos isso, teremos

$$\frac{p_0}{\gamma} + \frac{V_0^2}{2g} + y_0 = \frac{p_2}{\gamma} + \frac{V_2^2}{2g} + y_2$$

$$0 + 0 + 4{,}024 \text{ pés} = 0 + \frac{V_2^2}{2(32{,}2 \text{ pés/s}^2)} + y_2 \qquad (1)$$

A continuidade requer que as vazões em 1 e 2 sejam iguais.

$$Q = V_1 A_1 = V_2 A_2$$
$$(1{,}25 \text{ pé/s})(4 \text{ pés})(8 \text{ pés}) = V_2 y_2 (8 \text{ pés})$$
$$V_2 y_2 = 5$$

Substituindo $V_2 = 5/y_2$ na Equação 1, obteremos

$$y_2^3 - 4{,}024 y_2^2 + 0{,}3882 = 0$$

Resolvendo para as três raízes, obtemos

$y_2 = 4{,}00$ pés   Subcrítico (como antes)
$y_2 = 0{,}3239$ pé   Supercrítico
$y_2 = -0{,}2996$ pé   Impraticável

A primeira raiz indica a profundidade, $y_0 = 4{,}00$ pés, e a segunda raiz é a profundidade a jusante da comporta. Assim,

$$y_2 = 0{,}324 \text{ pé} \qquad \qquad \textit{Resposta}$$

A energia específica para o escoamento pode ser determinada a partir do ponto 0, 1 ou 2, pois a elevação do leito do canal é constante e as perdas por cisalhamento através da comporta foram desconsideradas (fluido perfeito). Usando o ponto 1,

$$E = \frac{Q^2}{2gb^2 y_2^2} + y_2 = \frac{[(1{,}25 \text{ pé/s})(4 \text{ pés})(8 \text{ pés})]^2}{2(32{,}2 \text{ pés/s}^2)(8 \text{ pés})^2 (4 \text{ pés})^2} + 4 \text{ pés} = 4{,}024 \text{ pés} = 4{,}02 \text{ pés}$$

Um gráfico da energia específica aparece na Figura 12.16b. Aqui,

$$y_c = \frac{2}{3} y_0 = \frac{2}{3}(4{,}024 \text{ pés}) = 2{,}683 \text{ pés} = 2{,}68 \text{ pés}$$

$$E_{\text{mín}} = \frac{Q^2}{2gb^2 y_c^2} + y_c = \frac{[(1{,}25 \text{ pé/s})(4 \text{ pés})(8 \text{ pés})]^2}{2(32{,}2 \text{ pés/s}^2)(8 \text{ pés})^2 (2{,}683 \text{ pés})^2} + 2{,}683 \text{ pés} = 2{,}74 \text{ pés}$$

Conforme observado, o escoamento fluvial ocorre a montante perto da comporta, e o escoamento torrencial ocorre a jusante.

12.6 Escoamento uniforme em regime permanente em canal

Como todos os canais abertos possuem uma *superfície rugosa*, então, para *manter* o escoamento uniforme em regime permanente no canal, é essencial que ele tenha uma *inclinação constante* e *seção transversal e rugosidade na superfície constantes* ao longo de sua extensão. Embora essas condições raramente ocorram na prática, uma análise baseada nessas suposições é frequentemente utilizada para projetar muitos tipos de canais para sistemas de drenagem e irrigação. Além disso, essa análise às vezes é usada para aproximar as características de escoamento constantes de canais naturais, como córregos e rios.

Seções transversais prismáticas típicas de canais abertos normalmente usados na prática de engenharia aparecem na Figura 12.17. Propriedades geométricas importantes que estão relacionadas a essas formas são definidas da seguinte forma:

Área de escoamento, A. A área da seção transversal do escoamento.

Perímetro molhado, P. A extensão em torno da seção transversal do canal onde o canal está em contato com o líquido. Isso *não inclui* a extensão sobre a superfície livre do líquido.

Raio hidráulico, R_h. A razão entre a área da seção transversal do escoamento e o perímetro molhado.

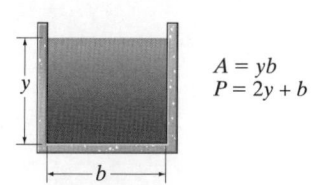

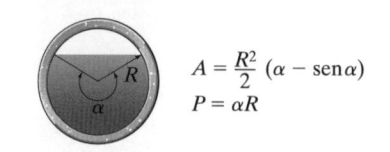

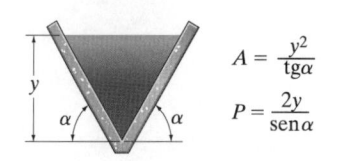

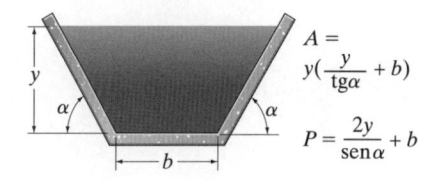

$$R_h = \frac{A}{P} \qquad (12.16)$$

$A = yb$
$P = 2y + b$

$A = \frac{R^2}{2}(\alpha - \operatorname{sen}\alpha)$
$P = \alpha R$

$A = \frac{y^2}{\operatorname{tg}\alpha}$
$P = \frac{2y}{\operatorname{sen}\alpha}$

$A = y\left(\dfrac{y}{\operatorname{tg}\alpha} + b\right)$
$P = \dfrac{2y}{\operatorname{sen}\alpha} + b$

FIGURA 12.17

Número de Reynolds

Para o escoamento em canal aberto, o número de Reynolds geralmente é definido como $Re = VR_h/\nu$, onde o raio hidráulico R_h é o "comprimento característico". Experimentos têm mostrado que o escoamento laminar depende da geometria da seção transversal, mas em muitos casos ele pode ser especificado como $Re \leq 500$. Por exemplo, um canal com uma seção transversal retangular com largura de 1 m e profundidade de escoamento de 0,5 m tem um raio hidráulico de $R_h = A/P = [1\ m(0,5\ m)]/[2(0,5\ m) + 1\ m] = 0,25$ m. Se o canal estiver transportando água na temperatura padrão, ele exigirá que a velocidade média para o escoamento laminar seja no máximo

$$Re = \frac{VR_h}{\nu}; \qquad 500 = \frac{V(0,25\ m)}{1,12(10^{-6})\ m^2/s} \qquad V = 2,24\ mm/s$$

Canal de drenagem que possui uma seção transversal trapezoidal.

Isso é extremamente lento, portanto, como já dissemos, praticamente todo o escoamento em canal aberto é turbulento. De fato, quase todo o escoamento ocorre em números de Reynolds muito altos.

Equação de Chézy

Para analisar o escoamento uniforme em regime permanente ao longo de um canal inclinado, aplicaremos a equação da energia, pois o canal possui uma rugosidade na superfície, e, portanto, haverá uma perda de carga por sua extensão horizontal L. Se considerarmos o volume de controle do líquido mostrado na Figura 12.18, então as superfícies de controle verticais possuem a mesma profundidade y. Além disso, $V_{entrada} = V_{saída} = V$. Para calcular a carga piezométrica $p/\gamma + z$, faremos referência aos pontos na superfície do líquido. Aqui, $p_{entrada} = p_{saída} = 0$.*

$$\frac{p_{entrada}}{\gamma} + \frac{V_{entrada}^2}{2g} + z_{entrada} + h_{bomba} = \frac{p_{saída}}{\gamma} + \frac{V_{saída}^2}{2g} + z_{saída} + h_{turb} + h_L$$

$$0 + \frac{V^2}{2g} + y + \Delta y + 0 = 0 + \frac{V^2}{2g} + y + 0 + h_L$$

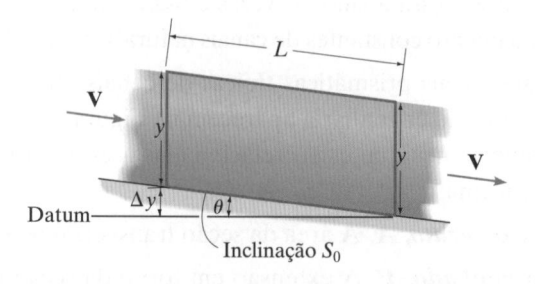

Escoamento uniforme em regime permanente

FIGURA 12.18

---

* Esta carga permanece constante sobre a superfície e pode ser calculada em qualquer ponto sobre a superfície, como mostra o Exemplo 5.11.

Para pequenas inclinações, $\Delta y = L \tg \theta \approx LS_0$, portanto

$$h_L = LS_0$$

Também podemos expressar essa perda de carga usando a equação de Darcy-Weisbach.

$$h_L = f\left(\frac{L}{D_h}\right)\frac{V^2}{2g}$$

Como os canais possuem uma série de seções transversais, usamos aqui o diâmetro hidráulico $D_h = 4R_h$, algo que discutimos na Seção 10.1. Se agora igualarmos as duas equações anteriores e isolarmos V, obteremos

$$V = C\sqrt{R_h S_0} \tag{12.17}$$

onde $C = \sqrt{8g/f}$.

Esse resultado é conhecido como **equação de Chézy**, em homenagem a Antoine de Chézy, engenheiro francês que a deduziu experimentalmente em 1775. O coeficiente C foi considerado inicialmente uma constante; porém, através de outros experimentos, descobriu-se que ele depende da forma da seção transversal do canal e da rugosidade de sua superfície.

Equação de Manning

Em 1891, Robert Manning, um engenheiro irlandês, estabeleceu valores experimentais para C expressando-o em termos do raio hidráulico e um **coeficiente de rugosidade da superfície**, n, que possui unidades de $s/m^{1/3}$ ou $s/pé^{1/3}$. Ele encontrou $C = R_h^{1/6}/n$. Os valores típicos de n, que estão em unidades do SI, para algumas condições comuns encontradas na engenharia, aparecem na Tabela 12.1. Expressando a velocidade média em termos de n, a **equação de Manning** é, então,

$$V = \frac{kR_h^{2/3}S_0^{1/2}}{n} \tag{12.18}$$

O valor de k serve para modificar a fórmula para uso com unidades do SI ou FPS quando n é selecionado a partir da Tabela 12.1. Isso requer a aplicação de um fator de conversão $(0{,}3048 \text{ m/pé})^{-1/3} = 1{,}486$, de modo que

$$k = 1 \text{ (unidades SI)} \tag{12.19}$$
$$k = 1{,}486 \text{ (unidades FPS)}$$

Visto que $Q = VA$, e o raio hidráulico é $R_h = A/P$, a Equação 12.18 também pode ser expressa em termos da vazão. Ela é

$$Q = \frac{kA^{5/3}S_0^{1/2}}{nP^{2/3}} \tag{12.20}$$

TABELA 12.1 Coeficiente de rugosidade da superfície.

Perímetro	n (s/m$^{1/3}$)
Canal natural	
Limpo	0,022
Com vegetação	0,030
Pedras pequenas	0,035
Canal alinhado artificialmente	
Aço liso	0,012
Concreto acabado	0,012
Concreto bruto	0,014
Madeira	0,012
Alinhado com alvenaria	0,015

Melhor seção transversal hidráulica

Pode-se ver que, para determinada inclinação S_0 e rugosidade da superfície n, a vazão Q na Equação 12.20 *aumentará* se o perímetro molhado P *diminuir*. Portanto, podemos obter o Q máximo minimizando o perímetro molhado P. Essa seção transversal é chamada de **melhor seção transversal hidráulica**, pois minimizará a quantidade de material necessário para construir o canal e maximizará a vazão. Por exemplo, se o canal possui uma seção transversal retangular de determinada largura b (Figura 12.19), então $A = by$ e $P = 2y + b = 2y + A/y$. Assim, para um valor constante de A, embora a relação entre b e y ainda não seja conhecida, temos

$$\frac{dP}{dy} = \frac{d}{dy}\left(2y + \frac{A}{y}\right) = 2 - \frac{A}{y^2} = 0$$

$$A = 2y^2 = by \quad \text{ou} \quad y = \frac{b}{2}$$

Portanto, um canal retangular escoando a uma profundidade de $y = b/2$ exigirá a menor quantidade de material usado para a sua construção. Como esse tamanho de projeto também fornecerá a quantidade máxima de escoamento uniforme, essa é a melhor seção transversal para o retângulo.

Em um sentido estrito, *uma seção transversal semicircular*, escoando na totalidade, é a melhor forma de projeto; porém, para escoamentos muito grandes, essa forma geralmente é difícil de escavar no solo e custosa para se construir. Em vez disso, grandes canais possuem seções transversais trapezoidais ou, para poucas profundidades, suas seções transversais podem ser retangulares. De qualquer forma, a melhor seção transversal hidráulica para uma forma selecionada sempre pode ser determinada conforme demonstramos aqui, ou seja, expressando o perímetro molhado em termos da área da seção transversal e depois definindo sua derivada como igual a zero. Quando a melhor seção transversal for encontrada, então a velocidade uniforme dentro dela poderá ser determinada por meio da equação de Manning.

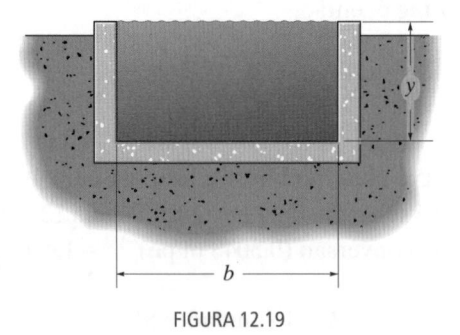

FIGURA 12.19

Escoamento por um canal de concreto com uma seção transversal trapezoidal.

Inclinação crítica

Se a Equação 12.20 for resolvida para a inclinação do canal e a expressarmos em termos do raio hidráulico $R_h = A/P$, então teremos

$$S_0 = \frac{Q^2 n^2}{k^2 R_h^{4/3} A^2} \quad (12.21)$$

Inclinação do canal

A *inclinação crítica* para um canal de *qualquer seção transversal* requer que a profundidade do escoamento esteja na profundidade crítica, y_c, e como a profundidade crítica é determinada pela Equação 12.11, a equação anterior para a inclinação crítica torna-se

$$S_c = \frac{n^2 g A_c}{k^2 b_{topo} R_{hc}^{4/3}} \qquad (12.22)$$

Inclinação crítica

Aqui, a área crítica A_c e o raio hidráulico R_{hc} são determinados definindo $y = y_c$ para a seção. Com essa equação, como com a profundidade y, podemos comparar a inclinação real de um canal S_0 com sua inclinação crítica S_c, e assim classificar o escoamento.

$S_0 < S_c$ Escoamento subcrítico (fluvial)
$S_0 = S_c$ Escoamento crítico
$S_0 > S_c$ Escoamento supercrítico (torrencial)

Os exemplos a seguir ilustram algumas aplicações desses conceitos.

Pontos importantes

- O escoamento uniforme em regime permanente em canal aberto pode ocorrer desde que o canal tenha uma inclinação e uma rugosidade na superfície *constantes* e o líquido no canal tenha uma seção transversal *constante*. Quando isso ocorre, a força gravitacional no líquido estará em equilíbrio com as forças de cisalhamento ao longo do fundo e das laterais do canal.
- A equação de Manning pode ser usada para determinar a velocidade média dentro de um canal aberto com escoamento uniforme em regime permanente.
- A melhor seção transversal hidráulica para um canal de qualquer forma dada, com escoamento, inclinação e rugosidade da superfície constantes, pode ser determinada minimizando seu perímetro molhado.
- O tipo de escoamento uniforme em regime permanente em um canal pode ser determinado comparando sua inclinação S_0 com a inclinação crítica S_c.

EXEMPLO 12.8

O canal na Figura 12.20 é feito de concreto acabado, e a elevação do leito diminui em 2 pés por uma extensão ou alcance horizontal de 1000 pés. Determine a vazão uniforme em regime permanente quando a profundidade da água é de 4 pés.

Solução

Descrição do fluido

O escoamento é em regime permanente e uniforme, e a água é considerada incompressível e escoa com uma velocidade média V.

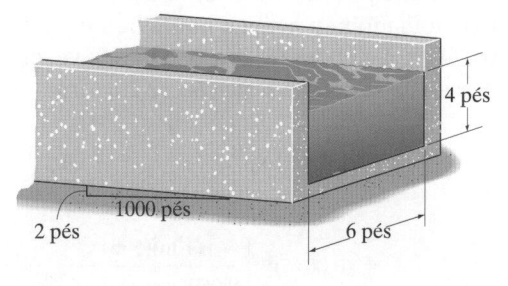

FIGURA 12.20

596 MECÂNICA DOS FLUIDOS

Análise

Aqui, usaremos a equação de Manning para unidades do FPS. A inclinação do canal é $S_0 = 2$ pés/1000 pés = 0,002 e, pela Tabela 12.1, para o concreto acabado $n = 0,012$. Além disso, para uma profundidade de 4 pés de água, o raio hidráulico é

$$R_h = \frac{A}{P} = \frac{(6 \text{ pés})(4 \text{ pés})}{(4 \text{ pés} + 6 \text{ pés} + 4 \text{ pés})} = 1,714 \text{ pé}$$

Portanto,

$$V = \frac{kR_h^{2/3}S_0^{1/2}}{n}$$

$$\frac{Q}{(4 \text{ pés})(6 \text{ pés})} = \frac{1,486(1,714 \text{ pé})^{2/3}(0,002)^{1/2}}{0,012}$$

$$Q = 190 \text{ pés}^3/\text{s} \qquad \textit{Resposta}$$

EXEMPLO 12.9

O canal na Figura 12.21 consiste em uma seção de concreto bruto e regiões de transbordo em cada lado, contendo vegetação rala ($n = 0,050$). Se o fundo do canal possui uma inclinação de 0,0015, determine a vazão quando a profundidade é 2,5 m, conforme mostrado na figura.

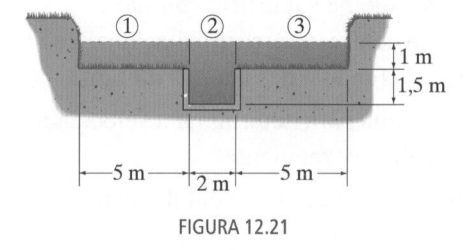

FIGURA 12.21

Solução

Descrição do fluido

Temos escoamento uniforme em regime permanente, e vamos considerar que a água seja um fluido incompressível.

Análise

A seção transversal é dividida em três retângulos compostos (Figura 12.21). A vazão pela seção transversal inteira é, assim, a soma das vazões por cada forma composta. Para o cálculo, observe que o perímetro molhado não inclui o limite líquido entre as formas, pois n não atua sobre essas superfícies. Como $n = 0,014$ para o concreto bruto, e para a vegetação rala $n = 0,050$, conforme indicado, a equação de Manning, escrita na forma da Equação 12.20, torna-se

$$Q = \Sigma \frac{kA^{5/3}S_0^{1/2}}{nP^{2/3}} = (1)S_0^{1/2}\left(\frac{A_1^{5/3}}{n_1P_1^{2/3}} + \frac{A_2^{5/3}}{n_2P_2^{2/3}} + \frac{A_3^{5/3}}{n_3P_3^{2/3}}\right)$$

$$= (0,0015)^{1/2}\left[\frac{[(1 \text{ m})(5 \text{ m})]^{5/3}}{0,050(1 \text{ m} + 5 \text{ m})^{2/3}} + \frac{[(2 \text{ m})(2,5 \text{ m})]^{5/3}}{0,014(1,5 \text{ m} + 2 \text{ m} + 1,5 \text{ m})^{2/3}} + \frac{[(5 \text{ m})(1 \text{ m})]^{5/3}}{0,050(1 \text{ m} + 5 \text{ m})^{2/3}}\right]$$

$$= 20,7 \text{ m}^3/\text{s} \qquad \textit{Resposta}$$

EXEMPLO 12.10

A calha triangular na Figura 12.22a é usada para transportar água por um barranco. Ela é feita de madeira e possui uma inclinação $S_0 = 0,001$. Se o escoamento desejado for $Q = 3$ m³/s, determine a profundidade do escoamento.

Calha

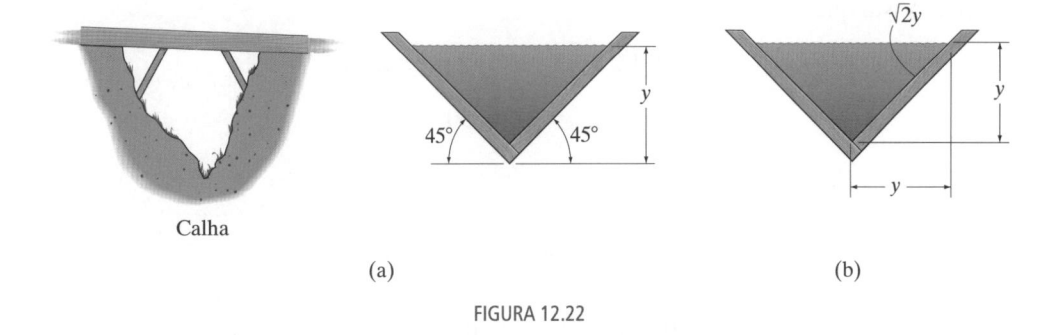

(a)   (b)

FIGURA 12.22

Solução

Descrição do fluido

Consideramos o escoamento uniforme em regime permanente de um fluido incompressível.

Análise

Se y é a profundidade do escoamento (Figura 12.22b), então

$$P = 2\sqrt{2}y \quad \text{e} \quad A = 2\left[\frac{1}{2}(y)(y)\right] = y^2$$

Pela Tabela 12.1, $n = 0,012$ para uma superfície de madeira. Para unidades do SI,

$$Q = \frac{kA^{5/3}S_0^{1/2}}{nP^{2/3}}; \quad 3\text{ m}^3/\text{s} = \frac{(1)\left(y^2\right)^{5/3}(0,001)^{1/2}}{0,012\left(2\sqrt{2}y\right)^{2/3}}$$

$$y = 1,36 \text{ m} \hspace{4cm} \textit{Resposta}$$

EXEMPLO 12.11

O canal na Figura 12.23 possui uma seção transversal triangular e é feito de concreto bruto. Se a vazão é de 1,5 m³/s, determine a inclinação que produz escoamento crítico.

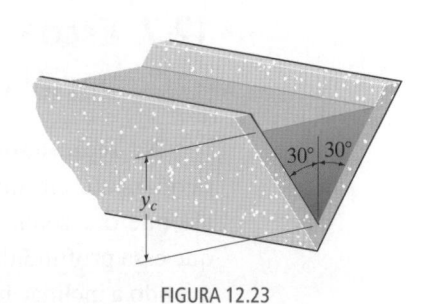

FIGURA 12.23

(© Andrew Orlemann/Shutterstock)

Solução

Descrição do fluido

Consideramos o escoamento uniforme em regime permanente de um fluido incompressível.

Análise

A inclinação crítica é determinada usando a Equação 12.21, mas primeiro temos que determinar a profundidade crítica. Visto que

$$A_c = 2[(1/2)(y_c \text{ tg } 30°)y_c] = y_c^2 \text{ tg } 30°$$

$$b_{topo} = 2y_c \text{ tg } 30°$$

Então, aplicando a Equação 12.11,

$$\frac{gA_c^3}{Q^2 b_{topo}} = 1$$

$$\frac{(9{,}81 \text{ m/s}^2)(y_c^2 \text{ tg } 30°)^3}{(1{,}5 \text{ m}^3/\text{s})^2 (2y_c \text{ tg } 30°)} = 1$$

$$y_c = 1{,}066 \text{ m}$$

Usando este valor e $n = 0{,}014$ para o concreto bruto,

$$b_{topo} = 2(1{,}066 \text{ m}) \text{ tg } 30° = 1{,}231 \text{ m}$$

$$A_c = (1{,}066 \text{ m})^2 \text{ tg } 30° = 0{,}6560 \text{ m}^2$$

$$P_c = 2\left(\frac{1{,}066 \text{ m}}{\cos 30°}\right) = 2{,}462 \text{ m}$$

$$R_{hc} = \frac{A_c}{P_c} = \frac{0{,}6560 \text{ m}^2}{2{,}462 \text{ m}} = 0{,}2665 \text{ m}$$

Assim,

$$S_c = \frac{n^2 g A_c}{k^2 b_{topo} R_{hc}^{4/3}} = \frac{(0{,}014)^2 (9{,}81 \text{ m/s}^2)(0{,}6560 \text{ m}^2)}{(1)^2 (1{,}231 \text{ m})(0{,}2665 \text{ m})^{4/3}} = 0{,}00598 \qquad \textit{Resposta}$$

Portanto, quando o canal tem uma vazão $Q = 1{,}5$ m³/s, então qualquer inclinação *menor que* S_c produzirá escoamento *subcrítico* (fluvial), e qualquer inclinação *maior que* S_c produzirá escoamento *supercrítico* (torrencial).

12.7 Escoamento gradual com profundidade variável

Na seção anterior, consideramos o escoamento uniforme em regime permanente em um canal aberto com uma inclinação constante. Isso exigiu que o escoamento ocorresse a uma profundidade uniforme, de modo que essa profundidade permanece *constante* pela extensão do canal. Porém, quando a inclinação ou a seção transversal do canal *muda* gradualmente, ou existe uma *mudança* na rugosidade da superfície dentro do canal, então a profundidade do líquido variará ao longo de sua extensão, e o resultado será o escoamento não uniforme em regime permanente.

Para analisar esse caso, vamos aplicar a equação da energia entre as seções "entrada" e "saída" no volume de controle diferencial mostrado na Figura 12.24. Vamos selecionar os pontos no topo da superfície do líquido para calcular os termos da carga piezométrica,* $p/\gamma + z$. Aqui, $p_{\text{entrada}} = p_{\text{saída}} = 0$, portanto

$$\frac{p_{\text{entrada}}}{\gamma} + \frac{V_{\text{entrada}}^2}{2g} + z_{\text{entrada}} = \frac{p_{\text{saída}}}{\gamma} + \frac{V_{\text{saída}}^2}{2g} + z_{\text{saída}} + h_L$$

$$0 + \frac{V_{\text{entrada}}^2}{2g} + (z_{\text{entrada}} + y_{\text{entrada}}) = 0 + \frac{V_{\text{saída}}^2}{2g} + (z_{\text{saída}} + y_{\text{saída}}) + h_L$$

$$\frac{V_{\text{entrada}}^2}{2g} - \frac{V_{\text{saída}}^2}{2g} = (y_{\text{saída}} - y_{\text{entrada}}) + (z_{\text{saída}} - z_{\text{entrada}}) + h_L$$

Os dois termos da esquerda representam a *variação* na carga de velocidade pela extensão dx. Além disso, $y_{\text{saída}} - y_{\text{entrada}} = dy$, e $z_{\text{saída}} - z_{\text{entrada}} = -S_0\,dx$, onde S_0 é a inclinação do leito do canal, que é positiva quando inclina para baixo e para a direita. Portanto,

$$-\frac{d}{dx}\left(\frac{V^2}{2g}\right)dx = dy - S_0\,dx + h_L$$

Se definirmos a *inclinação por cisalhamento* S_f como a inclinação da linha de energia, então $h_L = S_f\,dx$ (Figura 12.24). Substituindo h_L por isso na equação anterior, depois de simplificar, temos

$$\frac{dy}{dx} + \frac{d}{dx}\left(\frac{V^2}{2g}\right) = S_0 - S_f \tag{12.23}$$

Seção transversal retangular

Se um canal tem uma seção transversal retangular, então $V = Q/by$, portanto

$$\frac{d}{dx}\left(\frac{V^2}{2g}\right) = \frac{d}{dx}\left(\frac{Q^2}{2gb^2y^2}\right) = -2\left(\frac{Q^2}{2gb^2y^3}\right)\frac{dy}{dx} = -\left(\frac{V^2}{gy}\right)\left(\frac{dy}{dx}\right)$$

Por fim, podemos expressar esse resultado em termos do número de Froude. Como $\text{Fr} = V/\sqrt{gy}$, então $V^2/gy = \text{Fr}^2$. Portanto,

$$\frac{d}{dx}\left(\frac{V^2}{2g}\right) = -\text{Fr}^2\frac{dy}{dx}$$

Para uma seção transversal retangular, a Equação 12.23 pode ser expressa por

$$\frac{dy}{dx} = \frac{S_0 - S_f}{1 - \text{Fr}^2} \tag{12.24}$$

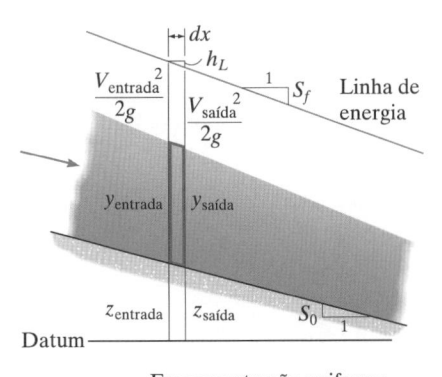

Escoamento não uniforme

FIGURA 12.24

---

* Qualquer ponto nas superfícies de controle pode ser selecionado, conforme observado no Exemplo 5.10.

Perfis de superfície

Visto que Fr^2 é função de y, a equação apresentada é uma equação diferencial não linear de primeira ordem, que requer uma integração para obter a profundidade y da superfície do líquido em função de x ao longo do canal. É importante poder determinar a *forma dessa superfície e sua profundidade*, especialmente quando o leito do canal muda de inclinação ou o escoamento encontra uma obstrução como uma represa ou uma comporta. Aqui, há uma possibilidade de que uma inundação, um transbordamento ou algum outro efeito imprevisto possa ocorrer.

Como mostra a Tabela 12.2, existem 12 formas possíveis que a superfície líquida pode ter. Cada grupo de formas é classificado pela inclinação do canal, ou seja: horizontal (H), moderada (M), crítica (C), íngreme (S, de "*steep*"), ou adversa (A). Além disso, cada forma é classificada por uma *zona*, indicada por um número que depende da *profundidade* do *escoamento real*, y, em comparação com a profundidade para o *escoamento uniforme ou normal*, y_n, e a profundidade para o *escoamento crítico*, y_c. A zona 1 é para valores altos de y, a zona 2 é para valores intermediários e a zona 3 é para valores baixos. Alguns exemplos típicos de *como* essas formas ou perfis podem ocorrer em um canal são ilustrados na Figura 12.25a.

A forma da superfície do líquido para qualquer uma dessas doze formas pode ser esboçada estudando as características de sua inclinação, conforme definidas pela Equação 12.24. Por exemplo, no caso do perfil $H2$ mostrado na Figura 12.25b, como $y > y_c$, o escoamento será subcrítico ou fluvial, de modo que $Fr < 1$. Então, pela Equação 12.24, quando $S_0 = 0$ e $Fr < 1$, a inclinação inicial da superfície da água, dy/dx, será *negativa* conforme mostrado, portanto, realmente a profundidade *diminuirá* enquanto x *aumenta*.

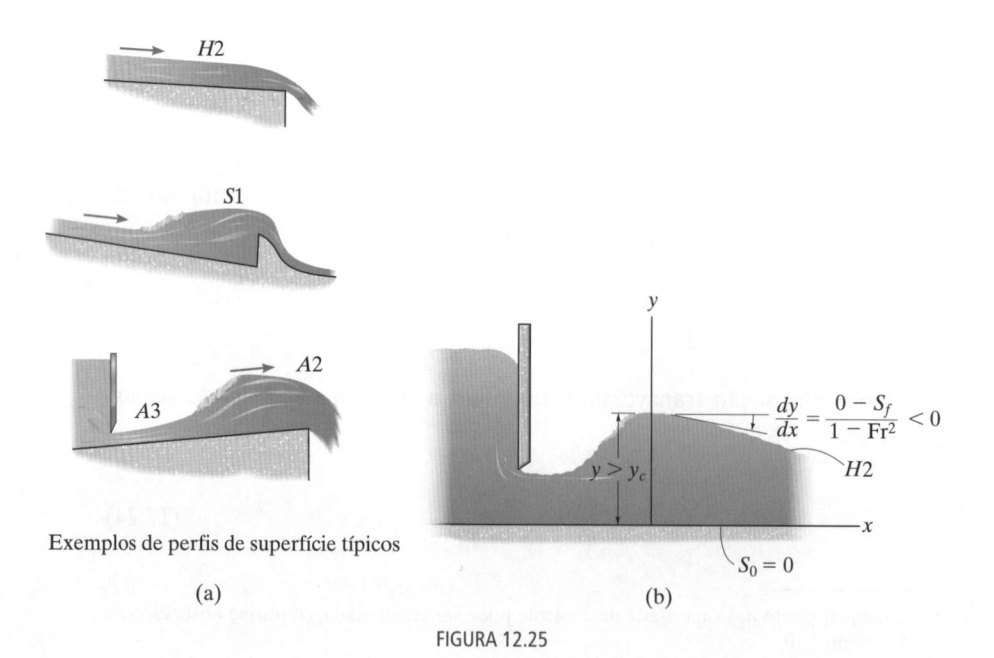

Exemplos de perfis de superfície típicos

(a)

(b)

FIGURA 12.25

TABELA 12.2 Classificação do perfil da superfície.

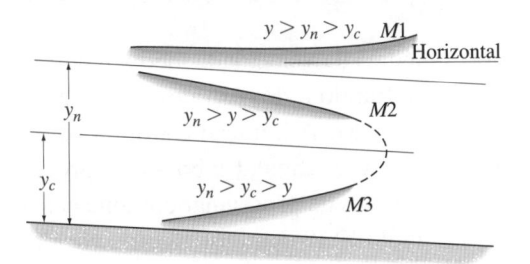

Inclinação moderada (M) $S < S_c$ — perfis M1 ($y > y_n > y_c$), M2 ($y_n > y > y_c$), M3 ($y_n > y_c > y$)

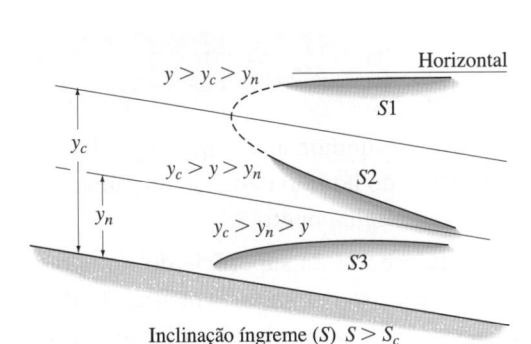

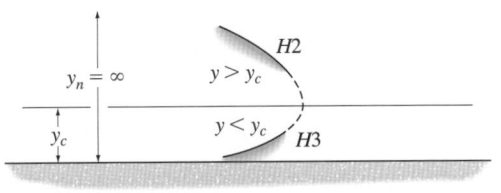

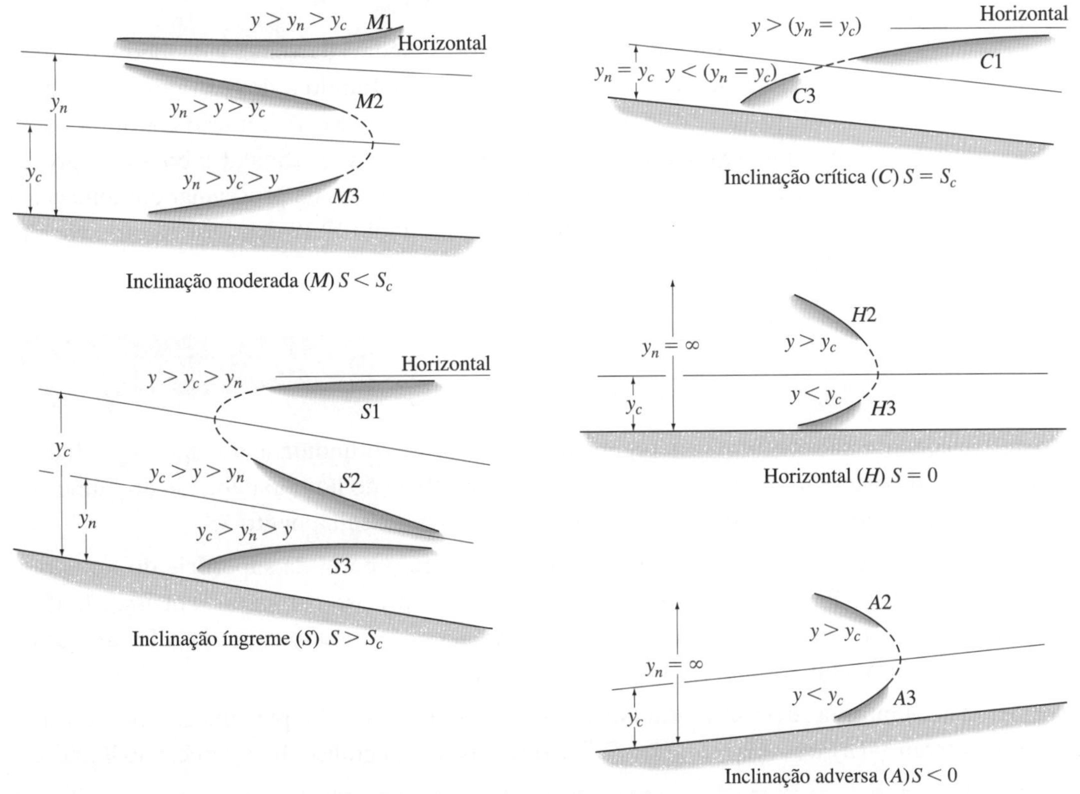

Inclinação crítica (C) $S = S_c$ — perfis C1 ($y > (y_n = y_c)$), C3 ($y_n = y_c$, $y < (y_n = y_c)$)

Inclinação íngreme (S) $S > S_c$ — perfis S1 ($y > y_c > y_n$), S2 ($y_c > y > y_n$), S3 ($y_c > y_n > y$)

Horizontal (H) $S = 0$ — perfis H2 ($y_n = \infty$, $y > y_c$), H3 ($y < y_c$)

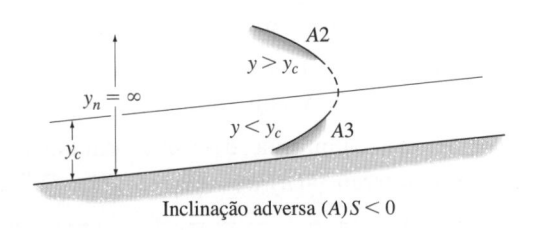

Inclinação adversa (A) $S < 0$ — perfis A2 ($y_n = \infty$, $y > y_c$), A3 ($y < y_c$)

Calculando o perfil da superfície

Quando o perfil da superfície da água tiver sido classificado, então o perfil real pode ser determinado integrando a Equação 12.23. Com o passar dos anos, diversos procedimentos foram desenvolvidos para fazer isso; porém, aqui iremos considerar o uso de um método de diferenças finitas para realizar uma integração numérica. Para fazer isso, primeiro escrevemos a Equação 12.23 na forma

$$\frac{d}{dx}\left(y + \frac{V^2}{2g}\right) = S_0 - S_f \quad \text{ou} \quad dx = \frac{d(y + V^2/2g)}{S_0 - S_f}$$

Se o canal é dividido em pequenas faixas finitas, ou *segmentos*, então essa equação pode ser escrita em termos de uma diferença finita,

$$\Delta x = \frac{(y_2 - y_1) + (V_2^2 - V_1^2)/2g}{S_0 - S_f} \qquad (12.25)$$

Começamos por um *ponto de controle*, com uma descarga conhecida Q e elevação de água y_1 (Figura 12.26). Para pequenas inclinações, a profundidade vertical y_1 pode ser usada para calcular a área transversal A_1 do escoamento. Então, a velocidade média V_1 pode ser calculada usando $V_1 = Q/A_1$. Um aumento na profundidade Δy da água é *presumido*, e a área A_2 em $y_2 = y_1 + \Delta y$ é então calculada. Finalmente, a velocidade média é encontrada a partir de $V_2 = Q/A_2$. Se presumirmos ainda que a perda de carga no segmento é a *mesma* daquela sobre o mesmo segmento com um escoamento uniforme, podemos usar a equação de Manning (Equação 12.18) para determinar a inclinação por cisalhamento.

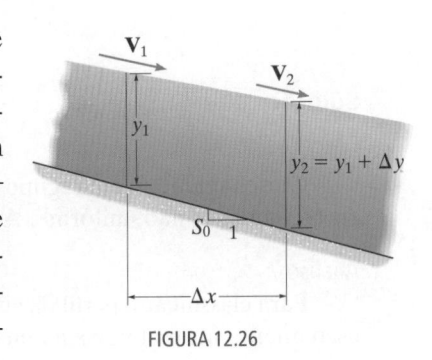

FIGURA 12.26

$$S_f = \frac{n^2 V_m^2}{k^2 R_{hm}^{4/3}} \tag{12.26}$$

Os valores V_m e R_{hm} são valores médios da velocidade média e do raio hidráulico médio para o segmento. Substituindo todos os valores relevantes na Equação 12.25, podemos então calcular Δx. A iteração continua para o próximo segmento até que um alcance o final do canal. Embora esse processo seja tedioso de se fazer a mão, ele é simples de programar em uma calculadora de bolso ou computador. O Exemplo 12.13 demonstra como ele é realizado numericamente.

Pontos importantes

- Quando existe escoamento não uniforme em regime permanente, a profundidade do líquido gradualmente varia ao longo da extensão do canal. A inclinação da superfície do líquido depende do número de Froude, Fr, da inclinação do leito do canal, S_0, e da inclinação por cisalhamento S_f.
- Para o escoamento não uniforme, existem doze classificações para o perfil da superfície do líquido, como mostra a Tabela 12.2. Para determinar qual perfil ocorre, é preciso comparar a inclinação do canal S_0 com sua inclinação crítica S_c e comparar a profundidade y do líquido com as profundidades para o escoamento uniforme ou normal, y_n, e o escoamento crítico, y_c.
- Para o escoamento não uniforme, é possível usar um método de diferenças finitas para integrar numericamente a equação diferencial $dy/dx = (S_0 - S_f)/(1 - \text{Fr}^2)$, e obter assim um gráfico da superfície do líquido.

EXEMPLO 12.12

O canal retangular na Figura 12.27a é feito de concreto bruto e possui uma inclinação $S_0 = 0{,}035$. Em um local específico, a água tem uma profundidade de 1,25 m e o escoamento $Q = 0{,}75$ m³/s. Classifique o perfil da superfície para o escoamento.

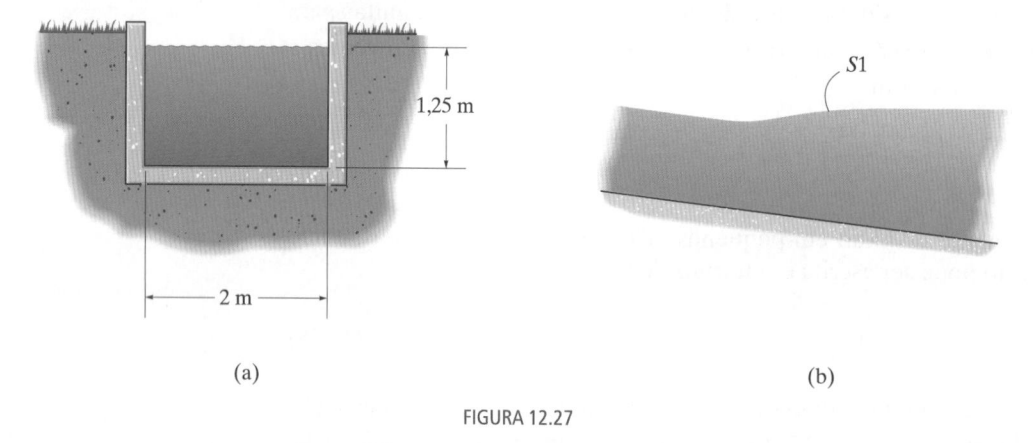

FIGURA 12.27

Solução

Descrição do fluido

O escoamento é em regime permanente e aqui ele ocorre a uma profundidade que se presume produzir escoamento não uniforme. A água é considerada incompressível.

Análise

Para classificar o perfil da superfície, devemos determinar a profundidade crítica y_c, a profundidade do escoamento normal y_n e a inclinação crítica S_c. Pela Equação 12.7,

$$y_c = \left(\frac{Q^2}{gb^2}\right)^{1/3} = \left(\frac{(0{,}75 \text{ m}^3/\text{s})^2}{9{,}81 \text{ m/s}^2(2 \text{ m})^2}\right)^{1/3} = 0{,}2429 \text{ m}$$

Como $y = 1{,}25$ m $> y_c = 0{,}2429$ m, o escoamento é fluvial. Para o concreto bruto, $n = 0{,}014$. A profundidade y_n que produzirá *escoamento normal* ou *uniforme* para $Q = 0{,}75$ m³/s é determinada pela equação de Manning. Visto que

$$R_h = \frac{A}{P} = \frac{(2 \text{ m})y_n}{(2y_n + 2 \text{ m})} = \frac{y_n}{(y_n + 1)}$$

então a Equação 12.20 torna-se

$$Q = \frac{kA^{5/3}S_0^{1/2}}{nP^{2/3}}; \qquad 0{,}75 \text{ m}^3/\text{s} = \frac{(1)[(2 \text{ m})y_n]^{5/3}(0{,}035)^{1/2}}{0{,}014(2y_n + 2 \text{ m})^{2/3}}$$

$$\frac{y_n^{5/3}}{(2y_n + 2 \text{ m})^{2/3}} = 0{,}017678$$

Resolvendo por tentativa e erro, ou usando um procedimento numérico, obtemos

$$y_n = 0{,}1227 \text{ m}$$

A inclinação crítica agora é determinada pela Equação 12.22,

$$S_c = \frac{n^2 g A_c}{k^2 b_{\text{topo}} R_{hc}^{4/3}} = \frac{(0{,}014)^2(9{,}81 \text{ m/s}^2)(2 \text{ m})(0{,}2429 \text{ m})}{(1)^2(2 \text{ m})\left[\dfrac{2 \text{ m}(0{,}2429 \text{ m})}{2(0{,}2429 \text{ m}) + 2 \text{ m}}\right]^{4/3}}$$

$$= 0{,}004118$$

Como $y = 1{,}25$ m $> y_c > y_n$ e $S_0 = 0{,}035 > S_c$, temos escoamento não uniforme, onde a superfície é definida por um perfil S1. De acordo com a Tabela 12.2, a superfície da água se parecerá com aquela mostrada na Figura 12.27b.

EXEMPLO 12.13

A água escoa de um reservatório sob uma comporta para o canal retangular de concreto bruto com 1,5 m de largura, que é horizontal (Figura 12.28a). No ponto de controle 0, o escoamento medido é de 2 m³/s e a profundidade é de 0,2 m. Mostre como determinar a variação da profundidade da água ao longo do canal, medida a jusante desse ponto.

Solução

Descrição do fluido

Supondo que o reservatório mantenha um nível constante, então o escoamento será em regime permanente. Logo depois do ponto 0, ele será não uniforme porque sua profundidade está variando. Como sempre, supomos que a água seja incompressível e usamos um perfil de velocidade média.

Análise

Primeiro, classificaremos o perfil da superfície d'água. A profundidade crítica é

$$y_c = \left(\frac{Q^2}{gb^2}\right)^{1/3} = \left(\frac{(2 \text{ m}^3/\text{s})^2}{(9{,}81 \text{ m/s}^2)(1{,}5 \text{ m})^2}\right)^{1/3} = 0{,}5659 \text{ m}$$

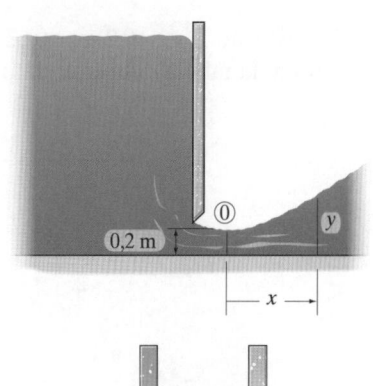

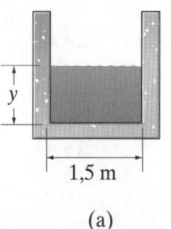

FIGURA 12.28 (continua)

Aqui, $y = 0,2$ m $< y_c = 0,5659$ m, de modo que o escoamento é torrencial. Como o canal é horizontal, $S_0 = 0$. Usando a Tabela 12.2, o perfil da superfície d'água é $H3$, como mostra a Figura 12.28a. Isso indica que a profundidade da água aumentará enquanto x aumenta a partir do ponto de controle. (Observe que, se o canal tivesse uma inclinação, então a equação de Manning teria de ser usada para achar y_n, pois esse valor também é necessário para uma classificação de perfil.)

Para determinar as profundidades a jusante, dividiremos os cálculos em incrementos de profundidade, escolhendo $\Delta y = 0,01$ m. Na estação inicial 0, $y = 0,2$ m, e a velocidade é

$$V_0 = \frac{Q}{A_0} = \frac{2 \text{ m}^3/\text{s}}{(1,5 \text{ m})(0,2 \text{ m})} = 6,667 \text{ m/s}$$

O raio hidráulico é, portanto,

$$R_{h0} = \frac{A_0}{P_0} = \frac{(1,5 \text{ m})(0,2 \text{ m})}{(1,5 \text{ m} + 2)(0,2 \text{ m})} = 0,1579 \text{ m}$$

Esses resultados são inseridos na primeira linha da tabela mostrada na Figura 12.28b.

Estação	y (m)	V (m/s)	V_m (m/s)	R_h (m)	R_{hm} (m)	S_{fm}	Δx (m)	x (m)
0	0,2	6,667		0,1579				0
			6,508		0,1610	0,09479	2,116	
1	0,21	6,349		0,1641				2,12
			6,205		0,1671	0,08200	2,104	
2	0,22	6,061		0,1701				4,22
			5,929		0,1731	0,07144	2,089	
3	0,23	5,797		0,1760				6,31

(b)

FIGURA 12.28 (cont.)

Na estação 1, $y_1 = 0,2$ m $+ 0,01$ m $= 0,21$ m, assim, $V_1 = Q/A_1 = 6,349$ m/s e $R_{h1} = A_1/P_1 = 0,1641$ m (terceira linha da tabela). A segunda linha intermediária oferece os valores de

$$V_m = \frac{V_0 + V_1}{2} = \frac{6,667 \text{ m/s} + 6,349 \text{ m/s}}{2} = 6,508 \text{ m/s}$$

$$R_{hm} = \frac{R_{h0} + R_{h1}}{2} = \frac{0,1579 \text{ m} + 0,1641 \text{ m}}{2} = 0,1610 \text{ m}$$

$$S_{fm} = \frac{n^2 V_m^2}{k^2 R_{hm}^{4/3}} = \frac{(0,014)^2 (6,508 \text{ m/s})^2}{(1)^2 (0,1610 \text{ m})^{4/3}} = 0,09479$$

$$\Delta x = \frac{(y_1 - y_0) + \left(V_1^2 - V_0^2\right)/2g}{S - S_{fm}}$$

$$= \frac{(0,21 \text{ m} - 0,2 \text{ m}) + \left[(6,349 \text{ m/s})^2 - (6,667 \text{ m/s})^2\right]/\left[2(9,81 \text{ m/s}^2)\right]}{(0 - 0,09479)}$$

$$= 2,116 \text{ m}$$

Os cálculos são repetidos para as duas estações seguintes, com mostra a tabela, e os resultados são desenhados na Figura 12.28c. Eles parecem satisfatórios, pois cada aumento de $\Delta y = 0{,}01$ m produz variações um tanto uniformes de Δx. Se tivessem ocorrido mudanças maiores, então incrementos menores de Δy deveriam ser selecionados para melhorar a precisão do método de diferenças finitas.

(c)

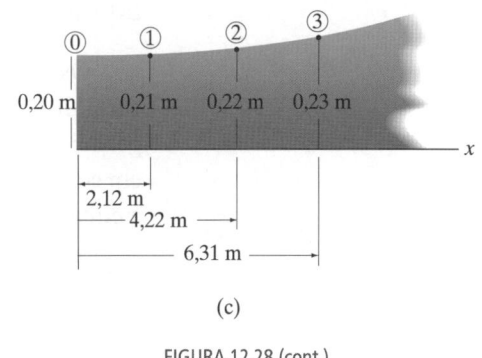

FIGURA 12.28 (cont.)

12.8 O ressalto hidráulico

Quando a água passa por baixo do vertedor de uma represa ou por baixo de uma comporta, ela normalmente tem um escoamento torrencial (Figura 12.29). A transição para o escoamento fluvial, muito mais lento, pode ocorrer a jusante e, nesse caso, isso acontece de uma maneira um tanto brusca, resultando em um **ressalto hidráulico**. Trata-se de uma mistura turbulenta, que libera parte da energia cinética da água e, ao fazer isso, eleva a superfície da água para a profundidade necessária ao escoamento fluvial.

Independentemente de como o ressalto é formado, é possível determinar a perda de energia e a diferença na profundidade da água através do ressalto. Para fazer isso, devemos aplicar as equações da continuidade, da quantidade de movimento e da energia a um volume de controle contendo a região do ressalto (Figura 12.30a). Para a análise, vamos considerar que o ressalto ocorre ao longo do leito horizontal de um canal retangular com uma largura b.

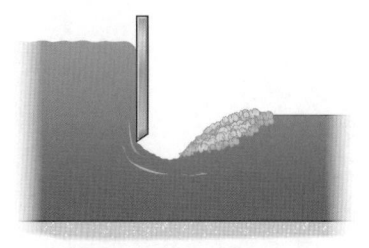

Ressalto hidráulico
FIGURA 12.29

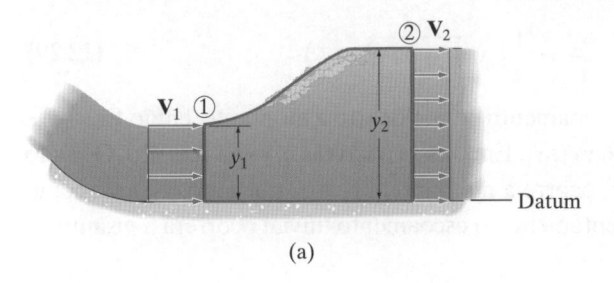

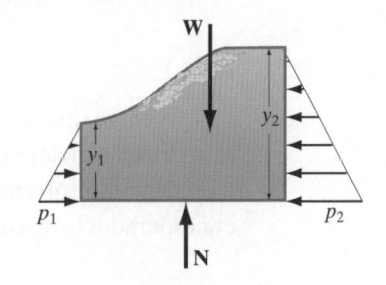

FIGURA 12.30

Equação da continuidade

Como o volume de controle se estende logo após o ressalto para as regiões de escoamento em regime permanente, temos

$$\frac{\partial}{\partial t}\int_{vc} \rho\, dV + \int_{sc} \rho\, \mathbf{V}\cdot d\mathbf{A} = 0$$

$$0 - \rho V_1(y_1 b) + \rho V_2(y_2 b) = 0$$

$$V_1 y_1 = V_2 y_2 \qquad (12.27)$$

Equação da quantidade de movimento

Os experimentos têm mostrado que o ressalto acontece dentro de uma curta distância, e, portanto, as forças de cisalhamento atuando sobre as superfícies de controle fixas no leito do canal e em suas laterais são desprezíveis em comparação com as forças devidas à pressão (Figura 12.30b). Aplicando a equação da quantidade de movimento na direção horizontal, temos

$$\Sigma \mathbf{F} = \frac{\partial}{\partial t} \int_{vc} \mathbf{V} \rho \, d\forall + \int_{sc} \mathbf{V} \rho \, \mathbf{V} \cdot d\mathbf{A}$$

$$\frac{1}{2}(\rho g y_1 b) y_1 - \frac{1}{2}(\rho g y_2 b) y_2 = 0 + V_2 \rho [V_2(by_2)] + V_1 \rho [-V_1(by_1)]$$

Ou, depois de simplificar,

$$\frac{y_1^2}{2} - \frac{y_2^2}{2} = \frac{V_2^2}{g} y_2 - \frac{V_1^2}{g} y_1$$

Usando a equação da continuidade para eliminar V_2, depois dividindo cada lado por $y_1 - y_2$, e finalmente multiplicando os dois lados por $2y_2/y_1^2$, obtemos

$$\frac{2V_1^2}{g y_1} = \left(\frac{y_2}{y_1}\right)^2 + \frac{y_2}{y_1} \qquad (12.28)$$

Como o número de Froude na seção 1 é $\text{Fr}_1 = V_1/\sqrt{g y_1}$, então

$$2\text{Fr}_1^2 = \left(\frac{y_2}{y_1}\right)^2 + \frac{y_2}{y_1}$$

Usando a equação quadrática (fórmula de Bhaskara) e resolvendo para a raiz positiva de y_2/y_1, temos

$$\frac{y_2}{y_1} = \frac{1}{2}\left(\sqrt{1 + 8\text{Fr}_1^2} - 1\right) \qquad (12.29)$$

Observe que, se o escoamento crítico ocorre a montante, então $\text{Fr}_1 = 1$, e esta equação mostra que $y_2 = y_1$. Em outras palavras, não há ressalto. Quando o escoamento torrencial ocorre a montante, $\text{Fr}_1 > 1$, portanto, $y_2 > y_1$, como era esperado. Consequentemente, o escoamento fluvial ocorrerá a jusante.

Equação da energia

Se aplicarmos a equação da energia entre os pontos no topo da superfície d'água nas superfícies de controle abertas 1 (entrada) e 2 (saída) (Figura 12.30), observando que $p_1 = p_2 = 0$, teremos

Formação típica de um ressalto hidráulico

$$\frac{p_1}{\gamma} + \frac{V_1^2}{2g} + z_1 + h_{\text{bomba}} = \frac{p_2}{\gamma} + \frac{V_2^2}{2g} + z_2 + h_{\text{turb}} + h_L$$

$$0 + \frac{V_1^2}{2g} + y_1 + 0 = 0 + \frac{V_2^2}{2g} + y_2 + 0 + h_L$$

Ou então, escrita em termos da energia específica, a perda de carga é

$$h_L = E_1 - E_2 = \left(\frac{V_1^2}{2g} + y_1\right) - \left(\frac{V_2^2}{2g} + y_2\right)$$

Essa perda reflete a mistura turbulenta do líquido dentro do ressalto, que é dissipada na forma de calor. Usando a equação da continuidade, $V_2 = V_1(y_1/y_2)$, também podemos escrever esta expressão como

$$h_L = \frac{V_1^2}{2g}\left[1 - \left(\frac{y_1}{y_2}\right)^2\right] + (y_1 - y_2)$$

Por fim, se a Equação 12.28 for resolvida para V_1^2, e o resultado for substituído na equação anterior, pode-se mostrar que, após a simplificação, a perda de carga através do ressalto é

$$\boxed{h_L = \frac{(y_2 - y_1)^3}{4y_1 y_2}} \quad (12.30)$$

Para qualquer escoamento real, sempre é necessário que h_L seja *positivo*. Um valor negativo violaria a segunda lei da termodinâmica, pois as forças de cisalhamento só dissipam energia, elas nunca acrescentam energia ao fluido. Como vemos na Equação 12.30, h_L só é positivo se $y_2 > y_1$, portanto, um ressalto hidráulico *ocorre somente* quando o escoamento muda de torrencial a montante para fluvial a jusante.

Ressalto hidráulico em um regato

Ponto importante

- O escoamento não uniforme pode ocorrer de repente em um canal na forma de um ressalto hidráulico. Esse processo remove energia do escoamento torrencial e assim o converte em escoamento fluvial em uma curta distância. A descrição do ressalto pode ser determinada satisfazendo as equações da continuidade, da quantidade de movimento e da energia.

EXEMPLO 12.14

A água desce por um vertedor de represa e depois forma um ressalto hidráulico (Figura 12.31). Imediatamente antes do ressalto, a velocidade do escoamento é de 25 pés/s, e a profundidade da água é de 0,5 pé. Determine a velocidade média do escoamento a jusante no canal.

Solução

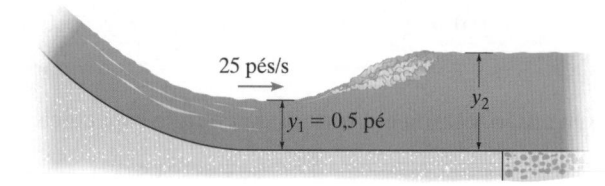

FIGURA 12.31

Descrição do fluido

O escoamento uniforme em regime permanente ocorre antes e depois do ressalto. A água é considerada incompressível, e perfis de velocidade médios serão utilizados.

Análise

O número de Froude para o escoamento antes do ressalto é

$$\text{Fr}_1 = \frac{V_1}{\sqrt{gy_1}} = \frac{25 \text{ pés/s}}{\sqrt{32,2 \text{ pés/s}^2(0,5 \text{ pé})}} = 6,2310 > 1$$

Assim, o escoamento é torrencial, conforme esperado. Após o ressalto, a profundidade da água é

$$\frac{y_2}{y_1} = \frac{1}{2}\left(\sqrt{1 + 8\text{Fr}_1^2} - 1\right)$$

$$\frac{y_2}{0,5 \text{ pé}} = \frac{1}{2}\left(\sqrt{1 + 8(6,2310)^2} - 1\right)$$

$$y_2 = 4,163 \text{ pés}$$

Agora, podemos obter a velocidade V_2 aplicando a equação da continuidade (Equação 12.27).

$$V_1 y_1 = V_2 y_2$$
$$(25 \text{ pés/s})(0,5 \text{ pé}) = V_2(4,163 \text{ pés})$$
$$V_2 = 3,00 \text{ pés/s} \qquad \qquad \textit{Resposta}$$

EXEMPLO 12.15

A comporta mostrada na Figura 12.32 está parcialmente aberta em um canal com 2 m de largura, e a água que passa sob a comporta forma um ressalto hidráulico. No nível inferior, imediatamente antes do ressalto, a profundidade da água é de 0,2 m, e a vazão medida é de 1,30 m³/s. Determine a profundidade do escoamento no canal mais a jusante e também a perda de carga através do ressalto.

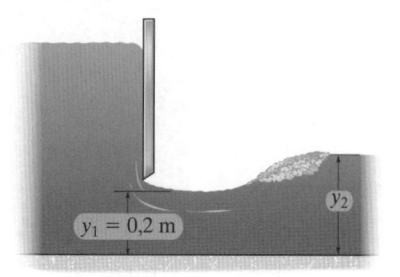

FIGURA 12.32

Solução

Descrição do fluido

Vamos considerar que a água seja incompressível e o nível no reservatório seja mantido, de modo que ocorre um escoamento em regime permanente antes da comporta.

Análise

Imediatamente antes do ressalto, o número de Froude é

$$\mathrm{Fr}_1 = \frac{V_1}{\sqrt{gy_1}} = \frac{Q/A_1}{\sqrt{gy_1}} = \frac{(1{,}30\ \mathrm{m^3/s})/[2\ \mathrm{m}(0{,}2\ \mathrm{m})]}{\sqrt{9{,}81\ \mathrm{m/s^2}(0{,}2\ \mathrm{m})}} = 2{,}320 > 1$$

Assim, o escoamento é torrencial, de modo que realmente um ressalto pode ocorrer. Aplicando a Equação 12.29 para determinar a altura da água após o ressalto, temos

$$\frac{y_2}{y_1} = \frac{1}{2}\left(\sqrt{1 + 8\mathrm{Fr}_1^2} - 1\right); \qquad \frac{y_2}{0{,}2\ \mathrm{m}} = \frac{1}{2}\left(\sqrt{1 + 8(2{,}320)^2} - 1\right)$$

$$y_2 = 0{,}5638\ \mathrm{m} = 0{,}564\ \mathrm{m} \qquad\qquad Resposta$$

Nessa profundidade,

$$\mathrm{Fr}_2 = \frac{Q/A_2}{\sqrt{gy_2}} = \frac{(1{,}30\ \mathrm{m^3/s})/(2\ \mathrm{m})(0{,}5638\ \mathrm{m})}{\sqrt{9{,}81\ \mathrm{m/s^2}(0{,}5638\ \mathrm{m})}} = 0{,}4902 < 1$$

O escoamento é fluvial, como esperado. A perda de carga pode ser determinada a partir da Equação 12.30,

$$h_L = \frac{(y_2 - y_1)^3}{4y_1 y_2} = \frac{(0{,}5638\ \mathrm{m} - 0{,}2\ \mathrm{m})^3}{4(0{,}2\ \mathrm{m})(0{,}5638\ \mathrm{m})} = 0{,}1068\ \mathrm{m} = 0{,}107\ \mathrm{m} \qquad Resposta$$

Observe que a energia específica original do escoamento é

$$E_1 = \frac{Q^2}{2gb^2 y_1^2} + y_1 = \frac{(1{,}30\ \mathrm{m^3/s})^2}{2(9{,}81\ \mathrm{m/s^2})(2\ \mathrm{m})^2 (0{,}2\ \mathrm{m})^2} + 0{,}2\ \mathrm{m} = 0{,}7384\ \mathrm{m}$$

portanto, após o ressalto, a energia específica do escoamento torna-se

$$E_2 = E_1 - h_L = 0{,}7384\ \mathrm{m} - 0{,}1068\ \mathrm{m} = 0{,}6316\ \mathrm{m}$$

Isso acarreta a seguinte porcentagem de energia perdida dentro do ressalto:

$$E_L = \frac{h_L}{E_1} \times 100\% = \frac{0{,}1068\ \mathrm{m}}{0{,}7384\ \mathrm{m}}(100\%) = 14{,}46\%$$

12.9 Vertedores

A vazão em canal aberto é medida com frequência usando um **vertedor**. Esse dispositivo consiste em uma obstrução com borda afilada que é colocada dentro do canal, fazendo com que a água recue e depois escoe sobre ela. Geralmente, existem dois tipos de vertedores: vertedor com soleira de crista viva e vertedor com soleira arredondada.

Vertedor com soleira de crista viva

Um ***vertedor com soleira de crista viva*** normalmente toma a forma de uma placa retangular ou triangular que possui uma borda afilada no lado a montante, para minimizar o contato com a água (Figura 12.33). À medida que a água escorre sobre o vertedor, ela forma uma *vena contracta*, chamada

Inundação controlada de água fluindo de um reservatório

de **veia**. Para manter essa forma, é preciso fornecer ventilação de ar suficiente por baixo da veia, para que a água caia afastada da placa do vertedor. Isso acontece especialmente para placas retangulares que se estendem pela largura inteira do canal, como na Figura 12.33.*

As linhas de corrente dentro da veia são *curvadas*, portanto, as acelerações que ocorrem aqui causarão um escoamento *não uniforme*. Além disso, no canal perto da placa do vertedor, o escoamento envolve os efeitos da turbulência e do movimento de vórtices. A montante dessa região, porém, as linhas de corrente permanecem aproximadamente paralelas, a pressão varia hidrostaticamente e o escoamento é uniforme. E, assim, se considerarmos que o líquido é um fluido ideal, podemos mostrar que a vazão sobre o vertedor é função *apenas* da *profundidade a montante* do líquido — algo que torna o vertedor um dispositivo conveniente para medir vazão.

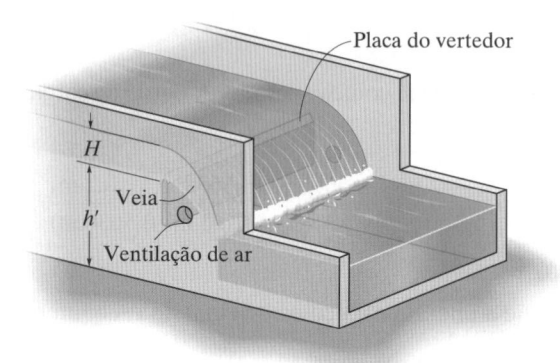

Escoamento sobre um vertedor retangular

FIGURA 12.33

Retângulo

Se o vertedor possui uma abertura retangular, que se estende pela largura inteira do canal (Figura 12.34a), então a equação de Bernoulli pode ser aplicada entre os pontos 1 e 2 na linha de corrente mostrada na Figura 12.34b. Supondo que a velocidade de aproximação V_1 seja *pequena* em comparação com V_2, de modo que V_1 possa ser desprezada, temos

$$\frac{p_1}{\gamma} + \frac{V_1^2}{2g} + z_1 = \frac{p_2}{\gamma} + \frac{V_2^2}{2g} + z_2$$

$$\frac{p_1}{\gamma} + 0 + z_1 = 0 + \frac{V_2^2}{2g} + (h' + y)$$

Aqui, $p_2 = 0$ porque, dentro da veia, o líquido está em queda livre, de modo que a pressão é atmosférica. Além disso, observe pela Figura 12.34b que a carga piezométrica $p_1/\gamma + z_1 = h' + y + h$. Substituindo e isolando V_2, obtemos

$$V_2 = \sqrt{2gh} \tag{12.31}$$

---

* Pode ser interessante observar que o vertedor de uma grande represa geralmente tem o mesmo perfil de uma lâmina vertente em queda livre, pois a água está apenas em ligeiro contato com a superfície, portanto, a distribuição de pressão sobre a superfície será aproximadamente atmosférica.

Como a velocidade é função de h, a *descarga teórica* através da seção transversal inteira da veia precisa ser determinada por integração (Figura 12.34a). Temos

$$Q_t = \int_A V_2 \, dA = \int_0^H \sqrt{2gh}(b \, dh) = \sqrt{2g} \, b \int_0^H h^{1/2} dh$$

$$= \frac{2}{3}\sqrt{2g} \, bH^{3/2} \tag{12.32}$$

Para levar em conta os efeitos da perda por cisalhamento, e para as outras suposições que foram feitas, um **coeficiente de descarga** C_d determinado experimentalmente é usado para calcular a *descarga real*. Seu valor também leva em conta a menor profundidade do escoamento sobre o vertedor (ponto A na Figura 12.34b) e o afunilamento da veia. Valores específicos de C_d podem ser encontrados na literatura relacionada ao escoamento em canal aberto. Veja a Referência [9]. Usando C_d, a Equação 12.32 torna-se então

$$Q_{real} = C_d \frac{2}{3}\sqrt{2g} \, bH^{3/2} \tag{12.33}$$

Para restringir ainda mais o escoamento a montante V_1, pode-se utilizar um **vertedor retangular suprimido** (Figura 12.34c). Porém, deve-se ter cuidado na seleção da largura, b, pois a veia também se afunilará horizontalmente para larguras muito estreitas.

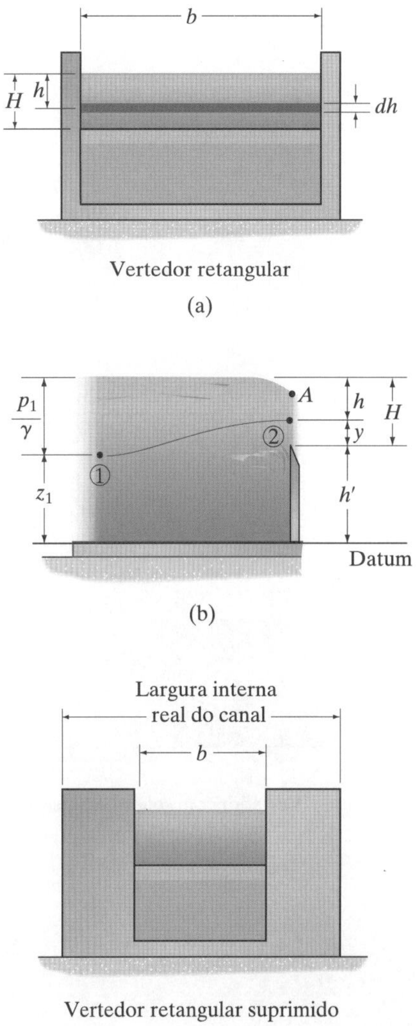

Triângulo

Quando a descarga é pequena, é conveniente usar uma placa com uma abertura triangular (Figura 12.35). A equação de Bernoulli oferece o mesmo resultado para a velocidade visto antes, que é expresso pela Equação 12.31. Usando a área diferencial $dA = x \, dh$, a descarga teórica agora se torna

$$Q_t = \int_A V_2 \, dA = \int_0^H \sqrt{2gh} \, x \, dh$$

Aqui, o valor de x está relacionado a h por semelhança de triângulos,

$$\frac{x}{H - h} = \frac{b}{H}$$

$$x = \frac{b}{H}(H - h)$$

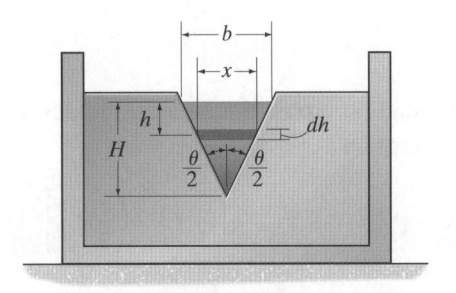

Vertedor retangular
(a)

(b)

Vertedor retangular suprimido
(c)

FIGURA 12.34

Vertedor triangular

FIGURA 12.35

de modo que

$$Q_t = \sqrt{2g}\,\frac{b}{H}\int_0^H h^{1/2}(H-h)dh = \frac{4}{15}\sqrt{2g}\,bH^{3/2}$$

Uma vez que tg $(\theta/2) = (b/2)/H$, então

$$Q_t = \frac{8}{15}\sqrt{2g}\,H^{5/2}\,\text{tg}\,\frac{\theta}{2} \qquad (12.34)$$

Usando um coeficiente de descarga, C_d, determinado por experimento, o escoamento real através do vertedor triangular é, portanto,

$$Q_{\text{real}} = C_d\frac{8}{15}\sqrt{2g}\,H^{5/2}\,\text{tg}\,\frac{\theta}{2} \qquad (12.35)$$

Vertedores com soleira espessa

Um ***vertedor com soleira espessa*** consiste em um bloco que suporta a veia do escoamento por uma certa distância horizontal (Figura 12.36). Ele oferece um meio para encontrar tanto a profundidade crítica y_c quanto a vazão. Como nos dois casos anteriores, vamos considerar que o fluido seja perfeito e que a velocidade de aproximação seja desprezível. Então, aplicando a equação de Bernoulli entre os pontos 1 e 2 da linha de corrente, temos

$$\frac{p_1}{\gamma} + \frac{V_1^2}{2g} + z_1 = \frac{p_2}{\gamma} + \frac{V_2^2}{2g} + z_2$$

$$0 + 0 + H = 0 + \frac{V_2^2}{2g} + y$$

Assim,

$$V_2 = \sqrt{2g(H-y)}$$

Desde que o escoamento seja originalmente fluvial, então, quando ele começa a passar sobre o bloco do vertedor, ele acelerará até que a profundidade caia para a profundidade crítica $y = y_c$, onde ocorrerá a descarga máxima e a energia específica será mínima. Aqui, a Equação 12.9 se aplica.

$$V_2 = V_c = \sqrt{gy_c}$$

Substituindo esse resultado na equação anterior, obtemos

$$y_c = \frac{2}{3}H \qquad (12.36)$$

Se o canal é retangular e possui uma largura b, então, usando esses resultados, a descarga teórica é

$$Q_t = V_2 A = \sqrt{g\left(\frac{2}{3}H\right)}\left[b\left(\frac{2}{3}H\right)\right]$$

$$= b\sqrt{g}\left(\frac{2}{3}H\right)^{3/2} \qquad (12.37)$$

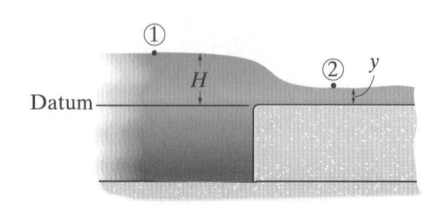

Vertedor com soleira espessa
FIGURA 12.36

Vertedor usado para medir o escoamento de um rio

Esse resultado é bem próximo da vazão real obtida experimentalmente; porém, para que a concordância seja ainda melhor, de modo a considerar a suposição de um fluido perfeito, utiliza-se um *coeficiente de vertedor com soleira espessa*, C_w, determinado experimentalmente. Veja a Referência [9]. Assim,

$$Q_{\text{real}} = C_w b \sqrt{g} \left(\frac{2}{3}H\right)^{3/2} \qquad (12.38)$$

Pontos importantes

- Vertedores com soleira de crista viva e com soleira espessa são usados para medir a vazão em um canal aberto.
- Vertedores com soleira de crista viva são placas que possuem formas retangulares ou triangulares e são colocadas perpendiculares ao escoamento no canal.
- Vertedores com soleira espessa suportam o escoamento por uma distância horizontal. Eles são usados para determinar a profundidade crítica e a descarga.
- A vazão ou descarga sobre um vertedor pode ser determinada usando a equação de Bernoulli, e o resultado é ajustado para levar em conta a perda por cisalhamento e outros efeitos usando um coeficiente de descarga determinado experimentalmente.

EXEMPLO 12.16

A água no canal da Figura 12.37 tem 2 m de profundidade, e a profundidade a partir do fundo do vertedor triangular até o fundo do canal é 1,75 m. Se o coeficiente de descarga é $C_d = 0,57$, determine a vazão no canal.

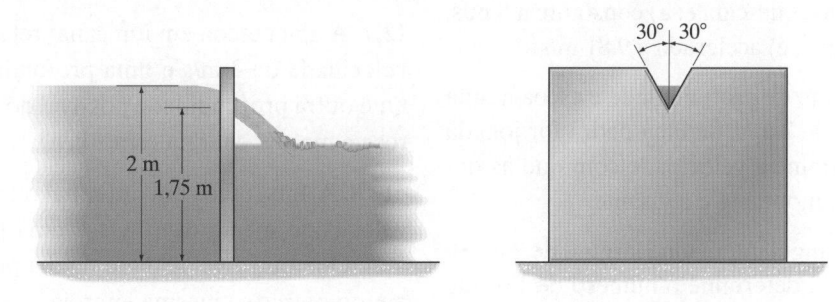

FIGURA 12.37

Solução

Descrição do fluido

O nível da água no canal é considerado constante, de modo que temos um escoamento em regime permanente. Além disso, a água é considerada incompressível.

Análise

Aqui, $H = 2\text{ m} - 1,75\text{ m} = 0,25\text{ m}$. Aplicando a Equação 12.35, a vazão é, portanto,

$$Q_{\text{real}} = C_d \frac{8}{15} \sqrt{2g} \, H^{5/2} \, \text{tg}\frac{\theta}{2}$$

$$= (0,57)\frac{8}{15}\sqrt{2(9,81\text{ m/s}^2)}\,(0,25\text{ m})^{5/2}\,\text{tg}\,30° = 0,0243\text{ m}^3/\text{s} \qquad Resposta$$

Referências

1. CARTER, R. W. et al. Friction factors in open-channels. *Journal of the Hydraulics Division*, ASCE, v. 89, n. AY2, 1963, p. 97–143.
2. CHOW, V. T. *Open-Channel Hydraulics*. Caldwell, New Jersey: The Blackburn Press, 2009.
3. FRENCH, R. *Open-Channel Hydraulics*. Nova York: McGraw-Hill, 1992.
4. KINDSATER, C. E.; CARTER, R. W. Discharge characteristics of rectangular thin-plate weirs. *Trans ASCE*, v. 124, 1959, p. 772–822.
5. MANNING, R. The flow of water in open channels and pipes. *Trans Inst of Civil Engineers of Ireland*, v. 20, Dublin, 1891, p. 161–201.
6. ROUSE, H. *Fluid Mechanics for Hydraulic Engineers*. Nova York: Dover Publications, 1961.
7. PRASUHN, A. L. *Fundamentals of Fluid Mechanics*. New Jersey: Prentice-Hall, 1980.
8. BRATER, E. F. *Handbook of Hydraulics*. 7. ed. Nova York: McGraw-Hill, 1996.
9. ACKERS, P. et al. *Weirs and Flumes for Flow Measurement*. Nova York: John Wiley, 1978.
10. CHAUDHRY, M. H. *Open-Channel Flow*. 2. ed. Nova York: Springer-Verlag, 2007.

Problemas

Seções 12.1 a 12.4

12.1. Um tanque grande contém água a uma profundidade de 4 m. Se o tanque está em um elevador descendo, determine a velocidade da onda criada em sua superfície se a taxa de descida é: a) constante a 8 m/s, b) acelerada a 4 m/s^2, c) acelerada a 9,81 m/s^2.

12.2. Um rio tem 4 m de profundidade e escoa a uma velocidade média de 2 m/s. Se uma pedra for jogada dentro dele, determine a velocidade com que as ondas atravessarão a montante e a jusante.

12.3. Um canal retangular tem uma largura de 2 m. Se a vazão é de 5 m^3/s, determine o número de Froude quando a profundidade da água for de 0,5 m. Nessa profundidade, o escoamento é subcrítico ou supercrítico? Além disso, qual é a velocidade crítica do escoamento?

*****12.4.** Um canal retangular tem uma largura de 2 m. Se a vazão é de 5 m^3/s, determine o número de Froude quando a profundidade da água for de 1,5 m. Nessa profundidade, o escoamento é subcrítico ou supercrítico? Além disso, qual é a velocidade crítica do escoamento?

12.5. Um canal retangular transporta água a 8 m^3/s. A largura do canal é de 3 m e a profundidade da água é de 2 m. O escoamento é subcrítico ou supercrítico?

12.6. A água escoa com uma velocidade média de 6 pés/s em um canal retangular com uma largura de 5 pés. Se a profundidade da água é de 2 pés, determine a energia específica e a profundidade alternativa que oferece o mesmo escoamento.

12.7. A água escoa em um canal retangular com uma velocidade de 3 m/s e uma profundidade de 1,25 m. Que outra profundidade possível do escoamento oferece a mesma energia específica?

*****12.8.** A água escoa em um canal retangular com uma velocidade média de 6 m/s e uma profundidade de 4 m. Que outra velocidade média possível do escoamento oferece a mesma energia específica?

12.9. Um canal retangular com uma largura de 3 m precisa transportar 40 m^3/s de água. Determine a profundidade crítica e a velocidade crítica do escoamento. Qual é a energia específica na profundidade crítica e também quando a profundidade é de 2 m?

12.10. O canal transporta água a 8 m^3/s. Se a profundidade do escoamento é $y = 1,5$ m, determine se o escoamento é subcrítico ou supercrítico. Qual é a profundidade crítica do escoamento? Compare a energia específica do escoamento com sua energia específica mínima.

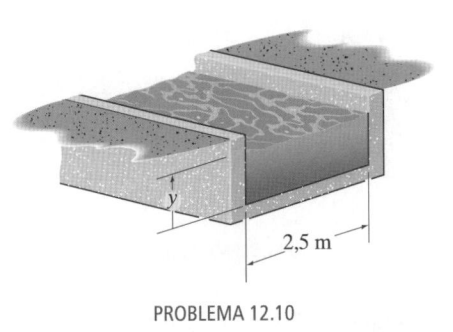

PROBLEMA 12.10

12.11. A água escoa dentro de um canal retangular com um escoamento de 8 m³/s. Determine as duas profundidades de escoamento possíveis e identifique o escoamento como supercrítico ou subcrítico, se a energia específica é 2 m. Além disso, faça o gráfico do diagrama da energia específica.

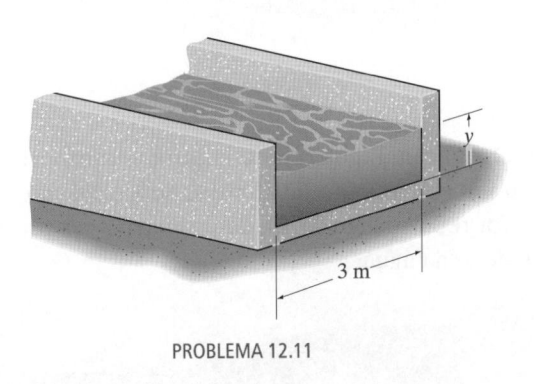

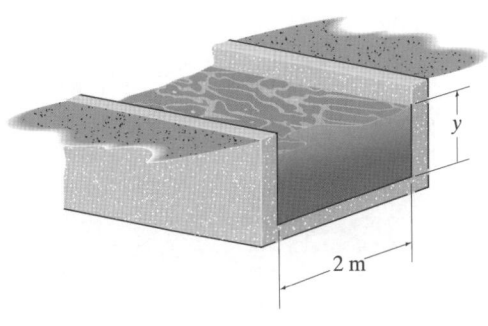

PROBLEMA 12.13

12.14. A água escoa dentro do canal retangular, de modo que a vazão seja 4 m³/s. Determine a profundidade crítica do escoamento e a energia específica mínima. Se a energia específica for 8 m, quais são as duas profundidades possíveis de escoamento?

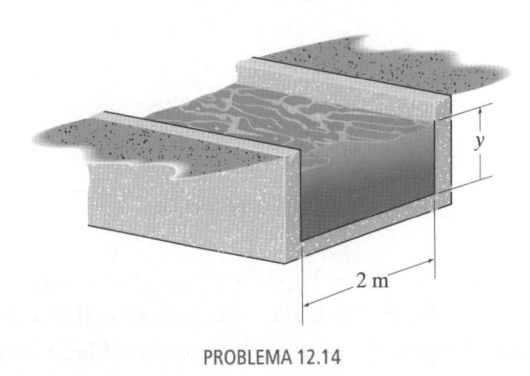

PROBLEMA 12.11

PROBLEMA 12.14

*__12.12.__ O canal retangular transporta água a 4 m³/s. Determine a profundidade crítica y_c e desenhe o gráfico do diagrama da energia para o escoamento. Indique y para $E = 1{,}25$ m.

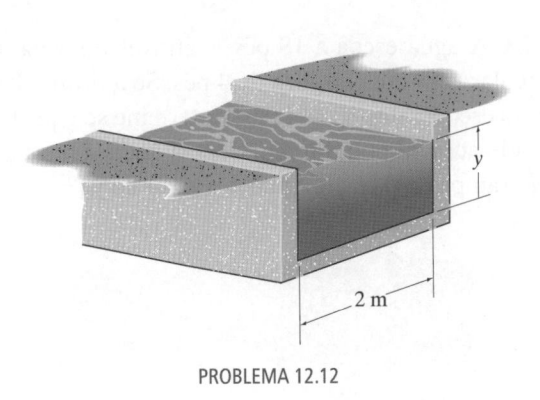

12.15. O canal retangular transporta água a uma vazão de 8 m³/s. Desenhe o diagrama da energia específica para o escoamento e indique y para $E = 3$ m.

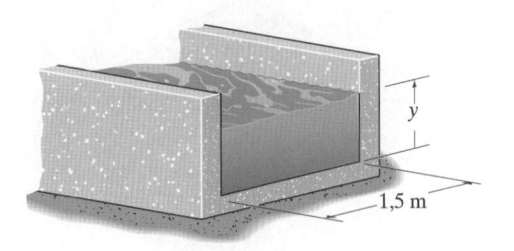

PROBLEMA 12.15

PROBLEMA 12.12

*__12.16.__ O canal retangular passa por uma transição que faz com que sua largura se estreite para 1,5 m. Se a vazão for 5 m³/s e $y_A = 3$ m, determine a profundidade do escoamento em B.

12.13. O canal retangular transporta água a 8 m³/s. Determine a profundidade crítica y_c e desenhe o gráfico do diagrama da energia específica para o escoamento. Indique y para $E = 2$ m.

12.17. O canal retangular tem uma transição que faz com que sua largura se estreite para 1,5 m. Se a vazão é de 5 m³/s e $y_A = 5$ m, determine a profundidade do escoamento em B.

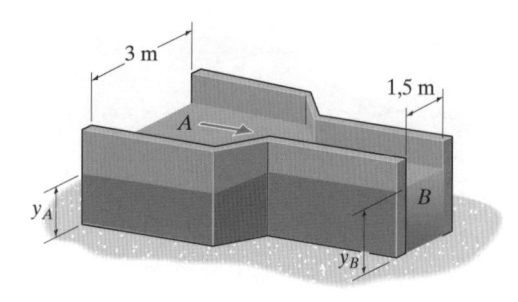

PROBLEMAS 12.16 e 12.17

12.18. O medidor de Venturi é colocado no canal para medir a vazão. Se a profundidade do escoamento em A é $y_A = 2{,}50$ m e na garganta B é $y_B = 2{,}35$ m, determine a vazão através do canal.

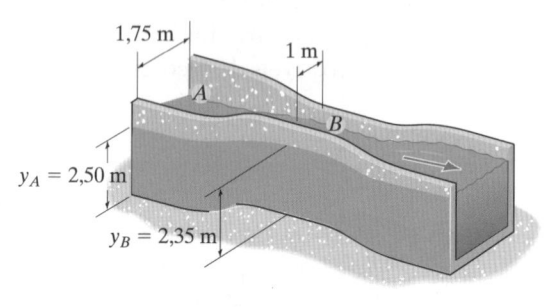

PROBLEMA 12.18

12.19. A água escoa a 25 pés³/s no canal, que originalmente tem 6 pés de largura e depois se estreita gradualmente para $b_2 = 4$ pés. Se a profundidade original da água é de 3 pés, determine a profundidade y_2 depois de passar pelo encolhimento. Que largura b_2 produzirá o escoamento crítico $y_2 = y_c$?

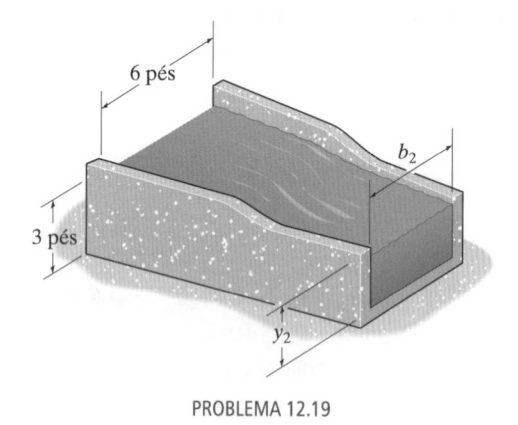

PROBLEMA 12.19

Seção 12.4

*__12.20.__ O canal retangular tem uma largura de 8 pés e transporta água a 30 pés³/s. Se a profundidade do escoamento em A é de 6 pés, determine a que altura h o leito do canal deverá subir a fim de produzir o escoamento crítico em B.

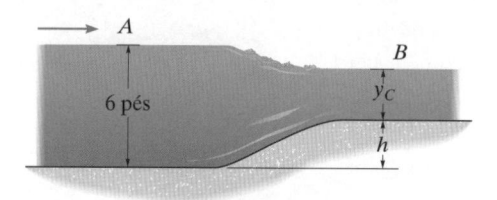

PROBLEMA 12.20

12.21. O canal tem 2 m de largura e transporta água a 18 m³/s. Se a elevação do leito for aumentada em 0,25 m, determine a nova profundidade y_2 da água e a velocidade do escoamento. O novo escoamento é subcrítico ou supercrítico?

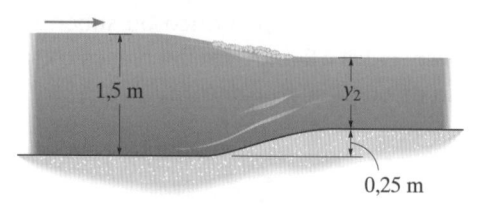

PROBLEMA 12.21

12.22. O canal tem 2 m de largura e transporta água em um escoamento de 18 m³/s. Se a elevação do leito for reduzida em 0,1 m, determine a nova profundidade y_2 da água.

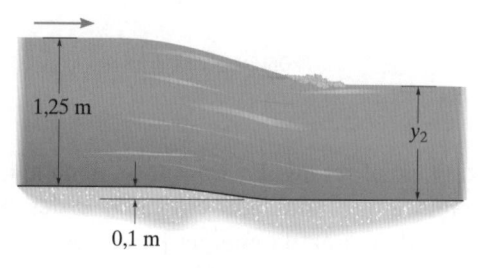

PROBLEMA 12.22

12.23. A água escoa a 18 pés³/s através do canal retangular com uma largura de 4 pés. Se a profundidade do escoamento $y_A = 4$ pés, determine se a profundidade aumenta ou diminui depois que a água escoa pela rampa de 0,25 pé. Qual é o valor de y_B?

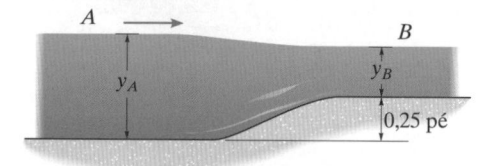

PROBLEMA 12.23

*__12.24.__ A água escoa a 18 pés³/s através do canal retangular com uma largura de 4 pés. Se a profundidade $y_A = 0{,}5$ pé, determine se a profundidade y_B

aumenta ou diminui depois que a água escoa sobre a rampa de 0,25 pé. Qual é o valor de y_B?

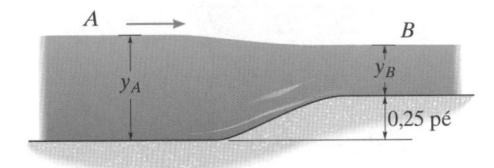

PROBLEMA 12.24

12.25. A água escoa dentro de um canal retangular com 4 m de largura a 20 m³/s. Determine a profundidade do escoamento y_B na extremidade a jusante e a velocidade do escoamento em A e B. Considere $y_A = 5$ m.

12.26. A água escoa dentro de um canal retangular com 4 m de largura a 20 m³/s. Determine a profundidade do escoamento y_B na extremidade a jusante e a velocidade do escoamento em A e B. Considere $y_A = 0,5$ m.

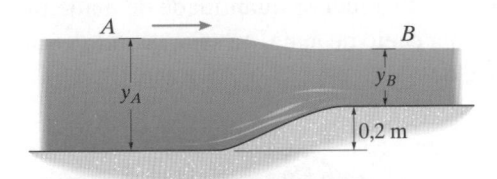

PROBLEMAS 12.25 e 12.26

12.27. O canal retangular tem 2 m de largura, e a profundidade da água é de 1,5 m enquanto ela escoa com uma velocidade média de 0,5 m/s. Mostre que o escoamento é fluvial e determine a altura exigida h do obstáculo, de modo que o escoamento possa mudar para torrencial depois de passar pelo obstáculo. Qual é a nova profundidade y_2 para o escoamento torrencial?

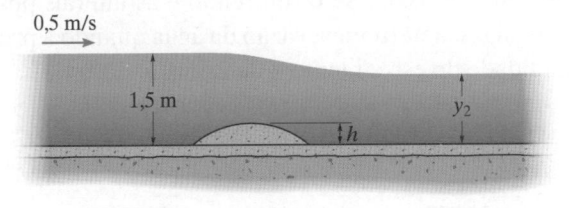

PROBLEMA 12.27

*****12.28.** O canal retangular tem 2 m de largura, e a profundidade da água é de 0,75 m enquanto escoa com uma velocidade média de 4 m/s. Mostre que o escoamento é torrencial e determine a altura exigida h do obstáculo, de modo que o escoamento possa mudar para fluvial depois de passar sobre o obstáculo. Qual é a nova profundidade y_2 para o escoamento fluvial?

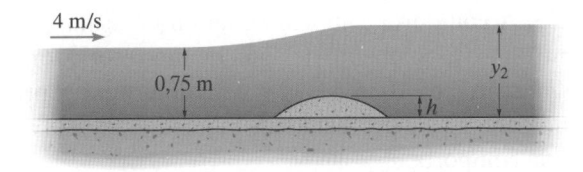

PROBLEMA 12.28

12.29. O canal retangular tem uma largura de 3 pés, e a profundidade da água é originalmente 4 pés. Se o escoamento for de 50 pés³/s, mostre que o escoamento a montante é fluvial e determine a profundidade exigida da água, y', no topo do obstáculo, de modo que o escoamento a jusante possa ser transformado para um escoamento torrencial. Qual é a profundidade a jusante?

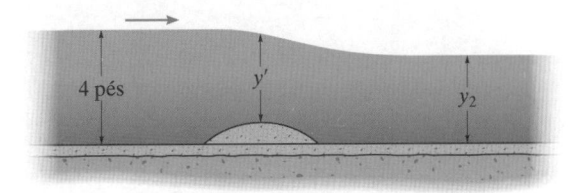

PROBLEMA 12.29

Seção 12.5

12.30. A comporta tem 5 pés de largura. Se a vazão é de 200 pés³/s, determine a profundidade do escoamento y_2 e o tipo de escoamento a jusante a partir da comporta. Qual é a vazão máxima da água que pode passar pela comporta?

12.31. A comporta tem 5 pés de largura. Determine a vazão da água através da porta se $y_2 = 2$ pés. Que tipo de escoamento ocorre?

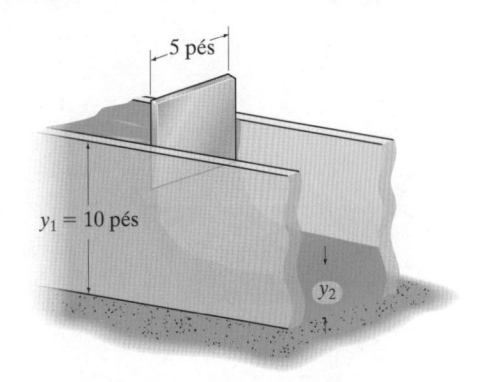

PROBLEMAS 12.30 e 12.31

*****12.32.** A comporta com 2 m de largura é usada para controlar o escoamento de água de um reservatório. Se as profundidades são $y_1 = 4$ m e $y_2 = 0,75$ m, determine a vazão através da comporta e a profundidade y_3 imediatamente antes da comporta.

12.33. A comporta com 2 m de largura é usada para controlar o escoamento de água de um reservatório. Se a vazão é de 10 m³/s e $y_1 = 4$ m, determine a profundidade y_2, e a profundidade y_3 imediatamente antes da comporta.

12.34. A comporta e o canal possuem ambos uma largura de 2 m. Se a profundidade do escoamento em A é $y_1 = 3$ m, determine a vazão através do canal em função da profundidade y_2 e especifique Q quando a profundidade y_2 é de: a) 1 m, b) 1,5 m.

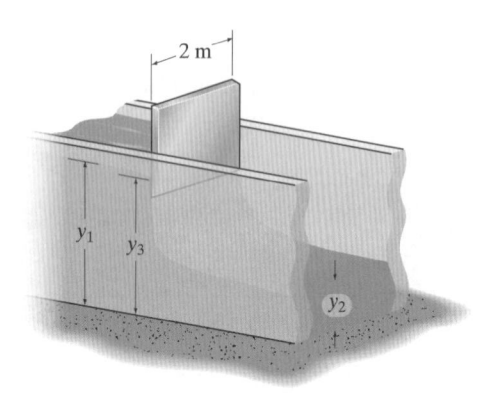

PROBLEMAS 12.32, 12.33 e 12.34

Seção 12.6

12.35. Determine o raio hidráulico para a seção transversal de cada canal.

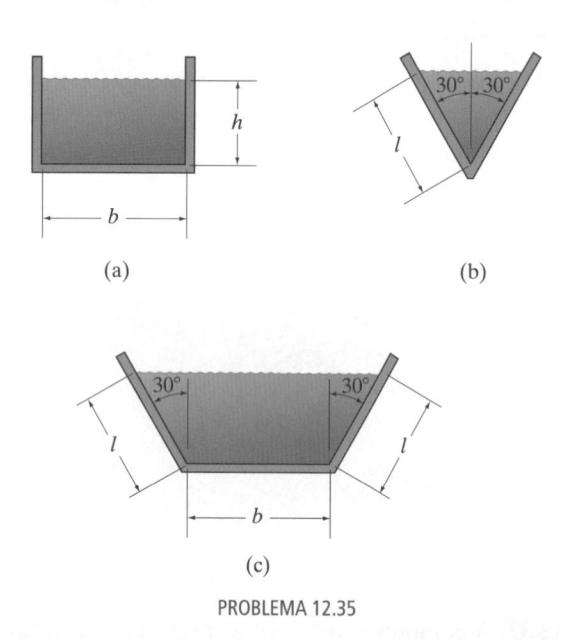

PROBLEMA 12.35

*__**12.36.**__ O canal tem uma seção transversal triangular. Determine a profundidade crítica $y = y_c$ em termos de θ e o escoamento Q.

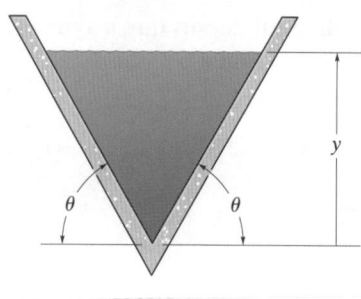

PROBLEMA 12.36

12.37. Um canal retangular tem uma largura de 2 m, é composto de concreto bruto e possui uma inclinação de 0,0014. Determine a vazão quando a profundidade do escoamento da água é de 1,5 m.

12.38. O canal é feito de madeira e possui uma inclinação descendente de 0,0015. Determine a vazão da água se $y = 2$ pés.

12.39. O canal é feito de madeira e possui uma inclinação descendente de 0,0015. Determine a profundidade y do escoamento que produzirá o máximo de vazão usando a menor quantidade de madeira quando ele está cheio de água, ou seja, quando $y = h$. Qual é a vazão?

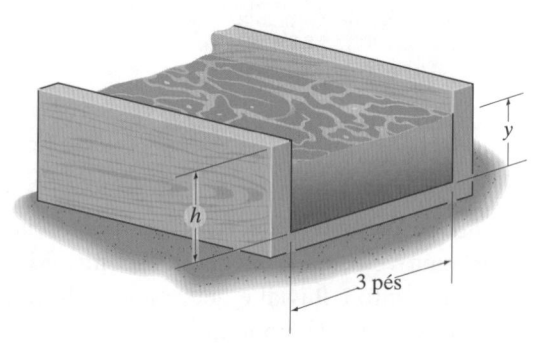

PROBLEMAS 12.38 e 12.39

*__**12.40.**__ O canal de drenagem tem uma inclinação descendente de 0,002. Se o seu fundo e as laterais possuem algas, determine a vazão da água quando a profundidade do escoamento é de 2,5 m.

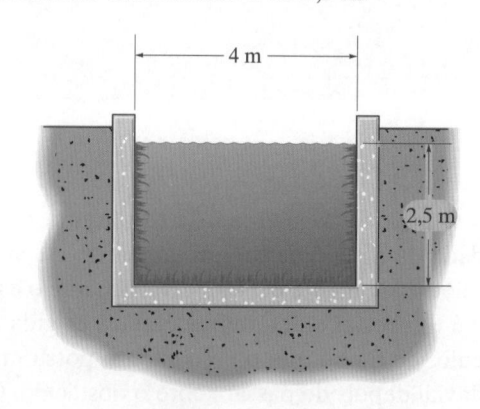

PROBLEMA 12.40

12.41. O tubo de esgoto, feito de concreto bruto, precisa transportar água a 60 pés³/s quando está completo até a metade. Se a inclinação descendente do tubo é 0,0015, determine o raio interno necessário do tubo.

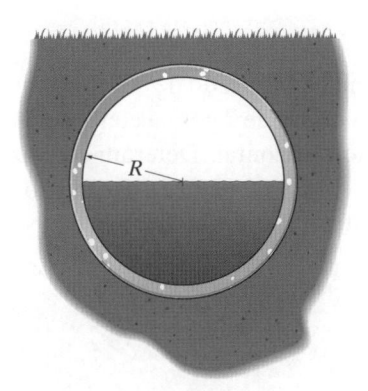

PROBLEMA 12.41

12.42. Um tubo de drenagem com 3 pés de diâmetro é feito de concreto bruto e foi projetado para transportar 80 pés³/s de água a uma profundidade de 2,25 pés. Determine a inclinação descendente necessária para o tubo.

12.43. A água escoa uniformemente descendo o canal triangular com uma inclinação descendente de 0,0083. Se as paredes são feitas de concreto acabado, determine a vazão quando $y = 1,5$ m.

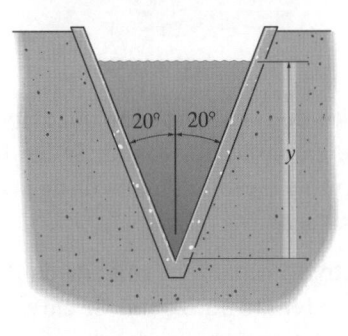

PROBLEMA 12.43

*__12.44.__ Um canal retangular tem uma inclinação descendente de 0,006 e uma largura de 3 m. A profundidade da água é de 4 m. Se a vazão pelo canal é de 30 m³/s, determine o valor de n na equação de Manning.

12.45. O canal é feito de concreto bruto e possui a seção transversal mostrada. Se a inclinação descendente é 0,0008, determine a vazão de água através do canal quando $y = 4$ m.

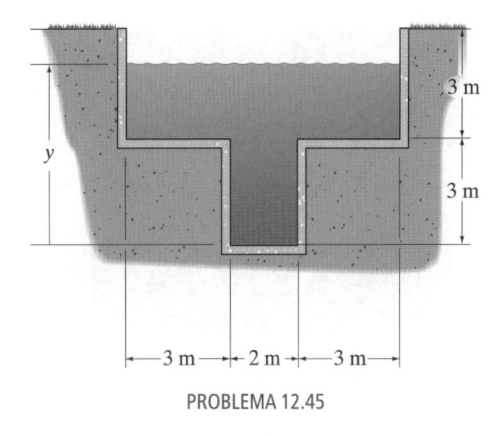

PROBLEMA 12.45

12.46. O canal é feito de concreto bruto e possui a seção transversal mostrada. Se a inclinação descendente é 0,0008, determine a vazão de água através do canal quando $y = 6$ m.

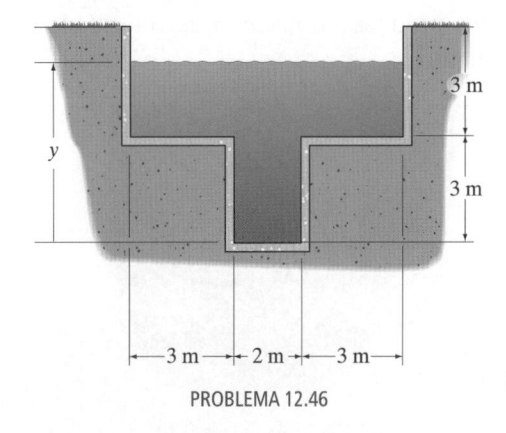

PROBLEMA 12.46

12.47. O canal tem uma seção transversal triangular e está escoando com água até o topo. Determine a vazão se os lados são feitos de madeira e a inclinação descendente é 0,002.

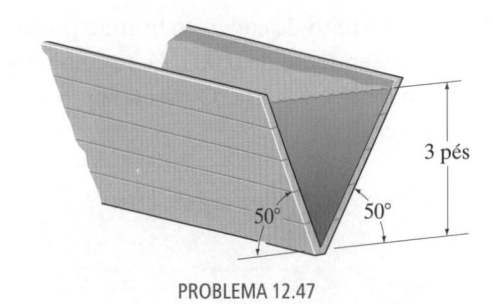

PROBLEMA 12.47

*__12.48.__ O tubo de drenagem é feito de concreto bruto e está inclinado para baixo a 0,0025. Determine a vazão do tubo se a profundidade do fluido é $y = 3$ pés.

12.49. O tubo de drenagem é feito de concreto bruto e está inclinado para baixo a 0,0025. Determine a vazão do tubo se a profundidade do fluido é $y = 1$ pé.

620 MECÂNICA DOS FLUIDOS

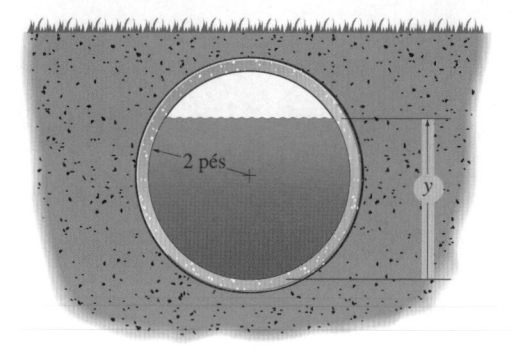

PROBLEMAS 12.48 e 12.49

12.50. A galeria conduz água e está em uma inclinação descendente S_0. Determine a profundidade y que produzirá o máximo de vazão.

12.51. A galeria conduz água e está em uma inclinação descendente S_0. Determine a profundidade y que produzirá o máximo de velocidade para o escoamento.

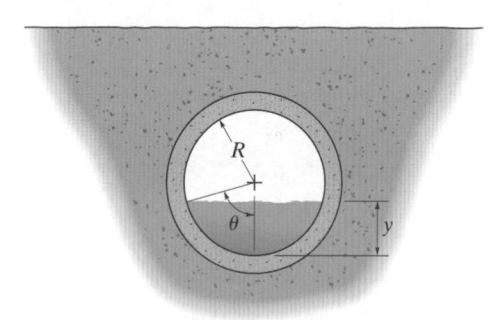

PROBLEMAS 12.50 e 12.51

***12.52.** O canal é feito de concreto bruto e possui uma inclinação descendente de 0,003. Determine a vazão se a profundidade é $y = 2$ m. O escoamento é subcrítico ou supercrítico?

12.53. O canal é feito de concreto bruto e possui uma inclinação descendente de 0,003. Determine a vazão se a profundidade é $y = 3$ m. O escoamento é subcrítico ou supercrítico?

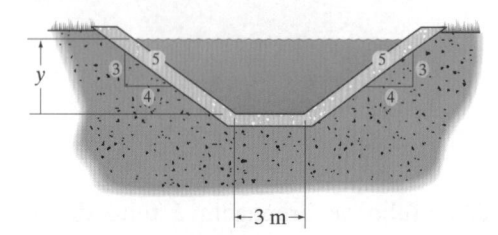

PROBLEMAS 12.52 e 12.53

12.54. O canal é feito de concreto bruto e possui uma seção transversal trapezoidal. Se a velocidade média do escoamento tiver de ser 6 m/s quando a profundidade da água for 2 m, determine a inclinação exigida.

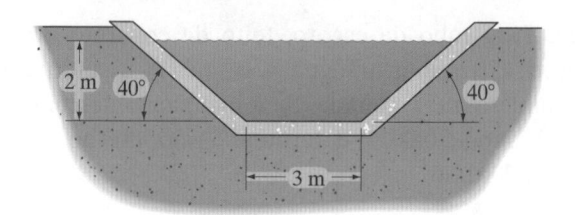

PROBLEMA 12.54

12.55. O canal é fabricado de concreto bruto. Seu leito tem uma queda de 2 pés na elevação para 1000 pés de extensão horizontal. Determine a vazão quando a profundidade $y = 8$ pés. O escoamento é subcrítico ou supercrítico?

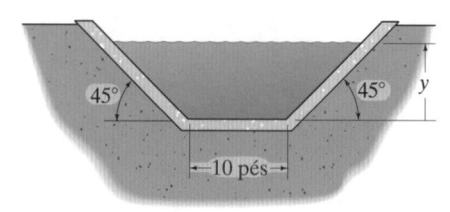

PROBLEMA 12.55

***12.56.** O canal é fabricado de concreto bruto. Seu leito tem uma queda de 2 pés na elevação para 1000 pés de extensão horizontal. Determine a vazão quando a profundidade $y = 4$ pés. O escoamento é subcrítico ou supercrítico?

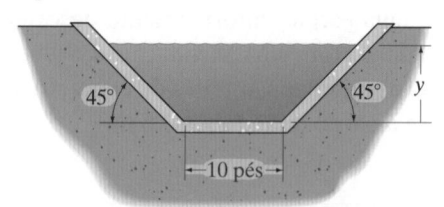

PROBLEMA 12.56

12.57. O leito do canal tem uma queda de 2 pés por 1000 pés de extensão horizontal. Se ele for feito de concreto bruto e a profundidade da água é $y = 6$ pés, determine a vazão.

12.58. O leito do canal tem uma queda de 2 pés por 1000 pés de extensão horizontal. Se ele é feito de concreto bruto, determine a profundidade da água se o escoamento $Q = 800$ pés³/s.

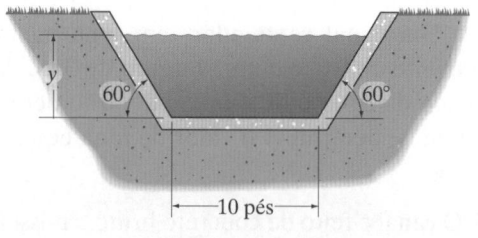

PROBLEMAS 12.57 e 12.58

12.59. Determine a vazão da água através do canal se a profundidade do escoamento é $y = 1,25$ m e a inclinação descendente do canal é 0,005. As laterais do canal são de concreto acabado.

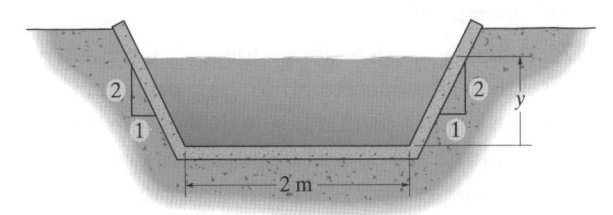

PROBLEMA 12.59

*****12.60.** Determine a profundidade normal da água no canal se o escoamento é $Q = 15$ m³/s. As laterais do canal são de concreto acabado, e a inclinação descendente é 0,005.

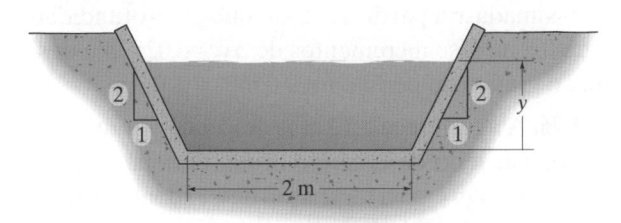

PROBLEMA 12.60

12.61. O canal é feito de concreto bruto. Se for preciso conduzir água a 400 pés³/s, determine a profundidade crítica $y = y_c$ e a inclinação crítica.

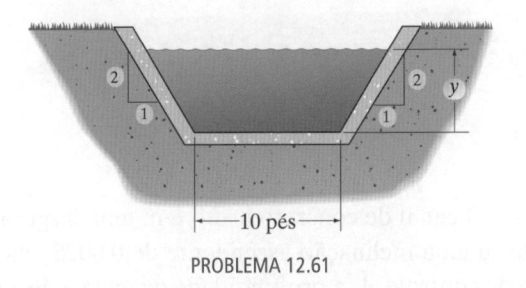

PROBLEMA 12.61

12.62. O canal é feito de concreto bruto. Se for preciso transportar água a 400 pés³/s, determine sua inclinação descendente quando a profundidade da água for de 4 pés. Além disso, qual é a inclinação crítica para essa profundidade e qual é o escoamento crítico correspondente?

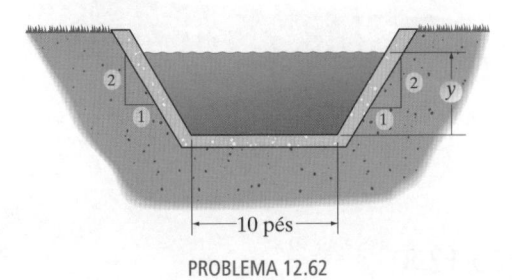

PROBLEMA 12.62

12.63. O canal de concreto bruto deverá ter uma inclinação descendente de 0,002 e laterais inclinadas em 60°. Se o escoamento for estimado em 100 m³/s, determine a dimensão b da base no fundo do canal.

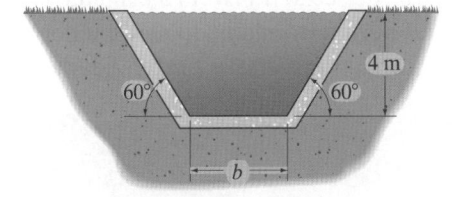

PROBLEMA 12.63

*****12.64.** Um canal retangular tem largura de 2,5 m e é feito de concreto bruto. Se ele tem inclinação descendente de 0,0014, que profundidade de água produzirá uma descarga de 12 m³/s?

12.65. Determine o ângulo θ do canal, de modo que ele tenha a seção transversal hidráulica triangular que utilize o mínimo de material para determinada descarga.

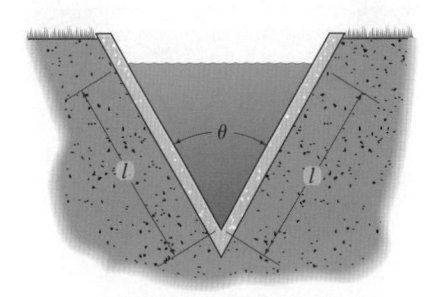

PROBLEMA 12.65

12.66. Determine a extensão das laterais a do canal em termos de sua base b, de modo que, para o escoamento na profundidade total, ele ofereça a melhor seção transversal hidráulica que use o mínimo de material para determinada descarga.

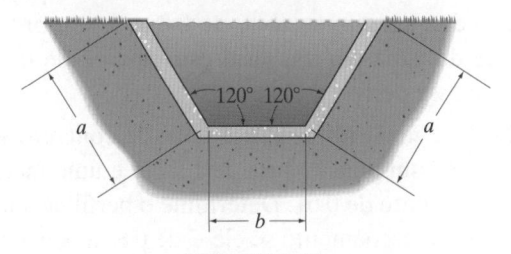

PROBLEMA 12.66

12.67. Determine o ângulo θ e a extensão l de suas laterais, de modo que o canal tenha a melhor seção transversal hidráulica trapezoidal de base b.

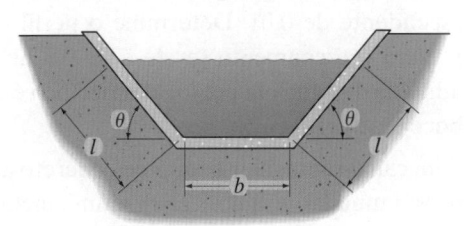

PROBLEMA 12.67

*12.68. Mostre que a largura $b = 2h(\operatorname{cossec}\theta - \operatorname{cotg}\theta)$ a fim de minimizar o perímetro molhado para determinada área de seção transversal e ângulo θ. Em que ângulo θ o perímetro molhado será menor para determinada área transversal e profundidade h?

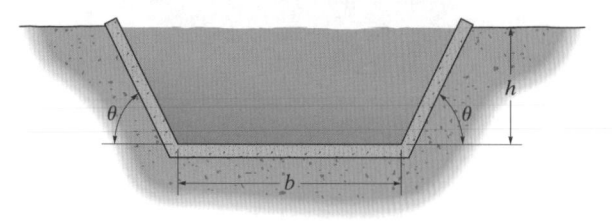

PROBLEMA 12.68

12.69. Mostre que, quando a profundidade do escoamento $y = R$, o canal semicircular oferece a melhor seção transversal hidráulica.

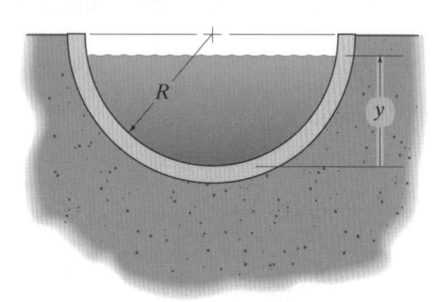

PROBLEMA 12.69

Seção 12.7

12.70. Um canal retangular é feito de concreto bruto, e possui uma largura de 1,25 m e uma inclinação ascendente de 0,01. Determine o perfil da superfície para o escoamento se ele é de 0,8 m³/s e a profundidade da água em um local específico é de 0,5 m. Esboce esse perfil.

12.71. Um canal retangular é feito de concreto acabado, e possui uma largura de 1,25 m e uma inclinação ascendente de 0,01. Determine o perfil da superfície para o escoamento se ele é de 0,8 m³/s e a profundidade da água em um local específico é de 0,2 m. Esboce esse perfil.

*12.72. Um canal retangular é feito de concreto acabado, e possui uma largura de 1,25 m e uma inclinação descendente de 0,01. Determine o perfil da superfície para o escoamento se ele é de 0,8 m³/s e a profundidade da água em um local específico é de 0,6 m. Esboce esse perfil.

12.73. Um canal retangular é feito de concreto acabado, e possui uma largura de 1,25 m e uma inclinação descendente de 0,01. Determine o perfil da superfície para o escoamento se ele é de 0,8 m³/s e a profundidade da água em um local específico é de 0,3 m. Esboce esse perfil.

12.74. A água escoa a 4 m³/s ao longo de um canal horizontal feito de concreto bruto. Se o canal tem uma largura de 2 m, e a profundidade da água em uma seção de controle A é de 0,9 m, aproxime a profundidade na seção onde $x = 2$ m a partir da seção de controle. Use incrementos de $\Delta y = 0,004$ m e desenhe o gráfico do perfil para $0,884$ m $\leq y \leq 0,9$ m.

12.75. A água escoa a 4 m³/s ao longo de um canal horizontal feito de concreto bruto. Se o canal tem uma largura de 2 m, e a profundidade da água em uma seção de controle A é de 0,9 m, determine a distância aproximada x a partir de A até onde a profundidade é de 0,8 m. Use incrementos de $\Delta y = 0,025$ m e desenhe o gráfico do perfil para $0,8$ m $\leq y \leq 0,9$ m.

*12.76. A água escoa a 12 m³/s descendo por um canal retangular feito de concreto bruto. O canal tem uma largura de 4 m e uma inclinação descendente de 0,008, e a profundidade da água é de 2 m na seção de controle A. Determine a distância x a partir de A até onde a profundidade é de 2,4 m. Use incrementos de $\Delta y = 0,1$ m e desenhe o gráfico do perfil para 2 m $\leq y \leq 2,4$ m.

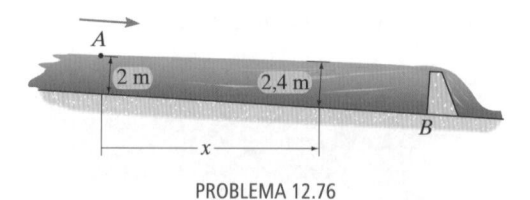

PROBLEMA 12.76

12.77. O canal de concreto bruto tem uma largura de 4 pés e uma inclinação ascendente de 0,0025. Na seção de controle A, a profundidade da água é de 4 pés e a velocidade média é de 40 pés/s. Determine a profundidade y da água, 40 pés a jusante de A. Use incrementos de $\Delta y = 0,1$ pé e desenhe o gráfico do perfil para 4 pés $\leq y \leq 4,4$ pés.

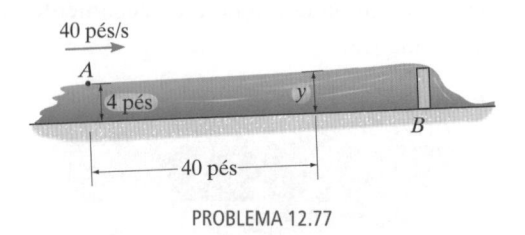

PROBLEMA 12.77

Seção 12.8

12.78. A água escoa sob a comporta parcialmente aberta, que está em um canal retangular. Se a água tem a profundidade mostrada, determine se um ressalto hidráulico é formado e, se for, ache a profundidade y_C na extremidade a jusante do ressalto.

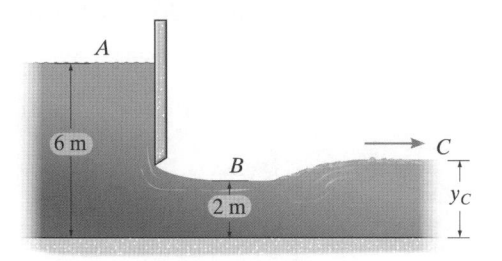

PROBLEMA 12.78

12.79. A viga em A causa a formação de um ressalto hidráulico no canal. Se a largura do canal é de 1,5 m, determine a velocidade média a montante e a velocidade a jusante da água. Que volume de carga em energia é perdido no salto?

PROBLEMA 12.79

*****12.80.** A água escoa a 18 m³/s sobre o vertedor de 4 m de largura da represa. Se a profundidade da água na base inferior é de 0,5 m, determine a profundidade y_2 da água após o ressalto hidráulico.

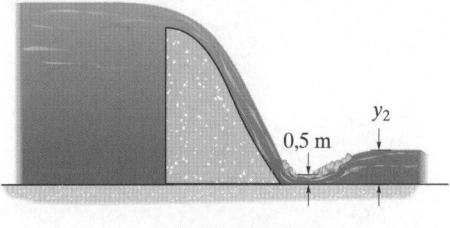

PROBLEMA 12.80

12.81. A água corre de um canal inclinado com um escoamento de 8 m³/s para um canal horizontal, formando um ressalto hidráulico. Se o canal tem 2 m de largura e a água tem 0,25 m de profundidade antes do ressalto, determine a profundidade da água após o ressalto. Que energia é perdida durante o ressalto?

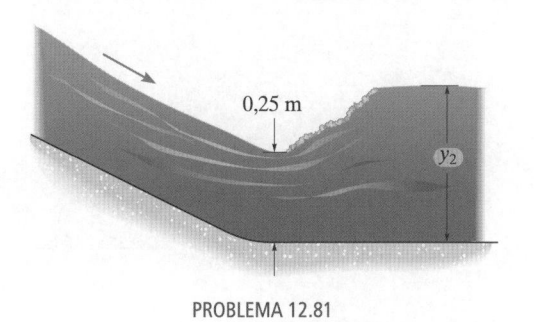

PROBLEMA 12.81

12.82. O ressalto hidráulico tem uma profundidade de 5 m na extremidade a jusante, e a velocidade é de 1,25 m/s. Se o canal tem 2 m de largura, determine a profundidade y_1 da água antes do salto e a perda de carga em energia durante o salto.

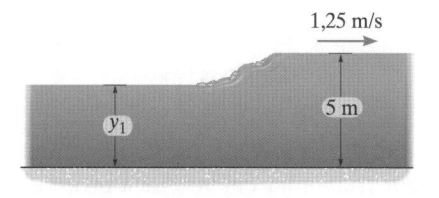

PROBLEMA 12.82

12.83. A água escoa a 30 pés³/s pelo canal retangular com 4 pés de largura. Determine se será formado um ressalto hidráulico e, se for, determine a profundidade y_2 do escoamento após o ressalto e a perda de carga em energia devida ao ressalto.

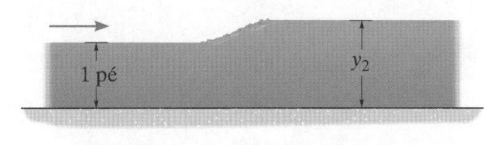

PROBLEMA 12.83

*****12.84.** A água desce pelo vertedor de 3 m de largura e, no fundo, tem uma profundidade de 0,4 m, alcançando uma velocidade de 8 m/s. Determine se será formado um ressalto hidráulico e, se for, determine a velocidade do escoamento e sua profundidade após o ressalto.

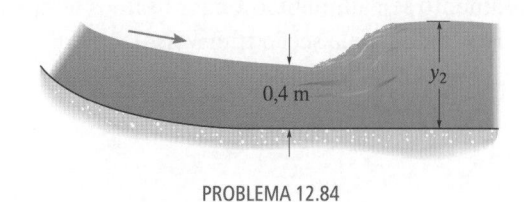

PROBLEMA 12.84

Seção 12.9

12.85. O canal retangular tem uma largura de 3 m e a profundidade do escoamento é de 1,5 m. Determine a vazão da água sobre o vertedor retangular com soleira de crista viva. Considere $C_d = 0,83$.

PROBLEMA 12.85

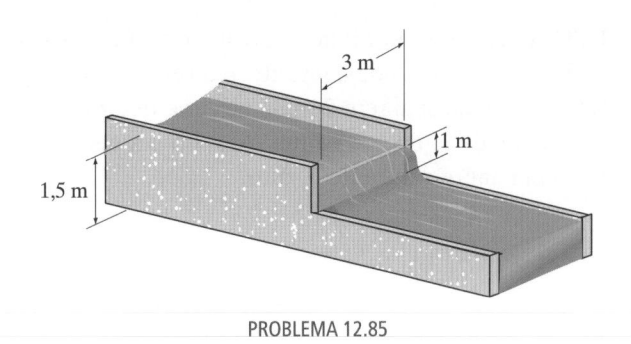

12.86. O canal retangular é ajustado com uma placa de vertedor triangular em 90°. Se a profundidade da água a montante dentro do canal é de 2 m, e a base da placa de vertedor tem 1,5 m a partir do fundo do canal, determine a vazão da água sobre o vertedor. Considere $C_d = 0{,}61$.

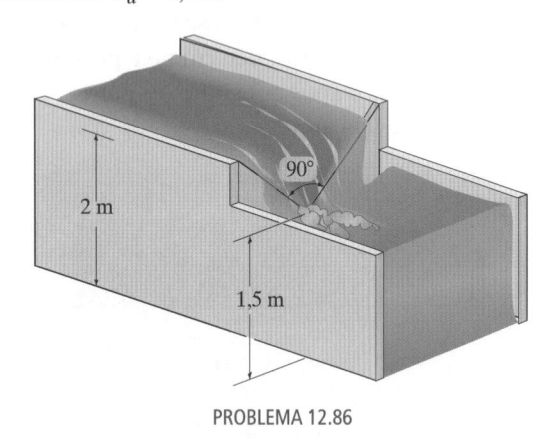

PROBLEMA 12.86

12.87. O escoamento de água sobre o vertedor com soleira espessa é de 15 m³/s. Se o vertedor e o canal possuem uma largura de 3 m, determine a profundidade y da água dentro do canal. Considere $C_w = 0{,}80$.

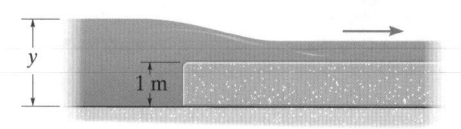

PROBLEMA 12.87

*__12.88.__ Determine a vazão de água sobre o vertedor com soleira espessa se ela estiver em um canal com uma largura de 5 pés. Considere $C_w = 0{,}95$.

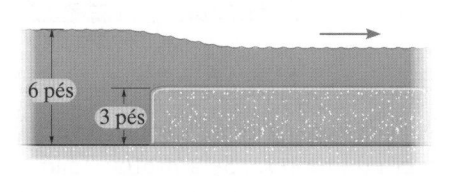

PROBLEMA 12.88

Revisão do capítulo

Praticamente todo o escoamento em canal aberto é turbulento. Para a análise, consideramos que o escoamento seja unidimensional e usamos uma velocidade média pela seção transversal.

A velocidade de uma onda que atravessa uma superfície líquida é chamada de celeridade da onda. Ela é uma função da profundidade de um canal.

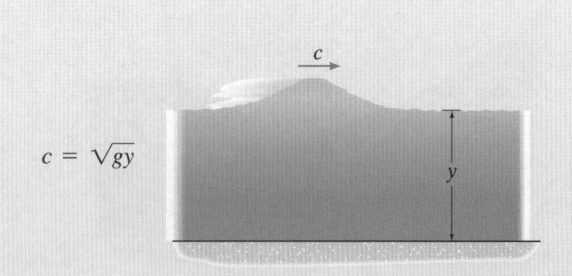

$c = \sqrt{gy}$

As características do escoamento ao longo de um canal são classificadas por meio do número de Froude, pois a gravidade é a força motriz para o escoamento em canal aberto. Quando Fr < 1, o escoamento é fluvial, e quando Fr > 1, o escoamento é torrencial. Se Fr = 1, então ocorre escoamento crítico, quando uma onda estacionária pode se formar na superfície do líquido.

$$Fr = \frac{V}{\sqrt{gy}}$$

Os escoamentos torrencial e fluvial podem produzir a *mesma* energia específica para vazão e largura de canal especificadas. Usando um obstáculo projetado corretamente, onde o escoamento crítico ocorre em seu pico, o escoamento pode ser mudado de torrencial para fluvial, ou de fluvial para torrencial.

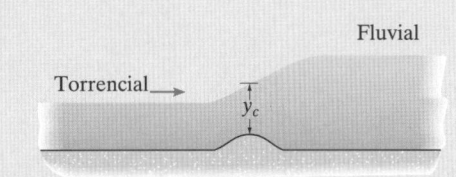

O escoamento sobre uma rampa no canal, ou sob uma comporta, pode ser analisado usando a equação da continuidade e a equação de Bernoulli.

O escoamento uniforme em regime permanente em um canal aberto ocorrerá se o canal tiver seção transversal, inclinação e rugosidade de superfície constantes. A velocidade do escoamento pode ser determinada por meio da equação de Manning, que usa um coeficiente empírico *n* para especificar a rugosidade da superfície.

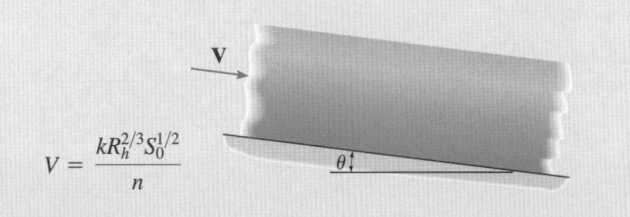

$$V = \frac{kR_h^{2/3}S_0^{1/2}}{n}$$

Se houver escoamento não uniforme em um canal, então haverá doze tipos possíveis de perfil de superfície. O perfil pode ser determinado numericamente usando um método de diferenças finitas derivado da equação da energia.

O escoamento não uniforme pode ocorrer repentinamente em um canal aberto, causando um ressalto hidráulico. O ressalto remove energia do escoamento, fazendo com que ele seja convertido de torrencial para fluvial.

A vazão em um canal aberto pode ser medida usando um vertedor com soleira de crista viva ou espessa. Em particular, um vertedor com soleira espessa também pode converter o escoamento em um escoamento com profundidade crítica.

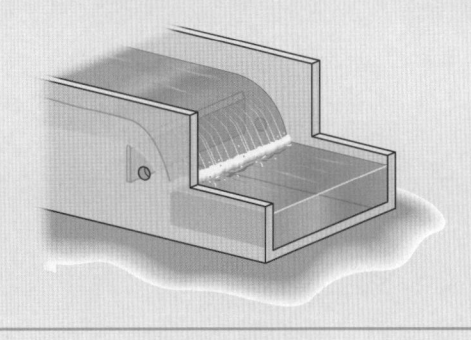

CAPÍTULO 13

Escoamento compressível

Ondas de choque locais se formam na superfície deste avião a jato, nos lugares onde a corrente de ar se aproxima da velocidade do som. O efeito é visto porque o ar está úmido e ocorre condensação com o choque.

(© Super Nova Images/Alamy)

13.1 Conceitos termodinâmicos

Até este ponto, consideramos as aplicações da mecânica dos fluidos somente aos problemas onde o fluido é considerado incompressível. Neste capítulo, vamos estender nosso estudo para incluir os efeitos da compressibilidade, algo que é importante no projeto de motores de jatos, foguetes e aeronaves, no escoamento de alta velocidade através de linhas de gás municipais e industriais, bem como em dutos de ar para calefação e ventilação.

Vamos iniciar o capítulo com uma apresentação de alguns dos conceitos mais importantes em termodinâmica, envolvidos no escoamento de gases compressíveis. A termodinâmica desempenha um papel importante na compreensão do comportamento de fluidos compressíveis, pois qualquer variação drástica na energia cinética de um gás será convertida em calor, causando grandes variações de densidade e pressão através do gás.

Lei dos gases perfeitos

No decorrer deste capítulo, vamos considerar que o gás é um ***gás perfeito*** (ou ***ideal***), ou seja, que é composto de moléculas que se comportam como esferas elásticas. Considera-se que as moléculas têm movimento aleatório e interagem apenas ocasionalmente, pois existe uma grande distância entre elas em comparação com seu tamanho. Os gases reais são muito semelhantes aos gases perfeitos nas pressões e temperaturas encontradas na terra, embora essa aproximação torne-se mais precisa à medida que a densidade do gás diminui.

Descobriu-se *através de experimentos* que a *temperatura absoluta*, a *pressão absoluta* e a densidade de um gás perfeito estão relacionadas por meio de uma única equação, conhecida como ***lei dos gases perfeitos***. Ela é

Objetivos

- Apresentar alguns dos conceitos importantes da termodinâmica que são usados para analisar o escoamento compressível de um gás.

- Discutir o escoamento isentrópico através de uma área variável e mostrar como ele afeta a temperatura, a pressão e a densidade de um gás.

- Mostrar como o escoamento compressível é afetado pelo cisalhamento dentro de um duto (escoamento de Fanno) e pela adição ou remoção de calor da superfície do duto (escoamento de Rayleigh).

- Estudar a formação de ondas de choque em bocais convergentes e divergentes, e a formação de ondas de compressão e expansão em superfícies curvas ou irregulares.

- Apresentar alguns dos métodos usados para medir a velocidade e a pressão no escoamento compressível.

$$p = \rho RT \qquad (13.1)$$

Aqui, R é a constante do gás, que possui um valor exclusivo para cada gás. A lei dos gases perfeitos é chamada de *equação de estado*, pois relaciona-se às três *propriedades de estado* p, ρ, T do gás quando ele está em um estado específico ou condição específica.

Energia interna e a primeira lei da termodinâmica

Outra propriedade de estado importante é a *energia interna*, e para um gás perfeito isso se refere à energia cinética e potencial global desses átomos e moléculas. Uma variação na energia interna ocorre se calor e trabalho são transferidos do gás ou para o gás. A *primeira lei da termodinâmica* é um enunciado formal desse equilíbrio. Ela declara que, se considerarmos uma *unidade de massa* de um gás como um sistema fechado, então a variação em sua energia interna du, à medida que o sistema passa de um estado para outro, é igual ao calor (energia térmica) dq transferido *para dentro* do sistema menos o trabalho dw realizado *pelo* sistema sobre seus arredores. O trabalho é definido como *trabalho de escoamento*, discutido na Seção 5.5, e pode ser escrito como $dw = p\,dv$. Assim,

$$\underbrace{du}_{\text{Variação na energia interna}} = \overbrace{dq}^{\text{Calor adicionado}} - \underbrace{p\,dv}_{\text{Trabalho de escoamento removido}} \qquad (13.2)$$

Essa variação na energia interna é *independente* do processo usado para transferir o sistema de um estado para outro; porém, os valores de dq e $p\,dv$ dependem desse processo. Os processos típicos incluem variações sob volume constante, pressão constante ou temperatura constante; ou, se nenhum calor entrar ou sair do sistema, ocorre um processo adiabático.

Calor específico

A quantidade de calor dq está diretamente relacionada à variação na temperatura dT de um gás pelo *calor específico* c, que é uma *propriedade física* do gás. Ela é definida como a quantidade de calor necessária para elevar a temperatura de uma unidade de massa do gás em um grau.

$$c = \frac{dq}{dT} \qquad (13.3)$$

Esta propriedade depende do processo pelo qual o calor é adicionado. Ela é medida em J/(kg · K) ou pés · lb/(slug · R). Normalmente, ela é determinada adicionando calor a volume constante, c_v, ou a pressão constante, c_p.

Processo a volume constante

Quando o volume de um gás permanece constante, então $dv = 0$, e nenhum trabalho de escoamento externo é realizado. A primeira lei da termodinâmica declara então que $du = dq$. Em outras palavras, a energia interna do gás é elevada somente devido à quantidade de calor fornecida. Assim, a Equação 13.3 torna-se

$$c_v = \frac{du}{dT} \qquad (13.4)$$

Para a maioria das aplicações de engenharia, c_v é basicamente constante à medida que a temperatura varia, portanto, podemos integrar essa equação entre dois estados quaisquer e escrevê-la como

$$\Delta u = c_v \Delta T \qquad (13.5)$$

Portanto, se c_v for conhecido, esse resultado fornece um meio de obter a variação na energia interna para determinada variação de temperatura ΔT.

Processo a pressão constante

Para um processo a pressão constante, o gás pode expandir-se, portanto, a Equação 13.2 declara que pode ocorrer uma variação na energia interna e no trabalho de escoamento. Resolvendo para dq e usando a Equação 13.3, temos

$$c_p = \frac{du + p\,dv}{dT}$$

Para *simplificar* esta expressão, vamos definir outra propriedade de estado de um gás, chamada **entalpia** h. Formalmente, a entalpia é definida como a soma da energia interna u e do trabalho de escoamento pv de uma unidade de massa do gás. Como o volume por unidade de massa é $v = 1/\rho$, então

$$h = u + pv = u + \frac{p}{\rho} \qquad (13.6)$$

Usando a lei dos gases perfeitos, a entalpia também pode ser escrita em termos da temperatura.

$$h = u + RT \qquad (13.7)$$

Para achar a *variação* na entalpia, tomamos as derivadas da Equação 13.6.

$$dh = du + dp\,v + p\,dv \qquad (13.8)$$

Como a pressão é constante, $dp = 0$, portanto, $dh = du + p\,dv$. Logo, c_p torna-se agora

$$c_p = \frac{dh}{dT} \qquad (13.9)$$

Esta equação pode ser integrada entre dois estados quaisquer, pois c_p é apenas uma função da temperatura. Dentro das faixas de temperatura normalmente consideradas na engenharia, c_p, como c_v, é basicamente constante. Assim,

$$\Delta h = c_p \Delta T \qquad (13.10)$$

Portanto, se c_p for conhecida, se houver uma variação na temperatura ΔT, podemos calcular a variação correspondente na entalpia (energia interna mais trabalho de escoamento).

Se tomarmos a derivada da Equação 13.7 e substituirmos a Equação 13.4 e a Equação 13.9 no resultado, obteremos uma relação entre c_p, c_v e a constante do gás. Ela é

$$c_p - c_v = R \qquad (13.11)$$

Se agora expressarmos a razão dos calores específicos como

$$\boxed{k = \frac{c_p}{c_v}} \qquad (13.12)$$

então, usando a Equação 13.11, podemos escrever

$$c_v = \frac{R}{k-1} \qquad (13.13)$$

e também

$$c_p = \frac{kR}{k-1} \qquad (13.14)$$

O Apêndice A oferece valores de k e R para os gases comuns, de modo que os valores de c_v e c_p podem ser calculados a partir dessas duas equações.

Entropia e a segunda lei da termodinâmica

Entropia s é uma propriedade de estado de um gás e, em termodinâmica, assim como aqui, estaremos interessados em como ela *varia*. Definimos a **variação na entropia** como a quantidade de calor que ocorre por grau de temperatura, à medida que uma unidade de massa de gás se move de um estado de pressão, volume e temperatura para outro. Assim,

$$ds = \frac{dq}{T} \qquad (13.15)$$

Por exemplo, quando dois objetos em diferentes temperaturas são colocados um perto do outro em um recipiente isolado (sistema fechado), por fim eles alcançarão a mesma temperatura, devido a incrementos de calor dq movendo-se do objeto quente para o frio. Um ganhará entropia, e o outro perderá entropia. Esse processo de calor escoando do corpo quente para o frio é *irreversível*. Em outras palavras, o calor nunca escoa de um corpo frio para outro quente, pois há mais agitação térmica das moléculas ou energia interna dentro do corpo quente do que no corpo frio.

A **segunda lei da termodinâmica** é baseada na variação da entropia, e determina a ordem no tempo em que um fenômeno físico pode ocorrer. Ela dá uma direção preferencial ao tempo e às vezes é chamada de "seta do tempo". A segunda lei declara que a entropia *sempre aumentará*, pois o processo de variação é **irreversível**. Em um gás, ele é o resultado do cisalhamento viscoso que aumenta a agitação do gás, fazendo assim com que a energia térmica deste aumente. Se for assumido que o processo é **reversível**, ou seja, sem cisalhamento interno, não haverá variação alguma na entropia. Assim,

$$\begin{array}{ll} ds = 0 & \text{Reversível} \\ ds > 0 & \text{Irreversível} \end{array} \qquad (13.16)$$

Para fins de cálculo, podemos obter uma relação entre a variação na entropia e as propriedades intensivas T e ρ, primeiro combinando a Equação 13.15 com a primeira lei da termodinâmica, para eliminar dq. Temos

$$T\, ds = du + p\, dv \qquad (13.17)$$

Agora, se substituirmos $v = 1/\rho$ nesta equação e usarmos a lei dos gases perfeitos $p = \rho RT$ e a definição de c_v (Equação 13.4), obteremos

$$ds = c_v \frac{dT}{T} + \frac{R}{1/\rho} d\left(\frac{1}{\rho}\right)$$

Integrando, com c_v permanecendo constante durante a variação de temperatura, obtemos

$$\boxed{s_2 - s_1 = c_v \ln \frac{T_2}{T_1} - R \ln \frac{\rho_2}{\rho_1}} \qquad (13.18)$$

Além disso, a variação na entropia pode ser relacionada a T e p. Primeiro, a entalpia pode estar relacionada à entropia substituindo a Equação 13.17 na Equação 13.8. Obtemos assim

$$T\, ds = dh - v\, dp \qquad (13.19)$$

Depois, usando a definição de c_p (Equação 13.9) e a lei dos gases perfeitos, escrita como $p = RT/v$, temos

$$ds = c_p \frac{dT}{T} - R \frac{dp}{p}$$

Quando integrada, esta equação resulta em

$$\boxed{s_2 - s_1 = c_p \ln \frac{T_2}{T_1} - R \ln \frac{p_2}{p_1}} \qquad (13.20)$$

Diagrama *T-s*

Ao resolver problemas de escoamento de gás compressível, às vezes é útil estabelecer um **diagrama de estado *T-s***, que representa um gráfico da temperatura *versus* entropia. Por exemplo, um processo de temperatura constante seria plotado como uma linha horizontal, pois para cada variação na entropia, a temperatura precisa ser constante, T_c (Figura 13.1). Se, em vez disso, o volume do gás for mantido constante em V_c, então $dv = 0$, e eliminando du das equações 13.17 e 13.4, encontramos

$$T ds = c_v dT + p\, dv$$

$$\frac{dT}{ds} = \frac{T}{c_v}$$

que representa a inclinação da curva para um volume constante (Figura 13.1). Por fim, se a pressão for mantida constante em p_c, então $dp = 0$, e, eliminando dh das equações 13.19 e 13.9, temos

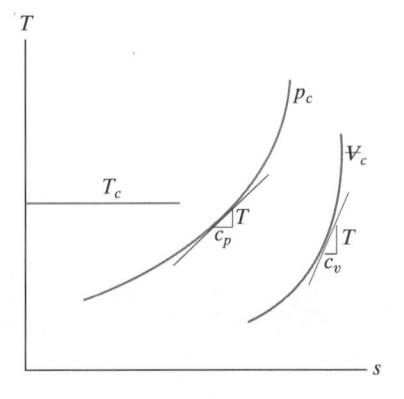

Diagramas *T–s*

FIGURA 13.1

$$T\,ds = c_p\,dT - v\,dp$$

$$\frac{dT}{ds} = \frac{T}{c_p}$$

que é a inclinação da curva para pressão constante (Figura 13.1). Além desses exemplos, mostraremos, nas seções 13.7 e 13.8, como o diagrama T-s oferece um recurso gráfico para a interpretação de resultados analíticos.

Processo isentrópico

Muitos tipos de problemas envolvendo escoamento compressível por bocais e transições de duto ocorrem dentro de uma região localizada por um *período de tempo muito curto*, e quando isso acontece, as variações no gás frequentemente podem ser modeladas como um **processo isentrópico**. Esse processo *não envolve transferência de calor* para os arredores, enquanto o gás é repentinamente levado de um estado para outro; ou seja, o processo é **adiabático**, $dq = 0$. Além disso, ele é *reversível*, desde que o cisalhamento dentro do sistema seja desprezado e, como resultado, $ds = 0$. Portanto, para um processo isentrópico, as equações 13.17 e 13.19 tornam-se

$$0 = du + p\,dv$$

$$0 = dh - v\,dp$$

Se expressarmos essas equações em termos dos calores específicos, teremos

$$0 = c_v\,dT + p\,dv$$

$$0 = c_p\,dT - v\,dp$$

Eliminando dT e usando a Equação 13.12, $k = c_p/c_v$, obtemos

$$\frac{dp}{p} + k\frac{dv}{v} = 0$$

Visto que k é constante, integrando entre dois pontos quaisquer de estado, obtemos

$$\ln\frac{p_2}{p_1} + k\ln\frac{v_2}{v_1} = 0 \qquad \left(\frac{p_2}{p_1}\right)\left(\frac{v_2}{v_1}\right)^k = 1$$

Substituindo $v = 1/\rho$ e reorganizando os termos, a relação entre pressão e densidade torna-se

$$\frac{p_2}{p_1} = \left(\frac{\rho_2}{\rho_1}\right)^k \tag{13.21}$$

Além disso, podemos expressar a pressão em termos da temperatura absoluta usando a lei dos gases perfeitos, $p = \rho RT$. Obtemos assim

$$\frac{p_2}{p_1} = \left(\frac{T_2}{T_1}\right)^{k/(k-1)} \tag{13.22}$$

Por todo o capítulo, usaremos diversas equações desenvolvidas nesta seção para descrever o escoamento compressível isentrópico ou adiabático.

Pontos importantes

- Para a maioria das aplicações da engenharia, um gás pode ser considerado perfeito, ou seja, composto de moléculas em movimento aleatório, com grandes distâncias entre elas em comparação com seu tamanho. Os gases perfeitos obedecem à lei dos gases perfeitos, $p = \rho RT$.

- Um sistema em equilíbrio possui certas propriedades de estado, como pressão, densidade, temperatura, energia interna, entropia e entalpia.

- A variação na energia interna por unidade de massa de um sistema é *aumentada* quando o *calor é adicionado* ao sistema, e é *diminuída* quando o *sistema realiza trabalho de escoamento*. Essa é a primeira lei da termodinâmica, $du = dq - p\,dv$.

- Entalpia é a propriedade de estado de um gás que é definida em termos de três outras propriedades de estado, a saber, $h = u + p/\rho$.

- O calor específico a volume constante relaciona a variação na energia interna de um gás à variação em sua temperatura, $\Delta u = c_v \Delta T$.

- O calor específico a uma pressão constante relaciona a variação na entalpia de um gás à variação em sua temperatura, $\Delta h = c_p \Delta T$.

- A variação na entropia *ds* oferece uma medida da quantidade de calor transferida por grau de temperatura, $ds = dq/T$.

- A segunda lei da termodinâmica declara que, para um *processo irreversível*, a entropia sempre aumentará devido ao cisalhamento, $ds > 0$. Se o processo é *reversível*, ou sem cisalhamento, então a variação na entropia será zero, $ds = 0$.

- O calor específico c_v pode ser usado para relacionar a variação na entropia Δs à variação em T e ρ (Equação 13.18), e c_p pode ser usado para relacionar Δs à variação em T e p (Equação 13.20).

- Um processo isentrópico é aquele onde nenhum calor é ganho ou perdido e o escoamento é sem cisalhamento. Isso significa que o processo é adiabático e reversível, $ds = 0$.

EXEMPLO 13.1

O ar escoa a 5 kg/s pelo duto na Figura 13.2, de modo que a pressão manométrica e a temperatura em A são $p_A = 80$ kPa e $T_A = 50°C$, e, em B, $p_B = 20$ kPa e $T_B = 20°C$. Determine as variações na entalpia, energia interna e entropia do ar entre esses pontos.

Solução

Descrição do fluido

Como a temperatura e a pressão variam entre A e B, a densidade do ar também irá variar, e, portanto, temos um escoamento compressível em regime permanente. Para o ar, $k = 1,4$ e $R = 286,9$ J/kg · K.

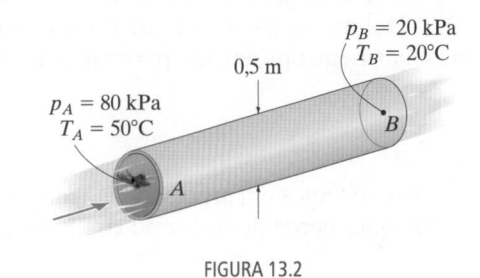

FIGURA 13.2

Variação na entalpia

A variação na entalpia é determinada pela Equação 13.10. Porém, primeiro temos que determinar o calor específico a uma pressão constante usando a Equação 13.14.

$$c_p = \frac{kR}{k-1} = \frac{1,4(286,9 \text{ J/kg} \cdot \text{K})}{(1,4 - 1)} = 1004,15 \text{ J/kg} \cdot \text{K}$$

A temperatura em cálculos termodinâmicos em unidades do SI precisa ser expressa em kelvins, portanto, temos

$$\Delta h = c_p(T_B - T_A) = 1004{,}15 \text{ J/kg} \cdot \text{K}[(273 + 20) \text{ K} - (273 + 50) \text{ K}]$$

$$= -30{,}1 \text{ kJ/kg} \hspace{3cm} \textit{Resposta}$$

O sinal negativo indica uma diminuição na entalpia.

Variação na energia interna

Neste caso, a Equação 13.13 se aplica. Primeiro, determinamos o calor específico no volume constante.

$$c_v = \frac{R}{k-1} = \frac{286{,}9 \text{ J/kg} \cdot \text{K}}{(1{,}4 - 1)} = 717{,}25 \text{ J/kg} \cdot \text{K}$$

$$\Delta u = c_v(T_B - T_A) = (717{,}25 \text{ J/kg} \cdot \text{K})[(273 + 20) \text{ K} - (273 + 50) \text{ K}]$$
$$= -21{,}5 \text{ kJ/kg} \hspace{3cm} \textit{Resposta}$$

Aqui, o gás, passando de uma temperatura quente para uma mais fria, diminuirá sua energia interna.

Variação na entropia

Como tanto a temperatura quanto a pressão são conhecidas nos pontos A e B, usaremos a Equação 13.20 para achar Δs. *Lembre-se sempre* de que p e T devem ter *valores absolutos*.

$$s_B - s_A = c_p \ln \frac{T_B}{T_A} - R \ln \frac{p_B}{p_A}$$

$$\Delta s = (1004{,}15 \text{ J/kg} \cdot \text{K}) \ln \frac{(273 + 20) \text{ K}}{(273 + 50) \text{ K}} - (286{,}9 \text{ J/kg} \cdot \text{K}) \ln \frac{(101{,}3 + 20) \text{ kPa}}{(101{,}3 + 80) \text{ kPa}}$$

$$= 17{,}4 \text{ J/kg} \cdot \text{K} \hspace{3cm} \textit{Resposta}$$

Como era esperado, $\Delta s > 0$.

Nota: se for preciso, a velocidade em A pode ser determinada a partir da vazão mássica, $\dot{m} = \rho_A V_A A_A$, onde a densidade do ar ρ_A é encontrada a partir de $p_A = \rho_A R T_A$. Os resultados são $\rho_A = 1{,}956 \text{ kg/m}^3$ e $V_A = 13{,}0 \text{ m/s}$.

EXEMPLO 13.2

O recipiente fechado com a tampa móvel na Figura 13.3 contém 4 kg de hélio a uma pressão manométrica de 100 kPa e uma temperatura de 20°C. Determine a temperatura e a densidade do gás se a força **F** comprime o gás isentropicamente para uma pressão de 250 kPa.

Solução

Descrição do fluido

Como temos um processo isentrópico, durante a variação, não haverá qualquer perda por calor ou cisalhamento.

Temperatura

A nova temperatura pode ser determinada usando a Equação 13.22, pois as pressões inicial e final são conhecidas. Pelo Apêndice A, para o hélio, $k = 1{,}66$, portanto

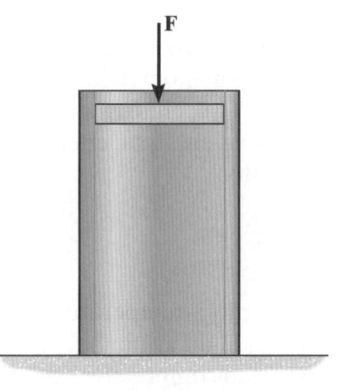

FIGURA 13.3

$$\frac{p_2}{p_1} = \left(\frac{T_2}{T_1}\right)^{k/(k-1)}$$

$$\frac{(101{,}3 + 250) \text{ kPa}}{(101{,}3 + 100) \text{ kPa}} = \left(\frac{T_2}{(273 + 20) \text{ K}}\right)^{\frac{1{,}66}{(1{,}66-1)}}$$

$$T_2 = 365{,}6 \text{ K} = 366 \text{ K} \hspace{3cm} \textit{Resposta}$$

Densidade

A densidade inicial do hélio pode ser determinada a partir da lei dos gases perfeitos. Como $R = 2077$ J/kg · K,

$$p_1 = \rho_1 R T_1$$

$$(101{,}3 + 100)(10^3) \text{ Pa} = \rho_1 (2077 \text{ J/kg} \cdot \text{K})(273 + 20) \text{ K}$$

$$\rho_1 = 0{,}3308 \text{ kg/m}^3$$

Aplicando a Equação 13.21, para determinar a densidade final, temos

$$\frac{p_2}{p_1} = \left(\frac{\rho_2}{\rho_1}\right)^k$$

$$\frac{(101{,}3 + 250) \text{ kPa}}{(101{,}3 + 100) \text{ kPa}} = \left(\frac{\rho_2}{(0{,}3307 \text{ kg/m}^3)}\right)^{1{,}66}$$

$$\rho_2 = 0{,}463 \text{ kg/m}^3 \qquad \textit{Resposta}$$

Ou então, podemos usar a lei dos gases perfeitos.

$p = \rho RT;$ $\qquad (101{,}3 + 250) \text{ kPa} = \rho_2 (2077 \text{ J/kg} \cdot \text{K})(365{,}6 \text{ K})$

$$\rho_2 = 0{,}463 \text{ kg/m}^3 \qquad \textit{Resposta}$$

Isso representa uma variação de cerca de 40% na densidade.

13.2 Propagação de onda por um fluido compressível

Se um fluido é considerado *incompressível*, então qualquer *distúrbio de pressão* será observado *instantaneamente* em todos os pontos dentro do fluido. Porém, todos os fluidos são *compressíveis*, de modo que eles propagarão um distúrbio de pressão através do fluido em uma *velocidade finita*. Essa velocidade c é chamada de **velocidade do som**, ou **velocidade sônica**.

Podemos determinar a velocidade sônica considerando o fluido contido dentro do tubo aberto longo mostrado na Figura 13.4a. Se o pistão se move a uma curta distância para a direita na velocidade ΔV, um aumento repentino Δp na pressão será desenvolvido no fluido logo ao lado do pistão. As colisões moleculares dentro dessa região se propagarão para moléculas adjacentes do fluido à direita, e a troca de quantidade de movimento que ocorre por sua vez será transmitida ao longo do tubo na forma de uma onda muito fina que se separará do pistão e atravessará o tubo com velocidade sônica c, onde $c \gg \Delta V$. Conforme observado no volume de controle diferencial dessa onda (Figura 13.4b), à medida que ela atravessa o tubo, *por trás* dela o movimento do pistão fez com que a densidade, a pressão e a velocidade do fluido *aumentassem* em $\Delta \rho$, Δp e ΔV, respectivamente. Na frente da onda, o fluido ainda está intacto, portanto, sua densidade é ρ, sua pressão é p e sua velocidade é zero.

Se a onda for vista por um observador fixo, então o escoamento que passa pelo observador se parecerá com um escoamento transitório, pois o fluido, originalmente em repouso, começará a variar com o tempo, enquanto a onda passa. Mas, em vez disso, vamos considerar que o observador esteja

(a)

Volume de controle com uma velocidade c
(b)

Velocidades relativas ao volume de controle
(c)

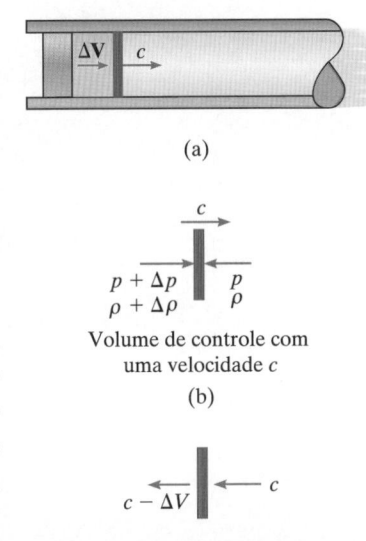

FIGURA 13.4 (continua)

fixo em relação à onda e movendo-se com a mesma velocidade c (Figura 13.4c). Por esse ponto de vista, temos *escoamento em regime permanente*, de modo que o fluido parece entrar no volume de controle à direita com uma velocidade c, e sair dele à esquerda com uma velocidade $c - \Delta V$.

Equação da continuidade

Como a área transversal A em cada lado do volume de controle permanece a mesma, a equação da continuidade para o escoamento em regime permanente unidimensional da onda é

$$\frac{\partial}{\partial t}\int_{vc} \rho\, d\forall + \int_{sc} \rho \mathbf{V}_{f/sc} \cdot d\mathbf{A} = 0$$

$$0 - \rho c A + (\rho + \Delta\rho)(c - \Delta V)A = 0$$

$$-\rho c A + \rho c A - \rho A \Delta V + c\Delta\rho A - \Delta\rho \Delta V A = 0$$

À medida que ΔV e $\Delta\rho$ aproximam-se de zero, o último termo tende a zero, pois ele é de segunda ordem. Portanto, esta equação se reduz a

$$c\, d\rho = \rho\, dV$$

Equação da quantidade de movimento

Como vemos no diagrama de corpo livre (Figura 13.4d), as únicas forças que atuam nas superfícies de controle abertas são aquelas causadas pela pressão. Se agora aplicarmos a equação da quantidade de movimento ao volume de controle, para o escoamento em regime permanente, temos

$$\xrightarrow{+} \Sigma \mathbf{F} = \frac{\partial}{\partial t}\int_{vc} \mathbf{V}_{f/vc}\,\rho\, d\forall + \int_{sc} \mathbf{V}_{f/sc}\,\rho \mathbf{V}_{f/sc} \cdot d\mathbf{A}$$

$$(p + \Delta p)A - pA = 0 + [-c\rho(-cA) - (c - \Delta V)(\rho + \Delta\rho)(c - \Delta V)A]$$

Desconsiderando os termos de segunda e terceira ordem, no limite,

$$dp = 2\rho c\, dV - c^2\, d\rho$$

Usando a equação da continuidade, e resolvendo para c, obtemos

$$c = \sqrt{\frac{dp}{d\rho}} \qquad (13.23)$$

Podemos expressar c em termos da temperatura absoluta observando que, como a onda é muito fina, *nenhum calor* é transferido para dentro ou fora do volume de controle *durante* o período de tempo muito curto em que a onda passa pelo fluido. Em outras palavras, o processo é *adiabático*. Além disso, as perdas por cisalhamento dentro da onda "fina" podem ser desprezadas, portanto, as variações de pressão e densidade envolvem um processo que é *reversível*. Consequentemente, as ondas sonoras ou perturbações de pressão formam um *processo isentrópico*. Portanto, podemos relacionar a pressão à densidade usando a Equação 13.21, que pode ser escrita na forma

$$p = C\rho^k$$

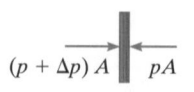

Diagrama de corpo livre
(d)
FIGURA 13.4 (cont.)

onde C é uma constante. Tomando a derivada, a variação em p e ρ resulta em

$$\frac{dp}{d\rho} = Ck\rho^{k-1} = Ck\left(\frac{\rho^k}{\rho}\right) = Ck\left(\frac{p/C}{\rho}\right) = k\left(\frac{p}{\rho}\right)$$

Usando a lei dos gases perfeitos, onde $p/\rho = RT$, a Equação 13.23 torna-se

$$\boxed{c = \sqrt{kRT}} \qquad (13.24)$$
Velocidade sônica

A velocidade do som no gás, portanto, depende da temperatura absoluta do gás. Por exemplo, no ar a 15°C (288 K), $c = 340$ m/s, que é muito próximo do seu valor encontrado a partir de experimentos.

Também podemos expressar a velocidade do som em termos do módulo de elasticidade volumétrico e da densidade do fluido. Lembre-se de que o módulo de elasticidade volumétrico é definido pela Equação 1.12 como

$$E_\forall = -\frac{dp}{d\forall/\forall}$$

Para uma massa $m = \rho\forall$, a variação na massa é $dm = d\rho\,\forall + \rho\,d\forall$. Como a massa é constante, $dm = 0$, portanto, $-d\forall/\forall = d\rho/\rho$. Logo,

$$E_\forall = \frac{dp}{d\rho/\rho}$$

Por fim, pela Equação 13.23, temos

$$c = \sqrt{\frac{E_\forall}{\rho}} \qquad (13.25)$$

Esse resultado mostra que a velocidade do som, ou a velocidade da perturbação de pressão, depende da elasticidade ou compressibilidade ($E_\forall$) do meio e de sua propriedade inercial (ρ). Quanto mais incompressível for o fluido, *mais rapidamente* uma onda de pressão será transmitida por ele; e quanto maior a densidade do fluido, *mais lentamente* essa onda atravessará. Por exemplo, a densidade da água é cerca de mil vezes a densidade do ar, mas o módulo de elasticidade volumétrico da água é tão maior do que o do ar que o som atravessa um pouco mais de quatro vezes mais rapidamente a água do que o ar. A 20°C, $c_a = 343$ m/s (no ar) e $c_{\text{água}} = 1482$ m/s (na água).

13.3 Tipos de escoamentos compressíveis

Para classificar um escoamento compressível, usaremos o *número de Mach*, M. Lembre-se, do Capítulo 8, de que este é um número adimensional que representa a raiz quadrada da razão entre a força inercial e a força de compressibilidade que atua sobre o fluido. Lá, mostramos que ele pode ser expresso como uma razão entre a velocidade do fluido, V, e a velocidade sônica c criada por uma onda de pressão dentro do fluido. Usando a Equação 13.24, podemos, portanto, escrever o número de Mach como

$$M = \frac{V}{c} = \frac{V}{\sqrt{kRT}} \qquad (13.26)$$

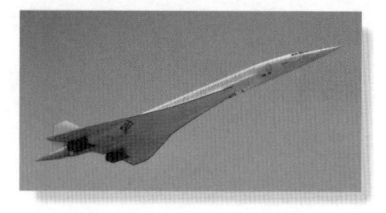

O Concorde foi um avião supersônico comercial capaz de voar a velocidades de até M = 2,3.

ou, se o número de Mach for conhecido, então

$$V = M\sqrt{kRT} \tag{13.27}$$

Vamos agora considerar um corpo como um aerofólio movendo-se por um fluido com uma velocidade V (Figura 13.5a). Durante o movimento, sua superfície dianteira, como o pistão na Figura 13.4, comprimirá o ar à sua frente, fazendo com que se formem ondas de pressão que se afastam dessa superfície na velocidade sônica c. O efeito produzido depende da magnitude de V.

Escoamento subsônico, M < 1

Desde que o corpo continue a se mover em uma velocidade subsônica V, as ondas de pressão que o corpo cria sempre se moverão à frente do corpo com uma velocidade relativa de $c - V$. De certa forma, essas perturbações de pressão sinalizam ao fluido à frente do corpo que ele está avançando e permitem que o fluido se ajuste antes que o corpo chegue. Consequentemente, as moléculas do fluido começam a se afastar, o que produz um escoamento suave sobre e ao redor da superfície do corpo, como mostra a Figura 13.5a. Via de regra, as variações de pressão geradas pelo movimento do corpo começam a se tornar significativas quando M > 0,3, ou V > 0,3c. Na velocidade de V = 0,3c, a compressibilidade do ar cria variações de pressão de cerca de 1%; e, como assumimos nos capítulos anteriores, as velocidades abaixo de 0,3 ou 30% de c podem ser consideradas usando a *análise de escoamento incompressível*, que é precisa o suficiente para a maior parte do trabalho de engenharia. Velocidades dentro da faixa 0,3c < V < c se referem ao *escoamento compressível subsônico*.

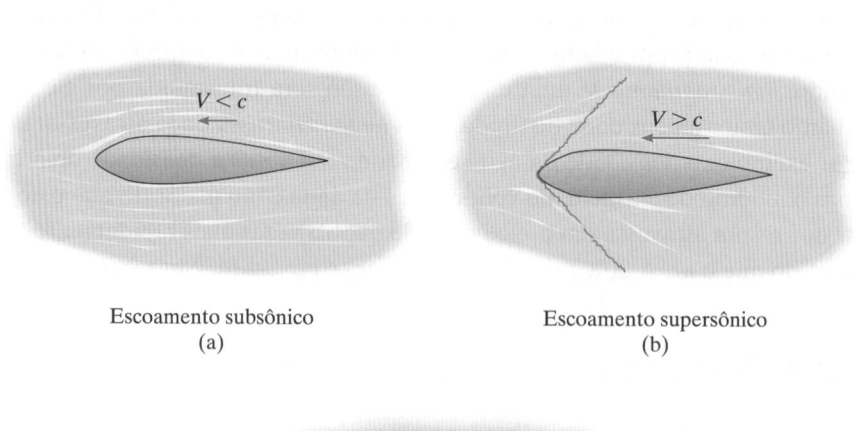

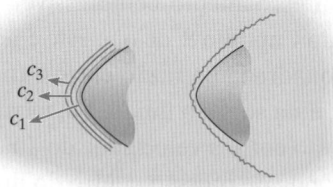

Escoamento subsônico
(a)

Escoamento supersônico
(b)

Como $c_1 > c_2 > c_3$, as ondas
se unem e formam um choque

(c)

FIGURA 13.5

Escoamento sônico e supersônico, M ≥ 1

Quando o corpo está viajando a uma velocidade V que é igual ou mais rápida que as ondas de pressão que ele cria, o fluido logo adiante do corpo não pode sentir a presença do corpo avançando. O fluido deve sair do caminho, mas, em vez disso, as ondas de pressão se amontoam e formam uma onda muito fina na frente do corpo (Figura 13.5b).

Para entender como isso acontece, considere uma visão magnificada da interação entre o fluido e a superfície do corpo mostrada na Figura 13.5c.[*] À medida que o fluido comprime a superfície, devido às colisões moleculares, um gradiente de temperatura é criado dentro do fluido, de modo que a temperatura mais alta se desenvolve na superfície. Lembre-se de que a velocidade sônica é função da temperatura, $c = \sqrt{kRT}$, e, portanto, a perturbação ou onda de pressão formada mais perto da superfície terá a velocidade sônica mais alta, e se afasta da superfície com c_1. Como resultado, ela alcançará a onda à sua frente, pois $c_1 > c_2$. Todas as ondas sônicas em sucessão, provenientes da superfície do corpo, portanto, se amontoarão, criando um gradiente de pressão crescente dentro de uma região localizada. Embora cada perturbação ou onda de pressão sucessiva seja considerada um processo isentrópico, como dissemos na Seção 13.2, a *coleção* dessas ondas alcançará um ponto onde a pressão ficará tão grande que os efeitos do cisalhamento viscoso e da condução de calor começarão a estabilizar sua formação. Em outras palavras, o processo coletivo torna-se não isentrópico. No ar atmosférico padrão, a espessura é da ordem de algumas vezes o caminho livre médio das moléculas, cerca de 0,03 μm. Isso é chamado de **onda de choque**, e seu efeito causará uma variação localizada brusca na pressão, densidade e temperatura enquanto ela atravessa o fluido. Se o corpo e a onda de choque perto dele se movem a M = 1, trata-se de um *escoamento sônico*, e se M > 1, considera-se **supersônico**. O movimento é classificado ainda como **hipersônico** se um corpo, como um míssil ou uma nave espacial em voo baixo, estiver se movendo em M ≥ 5.

Cone de Mach

É importante observar que a formação de uma onda de choque é um fenômeno bastante localizado, que ocorre na superfície de um corpo em movimento ou perto dela. À medida que o corpo se move de uma posição para outra, cada onda de choque formada se afastará do corpo na velocidade sônica, c. Para ilustrar isso, considere o avião a jato que está voando horizontalmente a uma velocidade supersônica V (Figura 13.6). Em cada local, o avião produzirá uma onda de choque esférica que então atravessa a atmosfera com c. Como vemos, a onda produzida quando $t = 0$ atravessará uma distância ct', quando o avião atravessará uma distância Vt' no tempo $t = t'$. Partes das ondas que são produzidas em $t = t'/3$ e $t = 2t'/3$ também aparecem na figura. Se somássemos todas as ondas produzidas durante o tempo t', isso formaria um limite cônico, chamado **cone de Mach**. O som produzido pela onda de choque será ouvido por alguém dentro do cone, e

---

[*] Mais detalhes desse processo são esboçados na Referência [5].

fora dele nenhum som produzido pelo avião será detectado. A energia das ondas é concentrada principalmente na superfície do cone, onde as ondas esféricas interagem, e, portanto, quando essa superfície passa por um observador, a grande descontinuidade de pressão criada pela onda produzirá um alto estrondo ou estouro sônico.

O meio ângulo α do cone de Mach na Figura 13.6 depende da velocidade do avião. Ele pode ser determinado pelo triângulo sombreado superior que é desenhado dentro do cone. O cálculo é

$$\operatorname{sen} \alpha = \frac{c}{V} = \frac{1}{M} \quad (13.28)$$

À medida que o jato aumenta sua velocidade V, então sen α, e, portanto, α, se torna menor.

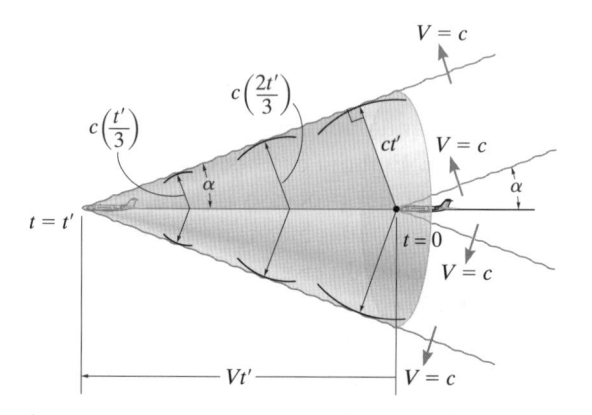

Desenvolvimento de um cone de Mach
FIGURA 13.6

Pontos importantes

- A *velocidade* em que uma onda de pressão trafega por um meio é chamada de *velocidade sônica*, c, pois o som é um resultado das variações de pressão. Todas as ondas de pressão sofrem um processo isentrópico e, para determinado gás, a velocidade sônica é $c = \sqrt{kRT}$.
- O escoamento compressível é classificado usando o número de Mach, $M = V/c$. Ondas de pressão para o escoamento subsônico ($M < 1$) sempre se moverão à frente do corpo e sinalizarão ao fluido que o corpo está avançado, permitindo assim que o fluido se ajuste. Se $M \leq 0{,}3$, geralmente podemos considerar que o fluido é incompressível.
- Ondas de pressão para o escoamento sônico ($M = 1$) ou supersônico ($M > 1$) não podem se mover à frente do corpo, de modo que se amontoam na frente deste e desenvolvem uma onda de choque perto ou em sua superfície. À medida que é formada, ela produz um cone de Mach com uma superfície que trafega em $M = 1$ a partir do corpo.

EXEMPLO 13.3

O jato voa a $M = 2{,}3$ quando está em uma altitude de 18 km (Figura 13.7). Determine o tempo para que uma pessoa no solo escute o som do avião logo depois que ele passar sobre ela. Considere $c = 295$ m/s.

Solução

Descrição do fluido

O avião comprime o ar adiante dele, pois está voando mais rápido que M = 1. Embora a velocidade do som (ou o número de Mach) dependa da temperatura do ar, que na realidade varia com a elevação, para simplificar, vamos considerar aqui que c é constante.

Análise

O cone de Mach, que se forma no jato, tem um ângulo de

$$\operatorname{sen}\alpha = \frac{c}{V} = \frac{1\,\text{M}}{2{,}3\,\text{M}} = 0{,}4340 \qquad \alpha = 25{,}77°$$

Como esse mesmo ângulo de cone pode ser estendido até o solo, então, pela Figura 13.7,

$$\operatorname{tg} 25{,}77° = \frac{18\,\text{km}}{x}$$

$$x = 37{,}28\,\text{km}$$

FIGURA 13.7

Assim,

$x = Vt;$ $\qquad\qquad 37{,}28(10^3)\,\text{m} = 2{,}3(295\,\text{m/s})t$

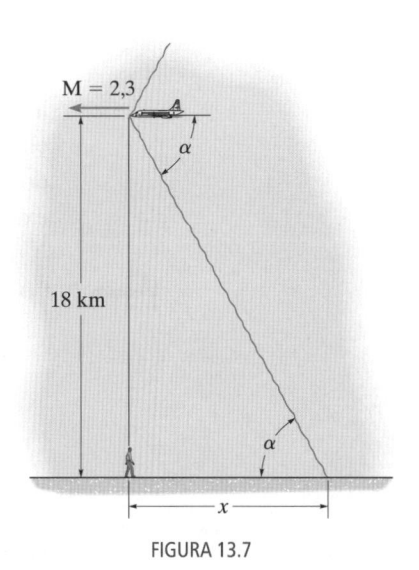

$$t = 54{,}9\,\text{s} \qquad\qquad\qquad\qquad Resposta$$

Esse é um atraso significativo, portanto, pode ser difícil localizar o jato.

13.4 Propriedades de estagnação

O escoamento de gás em alta velocidade através de bocais, transições ou medidores de Venturi normalmente pode ser aproximado como um *processo isentrópico*. Isso porque o escoamento ocorre por uma *curta distância* e, como resultado, as variações de temperatura serão pequenas por esta distância. Portanto, é razoável considerar que não haja transferência de calor, e os efeitos do cisalhamento podem ser ignorados.

Durante o escoamento, o estado do gás pode ser descrito por sua temperatura, pressão e densidade. Nesta seção, mostraremos como obter essas propriedades em qualquer ponto no gás, desde que saibamos seus valores em algum outro *ponto de referência*. Para problemas envolvendo escoamento compressível, escolheremos o *ponto de estagnação* no escoamento como esse ponto de referência, pois medições experimentais podem ser feitas convenientemente a partir desse ponto, como mostra a Seção 13.13.

Temperatura de estagnação

A ***temperatura de estagnação*** T_0 representa a temperatura do gás quando *sua velocidade é zero*. Por exemplo, a temperatura de um gás em repouso em um reservatório está na temperatura de estagnação. Para o escoamento adiabático ou isentrópico, nenhum calor é perdido, portanto, essa temperatura T_0 às vezes é chamada de **temperatura total**. Ela será *a mesma em cada ponto* do escoamento *depois* que ele estiver em repouso. Porém, esta é *diferente* da **temperatura estática** T, que é medida por um observador movendo-se *com o escoamento*.

Podemos relacionar a temperatura estática à temperatura de estagnação de um gás considerando o volume de controle fixo na Figura 13.8, onde o ponto O está em um reservatório onde a temperatura de estagnação é T_0 e a velocidade é $V_0 = 0$, e algum outro ponto está localizado no tubo, onde a temperatura estática é T e a velocidade é V. Se aplicarmos a equação da energia (Equação 5.15), desconsiderando as variações na energia potencial do gás, e considerando que o escoamento é adiabático, de modo que não existe transferência de calor, teremos

$$\dot{Q}_{\text{entrada}} - \dot{W}_{\text{turb}} + \dot{W}_{\text{bomba}} = \left[\left(h_{\text{saída}} + \frac{V_{\text{saída}}^2}{2} + gz_{\text{saída}}\right) - \left(h_{\text{entrada}} + \frac{V_{\text{entrada}}^2}{2} + gz_{\text{entrada}}\right)\right]\dot{m}$$

$$0 - 0 + 0 = \left[\left(h + \frac{V^2}{2} + 0\right) - (h_0 + 0 + 0)\right]\dot{m}$$

$$h_0 = h + \frac{V^2}{2} \tag{13.29}$$

O resultado pode ser escrito em termos de temperatura usando a Equação 13.10, $\Delta h = c_p \Delta T$ ou $h_0 - h = c_p (T_0 - T)$. Portanto,

$$c_p T_0 = c_p T + \frac{V^2}{2}$$

ou

$$T_0 = T\left(1 + \frac{V^2}{2c_p T}\right) \tag{13.30}$$

Para eliminar c_p e também expressar esta equação em termos do número de Mach, podemos usar a Equação 13.14, $c_p = kR/(k-1)$, e a Equação 13.24, $c = \sqrt{kRT}$. Isso resulta em

$$\boxed{T_0 = T\left(1 + \frac{k-1}{2}M^2\right)} \tag{13.31}$$

Resumindo, T é a *temperatura estática* do gás em um certo ponto, pois é medida *em relação ao escoamento*, enquanto T_0 é a temperatura do gás depois que ele entra em repouso neste ponto através de um processo adiabático. Observe que, onde $M = 0$, conforme esperado, a Equação 13.31 indica que a temperatura T do gás é então igual à sua temperatura de estagnação.

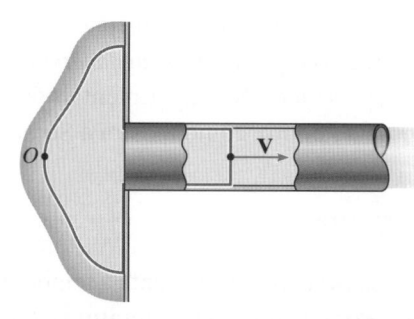

FIGURA 13.8

Pressão de estagnação

A pressão p em um gás em um certo ponto é conhecida como *pressão estática*, pois é *medida em relação ao escoamento*. A pressão de estagnação ou total p_0 é a pressão do gás após o escoamento ter sido levado *isentropicamente ao repouso* nesse ponto. Esse processo precisa ser isentrópico, pois de outra forma os efeitos de transferência de calor ou de cisalhamento irão variar a pressão total. Para um gás perfeito, a temperatura e a pressão para um processo isentrópico (adiabático e reversível) são relacionadas usando a Equação 13.22.

$$p_0 = p\left(\frac{T_0}{T}\right)^{k/(k-1)}$$

Substituindo a Equação 13.31, obtemos

$$p_0 = p\left(1 + \frac{k-1}{2}M^2\right)^{k/(k-1)} \quad (13.32)$$

Embora a pressão estática p possa variar, a pressão de estagnação p_0 é a *mesma* em todos os pontos ao longo de uma linha de corrente, desde que o escoamento seja isentrópico.

Quando $k = 1,4$, o que é apropriado para o ar, oxigênio e nitrogênio, as razões T/T_0 e p/p_0 são calculadas a partir das duas equações anteriores para diversos valores de M, e, por conveniência, elas são indicadas em forma de tabela no Apêndice B, Tabela B.1.* Se você gastar um momento analisando os dados nesse apêndice, notará que as razões T/T_0 e p/p_0 são sempre menores que um, de modo que os valores estáticos de T e p sempre serão menores que os valores de estagnação correspondentes de T_0 e p_0.

Densidade de estagnação

Se a Equação 13.32 for substituída na Equação 13.21, $p = C\rho^k$, obteremos a relação entre a densidade de estagnação ρ_0 e a densidade estática ρ do gás. Esta é

$$\rho_0 = \rho\left(1 + \frac{k-1}{2}M^2\right)^{1/(k-1)} \quad (13.33)\text{de}$$

Conforme esperado, como T_0 e p_0, esse valor ρ_0 é o *mesmo* ao longo de qualquer linha de corrente, desde que o escoamento seja isentrópico.

Pontos importantes

- A temperatura de estagnação T_0 é a mesma em cada ponto de uma linha de corrente, desde que o escoamento seja adiabático (sem perda de calor). A pressão p_0 e a densidade ρ_0 de estagnação permanecem as mesmas se o escoamento for isentrópico (adiabático e sem perdas por cisalhamento). Frequentemente, essas propriedades são medidas em um ponto em um reservatório, onde o gás está estagnado ou em repouso.
- A temperatura T, pressão p e densidade ρ estáticas são medidas dentro do gás, enquanto se move com o escoamento.
- O valor de T é relacionado a T_0 por meio da equação da energia, considerando um processo adiabático. Como o escoamento de gás por um bocal ou transição é basicamente isentrópico, então p e ρ podem ser relacionados a p_0 e ρ_0. Para cada caso, os valores correspondentes dependem do número de Mach e da razão k dos calores específicos para o gás.

---

* As muitas equações envolvendo o escoamento compressível também podem ser solucionadas usando calculadoras programáveis de bolso, ou seus valores calculados podem ser encontrados em sites que fornecem essa informação.

EXEMPLO 13.4

O ar a uma temperatura de 100°C está sob pressão no tanque grande mostrado na Figura 13.9. Se o bocal for aberto, o ar escoará em M = 0,6. Determine a temperatura do ar na saída.

Solução

Descrição do fluido

O número de Mach, M = 0,6 < 1, indica que este problema envolve escoamento compressível subsônico. Vamos considerar que o escoamento seja em regime permanente.

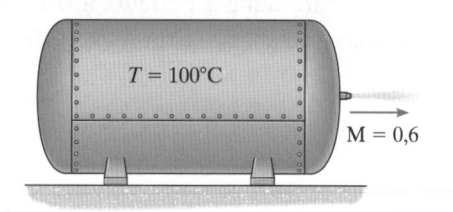

FIGURA 13.9

Análise

A temperatura de estagnação é $T_0 = (273 + 100)$ K $= 373$ K, pois o ar está *em repouso* dentro do tanque. Supondo que o escoamento seja adiabático através do bocal, esta é a mesma temperatura de estagnação por todo o escoamento, pois nenhum calor se perde no processo. Aplicando a Equação 13.31, obtemos

$$T_0 = T\left(1 + \frac{k-1}{2}\text{M}^2\right)$$

$$373 \text{ K} = T\left(1 + \frac{1,4-1}{2}(0,6)^2\right)$$

$$T = 348 \text{ K} = 75°C \qquad \qquad Resposta$$

Também podemos obter esse resultado usando a razão T/T_0 listada na Tabela B.1 para M = 0,6. Temos

$$T = 373 \text{ K}(0,9328) = 348 \text{ K} \qquad \qquad Resposta$$

Esta temperatura inferior, medida em relação ao escoamento, é na realidade o resultado de uma queda na pressão que ocorre à medida que o ar emerge do tanque.

EXEMPLO 13.5

O nitrogênio escoa isentropicamente pelo tubo na Figura 13.10, de modo que sua pressão manométrica é $p = 200$ kPa, a temperatura é 80°C, e a velocidade é 150 m/s. Determine a temperatura de estagnação e a pressão de estagnação para esse gás. A pressão atmosférica é 101,3 kPa.

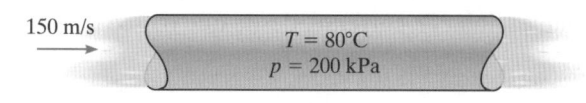

FIGURA 13.10

Solução

Descrição do fluido

O número de Mach para o escoamento é determinado inicialmente. A velocidade do som para o nitrogênio a $T = (273 + 80)$ K $= 353$ K é

$$c = \sqrt{kRT} = \sqrt{1,40(296,8 \text{ J/kg} \cdot \text{K})(353 \text{ K})} = 383,0 \text{ m/s}$$

Assim,

$$\text{M} = \frac{V}{c} = \frac{150 \text{ m/s}}{383,0 \text{ m/s}} = 0,3917 < 1$$

Aqui, temos um escoamento compressível subsônico em regime permanente.

Temperatura de estagnação

Aplicando a Equação 13.31, temos

$$T_0 = T\left(1 + \frac{k-1}{2}M^2\right) = 353\,K\left(1 + \frac{1{,}4-1}{2}(0{,}3917)^2\right)$$

$$T_0 = 363{,}8\,K = 364\,K \qquad \textit{Resposta}$$

Pressão de estagnação

A pressão estática $p = 200$ kPa é medida em relação ao escoamento. Aplicando a Equação 13.32 e apresentando o resultado como uma pressão de estagnação absoluta, temos

$$p_0 = p\left(1 + \frac{k-1}{2}M^2\right)^{k/(k-1)}$$

$$p_0 = (101{,}3 + 200)\,kPa\left(1 + \frac{1{,}4-1}{2}(0{,}3917)^2\right)^{\frac{1{,}4}{1{,}4-1}}$$

$$p_0 = 334{,}9\,kPa = 335\,kPa \qquad \textit{Resposta}$$

Visto que $k = 1{,}4$ para o nitrogênio, esses valores para T_0 e p_0 também podem ser determinados por meio da Tabela B.1. No decorrer deste capítulo, para melhorar a precisão numérica, usaremos interpolação linear ao utilizar qualquer uma das tabelas no Apêndice B. Por exemplo, a razão de temperatura no Apêndice B é determinada da seguinte forma: $M = 0{,}39$, $T/T_0 = 0{,}9705$ e $M = 0{,}40$, $T/T_0 = 0{,}9690$. Portanto, para $M = 0{,}3917$,

$$\frac{0{,}4 - 0{,}39}{0{,}4 - 0{,}3917} = \frac{0{,}9690 - 0{,}9705}{0{,}9690 - T/T_0}$$

$$0{,}009690 - 0{,}01 T/T_0 = 0{,}00001251$$

$$T/T_0 = 0{,}97025$$

Assim,

$$T_0 = \frac{353\,K}{0{,}97025} = 364\,K$$

Como temos um processo isentrópico, observe que não haverá variação na entropia. Isso pode ser mostrado pela aplicação da Equação 13.20.

$$s - s_0 = c_p \ln\frac{T}{T_0} - R\ln\frac{p}{p_0}$$

$$\Delta s = \left(\frac{1{,}4(296{,}8\,J/kg\cdot K)}{1{,}4 - 1}\right)\ln\left(\frac{353\,K}{363{,}8\,K}\right) - (296{,}8\,J/kg\cdot K)\ln\left(\frac{301{,}3\,kPa}{334{,}9\,kPa}\right)$$

$$\Delta s = 0$$

EXEMPLO 13.6

A pressão absoluta dentro da entrada do tubo na Figura 13.11 é 98 kPa. Determine a vazão mássica dentro do tubo quando a válvula é aberta. O ar externo está em repouso, a uma temperatura de 20°C e a pressão atmosférica é de 101,3 kPa. O tubo tem um diâmetro de 50 mm.

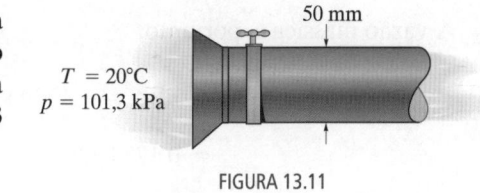

FIGURA 13.11

Solução

Descrição do fluido

Vamos considerar um escoamento isentrópico em regime permanente através da entrada. O número de Mach pode ser obtido usando a Equação 13.32, pois as pressões são conhecidas. A pressão de estagnação é $p_0 = 101{,}3$ kPa, pois o ar externo está em repouso, e a pressão mais baixa (estática) $p = 98$ kPa está dentro do tubo. Visto que $k = 1{,}4$ para o ar, temos

$$p_0 = p\left(1 + \frac{k-1}{2}M^2\right)^{k/(k-1)}$$

$$101{,}3 \text{ kPa} = 98 \text{ kPa}\left(1 + \frac{1{,}4-1}{2}M^2\right)^{\frac{1{,}4}{1{,}4-1}}$$

$$M = 0{,}218 < 1 \text{ escoamento subsônico}$$

Embora este valor seja menor que o que classificamos como escoamento compressível ($M > 0{,}3$), todo o escoamento, independentemente de sua velocidade, é *na verdade* um escoamento compressível. Além disso, esse resultado pode ser obtido interpolando na Tabela B.1, usando $p/p_0 = 98$ kPa/$101{,}3$ kPa $= 0{,}967$.

Análise

A vazão mássica é determinada usando $\dot{m} = \rho A V$, portanto, devemos primeiro achar a densidade e a velocidade do gás.

A densidade de estagnação do ar em $T = 20°C$ é determinada a partir do Apêndice A. Ela é $\rho_0 = 1{,}202$ kg/m^3. Portanto, usando a Equação 13.33, a densidade do ar no tubo é

$$\rho_0 = \rho\left(1 + \frac{k-1}{2}M^2\right)^{1/(k-1)}$$

$$1{,}202 \text{ kg/m}^3 = \rho\left(1 + \frac{1{,}4-1}{2}(0{,}218)^2\right)^{\frac{1}{1{,}4-1}}$$

$$\rho = 1{,}1739 \text{ kg/m}^3$$

Observe que também podemos obter esse valor pela Equação 13.21, $p/p_0 = (\rho/\rho_0)^k$. A velocidade do escoamento na entrada é determinada usando a Equação 13.27, $V = M\sqrt{kRT}$, que depende da temperatura dentro do escoamento. A temperatura pode ser encontrada a partir da Tabela B.1 ou por meio da Equação 13.31 para $M = 0{,}218$.

$$T_0 = T\left(1 + \frac{k-1}{2}M^2\right)$$

$$(273 + 20)\text{ K} = T\left(1 + \frac{1{,}4-1}{2}(0{,}218)^2\right)$$

$$T = 290{,}24 \text{ K}$$

Assim,

$$V = M\sqrt{kRT} = 0{,}218\sqrt{1{,}4(286{,}9 \text{ J/kg}\cdot\text{K})(290{,}24 \text{ K})} = 74{,}44 \text{ m/s}$$

A vazão mássica é, portanto,

$$\dot{m} = \rho V A = 1{,}1739 \text{ kg/m}^3(74{,}44 \text{ m/s})\left[\pi(0{,}025 \text{ m})^2\right]$$

$$= 0{,}172 \text{ kg/s}$$

Resposta

Nota: se este problema for resolvido considerando que o ar é um *fluido perfeito* (incompressível e sem cisalhamento), então, com o escoamento em regime permanente, a equação de Bernoulli pode ser usada para determinar a velocidade. Neste caso,

$$\frac{p_0}{\rho} + \frac{V_0^2}{2} = \frac{p_1}{\rho} + \frac{V_1^2}{2}$$

$$\frac{101{,}3(10^3)\ \text{N/m}^2}{1{,}202\ \text{kg/m}^3} + 0 = \frac{98(10^3)\ \text{N/m}^2}{1{,}202\ \text{kg/m}^3} + \frac{V_1^2}{2}$$

$$V_1 = 74{,}10\ \text{m/s}$$

Este valor está com um erro de aproximadamente 0,46% com relação ao valor $V = 74{,}44$ m/s, encontrado levando-se em conta a compressibilidade do ar.

13.5 Escoamento isentrópico com variação da seção

A análise de escoamento compressível é frequentemente aplicada a gases que passam por dutos em motores a jato e bocais exaustores de foguetes. Para essas aplicações, generalizaremos a discussão, mostrando como pressão, velocidade e densidade do gás são afetadas pela variação da área transversal do duto através do qual o gás escoa (Figura 13.12*a*). Para curtas distâncias, vamos exigir que o escoamento seja em regime permanente e o processo seja isentrópico. Além disso, considera-se que a área transversal do duto varia gradualmente, de modo que o escoamento pode ser considerado unidimensional e as propriedades médias do gás podem ser usadas. O volume de controle fixo mostrado na Figura 13.12*a* contém uma parte do gás no duto.

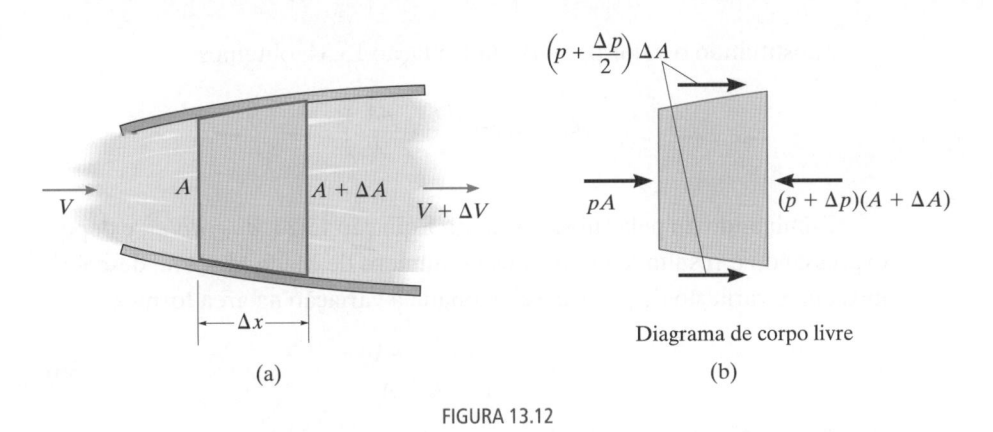

FIGURA 13.12

Equação da continuidade

Como velocidade, densidade e área transversal variam, a equação da continuidade resulta em

$$\frac{\partial}{\partial t}\int_{vc} \rho\,dV + \int_{sc} \rho\mathbf{V}\cdot d\mathbf{A} = 0$$

$$0 - \rho V A + (\rho + \Delta\rho)(V + \Delta V)(A + \Delta A) = 0$$

Depois de multiplicar e tomar o limite como $\Delta x \to 0$, os termos de segunda e terceira ordem serão removidos. Simplificando, obtemos

$$\rho V dA + VAd\rho + \rho A dV = 0$$

Isolando o termo da variação de velocidade, obtemos

$$dV = -V\left(\frac{d\rho}{\rho} + \frac{dA}{A}\right) \tag{13.34}$$

Equação da quantidade de movimento

Como mostra o diagrama de corpo livre do volume de controle (Figura 13.12b), o gás ao redor exerce pressão sobre as superfícies de controle abertas dianteira e traseira. Como os lados do duto aumentam a área transversal em ΔA, a *pressão média*, $p + \Delta p/2$, atuará horizontalmente sobre essa área aumentada. Aplicando a equação da quantidade de movimento linear na direção do escoamento, temos

$$\xrightarrow{+} \Sigma \mathbf{F} = \frac{\partial}{\partial t}\int_{vc} \mathbf{V}\rho \, dV\!\!\!\!/ + \int_{sc} \mathbf{V}\rho \mathbf{V}\cdot d\mathbf{A}$$

$$pA + \left(p + \frac{\Delta p}{2}\right)\Delta A - (p + \Delta p)(A + \Delta A) =$$
$$0 + V\rho(-VA) + (V + \Delta V)(\rho + \Delta\rho)(V + \Delta V)(A + \Delta A)$$

Expandindo e novamente observando que os termos de ordem mais alta são descartados no limite, obtemos

$$dp = -\left(2\rho V dV + V^2 d\rho + \rho V^2 \frac{dA}{A}\right) \tag{13.35}$$

Substituindo o valor para dV da Equação 13.34, obtemos

$$dp = \rho V^2\left(\frac{d\rho}{\rho} + \frac{dA}{A}\right)$$

Eliminando $d\rho$ pela substituição da Equação 13.23, $d\rho = dp/c^2$, e depois expressando o resultado em termos do número de Mach $M = V/c$, descobrimos que a variação de pressão relacionada à variação na área torna-se

$$dp = \frac{\rho V^2}{1 - M^2}\frac{dA}{A} \tag{13.36}$$

A variação na velocidade relacionada à variação na área pode ser determinada igualando a Equação 13.36 à Equação 13.35, e depois eliminando o termo $d\rho/\rho$ por meio da Equação 13.34. Isso resulta em

$$dV = -\frac{V}{1 - M^2}\frac{dA}{A} \tag{13.37}$$

Por fim, a variação na densidade relacionada à variação na área é determinada igualando a Equação 13.37 e a Equação 13.34. O resultado é

$$d\rho = \frac{\rho M^2}{1 - M^2}\frac{dA}{A} \tag{13.38}$$

Escoamento subsônico

Quando o escoamento é *subsônico*, M < 1, então o termo $(1 - M^2)$ nas três equações anteriores é *positivo*. Como resultado, um *aumento* na área, *dA*, ou um duto divergente, farão com que pressão e densidade *aumentem* e a velocidade *diminua* (Figura 13.13*a*). De modo semelhante, uma diminuição na área ou um duto convergente causarão a diminuição da pressão e da densidade e o aumento da velocidade (Figura 13.13*b*). Esses resultados para pressão e velocidade são semelhantes àqueles para o escoamento incompressível, conforme observado pela equação de Bernoulli. Por exemplo, se a pressão aumentar, então a velocidade diminuirá, e vice-versa.

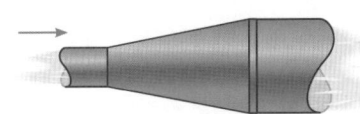

Escoamento supersônico

Quando o escoamento é supersônico, M > 1, então o termo $(1 - M^2)$ será *negativo*. Agora, ocorre o *efeito oposto*; ou seja, um *aumento* na área do duto (Figura 13.13*c*) fará com que pressão e densidade *diminuam* e a velocidade *aumente*, enquanto uma *diminuição* na área fará com que pressão e densidade *aumentem* e a velocidade *diminua* (Figura 13.13*d*). Isso parece ser contrário ao que poderíamos esperar, mas os resultados experimentais mostraram que isso realmente ocorre. De certa forma, o escoamento supersônico se comporta de maneira semelhante ao escoamento do trânsito. Quando os carros chegam a um alargamento de uma rodovia, sua velocidade aumenta (velocidade mais alta), portanto, eles começam a se espalhar (pressão e densidade mais baixas). Um estreitamento da estrada causa congestionamento (pressão e densidade mais altas) e redução na velocidade (velocidade mais baixa).

Bocal de Laval

Por essas comparações, vemos que, para produzir escoamento supersônico (M > 1), um bocal pode ser modelado como na Figura 13.14, de modo que tenha uma seção convergente inicial, para aumentar a velocidade subsônica até que se torne sônica na garganta, M = 1, e depois acrescenta-se uma seção divergente para *aumentar ainda mais* a velocidade, agora sônica, para velocidade supersônica, M > 1. Esse tipo de bocal é chamado **bocal de Laval**, em homenagem ao engenheiro sueco Carl de Laval, que o projetou em 1893 para uso em uma turbina a vapor. É importante observar que a vazão *nunca poderá ser maior que aquela na velocidade sônica* (M = 1) *através da garganta*, pois quando a velocidade sônica é alcançada, uma onda de pressão nessa velocidade *não pode mover-se a montante* (contra o escoamento) para causar mais aceleração do escoamento para dentro do bocal.

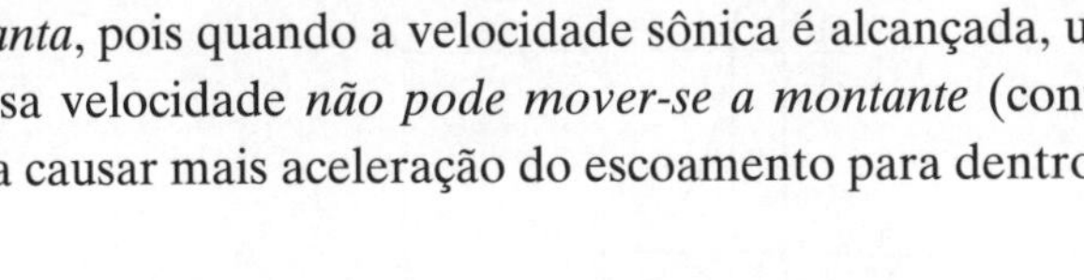

M < 1 (escoamento subsônico)
Duto divergente + *dA*
Pressão e densidade *aumentam*.
Velocidade *diminui*.
(a)

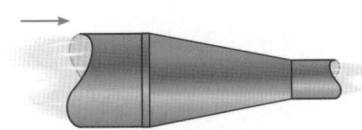

M < 1 (escoamento subsônico)
Duto convergente − *dA*
Pressão e densidade *diminuem*.
Velocidade *aumenta*.
(b)

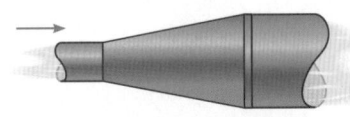

M > 1 (escoamento supersônico)
Duto divergente + *dA*
Pressão e densidade *diminuem*.
Velocidade *aumenta*.
(c)

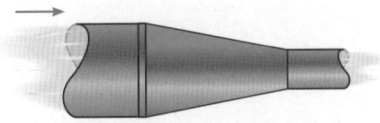

M > 1 (escoamento supersônico)
Duto convergente − *dA*
Pressão e densidade *aumentam*.
Velocidade *diminui*.
(d)

FIGURA 13.13

Bocal de Laval

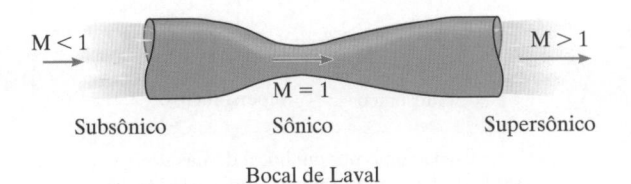

FIGURA 13.14

Razões de área

Podemos determinar a seção transversal em qualquer ponto do bocal expressando-a em termos do número de Mach por meio da equação da continuidade. Se ocorrem condições sônicas na garganta, então a seção transversal A^* na garganta pode ser usada como uma *referência*, onde $T = T^*$, $\rho = \rho^*$ e $M = 1$. Em qualquer outro ponto, como $V = Mc = M\sqrt{kRT}$, a continuidade da vazão mássica requer

$$\dot{m} = \rho V A = \rho^* V^* A^* = \rho\left(M\sqrt{kRT}\right)A = \rho^*\left(1\sqrt{kRT^*}\right)A^*$$

ou

$$\frac{A}{A^*} = \frac{1}{M}\left(\frac{\rho^*}{\rho}\right)\sqrt{\frac{T^*}{T}} \qquad (13.39)$$

Esse resultado também pode ser expresso em termos da densidade de estagnação e temperatura, com a introdução das razões apropriadas.

$$\frac{A}{A^*} = \frac{1}{M}\left(\frac{\rho^*}{\rho_0}\right)\left(\frac{\rho_0}{\rho}\right)\sqrt{\frac{T^*}{T_0}}\sqrt{\frac{T_0}{T}} \qquad (13.40)$$

Substituindo as equações 13.31 e 13.33 para cada razão e observando que $M = 1$ para as razões ρ^*/ρ_0 e T^*/T_0, obtemos, depois de simplificar,

$$\boxed{\frac{A}{A^*} = \frac{1}{M}\left[\frac{1 + \frac{1}{2}(k-1)M^2}{\frac{1}{2}(k+1)}\right]^{\frac{k+1}{2(k-1)}}} \qquad (13.41)$$

Um gráfico dessa equação para determinado valor de k aparece na Figura 13.15. Exceto quando $A = A^*$, existe um *duplo valor* para o número de Mach para cada valor de A/A^*. Um valor, M_1, é para a área A' na região onde existe escoamento subsônico, e o outro, M_2, é para A' na região de escoamento supersônico. Em vez de resolver a Equação 13.41 para M_1 e M_2, por conveniência, se $k = 1,4$, podemos usar a Tabela B.1. Vale a pena notar como os valores dentro dessa tabela seguem a forma da curva na Figura 13.15. Dê uma olhada mais abaixo na tabela e observe que, à medida que M aumenta, A/A^* diminui, até $M = 1$, e depois A/A^* aumenta novamente.

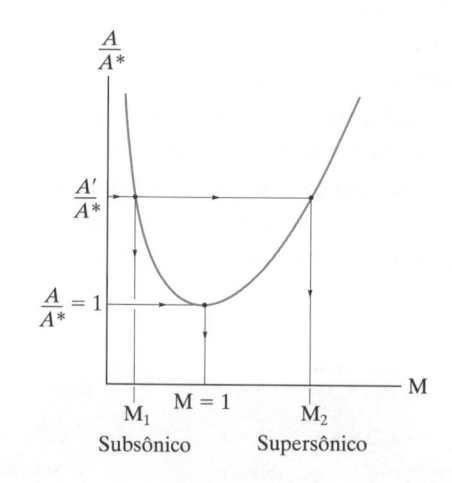

Escoamento por um bocal de Laval
(razão de área em função do número de Mach)

FIGURA 13.15

Com a Equação 13.41, ou Tabela B.1, agora podemos determinar a área transversal exigida A_2 de um bocal em um ponto onde o escoamento deve ser M_2, desde que conheçamos M_1 e a seção transversal A_1 em algum outro ponto. Para mostrar como usar a tabela dessa maneira, considere o caso mostrado na Figura 13.16, onde $M_1 = 0{,}5$, $A_1 = \pi(0{,}03\text{ m})^2$ e $M_2 = 1{,}5$. Para determinar A_2, temos que *referenciar A_1 e A_2 à área A^* da garganta*, pois a razão A/A^* é usada na tabela. Usando $M_1 = 0{,}5$, a razão $A_1/A^* = 1{,}3398$ é determinada pela Tabela B.1 (ou Equação 13.41). De modo semelhante, usando $M_2 = 1{,}5$, a razão $A_2/A^* = 1{,}176$ também é encontrada a partir da Tabela B.1. Com essas duas razões de área, podemos então escrever

$$\frac{A_1}{A_2} = \frac{A_1/A^*}{A_2/A^*} = \frac{1{,}3398}{1{,}176}$$

logo

$$A_2 = \frac{1}{4}\pi d_2^2 = \pi(0{,}03\text{ m})^2 \left(\frac{1{,}176}{1{,}3398}\right)$$

$$d_2 = 56{,}2\text{ mm}$$

Este método também oferecerá uma solução válida *mesmo que o escoamento pela garganta não esteja em* $M = 1$. Nesse caso, podemos imaginar que o bocal tem um local onde a garganta se estreita para A^*. Esta é uma *referência* onde $M = 1$ e, nas razões de área anteriores, A^* é cancelada e nunca é realmente calculada. Em outras palavras, consideramos A^* somente como um *local de referência*, onde as razões de área na fração anterior na prática fazem com que A^* *se cancele*.

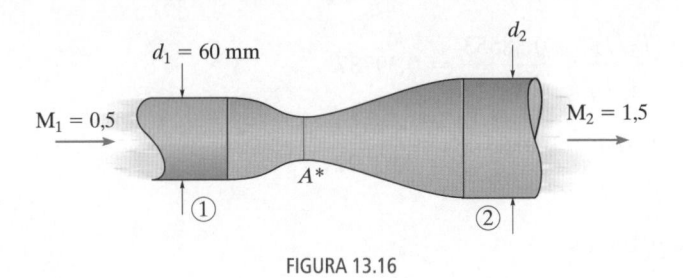

FIGURA 13.16

EXEMPLO 13.7

O ar é direcionado ao tubo com 50 mm de diâmetro na Figura 13.17 e passa pela seção 1 com uma velocidade $V_1 = 150$ m/s, enquanto tem uma pressão absoluta de $p_1 = 400$ kPa e temperatura absoluta de $T_1 = 350$ K. Determine a área exigida da garganta do bocal para produzir escoamento sônico na garganta. Além disso, se o escoamento supersônico tiver de ocorrer na seção 2, encontre velocidade, temperatura e pressão exigida nesse local.

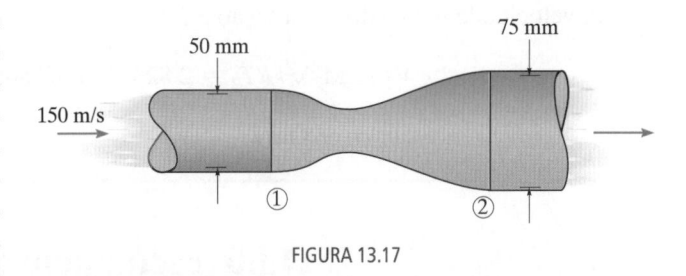

FIGURA 13.17

Solução

Descrição do fluido

Consideramos que haverá escoamento em regime permanente isentrópico pelo bocal.

Área da garganta

O número de Mach na seção 1 é calculado em primeiro lugar. Para o ar, $k = 1{,}4$, $R = 286{,}9$ J/kg · K. Portanto,

$$M_1 = \frac{V_1}{\sqrt{kRT_1}} = \frac{150 \text{ m/s}}{\sqrt{1{,}4(286{,}9 \text{ J/kg} \cdot \text{K})(350 \text{ K})}} = 0{,}40$$

Embora possamos usar a Equação 13.41 com M_1 e A_1 para determinar a área A^* da garganta, como $k = 1{,}4$, é mais simples usar a Tabela B.1. Assim, para $M_1 = 0{,}40$, encontramos

$$\frac{A_1}{A^*} = 1{,}5901$$

$$A^* = \frac{\pi(0{,}025 \text{ m})^2}{1{,}5901}$$

$$= 0{,}001235 \text{ m}^2 \qquad \textit{Resposta}$$

Propriedades na seção 2

Agora que A^* é conhecido, o número de Mach em A_2 pode ser determinado pela Equação 13.41; porém, novamente é mais simples usar a Tabela B.1, com a razão

$$\frac{A_2}{A^*} = \frac{\pi(0{,}0375 \text{ m})^2}{0{,}001235 \text{ m}^2} = 3{,}58$$

Obtemos $M_2 = 2{,}8230$, aproximadamente, pois o escoamento supersônico precisa ocorrer ao final da seção divergente. (A outra raiz, $M_1 = 0{,}155$, aproximadamente, refere-se ao escoamento subsônico na saída.)

A temperatura e a pressão na saída podem ser determinadas usando $M = 2{,}8230$ e as equações 13.31 e 13.32; porém, primeiro devemos conhecer os valores de estagnação T_0 e p_0. Para achá-los, podemos novamente usar as equações 13.31 e 13.32 com $M_1 = 0{,}40$ e T_1 e p_1. Um método mais simples é usar a Tabela B.1 referenciando as razões T_2/T_1 e p_2/p_1 em termos das razões de estagnação, como a seguir:

$$\frac{T_2}{T_1} = \frac{T_2/T_0}{T_1/T_0} = \frac{0{,}38553}{0{,}96899} = 0{,}39787$$

$$\frac{p_2}{p_1} = \frac{p_2/p_0}{p_1/p_0} = \frac{0{,}035578}{0{,}89562} = 0{,}03972$$

Portanto, sem ter que encontrar T e p, temos

$$T_2 = 0{,}3983 T_1 = 0{,}39787(350 \text{ K}) = 139{,}25 \text{ K} \qquad \textit{Resposta}$$
$$p_2 = 0{,}03990 p_1 = 0{,}03972(400 \text{ kPa}) = 15{,}9 \text{ kPa} \qquad \textit{Resposta}$$

Esta pressão mais baixa na saída é o que direciona o ar pelo tubo de 50 mm de diâmetro a 150 m/s. A velocidade média do ar na seção 2 é

$$V_2 = M_2\sqrt{kRT_2} = 2{,}8230\sqrt{1{,}4(286{,}9 \text{ J/kg} \cdot \text{K})(139{,}25 \text{ K})}$$

$$= 668 \text{ m/s} \qquad \textit{Resposta}$$

13.6 Escoamento isentrópico por bocais convergentes e divergentes

Nesta seção, estudaremos o escoamento compressível por um bocal que está preso a um grande vaso ou reservatório de gás estagnado (Figura 13.18a). Aqui, o tubo ao final do bocal está conectado a um tanque e uma bomba de vácuo. Operando a bomba e abrindo a válvula no tubo, podemos regular a *contrapressão* p_b no tanque e, assim, o escoamento pelo bocal. Estaremos interessados em como essa contrapressão afeta a pressão ao longo do bocal e a vazão mássica através do bocal.

Bocal convergente

Aqui, iremos considerar a conexão de um bocal convergente ao reservatório (Figura 13.18a).

- Quando a contrapressão é igual à pressão dentro do reservatório, $p_b = p_0$, nenhum escoamento ocorre através do bocal, como indica a curva 1 na Figura 13.18b.
- Se p_b é ligeiramente *inferior* a p_0, então o escoamento pelo bocal permanecerá subsônico. Aqui, a velocidade aumentará através do bocal, fazendo a pressão diminuir, como mostra a curva 2.
- Mais quedas na pressão p_b farão, por fim, com que o escoamento na saída do bocal atinja escoamento sônico, M = 1. A contrapressão neste ponto é chamada de **pressão crítica** p^*, curva 3. O valor dessa pressão pode ser determinado pela Equação 13.32, com M = 1. Como p_0 é a pressão de estagnação, o resultado é

$$\frac{p^*}{p_0} = \left(\frac{2}{k+1}\right)^{k/(k-1)} \quad (13.42)$$

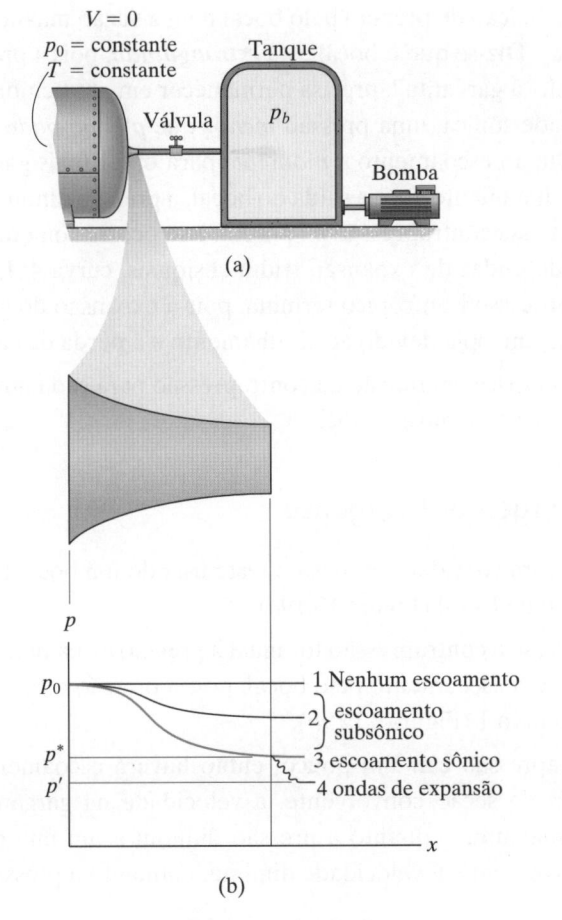

FIGURA 13.18 (continua)

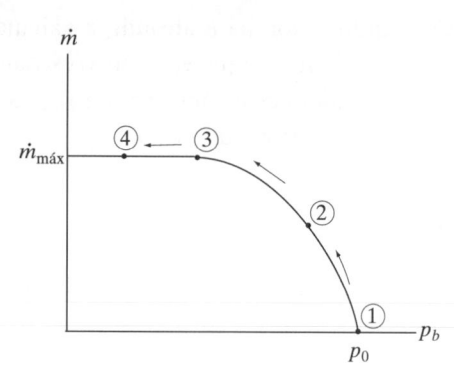

Vazão mássica *versus* contrapressão
(c)
FIGURA 13.18 (cont.)

Por exemplo, para o ar, $k = 1,4$, portanto, $p^*/p_0 = 0,5283$ (veja também a Tabela B.1). Em outras palavras, a pressão imediatamente fora do bocal precisa ser aproximadamente metade daquela dentro do reservatório para atingir escoamento sônico. Para a contrapressão de $p_b = p_0$ até $p_b = p^*$, o escoamento pode ser considerado isentrópico sem um erro apreciável. Isso porque a pressão absoluta sempre permanece positiva dentro do bocal, e o escoamento é rápido, resultando em camadas limite que são finas, de modo a produzir o mínimo de perdas por cisalhamento enquanto o escoamento é acelerado através do bocal.

- Se a contrapressão for reduzida ainda mais, digamos, para $p' < p^*$, então nem a distribuição de pressão pelo bocal nem a vazão mássica por ele serão afetadas. Diz-se que o bocal está **estrangulado**, pois a pressão na saída do bocal, "a garganta", precisa permanecer em p^*. Lembre-se de que, na velocidade sônica, uma pressão *menor* que p^* *não pode* ser transmitida de volta ao escoamento *a montante* para obter mais gás pelo bocal. Fora e imediatamente após a saída do bocal, a pressão diminui repentinamente para essa contrapressão p'; porém, isso ocorre somente através da formação de ondas de expansão tridimensionais, curva 4. Dentro dessa região, o processo isentrópico termina, pois a expansão do gás causa um aumento na entropia devido ao cisalhamento e à perda de calor.

A vazão mássica em função da contrapressão para cada um desses quatro casos aparece na Figura 13.18c.

Bocal convergente-divergente

Vamos agora considerar o mesmo teste usando um bocal convergente-divergente, ou de Laval (Figura 13.19a).

- Como antes, se a contrapressão for igual à pressão na câmara, $p_b = p_0$, então não haverá escoamento pelo bocal, pois a pressão através do bocal é constante, curva 1 (Figura 13.19b).
- Se a contrapressão cair um pouco, então haverá escoamento subsônico. Através da seção convergente, a velocidade na garganta aumenta até o seu máximo, enquanto a pressão diminui a um mínimo. Através da seção divergente, a velocidade diminui, enquanto a pressão aumenta, curva 2.

- Quando a contrapressão torna-se p_3, a pressão na garganta cai para p^*, de modo que o escoamento finalmente atinge a velocidade sônica, M = 1, na garganta. Esse é um caso limitador, onde o escoamento subsônico continua a ocorrer nas seções convergente *e* divergente, curva 3. Qualquer outra *ligeira* diminuição na contrapressão *não causará* um aumento na vazão mássica pelo bocal, pois a velocidade pela garganta está em seu máximo (M = 1). Logo, o bocal passa a estar *estrangulado*, e a vazão mássica permanece *constante*.

- Para acelerar ainda mais o escoamento *isentropicamente* dentro da seção divergente, é preciso diminuir a contrapressão *por todo o percurso* até que atinja p_4, como mostra a curva 4. Novamente, isso não afetará a vazão mássica, pois o bocal está estrangulado.

- Devido à ramificação das curvas de pressão 3 e 4, o *escoamento isentrópico* pelo bocal ocorre para $p \leq p_3$ e $p = p_4$. Isso porque, para determinada razão de A/A^* (área da saída *versus* área da garganta), a Equação 13.41 oferece apenas *dois* números de Mach possíveis na saída, conforme observado na Figura 13.15 (M_1 subsônico e M_2 supersônico). Assim, se a contrapressão estiver em algum lugar entre essas pressões de saída isentrópicas de p_3 e p_4, ou se for inferior a p_4, então a pressão de saída se converterá repentinamente para essa pressão somente através de uma *onda de choque*, formada dentro do bocal ou imediatamente fora dele. Isso é *não isentrópico*, pois um choque envolve perdas por cisalhamento e resultará em um uso ineficaz do bocal. Discutiremos esse fenômeno mais adiante, na Seção 13.7.

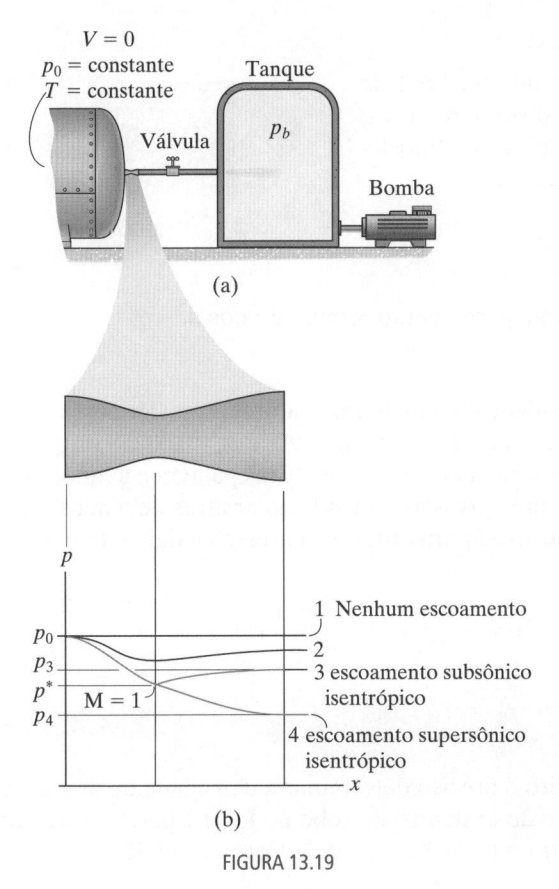

Turbinas de jatos militares possuem bocais propulsores, que podem ser abertos ou fechados, de modo que alterem a eficiência de sua propulsão.

FIGURA 13.19

Pontos importantes

- O *escoamento subsônico* através de um *duto convergente* fará com que a velocidade aumente e a pressão diminua. O *escoamento supersônico* causa o efeito oposto; a velocidade diminuirá e a pressão aumentará.

- O *escoamento subsônico* através de um *duto divergente* fará com que a velocidade diminua e a pressão aumente. O *escoamento supersônico* causa o efeito oposto; a velocidade aumentará e a pressão diminuirá.

- Um bocal de Laval possui uma seção convergente para acelerar o escoamento subsônico para a velocidade sônica na garganta, M = 1, e uma seção divergente para acelerar ainda mais o escoamento para velocidade supersônica.

- Não é possível fazer um gás escoar mais rapidamente do que a velocidade sônica, M = 1, através da garganta de qualquer bocal, pois nessa velocidade a pressão na garganta não pode ser transmitida de volta a montante para induzir um aumento no escoamento.

- O número de Mach em uma área transversal A de um bocal é função da área da garganta, onde M = 1.

- Um bocal está estrangulado quando M = 1 na garganta. Quando isso acontece, a pressão na garganta é chamada de pressão crítica, p^*. Essa condição oferece o máximo de vazão mássica através do bocal.

- Para um bocal de Laval, onde M = 1 na garganta, existem duas contrapressões possíveis, que produzem *escoamento isentrópico* dentro do bocal. Uma produz velocidades subsônicas dentro da seção divergente, M < 1, e a outra produz velocidades supersônicas dentro dessa seção, M > 1. Nenhuma onda de choque é produzida nesses casos.

EXEMPLO 13.8

Determine a pressão exigida na entrada do tubo com 2 pol. de diâmetro na seção 1 da Figura 13.20, a fim de produzir a maior vazão de ar através do tubo. Fora dele, o ar está na pressão atmosférica e temperatura padrão. Qual é a vazão mássica?

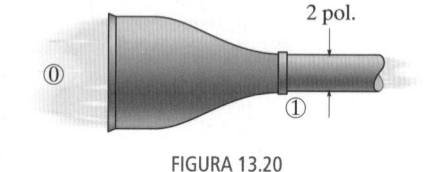

FIGURA 13.20

Solução

Descrição do fluido

Assumimos escoamento isentrópico em regime permanente através do bocal.

Análise

A pressão de estagnação, temperatura e densidade são iguais aos "valores atmosféricos padrão", pois o ar externo está em repouso. Pelo Apêndice A, temos $p_0 = 14{,}7$ psi, $T_0 = 59°$F e $\rho_0 = 0{,}00238$ slug/pé^3. A *vazão máxima* dentro do tubo ocorre quando M = 1 na entrada do tubo. Em outras palavras, quando isso acontece, o ar que escoa pelo tubo não pode transmitir uma pressão reduzida ao ar atrás dele mais rapidamente do que M = 1. Usando a Tabela B.1 ou a Equação 13.32 para obter essa pressão exigida, temos

$$p_0 = p_1\left(1 + \frac{k-1}{2}M_1^2\right)^{k/(k-1)} \quad 14{,}7\,\text{psi} = p_1\left(1 + \frac{1{,}4-1}{2}(1)^2\right)^{1{,}4/(1{,}4-1)}$$

$$p_1 = 7{,}77\,\text{psi} \qquad \qquad \textit{Resposta}$$

Para obter a vazão mássica $\dot{m} = \rho V A$, primeiro é preciso determinar a densidade do ar e a velocidade do escoamento para produzir M = 1. A densidade do ar dentro do tubo no local 1 pode ser determinada a partir da Equação 13.33 ou da Equação 13.21, $p_2/p_1 = (\rho_2/\rho_1)^k$. Usando a Equação 13.33

$$\rho_0 = \rho_1\left(1 + \frac{k-1}{2}M_1^2\right)^{1/(k-1)}$$

$$0{,}00238\,\text{slug/pé}^3 = \rho_1\left(1 + \frac{1{,}4-1}{2}(1)^2\right)^{1/(1{,}4-1)}$$

$$\rho_1 = 0{,}001509\,\text{slug/pé}^3$$

A velocidade é função da temperatura do ar no tubo, ou seja, $V = M\sqrt{kRT}$. Podemos obter essa temperatura usando a Tabela B.1, a Equação 13.31 com M = 1, ou a Equação 13.22, $p_2/p_1 = (T_2/T_1)^{k(k-1)}$. Usando a Equação 13.31, temos

$$T_0 = T_1\left(1 + \frac{k-1}{2}M_1^2\right) \quad (460+59)\,R = T_1\left(1 + \frac{1{,}4-1}{2}(1)^2\right)$$

$$T_1 = 432{,}5\,R$$

Assim,

$$V_1 = M_1\sqrt{kRT_1} = (1)\sqrt{1{,}4(1716\,\text{pés}\cdot\text{lb/slug}\cdot R)(432{,}5\,R)} = 1019{,}3\,\text{pés/s}$$

A vazão mássica é, portanto,

$$\dot{m} = \rho_1 V_1 A_1$$

$$= (0{,}001509\,\text{slug/pé}^3)(1019{,}3\,\text{pés/s})\left[\pi\left(\frac{1}{12}\text{pé}\right)^2\right]$$

$$= 0{,}0336\,\text{slug/s} \qquad \qquad \textit{Resposta}$$

EXEMPLO 13.9

O bocal convergente no tanque da Figura 13.21 tem um diâmetro de saída de 300 mm. Se o nitrogênio dentro do tanque tem uma pressão absoluta de 500 kPa e uma temperatura absoluta de 1200 K, determine a vazão mássica através do bocal se a pressão absoluta no tubo é de 300 kPa no bocal.

Solução

Descrição do fluido

Assumimos escoamento isentrópico em regime permanente através do bocal.

Análise

Como o nitrogênio dentro do tanque está em repouso, a pressão de estagnação e a temperatura são $p_0 = 500$ kPa e $T_0 = 1200$ K. Para a *maior* vazão mássica pelo bocal, é necessário que M = 1 na saída, e, portanto, a Equação 13.32 ou a Tabela B.1 exigem que

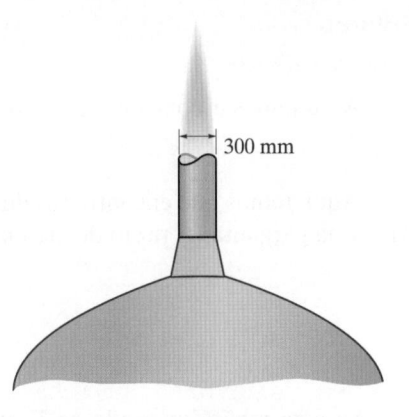

FIGURA 13.21

$$\frac{p^*}{p_0} = 0{,}5283 \quad \text{ou} \quad p^* = (500\,\text{kPa})(0{,}5283) = 264{,}15\,\text{kPa}$$

Porém, para este caso, $p = 300$ kPa, que é *maior* do que 264,15 kPa. Portanto, o bocal *não está estrangulado* em sua saída.

Como conhecemos tanto p quanto p_0, então $p/p_0 = 300$ kPa/500 kPa = 0,6, portanto, podemos determinar M a partir da Equação 13.32 ou da Tabela B.1. Obtemos M = 0,8864.

Para obter a vazão mássica, $\dot{m} = \rho V A$, temos que obter a densidade e a velocidade na saída. Primeiro, a temperatura é determinada a partir da Equação 13.31 ou da Tabela B.1 para M = 0,8864 ou $p/p_0 = 0{,}6$.

$$\frac{T}{T_0} = 0{,}8642$$

$$T = 0{,}8642(1200\,\text{K}) = 1037\,\text{K}$$

Portanto, a velocidade de saída do nitrogênio é

$$V = M\sqrt{kRT} = (0{,}8864)\sqrt{1{,}4\,(296{,}8\,\text{J/kg}\cdot\text{K})(1037\,\text{K})} = 581{,}9\ \text{m/s}$$

A densidade pode ser encontrada usando a lei dos gases perfeitos. A vazão mássica a partir do bocal é, portanto,

$$\dot{m} = \rho V A = \left(\frac{p}{RT}\right)VA = \left(\frac{300(10^3)\ \text{N/m}^2}{(296{,}8\ \text{J/kg}\cdot\text{K})(1037\ \text{K})}\right)(581{,}9\ \text{m/s})\left[\pi(0{,}15\,\text{m})^2\right]$$

$$\dot{m} = 40{,}1\ \text{kg/s} \qquad\qquad Resposta$$

EXEMPLO 13.10

O bocal de Laval na Figura 13.22 está conectado a uma grande câmara contendo ar a uma pressão absoluta de 350 kPa. Determine a contrapressão no tubo em B que fará com que o bocal fique estrangulado e ainda produza escoamento *subsônico* isentrópico através do tubo. Além disso, que contrapressão é necessária para causar escoamento *supersônico* isentrópico?

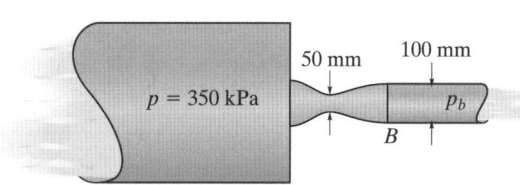

FIGURA 13.22

Solução

Descrição do fluido

Assumimos escoamento isentrópico em regime permanente através do bocal.

Análise

Aqui, temos que encontrar as duas contrapressões, p_3 e p_4, na Figura 13.19b, necessárias para produzir M = 1 na garganta. A razão de área para o bocal entre a saída e a garganta é

$$\frac{A_B}{A^*} = \frac{\pi(0{,}05\,\text{m})^2}{\pi(0{,}025\,\text{m})^2} = 4$$

Se essa razão for usada na Equação 13.41, duas raízes para M na saída poderão ser determinadas (Figura 13.15). Porém, também podemos resolver este problema usando a Tabela B.1. Com $A_B/A^* = 4$, obtemos $M_1 = 0{,}1467$ (escoamento subsônico) e $p_B/p_0 = 0{,}9851$. Assim, a *mais alta* contrapressão em B que causará *escoamento subsônico* é

$$(p_B)_{\text{máx}} = 0{,}9851(350\ \text{kPa}) = 345\ \text{kPa} \qquad\qquad Resposta$$

Mais adiante na tabela, a solução alternativa, onde $A_B/A^* = 4$, resulta em $M_2 = 2{,}940$ (escoamento supersônico) e $p_B/p_0 = 0{,}02980$. Logo, a contrapressão *mais baixa* em B é para o *escoamento supersônico*.

$$(p_B)_{\text{mín}} = 0{,}02980(350\ \text{kPa}) = 10{,}4\ \text{kPa} \qquad\qquad Resposta$$

EXEMPLO 13.11

O ar escoa pelo tubo com 100 mm de diâmetro na Figura 13.23 a uma pressão absoluta de $p_1 = 90$ kPa. Determine o diâmetro d na ponta do bocal, de modo que ocorra escoamento isentrópico a partir do bocal em $M_2 = 0,7$. O ar dentro do tubo é tomado de um grande reservatório na pressão e temperatura atmosféricas padrão.

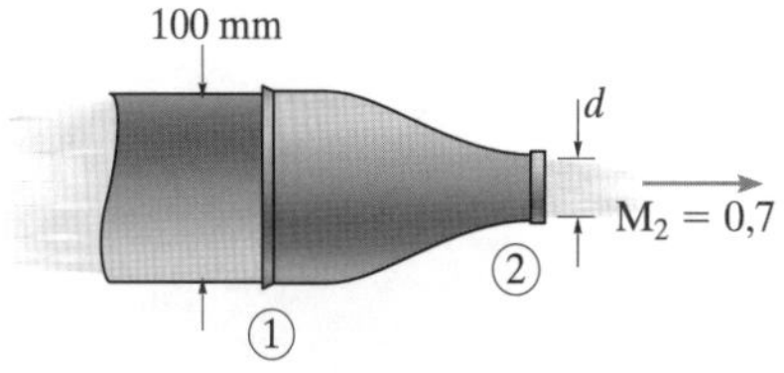

FIGURA 13.23

Solução I
Descrição do fluido

Assumimos escoamento isentrópico em regime permanente através do bocal.

Análise

O diâmetro d pode ser determinado a partir da continuidade da vazão mássica, o que requer

$$\dot{m} = \rho_1 V_1 A_1 = \rho_2 V_2 A_2 \quad (1)$$

Primeiro temos que encontrar M_1 e depois encontrar as densidades e velocidades em 1 e 2.

Os valores de estagnação para o ar atmosférico são determinados pelo Apêndice A como $p_0 = 101,3$ kPa, $T_0 = 15°C$ e $\rho_0 = 1,225$ kg/m^3. Conhecendo p_1 e p_0, podemos agora determinar M_1 na entrada 1 do bocal usando a Equação 13.32.

$$p_0 = p_1\left(1 + \frac{k-1}{2}M_1^2\right)^{k/(k-1)}$$

$$101,3 \text{ kPa} = (90 \text{ kPa})\left(1 + \frac{1,4-1}{2}M_1^2\right)^{\frac{1,4}{1,4-1}}$$

$$M_1 = 0,4146$$

Como era esperado, $M_1 < M_2 = 0,7$.

Visto que $V = M\sqrt{kRT}$, aplicando a Equação 13.31 para encontrar as temperaturas na entrada e na saída, temos

$$T_0 = T_1\left(1 + \frac{k-1}{2}M_1^2\right)$$

$$(273 + 15)\text{ K} = T_1\left(1 + \frac{1,4-1}{2}(0,4146)^2\right)$$

$$T_1 = 278,4 \text{ K}$$

$$T_0 = T_2\left(1 + \frac{k-1}{2}M_2^2\right)$$

$$(273 + 15)\text{ K} = T_2\left(1 + \frac{1,4-1}{2}(0,7)^2\right)$$

$$T_2 = 262,3 \text{ K}$$

Assim, as velocidades na entrada e na saída são

$$V_1 = M_1\sqrt{kRT_1} = 0,4146\sqrt{1,4(286,9 \text{ J/kg}\cdot\text{K})(278,4 \text{ K})} = 138,6 \text{ m/s}$$

$$V_2 = M_2\sqrt{kRT_2} = 0,7\sqrt{1,4(286,9 \text{ J/kg}\cdot\text{K})(262,3 \text{ K})} = 227,2 \text{ m/s}$$

A densidade do ar na entrada e na saída do bocal é determinada usando a Equação 13.33.

$$\rho_0 = \rho_1\left(1 + \frac{k-1}{2}M_1^2\right)^{1/(k-1)} \qquad 1{,}225 \text{ kg/m}^3 = \rho_1\left[1 + \frac{1{,}4-1}{2}(0{,}4146)^2\right]^{\frac{1}{1{,}4-1}}$$

$$\rho_1 = 1{,}126 \text{ kg/m}^3$$

$$\rho_0 = \rho_2\left(1 + \frac{k-1}{2}M_2^2\right)^{1/(k-1)} \qquad 1{,}225 \text{ kg/m}^3 = \rho_2\left[1 + \frac{1{,}4-1}{2}(0{,}7)^2\right]^{\frac{1}{1{,}4-1}}$$

$$\rho_2 = 0{,}9697 \text{ kg/m}^3$$

Por fim, aplicando a Equação 1,

$$\rho_1 V_1 A_1 = \rho_2 V_2 A_2$$

$$(1{,}126 \text{ kg/m}^3)(138{,}6 \text{ m/s})[\pi(0{,}05 \text{ m})^2] = (0{,}9697 \text{ kg/m}^3)(227{,}2 \text{ m/s})\pi\left(\frac{d}{2}\right)^2$$

$$d = 84{,}2 \text{ mm} \qquad \qquad \textit{Resposta}$$

Solução II

Também podemos resolver esse problema de uma maneira direta usando a Tabela B.1, embora escoamento subsônico ocorra na extremidade do bocal. Para fazer isso, faremos referência a uma *extensão* fantasma do bocal, onde M = 1 e $A = A^*$, e depois relacionaremos as razões de área A_1 para $M_1 = 0{,}4146$ e A_2 para $M_2 = 0{,}7$ a esta referência. Usando a Tabela B.1, temos, portanto,

$$\frac{A_2}{A_1} = \frac{A_2/A^*}{A_1/A^*}$$

Assim,

$$A_2 = A_1\left(\frac{A_2/A^*}{A_1/A^*}\right)$$

$$\left(\pi \frac{d^2}{4}\right) = \pi(0{,}05 \text{ m})^2\left(\frac{1{,}0944}{1{,}5450}\right)$$

$$d = 84{,}2 \text{ mm} \qquad \qquad \textit{Resposta}$$

13.7 O efeito do cisalhamento sobre o escoamento compressível

Na maioria das situações reais, o conduto ou duto através do qual um gás escoa terá uma superfície rugosa, de modo que os efeitos do cisalhamento irão causar o aquecimento do gás e, portanto, alterar as características do escoamento. Isso normalmente ocorre em escapamentos e tubos de ar comprimido. Nesta seção, consideraremos como o escoamento será afetado se o conduto for um tubo com uma seção transversal constante, e tiver um *fator de atrito* parietal *f*, conforme determinado pelo diagrama de Moody.[*] Vamos considerar que o gás seja perfeito e que tenha um calor específico constante, com escoamento em regime permanente. Além disso, vamos supor que o calor gerado no gás não escape pelas paredes do duto e que, portanto, o *proces-*

---

[*] Embora a maioria das seções transversais de dutos seja circular, se outras geometrias tiverem de ser analisadas, podemos substituir o diâmetro do tubo *D* pelo *diâmetro hidráulico* do duto, definido como $D_h = 4A/P$. Aqui, *A* é a seção transversal e *P* é o perímetro do duto. Observe que, para um duto circular, $D_h = 4(\pi D^2/4)/(\pi D) = D$, como deveria ser.

so seja adiabático. Esse tipo de escoamento às vezes é chamado de ***escoamento de Fanno***, em homenagem a Gino Fanno, que foi o primeiro a investigá-lo.

Para estudar como o escoamento é afetado pelo cisalhamento e pelo número de Mach, aplicaremos as equações fundamentais da mecânica de fluidos ao volume de controle diferencial na Figura 13.24a. As propriedades de escoamento são listadas em cada superfície de controle aberta.

Equação da continuidade

Como o escoamento é em regime permanente, a equação da continuidade torna-se

$$\frac{\partial}{\partial t}\int_{vc} \rho \, d\forall + \int_{sc} \rho \mathbf{V} \cdot d\mathbf{A} = 0$$

$$0 + (\rho + \Delta\rho)(V + \Delta V)A + \rho(-VA) = 0$$

No limite,

$$\frac{d\rho}{\rho} + \frac{dV}{V} = 0 \qquad (13.43)$$

Escoamentos a altas vazões de gás dentro de tubulações industriais podem ser estudados usando a análise de escoamento compressível. (© Kodda/Shutterstock)

Equação da quantidade de movimento

Como vemos no diagrama de corpo livre (Figura 13.24b), a força de cisalhamento ΔF_f atua na superfície de controle fechada, e é o resultado da tensão de cisalhamento parietal τ_w, discutida no Capítulo 9. Ela é definida pela Equação 9.16, $\tau_w = \frac{r}{2}\frac{\partial}{\partial x}(p + \gamma h)$. Como o fluido é um gás, seu peso pode ser desconsiderado, portanto obtemos

$$\tau_w = \left(\frac{D}{4}\right)\left(\frac{\Delta p}{\Delta x}\right)$$

Podemos eliminar Δp observando que a perda de carga da Equação 10.1 é $\Delta h_L = \Delta p/\rho g$, ou pela Equação 10.3, $\Delta h_L = f(\Delta x/D)(V^2/2g)$. Se igualarmos os lados direitos dessas duas equações e isolarmos Δp, obteremos $\Delta p = f(\Delta x/D)(\rho V^2/2)$. Portanto,

$$\tau_w = \left(\frac{D}{4}\right)\left(\frac{f}{D}\right)\left(\frac{\rho V^2}{2}\right) = \frac{f\rho V^2}{8}$$

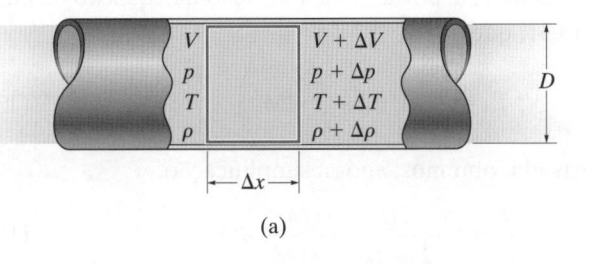

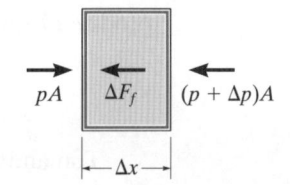

(a)

Diagrama de corpo livre

(b)

FIGURA 13.24

Por fim, como τ_w atua sobre a área da superfície de controle $\pi D \, \Delta x$, e como as superfícies de controle abertas têm uma área de $A = \pi D^2/4$, a força de cisalhamento torna-se

$$\Delta F_f = \tau_w [\pi D \Delta x] = \frac{fA}{D}\left(\frac{\rho V^2}{2}\right)\Delta x$$

Usando esse resultado, a equação da quantidade de movimento para o volume de controle é, portanto,

$$\xrightarrow{+} \Sigma \mathbf{F} = \frac{\partial}{\partial t}\int_{vc} \mathbf{V}\rho \, dV\!\!\!/ + \int_{sc} \mathbf{V}\rho \mathbf{V} \cdot d\mathbf{A}$$

$$-\frac{fA}{D}\left(\frac{\rho V^2}{2}\right)\Delta x - (p + \Delta p)A + pA = 0 + (V + \Delta V)(\rho + \Delta \rho)(V + \Delta V)A + V\rho(-VA)$$

No limite, onde $\Delta x \to 0$, desprezando os termos de segunda e terceira ordens, e usando a Equação 13.43, obtemos

$$-\frac{f}{D}\left(\frac{\rho V^2}{2}\right)dx - dp = \rho V dV \tag{13.44}$$

Nosso objetivo é agora usar esse resultado, junto com a lei dos gases perfeitos e a equação da energia, para relacionar $f \, dx/D$ ao número de Mach para o escoamento.

Lei dos gases perfeitos

Essa lei é $p = \rho RT$, mas sua forma diferencial é

$$dp = d\rho RT + \rho R \, dT$$

ou

$$dp = \left(\frac{d\rho}{\rho}\right)p + \frac{p \, dT}{T}$$

Aqui, ρ pode ser eliminado usando a equação da continuidade (Equação 13.43), de modo que

$$\frac{dp}{p} = \frac{dT}{T} - \frac{dV}{V} \tag{13.45}$$

Equação da energia

Como o escoamento é adiabático, a temperatura de estagnação pelo tubo permanecerá *constante*, e, portanto, a aplicação da equação da energia produz a Equação 13.31, que é

$$T_0 = T\left(1 + \frac{k-1}{2}\mathrm{M}^2\right) \tag{13.46}$$

Tomando a derivada, obtemos, após a simplificação,

$$\frac{dT}{T} = -\frac{2(k-1)\mathrm{M}}{2 + (k-1)\mathrm{M}^2} d\mathrm{M} \tag{13.47}$$

Além disso, como $V = \mathrm{M}\sqrt{kRT}$, sua derivada torna-se

$$\frac{dV}{V} = \frac{d\mathrm{M}}{\mathrm{M}} + \frac{1}{2}\frac{dT}{T} \qquad (13.48)$$

Agora, eliminando ρ na Equação 13.44 usando a lei dos gases perfeitos, observando que $V = \mathrm{M}\sqrt{kRT}$, obtemos

$$\frac{1}{2}f\frac{dx}{D} + \frac{dp}{k\mathrm{M}^2 p} + \frac{dV}{V} = 0$$

Substituindo as equações 13.45, 13.47 e 13.48 nessa equação e simplificando a álgebra, obtemos nosso resultado final:

$$f\frac{dx}{D} = \frac{(1-\mathrm{M}^2)\,d(\mathrm{M}^2)}{k\mathrm{M}^4\left(1 + \frac{1}{2}(k-1)\mathrm{M}^2\right)} \qquad (13.49)$$

Comprimento do tubo *versus* número de Mach

Quando a Equação 13.49 é integrada ao longo do tubo, da posição 1 para a posição 2 (Figura 13.25a) ela resultará em uma expressão complicada, e um trabalho adicional será necessário para aplicá-la numericamente. Porém, se o tubo for realmente longo o bastante (ou imagina-se que seja longo o bastante), o efeito do cisalhamento tenderá a alterar o escoamento para a velocidade sônica M = 1. Esta ocorre no **local crítico**, que será usado como um *ponto de referência* para aplicar os limites de integração da posição 1 a essa posição $x_{cr} = L_{máx}$, onde M = 1, $p = p^*$, $T = T^*$ e $\rho = \rho^*$ (Figura 13.25a). Pela extensão $L_{máx}$, o fator de atrito realmente variará, pois é uma função do número de Reynolds, mas como o número de Reynolds geralmente é alto, para os nossos propósitos, usaremos um *valor médio*[*] para f. Portanto,

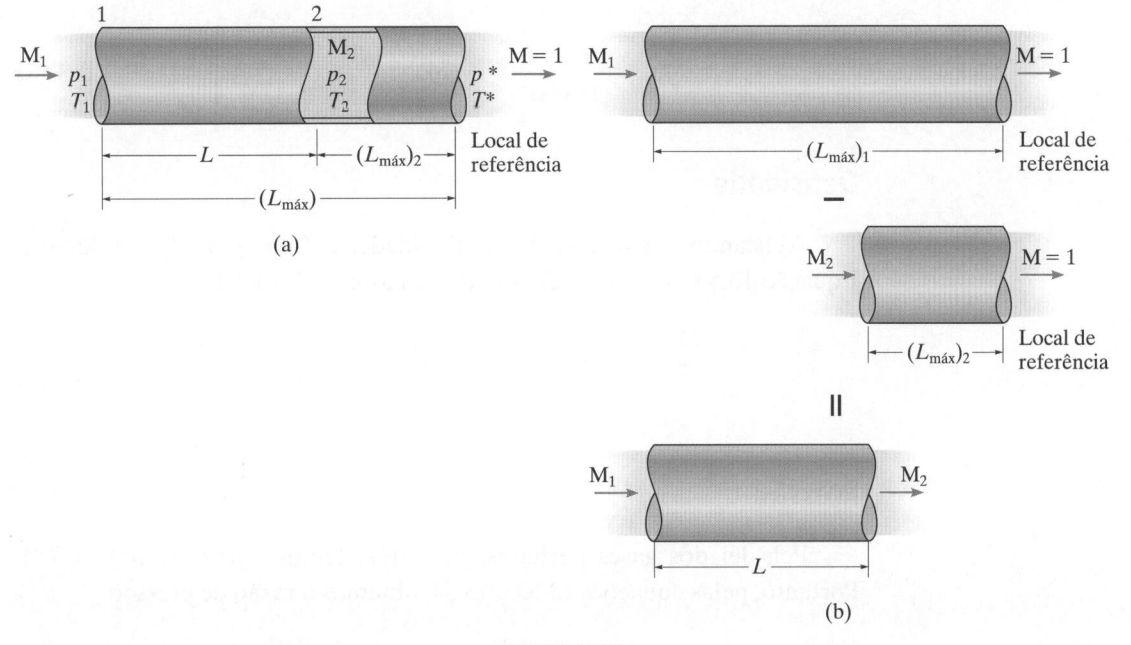

FIGURA 13.25

---

[*] Valores altos de Re produzem valores quase constantes para f, pois as curvas do diagrama de Moody tendem a se nivelar.

$$\frac{f}{D}\int_0^{L_{máx}} dx = \int_M^1 \frac{(1 - M^2) d(M^2)}{kM^4 (1 + \frac{1}{2}(k-1)M^2)}$$

$$\boxed{\frac{fL_{máx}}{D} = \frac{1 - M^2}{kM^2} + \frac{k+1}{2k}\ln\left[\frac{[(k+1)/2] M^2}{1 + \frac{1}{2}(k-1) M^2}\right]} \qquad (13.50)$$

Com essa equação, agora podemos determinar o comprimento L do tubo necessário para variar o número de Mach de M_1 para M_2 se a extensão do tubo for $L \leq L_{máx}$. Como vemos na Figura 13.25b, para fazer isso, simplesmente exigimos que

$$\frac{fL}{D} = \frac{f(L_{máx})_1}{D}\bigg|_{M_1} - \frac{f(L_{máx})_2}{D}\bigg|_{M_2} \qquad (13.51)$$

Temperatura

Se agora aplicarmos a Equação 13.46 à posição 1 e ao local crítico ou de referência onde $M = 1$, observando que a temperatura de estagnação *permanece constante* devido ao processo ser adiabático, obtemos a razão de temperatura expressa em termos do número de Mach.

$$\frac{T}{T^*} = \frac{T/(T_0)_1}{T^*/(T_0)_1} = \frac{\frac{1}{2}(k+1)}{1 + \frac{1}{2}(k-1)M^2} \qquad (13.52)$$

Velocidade

Relacionando a velocidade ao número de Mach, podemos usar a Equação 13.52 para expressar a razão de velocidade como

$$\frac{V}{V^*} = \frac{M\sqrt{kRT}}{(1)\sqrt{kRT^*}} = M\left[\frac{\frac{1}{2}(k+1)}{1 + \frac{1}{2}(k-1)M^2}\right]^{1/2} \qquad (13.53)$$

Densidade

Aplicando a equação da continuidade, $\rho V A = \rho^* V^* A$, e usando a Equação 13.53, a razão de densidade torna-se $\rho/\rho^* = V^*/V$, ou

$$\frac{\rho}{\rho^*} = \frac{1}{M}\left[\frac{1 + \frac{1}{2}(k-1)M^2}{\frac{1}{2}(k+1)}\right]^{1/2} \qquad (13.54)$$

Pressão

Pela lei dos gases perfeitos, $p = \rho RT$, temos $p/p^* = (\rho/\rho^*)(T/T^*)$. Portanto, pelas equações 13.52 e 13.54, obtemos a razão de pressão

$$\frac{p}{p^*} = \frac{1}{M}\left[\frac{\frac{1}{2}(k+1)}{1 + \frac{1}{2}(k-1)M^2}\right]^{1/2} \qquad (13.55)$$

Por fim, a razão da pressão de estagnação variará ao longo do tubo, pois o processo é não isentrópico. Ela pode ser obtida observando-se que $p_0/p_0^* = (p_0/p)(p/p^*)(p^*/p_0^*)$. E assim, usando as equações 13.32 e 13.55, obtemos

$$\frac{p_0}{p_0^*} = \frac{1}{M}\left[\left(\frac{2}{k+1}\right)\left(1 + \frac{k-1}{2}M^2\right)\right]^{(k+1)/2(k-1)} \quad (13.56)$$

Os gráficos da variação das razões T/T^*, V/V^*, p/p^* e $f(L_{máx}/D)$ versus M aparecem na Figura 13.26, e seus valores numéricos podem ser determinados a partir das equações, ou usando os valores calculados encontrados na internet, ou, se $k = 1,4$, por interpolação usando a Tabela B.2 do Apêndice B.

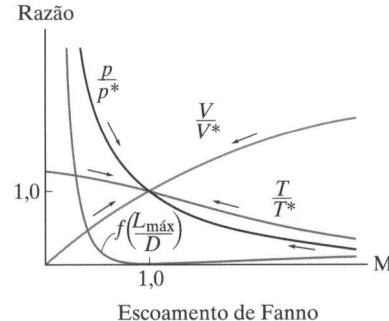

Escoamento de Fanno

FIGURA 13.26

A linha de Fanno

Embora possamos descrever o escoamento completamente usando as equações anteriores, é instrutivo mostrar como o fluido se comporta considerando como a entropia variará ao longo do tubo em função da temperatura. Para fazer isso, primeiro devemos expressar a variação na entropia entre o local inicial 1 e algum local arbitrário ao longo do duto.

Começando com a Equação 13.18,

$$s - s_1 = c_v \ln \frac{T}{T_1} + R \ln \frac{\rho_1}{\rho} \quad (13.57)$$

desejaremos expressar ρ_1/ρ em termos da temperatura. Visto que A é constante, a equação da continuidade requer $\rho_1/\rho = V/V_1$, e como a temperatura de estagnação permanece constante para um processo adiabático, então, pela Equação 13.30, temos $V = \sqrt{2c_p(T_0 - T)}$. Usando essas expressões, a Equação 13.57 torna-se agora

$$s - s_1 = c_v \ln T - c_v \ln T_1 + R \ln \sqrt{2c_p(T_0 - T)} - R \ln V_1$$

$$= c_v \ln T + \frac{R}{2} \ln (T_0 - T) + \left[-c_v \ln T_1 + \frac{R}{2} \ln 2c_p - R \ln V_1\right] \quad (13.58)$$

Os três últimos termos são constantes e avaliados no local inicial do tubo, onde $T = T_1$ e $V = V_1$. Se desenharmos o gráfico da Equação 13.58, ele representará a **linha de Fanno** para o escoamento (diagrama T-s) e se parecerá com aquela mostrada na Figura 13.27.

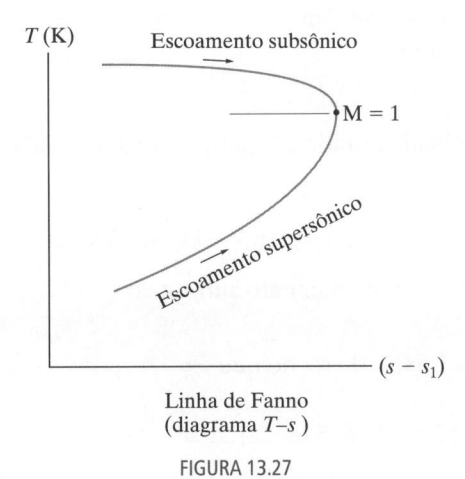

Linha de Fanno
(diagrama T–s)

FIGURA 13.27

O ponto de entropia máxima é encontrado tomando-se a derivada da expressão anterior e definindo-a como sendo igual a zero, $ds/dT = 0$. Isso ocorre quando o escoamento é sônico, ou seja, $M = 1$. A região acima de $M = 1$ é para o escoamento subsônico ($M < 1$), e a região inferior é para o escoamento supersônico ($M > 1$). Para os dois casos, o *cisalhamento aumenta a entropia* à medida que o gás escoa pelo tubo. Como era esperado, para o *escoamento supersônico*, o número de Mach *diminui* até atingir $M = 1$, onde o escoamento passa a ficar estrangulado no comprimento crítico. Porém, para o *escoamento subsônico*, o número de Mach *aumenta*. Embora isso possa parecer contraintuitivo, acontece porque a pressão cai rapidamente, conforme observado na Figura 13.26, para $M \leq 1$. Essa queda *aumenta* a velocidade do escoamento, *mais* do que o cisalhamento é capaz de oferecer resistência para retardar o escoamento.

Pontos importantes

- O escoamento de gás perfeito por um tubo ou duto que inclui o efeito de cisalhamento ao longo da parede do tubo sem perda de calor é denominado escoamento de Fanno. Usando um valor médio para o fator de atrito f, as propriedades T, V, ρ e p do gás podem ser determinadas em um local ao longo do tubo onde o número de Mach é conhecido, desde que essas propriedades sejam conhecidas no local de referência ou crítico, onde $M = 1$.
- O cisalhamento no tubo fará com que o número de Mach, no caso do *escoamento subsônico*, *aumente* até atingir $M = 1$, e no caso do *escoamento supersônico*, *diminua* até atingir $M = 1$.

EXEMPLO 13.12

O ar entra no tubo com 30 mm de diâmetro com uma velocidade de 153 m/s e uma temperatura de 300 K (Figura 13.28). Se o fator de atrito médio for $f = 0{,}040$, determine o tamanho, $L_{máx}$, que o tubo deverá ter para que escoamento sônico ocorra na saída. Além disso, qual é a velocidade do escoamento no tubo em $L_{máx}$ e no local $L = 0{,}8$ m?

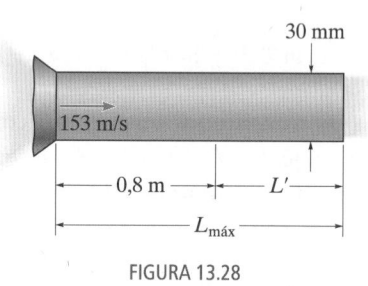

FIGURA 13.28

Solução

Descrição do fluido

Consideramos que ocorre um escoamento compressível em regime permanente adiabático (Fanno) ao longo do tubo.

Comprimento máximo do tubo

O comprimento crítico do tubo, $L_{máx}$, é determinado usando a Equação 13.50 ou a Tabela B.2. Primeiro, precisamos determinar o número de Mach inicial.

$$V = M\sqrt{kRT}; \qquad 153 \text{ m/s} = M_1\sqrt{1{,}4(286{,}9 \text{ J/kg} \cdot \text{K})(300 \text{ K})}$$

$$M_1 = 0{,}4408 < 1 \quad \text{escoamento subsônico}$$

Usando a Tabela B.2, obtemos $(f/D)(L_{máx}) = 1{,}6817$, de modo que

$$L_{máx} = \left(\frac{0{,}03 \text{ m}}{0{,}040}\right)(1{,}6817) = 1{,}2613 \text{ m} = 1{,}26 \text{ m} \qquad\qquad Resposta$$

Nessa saída, M = 1. A velocidade do gás é determinada pela razão tabulada para $M_1 = 0{,}4408$. Ela é $V_1/V^* = 0{,}47371$. Assim,

$$V^* = \frac{V_1}{V_1/V^*} = \left(\frac{1}{0{,}47371}\right)(153 \text{ m/s}) = 322{,}98 \text{ m/s} = 323 \text{ m/s} \qquad Resposta$$

Propriedades do escoamento a $L = 0{,}8$ m

Como a tabela e as equações são referenciadas a partir do local crítico, temos que calcular $(f/D)L$ a partir desse local (Figura 13.28). Assim,

$$\frac{f}{D}L' = \frac{0{,}04}{0{,}03 \text{ m}}(1{,}2613 \text{ m} - 0{,}8 \text{ m}) = 0{,}6150$$

Usando a tabela, desta vez com valores interpolados da razão para V/V^*, temos

$$V = \frac{V}{V^*}V^* = (0{,}60667)(322{,}98 \text{ m/s}) = 196 \text{ m/s} \qquad Resposta$$

À medida que o ar atravessa 800 mm pelo tubo, observe como a velocidade aumentou de 153 m/s para 196 m/s. Como um exercício, mostre que a temperatura diminui de 300 K para 260 K, e a velocidade V^* na extremidade do tubo também pode ser calculada por meio de $V^* = (1)\sqrt{kRT^*}$, onde $T^* = 259{,}71$ K.

EXEMPLO 13.13

O ar dentro de um reservatório grande escoa para dentro do tubo com 50 mm de diâmetro na Figura 13.29a, a M = 0,5. Determine o número de Mach do ar quando ele sai do tubo. Considere $L = 1$ m. Explique o que acontece se o tubo for estendido, de modo que $L = 2$ m. O fator de atrito médio para o tubo é $f = 0{,}030$.

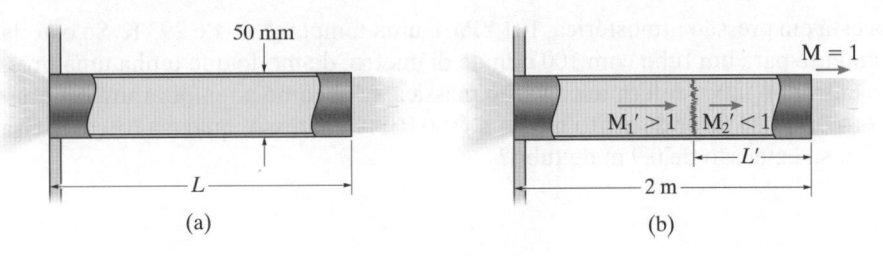

FIGURA 13.29

Solução

Descrição do fluido

Consideramos que ocorre escoamento compressível em regime permanente adiabático (Fanno) dentro do tubo.

$L = 1$

Primeiro, calcularemos $L_{máx}$ para o tubo, de modo que o escoamento sônico (M = 1) estrangule o escoamento na saída quando $M_1 = 0{,}5$ na entrada. Pela Tabela B.2 ou a Equação 13.50, obtemos

$$\frac{fL_{máx}}{D} = 1{,}0691; \quad L_{máx} = \frac{1{,}0691(0{,}05 \text{ m})}{0{,}030} = 1{,}782 \text{ m}$$

Como $L = 1$ m $< 1{,}782$ m, então na saída,

$$\frac{f}{D}L' = \frac{0{,}030}{(0{,}05 \text{ m})}(1{,}782 \text{ m} - 1 \text{ m}) = 0{,}4691$$

Usando a Tabela B.2,

$$M_2 = 0,606 \qquad \textit{Resposta}$$

L = 2 m

O comprimento $L_{máx} = 1,782$ m produz escoamento sônico (M = 1) na saída quando $M_1 = 0,5$. Se o tubo for estendido para $L = 2$ m, então o cisalhamento causará um *escoamento reduzido* no tubo, de modo que o escoamento sônico estrangula a saída do tubo. Neste caso,

$$\frac{f L_{máx}}{D} = \frac{(0,03)(2 \text{ m})}{(0,05 \text{ m})} = 1,2$$

Então, usando a Tabela B.2, o novo número de Mach na entrada torna-se

$$M_1 = 0,485 \qquad \textit{Resposta}$$

Nota: imagine o que aconteceria se exigíssemos escoamento supersônico ($M_1 > 1$) pela entrada do *tubo estendido*. Nesse caso, o escoamento sônico (M = 1) ainda ocorrerá na saída do tubo; porém, uma onda de choque normal se formará dentro do tubo (Figura 13.29b). Essa onda *converterá* o escoamento supersônico no lado esquerdo da onda para escoamento subsônico no lado direito. Na Seção 13.9, mostraremos como relacionar os números de Mach M_1' e M_2' em cada lado dessa onda. Com essa relação, o local específico L' da onda pode então ser determinado, pois precisa estar onde L'_1 gera M = 1 na saída. À medida que o tubo é estendido ainda mais, a onda estará localizada ainda mais em direção à entrada, e então dentro do bocal de alimentação supersônico. Se ela alcançar a garganta do bocal, ela será estrangulada (M = 1) e, portanto, reduzirá a vazão mássica.

EXEMPLO 13.14

Uma sala está em pressão atmosférica, 101 kPa, e uma temperatura de 293 K. Se o ar da sala for retirado isentropicamente para um tubo com 100 mm de diâmetro, de modo que tenha uma pressão absoluta de $p_1 = 80$ kPa ao entrar no tubo, determine a vazão mássica, bem como a temperatura e a pressão de estagnação, no local $L = 0,9$ m. O fator de atrito médio é $f = 0,03$. Além disso, qual é a força de cisalhamento total que atua sobre essa extensão de 0,9 m de tubo?

Solução

Descrição do fluido

Consideramos que ocorre escoamento compressível em regime permanente adiabático (Fanno) ao longo do tubo.

Vazão mássica

A vazão mássica pode ser determinada na entrada do tubo usando $\dot{m} = \rho_1 V_1 A_1$, mas devemos determinar V_1 e ρ_1. Como o escoamento no tubo é isentrópico, e a pressão é $p_1 = 80$ kPa, enquanto a pressão de estagnação é $p_0 = 101$ kPa, podemos determinar o número de Mach do ar e sua temperatura na entrada usando a Equação 13.32 e a Equação 13.31.

$$\frac{p_1}{p_0} = \frac{80 \text{ kPa}}{101 \text{ kPa}} = 0,792$$

$$M_1 = 0,5868 \quad e \quad \frac{T_1}{T_0} = 0,93557$$

Portanto, $T_1 = 0,93557(293 \text{ K}) = 274,12$ K, portanto

$$V_1 = M_1 \sqrt{kRT_1} = 0,5868 \sqrt{1,4(286,9 \text{ J/kg} \cdot \text{K})(274,12 \text{ K})}$$

$$= 194,71 \text{ m/s}$$

Usando a lei dos gases perfeitos para obter ρ_1, temos

$$p_1 = \rho_1 R T_1; \qquad 80(10^3)\text{ Pa} = \rho_1(286{,}9\text{ J/kg}\cdot\text{K})(274{,}12\text{ K})$$

$$\rho_1 = 1{,}0172\text{ kg/m}^3$$

A vazão mássica é, então,

$$\dot{m} = \rho_1 V_1 A_1 = (1{,}0172\text{ kg/m}^3)(194{,}71\text{ m/s})[\pi(0{,}05\text{ m})^2]$$

$$\dot{m} = 1{,}5556\text{ kg/s} = 1{,}56\text{ kg/s} \qquad\qquad Resposta$$

Temperatura e pressão de estagnação

Como o escoamento é adiabático através do tubo, a temperatura de estagnação permanece constante em

$$(T_0)_2 = (T_0)_1 = 293\text{ K} \qquad\qquad Resposta$$

O cisalhamento mudará a *pressão de estagnação* através do tubo porque o escoamento é não isentrópico. Podemos determinar $(p_0)_2$ em $L = 0{,}9$ m usando a Equação 13.56 (ou a Tabela B.2).* Primeiro temos que achar o comprimento do duto $L_{máx}$ necessário para estrangular o escoamento. Usando $M_1 = 0{,}5868$, a Equação 13.50 fornece $fL_{máx}/D = 0{,}03\,L_{máx}/0{,}1 = 0{,}5455$, e, portanto, $L_{máx} = 1{,}8183$ m. Nesse local, as equações 13.53, 13.56 e 13.55 resultam em

$$\frac{V_1}{V^*} = 0{,}6218 \qquad\qquad V^* = \frac{194{,}71\text{ m/s}}{0{,}6218} = 313{,}16\text{ m/s}$$

$$\frac{(p_0)_1}{p_0^*} = 1{,}2043; \qquad\qquad p_0^* = \frac{101\text{ kPa}}{1{,}2043} = 83{,}87\text{ kPa}$$

$$\frac{p_1}{p^*} = 1{,}8057; \qquad\qquad p^* = \frac{80\text{ kPa}}{1{,}8057} = 44{,}30\text{ kPa}$$

Como $L_{máx}$ é o ponto de referência, então, na seção 2 da Figura 13.30a, $fL'/D = 0{,}03(1{,}8183\text{ m} - 0{,}9\text{ m})/0{,}1\text{ m} = 0{,}27548$. Pela Equação 13.56, a pressão de estagnação nesse local é

$$\frac{(p_0)_2}{p_0^*} = 1{,}1188; \qquad (p_0)_2 = 1{,}1188(83{,}87\text{ kPa}) = 93{,}8\text{ kPa} \qquad\qquad Resposta$$

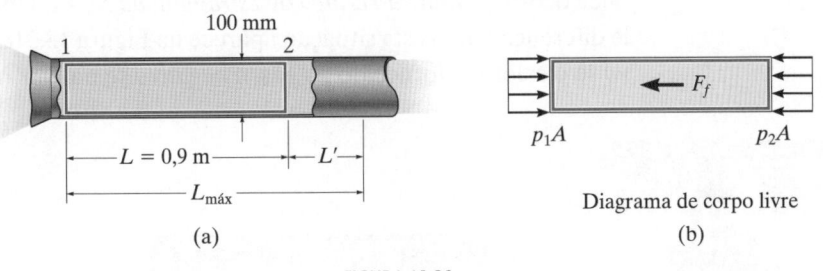

FIGURA 13.30

Força de cisalhamento

A força de cisalhamento resultante é obtida usando a equação da quantidade de movimento aplicada ao diagrama de corpo livre do volume de controle, mostrado na Figura 13.30b. Primeiro, temos que determinar a pressão estática p_2 e a velocidade V_2. Em $fL'/D = 0{,}27548$,

---

* A equação fornece mais precisão, em vez de usar a interpolação linear a partir da tabela.

$$\frac{p_2}{p^*} = 1{,}5689 \qquad p_2 = 1{,}5689(44{,}30 \text{ kPa}) = 69{,}51 \text{ kPa}$$

$$\frac{V_2}{V^*} = 0{,}7021; \quad V_2 = 0{,}7021(313{,}16 \text{ m/s}) = 219{,}9 \text{ m/s}$$

Portanto,

$$\xrightarrow{+} \Sigma \mathbf{F} = \frac{\partial}{\partial t}\int_{vc} \mathbf{V}\rho \, dV + \int_{sc} \mathbf{V}\rho \mathbf{V} \cdot d\mathbf{A}$$

$$-F_f + p_1 A - p_2 A = 0 + V_2 \dot{m} + V_1(-\dot{m})$$

$$-F_f + \left[80(10^3)\right] \text{N/m}^2 \left[\pi(0{,}05 \text{ m})^2\right] - \left[69{,}51(10^3)\right] \text{N/m}^2 \left[\pi(0{,}05 \text{ m})^2\right]$$

$$= 0 + 1{,}5556 \text{ kg/s } (219{,}9 \text{ m/s} - 194{,}71 \text{ m/s})$$

$$F_f = 43{,}4 \text{ N} \qquad\qquad\qquad\qquad Resposta$$

13.8 O efeito da transferência de calor sobre o escoamento compressível

Nesta seção, vamos considerar como a transferência de calor pelas paredes de um tubo reto com área constante na seção transversal afetará o escoamento compressível em regime permanente de um gás perfeito tendo um calor específico constante. Esse tipo de escoamento normalmente pode ocorrer nos tubos e dutos de uma câmara de combustão de um motor de turbojato, onde a transferência de calor é significativa e o cisalhamento pode ser ignorado. O calor também pode ser adicionado dentro do próprio gás, e não através das paredes do tubo. Por exemplo, isso pode ocorrer por um processo químico ou radiação nuclear. Não importa como o calor seja adicionado, esse tipo de escoamento às vezes é chamado de *escoamento de Rayleigh*, em homenagem ao físico britânico Lord Rayleigh. Para simplificar o trabalho numérico, faremos o mesmo para o escoamento de Fanno, e desenvolveremos as equações necessárias em termos do número de Mach, fazendo referência às propriedades T^*, p^*, ρ^* e V^* do gás no local do tubo onde ocorre a *condição crítica* ou *estrangulada* M = 1. Um volume de controle diferencial para esta situação aparece na Figura 13.31a. Aqui, ΔQ é *positivo* se o calor for fornecido ao gás, e *negativo* se houver resfriamento.

As tubulações nas fábricas de processamento químico às vezes são aquecidas ao longo de suas extensões, resultando nas condições para o escoamento de Rayleigh. (© Eric Gevaert/Alamy)

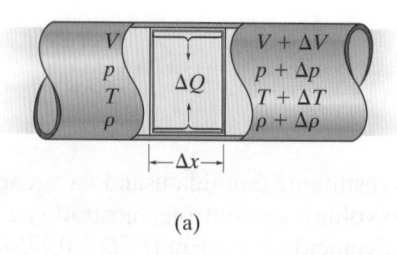

FIGURA 13.31

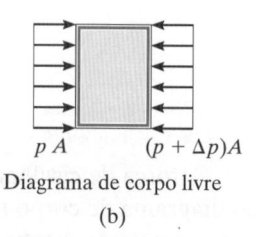

Equação da continuidade

A equação da continuidade é a mesma que a Equação 13.43, a saber

$$\frac{d\rho}{\rho} + \frac{dV}{V} = 0 \qquad (13.59)$$

Equação da quantidade de movimento

Apenas uma força de pressão atua sobre as superfícies de controle abertas, como mostra o diagrama de corpo livre (Figura 13.31b). Temos

$$\xrightarrow{+} \Sigma \mathbf{F} = \frac{\partial}{\partial t}\int_{vc}\mathbf{V}\rho\, d\mathbf{\forall} + \int_{sc}\mathbf{V}\rho\mathbf{V}\cdot d\mathbf{A}$$

$$-(p + \Delta p)A + p(A) = 0 + (V + \Delta V)(\rho + \Delta\rho)(V + \Delta V)A + V(-\rho VA)$$

Tomando o limite e eliminando $d\rho$ com o uso da Equação 13.59, obtemos

$$dp + \rho V dV = 0$$

Se dividirmos essa equação por p e usarmos a lei dos gases perfeitos, $p = \rho RT$ e $V = M\sqrt{kRT}$ para eliminar ρ e T, obteremos

$$\frac{dp}{p} + kM^2\frac{dV}{V} = 0 \qquad (13.60)$$

Lei dos gases perfeitos

Quando a lei dos gases perfeitos, $p = \rho RT$, é expressa na forma diferencial, combinada com a equação da continuidade, obtemos a Equação 13.45.

$$\frac{dp}{p} = \frac{dT}{T} - \frac{dV}{V} \qquad (13.61)$$

Equação da energia

Nenhum trabalho de eixo é realizado sobre o gás, e não há variação em sua energia potencial. Portanto, a equação da energia torna-se

$$\dot{Q}_{entrada} - \dot{W}_{turb} + \dot{W}_{bomba} = \left[\left(h_{saída} + \frac{V_{saída}^2}{2} + gz_{saída}\right) - \left(h_{entrada} + \frac{V_{entrada}^2}{2} + gz_{entrada}\right)\right]\dot{m}$$

$$\dot{Q} - 0 + 0 = \left[\left(h + \Delta h + \frac{(V + \Delta V)^2}{2} + 0\right) - \left(h + \frac{V^2}{2}\right)\right]\dot{m}$$

Dividindo os dois lados por $\dot{m}$ no limite, obtemos

$$\frac{dQ}{dm} = dh + VdV$$

$$= d\left(h + \frac{V^2}{2}\right)$$

No ponto de estagnação, $h + V^2/2 = h_0$, e, portanto, usando a Equação 13.10, $dh = c_p\, dT$, temos, para uma aplicação finita de calor,

$$\frac{dQ}{dm} = d(h_0) = c_p\, dT_0$$

$$\boxed{\frac{\Delta Q}{\Delta m} = c_p\left[(T_0)_2 - (T_0)_1\right]} \tag{13.62}$$

Conforme esperado, como não temos um processo adiabático, o resultado indica que a *temperatura de estagnação não permanecerá constante*; em vez disso, ela *aumentará* à medida que o calor é aplicado.

Agora, combinaremos e depois integraremos as equações anteriores para mostrar como velocidade, pressão e temperatura estão relacionadas ao número de Mach.

Velocidade

Visto que $V = \text{M}\sqrt{kRT}$, sua derivada produz a Equação 13.48, ou seja,

$$\frac{dV}{V} = \frac{d\text{M}}{\text{M}} + \frac{1}{2}\frac{dT}{T} \tag{13.63}$$

Se combinarmos esta equação com as equações 13.60 e 13.61, obteremos

$$\frac{dV}{V} = \frac{2}{\text{M}(1 + k\text{M}^2)}\, d\text{M} \tag{13.64}$$

Integrando entre os limites $V = V^*$, $\text{M} = 1$ a $V = V$, $\text{M} = \text{M}$, obtemos

$$\frac{V}{V^*} = \frac{\text{M}^2(1 + k)}{1 + k\text{M}^2} \tag{13.65}$$

Densidade

Pela equação da continuidade, para um tubo de extensão *finita*, $\rho^* V^* A = \rho V A$ ou $V/V^* = \rho^*/\rho$, e, portanto, as densidades são relacionadas por

$$\frac{\rho}{\rho^*} = \frac{1 + k\text{M}^2}{\text{M}^2(1 + k)} \tag{13.66}$$

Pressão

Para a pressão, combinando as equações 13.60 e 13.64, obtemos

$$\frac{dp}{p} = -\frac{2k\text{M}}{-1 + k\text{M}^2}\, d\text{M}$$

a qual, quando integrada de $p = p^*$, $\text{M} = 1$ até $p = p$, $\text{M} = \text{M}$, resulta em

$$\frac{p}{p^*} = \frac{1 + k}{1 + k\text{M}^2} \tag{13.67}$$

Temperatura

Por fim, a razão da temperatura é determinada substituindo a Equação 13.64 na Equação 13.63. Isso gera

$$\frac{dT}{T} = \frac{2(1 - k\mathrm{M}^2)}{\mathrm{M}(1 + k\mathrm{M}^2)} d\mathrm{M}$$

E, ao integrar de $T = T^*$, $\mathrm{M} = 1$ até $T = T$, $\mathrm{M} = \mathrm{M}$, obtemos

$$\frac{T}{T^*} = \frac{\mathrm{M}^2(1 + k)^2}{(1 + k\mathrm{M}^2)^2} \qquad (13.68)$$

A variação das razões V/V^*, p/p^* e T/T^* em relação ao número de Mach aparece na Figura 13.32, e para $k = 1,4$ seus valores numéricos são dados no Apêndice B, Tabela B.3.

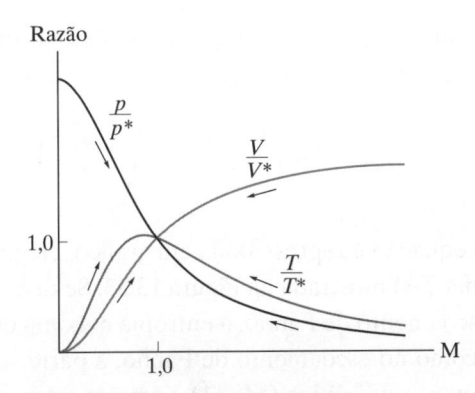

Escoamento de Rayleigh
FIGURA 13.32

Temperatura e pressão de estagnação

As razões entre as temperaturas e pressões de estagnação em um local no tubo, e no local crítico ou de referência, às vezes são necessárias para os cálculos. Elas podem ser determinadas usando as equações 13.68 e 13.31,

$$\frac{T_0}{T_0^*} = \frac{T_0}{T} \frac{T}{T_0^*} \frac{T^*}{T_0^*} = \left(1 + \frac{k-1}{2}\mathrm{M}^2\right) \left[\frac{\mathrm{M}^2(1+k)^2}{(1+k\mathrm{M}^2)^2}\right] \frac{2}{k+1}$$

$$\frac{T_0}{T_0^*} = \frac{2(k+1)\mathrm{M}^2\left(1 + \frac{k-1}{2}\mathrm{M}^2\right)}{(1+k\mathrm{M}^2)^2} \qquad (13.69)$$

E, de maneira semelhante, usando as razões de pressão das equações 13.67 e 13.32, obtemos

$$\frac{p_0}{p_0^*} = \left(\frac{1+k}{1+k\mathrm{M}^2}\right) \left[\left(\frac{2}{k+1}\right)\left(1 + \frac{k-1}{2}\mathrm{M}^2\right)\right]^{k/(k-1)} \qquad (13.70)$$

Por conveniência, essas razões também são dadas na Tabela B.3.

Linha de Rayleigh

Para entender melhor o escoamento de Rayleigh, mostraremos, como fizemos para o escoamento de Fanno, como a entropia do gás varia com a temperatura. Fazendo referência ao estado crítico, onde M = 1, a variação na entropia em termos das razões de temperatura e pressão é expressa pela Equação 13.20; ou seja,

$$s - s^* = c_p \ln \frac{T}{T^*} - R \ln \frac{p}{p^*}$$

O último termo pode ser expresso em termos da temperatura elevando a Equação 13.67 ao quadrado e depois substituindo o resultado na Equação 13.68. Isso resulta em

$$\left(\frac{p}{p^*}\right)^2 = \frac{T}{M^2 T^*}$$

Por fim, quando isolamos M^2 na Equação 13.68 e substituímos o resultado nas equações anteriores, a variação na entropia torna-se

$$s - s^* = c_p \ln \frac{T}{T^*} - R \ln \left[\frac{k+1}{2} \pm \sqrt{\left(\frac{k+1}{2}\right)^2 - k\frac{T}{T^*}} \right]$$

Quando essa equação é representada em gráfico, ela produz a **linha de Rayleigh** (diagrama T-s) mostrada na Figura 13.33. Se definirmos $ds/dT = 0$, então, como no escoamento de Fanno, a entropia máxima ocorre quando M = 1. Além disso, como no escoamento de Fanno, a parte superior do gráfico define o escoamento subsônico (M < 1) e a parte inferior, o escoamento supersônico (M > 1). Observe que, para o *escoamento supersônico*, a adição de calor fará com que a temperatura do gás aumente, mas seu número de Mach diminuirá até que alcance M = 1, e o escoamento torne-se estrangulado. Portanto, para aumentar o escoamento supersônico, é preciso resfriar o tubo, em vez de aquecê-lo. Para o *escoamento subsônico*, a adição de calor fará com que o gás atinja uma temperatura máxima, $T_{máx}$, enquanto sua velocidade está aumentando até que seu número de Mach seja M = $1/\sqrt{k}$ (em $dT/ds = 0$); depois, a temperatura do gás *cairá* quando M se aproximar do limite M = 1. Isso também fica evidente na Figura 13.33.

Escoamento de Rayleigh
(diagrama T–s)

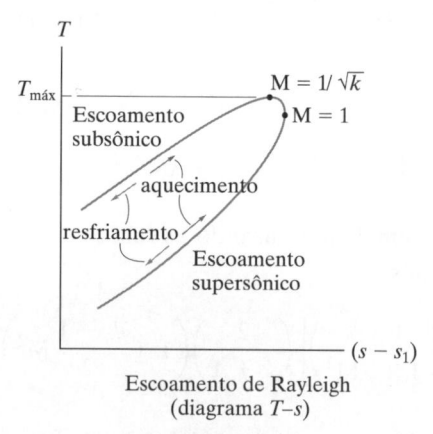

FIGURA 13.33

Pontos importantes

- O escoamento de Rayleigh ocorre quando calor é adicionado ou removido enquanto o gás percorre um tubo ou duto. Como o processo não é adiabático, a temperatura de estagnação não é constante.
- As propriedades V, ρ, p e T do gás, em um local específico no tubo onde M é conhecido, podem ser determinadas, desde que elas também sejam conhecidas no local de referência ou crítico, onde M = 1.

EXEMPLO 13.15

O ar externo é levado isentropicamente para o tubo com um diâmetro de 200 mm (Figura 13.34). Quando ele chega à seção 1, tem uma velocidade de 75 m/s, uma pressão absoluta de 135 kPa e uma temperatura de 295 K. Se calor é fornecido pelas paredes do tubo a 100 kJ/kg · m, determine as propriedades do ar quando ele atinge a seção 2.

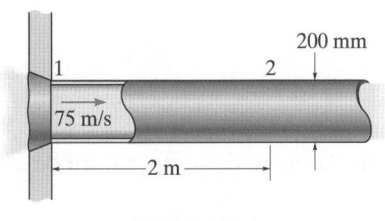

FIGURA 13.34

Solução

Descrição do fluido

Consideramos o ar invíscido e temos escoamento compressível em regime permanente. Devido ao aquecimento, este é um escoamento de Rayleigh.

Propriedades do ar no local crítico

As propriedades do ar no local 2 podem ser determinadas usando as razões na Tabela B.3, desde que primeiro saibamos as propriedades no local crítico, onde M = 1. Podemos encontrá-las usando as propriedades na seção 1, mas primeiro precisamos do número de Mach na seção 1.

$$V_1 = M_1 \sqrt{kRT_1} \qquad 75 \text{ m/s} = M_1 \sqrt{1{,}4(286{,}9 \text{ J/kg} \cdot \text{K})(295 \text{ K})}$$

$$M_1 = 0{,}2179 < 1 \quad \text{Subsônico}$$

Usando a Tabela B.1,

$$T^* = \frac{T_1}{T_1/T^*} = \frac{295 \text{ K}}{0{,}24046} = 1226{,}84 \text{ K}$$

$$p^* = \frac{p_1}{p_1/p^*} = \frac{135 \text{ kPa}}{2{,}2504} = 59{,}99 \text{ kPa}$$

$$V^* = \frac{V_1}{V_1/V^*} = \frac{75 \text{ m/s}}{0{,}10686} = 701{,}84 \text{ m/s}$$

Propriedades do ar na seção 2

Podemos determinar o número de Mach na seção 2 usando a Equação 13.69. Porém, antes que possamos fazer isso ou usar as tabelas, temos que achar as temperaturas de estagnação $(T_0)_2$ e T_0^*. Primeiro, $(T_0)_1$ pode ser determinada usando a Equação 13.31, ou a Tabela B.1 para o escoamento isentrópico. Para $M_1 = 0{,}2179$, obtemos

$$(T_0)_1 = \frac{T_1}{T_1/(T_0)_1} = \frac{295 \text{ K}}{0{,}9904} = 297{,}86 \text{ K}$$

Agora, usando a equação da energia (Equação 13.62) com

$$c_p = \frac{kR}{k-1} = \frac{1{,}4(286{,}9 \text{ J/kg} \cdot \text{K})}{1{,}4 - 1} = 1004{,}15 \text{ J/kg} \cdot \text{K}$$

$$\frac{\Delta Q}{\Delta m} = c_p[(T_0)_2 - (T_0)_1]$$

$$\frac{100(10^3) \text{ J}}{\text{kg} \cdot \text{m}}(2 \text{ m}) = [1{,}00415(10^3) \text{ J/kg} \cdot \text{K}][(T_0)_2 - 297{,}9 \text{ K}]$$

$$(T_0)_2 = 497{,}03 \text{ K}$$

Além disso, pela Tabela B.3, para $M_1 = 0{,}2179$, a temperatura de estagnação no local crítico ou de referência é, portanto,

$$T_0^* = \frac{(T_0)_1}{(T_0)_1/T_0^*} = \frac{297{,}86 \text{ K}}{0{,}20229} = 1472{,}44 \text{ K}$$

Por fim, podemos achar M_2 a partir da razão da temperatura de estagnação.

$$\frac{(T_0)_2}{T_0^*} = \frac{497{,}03 \text{ K}}{1472{,}44 \text{ K}} = 0{,}33756$$

Usando a Tabela B.3, obtemos $M_2 = 0{,}2949$. As outras razões em M_2 geram

$$T_2 = T^*\left(\frac{T_2}{T^*}\right) = 1226{,}84 \text{ K}(0{,}39813) = 488 \text{ K} \qquad \textit{Resposta}$$

$$p_2 = p^*\left(\frac{p_2}{p^*}\right) = 59{,}99 \text{ kPa}(2{,}1394) = 128 \text{ kPa} \qquad \textit{Resposta}$$

$$V_2 = V^*\left(\frac{V_2}{V^*}\right) = 701{,}84 \text{ m/s } (0{,}18612) = 131 \text{ m/s} \qquad \textit{Resposta}$$

Os resultados indicam que, enquanto o número de Mach aumenta de $M_1 = 0{,}2179$ para $M_2 = 0{,}2949$, a pressão diminui de 135 kPa para 128 kPa, e temperatura e velocidade aumentam de 295 K para 488 K e de 75 m/s para 131 m/s, respectivamente. Essas variações acompanham a tendência mostrada pelas curvas do escoamento subsônico de Rayleigh na Figura 13.32.

13.9 Ondas de choque normais

Ao projetar qualquer bocal ou difusor usado em túneis de vento supersônicos ou para aeronaves ou foguetes de alta velocidade, é possível desenvolver uma onda de choque estacionária dentro do bocal. Conforme indicado nas seções anteriores, as ondas de choque estacionárias também podem se desenvolver em tubos, para o escoamento de Fanno ou de Rayleigh. Nesta seção, estudaremos como as propriedades do escoamento variam através de uma onda de choque em função do número de Mach. Para fazer isso, usaremos as equações de continuidade, quantidade de movimento e energia, e a lei dos gases perfeitos.

Na Seção 13.3, dissemos que uma onda de choque é uma onda de compressão de alta intensidade que é muito fina. Se a onda estiver "estacionária", ou seja, em repouso, então, no lado *a jusante*, temperatura, pressão e densidade serão altas e a velocidade baixa, enquanto ocorre o efeito oposto no lado *a montante* (Figura 13.35a). Uma grande quantidade de condução de calor e cisalhamento viscoso se desenvolve *dentro* da onda, devido às *desacelerações* extremas das moléculas do gás. Como resultado, o processo termodinâmico dentro da onda torna-se *irreversível*, portanto, a entropia através da onda aumentará. Assim, o processo é não isentrópico. Se considerarmos um volume de controle ao redor da onda e estendendo-o a uma pequena distância dela, então o sistema do gás dentro desse volume de controle sofre um *processo adiabático*, pois nenhum calor passa pelas superfícies de controle. Em vez disso, as variações na temperatura são feitas dentro do volume de controle.

O escoamento dos gases de combustão desse foguete é projetado para passar por seus bocais exaustores em *velocidade* supersônica, idealmente sem formar uma onda de choque. Porém, à medida que o foguete sobe, a pressão ambiente diminui, e, portanto, o escoamento expande ou abre-se nas laterais dos bocais, formando ondas de expansão. (© Valerijs Kostreckis/Alamy)

FIGURA 13.35

Equação da continuidade

Quando a onda é estacionária, o escoamento é em regime permanente[*] e, portanto, a equação da continuidade torna-se

$$\frac{\partial}{\partial t}\int_{vc} \rho\, d\forall + \int_{sc} \rho \mathbf{V} \cdot d\mathbf{A} = 0$$

$$0 - \rho_1 V_1 A + \rho_2 V_2 A = 0$$

$$\rho_1 V_1 = \rho_2 V_2 \tag{13.71}$$

Equação da quantidade de movimento

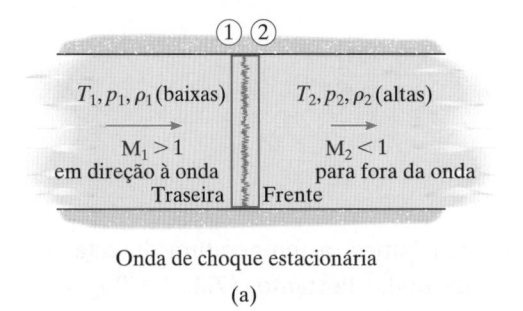

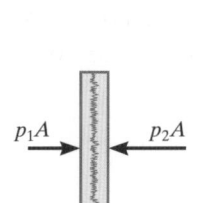

Como vemos no diagrama de corpo livre do volume de controle (Figura 13.35b), somente forças de pressão atuam sobre cada lado da onda, e é a *diferença* nessas forças que faz com que o gás desacelere e, portanto, perca sua quantidade de movimento. Aplicando a equação da quantidade de movimento linear, temos

$$\overset{+}{\rightarrow} \Sigma \mathbf{F} = \frac{\partial}{\partial t}\int_{vc} \mathbf{V}\rho\, d\forall + \int_{sc} \mathbf{V}\rho\mathbf{V} \cdot d\mathbf{A}$$

$$p_1 A - p_2 A = 0 + V_1 \rho_1 (-V_1 A) + V_2 \rho_2 (V_2 A)$$

$$p_1 + \rho_1 V_1^2 = p_2 + \rho_2 V_2^2 \tag{13.72}$$

---

[*] Se a onda estiver se movendo, então ocorrerá escoamento em regime permanente se conectarmos nossa referência à onda. Isso produzirá os mesmos resultados.

Com esta equação, podemos relacionar os números de Mach em cada lado da onda e, a partir disso, obter as razões das propriedades do gás, T, p_1 e ρ através da onda.

Lei dos gases perfeitos

Considerando que o gás seja perfeito com calores específicos constantes, então, usando a lei dos gases perfeitos, $p = \rho RT$, podemos escrever a Equação 13.72 como

$$p_1\left(1 + \frac{V_1^2}{RT_1}\right) = p_2\left(1 + \frac{V_2^2}{RT_2}\right)$$

Como $V = M\sqrt{kRT}$, a razão da pressão, escrita em termos dos números de Mach, torna-se

$$\frac{p_2}{p_1} = \frac{1 + kM_1^2}{1 + kM_2^2} \qquad (13.73)$$

Equação da energia

Como ocorre um processo adiabático, a temperatura de estagnação permanecerá constante através da onda. Portanto, $(T_0)_1 = (T_0)_2$, e, pela Equação 13.31, que foi derivada da equação da energia, temos

$$\frac{T_2}{T_1} = \frac{1 + \frac{k-1}{2}M_1^2}{1 + \frac{k-1}{2}M_2^2} \qquad (13.74)$$

A razão das velocidades em cada lado do choque pode ser determinada a partir da Equação 13.27, $V = M\sqrt{kRT}$. Ela é

$$\frac{V_2}{V_1} = \frac{M_2\sqrt{kRT_2}}{M_1\sqrt{kRT_1}} = \frac{M_2}{M_1}\sqrt{\frac{T_2}{T_1}} \qquad (13.75)$$

Usando a Equação 13.74, nosso resultado é

$$\frac{V_2}{V_1} = \frac{M_2}{M_1}\left[\frac{1 + \frac{k-1}{2}M_1^2}{1 + \frac{k-1}{2}M_2^2}\right]^{1/2} \qquad (13.76)$$

Pela equação da continuidade (Equação 13.71), obtemos a razão da densidade

$$\frac{\rho_2}{\rho_1} = \frac{V_1}{V_2} = \frac{M_1}{M_2}\left[\frac{1 + \frac{k-1}{2}M_2^2}{1 + \frac{k-1}{2}M_1^2}\right]^{1/2} \qquad (13.77)$$

Podemos estabelecer uma relação entre os números de Mach M_1 e M_2 formando primeiro a razão da temperatura por meio da lei dos gases perfeitos.

$$\frac{T_2}{T_1} = \frac{p_2/\rho_2 R}{p_1/\rho_1 R} = \frac{p_2}{p_1}\left(\frac{\rho_1}{\rho_2}\right)$$

Se agora substituirmos as equações 13.73, 13.74 e 13.77 nessa expressão e igualarmos o resultado à Equação 13.74, poderemos determinar M_2 em termos de M_1. Duas soluções são possíveis. A primeira leva à solução trivial $M_2 = M_1$, que se refere ao escoamento isentrópico sem choque. A outra solução leva ao escoamento irreversível, que gera a relação desejada.

$$M_2^2 = \frac{M_1^2 + \dfrac{2}{k-1}}{\dfrac{2k}{k-1}M_1^2 - 1} \quad (13.78)$$

Assim, se M_1 for conhecido, então M_2 pode ser encontrado a partir dessa equação, e então as razões p_2/p_1, T_2/T_1, V_2/V_1 e ρ_2/ρ_1 que ocorrem na frente e atrás do choque podem ser determinadas a partir das equações anteriores.

Por fim, o aumento na entropia que ocorre pelo choque pode ser encontrado a partir da Equação 13.20 (ou da Equação 13.19),

$$s_2 - s_1 = c_p \ln\frac{T_2}{T_1} - R \ln\frac{p_2}{p_1} \quad (13.79)$$

A pressão de estagnação através do choque *diminuirá* devido a esse aumento, $s_2 - s_1$. Para determinar $(p_0)_2/(p_0)_1$, usamos a Equação 13.32 e escrevemos

$$\frac{(p_0)_2}{(p_0)_1} = \left(\frac{(p_0)_2}{p_2}\right)\left(\frac{p_2}{p_1}\right)\left(\frac{p_1}{(p_0)_1}\right) = \frac{p_2}{p_1}\left[\frac{1 + \dfrac{k-1}{2}M_2^2}{1 + \dfrac{k-1}{2}M_1^2}\right]^{k/(k-1)} \quad (13.80)$$

Se as equações 13.73 e 13.78 forem combinadas e simplificadas, obteremos

$$\frac{p_2}{p_1} = \frac{2k}{k+1}M_1^2 - \frac{k-1}{k+1} \quad (13.81)$$

Substituindo isso e a Equação 13.78 na Equação 13.80 e simplificando, obtemos nosso resultado,

$$\frac{(p_0)_2}{(p_0)_1} = \frac{\left[\dfrac{\dfrac{k+1}{2}M_1^2}{1 + \dfrac{k-1}{2}M_1^2}\right]^{k/(k-1)}}{\left[\dfrac{2k}{k+1}M_1^2 - \dfrac{k-1}{k+1}\right]^{1/(k-1)}} \quad (13.82)$$

Por conveniência, essa razão juntamente com p_2/p_1, ρ_2/ρ_1, T_2/T_1 e M_2 são tabuladas no Apêndice B, Tabela B.4, para $k = 1,4$.

Para qualquer valor específico de k, pode-se mostrar, usando a Equação 13.78, que quando ocorre escoamento *supersônico atrás* do choque (Figura 13.35a) $M_1 > 1$, o *escoamento subsônico sempre* ocorrerá na *frente* do choque, $M_2 < 1$. Isso acontece porque a entropia, determinada pela Equação 13.79, aumenta, o que está de acordo com a segunda lei da termodinâmica. Observe que o escoamento subsônico não pode ocorrer atrás do choque, $M_1 < 1$, porque a Equação 13.78 prediria que o escoamento supersônico precisa ocorrer na frente do choque, $M_2 > 1$. Isso *não é possível*, pois a Equação 13.79 indicaria uma diminuição na entropia, o que é uma violação da segunda lei da termodinâmica.

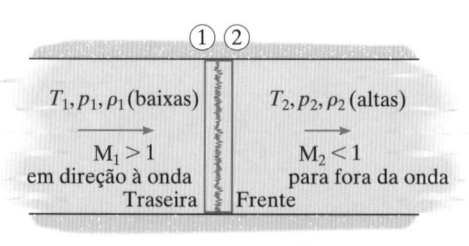

Onda de choque estacionária
(a)
FIGURA 13.35

13.10 Ondas de choque em bocais

Bocais propulsores usados, por exemplo, em foguetes, estão sujeitos a condições de pressão e temperatura externas *variáveis* enquanto o foguete atravessa a atmosfera. Consequentemente, a propulsão, que é uma função dessa pressão, também estará variando. Isso pode levar a uma onda de choque que se forma dentro do bocal, que por sua vez fará com que o bocal perca sua eficiência. Para compreender esse processo, vamos novamente rever as variações de pressão através de um bocal convergente-divergente (Laval) na Figura 13.36a para diversas variações na contrapressão.

- Quando a contrapressão está na pressão de estagnação, $p_1 = p_0$, não há escoamento pelo bocal, curva 1 na Figura 13.36b.
- A redução da contrapressão para p_2 causa escoamento subsônico pelo bocal, com o mínimo de pressão e o máximo de velocidade ocorrendo na garganta. Esse escoamento é isentrópico, curva 2.
- Quando a contrapressão é reduzida para p_3, a velocidade sônica (M = 1) se desenvolve na garganta, e o escoamento isentrópico subsônico continua a ocorrer pelas seções convergente e divergente do bocal. Nesse ponto, a *vazão mássica máxima* ocorre através do bocal e é independente de uma queda ainda maior na contrapressão, curva 3.
- À medida que a contrapressão é reduzida para p_5, uma onda de choque normal estacionária se desenvolverá dentro da parte divergente do bocal (Figura 13.36c). Esse é o escoamento não isentrópico. Através do choque, a pressão sobe repentinamente de A para B (curva 5, Figura 13.36b), fazendo com que ocorra escoamento subsônico a partir do choque até o

plano de saída. Em outras palavras, a pressão acompanha a curva a partir de *B* e alcança a contrapressão p_5 na saída.

- Uma redução ainda maior da contrapressão para p_6 levará a onda de choque para o plano de saída (Figura 13.36*d*). Aqui, a seção divergente possui escoamento supersônico através de sua extensão, de modo que atinja uma pressão de p_4 à *esquerda* da onda. Na saída, a onda de choque de repente muda a pressão de p_4 para p_6, de modo que o escoamento de saída seja *subsônico*, curva 6.
- Uma redução ainda maior da contrapressão de p_6 para p_7 não afetará a pressão à esquerda do plano de saída do bocal. Ela permanecerá em $p_4 < p_7$. Sob essas condições, em p_4 as moléculas de gás estão ainda mais afastadas do que quando estão em p_7, e, portanto, o gás é considerado **superexpandido**. Como resultado, o gás desenvolverá uma série de ondas de choque de *compressão oblíquas*, formando uma série de **diamantes de choque** *fora* do bocal, à medida que o escoamento se afasta do bocal e a pressão do gás sobe para igualar a contrapressão, p_7 (Figura 13.36*e*).

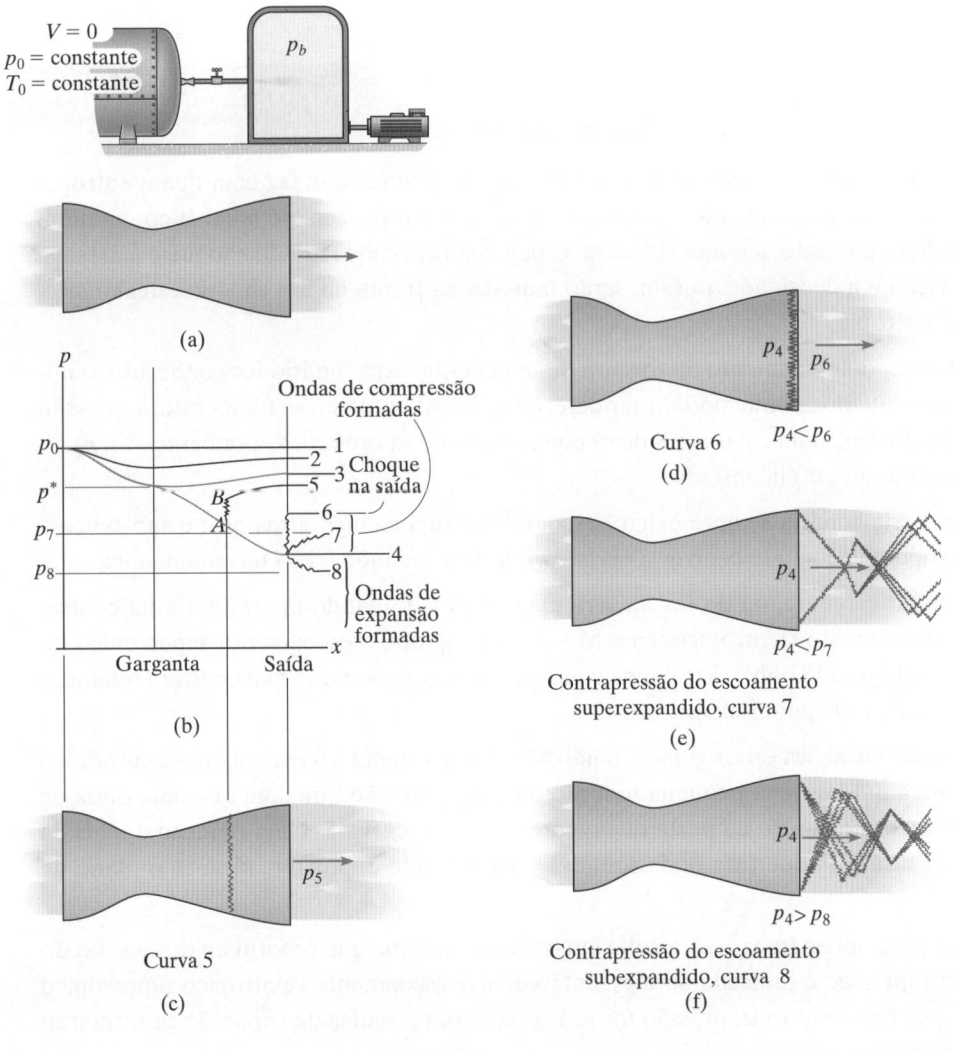

FIGURA 13.36

- Quando a contrapressão é reduzida para p_4, ela terá atingido a condição de projeto isentrópico para o bocal, com escoamento subsônico através da seção convergente, escoamento sônico na garganta e escoamento supersônico através da seção divergente (curva 4). *Nenhum choque será produzido*, portanto, nenhuma energia será perdida. A eficiência está no máximo.

- Uma redução ainda maior da contrapressão para p_8 fará com que o escoamento dentro da seção divergente seja **subexpandido**, pois a pressão à esquerda no plano de saída do bocal, p_4, agora será *maior* do que a contrapressão, $p_4 > p_8$. Como resultado, o gás sofrerá uma série de ondas de choque de *expansão*, novamente formando um padrão de diamantes de choque fora do bocal até que a pressão iguale a contrapressão (Figura 13.36f).

O efeito do escoamento superexpandido e subexpandido é discutido com mais detalhes na Seção 13.12. Além disso, esses detalhes são tratados com mais profundidade em livros relacionados à dinâmica dos gases. Por exemplo, veja a Referência [3].

Pontos importantes

- Uma onda de choque é muito fina. Esse é um processo não isentrópico que faz com que a entropia aumente devido a efeitos de cisalhamento dentro da onda. Como o processo é adiabático, nenhum calor é ganho ou perdido, portanto, a temperatura de estagnação em cada lado do choque é a mesma. A pressão de estagnação e a densidade, porém, serão maiores na frente de um choque estacionário, devido à variação na entropia.

- Se o número de Mach M_1 do escoamento na traseira de um choque estacionário for conhecido, o número de Mach M_2 na frente do choque poderá ser determinado. Além disso, se temperatura, pressão e densidade, T_1, p_1, ρ_1, forem conhecidas atrás do choque, então os valores correspondentes T_2, p_2, ρ_2 na frente do choque poderão ser encontrados.

- Uma onda de choque estacionária sempre exigirá escoamento supersônico atrás dela e subsônico à frente dela. O efeito oposto não pode ocorrer, pois isso violaria a segunda lei da termodinâmica.

- Um bocal convergente-divergente, ou de Laval, será mais eficiente quando operar em uma contrapressão que produz escoamento isentrópico, com M = 1 na garganta, e escoamento supersônico no plano de saída, curva 4 (Figura 13.36b). Esta é uma condição de projeto em que não ocorrerá qualquer transferência de calor ou perda por cisalhamento.

- Inicialmente, quando um bocal fica estrangulado, então M = 1 na garganta e o escoamento é subsônico no plano de saída, curva 3. Mais uma pequena redução da contrapressão fará com que uma onda de choque estacionária se forme dentro da parte divergente do bocal, curva 5. Uma redução a mais da contrapressão para p_6 fará com que essa onda se mova para a frente e, por fim, alcance o plano de saída, curva 6.

- Uma queda maior na contrapressão para p_7 resulta em ondas de choque que se formam das bordas do bocal. Quando a contrapressão é reduzida para p_4, então ocorre escoamento isentrópico supersônico através do bocal. E, por fim, se a contrapressão for reduzida para p_8, ondas de expansão se formarão na borda do bocal, criando condições de *subexpansão*.

EXEMPLO 13.16

O tubo na Figura 13.37 transporta ar a uma temperatura de 20°C com uma pressão absoluta de 30 kPa e uma velocidade de 550 m/s, medida logo atrás de uma onda de choque estacionária. Determine a temperatura, a pressão e a velocidade do ar imediatamente à frente da onda.

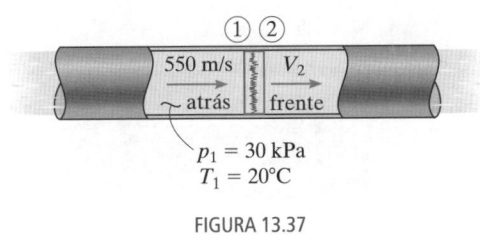

FIGURA 13.37

Solução

Descrição do fluido

A onda de choque é um processo adiabático. O escoamento em regime permanente ocorre atrás e à frente da onda.

Análise

O volume de controle contém o choque, como mostra a Figura 13.37. Como $k = 1,4$ para o ar, é mais fácil resolver esse problema usando a Tabela B.4, em vez de usar as equações. Primeiro, porém, temos que determinar M_1. Temos

$$M_1 = \frac{V_1}{\sqrt{kRT_1}} = \frac{550 \text{ m/s}}{\sqrt{1,4(286,9 \text{ J/kg} \cdot \text{K})(273 + 20) \text{ K}}} = 1,6032$$

Como $M_1 > 1$, esperamos que $M_2 < 1$ e que a pressão e a temperatura *aumentem* na frente da onda.

Usando $M_1 = 1,6032$, o valor de M_2 na frente do choque (subsônico) e as razões da pressão e temperatura são tomadas da Tabela B.4. Elas são

$$M_2 = 0,66747$$

$$\frac{p_2}{p_1} = 2,8322$$

$$\frac{T_2}{T_1} = 1,3902$$

Assim,

$$p_2 = 2,8322(30 \text{ kPa}) = 85,0 \text{ kPa} \qquad \textit{Resposta}$$

$$T_2 = 1,3902(273 + 20) \text{ K} = 407,3 \text{ K} \qquad \textit{Resposta}$$

A velocidade do ar na frente da onda de choque pode ser determinada pela Equação 13.76 ou, como T_2 é conhecida, podemos usar a Equação 13.27.

$$V_2 = M_2\sqrt{kRT_2} = 0,66747\sqrt{1,4(286,9 \text{ J/kg} \cdot \text{K})(407,3 \text{ K})} = 270 \text{ m/s} \qquad \textit{Resposta}$$

EXEMPLO 13.17

Um avião a jato está viajando a M = 1,5, onde a pressão absoluta do ar é 50 kPa e a temperatura é 8°C. Nessa velocidade, um choque se forma na entrada do motor, como mostra a Figura 13.38a. Determine a pressão e a velocidade do ar imediatamente à direita do choque.

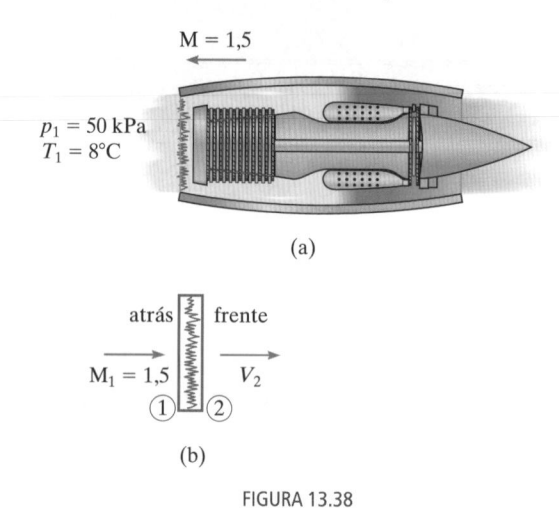

FIGURA 13.38

Solução

Descrição do fluido

O volume de controle que contém o choque move-se com o motor, de modo que o escoamento em regime permanente ocorre através das superfícies de controle abertas (Figura 13.38b). Um processo adiabático ocorre dentro do choque.

Análise

A velocidade V_2 será obtida por $V_2 = M_2\sqrt{kRT_2}$, portanto, precisamos primeiro obter M_2 e T_2. Como $k = 1,4$, usando a Tabela B.4, ou as equações 13.78, 13.81 e 13.74, para $M_1 = 1,5$ (supersônico), temos

$$M_2 = 0,70109 \quad \text{Subsônico}$$

$$\frac{p_2}{p_1} = 2,4583$$

$$\frac{T_2}{T_1} = 1,3202$$

Portanto, imediatamente à direita do choque,

$$p_2 = 2,4583(50 \text{ kPa}) = 123 \text{ kPa} \qquad \textit{Resposta}$$

$$T_2 = 1,3202(273 + 8) \text{ K} = 370,92 \text{ K}$$

Assim, em relação ao motor, a velocidade do ar é

$$V_2 = M_2\sqrt{kRT_2} = 0,70109\sqrt{1,4(286,9 \text{ J/kg} \cdot \text{K})(370,98 \text{ K})}$$

$$V_2 = 271 \text{ m/s} \qquad \textit{Resposta}$$

EXEMPLO 13.18

O bocal na Figura 13.39a está conectado a um grande reservatório onde a pressão do ar absoluta é 350 kPa. Determine a faixa de contrapressões externas que fazem uma onda de choque se formar dentro do bocal e imediatamente fora dele.

Solução

Descrição do fluido

Consideramos o escoamento em regime permanente através do bocal.

Análise

Primeiro estabeleceremos as contrapressões que produzem escoamento isentrópico subsônico e supersônico através do bocal, curvas 3 e 4 na Figura 13.39b. A razão entre a área de saída e a garganta do bocal (seção divergente) é $A/A^* = \pi(0,125 \text{ m})^2/\pi(0,0625 \text{ m})^2 = 4$. Essa razão fornece dois valores para o número de Mach na saída usando a Tabela B.1 ($k = 1,4$). Escolhendo o *escoamento isentrópico subsônico* dentro da seção divergente (curva 3) para $A/A^* = 4$, obtemos $M \approx 0,1467 < 1$ e $p/p_0 = 0,9851$. Como não existe onda de choque, a pressão de estagnação através do escoamento é de 350 kPa. Então, na saída, $p_3 = 0,9851(350 \text{ kPa}) = 345 \text{ kPa}$. Em outras palavras, essa contrapressão causará $M = 1$ na garganta e escoamento isentrópico subsônico de $M = 0,1467$ na saída.

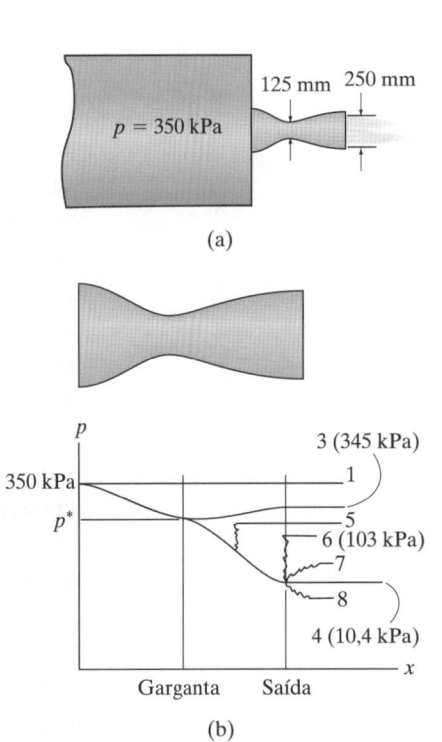

FIGURA 13.39

Para o *escoamento isentrópico supersônico* dentro da região divergente (curva 4), pela Tabela B.1, para $A/A^* = 4$, obtemos $M \approx 2,9402 > 1$ e $p/p_0 = 0,02979$. Assim, na saída, $p_4 = 0,02979(350 \text{ kPa}) = 10,43 \text{ kPa} = 10,4 \text{ kPa}$.

Essa pressão é inferior ao valor anterior, pois precisa produzir o escoamento supersônico exigido na saída de $M = 2,9402$. As duas soluções são para o escoamento isentrópico com contrapressões que não produzem *nenhum choque* dentro do bocal; porém, para as duas condições, o bocal encontra-se estrangulado, pois $M = 1$ na garganta.

Se uma onda estacionária é formada *na saída* do bocal (Figura 13.39b, curva 6), então isso ocorrerá quando a pressão *no bocal* à saída, à esquerda ou *atrás do choque*, for 10,4 kPa. Para achar a contrapressão na frente do choque, ou seja, imediatamente fora do plano de saída, temos de usar a Tabela B.4 com $M = 2,9402$, quando $p_6/p_4 = 9,9176$, de modo que $p_6 = 9,9176 p_4 = 9,9176(10,43 \text{ kPa}) = 103 \text{ kPa}$.

Assim, um choque normal é criado *dentro* da parte divergente do bocal (como na curva 5, que está entre as curvas 3 e 6) quando a contrapressão está na seguinte faixa:

$$345 \text{ kPa} > p_b > 103 \text{ kPa} \qquad \textit{Resposta}$$

Para que *ondas de compressão* ocorram na saída (curva 7), a contrapressão (entre as curvas 6 e 4) deverá estar na faixa

$$103 \text{ kPa} > p_b > 10,4 \text{ kPa} \qquad \textit{Resposta}$$

Por fim, *ondas de expansão* se formarão se a contrapressão estiver em algum ponto abaixo da curva 4 (como na curva 8), ou seja,

$$10,4 \text{ kPa} > p_b \qquad \textit{Resposta}$$

13.11 Ondas de choque oblíquas

Na Seção 13.2, mostramos que, quando um avião a jato ou outro corpo em movimento rápido encontra o ar ao redor à sua frente, a pressão criada pelo corpo empurra o ar para que escoe ao seu redor. Em velocidades subsônicas, M < 1, as linhas de corrente se ajustam e seguem o contorno da superfície (Figura 13.40a). Porém, à medida que a velocidade do corpo aumenta para supersônica, de modo que M ≥ 1, a pressão criada à frente da superfície não pode se comunicar com o ar a montante com velocidade suficiente para que saia do caminho. Em vez disso, as moléculas de ar se agrupam e criam uma **onda de choque oblíqua**. Esse choque começa a se dobrar logo na frente da superfície (Figura 13.40b). Aqui, ele está descolado de sua superfície. Em velocidades mais altas, e se o corpo tiver um nariz pontudo (Figura 13.40c), o choque pode se colar à superfície, fazendo com que a onda se dobre em um ângulo agudo β. À medida que a velocidade aumenta ainda mais, esse ângulo β continuará a diminuir. Mais distante da superfície, o efeito desse choque enfraquece e se desenvolve em um cone de Mach com um ângulo α que viaja a M = 1 através da atmosfera (Figura 13.41). O resultado de tudo isso mudará a direção das linhas de corrente do escoamento. Perto da origem do choque oblíquo, as linhas de corrente são desviadas ao máximo, pois tornam-se quase paralelas à superfície do corpo.* Mais adiante, elas basicamente permanecem inalteradas quando passam pelo cone de Mach mais fraco.

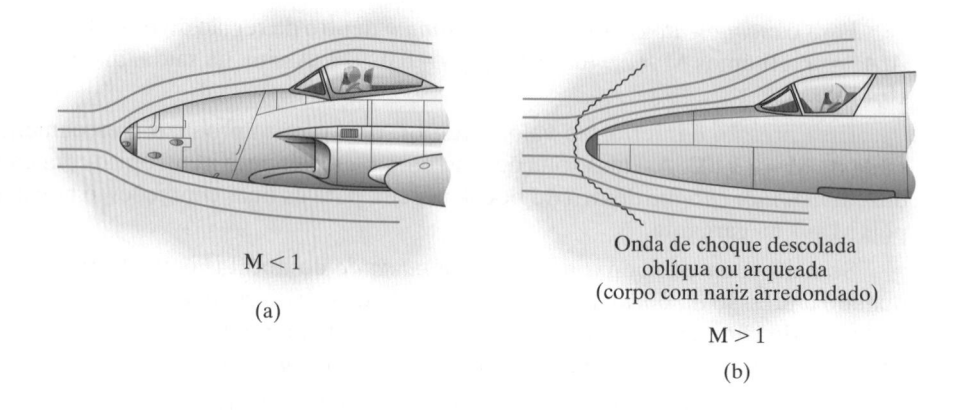

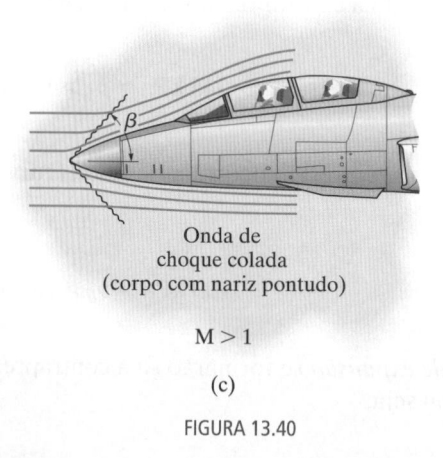

FIGURA 13.40

---

* Em velocidades supersônicas, a camada limite é muito fina e, portanto, ela tem pouco efeito sobre a direção das linhas de corrente.

FIGURA 13.41

Ondas de choque oblíquas podem ser estudadas da mesma maneira que os choques normais, embora aqui a mudança na direção das linhas de corrente se torne importante. Para analisar a situação, usaremos dois ângulos para definir a geometria. Como vemos na Figura 13.42a, β define o ângulo da onda de choque, e θ define o ângulo da linha de corrente defletida ou a direção da velocidade $\mathbf{V}_2$ à frente do choque. Por conveniência, vamos referenciar o escoamento normal e tangencial à onda. Resolvendo $\mathbf{V}_1$ e $\mathbf{V}_2$ em seus componentes n e t, temos

$$V_{1n} = V_1 \operatorname{sen} \beta \qquad V_{2n} = V_2 \operatorname{sen}(\beta - \theta)$$

$$V_{1t} = V_1 \cos \beta \qquad V_{2t} = V_2 \cos(\beta - \theta)$$

Ou, como M = V/c, também podemos escrever

$$\mathrm{M}_{1n} = \mathrm{M}_1 \operatorname{sen} \beta \qquad \mathrm{M}_{2n} = \mathrm{M}_2 \operatorname{sen}(\beta - \theta) \qquad (13.83)$$

$$\mathrm{M}_{1t} = \mathrm{M}_1 \cos \beta \qquad \mathrm{M}_{2t} = \mathrm{M}_2 \cos(\beta - \theta) \qquad (13.84)$$

Para a análise, vamos considerar uma onda estacionária e selecionar um volume de controle fixo que inclui uma parte qualquer da onda, com uma seção à frente (à direita) e outra atrás (à esquerda), cada uma com uma área A (Figura 13.42a).

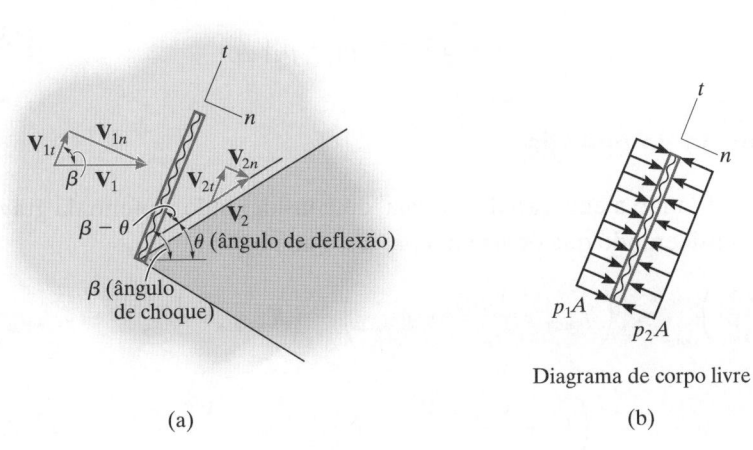

(a)   (b)

FIGURA 13.42

Equação da continuidade

Como o escoamento é em regime permanente, medido em relação à superfície, e considera-se que nenhum escoamento ocorra através da onda na direção t, temos

$$\frac{\partial}{\partial t}\int_{vc} \rho\, d V\!\!\!\!\!\!\!/\, + \int_{sc} \rho \mathbf{V} \cdot d\mathbf{A} = 0$$

$$0 - \rho_1 V_{1n} A + \rho_2 V_{2n} A = 0$$

$$\rho_1 V_{1n} = \rho_2 V_{2n} \qquad (13.85)$$

Equação da quantidade de movimento

Como vemos no diagrama de corpo livre do volume de controle (Figura 13.42b), a pressão só atua na direção n. Além disso, o escoamento $\rho \mathbf{V} \cdot \mathbf{A}$ é causado apenas pelos componentes normais de $\mathbf{V}_1$ e $\mathbf{V}_2$. Portanto, aplicando a equação da quantidade de movimento na direção t, temos

$$+\!\nearrow \Sigma F_t = \frac{\partial}{\partial t}\int_{vc} V_t \rho\, dV\!\!\!\!\!\!\!/\, + \int_{sc} V_t \rho \mathbf{V} \cdot d\mathbf{A}$$

$$0 = 0 + V_{1t}(-\rho_1 V_{1n} A) + V_{2t}(\rho_2 V_{2n} A)$$

Usando a Equação 13.85, obtemos

$$V_{1t} = V_{2t} = V_t$$

Em outras palavras, os componentes da velocidade tangencial permanecem *inalterados* em cada lado do choque.

Na direção n, temos

$$\searrow^+ \Sigma F_n = \frac{\partial}{\partial t}\int_{vc} V_n \rho\, dV\!\!\!\!\!\!\!/\, + \int_{sc} V_n \rho \mathbf{V} \cdot d\mathbf{A}$$

$$p_1 A - p_2 A = 0 + V_{1n}(-\rho_1 V_{1n} A) + V_{2n}(\rho_2 V_{2n} A)$$

ou

$$p_1 + \rho_1 V_{1n}^2 = p_2 + \rho_2 V_{2n}^2 \qquad (13.86)$$

Equação da energia

Aplicando a equação da energia, desconsiderando o efeito da gravidade e considerando que ocorre um processo adiabático,

$$\left(\frac{dQ}{dt}\right)_{\text{entrada}} - \left(\frac{dW_s}{dt}\right)_{\text{saída}} = \left[\left(h_{\text{saída}} + \frac{V_{\text{saída}}^2}{2} + gz_{\text{saída}}\right) - \left(h_{\text{entrada}} + \frac{V_{\text{entrada}}^2}{2} + gz_{\text{entrada}}\right)\right]\dot{m}$$

$$0 - 0 = \left[\left(h_2 + \frac{V_{2n}^2 + V_{2t}^2}{2} + 0\right) - \left(h_1 + \frac{V_{1n}^2 + V_{1t}^2}{2} + 0\right)\right]\dot{m}$$

Como $V_{1t} = V_{2t}$, obtemos

$$h_1 + \frac{V_{1n}^2}{2} = h_2 + \frac{V_{2n}^2}{2} \tag{13.87}$$

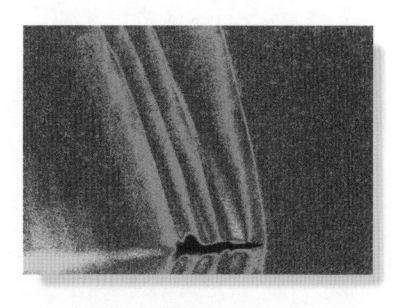

As equações 13.85, 13.86 e 13.87 são as mesmas que as equações 13.71, 13.72 e 13.29. Como resultado, para choques oblíquos, podemos descrever o escoamento na direção normal usando as equações de choque normais (Tabela B.4) desenvolvidas anteriormente. Essas equações tornam-se

Uma imagem de Schlieren mostrando o desenvolvimento de choques oblíquos formados em um modelo que está sendo testado em um túnel de vento (© L. Weinstein/Science Source)

$$M_{2n}^2 = \frac{M_{1n}^2 + \dfrac{2}{k-1}}{\dfrac{2k}{k-1}M_{1n}^2 - 1} \tag{13.88}$$

$$\frac{p_2}{p_1} = \frac{2k}{k+1}M_{1n}^2 - \frac{k-1}{k+1} \tag{13.89}$$

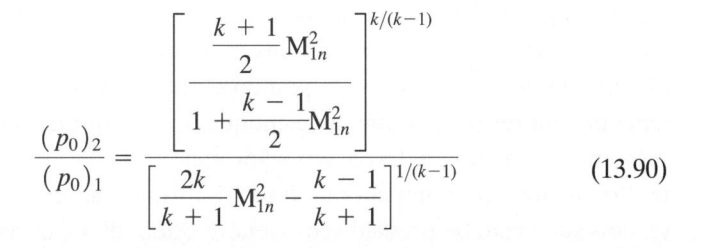

$$\frac{(p_0)_2}{(p_0)_1} = \frac{\left[\dfrac{\dfrac{k+1}{2}M_{1n}^2}{1+\dfrac{k-1}{2}M_{1n}^2}\right]^{k/(k-1)}}{\left[\dfrac{2k}{k+1}M_{1n}^2 - \dfrac{k-1}{k+1}\right]^{1/(k-1)}} \tag{13.90}$$

$$\frac{T_2}{T_1} = \frac{1 + \dfrac{k-1}{2}M_{1n}^2}{1 + \dfrac{k-1}{2}M_{2n}^2} \tag{13.91}$$

$$\frac{\rho_2}{\rho_1} = \frac{V_{1n}}{V_{2n}} = \frac{M_{1n}}{M_{2n}}\left[\frac{1 + \dfrac{k-1}{2}M_{2n}^2}{1 + \dfrac{k-1}{2}M_{1n}^2}\right]^{1/2} \tag{13.92}$$

Se M_1 e M_2 em cada lado da onda de choque são *ambas supersônicas*, e o *componente* M_{1n} também é supersônico, então M_{2n} deverá ser *subsônico*, para não violar a segunda lei da termodinâmica. Para muitos problemas práticos, as propriedades de escoamento iniciais V_1, p_1, T_1, ρ_1 e o ângulo θ serão conhecidos.

Podemos relacionar os ângulos θ e β e o número de Mach M_1 da seguinte forma. Como $V_{1t} = V_{2t}$, então, pela Equação 13.27,

$$M_{1t}\sqrt{kRT_1} = M_{2t}\sqrt{kRT_2}$$

$$M_{2t} = M_{1t}\sqrt{\frac{T_1}{T_2}}$$

Como a velocidade, na Figura 13.42a, $M_{2n} = M_{2t} \text{ tg}(\beta - \theta)$. Portanto,

$$M_{2n} = M_{1t}\sqrt{\frac{T_1}{T_2}}\text{ tg}(\beta - \theta) = M_1 \cos\beta\sqrt{\frac{T_1}{T_2}}\text{ tg}(\beta - \theta)$$

Elevando essa equação ao quadrado e substituindo a razão da temperatura (Equação 13.91), obtemos

$$M_{2n}^2 = M_1^2 \cos^2\beta\left(\frac{1 + \frac{k-1}{2}M_{2n}^2}{1 + \frac{k-1}{2}M_{1n}^2}\right)\text{ tg}^2(\beta - \theta)$$

Combinando esta equação com a Equação 13.88 e a Equação 13.83, e observando que na Figura 13.42a, como a velocidade, $M_{1n} = M_1 \text{ sen }\beta$, obtemos nosso resultado final.

$$\boxed{\text{tg }\theta = \frac{2\cot\beta(M_1^2 \text{sen}^2\beta - 1)}{M_1^2(k + \cos 2\beta) + 2}} \qquad (13.93)$$

Um gráfico dessa equação, para diversos valores diferentes de M_1, produz curvas de θ versus β, mostradas na Figura 13.43. Observe, por exemplo, que para a curva $M_1 = 2$, quando o ângulo de deflexão $\theta = 20°$, existem dois valores para o ângulo de choque β. O valor mais baixo $\beta = 53°$ corresponde a um choque fraco, e o valor mais alto $\beta = 74°$, a um choque forte. Frequentemente, um choque fraco se formará antes de um choque forte, pois sua razão de pressão será menor.* Além disso, observe que não são possíveis soluções para todos os ângulos de deflexão θ. Para valores de deflexão mais altos, a onda se descolará da superfície e, em vez disso, se formará na frente dela, produzindo um arrasto mais alto (Figura 13.41b). Para o caso extremo de *nenhuma deflexão*, $\theta = 0°$, a Equação 13.93 resulta em $\beta = \text{sen}^{-1}(1/M_1) = \alpha$, que produz um cone de Mach (Figura 13.41).

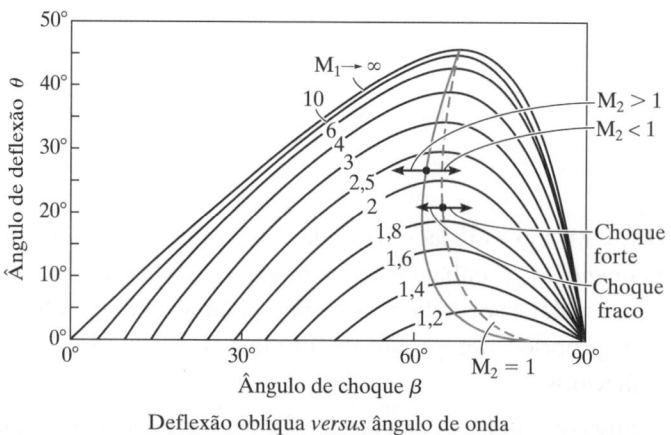

Deflexão oblíqua *versus* ângulo de onda
($k = 1,4$)

FIGURA 13.43

---

* Um aumento na pressão pode ocorrer a jusante se o escoamento for bloqueado por uma variação repentina na forma da superfície. Se isso ocorrer, a razão de pressão será maior e um choque forte será produzido.

Pontos importantes

- Uma onda de choque oblíqua se formará na superfície frontal de um corpo viajando a M ≥ 1. À medida que a velocidade aumenta, a onda começa a colar na superfície do corpo, e o ângulo de alinhamento β começa a diminuir. Mais distante da região localizada da onda, um cone de Mach se formará e viajará a M = 1.
- O componente tangencial da velocidade ou seu número de Mach para um choque oblíquo permanece igual em cada lado da onda. O componente normal pode ser analisado usando as mesmas equações usadas para choques normais. Uma equação também está disponível para determinar o ângulo de deflexão θ das linhas de corrente que passam pela onda.

EXEMPLO 13.19

Um avião a jato está voando horizontalmente a 845 m/s, a uma altitude onde a temperatura do ar é 10°C e a pressão absoluta é 80 kPa. Se um choque oblíquo se formar no nariz do avião, no ângulo mostrado na Figura 13.44a, determine a pressão e a temperatura, e a direção do ar imediatamente antes do choque.

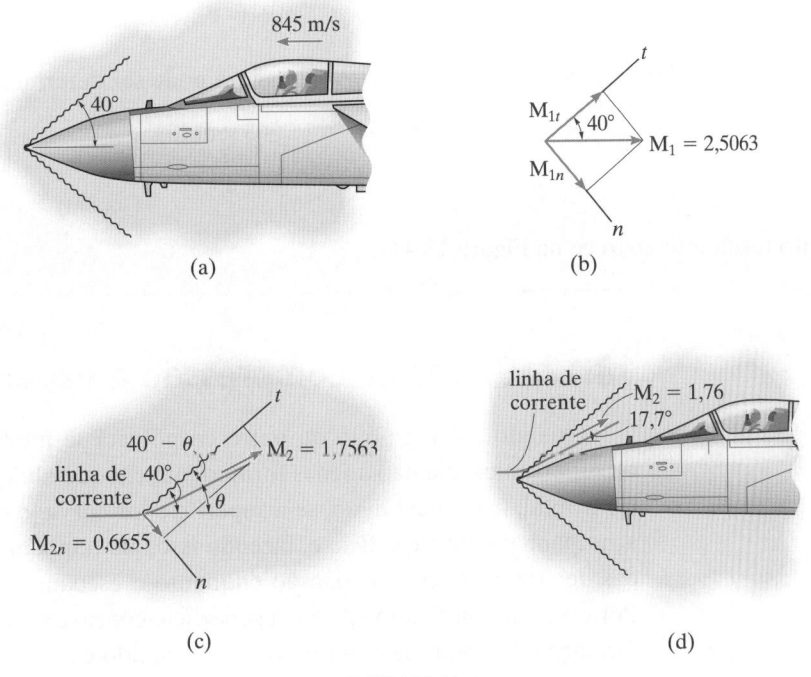

FIGURA 13.44

Solução

Descrição do fluido

O ar é considerado compressível e o choque é um processo não isentrópico adiabático. Ocorre escoamento em regime permanente, conforme visto pelo avião.

Análise

O número de Mach para o jato precisa ser determinado em primeiro lugar.

$$M_1 = \frac{V_1}{c} = \frac{V_1}{\sqrt{kRT}} = \frac{845 \text{ m/s}}{\sqrt{1{,}4(286{,}9 \text{ J/kg} \cdot \text{K})(273 + 10) \text{ K}}} = 2{,}5063$$

Pela geometria mostrada na Figura 13.44b, M_1 é resolvido em seus componentes normal e tangencial em relação à onda. O componente normal é $M_{1n} = 2{,}5063 \text{ sen } 40° = 1{,}6110$. Podemos agora usar a Tabela B.4 ou as equações 13.88, 13.89 e 13.91 para obter velocidade, temperatura e pressão na frente do choque. Usando a tabela, obtemos $M_{2n} = 0{,}6651$. Isto é subsônico, conforme esperado, para não violar a segunda lei da termodinâmica. Além disso, pela Tabela B.4,

$$\frac{T_2}{T_1} = 1{,}3956; \quad T_2 = 1{,}3956(273 + 10) \text{ K} = 394{,}96 \text{ K} = 395 \text{ K} \qquad \textit{Resposta}$$

$$\frac{p_2}{p_1} = 2{,}8619; \quad p_2 = 2{,}8619(80 \text{ kPa}) = 228{,}91 \text{ kPa} = 229 \text{ kPa} \qquad \textit{Resposta}$$

O ângulo θ pode ser obtido diretamente da Equação 13.93, pois M_1 e β são conhecidos. Porém, outra forma de calcular isso é primeiro achar M_2. Isso pode ser feito primeiro achando a temperatura de estagnação *na frente do choque*. Usando a Tabela B.1, para $M_1 = 2{,}5063$, ela é

$$\frac{T_1}{(T_0)_1} = 0{,}4432; \quad (T_0)_1 = \frac{(273 + 10) \text{ K}}{0{,}4432} = 638{,}54 \text{ K}$$

Como o escoamento através do choque é adiabático, a temperatura de estagnação é constante, e, portanto, $(T_0)_1 = (T_0)_2$. Logo, usando a Tabela B.1,

$$\frac{T_2}{(T_0)_2} = \frac{394{,}96 \text{ K}}{638{,}54 \text{ K}} = 0{,}6185; \quad M_2 = 1{,}7563$$

Por fim, pela Figura 13.44c, a deflexão da linha de corrente agora pode ser determinada por

$$M_{2n} = M_2 \text{ sen}(\beta - \theta); \quad 0{,}66551 = 1{,}7563 \text{ sen}(40° - \theta)$$

$$\theta = 40° - \text{sen}^{-1} \frac{0{,}6651}{1{,}7563} = 17{,}7° \qquad \textit{Resposta}$$

O escoamento resultante aparece na Figura 13.44d.

13.12 Ondas de compressão e expansão

Quando um aerofólio ou outro corpo está se movendo em velocidade supersônica, ele não apenas formará um choque oblíquo em sua superfície frontal, mas, além disso, se a superfície for curva, o escoamento deverá acompanhar essa superfície e, fazendo isso, ele também poderá formar ondas de compressão ou expansão enquanto o escoamento é redirecionado. Por exemplo, na Figura 13.45a, a superfície côncava no avião a jato causa a formação de ondas de compressão que, quando estendidas, tornam-se concorrentes e se juntam a um choque oblíquo — algo que estudamos na seção anterior. Porém, se a superfície for convexa, então o ar tem espaço para se *expandir* enquanto acompanha a superfície, e, portanto, inúmeras ondas de expansão divergentes se formarão, criando um "leque" com uma sucessão infinita de ondas de Mach (Figura 13.45b). Esse comportamento também ocorre em um canto pronunciado, como mostra a Figura 13.45c. Observe que, durante o processo de expansão, o número de Mach para cada onda sucessiva *aumentará*, enquanto o ângulo de Mach α de cada onda *diminuirá*. Como as variações nas propriedades do gás que ocorrem pela formação de *cada uma* dessas ondas são *infinitesimais*, o processo de criação de cada onda pode ser considerado isentrópico e, para o "leque" inteiro de ondas, ele também é isentrópico.

Ondas de
compressão
(a)

Ondas de
expansão
(b)

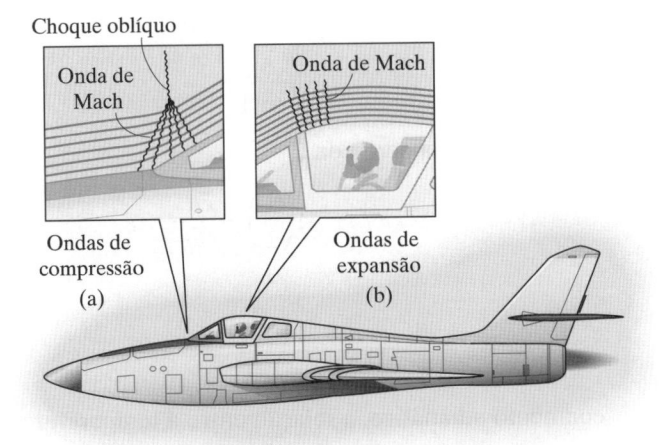

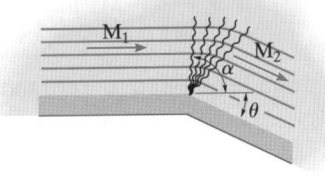

Ondas de
expansão
(c)

FIGURA 13.45

Para estudar esse leque de ondas, vamos isolar uma onda e considerar que ela altera a linha de corrente que passa pela onda pelo *ângulo de deflexão* $d\theta$ (Figura 13.46a). Nosso objetivo é expressar $d\theta$ em termos do número de Mach M que está exatamente na frente da onda. Aqui, M > 1 e a onda atua no ângulo de Mach α. Resolvendo as velocidades **V** e **V** + d**V** em seus componentes normal e tangencial, e observando que os componentes da velocidade na direção tangencial permanecem iguais, é preciso que $V_{t1} = V_{t2}$ ou

$$V \cos \alpha = (V + dV) \cos(\alpha + d\theta) = (V + dV)(\cos\alpha \cos d\theta - \sin\alpha \sin d\theta)$$

Como $d\theta$ é pequeno, $\cos d\theta \approx 1$ e $\sin d\theta \approx d\theta$. Portanto, nossa equação torna-se $dV/V = (\operatorname{tg}\alpha)d\theta$. Usando a Equação 13.28, sen $\alpha = 1/M$, tg α é

$$\operatorname{tg}\alpha = \frac{\operatorname{sen}\alpha}{\cos\alpha} = \frac{\operatorname{sen}\alpha}{\sqrt{1-\operatorname{sen}^2\alpha}} = \frac{1}{\sqrt{M^2-1}}$$

(a)

(b)

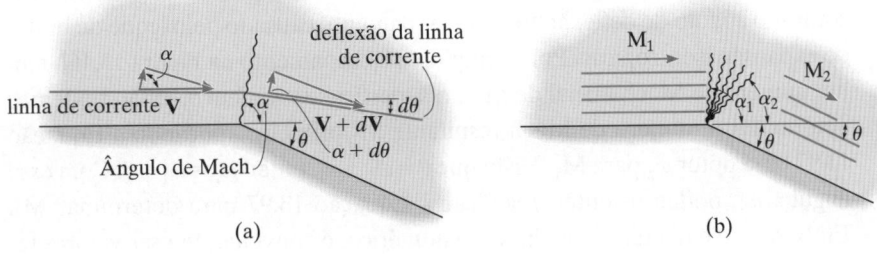

FIGURA 13.46

Portanto,

$$\frac{dV}{V} = \frac{d\theta}{\sqrt{M^2-1}} \qquad (13.94)$$

Como $V = M\sqrt{kRT}$, sua derivada é

$$dV = dM\sqrt{kRT} + M\left(\frac{1}{2}\right)\frac{kR}{\sqrt{kRT}}dT$$

ou

$$\frac{dV}{V} = \frac{dM}{M} + \frac{1}{2}\frac{dT}{T} \qquad (13.95)$$

Para o escoamento adiabático, a relação entre a temperatura de estagnação e a temperatura estática é determinada pela Equação 13.31, ou seja,

$$T_0 = T\left(1 + \frac{k-1}{2}M^2\right)$$

Tomando a derivada desta expressão e reorganizando os termos, obtemos

$$\frac{dT}{T} = -\frac{2(k-1)M\,dM}{2 + (k-1)M^2} \qquad (13.96)$$

Por fim, combinando as equações 13.94, 13.95 e 13.96, o ângulo de deflexão para a onda pode agora ser expresso em termos do número de Mach e sua variação. Ele é

$$d\theta = \frac{2\sqrt{M^2-1}}{2 + (k-1)M^2}\frac{dM}{M}$$

Para um ângulo de deflexão finito θ, temos de integrar essa expressão entre as ondas inicial e final, cada uma com um número de Mach diferente. Normalmente, o número de Mach final para o escoamento é desconhecido, de modo que é mais conveniente integrar essa expressão a partir de uma *posição de referência*, onde em $\theta = 0°$, $M = 1$. Então, a partir dessa referência, podemos determinar o ângulo de deflexão $\theta = \omega$, através do qual o escoamento se expande, de modo que o número de Mach varia de $M = 1$ a M. Temos

$$\int_0^\omega d\theta = \int_1^M \frac{2\sqrt{M^2-1}}{2 + (k-1)M^2}\frac{dM}{M}$$

$$\boxed{\omega = \sqrt{\frac{k+1}{k-1}}\,\text{tg}^{-1}\left(\sqrt{\frac{k-1}{k+1}(M^2-1)}\right) - \text{tg}^{-1}\left(\sqrt{M^2-1}\right)} \qquad (13.97)$$

Esta equação é conhecida como *função de expansão de Prandtl-Meyer*, em homenagem a Ludwig Prandtl e Theodore Meyer. Com ela, podemos encontrar o ângulo de deflexão total do escoamento causado pelo leque de ondas de expansão isentrópicas. Por exemplo, se o escoamento na Figura 13.46*b* tem um número de Mach inicial de M_1 e a superfície desvia em θ, então podemos determinar o número de Mach resultante M_2 primeiro aplicando a Equação 13.97 para obter ω_1 para M_1. Visto que $\theta = \omega_2 - \omega_1$, então $\omega_2 = \omega_1 + \theta$. Com esse ângulo, ω_2, podemos então reaplicar a Equação 13.97 para determinar M_2. Embora isso exija um procedimento numérico, é conveniente usar valores tabulares para a Equação 13.97. Eles são listados no Apêndice B, Tabela B.5.

Pontos importantes

- À medida que o escoamento passa por uma curva ou borda de uma superfície, ele pode causar ondas de compressão ou expansão quando $M \geq 1$.
- As ondas de compressão se juntam em um choque oblíquo.
- As ondas de expansão formam um "leque" de uma sucessão infinita de ondas de Mach. O ângulo de deflexão da linha de corrente causada pelas ondas em expansão pode ser determinado por meio da função de expansão de Prandtl-Meyer.

EXEMPLO 13.20

O ar escoa sobre uma superfície a uma velocidade de 900 m/s, onde a pressão absoluta é de 100 kPa e a temperatura é de 30°C. As ondas de expansão ocorrem na transição acentuada mostrada na Figura 13.47a. Determine velocidade, temperatura e pressão do escoamento imediatamente à direita da onda.

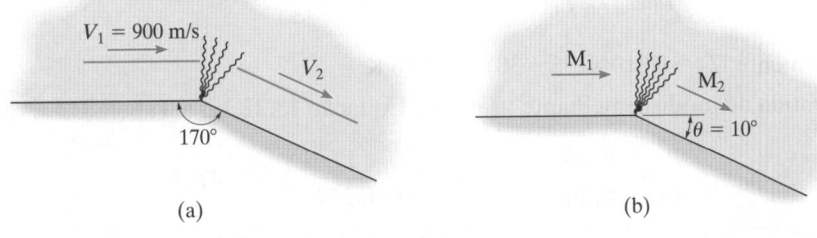

FIGURA 13.47

Solução

Descrição do fluido

Temos escoamento compressível em regime permanente que se expande isentropicamente.

O número Mach inicial ou a montante para o escoamento é

$$M_1 = \frac{V_1}{c} = \frac{V_1}{\sqrt{kRT}} = \frac{900 \text{ m/s}}{\sqrt{1,4(286,9 \text{ J/kg} \cdot \text{K})(273 + 30) \text{ K}}} = 2,5798$$

Análise

Como a função de expansão de Prandtl-Meyer, Equação 13.97, foi referenciada a partir de $M = 1$, o ângulo de deflexão a partir dessa referência é

$$\omega_1 = \sqrt{\frac{k+1}{k-1}} \, \text{tg}^{-1} \sqrt{\frac{k-1}{k+1}(M_1^2 - 1)} - \text{tg}^{-1}\sqrt{M_1^2 - 1}$$

$$= \sqrt{\frac{1,4+1}{1,4-1}} \, \text{tg}^{-1} \sqrt{\frac{1,4-1}{1,4+1}((2,5798)^2 - 1)} - \text{tg}^{-1}\sqrt{(2,5798)^2 - 1}$$

$$= 40,96° \tag{1}$$

Esse mesmo valor (ou algum próximo dele) também pode ser determinado pela Tabela B.5. Como a camada limite sobre a superfície inclinada é muito fina, o ângulo de deflexão para as linhas de corrente é definido pelo mesmo ângulo que a deflexão da superfície, ou seja, 180° − 170° = 10° (Figura 13.47b). A onda a jusante, portanto, precisa ter um número de Mach M_2 que produz um ângulo de deflexão de 40,96° + 10° = 50,96° a partir da referência $M = 1$.

Em vez de usar esse ângulo e tentar resolver para M_2 por tentativa e erro usando a função de Prandtl-Meyer (Equação 13.97), usaremos a Tabela B.5 para $\omega_2 = 50{,}796°$. Obtemos

$$M_2 = 3{,}0631 \qquad \textit{Resposta}$$

Em outras palavras, as ondas em expansão aumentam o número de Mach de $M_1 = 2{,}5798$ para $M_2 = 3{,}0631$. Observe, porém, que esse aumento não infringe a segunda lei da termodinâmica, pois apenas o *componente normal* da onda é convertido de supersônico para subsônico.

Como temos expansão isentrópica, podemos determinar a temperatura no lado direito das ondas usando a Equação 13.74.

$$\frac{T_2}{T_1} = \frac{1 + \dfrac{k-1}{2} M_1^2}{1 + \dfrac{k-1}{2} M_2^2} = \frac{1 + \dfrac{1{,}4-1}{2}(2{,}5798)_1^2}{1 + \dfrac{1{,}4-1}{2}(3{,}0631)^2} = 0{,}8104$$

$$T_2 = 0{,}8104(273 + 30)\ \text{K} = 245{,}54\ \text{K} = 246\ \text{K} \qquad \textit{Resposta}$$

Também podemos usar a Tabela B.1 da seguinte forma:

$$\frac{T_2}{T_1} = \frac{T_2}{T_0}\frac{T_0}{T_1} = (0{,}34764)\left(\frac{1}{0{,}42894}\right) = 0{,}8104$$

de modo que, novamente, $T_2 = 0{,}8104(273 + 30)\ \text{K} = 246\ \text{K}$.

A pressão é obtida de modo semelhante usando a Equação 13.22, ou a Tabela B.1. Aqui,

$$\frac{p_2}{p_1} = \frac{p_2}{p_0}\frac{p_0}{p_1} = (0{,}02478)\left(\frac{1}{0{,}052170}\right) = 0{,}4793$$

portanto

$$p_2 = 0{,}4793(100\ \text{kPa}) = 47{,}9\ \text{kPa} \qquad \textit{Resposta}$$

A velocidade do escoamento após a expansão é

$$V_2 = M_2\sqrt{kRT_2} = 3{,}0631\sqrt{1{,}4(286{,}9\ \text{J/kg}\cdot\text{K})(245{,}54\ \text{K})} = 962\ \text{m/s} \qquad \textit{Resposta}$$

13.13 Medição em escoamento compressível

Pressão e velocidade nos escoamentos de gases compressíveis podem ser medidas de diversas maneiras. Aqui, discutiremos algumas delas.

Tubo de Pitot e piezômetro

Como no caso do escoamento incompressível, discutido na Seção 5.3, um tubo estático de Pitot, como aquele mostrado na Figura 13.48a, também pode ser usado para a medição de escoamento compressível. A pressão estática *p dentro do escoamento* é medida na abertura lateral do tubo, enquanto a pressão de estagnação ou total p_0 é medida no ponto de estagnação, que ocorre na abertura frontal. No ponto de estagnação, o escoamento chega rapidamente à velocidade zero, sem qualquer perda por cisalhamento significativa, e, portanto, o processo pode ser considerado isentrópico.

Tubo estático de Pitot
Escoamento subsônico
(a)

Tubo de Pitot e piezômetro
Escoamento sônico ou supersônico
(b)

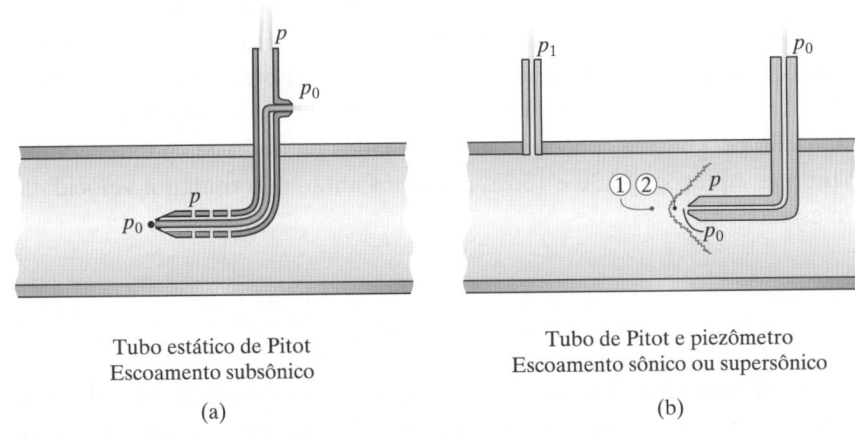

FIGURA 13.48

Escoamento subsônico

Para o escoamento compressível subsônico, as pressões são relacionadas pela Equação 13.32. Como $V = M\sqrt{kRT}$, isolando M e substituindo isso na Equação 13.32, e depois isolando V, obtemos

$$V = \sqrt{\frac{2kRT}{k-1}\left[\left(\frac{p_0}{p}\right)^{(k-1)/k} - 1\right]} \qquad (13.98)$$

Desde que saibamos a temperatura T, podemos então usar essa equação para determinar a velocidade do escoamento.

Na prática, geralmente é mais fácil medir a temperatura de estagnação T_0 no ponto de estagnação, em vez de T dentro do escoamento, pois o escoamento é facilmente perturbado. A relação usada para este caso pode ser determinada combinando as equações 13.30 e 13.98, e depois de alguma álgebra, obtemos

$$V = \sqrt{2c_p T_0\left[1 - \left(\frac{p_0}{p}\right)^{(k-1)/k} - 1\right]} \qquad (13.99)$$

A substituição das quantidades medidas, então, gera a velocidade de escoamento livre do gás, sem perturbação.

Escoamento supersônico

Se o gás estiver escoando em velocidades supersônicas, então ele formará um choque imediatamente antes de atingir o nariz do tubo de Pitot (Figura 13.48b). O choque muda o escoamento de supersônico, ponto 1, para subsônico, ponto 2. Para obter a velocidade do escoamento neste caso, temos, portanto, de usar a Equação 13.73 para relacionar as pressões p_1 e p_2 através da onda de choque. Além disso, a relação entre p_2 e a pressão de estagnação medida p_0 é determinada usando a Equação 13.32. Podemos combinar essas duas equações e expressar o resultado em termos do número de Mach antes da onda de choque usando a Equação 13.78. Fazendo isso, obtemos

$$\frac{p_0}{p_1} = \frac{\left(\dfrac{k+1}{2}M_1^2\right)^{\frac{k}{k-1}}}{\left(\dfrac{2k}{k+1}M_1^2 - \dfrac{k-1}{k+1}\right)^{\frac{1}{k-1}}} \qquad (13.100)$$

A pressão p_1 pode ser medida independentemente, usando um piezômetro no contorno do escoamento, bem antes da onda de choque (Figura 13.48b). Com p_1 e p_0 conhecidos, podemos então obter o número de Mach $M_1 > 1$ para o escoamento da Equação 13.100. Como a temperatura de estagnação permanece constante nos dois lados da onda de choque, combinando as equações 13.30 e 13.27, podemos então determinar a velocidade do escoamento.

$$V_1 = \left[\frac{2c_p T_0}{1 + (2c_p/k R M_1^2)}\right]^{1/2} \tag{13.101}$$

Como um procedimento alternativo, em vez de usar um tubo de Pitot e piezômetro, podemos medir a velocidade do gás usando um anemômetro de fio quente, que foi descrito na Seção 10.5.

Medidor de Venturi

Se for usado um medidor de Venturi, como na Figura 13.49, então a variação na densidade do gás precisa ser levada em consideração quando se fazem medições do escoamento na garganta. O escoamento pode ser considerado isentrópico, pois a passagem pelo medidor ocorre rapidamente e com pouca perda por cisalhamento. Entre os pontos 1 e 2, a equação da continuidade é

$$\frac{\partial}{\partial t}\int_{vc} \rho\, d\forall + \int_{sc} \rho \mathbf{V}\cdot d\mathbf{A} = 0; \quad 0 - \rho_1 A_1 V_1 + \rho_2 A_2 V_2$$

E a equação da energia (Equação 13.29), quando aplicada entre dois pontos quaisquer dentro do escoamento, torna-se

$$h_1 + \frac{V_1^2}{2} = h_2 + \frac{V_2^2}{2}$$

Para o escoamento isentrópico, a pressão está relacionada à densidade pela Equação 13.21, $p_1/\rho_1^k = p_2/\rho_2^k$, e a variação de entalpia está relacionada à variação de temperatura pela Equação 13.10, $h_2 - h_1 = c_p(T_2 - T_1)$. Se todas essas quatro condições forem combinadas, a vazão mássica teórica na garganta do bocal poderá ser determinada. Quaisquer perdas não levadas em conta são consideradas multiplicando-se esse resultado por um *coeficiente de velocidade*, C_v, determinado experimentalmente em função do número de Reynolds determinado na garganta. A vazão mássica compressível real, então, torna-se

$$\dot{m} = C_v A_2 \sqrt{\frac{2k}{k-1}\frac{p_1\rho_1[(p_2/p_1)^{2/k} - (p_2/p_1)^{(k+1)/k}]}{[1 - (A_2/A_1)^2(p_2/p_1)^{2/k}]}}$$

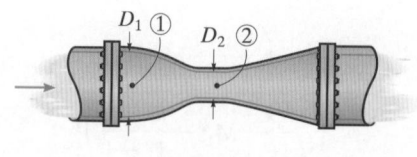

FIGURA 13.49

Se o escoamento tem uma velocidade baixa ($V < 0{,}3$ M), então o gás pode ser considerado incompressível e, como mostra a Seção 5.3, a vazão mássica pode ser determinada por

$$\dot{m} = C_v V_2 \rho A_2 = C_v A_2 \sqrt{\frac{2\rho(p_1 - p_2)}{1 - (D_2/D_1)^4}} \quad (13.102)$$

Na prática, a Equação 13.102 às vezes é modificada para compará-la com o caso compressível. Isso é feito usando um *fator de expansão* determinado experimentalmente, Y, de modo que, para o escoamento compressível, podemos usar então

$$\dot{m} = C_v Y A_2 \sqrt{\frac{2\rho_1(p_1 - p_2)}{[1 - (D_2/D_1)^4]}} \quad (13.103)$$

Os valores do coeficiente de velocidade ou do fator de expansão estão disponíveis a partir de gráficos para diversas razões de pressão. Veja a Referência [6]. As equações 13.102 e 13.103 também podem ser usadas com um bocal de vazão e medidor placa de orifício, pois os princípios de operação básicos são os mesmos.

Referências

1. JOHN, J. E. A. *Gas Dynamics*. 3. ed. Upper Saddle River, New Jersey: Prentice Hall, 2006.
2. WHITE, F. M. *Fluid Mechanics*. 7. ed. Nova York: McGraw-Hill, 2011.
3. LIEPMANN, H.; ROSHKO, A. *Elements of Gasdynamics*. Nova York: Dover, 2002.
4. OOSTHUIZEN, P. H.; CARSCALLEN, W. E. *Introduction to Compressible Fluid Flow*. 2. ed. Nova York: McGraw-Hill, 2013.
5. SCHREIER, S. *Compressible Flow*. Nova York: Wiley-Interscience Publication, 1982.
6. BROWER JR., W. B. *Theory, Tables, and Data for Compressible Flow*. Nova York: Taylor and Francis, 1990.

Problemas

Seção 13.1

13.1. O oxigênio é descomprimido de uma pressão absoluta de 600 kPa para 100 kPa, sem variação na temperatura. Determine as variações de entropia e entalpia.

13.2. Se um tubo contém hélio a uma pressão manométrica de 100 kPa e uma temperatura de 20°C, determine a densidade do hélio. Além disso, determine a temperatura se o hélio for comprimido isentropicamente a uma pressão manométrica de 250 kPa. A pressão atmosférica é de 101,3 kPa.

13.3. O hélio está contido em um vaso fechado sob uma pressão absoluta de 400 kPa. Se a temperatura aumentar de 20°C para 85°C, determine as variações na pressão e na entropia.

*13.4. O oxigênio na seção A do tubo está a uma temperatura de 60°C e uma pressão absoluta de 280 kPa, enquanto, quando está em B, sua temperatura é 80°C e a pressão absoluta é 200 kPa. Determine a variação por unidade de massa na energia interna, entalpia e entropia entre as duas seções.

13.5. O hidrogênio na seção A do tubo está a uma temperatura de 60°F e uma pressão absoluta de 30 lb/pol.², enquanto, quando está em B, sua temperatura é 100°F e a pressão absoluta é 20 lb/pol.² Determine a variação por unidade de massa na energia interna, entalpia e entropia entre as duas seções.

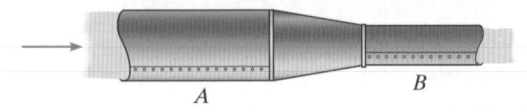

PROBLEMAS 13.4 e 13.5

13.6. O tanque fechado contém hélio a 200°C e está sob uma pressão absoluta de 530 kPa. Se a temperatura for aumentada para 250°C, determine as variações na densidade e pressão, e a variação por unidade de massa na energia interna e entalpia do hélio.

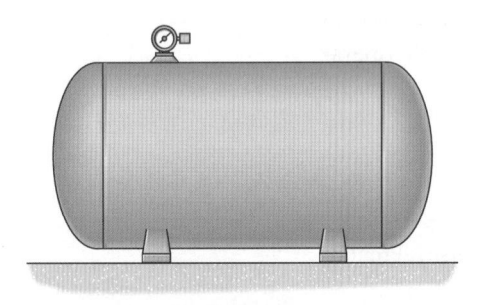

PROBLEMA 13.6

13.7. O tanque fechado contém oxigênio a 400°F e está sob uma pressão absoluta de 30 lb/pol. Se a temperatura diminuir para 300°F, determine as variações na densidade e pressão, e a variação por unidade de massa na energia interna e entalpia do oxigênio.

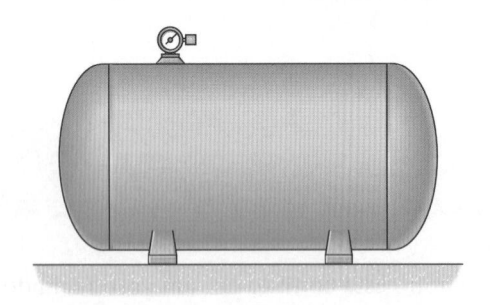

PROBLEMA 13.7

*__13.8.__ Um gás tem um calor específico que varia com a temperatura absoluta, de modo que $c_p = (1256 + 36728/T^2)$ J/kg · K. Se a temperatura subir de 300 K para 400 K, determine a variação da entalpia por unidade de massa.

13.9. O ar tem uma temperatura de 600°R e pressão absoluta de 100 psi em A. Ao passar pela transição, sua temperatura torna-se 500°R e a pressão absoluta torna-se 40 psi em B. Determine as variações na densidade e na entropia por unidade de massa do ar.

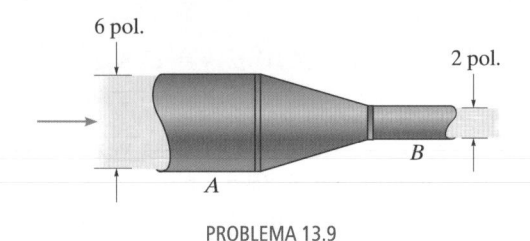

PROBLEMA 13.9

13.10. O ar tem uma temperatura de 600°R e pressão absoluta de 100 psi em A. Ao passar pela transição, sua temperatura torna-se 500°R e a pressão absoluta torna-se 40 psi em B. Determine a variação por unidade de massa na energia interna e na entalpia do ar.

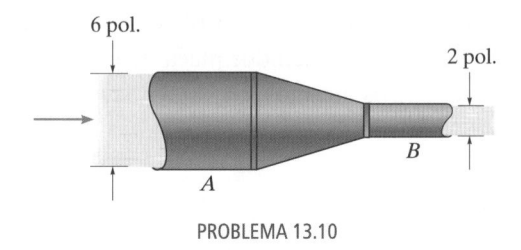

PROBLEMA 13.10

13.11. O ar escoa em um duto horizontal a 20°C com uma velocidade de 180 m/s. Se a velocidade aumentar para 250 m/s, determine a temperatura correspondente do ar. *Dica:* use a equação da energia para achar Δh.

Seções 13.2 e 13.3

*__13.12.__ O meio ângulo α no cone de Mach de um foguete é 20°. Se a temperatura do ar é 65°F, determine a velocidade do foguete.

13.13. Determine a velocidade de um avião a jato que voa em Mach 2,3 e a uma altitude de 10000 pés. Use a Tabela Atmosfera Padrão no Apêndice A.

13.14. Compare a velocidade do som na água e no ar a uma temperatura de 20°C. O módulo de elasticidade volumétrico da água a $T = 20°C$ é $E_V = 2,2$ GPa.

13.15. Determine a velocidade do som na água e no ar, ambos a uma temperatura de 60°F. Considere $E_V = 311(10^3)$ psi para a água.

*__13.16.__ Um navio está localizado onde a profundidade do oceano é de 3 km. Determine o tempo necessário para um sinal de sonar ricochetear no fundo e retornar ao navio. Suponha que a temperatura da água seja 10°C. Considere $\rho = 1030$ kg/m³ e $E_V = 2,11(10^9)$ Pa para a água do mar.

13.17. Determine com que velocidade um carro de corrida deverá viajar com o ar a uma temperatura de 20°C para alcançar M = 0,3.

13.18. Um avião a jato está voando em Mach 2,2. Determine sua velocidade em km/h. O ar está a 10°C.

13.19. A água está a uma temperatura de 40°F. Se um sinal de sonar leva 3 s para detectar uma grande baleia, determine a distância da baleia até o navio. Considere $\rho = 1,990$ slug/pé^3 e $E_V = 311(10^3)$ psi.

*13.20. Determine o número de Mach de um ciclista pedalando a 15 mi/h. O ar tem uma temperatura de 70°F. 1 mi = 5280 pés.

13.21. Um avião a jato tem uma velocidade de 600 mi/h quando voa a uma altitude de 10000 pés. Determine o número de Mach. 1 mi = 5280 pés. Use a Tabela Atmosfera Padrão no Apêndice A.

13.22. Determine o meio ângulo α do cone de Mach no nariz de um jato se ele está voando a 1125 m/s no ar a 5°C.

13.23. Um avião a jato tem uma velocidade de 600 m/s. Se o ar tem uma temperatura de 10°C, determine o número de Mach e o meio ângulo α do cone de Mach.

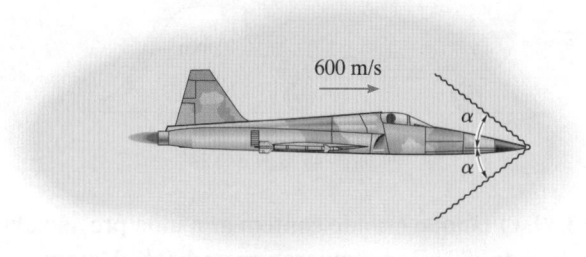

PROBLEMA 13.23

*13.24. Um avião a jato passa sobre um observador 5 km diretamente acima. Se o som do avião é ouvido 6 s depois, determine a velocidade do avião. A temperatura média do ar é 10°C.

13.25. O número de Mach da corrente de ar no túnel de vento em B deverá ser M = 2,0 com uma temperatura do ar de 10°C e pressão absoluta de 25 kPa. Determine a pressão absoluta exigida e a temperatura dentro do reservatório grande em A.

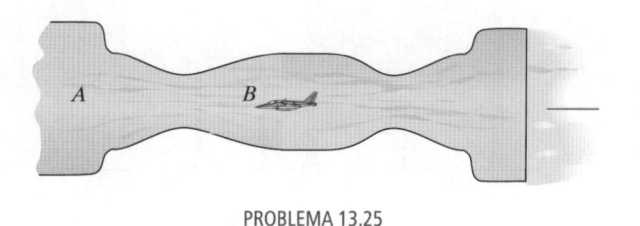

PROBLEMA 13.25

13.26. A pressão de estagnação absoluta para o ar é 875 kPa quando a temperatura de estagnação é 25°C. Se a pressão absoluta para o escoamento é de 630 kPa, determine a velocidade do escoamento.

13.27. O escoamento em um ponto de um túnel de vento tem uma velocidade de M = 2,5, quando a pressão absoluta do ar é de 16 kPa e a temperatura é 200 K. Determine a velocidade do ar no ponto, e também ache a temperatura e a pressão do ar no reservatório de suprimento.

*13.28. O tubo com 4 pol. de diâmetro transporta ar escoando a M = 1,36. As medições mostram que a pressão absoluta é de 60 psi e a temperatura é 95°F. Determine a vazão mássica pelo tubo.

13.29. O tubo com 4 pol. de diâmetro transporta ar escoando a M = 0,83. Se a temperatura de estagnação é 85°F e a pressão de estagnação absoluta é 14,7 psi, determine a vazão mássica pelo tubo.

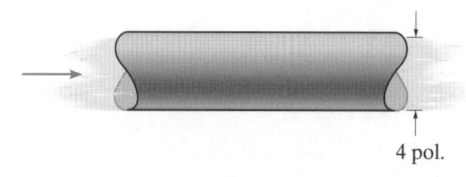

PROBLEMAS 13.28 e 13.29

13.30. A pressão de estagnação absoluta para o metano é de 110 lb/pol.^{2} quando a temperatura de estagnação é 70°F. Se a pressão no escoamento é 80 lb/pol.^{2}, determine a velocidade correspondente do escoamento.

13.31. A temperatura e a pressão absoluta do ar dentro do duto circular são, respectivamente, 40°C e 800 kPa. Se a vazão mássica é de 30 kg/s, determine o número de Mach.

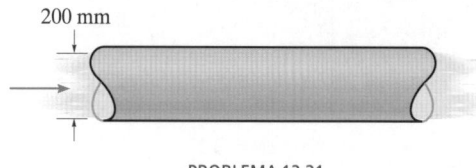

PROBLEMA 13.31

*13.32. Determine a pressão do ar se ele estiver escoando a 1600 km/h. Quando o ar está parado, a temperatura é de 20°C e a pressão absoluta é 101,3 kPa.

13.33. Quais são as razões entre pressão, temperatura e densidade críticas e a pressão, temperatura e densidade de estagnação para o metano?

Seções 13.5 e 13.6

13.34. O bocal é preso a uma câmara de ar grande, na qual a pressão absoluta é de 175 psi e a temperatura absoluta é 500°R. Determine a maior vazão mássica possível pelo bocal. A garganta tem um diâmetro de 2 pol.

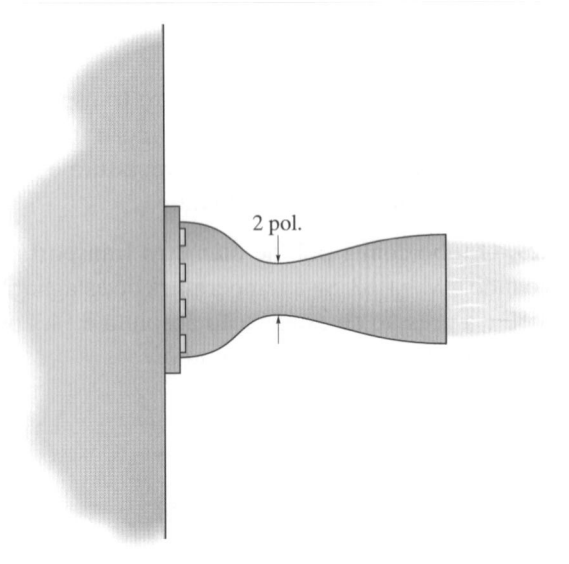

PROBLEMA 13.34

13.35. O nitrogênio no reservatório está a uma temperatura de 20°C e uma pressão absoluta de 300 kPa. Determine a vazão mássica pelo bocal. A pressão atmosférica é de 100 kPa.

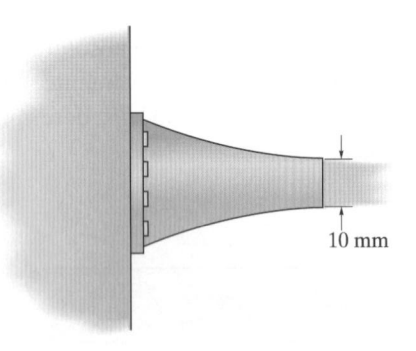

PROBLEMA 13.35

*__13.36.__ O tanque grande contém ar a uma pressão absoluta de 150 kPa e temperatura de 20°C. O bocal com diâmetro de 5 mm em A é aberto para que o ar saia do tanque. Determine a vazão mássica e a força horizontal que precisa ser aplicada ao tanque para impedir que ele se mova. A pressão atmosférica é de 100 kPa.

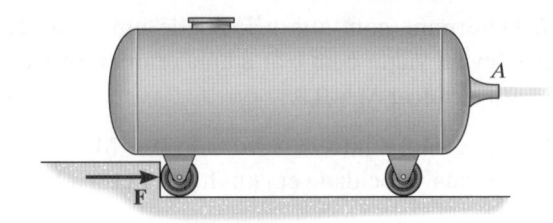

PROBLEMA 13.36

13.37. O nitrogênio, a uma pressão absoluta de 600 kPa e temperatura de 800 K, está contido no tanque grande. Determine a contrapressão na mangueira para estrangular o bocal e ainda manter escoamento supersônico isentrópico pela parte divergente do bocal. O bocal tem um diâmetro externo de 40 mm e a garganta tem um diâmetro de 20 mm.

13.38. O nitrogênio, a uma pressão absoluta de 600 kPa e temperatura de 800 K, está contido no tanque grande. Determine a contrapressão na mangueira para estrangular o bocal e ainda manter escoamento subsônico isentrópico pela parte divergente do bocal. O bocal tem um diâmetro externo de 40 mm e a garganta tem um diâmetro de 20 mm.

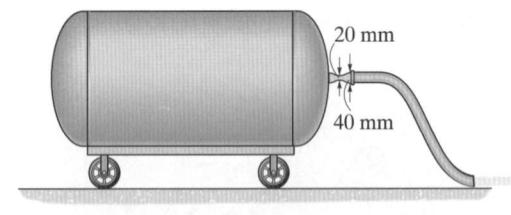

PROBLEMAS 13.37 e 13.38

13.39. O tanque grande contém ar a uma pressão absoluta de 700 kPa e temperatura de 400 K. Determine a vazão mássica do tanque para o tubo se o bocal convergente tem um diâmetro de saída de 40 mm e a pressão absoluta no tubo é de 150 kPa.

*__13.40.__ O tanque grande contém ar a uma pressão absoluta de 700 kPa e temperatura de 400 K. Determine a vazão mássica do tanque para o tubo se o bocal convergente tem um diâmetro de saída de 40 mm e a pressão absoluta no tubo é de 400 kPa.

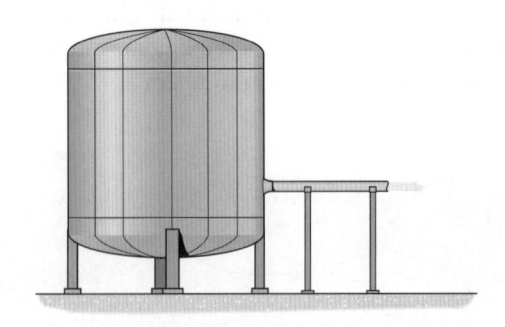

PROBLEMAS 13.39 e 13.40

13.41. O tanque grande contém ar a uma pressão absoluta de 600 kPa e temperatura de 70°C. O bocal de Laval tem um diâmetro de garganta de 20 mm e um diâmetro de saída de 50 mm. Determine a pressão absoluta dentro do tubo conectado, de modo que o bocal estrangule, mas também mantenha escoamento subsônico isentrópico dentro da parte divergente do bocal. Além disso, qual é a vazão mássica do tanque se a pressão absoluta dentro do tubo for de 150 kPa?

13.42. O tanque grande contém ar a uma pressão absoluta de 600 kPa e temperatura de 70°C. O bocal tem um diâmetro de garganta de 20 mm e um diâmetro de saída de 50 mm. Determine a pressão absoluta dentro do tubo conectado e a vazão mássica correspondente através do tubo, quando o bocal estrangula e mantém escoamento supersônico isentrópico dentro da parte divergente do bocal.

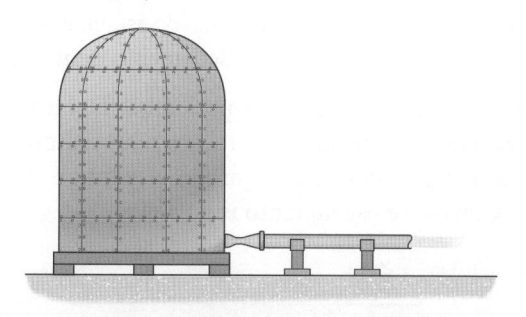

PROBLEMAS 13.41 e 13.42

13.43. A pressão absoluta é de 400 kPa e a temperatura é de 20°C no tanque grande. Se a pressão na entrada A do bocal é de 300 kPa, determine a vazão mássica que sai do tanque através da saída do bocal.

*__**13.44.**__ O ar atmosférico a uma pressão absoluta de 103 kPa e temperatura de 20°C escoa pelo bocal convergente para o tanque, onde a pressão absoluta em A é de 30 kPa. Determine a vazão mássica para dentro do tanque.

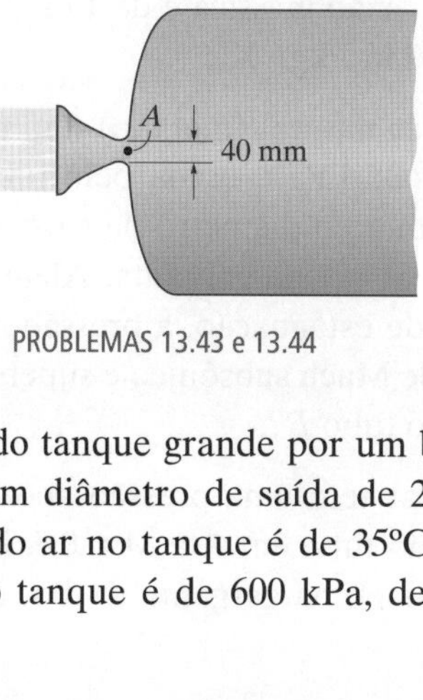

PROBLEMAS 13.43 e 13.44

13.45. O ar sai do tanque grande por um bocal convergente com um diâmetro de saída de 20 mm. Se a temperatura do ar no tanque é de 35°C e a pressão absoluta no tanque é de 600 kPa, determine a velocidade do ar quando ele sai pelo bocal. A pressão absoluta fora do tanque é de 101,3 kPa.

13.46. O ar sai do tanque grande por um bocal convergente com um diâmetro de saída de 20 mm. Se a temperatura do ar no tanque é de 35°C e a pressão absoluta no tanque é de 150 kPa, determine a vazão mássica do ar quando ele sai pelo bocal. A pressão absoluta fora do tanque é de 101,3 kPa.

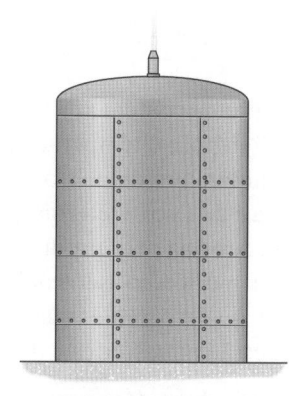

PROBLEMAS 13.45 e 13.46

13.47. O nitrogênio está contido no tanque grande sob uma pressão absoluta de 20 psi e a uma temperatura de 25°F. Se a pressão externa absoluta é de 14,7 psi, determine a vazão mássica a partir do bocal. A garganta tem um diâmetro de 0,25 pol.

*__**13.48.**__ O nitrogênio está contido no tanque grande sob uma pressão absoluta de 80 psi e a uma temperatura de 25°F. Se a pressão externa absoluta é de 14,7 psi, determine a vazão mássica a partir do bocal. A garganta tem um diâmetro de 0,25 pol.

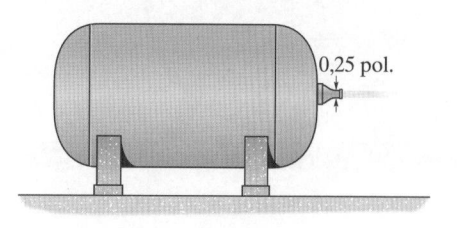

PROBLEMAS 13.47 e 13.48

13.49. Se a mistura de combustível dentro da câmara do foguete está abaixo de uma pressão absoluta de 1,3 MPa, determine o número de Mach dos gases de exaustão se a razão de área entre a saída e a garganta é 2,5. Suponha que haja escoamento supersônico plenamente expandido. Considere $k = 1,40$ para a mistura de combustível. A atmosfera tem uma pressão de 101,3 kPa.

PROBLEMA 13.49

13.50. O tanque grande contém ar a uma pressão manométrica de 170 lb/pol.^{2} e temperatura de 120°F. A garganta do bocal tem um diâmetro de 0,35 pol. e o diâmetro de saída é de 1 pol. Determine a pressão absoluta no tubo necessária para produzir um jato com um escoamento supersônico isentrópico através do tubo. Além disso, qual é o número de Mach desse escoamento? A pressão atmosférica é de 14,7 psi.

13.51. O tanque grande contém ar a uma pressão manométrica de 170 lb/pol.^{2} e temperatura de 120°F. A garganta do bocal tem um diâmetro de 0,35 pol. e o diâmetro de saída é de 1 pol. Determine a pressão absoluta no tubo necessária para estrangular o bocal e também manter escoamento subsônico isentrópico através do tubo. Além disso, qual é a velocidade do escoamento pelo tubo para essa condição? A pressão atmosférica é de 14,7 psi.

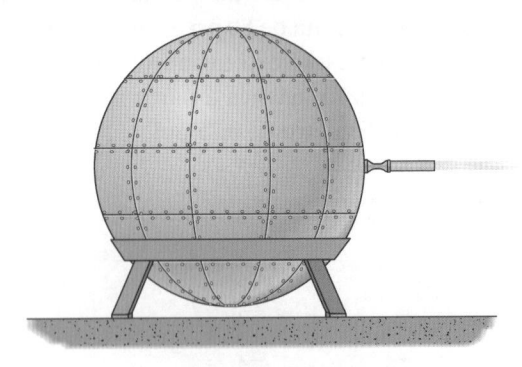

PROBLEMAS 13.50 e 13.51

*__13.52.__ O diâmetro da saída de um bocal convergente é de 50 mm. Se sua entrada está conectada a um tanque grande contendo ar a uma pressão absoluta de 500 kPa e temperatura de 125°C, determine a vazão mássica pelo bocal. O ar ambiente está a uma pressão absoluta de 101,3 kPa.

13.53. O diâmetro da saída de um bocal convergente é de 50 mm. Se sua entrada está conectada a um tanque grande contendo ar a uma pressão absoluta de 180 kPa e temperatura de 125°C, determine a vazão mássica a partir do tanque. O ar ambiente está a uma pressão absoluta de 101,3 kPa.

13.54. O ar escoa a $V_A = 100$ m/s a 1200 K e tem uma pressão absoluta de $p_A = 6{,}25$ MPa. Determine o diâmetro d do tubo em B, de modo que M = 1 em B.

13.55. O ar escoa a $V_A = 100$ m/s a 1200 K e tem uma pressão absoluta de $p_A = 6{,}25$ MPa. Determine o diâmetro d do tubo em B, de modo que M = 0,8 em B.

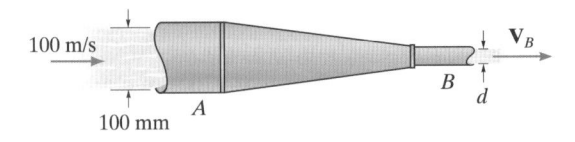

PROBLEMAS 13.54 e 13.55

*__13.56.__ O ar escoa a 200 m/s pelo tubo. Determine o número de Mach do escoamento e a vazão mássica se a temperatura é de 500 K e a pressão de estagnação absoluta é de 200 kPa. Considere escoamento isentrópico.

13.57. O ar escoa a 200 m/s pelo tubo. Determine a pressão dentro do escoamento se a temperatura é de 400 K e a pressão de estagnação absoluta é de 280 kPa. Considere escoamento isentrópico.

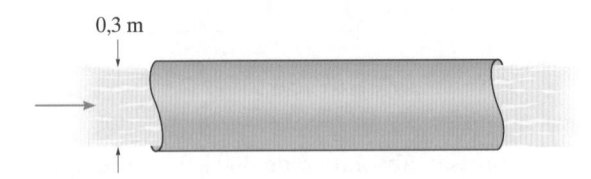

PROBLEMAS 13.56 e 13.57

13.58. O bocal propulsor convergente-divergente na ponta de um motor a jato supersônico deve ser projetado para operar com eficiência quando a pressão absoluta do ar externo é de 25 kPa. Se a pressão de estagnação absoluta dentro do motor é de 400 kPa e a temperatura de estagnação é de 1200 K, determine o diâmetro de saída e o diâmetro da garganta para o bocal se a vazão mássica é de 15 kg/s. Considere $k = 1{,}40$ e $R = 256$ J/kg · K.

13.59. O gás natural (metano) tem uma pressão absoluta de 400 kPa e escoa pelo tubo em A a M = 0,1. Determine o diâmetro da garganta do bocal, de modo que M = 1 na garganta. Além disso, quais são a pressão de estagnação, a pressão na garganta e os números de Mach subsônico e supersônico do escoamento pelo tubo B?

*__13.60.__ O ar tem uma pressão absoluta de 400 kPa e escoa pelo tubo em A a M = 0,5. Determine o número de Mach na garganta do bocal, onde $d_t = 110$

mm, e o número de Mach no tubo em *B*. Além disso, quais são a pressão de estagnação e a pressão no tubo em *B*?

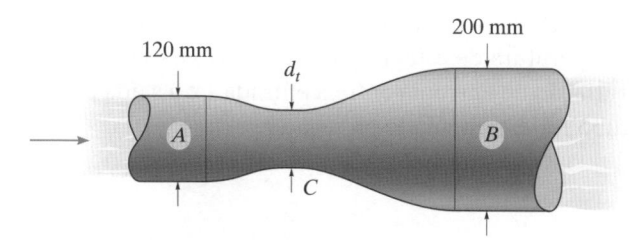

PROBLEMAS 13.59 e 13.60

13.61. O tanque contém oxigênio a uma temperatura de 70°C e pressão absoluta de 800 kPa. Se o bocal convergente na saída tem um diâmetro de 6 mm, determine a vazão mássica inicial a partir do tanque se a pressão absoluta externa é de 100 kPa.

13.62. O tanque contém hélio a uma temperatura de 80°C e pressão absoluta de 175 kPa. Se o bocal convergente na saída tem um diâmetro de 6 mm, determine a vazão mássica inicial a partir do tanque se a pressão absoluta externa é de 98 kPa.

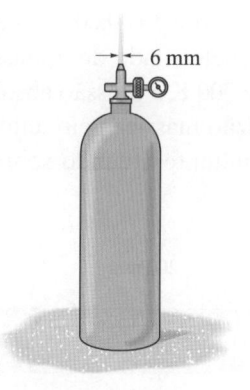

PROBLEMAS 13.61 e 13.62

13.63. O tanque grande contém ar a 250 K sob uma pressão absoluta de 1,20 MPa. Quando a válvula é aberta, determine se o bocal é estrangulado. A pressão atmosférica externa é de 101,3 kPa. Determine a vazão mássica a partir do tanque. O bocal tem um diâmetro de saída de 40 mm e uma garganta de 20 mm.

*__13.64.__ O tanque grande contém ar a 250 K sob uma pressão absoluta de 150 kPa. Quando a válvula é aberta, determine se o bocal é estrangulado. A pressão atmosférica externa é de 90 kPa. Determine a vazão mássica a partir do tanque. Suponha que o escoamento seja isentrópico. O bocal tem um diâmetro de saída de 40 mm e um diâmetro de garganta de 20 mm.

PROBLEMAS 13.63 e 13.64

13.65. O ar em *A* escoa pelo bocal em M = 0,4. Determine o número de Mach em *C* e em *B*.

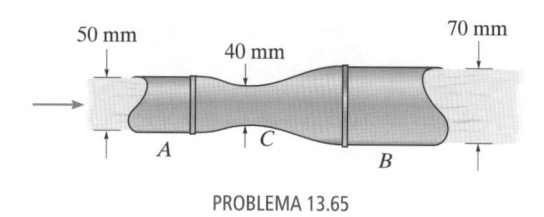

PROBLEMA 13.65

13.66. O ar em *A* escoa pelo bocal em M = 0,4. Se p_A = 125 kPa e T_A = 300 K, determine a pressão em *B* e a velocidade em *B*.

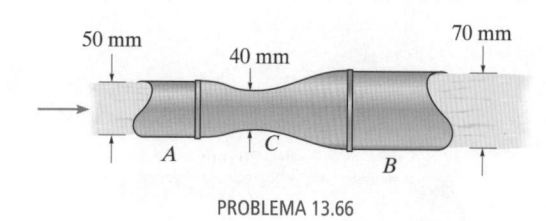

PROBLEMA 13.66

13.67. O ar escoa isentropicamente para dentro do bocal em M_A = 0,2 e para fora em M_B = 2. Se o diâmetro do bocal em *A* é de 30 mm, determine o diâmetro da garganta e o diâmetro em *B*. Além disso, se a pressão absoluta em *A* é de 300 kPa, determine a pressão de estagnação e a pressão em *B*.

*__13.68.__ O ar escoa isentropicamente para dentro do bocal em M_A = 0,2 e para fora em M_B = 2. Se o diâmetro do bocal em *A* é de 30 mm, determine o diâmetro da garganta e o diâmetro em *B*. Além disso, se a temperatura em *A* é de 300 K, determine a temperatura de estagnação e a temperatura em *B*.

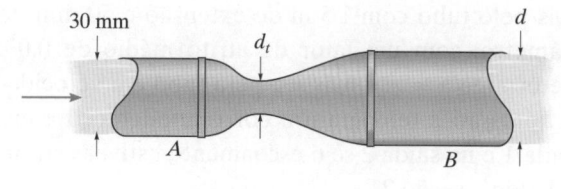

PROBLEMAS 13.67 e 13.68

13.69. O ar escoa por um tubo com um diâmetro de 50 mm. Determine a vazão mássica se a temperatura de estagnação do ar é de 20°C, a pressão absoluta é de 300 kPa e a pressão de estagnação é de 375 kPa.

13.70. O ar a uma temperatura de 25°C e pressão atmosférica padrão de 101,3 kPa escoa pelo bocal para dentro do tubo, onde a pressão absoluta interna é de 80 kPa. Determine a vazão mássica para dentro do tubo. O bocal tem um diâmetro de garganta de 10 mm.

13.71. O ar a uma temperatura de 25°C e pressão atmosférica padrão de 101,3 kPa escoa pelo bocal para dentro do tubo, onde a pressão absoluta interna é de 30 kPa. Determine a vazão mássica para dentro do tubo. O bocal tem um diâmetro de garganta de 10 mm.

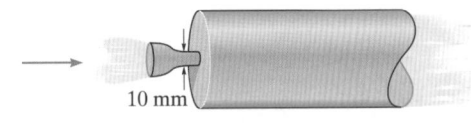

PROBLEMAS 13.70 e 13.71

*****13.72.** O tanque grande contém ar a uma pressão absoluta de 800 kPa e uma temperatura de 150°C. Se o diâmetro na ponta do bocal convergente é de 20 mm, determine a vazão mássica que sai do tanque, onde a pressão atmosférica padrão é de 101,3 kPa.

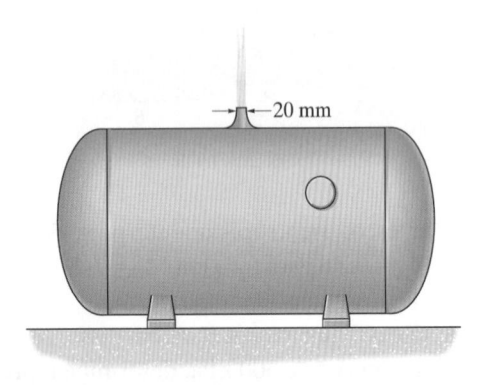

PROBLEMA 13.72

Seção 13.7

13.73. Um reservatório grande contém ar a uma temperatura $T = 20°C$ e pressão absoluta $p = 300$ kPa. O ar escoa isentropicamente pelo bocal e depois pelo tubo com 1,5 m de extensão e 50 mm de diâmetro, com um fator de atrito médio de 0,03. Determine a vazão mássica pelo tubo e a velocidade, pressão e temperatura correspondentes na entrada 1 e na saída 2 se o escoamento estiver estrangulado na seção 2.

13.74. Um reservatório grande contém ar a uma temperatura $T = 20°C$ e pressão absoluta $p = 300$ kPa. O ar escoa isentropicamente pelo bocal e depois pelo tubo com 1,5 m de extensão e 50 mm de diâmetro, com um fator de atrito médio de 0,03. Determine a temperatura de estagnação e a pressão na saída 2 e a variação de entropia entre a entrada 1 e a saída 2 se o tubo for estrangulado na seção 2.

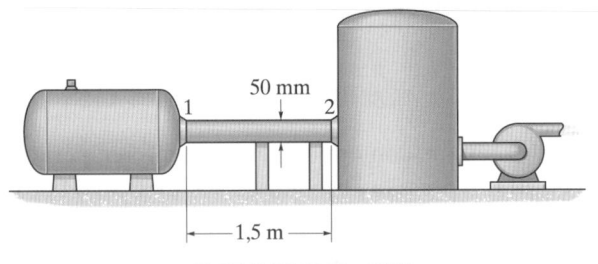

PROBLEMAS 13.73 e 13.74

13.75. O duto tem um diâmetro de 200 mm. Se o fator de atrito médio é $f = 0,003$ e o ar é inserido no tubo com uma velocidade de admissão de 200 m/s, temperatura de 300 K e pressão absoluta de 180 kPa, determine essas propriedades na saída.

*****13.76.** O duto tem um diâmetro de 200 mm. Se o fator de atrito médio é $f = 0,003$ e o ar é inserido no tubo com uma velocidade de admissão de 200 m/s, temperatura de 300 K e pressão absoluta de 180 kPa, determine a vazão mássica pelo duto e a força de cisalhamento resultante atuando sobre a extensão de duto de 30 m.

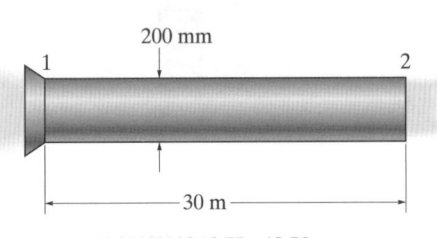

PROBLEMAS 13.75 e 13.76

13.77. O ar em uma sala grande tem uma temperatura de 24°C e pressão absoluta de 101 kPa. Se ele entra pelo duto com 200 mm de diâmetro isentropicamente, de modo que a pressão absoluta na seção 1 é de 90 kPa, determine o comprimento crítico do duto $L_{máx}$ onde o escoamento se torna estrangulado e o número de Mach, temperatura e pressão na seção 2. Considere que o fator de atrito médio seja $f = 0,002$.

13.78. O ar em uma sala grande tem uma temperatura de 24°C e pressão absoluta de 101 kPa. Se ele entra pelo duto com 200 mm de diâmetro isentropicamente, de modo que a pressão absoluta na seção 1 é de

90 kPa, determine a vazão mássica pelo duto e a força de cisalhamento resultante atuando sobre o duto. Além disso, qual é o comprimento $L_{máx}$ exigido para estrangular o escoamento? Considere que o fator de atrito médio seja $f = 0{,}002$.

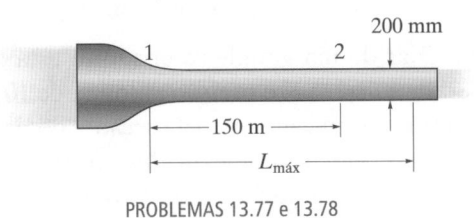

PROBLEMAS 13.77 e 13.78

13.79. O tubo com 40 mm de diâmetro tem um fator de atrito $f = 0{,}015$. Um bocal no tanque grande A fornece nitrogênio isentropicamente para o tubo na seção 1 com uma velocidade de 1200 m/s, temperatura de 460 K e pressão absoluta de 750 kPa. Determine a vazão mássica. Mostre que uma onda de choque normal se forma dentro do tubo. Considere $L' = 1{,}35$ m.

*13.80. O tubo com 40 mm de diâmetro tem um fator de atrito $f = 0{,}015$. Um bocal no tanque grande A fornece nitrogênio isentropicamente para o tubo na seção 1 com uma velocidade de 200 m/s e temperatura de 460 K. Determine a velocidade e a temperatura do nitrogênio em $L = 2$ m se $L' = 3$ m.

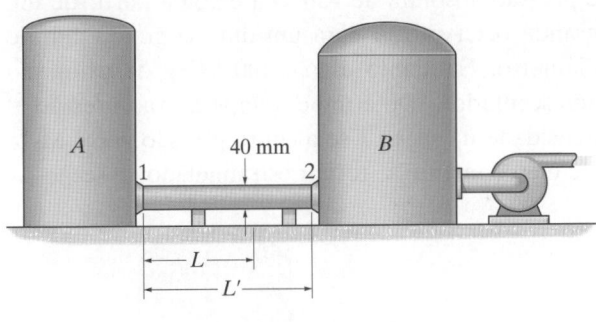

PROBLEMAS 13.79 e 13.80

13.81. O tubo com diâmetro de 100 mm está conectado por um bocal a um grande reservatório de ar que está a uma temperatura de 40°C e pressão absoluta de 450 kPa. Se a pressão absoluta na seção 1 é de 30 kPa, determine a vazão mássica através do tubo e o comprimento L do tubo, de modo que uma contrapressão de 90 kPa no tanque mantenha escoamento supersônico através do tubo. Considere um fator de atrito constante de 0,0085 por todo o tubo.

13.82. O tubo com diâmetro de 100 mm está conectado por um bocal a um grande reservatório de ar que está a uma temperatura de 40°C e pressão absoluta de 450 kPa. Se a pressão absoluta na seção 1 é de 30 kPa, determine a vazão mássica através do tubo e o comprimento L do tubo, de modo que haja escoamento sônico no tanque. Qual é a contrapressão exigida no tanque para que isso aconteça? Considere um fator de atrito constante de 0,0085 por todo o tubo.

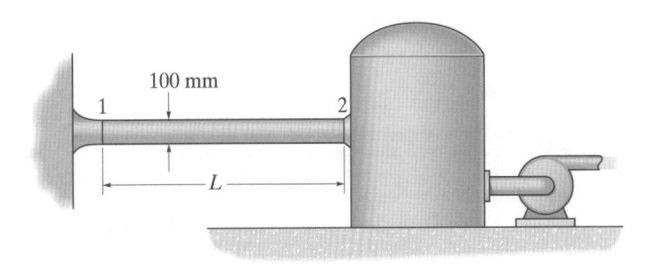

PROBLEMAS 13.81 e 13.82

13.83. O tubo com diâmetro de 100 mm está conectado por um bocal a um grande reservatório de ar que está a uma temperatura de 40°C e pressão absoluta de 450 kPa. Se a contrapressão gera $M_1 > 1$ e o escoamento é estrangulado na saída, seção 2, quando $L = 5$ m, determine a vazão mássica pelo tubo. Considere um fator de atrito constante de 0,0085 por todo o tubo.

*13.84. O tubo com diâmetro de 100 mm está conectado por um bocal a um grande reservatório de ar que está a uma temperatura de 40°C e pressão absoluta de 450 kPa. Se a contrapressão gera $M_1 < 1$ e o escoamento é estrangulado na saída, seção 2, quando $L = 5$ m, determine a vazão mássica pelo tubo. Considere um fator de atrito constante de 0,0085 por todo o tubo.

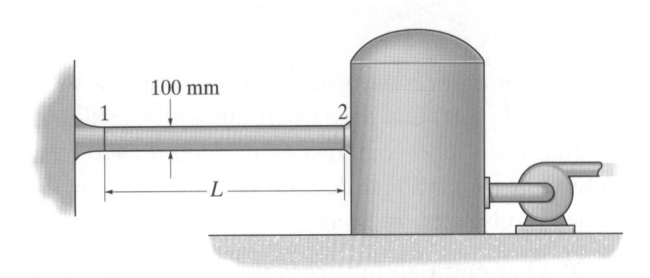

PROBLEMAS 13.83 e 13.84

Seção 13.8

13.85. O ar externo a uma temperatura de 60°F é inserido isentropicamente no duto e depois aquecido ao longo do duto a $200(10^3)$ pés · lb/slug. Na seção 1, a temperatura é $T = 30°F$ e a pressão é de 13,9 psia. Determine o número de Mach, a temperatura e a pressão na seção 2. Desconsidere o cisalhamento.

13.86. O ar externo a uma temperatura de 60°F é inserido isentropicamente no duto e depois aquecido ao longo do duto a 200(10³) pés · lb/slug. Na seção 1, a temperatura é $T = 30°F$ e a pressão é de 13,9 psia. Determine a vazão mássica e a variação na entropia por unidade de massa que ocorre entre as seções 1 e 2.

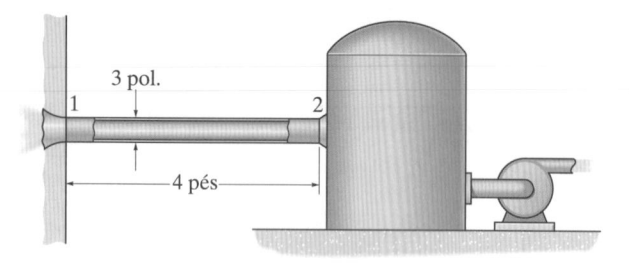

PROBLEMAS 13.85 e 13.86

13.87. O nitrogênio a uma temperatura $T_1 = 270$ K e pressão absoluta $p_1 = 330$ kPa escoa pelo interior do tubo liso a $M_1 = 0{,}3$. Se ele é aquecido a 100 kJ/kg · m, determine a velocidade e a pressão do nitrogênio quando ele sai do tubo na seção 2.

*13.88. O nitrogênio a uma temperatura $T_1 = 270$ K e pressão absoluta $p_1 = 330$ kPa escoa pelo interior do tubo liso a $M_1 = 0{,}3$. Se ele é aquecido a 100 kJ/kg · m, determine as temperaturas de estagnação nas seções 1 e 2, e a variação na entropia por unidade de massa entre essas duas seções.

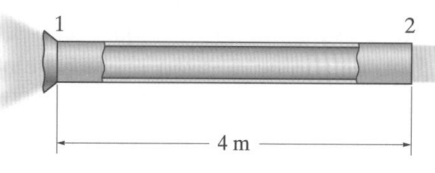

PROBLEMAS 13.87 e 13.88

13.89. O ar entra isentropicamente pelo tubo a $V_1 = 640$ m/s, $T_1 = 80°C$ e pressão absoluta $p_1 = 250$ kPa. Se ele sai do tubo com uma velocidade de 470 m/s, determine a quantidade de calor por unidade de massa que o tubo fornece ao ar.

13.90. O ar entra no tubo com diâmetro de 100 mm a $V_1 = 640$ m/s, $T_1 = 80°C$ e pressão absoluta $p_1 = 250$ kPa. Se ele sai do tubo com uma velocidade de 470 m/s, determine as temperaturas de estagnação nas seções 1 e 2 e a variação na entropia por unidade de massa entre essas seções.

PROBLEMAS 13.89 e 13.90

13.91. O ar de um grande reservatório está a uma temperatura de 275 K e pressão absoluta de 101 kPa. Ele entra isentropicamente pela seção 1 do duto. Se 80 kJ/kg de calor são adicionados ao escoamento, determine a maior velocidade possível que ele pode ter na seção 1. A contrapressão em 2 gera $M_1 < 1$.

*13.92. O ar de um grande reservatório está a uma temperatura de 275 K e pressão absoluta de 101 kPa. Ele entra isentropicamente pela seção 1 do duto. Se 80 kJ/kg de calor são adicionados ao escoamento, determine a temperatura e a pressão na entrada do duto. A contrapressão em 2 gera $M_1 > 1$.

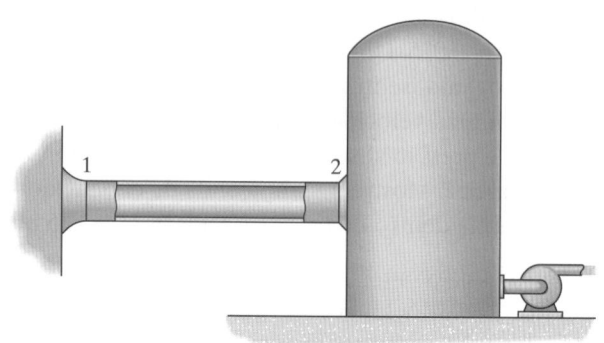

PROBLEMAS 13.91 e 13.92

13.93. O nitrogênio com uma temperatura de 300 K e pressão absoluta de 450 kPa escoa a partir de um grande reservatório para um duto com 100 mm de diâmetro. Enquanto escoa, 100 kJ/kg de calor são acrescentados. Determine temperatura, pressão e densidade na seção 1 se a contrapressão gerar $M_1 > 1$ e o escoamento se tornar estrangulado na seção 2.

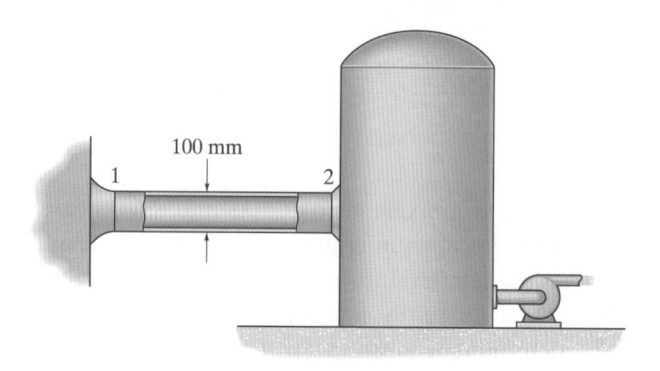

PROBLEMA 13.93

13.94. O nitrogênio com uma temperatura de 300 K e pressão absoluta de 450 kPa escoa a partir de um grande reservatório para um duto com 100 mm de diâmetro. Enquanto escoa, 100 kJ/kg de calor são acrescentados. Determine a vazão mássica se a contrapressão gerar $M_1 < 1$ e o escoamento se tornar estrangulado na seção 2.

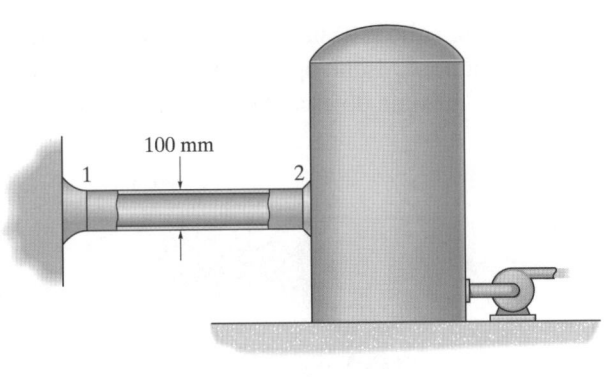

PROBLEMA 13.94

PROBLEMA 13.97

Seções 13.9 e 13.10

13.95. O bocal convergente tem um diâmetro de saída de 0,25 m. Se a mistura de combustível e agente oxidante dentro do tanque grande tem uma pressão absoluta de 4 MPa e temperatura de 1800 K, determine a vazão mássica a partir do bocal quando a contrapressão é um vácuo. A mistura tem $k = 1,38$ e $R = 296$ J/kg · K.

*13.96. O bocal convergente tem um diâmetro de saída de 0,25 m. Se a mistura de combustível e agente oxidante dentro do tanque grande tem uma pressão absoluta de 4 MPa e temperatura de 1800 K, determine a vazão mássica a partir do bocal se a pressão atmosférica é de 100 kPa. A mistura tem $k = 1,38$ e $R = 296$ J/kg · K.

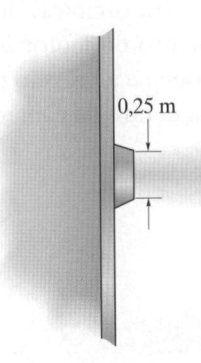

PROBLEMAS 13.95 e 13.96

13.97. O cilindro contém 0,13 m³ de oxigênio a uma pressão absoluta de 900 kPa e temperatura de 20°C. Se o bocal tem uma saída com 15 mm de diâmetro, determine o tempo necessário para que a pressão absoluta no tanque caia para 300 kPa depois que a válvula for aberta. Suponha que a temperatura permaneça constante no tanque durante o escoamento e o ar ambiente esteja a uma pressão absoluta de 101,3 kPa.

13.98. O foguete tem um bocal exaustor convergente-divergente. A pressão absoluta na admissão do bocal é de 200 lb/pol.², e a temperatura da mistura de combustível é de 3250°R. Se a mistura escoa a 300 pés/s para o bocal e sai com escoamento supersônico isentrópico, determine as áreas da garganta e do plano de saída. A admissão tem um diâmetro de 18 pol. A pressão absoluta externa é de 14,7 psi. A mistura de combustível tem $k = 1,4$ e $R = 1600$ pés · lb/slug · R.

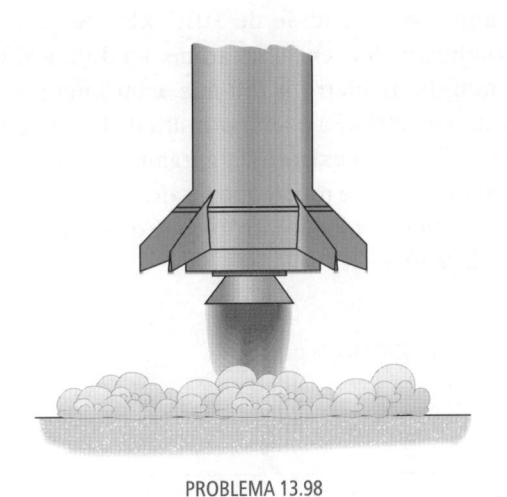

PROBLEMA 13.98

13.99. O foguete tem um bocal exaustor convergente-divergente. A pressão absoluta na admissão do bocal é de 200 lb/pol.², e a temperatura da mistura de combustível é de 3250°R. Se a mistura escoa a 500 pés/s para o bocal e sai com escoamento supersônico isentrópico, determine as áreas da garganta e do plano de saída e a vazão mássica através do bocal. A admissão tem um diâmetro de 18 pol. A pressão absoluta externa é de 7 psi. A mistura de combustível tem $k = 1,4$ e $R = 1600$ pés · lb/slug · R.

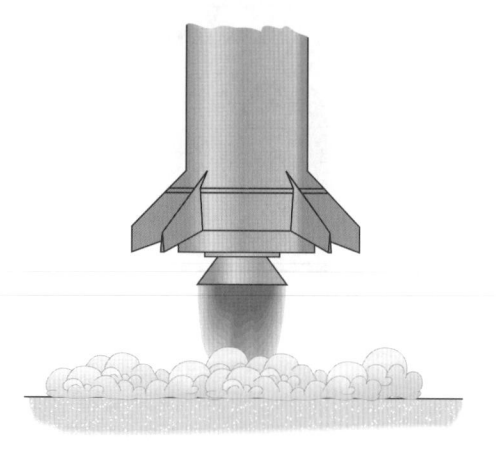

PROBLEMA 13.99

*13.100. O motor a jato é testado no solo a uma pressão atmosférica padrão de 101,3 kPa. Se a mistura combustível-ar entra na admissão do bocal com 300 mm de diâmetro a 250 m/s, com uma pressão absoluta de 300 kPa e temperatura de 800 K, e sai com escoamento supersônico, determine a velocidade dos gases de exaustão desenvolvida pelo motor. Considere $k = 1,4$ e $R = 249$ J/kg · K. Considere que o escoamento é isentrópico.

13.101. O motor a jato é testado no solo a uma pressão atmosférica padrão de 101,3 kPa. Se a mistura combustível-ar entra na admissão do bocal com 300 mm de diâmetro a 250 m/s, com uma pressão absoluta de 300 kPa e temperatura de 800 K, determine o diâmetro exigido da garganta d_t e o diâmetro de saída d_e, de modo que a saída seja com escoamento supersônico isentrópico. Considere $k = 1,4$ e $R = 249$ J/kg · K.

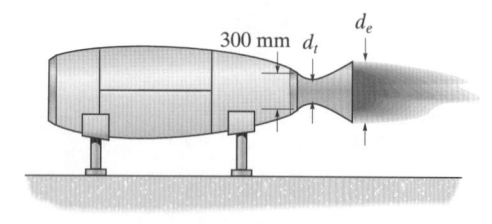

PROBLEMAS 13.100 e 13.101

13.102. O bocal é preso à extremidade do tubo. O ar fornecido do tubo está em uma temperatura de estagnação de 120°C e uma pressão de estagnação absoluta de 800 kPa. Determine a vazão mássica do bocal se a contrapressão é de 60 kPa.

13.103. O bocal é preso à extremidade do tubo. O ar fornecido do tubo está em uma temperatura de estagnação de 120°C e uma pressão de estagnação absoluta de 800 kPa. Determine os dois valores da contrapressão que estrangularão o bocal, mas produzirão escoamento isentrópico. Além disso, qual é a velocidade máxima do escoamento isentrópico?

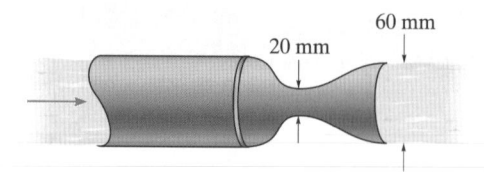

PROBLEMAS 13.102 e 13.103

*13.104. O avião a jato cria uma onda de choque que se forma no ar a uma temperatura de 20°C e pressão absoluta de 80 kPa. Se ele viaja a 1200 m/s, determine a pressão e a temperatura imediatamente atrás da onda de choque.

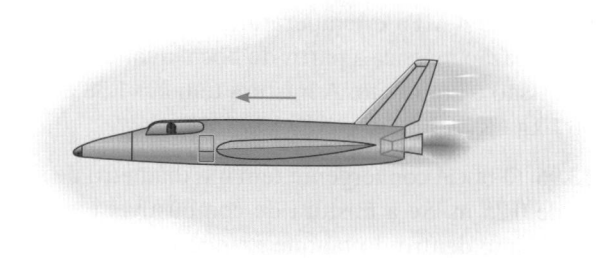

PROBLEMA 13.104

13.105. O avião a jato voa a M = 1,8 no ar parado a uma altitude de 15000 pés. Se uma onda de choque se forma na tomada de ar para o motor, determine a pressão de estagnação dentro do motor imediatamente atrás da onda de choque e a pressão de estagnação a uma curta distância dentro da câmara.

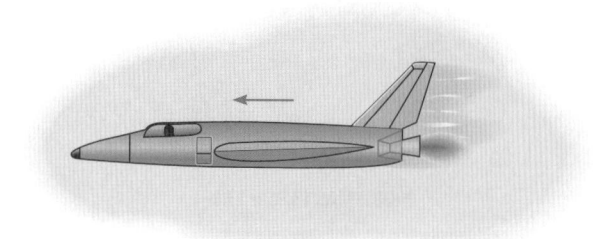

PROBLEMA 13.105

13.106. Uma onda de choque é produzida por um avião a jato voando a uma velocidade de 2600 pés/s. Se o ar está a uma temperatura de 60°F e uma pressão absoluta de 12 lb/pol.^{2}, determine a velocidade do ar relativa ao avião e sua temperatura imediatamente atrás da onda.

13.107. Uma onda de choque é produzida por um avião a jato voando a uma velocidade de 2600 pés/s. Se o ar está a uma temperatura de 60°F e uma pressão absoluta de 12 lb/pol.², determine a pressão de estagnação e a pressão imediatamente atrás da onda.

*13.108. Uma onda de choque estacionária ocorre no tubo quando as condições para o ar a montante têm uma pressão absoluta de $p_1 = 80$ kPa, temperatura $T_1 = 75°C$ e velocidade $V_1 = 700$ m/s. Determine pressão, temperatura e velocidade do ar a jusante. Além disso, quais são os números de Mach a montante e a jusante?

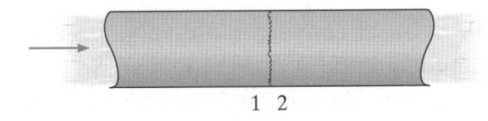

PROBLEMA 13.108

13.109. O tanque grande fornece ar a uma temperatura de 350 K e uma pressão absoluta de 600 kPa para o bocal. Se o diâmetro da garganta é de 0,3 m e o diâmetro da saída é de 0,5 m, determine a faixa de contrapressões que causarão a formação de ondas de choque de expansão na saída.

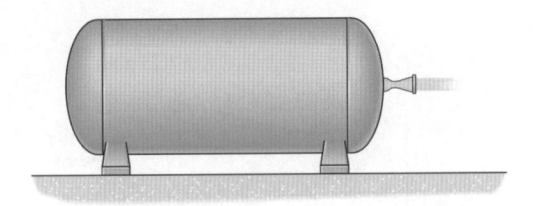

PROBLEMA 13.109

13.110. O tanque grande fornece ar a uma temperatura de 350 K e uma pressão absoluta de 600 kPa para o bocal. Se o diâmetro da garganta é de 0,3 m e o diâmetro da saída é de 0,5 m, determine a faixa de contrapressões que causarão a formação de ondas de choque oblíquas na saída.

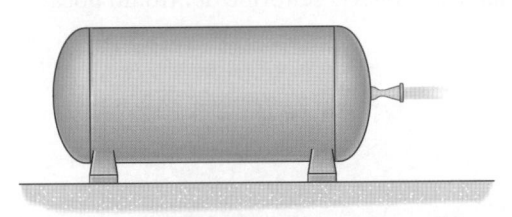

PROBLEMA 13.110

13.111. O bocal está preso à extremidade do tubo que transporta ar com uma pressão de estagnação absoluta de 60 psi e temperatura de estagnação de 400°R. Determine a faixa de contrapressões que fará com que uma onda de choque estacionária se forme dentro do bocal.

*13.112. O bocal está preso à extremidade do tubo que transporta ar com uma pressão de estagnação absoluta de 60 lb/pol.² e temperatura de estagnação de 400°R. Determine a faixa de contrapressões que fará com que ondas de choque oblíquas se formem na saída do bocal.

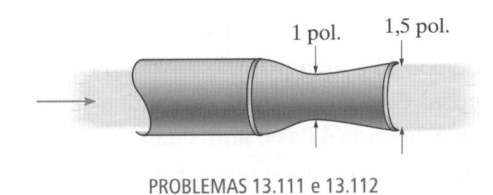

PROBLEMAS 13.111 e 13.112

13.113. Um tubo com 200 mm de diâmetro contém ar a uma temperatura de 10°C e uma pressão absoluta de 100 kPa. Se uma onda de choque se forma no tubo e a velocidade do ar à frente da onda é de 1000 m/s, determine a velocidade do ar atrás dessa onda.

13.114. O jato está voando a M = 1,3, onde a pressão absoluta do ar é de 50 kPa. Se uma onda de choque se forma na admissão do motor, determine o número de Mach do escoamento de ar imediatamente dentro do motor, onde o diâmetro é de 0,6 m. Além disso, quais são a pressão e a pressão de estagnação nessa região? Considere um escoamento isentrópico dentro do motor.

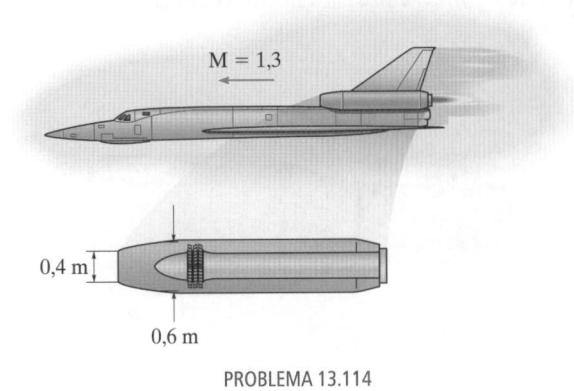

PROBLEMA 13.114

13.115. O tanque grande fornece ar a uma temperatura de 350 K e uma pressão absoluta de 600 kPa para o bocal. Se o diâmetro da garganta é de 30 mm e o diâmetro da saída é de 60 mm, determine a faixa de contrapressões que farão com que se formem ondas de choque oblíquas na saída.

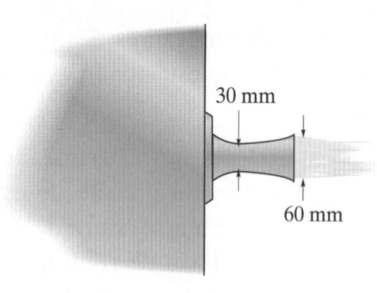

PROBLEMA 13.115

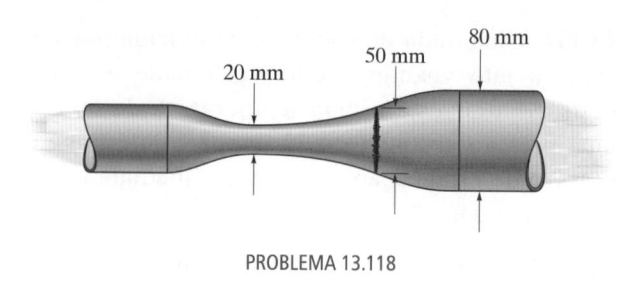

***13.116.** O tanque grande fornece ar a uma temperatura de 350 K e uma pressão absoluta de 600 kPa para o bocal. Se o diâmetro da garganta é de 30 mm e o diâmetro da saída é de 60 mm, determine a faixa de contrapressões que farão com que se formem ondas de choque estacionárias dentro do bocal.

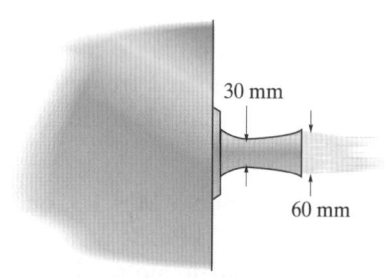

PROBLEMA 13.116

13.117. Uma onda de choque é formada no bocal em C, onde o diâmetro é de 100 mm. Se o ar escoa pelo tubo em A a $M_A = 3{,}0$ e a pressão absoluta é $p_A = 15$ kPa, determine a pressão no tubo em B.

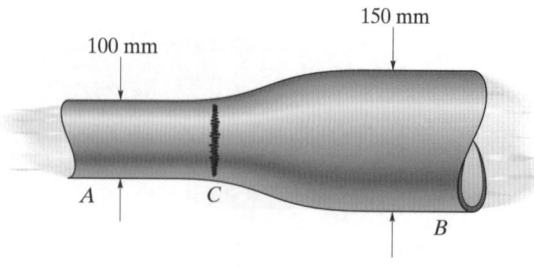

PROBLEMA 13.117

13.118. O ar a uma temperatura de 20°C e uma pressão absoluta de 180 kPa escoa de um grande tanque através do bocal. Determine a contrapressão na saída que faz com que se forme uma onda de choque no local onde o diâmetro do bocal é de 50 mm.

PROBLEMA 13.118

13.119. O bocal está preso ao tanque grande A que contém ar. Se a pressão absoluta dentro do tanque é de 14,7 psi, determine a faixa de pressões em B que farão com que se formem ondas de choque de expansão no plano de saída.

***13.120.** O bocal convergente-divergente está preso ao tanque grande A que contém ar. Se a pressão absoluta dentro do tanque é de 14,7 psi, determine a faixa de pressões em B que farão com que uma onda de choque normal estacionária se forme dentro do bocal.

13.121. O bocal está preso ao tanque grande A que contém ar. Se a pressão absoluta dentro do tanque é de 14,7 psi, determine a faixa de pressões em B que farão com que ondas de choque oblíquas se formem no plano de saída.

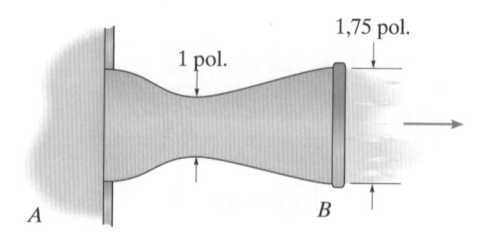

PROBLEMAS 13.119, 13.120 e 13.121

13.122. O ar no reservatório grande A tem uma pressão absoluta de 70 lb/pol.^{2}. Determine a faixa de contrapressões em B, de modo que uma onda de choque normal estacionária se forme dentro do bocal.

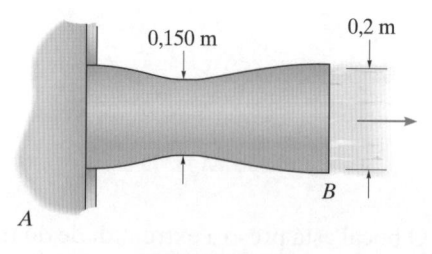

PROBLEMA 13.122

13.123. O ar no reservatório grande A tem uma pressão absoluta de 70 lb/pol.^{2}. Determine a faixa de contrapressões em B, de modo que ondas de choque oblíquas apareçam na saída.

*13.124. O ar no reservatório grande A tem uma pressão absoluta de 70 lb/pol.^{2}. Determine a faixa de contrapressões em B, de modo que ondas de choque de expansão apareçam na saída.

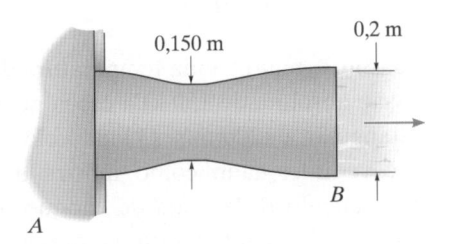

PROBLEMAS 13.123 e 13.124

13.125. O tampão cilíndrico é disparado com uma velocidade de 150 m/s no tubo que contém ar parado a 20°C e uma pressão absoluta de 100 kPa. Isso faz com que uma onda de choque se mova pelo tubo, como mostra a figura. Determine sua velocidade e a pressão que atua sobre o tampão.

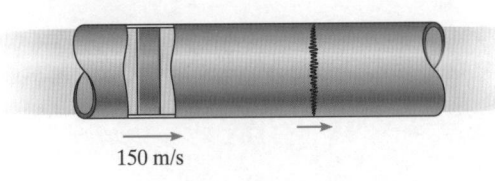

PROBLEMA 13.125

Seções 13.11 e 13.12

13.126. O ar escoa a 800 m/s por um longo duto em um túnel de vento, onde a temperatura é de 20°C e a pressão absoluta é de 90 kPa. O bordo de ataque (borda dianteira) de uma asa no túnel é representado pela cunha em 7°. Determine a pressão criada em sua superfície superior se o ângulo de ataque é definido em $\alpha = 2°$.

13.127. O ar escoa a 800 m/s por um longo duto em um túnel de vento, onde a temperatura é de 20°C e a pressão absoluta é de 90 kPa. O bordo de ataque (borda dianteira) de uma asa no túnel é representado pela cunha em 7°. Determine a pressão criada em sua superfície inferior se o ângulo de ataque é definido em $\alpha = 2°$.

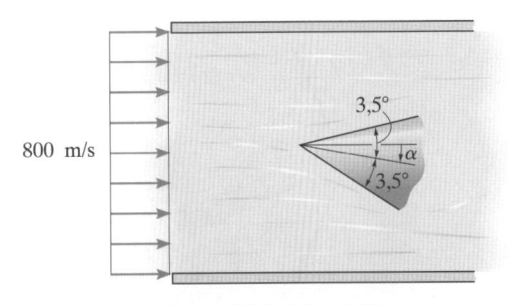

PROBLEMAS 13.126 e 13.127

*13.128. O ar escoa a 800 m/s através de um longo duto em um túnel de vento, onde a temperatura é de 20°C e a pressão absoluta é de 90 kPa. O bordo de ataque (borda dianteira) de uma asa no túnel pode ser representado pela cunha em 7°. Determine a pressão criada sobre sua superfície superior se o ângulo de ataque é definido em $\alpha = 5°$.

13.129. O ar escoa a 800 m/s através de um longo duto em um túnel de vento, onde a temperatura é de 20°C e a pressão absoluta é de 90 kPa. O bordo de ataque (borda dianteira) de uma asa no túnel pode ser representado pela cunha em 7°. Determine a pressão criada sobre sua superfície inferior se o ângulo de ataque é definido em $\alpha = 5°$.

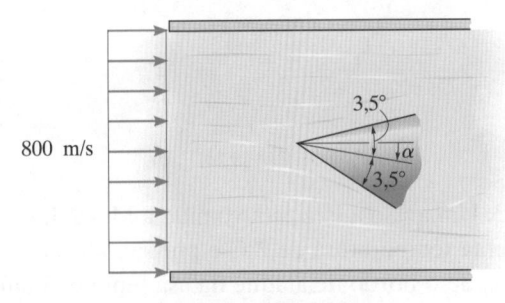

PROBLEMAS 13.128 e 13.129

13.130. Um avião a jato está voando no ar com uma temperatura de 8°C e pressão absoluta de 90 kPa. O bordo de ataque (borda dianteira) da asa tem a forma de cunha mostrada na figura. Se o avião tem uma velocidade de 800 m/s e o ângulo de ataque é 2°, determine a pressão e a temperatura do ar na superfície superior A logo à frente ou à direita da onda de choque oblíqua que se forma no bordo de ataque.

13.131. Um avião a jato está voando no ar com uma temperatura de 8°C e pressão absoluta de 90 kPa. O bordo de ataque (borda dianteira) da asa tem a forma de cunha mostrada na figura. Se o avião tem uma velocidade de 800 m/s e o ângulo de ataque é 2°, determine a pressão e a temperatura do ar na superfície inferior B logo à frente ou à direita da onda de choque oblíqua que se forma no bordo de ataque.

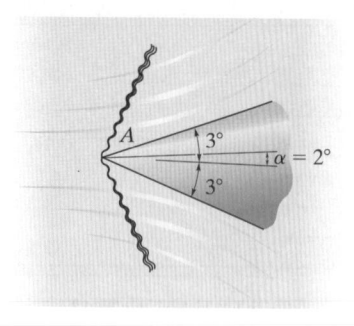

PROBLEMAS 13.130 e 13.131

*13.132. O bordo de ataque (borda dianteira) na asa da aeronave tem a forma mostrada na figura. Se o avião está voando a 900 m/s no ar com uma temperatura de 5°C e pressão absoluta de 60 kPa, determine o ângulo β de uma onda de choque oblíqua que se forma na asa. Além disso, determine a pressão e a temperatura sobre a asa logo à frente ou à direita da onda de choque.

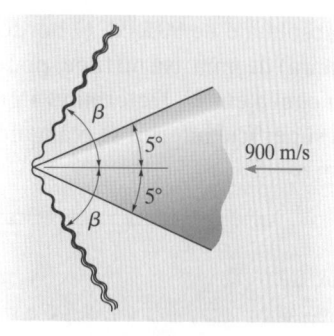

PROBLEMA 13.132

13.133. Um avião a jato está voando a M = 2,4, no ar com uma temperatura de 2°C e pressão absoluta de 80 kPa. Se o bordo de ataque da asa tem um ângulo de $\delta = 16°$, determine velocidade, pressão e temperatura do ar logo à frente ou à direita da onda de choque oblíqua que se forma na asa. Qual é o ângulo δ do bordo de ataque que fará com que a onda de choque se separe da frente da asa?

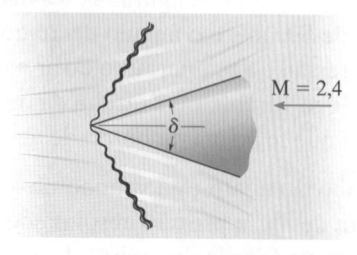

PROBLEMA 13.133

13.134. O avião a jato está voando de baixo para cima, de modo que suas asas formam um ângulo de ataque de 15° com a horizontal. O avião está viajando a 700 m/s, no ar com uma temperatura de 8°C e pressão absoluta de 90 kPa. Se o bordo de ataque da asa tem um ângulo de 8°, determine a pressão e a temperatura do ar logo à frente ou à direita das ondas de expansão.

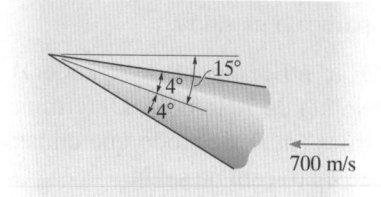

PROBLEMA 13.134

13.135. O gás nitrogênio a uma temperatura de 30°C e uma pressão absoluta de 150 kPa escoa pelo grande duto retangular a 1200 m/s. Quando ele chega à transição, é redirecionado como mostra a figura. Determine o ângulo β da onda de choque oblíqua que se forma em A, e a temperatura e pressão do nitrogênio logo à frente ou à direita da onda.

*13.136. O gás nitrogênio a uma temperatura de 30°C e uma pressão absoluta de 150 kPa escoa pelo grande duto retangular a 1200 m/s. Quando ele chega à transição, é redirecionado como mostra a figura. Determine a temperatura e a pressão logo à frente ou à direita das ondas de expansão que se formam no duto em B.

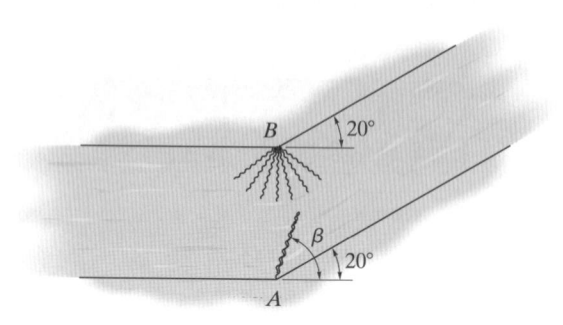

PROBLEMAS 13.135 e 13.136

13.137. A asa de um avião a jato é considerada como tendo o perfil mostrado. Ele está viajando horizontalmente a 900 m/s, no ar com uma temperatura de 8°C e pressão absoluta de 85 kPa. Determine a pressão que atua sobre a superfície superior à frente ou à direita da onda de choque oblíqua em A e à frente ou à direita das ondas de expansão em B.

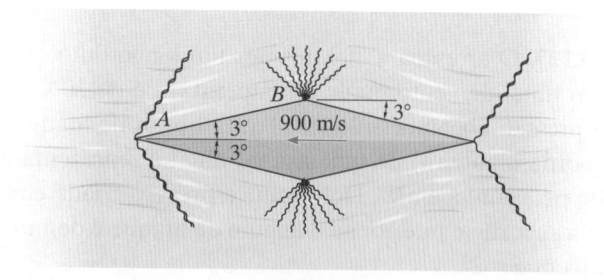

PROBLEMA 13.137

Revisão do capítulo

Os gases perfeitos obedecem à lei dos gases perfeitos.

$$p = \rho RT$$

A primeira lei da termodinâmica declara que a energia interna de um sistema aumenta quando calor é adicionado ao sistema, e diminui quando o sistema realiza trabalho de escoamento.

$$du = dq - \rho dv$$

A variação na entropia ds indica a transferência de calor por unidade de massa que ocorre em uma temperatura específica durante a mudança no estado de um gás. A segunda lei da termodinâmica declara que essa variação sempre aumentará devido ao cisalhamento.

$$ds = \frac{dq}{T} > 0$$

Uma onda de pressão atravessa um meio à velocidade máxima c, chamada velocidade sônica. Esse é um processo isentrópico; ou seja, nenhum calor é perdido (adiabático) e o processo não tem cisalhamento, logo $ds = 0$.

$$c = \sqrt{kRT}$$

O escoamento compressível é classificado de acordo com o número de Mach, $M = V/c$. Se $M < 1$, o escoamento é subsônico; se $M = 1$, ele é sônico; e se $M > 1$, ele é supersônico. Se $V \leq 0{,}3c$, podemos supor que o escoamento seja incompressível.

A temperatura de estagnação permanece igual se o escoamento for adiabático, e a pressão de estagnação e a densidade de estagnação são iguais se o escoamento for isentrópico. Essas propriedades podem ser medidas em um ponto onde o gás está em repouso.

Valores específicos da temperatura estática T, pressão p e densidade ρ do gás, medidos durante o escoamento, são obtidos a partir de fórmulas que os relacionam aos valores de estagnação T_0, p_0, ρ_0. Eles dependem do número de Mach e da razão k dos calores específicos para o gás.

Em um duto convergente, o escoamento subsônico causará um aumento na velocidade e uma diminuição na pressão. Para o escoamento supersônico, ocorre o oposto; ou seja, a velocidade diminui e a pressão aumenta.

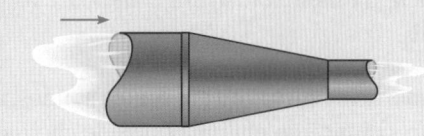

Em um duto divergente, o escoamento subsônico causará uma diminuição na velocidade e um aumento na pressão. Para o escoamento supersônico, ocorre o oposto; ou seja, a velocidade aumenta e a pressão diminui.

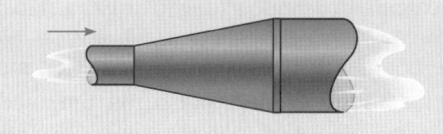

Um bocal de Laval pode ser usado para converter o escoamento subsônico na seção convergente para a velocidade sônica na garganta, e depois acelerar o escoamento ainda mais pela seção divergente para o escoamento supersônico na saída.

Um bocal de Laval torna-se estrangulado quando M = 1 na garganta. Se isso acontece, existem duas contrapressões que produzirão escoamento isentrópico através da seção divergente. Uma produz escoamento subsônico a jusante da garganta, e a outra produz escoamento supersônico.

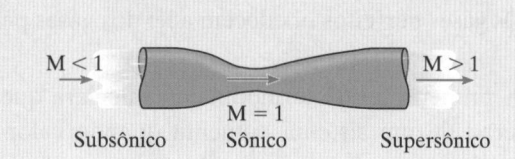

O escoamento de Fanno considera o efeito do cisalhamento no tubo à medida que o gás sofre um processo adiabático. Equações são usadas para determinar as propriedades do gás em qualquer local, desde que essas propriedades sejam conhecidas no local de referência ou crítico, onde M = 1.

O escoamento de Rayleigh considera o efeito do aquecimento ou resfriamento do gás à medida que ele escoa por um tubo. As propriedades do gás podem ser determinadas em qualquer local, desde que sejam conhecidas no local de referência ou crítico, onde M = 1.

Uma onda de choque é um processo não isentrópico que ocorre por uma espessura muito pequena. Como o processo é adiabático, a temperatura de estagnação permanecerá igual em cada lado da onda de choque.

Número de Mach, temperatura, pressão e densidade de um gás em cada lado de uma onda de choque podem ser relacionados, e os resultados dessas equações são apresentados em formato tabular.

Se a contrapressão não criar escoamento isentrópico por um bocal, então uma onda de choque pode se formar dentro do bocal ou em sua saída. Esse é um uso ineficaz do bocal.

Uma onda de choque oblíqua se formará no ponto onde a velocidade por uma superfície é a mais alta. As propriedades de temperatura, pressão e densidade em cada lado da onda de choque são relacionadas ao componente normal do número de Mach, da mesma maneira como para as ondas de choque normais.

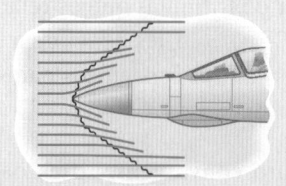

Em superfícies curvas ou em cantos agudos, as ondas de compressão se juntarão em uma onda de choque oblíqua, ou então podem produzir ondas de expansão. O ângulo de deflexão do escoamento causado pelas ondas de expansão pode ser calculado usando a função de expansão de Prandtl-Meyer.

O escoamento compressível pode ser medido usando um tubo de Pitot e piezômetro, ou um medidor de Venturi. Anemômetros de fio quente e outros medidores também podem ser usados para essa finalidade.

CAPÍTULO 14

Turbomáquinas

As bombas desempenham um papel importante no transporte de fluidos em plantas de processamento químico e na distribuição de água, como mostrado nesta estação de tratamento de água.

(© Liunian/Shutterstock)

14.1 Tipos de turbomáquinas

Turbomáquinas consistem em várias formas de bombas e turbinas, que transferem energia entre o fluido e as pás rotativas da máquina. *Bombas*, que incluem ventiladores, compressores e sopradores, acrescentam energia aos fluidos, enquanto as *turbinas* retiram energia. Cada uma dessas turbomáquinas pode ser categorizada pelo modo como o fluido escoa através dela. Se o fluido escoa ao longo do seu eixo, ela é chamada de ***máquina de escoamento axial***. Alguns exemplos são o compressor e a turbina de um avião a jato, bem como a bomba de escoamento axial na Figura 14.1a. Uma ***máquina de escoamento radial*** direciona o escoamento principalmente na direção radial em relação às pás rotativas. Isso ocorre em uma bomba centrífuga (Figura 14.1b). Por fim, uma ***máquina de escoamento misto*** muda a direção de uma certa quantidade do escoamento axial para a direção radial, como no caso da bomba de escoamento misto da Figura 14.1c.

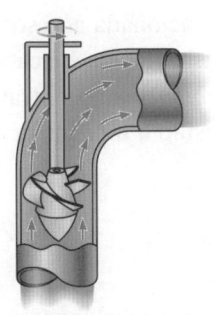

Objetivos

- Discutir como operam as bombas de escoamento axial e radial e as turbinas adicionando energia ao fluido ou retirando-a.
- Estudar as características cinemáticas do escoamento, torque, potência e desempenho de uma turbomáquina.
- Discutir os efeitos da cavitação e mostrar como ela pode ser reduzida ou eliminada.
- Mostrar como selecionar uma bomba que atenda aos requisitos do sistema de escoamento.
- Apresentar algumas leis importantes para o escalonamento de bombas, que estão relacionadas à semelhança dinâmica de turbomáquinas.

Bomba de escoamento axial
(a)

Bomba de escoamento radial
(b)

Bomba de escoamento misto
(c)

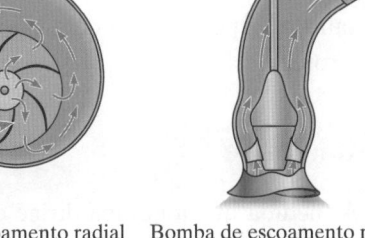

FIGURA 14.1 (continua)

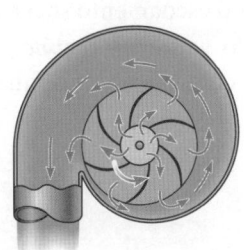

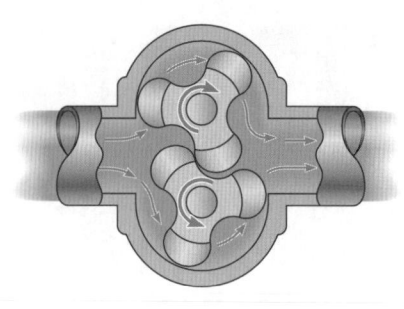

Bomba de deslocamento positivo

(d)

FIGURA 14.1 (cont.)

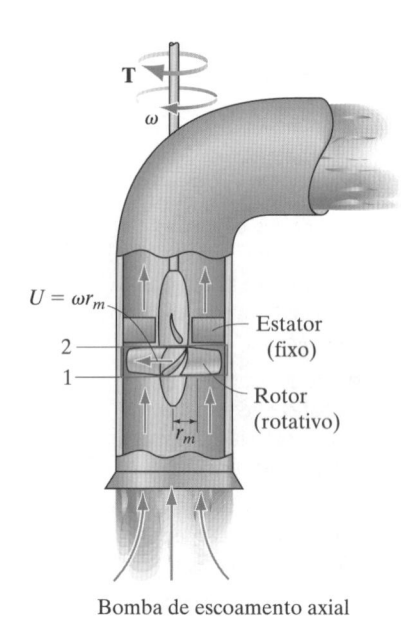

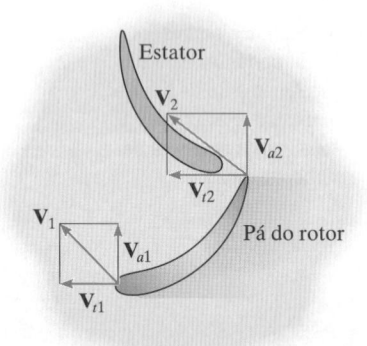

Esses três tipos de turbomáquinas geralmente são conhecidos como *dispositivos fluidodinâmicos*, pois o escoamento é alterado por sua interação dinâmica com uma série de pás rotativas enquanto passa livremente pela máquina. Um dispositivo chamado *bomba de deslocamento positivo* não será discutido aqui. Ele funciona como o seu coração, transferindo um *volume específico* de fluido pelo movimento do contorno do volume em contato com o fluido. Alguns exemplos são uma bomba de engrenagens para um motor de combustão interna (Figura 14.1*d*) e uma bomba composta de um pistão e cilindro ou parafuso. Embora esses dispositivos possam produzir pressões muito mais altas do que aquelas produzidas por um dispositivo fluidodinâmico, o escoamento por eles geralmente é muito menor.

14.2 Bombas de escoamento axial

Bombas de escoamento axial podem produzir altas vazões, mas têm a desvantagem de fornecer escoamento com pressão relativamente baixa. Como resultado, esse tipo de bomba funciona bem para remover água de uma região mais rasa. Elas geralmente são projetadas de modo que, no processo de bombeamento do fluido, não haja mudança na direção do escoamento. O fluido entra e depois sai da bomba na direção axial (Figura 14.2*a*). A energia é adicionada ao fluido por meio de um *rotor (ou impelidor)*, que consiste em uma série de pás ou palhetas fixadas em um eixo rotativo. Palhetas difusoras fixas, chamadas *palhetas do estator*, normalmente são colocadas no lado a jusante (posterior) para remover o componente turbilhonar da velocidade do fluido quando ele sai do rotor. Essas palhetas às vezes estão localizadas também no lado a montante (anterior) se o fluido tiver um turbilhão inicial, embora quase sempre ocorra um escoamento ascendente paralelo, e, portanto, as palhetas anteriores não são usadas.

Podemos mostrar como funciona uma bomba de escoamento axial considerando a pá de rotor da Figura 14.2*b*. Quando o fluido é jogado para cima pelo rotor, essa remoção de fluido *reduz a pressão* a jusante, e, portanto, mais fluido é levado para cima com uma velocidade $\mathbf{V}_a$. Uma vez na pá, a velocidade do fluido é $\mathbf{V}_1$. Quando o fluido se afastar do rotor, ele terá uma velocidade maior $\mathbf{V}_2$.

Para analisar o escoamento através da bomba, vamos considerar que o líquido seja um fluido perfeito conduzido suavemente para e sobre as pás do rotor. Com essas suposições, vamos considerar que o volume de controle seja o líquido contido dentro do rotor (Figura 14.2*a*) para então escrever as equações básicas da mecânica dos fluidos relacionada ao escoamento. Embora dentro do rotor o escoamento seja transitório, ele é cíclico, e na média pode ser considerado *quase em regime permanente* ao entrar e depois sair das superfícies de controle abertas, que estão a uma curta distância do rotor.

Continuidade

À medida que a bomba dirige o escoamento axial que chega pela superfície de controle aberta 1 na Figura 14.2*b*, ele precisa ser igual ao escoamento axial de saída através da superfície de controle aberta 2. Como essas

Bomba de escoamento axial

(a)

(b)

FIGURA 14.2 (continua)

superfícies têm a mesma área transversal, aplicando a equação da continuidade para o escoamento em regime permanente, temos

$$\frac{\partial}{\partial t}\int_{vc} \rho \, d\forall + \int_{sc} \rho \mathbf{V} \cdot d\mathbf{A} = 0$$

$$0 - \rho V_{a1}A + \rho V_{a2}A = 0$$

$$V_{a1} = V_{a2} = V_a$$

Esse resultado já era esperado; ou seja, a velocidade média do escoamento na direção axial permanece constante.

Quantidade de movimento angular

O torque **T** que é aplicado ao líquido pelo rotor muda a quantidade de movimento angular do líquido enquanto ele passa pelas pás. Se considerarmos que as pás são relativamente curtas, então, como uma *primeira aproximação*, a quantidade de movimento angular do líquido pode ser determinada usando o raio médio do rotor r_m (Figura 14.2c). Aplicando a equação da quantidade de movimento angular (Equação 6.4) em torno do eixo central do volume de controle, obtemos

$$\Sigma \mathbf{M} = \frac{\partial}{\partial t}\int_{vc}(\mathbf{r} \times \mathbf{V})\rho d\forall + \int_{sc}(\mathbf{r} \times \mathbf{V})\rho \mathbf{V} \cdot d\mathbf{A}$$

$$= 0 + \int_{sc}(\mathbf{r} \times \mathbf{V})\rho \mathbf{V} \cdot d\mathbf{A}$$

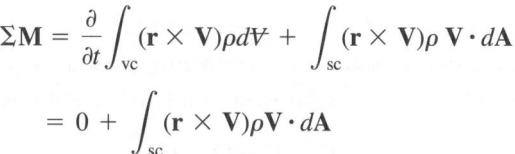

(c)

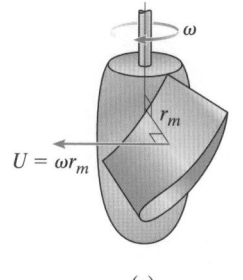

FIGURA 14.2 (cont.)

O componente de **V** que produz o momento no termo $\mathbf{r} \times \mathbf{V}$ é $\mathbf{V}_t$, e o componente que contribui para o escoamento $\rho \mathbf{V} \cdot d\mathbf{A}$ é $\mathbf{V}_a$. Portanto,

$$T = \int_{sc}(r_m V_t)\rho V_a dA \qquad (14.1)$$

A integração pelas superfícies de controle nas seções 1 e 2, usando $Q = V_a A$, resulta em $T = r_m V_{t2}\rho Q - r_m V_{t1}\rho Q$ ou

$$\boxed{T = \rho Q r_m(V_{t2} - V_{t1})} \qquad (14.2)$$

Esta equação normalmente é chamada de **equação de turbomáquina de Euler**. Os termos à direita são o produto da vazão mássica produzida pela bomba, ρQ, e do movimento, $r_m V_t$. Se as pás são longas, então o torque sobre o líquido pode ser determinado através de uma aproximação melhor dividindo as pás em pequenos segmentos, cada um com sua própria largura pequena Δr e raio médio r_m. Desse modo, a integração numérica da Equação 14.1 pode ser executada.

Potência

A *potência do eixo* desenvolvida pela bomba sobre o fluido é definida como o produto do torque aplicado e a velocidade angular ω (ômega) do rotor. Usando a Equação 14.2, temos

$$\dot{W}_{bomba} = T\omega = \rho Q r_m(V_{t2} - V_{t1})\omega \qquad (14.3)$$

Também podemos escrever essa equação em termos da velocidade do *ponto intermediário* do rotor, ao invés da velocidade angular do rotor. Nesse ponto, a pá tem uma velocidade de $U = \omega r_m$ (Figura 14.2c), e portanto

$$\dot{W}_{\text{bomba}} = \rho Q U (V_{t2} - V_{t1}) \qquad (14.4)$$

As equações apresentadas implicam que o torque desenvolvido, ou a taxa de energia transferida ao líquido, é independente da geometria da bomba ou do número de pás que estão no rotor.* Em vez disso, depende apenas do movimento U do ponto intermediário do rotor e do componente tangencial V_t da velocidade do líquido ao entrar e sair do rotor.

Cinemática do escoamento

Para definir corretamente os componentes de velocidade nas equações anteriores, é conveniente estabelecer **diagramas cinemáticos de velocidade** do escoamento ao entrar e depois sair em cada pá do rotor (Figura 14.3). O centro da pá tem uma velocidade $U = r_m \omega$, de modo que a velocidade do líquido em relação à pá, $(\mathbf{V}_{\text{rel}})_1$, estará no ângulo β_1 tangente à pá (Figura 14.3a). Essa interação muda a velocidade do líquido para $\mathbf{V}_1$, atuando no ângulo α_1. Observe cuidadosamente a convenção usada para estabelecer α_1 e β_1. O ângulo α_1 é direcionado entre $\mathbf{V}_1$ e $\mathbf{U}$, enquanto β_1 está entre $\mathbf{V}_{\text{rel}}$ e $-\mathbf{U}$. Pela lei dos paralelogramas da adição de vetor, podemos, portanto, expressar a velocidade $\mathbf{V}_1$ em termos de *dois* conjuntos de componentes diferentes,

$$\mathbf{V}_1 = \mathbf{U} + (\mathbf{V}_{\text{rel}})_1 \qquad (14.5)$$

e

$$\mathbf{V}_1 = \mathbf{V}_{t1} + \mathbf{V}_a \qquad (14.6)$$

onde $V_{t1} = V_a \cotg \alpha_1$.

Para o desempenho mais eficiente da bomba, o ângulo da pá β_1 deverá ser projetado de modo que $\mathbf{V}_1$ seja direcionada *para cima*, onde $\alpha_1 = 90°$. Quando isso acontece, a direção inicial ascendente da velocidade do líquido será mantida, de modo que $\mathbf{V}_1 = \mathbf{V}_a$. Além disso, $V_{t1} = 0$, de modo que a potência, calculada pela Equação 14.4, será máxima.

Uma situação semelhante ocorre assim que o líquido é direcionado para fora do rotor. Aqui, a velocidade relativa do líquido na borda de fuga da pá do rotor é $(\mathbf{V}_{\text{rel}})_2$, que está direcionada no ângulo β_2 da pá (Figura 14.3b). Os componentes de $\mathbf{V}_2$ são mostrados na Figura 14.3c, onde

$$\mathbf{V}_2 = \mathbf{U} + (\mathbf{V}_{\text{rel}})_2 \qquad (14.7)$$

e

$$\mathbf{V}_2 = \mathbf{V}_{t2} + \mathbf{V}_a \qquad (14.8)$$

Para reduzir a turbulência e as perdas por cisalhamento, o projeto apropriado requer que $\mathbf{V}_2$ seja direcionado tangencialmente nas palhetas do estator no ângulo α_2, como mostra a Figura 14.3d.

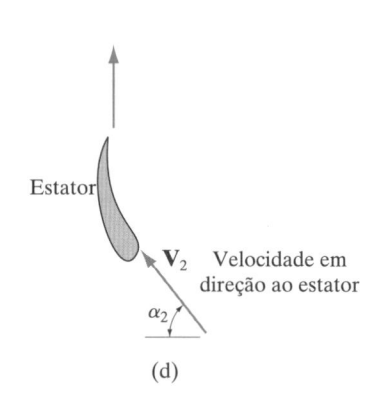

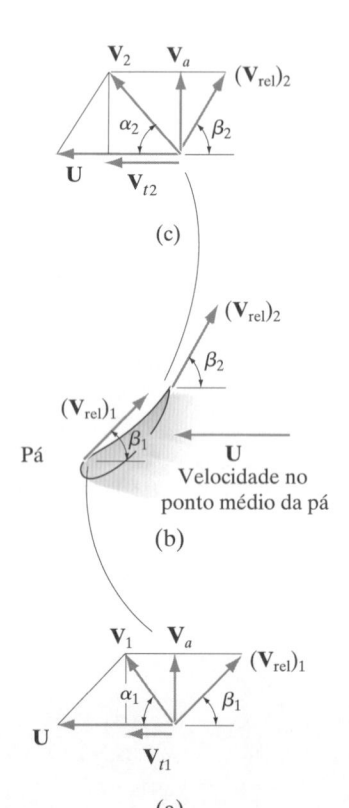

FIGURA 14.3

---

* Existem desvantagens no uso de muitas pás, pois o escoamento torna-se restringido e as perdas por cisalhamento aumentam.

Procedimento para análise

O procedimento a seguir oferece um método para analisar o escoamento através das pás de uma bomba de escoamento axial.

- No escoamento *para* uma pá, primeiro estabeleça a direção da velocidade no ponto intermediário da pá, **U**. Sua magnitude é determinada por $U = \omega r_m$. Depois mostre a velocidade $\mathbf{V}_1$ do escoamento em um ângulo α_1 a partir de **U** (Figura 14.3b).

- A velocidade axial $\mathbf{V}_a$ através da bomba é sempre perpendicular a **U**. Sua magnitude é determinada pela vazão $Q = V_a A$, onde A é a área da seção transversal aberta através das pás. A velocidade relativa do escoamento para uma pá, $(\mathbf{V}_{rel})_1$, é tangente à pá no ângulo de projeto β_1, medida a partir da direção de $-\mathbf{U}$ (Figura 14.3b).

- A análise do escoamento *para fora* das pás segue o mesmo procedimento, conforme observado pelo diagrama cinemático na Figura 14.3d.

- Quando **U**, **V**, $\mathbf{V}_a$ e $\mathbf{V}_{rel}$ forem estabelecidos, então o componente tangencial $\mathbf{V}_t$ da velocidade pode ser construído pela resolução vetorial de **V** em seus componentes retangulares. Aqui, $\mathbf{V} = \mathbf{V}_a + \mathbf{V}_t$, mas também $\mathbf{V} = \mathbf{U} + \mathbf{V}_{rel}$. Dependendo do problema, as diversas magnitudes e/ou ângulos podem ser determinados a partir dessas resoluções vetoriais por meio da trigonometria.

- Quando os componentes tangenciais da velocidade, $\mathbf{V}_{t1}$ e $\mathbf{V}_{t2}$, forem conhecidos, então os requisitos de torque e potência para a bomba poderão ser encontrados a partir das equações 14.2 a 14.4.

EXEMPLO 14.1

A bomba de escoamento axial da Figura 14.4a tem um rotor que está girando a 150 rad/s. As pás possuem 50 mm de extensão e estão fixas no eixo com 50 mm de diâmetro. Se a bomba produz uma vazão de 0,06 m³/s, o ângulo da borda de ataque de cada pá é $\beta_1 = 30°$ e o ângulo de fuga da pá é $\beta_2 = 60°$, determine a velocidade da água quando ela está exatamente sobre uma pá e imediatamente ao sair dela. A área transversal média da região aberta dentro do rotor é 0,02 m².

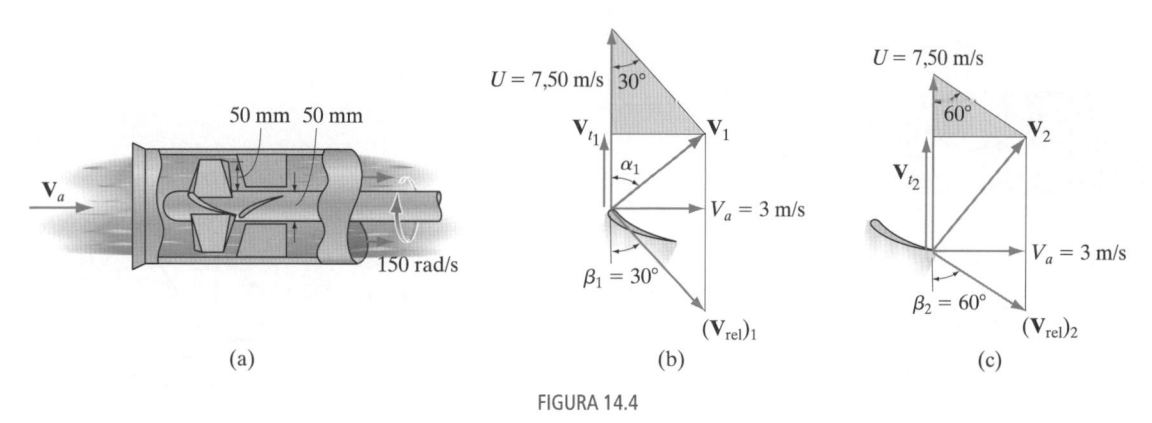

FIGURA 14.4

Solução

Descrição do fluido

Assumimos um escoamento perfeito em regime permanente, usando velocidades médias.

Cinemática

Usando o raio médio para determinar a velocidade do ponto intermediário das pás, temos

$$U = \omega r_m = (150 \text{ rad/s})\left(0{,}025 \text{ m} + \frac{0{,}05 \text{ m}}{2}\right) = 7{,}50 \text{ m/s}$$

Além disso, como a vazão é conhecida, a velocidade axial do líquido através das pás é

$Q = VA$; $0{,}06 \text{ m}^3/\text{s} = V_a(0{,}02 \text{ m}^2)$

$$V_a = 3 \text{ m/s}$$

O diagrama cinemático para a água quando ela encontra uma pá aparece na Figura 14.4b. Como sempre, são estabelecidos dois conjuntos de componentes para $\mathbf{V}_1$. São eles $\mathbf{V}_1 = \mathbf{V}_{t1} + \mathbf{V}_a$ e $\mathbf{V}_1 = \mathbf{U} + (\mathbf{V}_{rel})_1$. Usando a trigonometria, uma forma de determinarmos V_1 é a seguinte:

$$V_{t1} = 7{,}50 \text{ m/s} - (3 \text{ m/s}) \cotg 30° = 2{,}304 \text{ m/s}$$

$$\tg \alpha_1 = \frac{3 \text{ m/s}}{2{,}304 \text{ m/s}}, \quad \alpha_1 = 52{,}47°$$

$$3 \text{ m/s} = V_1 \sen 52{,}47°, \quad V_1 = 3{,}78 \text{ m/s} \qquad \textit{Resposta}$$

O diagrama cinemático para a água que acaba de sair da pá aparece na Figura 14.4c. Podemos determinar V_2 da mesma forma como determinamos V_1, mas aqui está outra maneira de fazer isso.

$$\tg 60° = \frac{3 \text{ m/s}}{7{,}50 \text{ m/s} - V_{t2}}, \quad V_{t2} = 5{,}768 \text{ m/s}$$

Portanto,

$$V_2 = \sqrt{(V_a)^2 + (V_{t2})^2} = \sqrt{(3 \text{ m/s})^2 + (5{,}768 \text{ m/s})^2} = 6{,}50 \text{ m/s} \qquad \textit{Resposta}$$

EXEMPLO 14.2

As pás em um rotor da bomba de escoamento axial na Figura 14.5a têm um raio médio de $r_m = 125$ mm e giram a 1000 rev/min. Se a bomba precisa produzir uma vazão de 0,2 m³/s, determine o ângulo inicial da pá β_1, de modo que a bomba funcione de modo eficiente. Além disso, ache o torque médio que precisa ser aplicado ao eixo do rotor e a potência de saída média da bomba se o fluido for água. A área média da seção transversal aberta através dos rotores é 0,03 m².

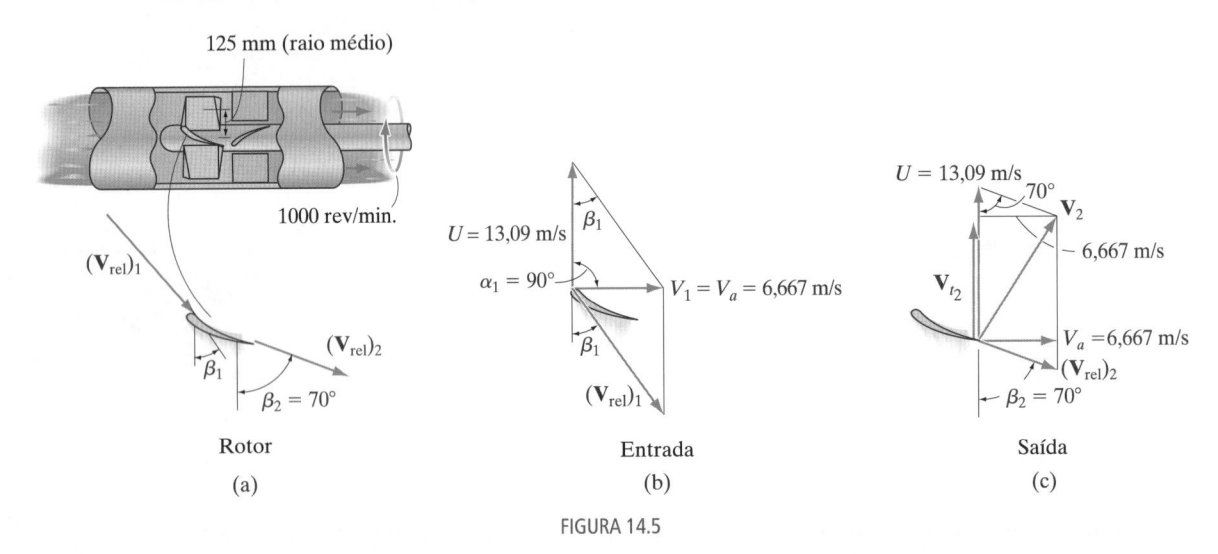

FIGURA 14.5

Solução

Descrição do fluido

Consideramos o escoamento perfeito em regime permanente através da bomba e usaremos velocidades médias. $\rho = 1000 \text{ kg/m}^3$.

Cinemática

A velocidade do ponto intermediário das pás tem uma magnitude de

$$U = \omega r_m = \left(\frac{1000 \text{ rev}}{\text{min}}\right)\left(\frac{1 \text{ min}}{60 \text{ s}}\right)\left(\frac{2\pi \text{ rad}}{1 \text{ rev}}\right)(0,125 \text{ m}) = 13,09 \text{ m/s}$$

E a velocidade axial do escoamento através do rotor é

$Q = V_a A;$ $\qquad$ $0,2 \text{ m}^3/\text{s} = V_a(0,03 \text{ m}^2);$ $\quad V_a = 6,667 \text{ m/s}$

A bomba funcionará de modo eficiente quando a velocidade da água em direção às pás for $V_1 = V_a = 6,667$ m/s, como mostra a Figura 14.5b. Aqui, $\alpha_1 = 90°$ e, portanto,

$$\tg \beta_1 = \frac{6,667 \text{ m/s}}{13,09 \text{ m/s}} \qquad \beta_1 = 27,0° \qquad \qquad Resposta$$

Além disso, como $\alpha_1 = 90°$,

$$V_{t1} = 0$$

Na saída (Figura 14.5c),

$$V_{t2} = 13,09 \text{ m/s} - (6,667 \text{ m/s}) \cotg 70° = 10,664 \text{ m/s}$$

Torque e potência

Como os componentes tangenciais da velocidade são conhecidos, a Equação 14.2 pode ser aplicada para determinar o torque.

$$\begin{aligned} T &= \rho Q r_m (V_{t2} - V_{t1}) \\ &= \left(1000 \text{ kg/m}^3\right)\left(0,2 \text{ m}^3/\text{s}\right)(0,125 \text{ m})(10,664 \text{ m/s} - 0) \\ &= 267 \text{ N} \cdot \text{m} \end{aligned} \qquad Resposta$$

Pela Equação 14.4, a potência fornecida à água pela bomba é

$$\begin{aligned} \dot{W}_{bomba} &= \rho Q U (V_{t2} - V_{t1}) \\ &= (1000 \text{ kg/m}^3)(0,2 \text{ m}^3/\text{s})(13,09 \text{ m/s})(10,664 \text{ m/s} - 0) \\ &= 27,9 \text{ kW} \end{aligned} \qquad Resposta$$

Nota: se $\alpha_1 < 90°$, V_1 teria um componente V_{t1}, como no exemplo anterior, e isso diminuiria a potência.

14.3 Bombas de escoamento radial

Uma **bomba de escoamento radial** provavelmente é o tipo mais comum de bomba usada na indústria. Ela opera em velocidades menores do que uma bomba de escoamento axial, e, portanto, produz uma vazão menor, mas com uma pressão mais alta. Bombas de escoamento radial são projetadas de modo que o líquido entre na bomba na direção axial, no centro da bomba, e depois seja direcionado para o rotor na direção radial (Figura 14.6a). Para mostrar como essa bomba funciona, considere a pá do rotor na Figura 14.6b. Devido à sua rotação, o líquido é jogado para cima pela pá. Como na bomba de escoamento axial, isso reduzirá a pressão e puxará mais líquido para a pá. Quando o líquido escoa para fora de cada pá, ele se movimenta em direção às palhetas guia e depois para fora delas e se acumula em torno da circunferência inteira da carcaça da bomba

(Figura 14.6a). Devido ao modo como o líquido escoa, esse tipo de bomba também é chamado de **bomba centrífuga** ou **de voluta**.

Cinemática

A cinemática do escoamento sobre o rotor pode ser analisada de maneira semelhante à que é usada para uma bomba de escoamento axial, conforme descrito no Procedimento para Análise dado na seção anterior.

Uma pá típica aparece na Figura 14.6c, onde a borda de ataque da pá tem uma velocidade de $U_1 = \omega r_1$, e a borda de fuga tem uma velocidade mais alta de $U_2 = \omega r_2$. Observe cuidadosamente como os ângulos β da borda de ataque e da borda de fuga são estabelecidos entre $-\mathbf{U}$ e a velocidade relativa $\mathbf{V}_{rel}$, e como os ângulos α são estabelecidos entre a velocidade do fluido $\mathbf{V}$ e $\mathbf{U}$. De modo semelhante às equações 14.5 e 14.6, podemos expressar $\mathbf{V}$ em termos de dois conjuntos diferentes de seus componentes, a saber, $\mathbf{V} = \mathbf{U} + \mathbf{V}_{rel}$, ou de seus componentes tangencial e radial, $\mathbf{V} = \mathbf{V}_t + \mathbf{V}_r$.

Continuidade

Para analisar o escoamento, novamente vamos considerar que o cisalhamento pode ser desprezado, o fluido é incompressível e o escoamento é guiado suavemente sobre as pás do rotor, cada uma com uma largura constante b. O volume de controle contém o fluido dentro do rotor, como mostra a Figura 14.6a. Como o escoamento em regime permanente através das superfícies de controle abertas 1 e 2 ocorre na direção radial, então a equação da continuidade aplicada a essas superfícies torna-se

$$\frac{\partial}{\partial t}\int_{vc} \rho\, d\forall + \int_{sc} \rho \mathbf{V} \cdot d\mathbf{A} = 0$$

$$0 - \rho V_{r1}(2\pi r_1 b) + \rho V_{r2}(2\pi r_2 b) = 0$$

ou

$$V_{r1} r_1 = V_{r2} r_2 \tag{14.9}$$

Observe que, como $r_2 > r_1$, o componente da velocidade $V_{r2} < V_{r1}$.

Quantidade de movimento angular

O torque sobre o eixo do rotor pode ser relacionado à quantidade de movimento angular do fluido usando a equação da quantidade de movimento angular.

$$\Sigma \mathbf{M} = \frac{\partial}{\partial t}\int_{vc} (\mathbf{r} \times \mathbf{V})\rho\, d\forall + \int_{vc} (\mathbf{r} \times \mathbf{V})\rho \mathbf{V} \cdot d\mathbf{A}$$

O componente de $\mathbf{V}$ que produz o *momento* no fator $\mathbf{r} \times \mathbf{V}$ é $\mathbf{V}_t$, e o componente que contribui para o escoamento $\rho \mathbf{V} \cdot d\mathbf{A}$ é $\mathbf{V}_r$. Portanto, temos

$$T = 0 + r_1 V_{t1} \rho [-(V_{r1})(2\pi r_1 b)] + r_2 V_{t2} \rho [(V_{r2})(2\pi r_2 b)]$$

$$= \rho(V_{r2})(2\pi r_2 b) r_2 V_{t2} - \rho(V_{r1})(2\pi r_1 b) r_1 V_{t1} \tag{14.10}$$

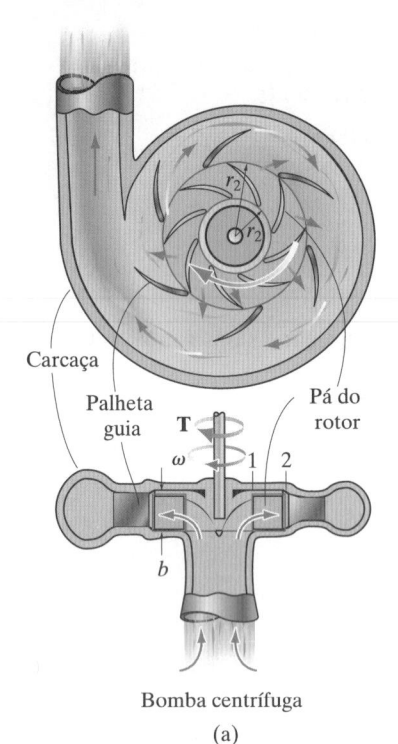

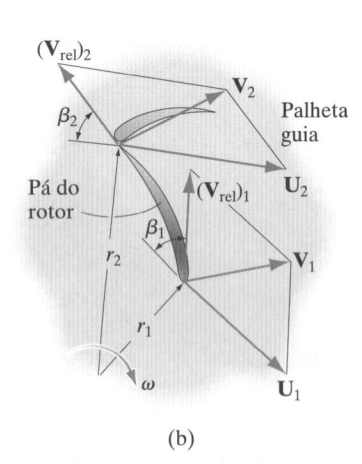

FIGURA 14.6 (continua)

Visto que $Q = V_{r1}(2\pi r_1 b) = V_{r2}(2\pi r_2 b)$, também podemos expressar esta equação como

$$T = \rho Q (r_2 V_{t2} - r_1 V_{t1}) \tag{14.11}$$

Pela cinemática de rotor na Figura 14.6c, para qualquer r, $V_t = V_r \cotg \alpha$. Portanto, o torque também pode ser expresso em termos de V_r e α. Ele é

$$\boxed{T = \rho Q (r_2 V_{r2} \cotg \alpha_2 - r_1 V_{r1} \cotg \alpha_1)} \tag{14.12}$$

Potência

A potência desenvolvida por uma bomba normalmente é denominada *potência de eixo*, pois refere-se à potência real que vai para o eixo da bomba, e *não* à potência que vai para o motor. Em unidades FPS, ela é medida como *brake horsepower* (bhp), onde 1 bhp = 550 pés · lb/s. No sistema SI, a potência é medida em watts, onde 1 W = 1 N · m/s.

Com a Equação 14.12, a potência entregue ao fluido pode ser expressa em termos da velocidade da borda de ataque e da borda de fuga das pás do rotor. Como $U_1 = \omega r_1$ e $U_2 = \omega r_2$, temos

$$\dot{W}_{bomba} = T\omega = \rho Q (U_2 V_{r2} \cotg \alpha_2 - U_1 V_{r1} \cotg \alpha_1) \tag{14.13}$$

Bombas de escoamento radial geralmente são projetadas de modo que o ângulo β_1 da pá forneça um escoamento inicial que é direcionado para as pás do rotor na *direção radial*, ou seja, o componente tangencial da velocidade $V_{t1} = 0$, e, portanto, $\alpha_1 = 90°$ (Figura 14.6d). Se isso acontecer, então a Equação 14.13 oferecerá a maior potência, pois o último termo na equação anterior será zero, ou seja, $\cotg 90° = 0$.

Também podemos expressar a Equação 14.13 em termos do componente tangencial da velocidade. Como em geral $V_t = V_r \cotg \alpha$, então

$$\dot{W}_{bomba} = \rho Q (U_2 V_{t2} - U_1 V_{t1}) \tag{14.14}$$

Escoamento dentro da carcaça

O escoamento que ocorre dentro da carcaça da bomba pode ser obtido aplicando-se a equação da quantidade de movimento angular ao fluido dentro do volume de controle com superfícies de controle abertas logo após a borda de ataque das palhetas guia, 2, e em um ponto qualquer dentro da carcaça, onde o líquido está escoando livremente (Figura 14.6e). Como aqui não existe torque sobre o líquido, $T = 0$, a Equação 14.11 torna-se

$$0 = rV_t - r_2 V_{t2}$$

ou

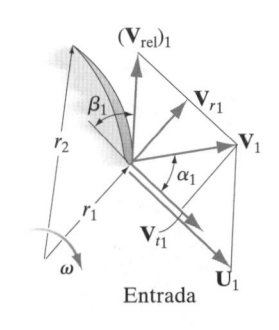

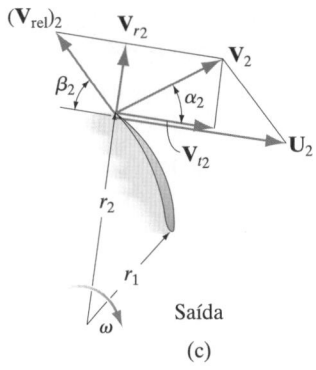

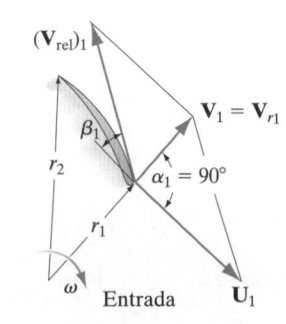

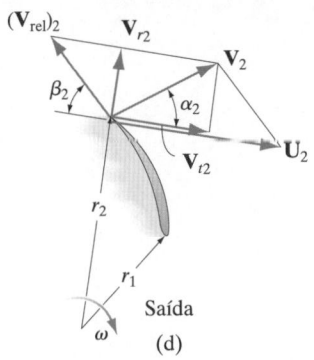

$$V_t = \frac{r_2 V_{t2}}{r} = \frac{\text{const.}}{r}$$

FIGURA 14.6 (cont.)

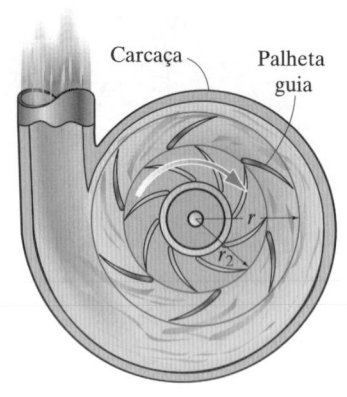

Escoamento dentro da carcaça
(e)

FIGURA 14.6 (cont.)

Isso representa um caso de **escoamento de vórtice livre**, discutido na Seção 7.9. Como resultado, o padrão de escoamento dentro da carcaça se parece com o que é mostrado na Figura 14.6e. É esse *acúmulo* do escoamento, enquanto ultrapassa as palhetas guia, que exige que a carcaça tenha a forma de espiral ou de voluta crescente; daí o nome "bomba de voluta".

14.4 Desempenho ideal para bombas

O desempenho de qualquer bomba depende do balanço de energia enquanto o fluido escoa pelo rotor. Por exemplo, no caso de uma bomba de escoamento axial (Figura 14.2a), supondo que tenhamos escoamento em regime permanente incompressível através das superfícies de controle abertas, e desprezando as perdas por cisalhamento, a equação da energia (Equação 5.13), aplicada entre os pontos 1 (entrada) e 2 (saída) nas superfícies de controle abertas, torna-se

$$\frac{p_{\text{entrada}}}{\gamma} + \frac{V_{\text{entrada}}^2}{2g} + z_{\text{entrada}} + h_{\text{bomba}} = \frac{p_{\text{saída}}}{\gamma} + \frac{V_{\text{saída}}^2}{2g} + z_{\text{saída}} + h_{\text{turb}} + h_L$$

$$h_{\text{bomba}} = \left(\frac{p_{\text{saída}}}{\gamma} + \frac{V_{\text{saída}}^2}{2g} + z_{\text{saída}}\right) - \left(\frac{p_{\text{entrada}}}{\gamma} + \frac{V_{\text{entrada}}^2}{2g} + z_{\text{entrada}}\right)$$

Esta é uma **carga ideal da bomba**, pois despreza quaisquer perdas por cisalhamento que possam ocorrer. Ela representa a mudança na carga total do fluido e se aplica a bombas de escoamento axial e radial. Usando a Equação 5.16, a potência ideal produzida pela bomba é, então,

$$\boxed{\dot{W}_{\text{bomba}} = Q\gamma h_{\text{bomba}}} \qquad (14.15)$$

Encontrar h_{bomba} para uma bomba é importante, pois refere-se à altura adicional à qual o líquido pode ser elevado quando a bomba estiver operando.

Perda de carga e eficiência

Se expressarmos a carga ideal da bomba em termos das velocidades tangenciais do rotor usando a Equação 14.4 para uma bomba de escoamento axial ou a Equação 14.14 para uma bomba de escoamento radial, teremos

$$h_{\text{bomba}} = \frac{U(V_{t2} - V_{t1})}{g} \qquad (14.16)$$
Bomba de escoamento axial

$$h_{\text{bomba}} = \frac{U_2 V_{t2} - U_1 V_{t1}}{g} \qquad (14.17)$$
Bomba de escoamento radial

A carga real, $(h_{\text{bomba}})_{\text{real}}$, fornecida pela bomba, será menor do que esse valor ideal, pois deverá levar em consideração as perdas de carga mecânicas h_L dentro da bomba. Essas perdas são resultantes do atrito desenvolvido nos rolamentos do eixo, cisalhamento do fluido dentro da carcaça da bomba e do rotor, e perdas adicionais do escoamento do fluido que ocorrem devido à circulação ineficaz para dentro e fora do rotor. A perda de carga é, portanto,

$$h_L = h_{bomba} - (h_{bomba})_{real}$$

A **eficiência hidráulica** ou da **bomba** η_{bomba} (eta) é a razão entre a carga real fornecida pela bomba e sua carga ideal, ou seja,

$$\eta_{bomba} = \frac{(h_{bomba})_{real}}{h_{bomba}}(100\%) \tag{14.18}$$

Curva de carga-vazão — bomba de escoamento radial

Como já foi dito, bombas de escoamento radial geralmente possuem pás de rotor projetadas de modo que o fluido não forme vórtices na entrada, e assim $V_{t1} = 0$, pois $\alpha_1 = 90°$ (Figura 14.6d). Além disso, para este caso, o componente V_{t2} pode ser relacionado a V_{r2} na borda de fuga da pá, notando que $V_{t2} = U_2 - V_{r2} \cotg \beta_2$. A carga ideal da bomba torna-se, então,

$$h_{bomba} = \frac{U_2 V_{t2} - U_1 V_{t1}}{g} = \frac{U_2(U_2 - V_{r2} \cotg \beta_2) - U_1(0)}{g}$$

Visto que $Q = V_r A = V_{r2}(2\pi r_2 b)$, onde b é a largura das pás (Figura 14.6b), obtemos

$$h_{bomba} = \frac{U_2^2}{g} - \frac{U_2 Q \cotg \beta_2}{2\pi r_2 b g} \tag{14.19}$$
$$(\alpha_1 = 90°)$$

Esta equação é representada em um gráfico na Figura 14.7a para dois ângulos de pá diferentes, $\beta_2 < 90°$ (Figura 14.7b) e $\beta_2 = 90°$ (Figura 14.7c). Observe, pelo gráfico, que quando as pás do rotor estão *curvadas para baixo*, $\beta_2 < 90°$, que é o caso normal, então a carga ideal da bomba diminuirá enquanto a vazão Q aumenta. Se $\beta_2 = 90°$, então as bordas de fuga das pás estão na direção radial, e, portanto, $\cotg 90° = 0$, e h_{bomba} não depende da vazão Q. Ele é simplesmente $h_{bomba} = U_2^2/g$. Os engenheiros geralmente não projetam bombas de escoamento radial com pás curvadas para a frente, para as quais $\beta_2 > 90°$, pois o escoamento dentro da bomba tem uma tendência de se tornar instável e fazer com que a bomba opere de forma anômala (**surge**). Isso pode causar rápidas variações de pressão que fazem o rotor oscilar em uma tentativa de encontrar seu ponto de operação.

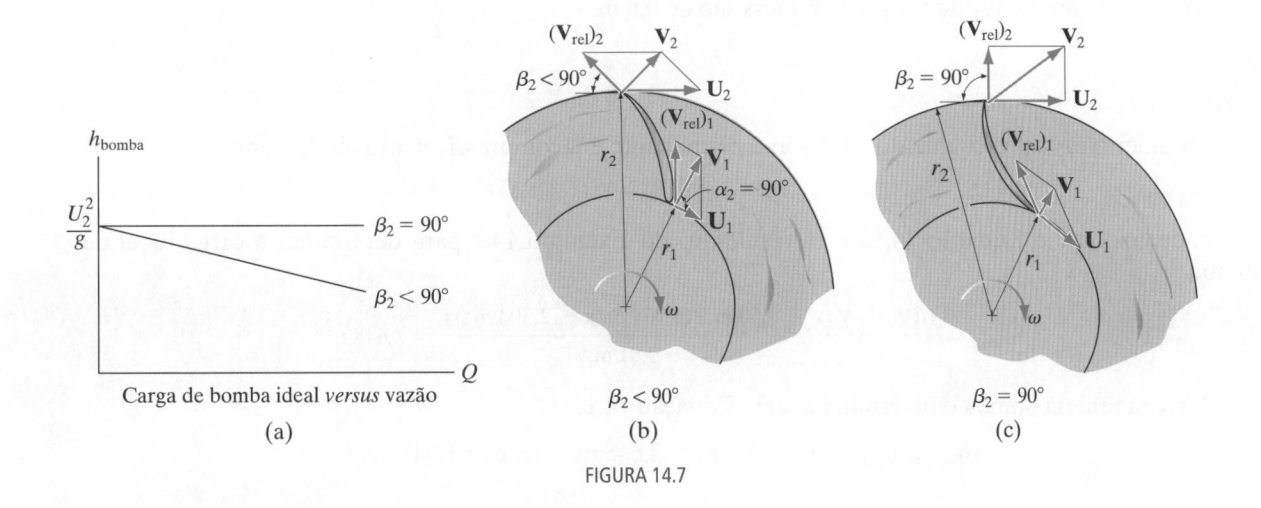

Carga de bomba ideal *versus* vazão
(a)

$\beta_2 < 90°$
(b)

$\beta_2 = 90°$
(c)

FIGURA 14.7

Este soprador de folhas atua como uma bomba de escoamento radial. Observe a forma de voluta da carcaça enquanto acumula ar e o expele pelo tubo.

Pontos importantes

- A equação da continuidade requer que a velocidade do escoamento do líquido através de uma bomba de escoamento axial permaneça constante ao longo de seu eixo, enquanto para bombas de escoamento radial, o componente radial da velocidade do líquido precisa diminuir à medida que o líquido escoa para fora.
- Os ângulos de pá para bombas de escoamento axial e radial são definidos da mesma maneira; ou seja, α é medido entre a velocidade **U** da pá e a velocidade **V** do escoamento, e β é medido entre $-\mathbf{U}$ e a velocidade $\mathbf{V}_{rel}$ do escoamento medido em relação à pá (Figura 14.3 e Figura 14.6b).
- O torque e a potência, desenvolvidos pelas bombas de escoamento axial e radial, dependem do movimento das pás e dos *componentes tangenciais* do escoamento imediatamente ao entrar e ao sair das pás.
- As bombas de escoamento axial e radial normalmente são projetadas de modo que o escoamento de entrada para as pás esteja apenas na direção axial ou radial. Portanto, $V_{t1} = 0$, pois $\alpha_1 = 90°$.
- O desempenho das bombas de escoamento axial e radial é medido pelo aumento na energia, ou pelo aumento na carga h_{bomba} produzida pela bomba, uma vez que o fluido passa sobre o rotor. Essa carga depende da velocidade U do rotor e da diferença nos componentes tangenciais da velocidade, V_t, do fluido assim que ele entra e assim que ele sai do rotor.
- Eficiência hidráulica de bombas de escoamento radial e axial é a razão entre a carga real da bomba e a carga ideal da bomba.

EXEMPLO 14.3

Determine a eficiência hidráulica para a bomba de escoamento axial do Exemplo 14.2 se as perdas de carga por cisalhamento produzidas pela bomba são de 0,8 m.

Solução

Descrição do fluido

Consideramos um escoamento em regime permanente e incompressível através da bomba.

Carga da bomba

Podemos usar a Equação 14.16 e os resultados do Exemplo 14.2 para determinar a carga ideal da bomba.

$$h_{bomba} = \frac{U(V_{t2} - V_{t1})}{g} = \frac{7{,}50 \text{ m/s}(5{,}768 \text{ m/s} - 2{,}304 \text{ m/s})}{9{,}81 \text{ m/s}^2} = 2{,}648 \text{ m}$$

A carga real da bomba é determinada pela Equação 14.11.

$$(h_{bomba})_{real} = (h_{bomba}) - h_L = 2{,}648 \text{ m} - 0{,}8 \text{ m} = 1{,}848 \text{ m}$$

Eficiência hidráulica
Aplicando a Equação 14.18, obtemos

$$\eta_{bomba} = \frac{(h_{bomba})_{real}}{h_{bomba}}(100\%) = \frac{1,848 \text{ m}}{2,648 \text{ m}}(100\%) = 69,8\%$$ *Resposta*

EXEMPLO 14.4

O rotor na bomba de escoamento radial da Figura 14.8a tem um raio de entrada médio de 50 mm e um raio de saída de 150 mm, além de uma largura média de 30 mm. Se os ângulos da pá são $\beta_1 = 20°$ e $\beta_2 = 10°$, determine a vazão através da bomba e a carga ideal da bomba quando o rotor está girando a 400 rev/min. O escoamento para o rotor é na direção radial.

Solução
Descrição do fluido

Vamos considerar um escoamento em regime permanente e incompressível, usando velocidades médias.

Cinemática

Para encontrar a vazão, temos primeiro que determinar a velocidade do fluido enquanto se move *sobre* as pás. Também precisaremos da velocidade das pás em sua entrada e em sua saída.

$$U_1 = \omega r_1 = \left(\frac{400 \text{ rev}}{\min}\right)\left(\frac{1 \min}{60 \text{ s}}\right)\left(\frac{2\pi \text{ rad}}{1 \text{ rev}}\right)(0,05 \text{ m}) = 2,094 \text{ m/s}$$

$$U_2 = \omega r_2 = \left(\frac{400 \text{ rev}}{\min}\right)\left(\frac{1 \min}{60 \text{ s}}\right)\left(\frac{2\pi \text{ rad}}{1 \text{ rev}}\right)(0,150 \text{ m}) = 6,283 \text{ m/s}$$

O diagrama cinemático para o escoamento no rotor aparece na Figura 14.8b. Como $\mathbf{V}_1$ está na direção radial ($\alpha_1 = 90°$),

$$V_1 = V_t = U_1 \text{ tg } \beta_1 = (2,094 \text{ m/s}) \text{ tg } 20° = 0,7623 \text{ m/s}$$

Vazão

A vazão para dentro e para fora da bomba é

$$Q = V_1 A_1 = V_1(2\pi r_1 b_1)$$
$$= 0,7623 \text{ m/s}[2\pi(0,05 \text{ m})(0,03 \text{ m})]$$
$$= 0,007184 \text{ m}^3/\text{s} = 0,00718 \text{ m}^3/\text{s}$$ *Resposta*

Carga ideal da bomba

A carga ideal da bomba é

$$h_{bomba} = \frac{U_2^2}{g} - \frac{U_2 Q \cot g \beta_2}{2\pi r_2 b g}$$

$$= \frac{(6,283 \text{ m/s})^2}{9,81 \text{ m/s}^2} - \frac{(6,283 \text{ m/s})(0,00718 \text{ m}^3/\text{s}) \cot g 10°}{2\pi(0,150 \text{ m})(0,03 \text{ m})(9,81 \text{ m/s}^2)}$$

$$= 3,10 \text{ m}$$ *Resposta*

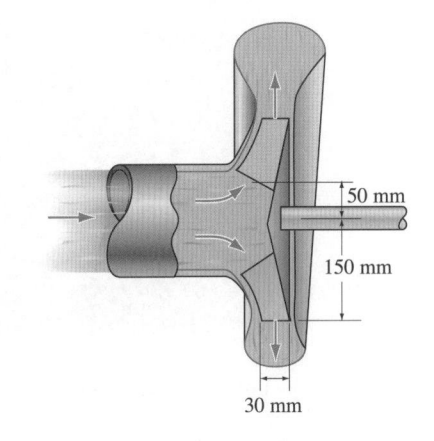

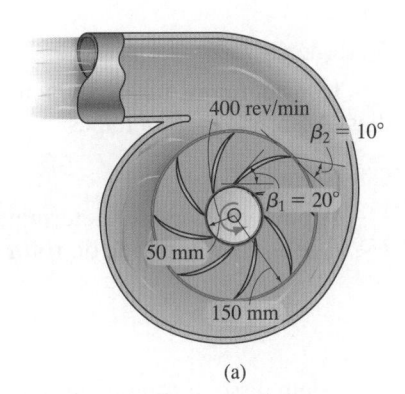

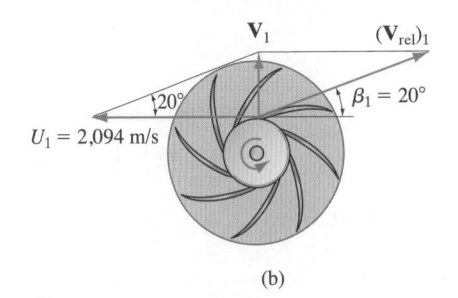

FIGURA 14.8

EXEMPLO 14.5

O rotor de uma bomba d'água com escoamento radial tem um raio externo de 5 pol., largura média de 1,25 pol. e um ângulo de borda de fuga $\beta_2 = 20°$ (Figura 14.9). Se o escoamento nas pás é na direção radial, e as pás estão girando a 100 rad/s, determine a potência ideal em hp. A descarga é de 3 pés³/s.

Bomba de escoamento radial típica.

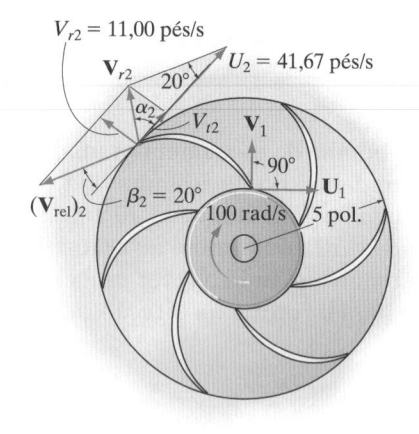

FIGURA 14.9

Solução I

Descrição do fluido

Consideramos um escoamento em regime permanente, incompressível, e usaremos velocidades médias. Aqui, $\gamma_{\text{água}} = 62,4 \text{ lb/pés}^3$.

Cinemática

A potência pode ser determinada por meio da Equação 14.13, com $\alpha_1 = 90°$. Primeiro, temos de achar U_2, V_{r2} e α_2. A velocidade do rotor na saída é

$$U_2 = \omega r_2 = (100 \text{ rad/s})\left(\frac{5}{12} \text{ pés}\right) = 41{,}67 \text{ pés/s}$$

Além disso, o componente radial da velocidade V_{r2} pode ser encontrado por $Q = V_{r2} A_2$.

$$3 \text{ pés}^3/\text{s} = V_{r2}\left[2\pi\left(\frac{5}{12}\text{ pés}\right)\left(\frac{1{,}25}{12}\text{ pé}\right)\right] \quad V_{r2} = 11{,}00 \text{ pés/s}$$

Como mostramos na Figura 14.9,

$$V_{t2} = U_2 - V_{r2} \cotg 20° = 41{,}67 \text{ pés/s} - (11{,}00 \text{ pés/s}) \cotg 20° = 11{,}44 \text{ pés/s}$$

Portanto,

$$\tg \alpha_2 = \frac{V_{r2}}{V_{t2}} = \left(\frac{11{,}00 \text{ pés/s}}{11{,}44 \text{ pés/s}}\right); \quad \alpha_2 = 43{,}87°$$

Potência ideal

$$\dot{W}_{\text{bomba}} = \rho Q (U_2 V_{r2} \cotg \alpha_2 - U_1 V_{r1} \cotg \alpha_1)$$

$$= \left(\frac{62{,}4 \text{ lb/pés}^3}{32{,}2 \text{ pés/s}^2}\right)(3 \text{ pés}^3/\text{s})(41{,}67 \text{ pés/s})(11{,}00 \text{ pés/s}) \cotg 43{,}87° - 0$$

$$= (2771{,}72 \text{ pés} \cdot \text{lb/s})\left(\frac{1 \text{ hp}}{550 \text{ pés} \cdot \text{lb/s}}\right) = 5{,}04 \text{ hp} \qquad \textit{Resposta}$$

Solução II

A potência ideal também pode ser relacionada à carga ideal da bomba pela Equação 14.15, $\dot{W}_{bomba} = Q\gamma h_{bomba}$. Primeiro, temos de achar h_{bomba} usando a Equação 14.19. Isso resulta em

$$h_{bomba} = \frac{U_2^2}{g} - \frac{U_2 Q \cotg \beta_2}{2\pi r_2 bg}$$

$$= \frac{(41{,}67 \text{ pés/s})^2}{32{,}2 \text{ pés/s}^2} - \frac{(41{,}67 \text{ pés/s})(3 \text{ pés}^3/\text{s}) \cotg 20°}{2\pi \left(\frac{5}{12} \text{ pés}\right)\left(\frac{1{,}25}{12} \text{ pé}\right)(32{,}2 \text{ pés/s}^2)} = 14{,}81 \text{ pés} \qquad Resposta$$

Portanto,

$$\dot{W}_{bomba} = Q\gamma h_{bomba} = (3 \text{ pés}^3/\text{s})(62{,}4 \text{ lb/pés}^3)(14{,}81 \text{ pés})$$

$$= 2772 \text{ pés} \cdot \text{lb/s} \left(\frac{1 \text{ hp}}{550 \text{ pés} \cdot \text{lb/s}}\right) = 5{,}04 \text{ hp} \qquad Resposta$$

14.5 Turbinas

Diferente de uma bomba que fornece energia a um fluido, uma *turbina* é uma turbomáquina que recebe energia de um fluido. As turbinas podem ser classificadas em dois tipos diferentes: turbinas a impulsão e turbinas a reação. Cada tipo retira energia do fluido de uma maneira específica.

Turbinas a impulsão

Uma **turbina a impulsão** consiste em uma série de pás na forma de "conchas" presas a uma roda, como mostra a Figura 14.10a. Um jato de água em alta velocidade atinge as pás, e a quantidade de movimento da água é então convertida em um impulso angular que atua sobre a roda. Se o escoamento for dividido uniformemente em duas direções usando pás com conchas duplas, como mostra a Figura 14.10b, então o dispositivo geralmente é chamado de **roda Pelton**, em homenagem a Lester Pelton, que projetou essa turbina no final da década de 1870. Uma turbina a impulsão como esta é usada com frequência em regiões montanhosas (alta queda), onde a água é fornecida com alta velocidade e pequeno volume.

Roda Pelton
(a)

(b)

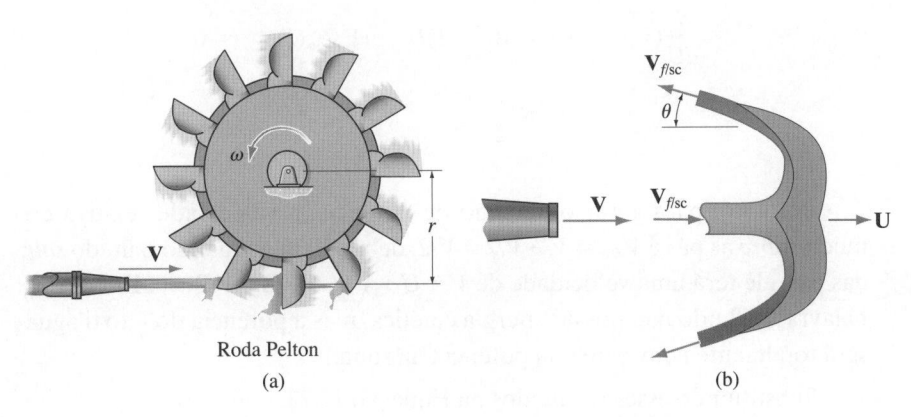

FIGURA 14.10 (continua)

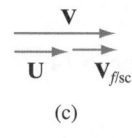

A força criada pelo fluido que atinge as pás de uma roda Pelton pode ser determinada aplicando-se a equação da quantidade de movimento ao volume de controle na Figura 14.10b, que está preso à pá e move-se com velocidade constante **U**. Se **V** é a velocidade do escoamento a partir do jato do bocal, então $\mathbf{V}_{f/sc} = \mathbf{V} - \mathbf{U}$ é a *velocidade relativa* em direção e depois para fora de cada concha (Figura 14.10c). Portanto, pelo diagrama de corpo livre da Figura 14.10d, para o escoamento em regime permanente com $Q = VA$, temos

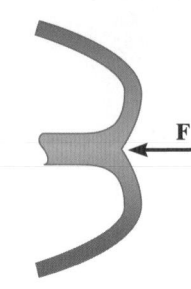

$$\Sigma \mathbf{F} = \frac{\partial}{\partial t} \int_{vc} \mathbf{V}_{f/vc} \rho \, d\forall + \int_{sc} \mathbf{V}_{f/sc} \rho \, \mathbf{V}_{f/sc} \cdot d\mathbf{A}$$

$(\overset{+}{\rightarrow})$ $\quad -F = 0 + V_{f/sc} \rho (-VA) + (-V_{f/sc} \cos\theta) \rho (VA)$

Visto que $Q = VA$,

$$F = \rho Q V_{f/sc}(1 + \cos\theta) \tag{14.20}$$

Observe que, quando o ângulo de saída $0° \leq \theta < 90°$, o $\cos\theta$ permanece positivo, produzindo assim uma força maior do que quando $90° \leq \theta \leq 180°$.

Torque

O torque desenvolvido sobre a roda é o momento dessa força de impulso sobre o eixo da roda. Aqui temos uma *sucessão de pás* que recebem o escoamento, e, portanto, para o giro contínuo, temos

$$T = Fr = \rho Q V_{f/sc}(1 + \cos\theta)r \tag{14.21}$$

Potência

Visto que cada pá tem uma velocidade média $U = \omega r$ (Figura 14.10a), a potência do eixo desenvolvida pela roda é

$$\dot{W}_{turb} = T\omega = \rho Q V_{f/sc} U (1 + \cos\theta) \tag{14.22}$$

A potência máxima do fluido requer que o ângulo da pá $\theta = 0°$, pois $\cos 0° = 1$. Além disso, como $V_{f/sc} = V - U$, então $\dot{W}_{turb} = \rho Q (V - U) U (2)$. O produto $(V - U) U$ também deve ser máximo, o que requer

$$\frac{d}{dU}(V - U)U = (0 - 1)U + (V - U)(1) = 0$$

$$U = \frac{V}{2}$$

Portanto, para gerar o máximo de potência, a velocidade relativa do fluido *sobre* as pás é $V_{f/sc} = V - V/2 = V/2$, de modo que, quando o fluido *sair* das pás, ele terá uma velocidade de $V = U + V_{f/sc} = V/2 - V/2 = 0$. Em outras palavras, o fluido não possui energia cinética, mas a potência do jato d'água será totalmente convertida na potência da roda.

Substituindo esses resultados na Equação 14.22, obtemos

Rodas Pelton são mais eficientes em cargas piezométricas altas e vazões baixas. Esta possui um diâmetro de 2,5 m e foi usada para uma carga de 700 m, vazão de 4 m³/s e uma rotação de 500 rpm.

$$(\dot{W}_{\text{turb}})_{\text{máx}} = \rho Q \left(\frac{V^2}{2} \right) \qquad (14.23)$$

Este, naturalmente, é um valor teórico, que infelizmente não é prático, pois o fluido que sai de uma pá na realidade respingaria nas costas da próxima pá que atinge a água, causando assim um impulso reverso. Para evitar esse respingo reverso, os engenheiros normalmente projetam o ângulo de saída θ em cerca de 20° (Figura 14.10b). Considerando outras perdas devidas a respingos e ao cisalhamento viscoso e atrito mecânico, uma roda Pelton terá uma eficiência de aproximadamente 85% na conversão da energia do fluido em energia de rotação da roda.

EXEMPLO 14.6

A roda Pelton na Figura 14.11 tem um diâmetro de 3 m e ângulos de deflexão das conchas de 160°. Se o diâmetro do jato d'água que atinge a roda é de 150 mm e a velocidade do jato é de 8 m/s, determine a potência desenvolvida pela roda quando ela gira a 3 rad/s.

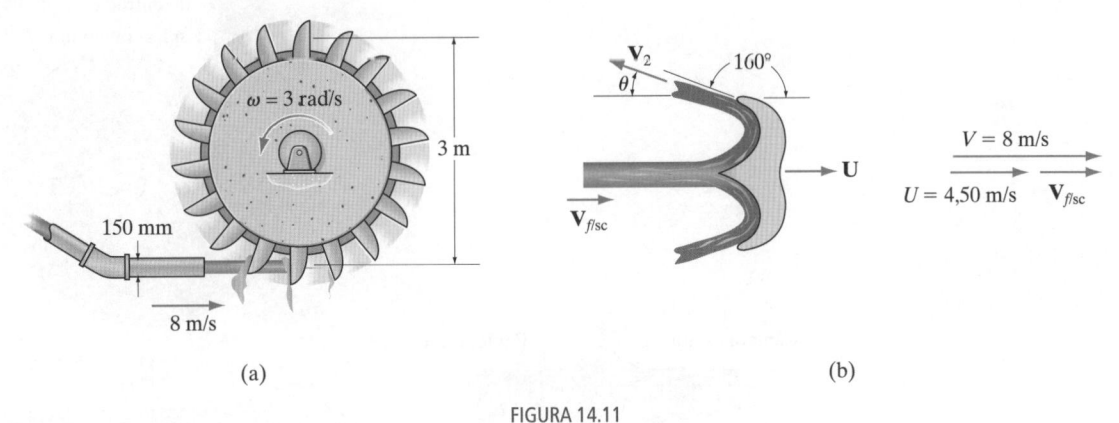

FIGURA 14.11

Solução

Descrição do fluido

Temos escoamento em regime permanente nas pás, e vamos considerar que a água seja um fluido perfeito para o qual $\rho_{\text{água}} = 1000$ kg/m³.

Cinemática

A velocidade média das pás é

$$U = \omega r = 3 \text{ rad/s}(1,5 \text{ m}) = 4,50 \text{ m/s}$$

O diagrama cinemático na Figura 14.11b mostra o escoamento da água que entra e sai de cada concha. Aqui, a velocidade relativa do escoamento para dentro da pá é $V_{f/\text{sc}} = 8$ m/s $- 4,50$ m/s $= 3,50$ m/s.

Potência

Usaremos a Equação 14.22, com $\theta = 20°$ e $Q = VA$. Assim,

$$\begin{aligned}\dot{W}_{\text{turb}} &= \rho_{\text{água}} Q V_{f/\text{sc}} U(1 + \cos \theta) \\ &= \left(1000 \text{ kg/m}^3\right)\left[(8 \text{ m/s})\pi(0,075 \text{ m})^2\right](3,50 \text{ m/s})(4,50 \text{ m/s})(1 + \cos 20°) \\ &= 4,32 \text{ kW} \end{aligned}$$

Resposta

Turbinas a reação

Ao contrário de uma turbina a impulsão, o escoamento entregue às pás ou **rotores** de uma **turbina a reação** é relativamente lento, mas trata-se de um grande volume de fluido. Como resultado, a carcaça da turbina estará completamente cheia. Se a turbina for projetada para receber escoamento axial, ela é conhecida como **turbina a hélice**. Uma **turbina Kaplan**, nomeada em homenagem a Viktor Kaplan (Figura 14.12a), é um tipo de turbina a hélice, onde as pás podem ser ajustadas para acomodar diversas vazões. As turbinas a hélice são usadas para vazões baixas e baixas cargas piezométricas (baixa queda). Se o escoamento pela turbina for radial ou uma mistura de escoamento radial e axial, ela é chamada **turbina Francis**, em homenagem a James Francis (Figura 14.12b). Essa turbina é o tipo mais comum usado para energia hidrelétrica, pois pode ser projetada para diversas vazões e cargas piezométricas.

(a) Turbina a hélice ou Kaplan

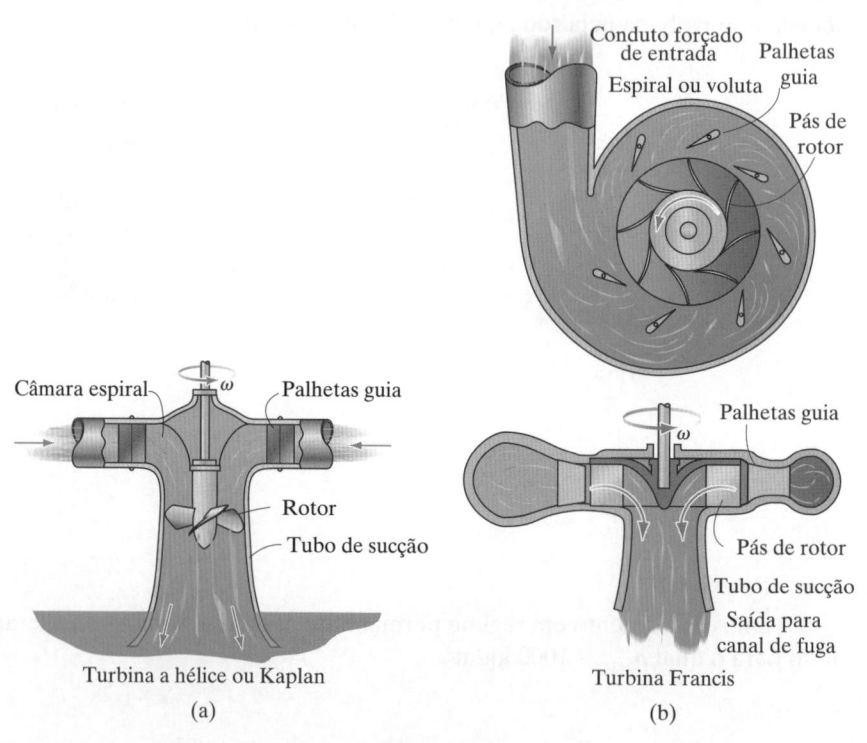

(b) Turbina Francis

FIGURA 14.12

Cinemática

A análise das turbinas de reação segue os mesmos métodos usados para analisar bombas de escoamento axial e radial, discutidos anteriormente. Até mesmo a cinemática da pá é a mesma, conforme esboçado no Procedimento para Análise da Seção 14.2. Como uma revisão, imagine o caso de uma turbina usada em um motor de jato. Esse é um tipo de *turbina a hélice*, onde o escoamento axial constante de uma mistura de ar quente e combustível passa por uma sequência de pás estacionárias, ou *pás de estator*, e depois pás rotativas, ou *pás de rotor* (Figura 14.13a). Considerando uma dessas interações (Figura 14.13b), o estator direciona o escoamento em um ângulo α_1, de modo que atinge uma pá do rotor com uma velocidade $\mathbf{V}_1$. A pá do rotor, então, entrega o escoamento com uma velocidade $\mathbf{V}_2$ em um ângulo α_2 tangente às pás no próximo estator etc. Como a turbina *retira energia* do escoamento, a velocidade do fluido (energia cinética) *diminuirá* ($V_2 < V_1$) à medida que o escoamento passa por cada conjunto de rotores. Seguindo a mesma convenção usada para bombas, observe cuidadosamente como os componentes da velocidade são estabelecidos. Por convenção, α é medido entre $\mathbf{U}$ e $\mathbf{V}$, e β é medido entre $-\mathbf{U}$ e $\mathbf{V}_{rel}$.

FIGURA 14.13

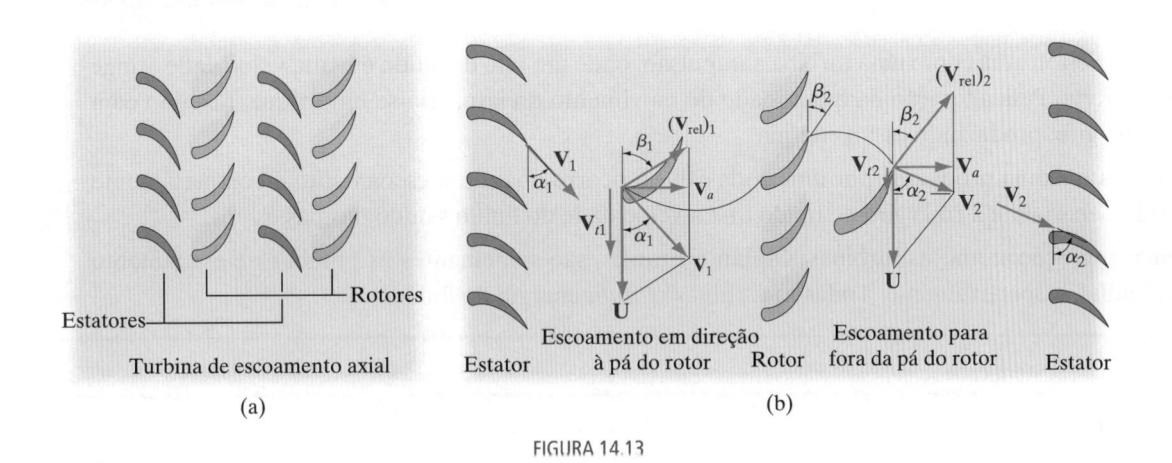

Torque

Se aplicarmos a equação da quantidade de movimento angular ao rotor, então poderemos determinar o torque aplicado ao rotor pela Equação 14.2 ou 14.11.

$$T = \rho Q r_m (V_{t2} - V_{t1}) \quad (14.24)$$
Turbina a hélice

$$T = \rho Q (r_2 V_{t2} - r_1 V_{t1}) \quad (14.25)$$
Turbina Francis

Aqui, o torque será negativo, pois $V_{t1} > V_{t2}$ (Figura 14.13b).

Potência

Conhecendo o torque, a potência produzida pela turbina é, então,

$$\dot{W}_{turb} = T\omega \quad (14.26)$$

Esta turbina a hélice tem um diâmetro de 4,6 m e foi usada para uma carga de 7,65 m, vazão de 87,5 m³/s, e tinha uma rotação de 75 rpm.

Carga e eficiência

A *carga ideal da turbina* removida do fluido pode ser expressa em função da potência por meio da Equação 14.15.

$$h_{turb} = \frac{\dot{W}_{turb}}{Q\gamma} \qquad (14.27)$$

Por fim, como a turbina *extrai energia*, a *carga real da turbina* removida do fluido será *maior* do que a carga ideal, pois a carga real *também* considera perdas por cisalhamento. Assim,

$$(h_{turb})_{real} = h_{turb} + h_L$$

Portanto, a *eficiência da turbina* baseada nas perdas por cisalhamento é

$$\eta_{turb} = \frac{h_{turb}}{(h_{turb})_{real}}(100\%) \qquad (14.28)$$

O exemplo a seguir oferece uma aplicação típica dessas equações.

Esta turbina Francis tem um diâmetro de 4,6 m e foi usada para uma carga de 69 m, vazão de 447 m³/s e tinha uma rotação de 125 rpm.

Pontos importantes

- Uma roda Pelton atua como uma turbina a impulsão, onde um jato de fluido em alta velocidade atinge as pás na roda. Pela alteração da quantidade de movimento do jato, cria-se um torque, fazendo com que a roda gire, produzindo assim energia.
- A potência máxima produzida por uma roda Pelton ocorre quando o escoamento é completamente invertido pelas pás, e a roda gira de modo que a velocidade do fluido saindo das pás é zero.
- Turbinas a reação, como as turbinas Kaplan e Francis, são semelhantes às bombas de escoamento axial e radial, respectivamente. Todas as turbinas *retiram* energia do fluido.

EXEMPLO 14.7

As palhetas guia de uma turbina Francis na Figura 14.14a direcionam a água para as pás do rotor a um ângulo de $\alpha_1 = 30°$. As pás estão girando a 25 rev/min, e descarregam água a 4 m³/s na direção radial, ou seja, para o centro da turbina, $\alpha_2 = 90°$ (Figura 14.14b). Determine a potência desenvolvida pela turbina e a perda da carga ideal.

Acoplamento usado para operar palhetas guia para uma turbina Francis.

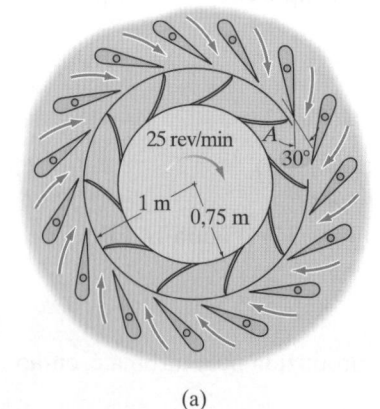

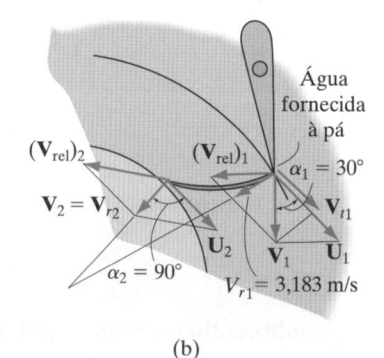

(a) (b)

FIGURA 14.14

Solução

Descrição do fluido

Temos escoamento em regime permanente em direção às pás e consideramos que a água seja um fluido perfeito, para o qual $\rho_{\text{água}} = 1000 \text{ kg/m}^3$.

Cinemática

Para determinar a potência, primeiro temos de achar os *componentes tangenciais* da velocidade de entrada e saída das pás (Figura 14.14b). Usando a vazão, o componente radial da velocidade da água *para cada pá*, em $r_1 = 1$ m, é

$$Q = V_{r1} A_1$$

$$4 \text{ m}^3/\text{s} = V_{r1}[2\pi (1 \text{ m})(0{,}20 \text{ m})]$$

$$V_{r1} = 3{,}183 \text{ m/s}$$

Assim, pela Figura 14.14b, o componente tangencial é

$$V_{t1} = (3{,}183 \text{ m/s}) \cot g\ 30° = 5{,}513 \text{ m/s}$$

Na borda de fuga do rotor, $V_{t2} = 0$, pois ocorre apenas escoamento radial.

Potência

Aplicando as equações 14.25 e 14.26, obtemos $\dot{W}_{\text{turb}} = \rho_{\text{água}} Q(r_2 V_{t2} - r_1 V_{t1})\omega$. Como temos uma turbina Francis, a potência de saída é, portanto,

$$\dot{W}_{\text{turb}} = (1000 \text{ kg/m}^3)(4 \text{ m}^3/\text{s})\left[0 - (1 \text{ m})(5{,}513 \text{ m s})\right]\left(\frac{25 \text{ rev}}{\text{min}}\right)\left(\frac{1 \text{ min}}{60 \text{ s}}\right)\left(\frac{2\pi \text{ rad}}{1 \text{ rev}}\right)$$

$$\dot{W}_{\text{turb}} = -57{,}74(10^3) \text{ W} = -57{,}7 \text{ kW} \qquad \textit{Resposta}$$

O sinal negativo indica a remoção de energia da água, o que era esperado.

Perda de carga

A perda de carga ideal é determinada pela Equação 14.27.

$$h_{\text{turb}} = \frac{\dot{W}_{\text{turb}}}{Q\gamma} = \frac{-57{,}74(10^3) \text{ W}}{(4 \text{ m}^3/\text{s})(1000 \text{ kg/m}^3)(9{,}81 \text{ m/s}^2)}$$

$$= -1{,}47 \text{ m} \qquad \textit{Resposta}$$

14.6 Desempenho da bomba

Ao selecionar uma bomba específica para usar para uma aplicação intencionada, um engenheiro precisa ter alguma ideia sobre suas **características de desempenho**. Para qualquer escoamento dado, estas incluem a potência de eixo $\dot{W}_{\text{bomba}}$ requerida, a carga real da bomba $(h_{\text{bomba}})_{\text{real}}$ que pode ser desenvolvida, e a eficiência η da bomba. Nas seções anteriores, estudamos como essas características são calculadas com base em um tratamento analítico; porém, para qualquer aplicação real, onde ocorrem perdas devido ao escoamento e mecânicas, os dados precisam ser determinados *experimentalmente*. Para dar uma ideia de como isso é realizado, vamos considerar um teste experimental aplicado a uma bomba de escoamento radial.

Bombas e sistemas de tubulações desempenham um papel importante em refinarias e plantas de processamento químico.

O teste dessa bomba segue um procedimento padronizado, que é esboçado na Referência [12]. O conjunto aparece na Figura 14.15a, onde a bomba deve circular água (ou o fluido desejado) do tanque A para outro tanque B através de um tubo com diâmetro constante. Manômetros são postos em cada lado da bomba, e a válvula é usada para controlar a vazão, enquanto um medidor mede a vazão antes que a água seja retornada de B para A. O rotor da bomba é acionado por um motor elétrico e, portanto, a potência de entrada $\dot{W}_{bomba}$ também pode ser medida.

O teste começa com a válvula fechada. A bomba, então, é ligada e seu rotor começa a funcionar sempre a uma velocidade nominal ω_0 fixa. A válvula é então aberta ligeiramente, e a vazão Q, a diferença de pressão através da bomba $(p_2 - p_1)$ e a potência de alimentação $\dot{W}_{bomba}$ são todas medidas. A carga real da bomba é então calculada por meio da equação da energia, aplicada entre os pontos 1 e 2. Aqui, $V_2 = V_1 = V$, e qualquer diferença de elevação $z_2 - z_1$ e perdas de carga dentro da bomba são computadas como parte da carga de pressão, ou seja, $(h_{bomba})_{real} = h_{bomba} - h_L$. Temos

$$\frac{p_{entrada}}{\gamma} + \frac{V_{entrada}^2}{2g} + z_{entrada} + h_{bomba} = \frac{p_{saída}}{\gamma} + \frac{V_{saída}^2}{2g} + z_{saída} + h_{turb} + h_L$$

$$\frac{p_1}{\gamma} + \frac{V^2}{2g} + 0 + (h_{bomba})_{real} = \frac{p_2}{\gamma} + \frac{V^2}{2g} + 0 + 0 + 0$$

$$(h_{bomba})_{real} = \frac{p_2 - p_1}{\gamma}$$

Uma vez calculada $(h_{bomba})_{real}$ e medidos Q e $\dot{W}_{bomba}$, podemos determinar a eficiência hidráulica usando as equações 14.15 e 14.18; ou seja,

$$\eta_{bomba} = \frac{(h_{bomba})_{real}}{h_{bomba}} = \frac{Q\gamma(h_{bomba})_{real}}{\dot{W}_{bomba}}$$

Se continuarmos a variar Q em incrementos, até que a bomba esteja funcionando em sua capacidade máxima, e fizermos um gráfico dos valores sucessivos de $(h_{bomba})_{real}$, $\dot{W}_{bomba}$ e η_{bomba} contra Q, produziremos três **curvas de desempenho** que se parecem com aquelas mostradas na Figura 14.15b. Esse gráfico inclui a linha reta da carga ideal da bomba, estabelecida anteriormente na Figura 14.7. Esta e a curva superior da carga real da

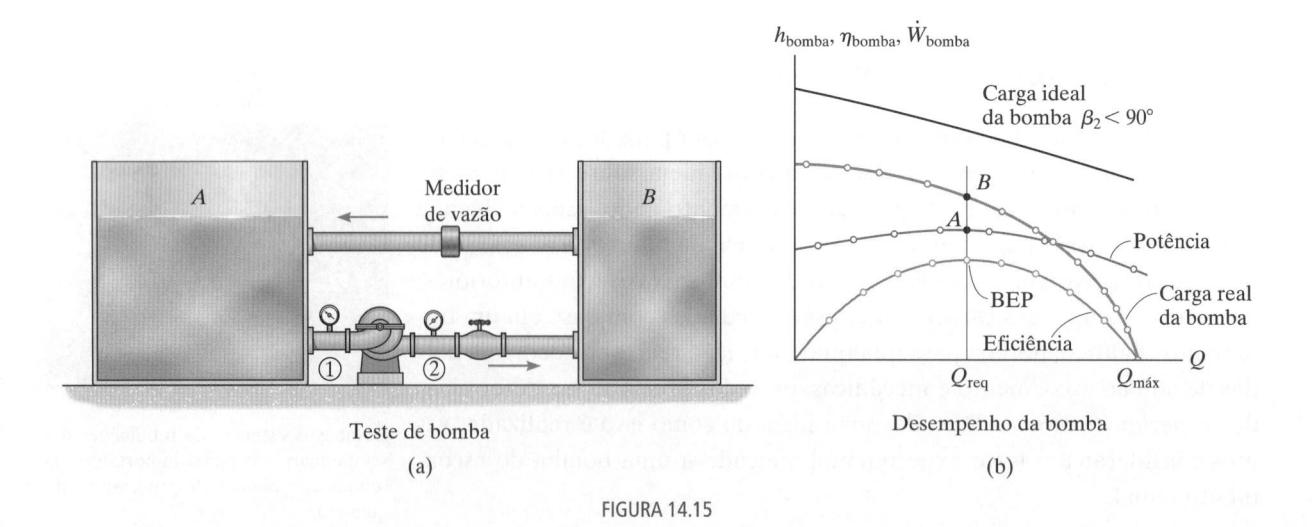

Teste de bomba
(a)

Desempenho da bomba
(b)

FIGURA 14.15

bomba (B) consideram que a pá do rotor possui uma curva para trás, $\beta <$ 90°, o que, como já dissemos, geralmente acontece.

Observe que a carga real da bomba (B) está sempre *abaixo* de sua carga ideal. Diversos fatores são responsáveis por isso. O mais importante é a perda da carga que ocorre porque o rotor possui um conjunto de pás finito, e não infinito. Como resultado, o escoamento na realidade deixará cada pá em um ângulo que será ligeiramente diferente do ângulo β_2 do projeto da pá. Logo, a carga da bomba será reduzida proporcionalmente. Juntamente com esse efeito, existem perdas adicionais devido ao cisalhamento do fluido e o atrito mecânico nos rolamentos do eixo e retentores, além de perdas devido a irregularidades do escoamento turbulento ao longo do rotor.

A curva mais baixa, para a eficiência, mostra que ela aumenta quando Q aumenta, até atingir um máximo, chamado de **ponto de melhor eficiência** (ou BEP — *best efficiency point*), e depois começa a diminuir até zero em $Q_{máx}$. Se a vazão exigida no projeto for Q_{req}, então, com base nessas curvas, esta bomba *deverá ser escolhida*, pois operará com a eficiência máxima (BEP) para essa vazão. Quando usada, ela produzirá uma potência definida no ponto A da curva do meio (da Potência), e uma carga definida no ponto B.

Curvas características de bomba do fabricante

A partir de tipos semelhantes de testes experimentais, os fabricantes oferecem curvas de desempenho de bomba (curvas características) para muitas de suas bombas. Normalmente, cada uma é projetada para funcionar a uma velocidade nominal constante ω_0 e para acomodar diversos rotores com diferentes diâmetros dentro de sua carcaça. Um exemplo aparece na Figura 14.16, que é para um rotor que funciona a $\omega_0 = 1750$ RPM e pode ser ajustada com rotores de 5 pol., 5,5 pol. e 6 pol. de diâmetro, indicados pelas curvas mais longas, que partem do eixo vertical. Seguindo essas curvas, pode-se então obter a eficiência (curvas mais fechadas, com concavidade para cima) e potência de eixo bhp (curvas descendentes menores) para uma vazão exigida. Por exemplo, quando uma bomba com um rotor de 6 pol. de diâmetro precisa produzir uma vazão de 470 gal/min, ela tem uma eficiência de 86% (ponto A) e produz uma carga total de aproximadamente 140 pés com uma potência de 21 bhp.

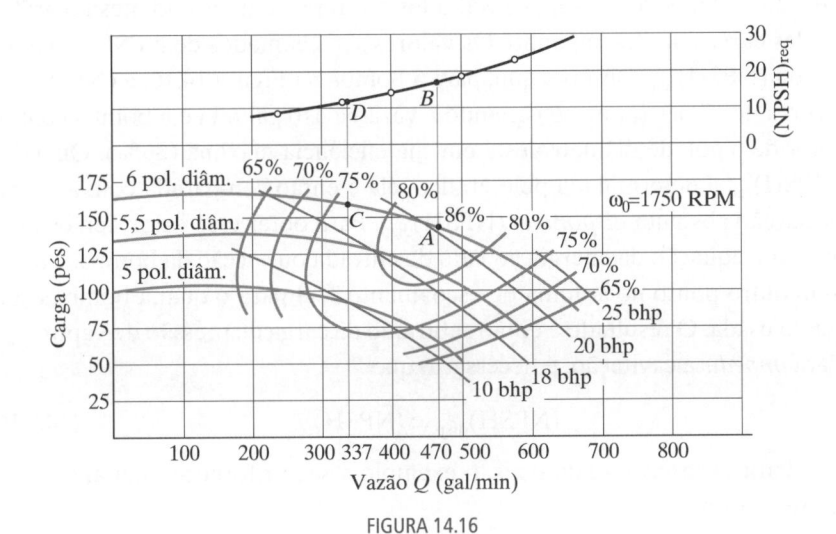

FIGURA 14.16

14.7 Cavitação e carga de sucção absoluta (NPSH)

Um fenômeno importante que realmente pode limitar o desempenho de uma bomba ocorre quando a pressão dentro de sua carcaça cai abaixo de um certo limite, de modo que isso cause cavitação. Lembre-se, da Seção 1.8, de que *cavitação* é o resultado da pressão dentro de um líquido caindo até a *pressão de vapor* p_v para o líquido, ou abaixo dela. Para uma bomba de escoamento radial, isso normalmente ocorre na sucção, no centro ou olho do rotor, pois lá a pressão é a mais baixa. Quando ocorre cavitação, o líquido entra em ebulição, e bolhas se formam dentro do líquido. À medida que essas bolhas são transportadas ao longo das pás do rotor, elas atingem regiões de pressão mais alta, onde de repente colapsam. Essa violência causa ondas de pressão, que produzem golpes repetidos sobre qualquer superfície rígida adjacente, que por fim causam fadiga do material e desgaste da superfície. O processo de desgaste é agravado ainda mais pela corrosão, ou outros efeitos eletromecânicos. A cavitação está associada à vibração e ao ruído, que geralmente se assemelha ao som de rochas ou pedras atingindo as laterais da carcaça; quando isso acontece, a eficiência da bomba cai drasticamente.

Para qualquer bomba específica, haverá uma **carga de sucção crítica**, desenvolvida no *lado de sucção* da bomba, onde a cavitação dentro da bomba começará a ocorrer. Seu valor pode ser determinado *experimentalmente* mantendo-se uma vazão especificada e *variando a elevação* da bomba em relação a um reservatório. À medida que aumentamos a extensão vertical do tubo necessário para elevar o fluido até a bomba, será alcançada uma elevação crítica, onde a eficiência da bomba de repente cairá. Usando a equação da energia, com o datum na entrada da bomba, podemos obter essa carga de sucção crítica. Ela é representada pela soma das cargas de pressão e velocidade na entrada ($p/\gamma + V^2/2g$). Se a **carga de pressão de vapor** p_v/γ para o líquido for *subtraída* desta carga, o resultado é chamado de **carga de sucção absoluta** (ou **net positive suction head** — NPSH). Como a cavitação ou p_v na realidade ocorre *dentro* da bomba, e não na entrada, a NPSH é a carga adicional necessária para mover o fluido da entrada para o ponto de cavitação dentro da bomba.

Os fabricantes normalmente realizam experimentos desse tipo, e para diversos valores de vazão, os resultados são representados no mesmo gráfico das curvas de desempenho. Os valores são chamados de NPSH *requerida*, ou $(NPSH)_{req}$. Observe que, para a bomba na Figura 14.16, a $(NPSH)_{req}$ é cerca de 17 pés (ponto *B*) quando a vazão é 470 gal/min e a bomba com o rotor de 6 pol. de diâmetro está em sua eficiência máxima (86%). Quando $(NPSH)_{req}$ é determinada pelo gráfico, ela é então comparada com a carga de sucção absoluta *disponível* $(NPSH)_{disp}$. Para obter esse valor, temos que aplicar a equação da energia ao lado de entrada ou sucção da bomba, e a algum outro ponto no sistema de escoamento real para o qual a bomba está sendo usada. O resultado é então subtraído da carga de pressão de vapor, p_v. Para *impedir* a cavitação, é necessário que

$$(NPSH)_{disp} \geq (NPSH)_{req} \tag{14.29}$$

Para esclarecer ainda mais, o exemplo a seguir fornece uma aplicação desse conceito.

EXEMPLO 14.8

A bomba mostrada na Figura 14.17 é usada para transferir a água de esgoto a 70°F da fossa para a estação de tratamento de esgoto. Se a vazão através do tubo com 3 pol. de diâmetro tiver de ser de 0,75 pé³/s, determine se haverá cavitação quando a bomba da Figura 14.16 for selecionada. A bomba é desligada logo depois que a água atinge seu nível mais baixo de $h = 10$ pés. Considere o fator de atrito para o tubo como sendo $f = 0,02$ e desconsidere as perdas secundárias.

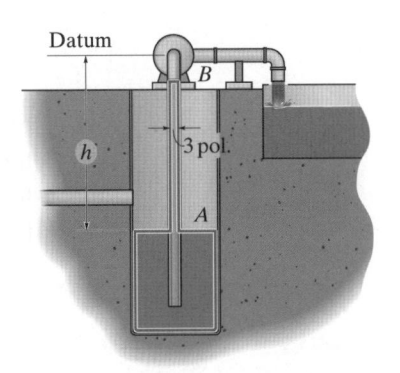

FIGURA 14.17

Solução

Descrição do fluido

Vamos considerar um escoamento em regime permanente de um fluido incompressível. Para a água, $\gamma_{\text{água}} = 62,4$ lb/pés³.

Pressão de entrada

Podemos determinar a *carga de sucção disponível* na entrada do rotor da bomba aplicando a equação da energia. O volume de controle consiste na água do tubo vertical e da fossa (Figura 14.17). A maior sucção em B ocorre quando $h = 10$ pés. Aqui, trabalharemos com *pressões absolutas*, pois a pressão de vapor geralmente é relatada como uma pressão absoluta. Em A, a pressão atmosférica é $p_A = 14,7$ psi. Visto que

$$V_B = V = \frac{Q}{A} = \frac{(0,75 \text{ pé}^3/\text{s})}{\pi\left(\frac{1,5}{12}\text{ pé}\right)^2} = 15,28 \text{ pés/s}$$

então

$$\frac{p_A}{\gamma} + \frac{V_A^2}{2g} + z_A + h_{\text{bomba}} = \frac{p_B}{\gamma} + \frac{V_B^2}{2g} + z_B + h_{\text{turb}} + f\frac{L}{D}\frac{V^2}{2g} + \Sigma K_L \frac{V^2}{2g}$$

$$\frac{(14,7 \text{ lb/pol}^2)(12 \text{ pol./pés})^2}{62,4 \text{ lb/pés}^3} + 0 - 10 \text{ pés} + 0 =$$

$$\frac{p_B}{62,4 \text{ lb/pés}^3} + \frac{(15,28 \text{ pés/s})^2}{2(32,2 \text{ pés/s}^2)} + 0 + 0 + (0,02)\frac{(10 \text{ pés})}{\left(\frac{3}{12}\text{ pés}\right)}\frac{(15,28 \text{ pés/s})^2}{2(32,2 \text{ pés/s}^2)} + 0$$

$$p_B = 1085,65 \text{ lb/pés}^2$$

A carga de sucção disponível na entrada da bomba é, portanto,

$$\frac{p_B}{\gamma} + \frac{V_B^2}{2g} = \frac{1085,65 \text{ lb/pés}^2}{62,4 \text{ lb/pés}^3} + \frac{(15,28 \text{ pés/s})^2}{2(32,2 \text{ pés/s}^2)} = 21,02 \text{ pés}$$

Pelo Apêndice A, a 70°F, a pressão de vapor (absoluta) para a água é de 0,363 lb/pol.² Portanto, a NPSH disponível é

$$(\text{NPSH})_{\text{disp}} = 21,02 \text{ pés} - \left(\frac{(0,363 \text{ lb/pol}^2)(12 \text{ pol./1pé})^2}{62,4 \text{ lb/pés}^3}\right) = 20,19 \text{ pés}$$

A vazão em galões por minuto é

$$Q = \left(\frac{0,75 \text{ pé}^3}{\text{s}}\right)\left(\frac{7,48 \text{ gal}}{\text{pés}^3}\right)\left(\frac{60 \text{ s}}{\text{min}}\right) = 337 \text{ gal/min}$$

Pela Figura 14.16, a $Q = 337$ gal/min, $(\text{NPSH})_{\text{req}} = 12$ pés (ponto D), e como $(\text{NPSH})_{\text{disp}} > (\text{NPSH})_{\text{req}}$, não haverá cavitação na bomba.

Observe também, pela Figura 14.16, que se um rotor com 6 pol. de diâmetro for usado nessa bomba (ponto C), então ela terá uma eficiência de cerca de 77% e terá uma potência de eixo de aproximadamente 19 bhp.

14.8 Seleção de bomba relacionada ao sistema de escoamento

Um sistema de escoamento pode consistir em reservatórios, tubos, conexões e uma bomba que é usada para transportar o fluido. Se for preciso fornecer uma vazão específica para o sistema, então isso deverá ser feito da forma mais econômica e eficiente. Por exemplo, considere o sistema mostrado na Figura 14.18a. Se aplicarmos a equação da energia entre os pontos 1 e 2 do sistema, temos

$$\frac{p_{\text{entrada}}}{\gamma} + \frac{V_{\text{entrada}}^2}{2g} + z_{\text{entrada}} + h_{\text{bomba}} = \frac{p_{\text{saída}}}{\gamma} + \frac{V_{\text{saída}}^2}{2g} + z_{\text{saída}} + h_{\text{turb}} + h_L$$

$$0 + 0 + z_1 + (h_{\text{bomba}})_{\text{real}} = 0 + 0 + z_2 + 0 + h_L$$

$$(h_{\text{bomba}})_{\text{real}} = (z_2 - z_1) + h_L$$

Aqui, $(h_{\text{bomba}})_{\text{real}}$ é a *carga real* fornecida pela bomba ao sistema. Ela é função de Q^2, pois a perda de carga na equação anterior tem a forma $h_L = C(V^2/2g)$, onde C é uma constante. Visto que $V = Q/A$, então temos $h_L = C(Q^2/2gA^2) = C'Q^2$. Se desenharmos um gráfico dessa equação, $(h_{\text{bomba}})_{\text{real}} = (z_2 - z_1) + C'Q^2$, ele será uma parábola e se parecerá com a curva sólida A mostrada na Figura 14.18b.

Se a bomba na Figura 14.18a produzir uma carga de bomba $(h_{\text{bomba}})_{\text{real}}$, como a curva característica superior na Figura 14.15b, que cruza o ponto O, então a vazão exigida para o sistema terá de ser Q_{req}. Isso é representado pelo ponto O na curva do sistema. Em outras palavras, se essa bomba for selecionada, então a carga real da bomba $(h_{\text{bomba}})_{\text{real}}$ que ela produz satisfará o requisito de vazão Q_{req} para *o sistema*. Este é o **ponto de operação** para o sistema, e se ele for próximo do melhor ponto de eficiência (BEP) para a bomba (Figura 14.15b), justificará a escolha dessa bomba para essa aplicação. Ao fazer isso, observe que, com o passar do tempo, as características da bomba mudarão. Por exemplo, os tubos no sistema podem se corroer, causando uma perda de carga por cisalhamento cada vez maior, e isso elevará a curva do sistema (Figura 14.18b). Além disso, a bomba pode se deteriorar, causando o abaixamento de sua curva de desempenho. Os dois efeitos deslocariam o ponto de operação para O', e reduziriam a eficiência da bomba. Para o melhor projeto de engenharia, as consequências dessas mudanças deverão ser consideradas quando se escolhe uma bomba para qualquer aplicação em particular.

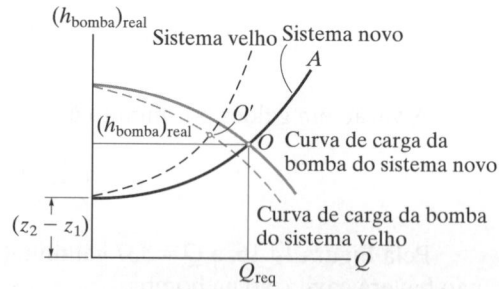

(a)

(b)

Curvas do Sistema de Bombeamento

FIGURA 14.18

EXEMPLO 14.9

A bomba de escoamento radial na Figura 14.19a é usada para transferir água do lago em A para um grande tanque de armazenamento, B. Isso é feito através de um tubo com 3 pol. de diâmetro e 300 pés de extensão, com um fator de atrito de 0,015. Os dados do fabricante para o desempenho da bomba são dados na Figura 14.19b. Determine a vazão se a bomba for selecionada com um rotor de 6 pol. para realizar a tarefa. Desconsidere as perdas secundárias.

Solução

Descrição do fluido

Consideramos um escoamento em regime permanente, incompressível, enquanto a bomba está operando.

Equação do sistema

Podemos relacionar a carga da bomba à vazão Q aplicando a equação da energia entre os níveis de água em A e B. O volume de controle contém a água dentro do tubo e uma parte da água no lago e no tanque. Como o fator de atrito foi dado, não precisamos obter seu valor pelo diagrama de Moody.

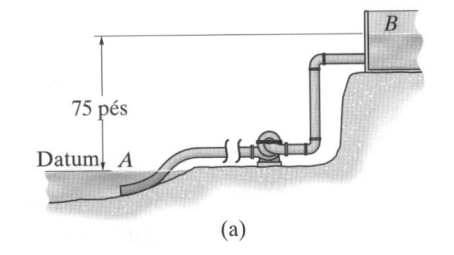

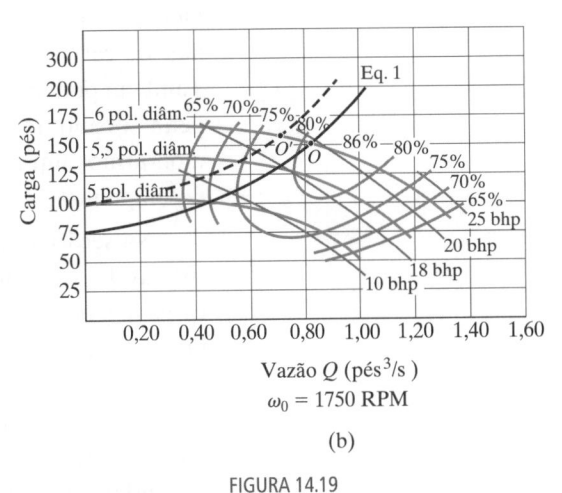

FIGURA 14.19

$$\frac{p_{entrada}}{\gamma} + \frac{V_{entrada}^2}{2g} + z_{entrada} + h_{bomba} = \frac{p_{saída}}{\gamma} + \frac{V_{saída}^2}{2g} + z_{saída} + h_{turb} + h_L$$

$$(h_{bomba})_{real} = 75 \text{ pés} + 0,015 \frac{300 \text{ pés}}{\frac{3}{12}\text{pés}} \frac{V^2}{2(32,2 \text{ pés/s}^2)}$$

Além disso,

$$Q = V\left[\pi\left(\frac{1,5}{12}\text{pé}\right)^2\right]$$

Quando as duas equações anteriores são combinadas, obtemos

$$(h_{bomba})_{real} = (75 + 116,0 Q^2) \text{ pés} \qquad (1)$$

Um gráfico dessa equação aparece na Figura 14.19b como a Equação 1. Ele mostra a carga real da bomba $(h_{bomba})_{real}$ que precisa ser fornecida pela bomba para fornecer uma vazão Q_{req} para o sistema. Ao longo dessa curva estão as curvas do fabricante para a bomba. (Por conveniência, Q é informado em pés³/s; porém, na prática, ele aparece em gal/min.) Vemos que, para a bomba com um rotor de 6 pol. de diâmetro, o ponto de operação O é onde se cruzam as curvas de carga da bomba e de carga do sistema, graficamente ao redor de $Q = 0,82$ pé³/s (*Resposta*) e $(h_{bomba})_{real} = 150$ pés. Portanto, se esta bomba for selecionada, então a eficiência para esse escoamento é determinada a partir das curvas de eficiência como sendo $\eta = 81\%$.*
Por comparação, isso está perto do melhor ponto de eficiência para a bomba (86%), e portanto a escolha dessa bomba com um rotor de 6 pol. seria apropriada.

É interessante observar que, se a diferença de elevação entre os níveis de água no lago e no tanque de armazenamento fosse de 100 pés, em vez de 75 pés, então a Equação 1 seria desenhada graficamente como a curva tracejada na Figura 14.29b. Nesse caso, o ponto de operação O' fornece uma vazão de cerca de 0,70 pé³/s; porém, a eficiência operacional é cerca de $\eta = 77\%$, tornando a bomba uma escolha relativamente fraca para essa condição. Em vez disso, as curvas características de outras bombas teriam de ser consideradas, a fim de obter uma bomba mais eficiente para o sistema.

---

* Conforme indicado pelas curvas, o uso de um rotor com diâmetro menor daria uma eficiência inferior.

14.9 Semelhança dimensional de turbomáquinas

Nas duas seções anteriores, mostramos como selecionar uma bomba de escoamento radial para produzir um escoamento requerido. Porém, se tivermos de selecionar um *tipo* de bomba, como uma bomba de escoamento axial, radial ou misto, que funciona melhor para uma função específica, então, torna-se conveniente usar a análise dimensional e expressar os parâmetros de desempenho de cada máquina em termos dos grupos adimensionais de variáveis que envolvem sua geometria e as propriedades do fluido. Também podemos usar esses grupos adimensionais para comparar o desempenho de um tipo de bomba com o de um tipo semelhante de bomba; ou, se montarmos um modelo de uma bomba, para testar suas características de desempenho e assim prever as características para um protótipo.

Na seção anterior, descobrimos que, para desenhar as curvas características, foi conveniente considerar como *variáveis dependentes* da bomba a carga h, a potência $\dot{W}$ e a eficiência η da bomba. Pelos experimentos, descobriu-se que todas essas três variáveis dependem das propriedades do fluido ρ e μ, da vazão Q, da rotação ω do rotor e de algum "comprimento característico" — normalmente, o diâmetro D do rotor. Como resultado, as três variáveis dependentes são relacionadas de alguma forma a essas variáveis independentes pelas funções

$$gh = f_1(\rho, \mu, Q, \omega, D)$$

$$\dot{W} = f_2(\rho, \mu, Q, \omega, D)$$

$$\eta = f_3(\rho, \mu, Q, \omega, D)$$

Aqui, consideramos gh a energia por unidade de massa, para a conveniência de uma análise dimensional. Se aplicarmos o teorema do Pi de Buckingham, descrito no Capítulo 8, poderemos criar grupos dimensionais das variáveis nessas três funções. São elas*

$$\frac{gh}{\omega^2 D^2} = f_4\left(\frac{Q}{\omega D^3}, \frac{\rho \omega D^2}{\mu}\right)$$

$$\frac{\dot{W}}{\rho \omega^3 D^5} = f_5\left(\frac{Q}{\omega D^3}, \frac{\rho \omega D^2}{\mu}\right)$$

$$\eta = f_6\left(\frac{Q}{\omega D^3}, \frac{\rho \omega D^2}{\mu}\right)$$

Os parâmetros adimensionais à *esquerda* dessas três equações são chamados de **coeficiente manométrico**, **coeficiente de potência** e, como observado anteriormente, a **eficiência**. À direita, $Q/\omega D^3$ é o **coeficiente de vazão** e $\rho \omega D^2/\mu$ é uma forma do número de Reynolds que considera os efeitos

---

* Veja, por exemplo, os problemas 8.37 e 8.43.

viscosos dentro da bomba. Os experimentos têm mostrado que, para bombas ou turbinas, esse número ($\rho\omega D^2/\mu$) não afeta as magnitudes das três variáveis dependentes tanto quanto o coeficiente de vazão. Como resultado, vamos desconsiderar seu efeito e escrever

$$\frac{gh}{\omega^2 D^2} = f_7\left(\frac{Q}{\omega D^3}\right) \quad \frac{\dot{W}}{\rho\omega^3 D^5} = f_8\left(\frac{Q}{\omega D^3}\right) \quad \eta = f_9\left(\frac{Q}{\omega D^3}\right)$$

Leis de escalonamento de bombas

Para um determinado *tipo* de bomba, essas três relações funcionais podem ser determinadas por experimentos, o que requer a variação do coeficiente de vazão e depois a representação gráfica dos coeficientes manométrico, de potência e eficiência resultantes. Todas as curvas resultantes terão formas semelhantes àquelas mostradas na Figura 14.20. E, como essas formas ainda são todas semelhantes para qualquer família de bombas (escoamento axial, radial ou misto), os coeficientes tornam-se **leis de escalonamento de bombas**, às vezes chamadas de **leis de semelhança de bombas**. Em outras palavras, elas podem ser usadas para projetar ou *comparar duas bombas quaisquer do mesmo tipo*. Por exemplo, os coeficientes de vazão para duas bombas do mesmo tipo devem ser os mesmos, de modo que

$$\frac{Q_1}{\omega_1 D_1^3} = \frac{Q_2}{\omega_2 D_2^3} \quad (14.30)$$
Coeficiente de vazão

FIGURA 14.20

De modo semelhante, os dois outros coeficientes podem ser igualados entre, digamos, duas bombas de escoamento radial, ou um modelo e seu protótipo, para determinar suas características de escala. Se o mesmo fluido for usado, então

$$\frac{h_1}{\omega_1^2 D_1^2} = \frac{h_2}{\omega_2^2 D_2^2} \quad (14.31)$$
Coeficiente manométrico

$$\frac{\dot{W}_1}{\omega_1^3 D_1^5} = \frac{\dot{W}_2}{\omega_2^3 D_2^5} \quad (14.32)$$
Coeficiente de potência

$$\eta_1 = \eta_2$$
Eficiência

Como já dissemos, uma bomba geralmente pode abrigar rotores de diferentes diâmetros dentro de sua carcaça, ou pode funcionar em diferentes velocidades angulares. Como resultado, essas leis de escala também podem ser usadas para determinar Q, h e $\dot{W}$ para a bomba quando D ou ω varia. Por exemplo, se a bomba puder produzir uma carga de h_1 quando o diâmetro do rotor for D_1, então, pelo coeficiente manométrico, a carga produzida pela mesma bomba com um diâmetro de rotor D_2 seria $h_2 = h_1(D_2^2/D_1^2)$, desde que tenha a mesma ω.

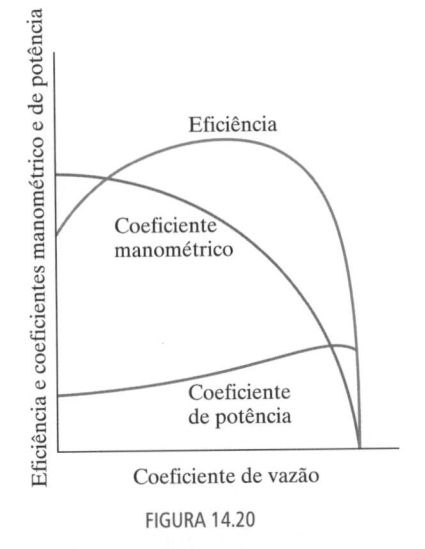

Velocidade específica

Para selecionar o *tipo* de turbomáquina a usar para uma tarefa específica, às vezes é útil usar outro parâmetro adimensional que não envolve as dimensões da máquina. Esse parâmetro é chamado **velocidade específica** (ou *rotação específica*), N_s, e pode ser determinado ou através de uma análise dimensional ou simplesmente eliminando o diâmetro do rotor D da razão entre os coeficientes de vazão e manométrico. Isso resulta em

$$N_s = \frac{(Q/\omega D^3)^{1/2}}{(gh/\omega^2 D^2)^{3/4}} = \frac{\omega Q^{1/2}}{(gh)^{3/4}} \qquad (14.33)$$

Para *cada tipo* de turbomáquina, podemos desenhar um gráfico de N_s em relação à eficiência, como mostra a Figura 14.21. Veja a Referência [15]. Observe que a eficiência máxima para determinado tipo de turbomáquina ocorre no pico de cada curva, e esse pico está localizado em um valor em particular da velocidade específica N_s. Por exemplo, é inerente em seu projeto que as bombas de escoamento radial operem em baixas velocidades específicas, de modo a produzir baixas vazões e grandes cargas (alta pressão), como na Figura 14.21a. Por outro lado, bombas de escoamento axial produzem altas vazões e desenvolvem baixas cargas (baixa pressão). Elas operam bem em velocidades específicas altas, embora isso as torne suscetíveis à cavitação. As bombas projetadas para escoamento misto operam no intervalo intermediário de velocidades específicas. Perfis típicos dos rotores usados para esses três tipos de bombas aparecem na Figura 14.22. A mesma tendência ocorre para turbinas que funcionam sobre os mesmos princípios das bombas (Figura 14.21b).

FIGURA 14.21

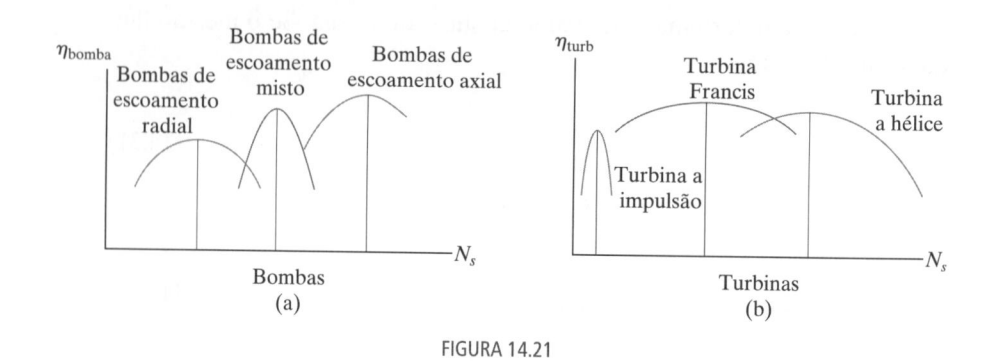

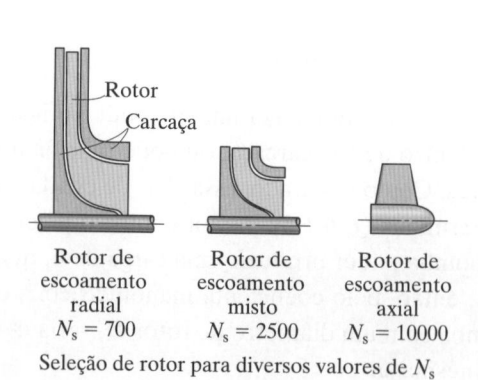

FIGURA 14.22

Pontos importantes

- Devido às perdas por atrito mecânico e cisalhamento do fluido nas turbomáquinas, o desempenho real da máquina deverá ser determinado experimentalmente.
- A cavitação poderá ocorrer dentro das turbomáquinas quando a pressão do líquido cair abaixo da pressão de vapor para o líquido. Para evitar isso, é importante selecionar uma turbomáquina que tenha uma $(NPSH)_{disp}$ maior do que a sua $(NPSH)_{req}$ requerida.
- As curvas características da eficiência, carga total e potência em função da vazão oferecem um meio de selecionar uma bomba de tamanho apropriado para determinada aplicação. A bomba selecionada precisa atender à vazão requerida e às demandas totais de carga para o sistema de escoamento, e precisa operar com alta eficiência.
- As características de desempenho de uma bomba ou turbina podem ser comparadas com uma bomba ou modelo geometricamente semelhante, usando os parâmetros adimensionais denominados coeficientes manométrico, de potência e de vazão.
- A seleção do *tipo de turbomáquina* a ser usada para uma tarefa específica é baseada na velocidade específica da máquina. Por exemplo, bombas de escoamento radial são eficientes em altas vazões e na entrega de cargas baixas.

EXEMPLO 14.10

Uma turbina para a represa opera sob uma carga piezométrica de 90 m, produzindo uma descarga de 50 m³/s. Se o nível do reservatório cai de modo que a carga piezométrica torna-se 60 m, determine a descarga da turbina.

Solução

Aqui, $h_1 = 90$ m e $Q_1 = 50$ m³/s. Como também sabemos que $h_2 = 60$ m, então eliminaremos as incógnitas ω_1 e ω_2 dos coeficientes de vazão e manométrico para obter uma relação entre h e Q. Usando as equações 14.30 e 14.31, temos

$$\frac{\omega_1}{\omega_2} = \frac{Q_1 D_2^3}{Q_2 D_1^3} \quad (1)$$

$$\frac{\omega_1^2}{\omega_2^2} = \frac{h_1 D_2^2}{h_2 D_1^2}$$

de modo que

$$\frac{Q_1^2 D_2^4}{Q_2^2 D_1^4} = \frac{h_1}{h_2} \quad (2)$$

Visto que $D_1 = D_2$,

$$Q_2 = Q_1 \sqrt{\frac{h_2}{h_1}}$$

$$= (50 \text{ m}^3/\text{s}) \sqrt{\frac{60 \text{ m}}{90 \text{ m}}} = 40,8 \text{ m}^3/\text{s} \quad \textit{Resposta}$$

EXEMPLO 14.11

A turbina Francis na Figura 14.23 está girando a 75 rev/min sob uma carga piezométrica de 30 pés e desenvolve 150 hp com uma descarga de 0,10 m³/s. Se as palhetas guia permanecerem em sua posição fixa, qual é a rotação dessa turbina quando a carga piezométrica for de 15 pés? Além disso, qual é a descarga correspondente e a potência da turbina?

Solução

Aqui, ω_1 = 75 rev/min, h_1 = 30 pés, $\dot{W}_1$ = 150 hp e Q_1 = 0,10 m³/s. Para h_2 = 15 pés, a rotação ω_2 pode ser determinada a partir da semelhança do coeficiente manométrico (Equação 14.31),

$$\frac{h_1}{\omega_1^2 D_1^2} = \frac{h_2}{\omega_2^2 D_2^2}$$

Visto que $D_1 = D_2$,

$$\omega_2 = \omega_1 \sqrt{\frac{h_2}{h_1}}$$

$$= (75 \text{ rev/min}) \sqrt{\frac{15 \text{ pés}}{30 \text{ pés}}} = 53,0 \text{ rev/min} \qquad \textit{Resposta}$$

Para obter Q_2, usamos a semelhança do coeficiente de vazão (Equação 14.30) com $D_1 = D_2$; ou seja,

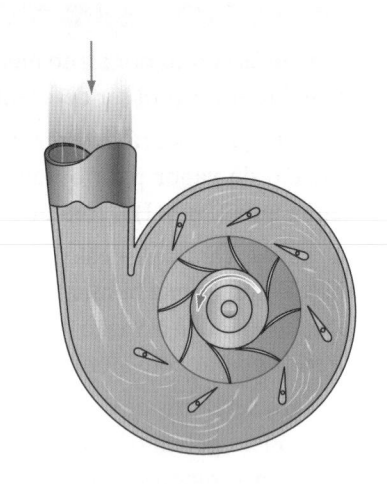

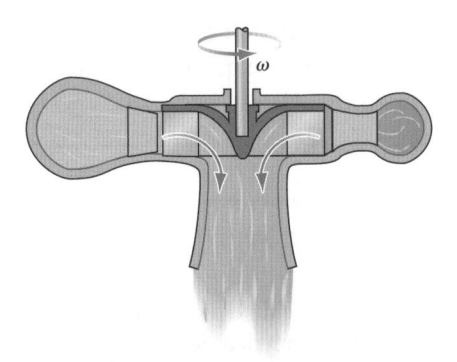

FIGURA 14.23

$$Q_2 = Q_1 \frac{\omega_2}{\omega_1}$$

$$= (0,10 \text{ m}^3/\text{s}) \left(\frac{53,0 \text{ rev/min}}{75 \text{ rev/min}} \right) = 0,0707 \text{ m}^3/\text{s} \qquad \textit{Resposta}$$

Finalmente, $\dot{W}_2$ é determinado a partir da semelhança do coeficiente de potência (Equação 14.32), com $D_1 = D_2$. Temos

$$\dot{W}_2 = \dot{W}_1 \left(\frac{\omega_2}{\omega_1} \right)^3$$

$$= (150 \text{ hp}) \left(\frac{53,0 \text{ rev/min}}{75 \text{ rev/min}} \right)^3 = 53,0 \text{ hp} \qquad \textit{Resposta}$$

EXEMPLO 14.12

A bomba possui um rotor com diâmetro de 8 pol. e, quando está operando, descarrega 5 pés³/s de água enquanto produz uma carga piezométrica de 20 pés. O requisito de potência é 12 hp. Determine o diâmetro requerido do rotor de um tipo semelhante de bomba que precisa fornecer uma descarga de 8 pés³/s e produzir uma carga de 30 pés. Qual é o requisito de potência para essa bomba?

Solução

Aqui, temos $D_1 = 8$ pol., $Q_1 = 5$ pés³/s, $h_1 = 20$ pés e $\dot{W}_1 = 12$ hp. Visto que $Q_2 = 8$ pés³/s e $h_2 = 30$ pés, podemos eliminar a razão de velocidade angular ω_1/ω_2 usando a Equação 2 no Exemplo 14.10 para determinar D_2.

$$\frac{Q_1^2 D_2^4}{Q_2^2 D_1^4} = \frac{h_1}{h_2}$$

$$D_2 = D_1 \left(\frac{Q_2}{Q_1}\right)^{1/2} \left(\frac{h_1}{h_2}\right)^{1/4}$$

$$= (8 \text{ pol.}) \left(\frac{8 \text{ pés}^3/\text{s}}{5 \text{ pés}^3/\text{s}}\right)^{1/2} \left(\frac{20 \text{ pés}}{30 \text{ pés}}\right)^{1/4} = 9,14 \text{ pol.} \quad \textit{Resposta}$$

A partir do coeficiente de vazão, ou da Equação 1 do Exemplo 14.10, a razão da velocidade angular é

$$\frac{\omega_1}{\omega_2} = \frac{Q_1 D_2^3}{Q_2 D_1^3}$$

Assim, a semelhança do coeficiente de potência, para ρ constante, torna-se

$$\frac{\dot{W}_1}{\omega_1^3 D_1^5} = \frac{\dot{W}_2}{\omega_2^3 D_2^5}$$

$$\frac{\dot{W}_1}{\dot{W}_2} = \left(\frac{\omega_1}{\omega_2}\right)^3 \left(\frac{D_1}{D_2}\right)^5 = \left(\frac{Q_1}{Q_2}\right)^3 \left(\frac{D_2}{D_1}\right)^9 \left(\frac{D_1}{D_2}\right)^5 = \left(\frac{Q_1}{Q_2}\right)^3 \left(\frac{D_2}{D_1}\right)^4$$

Portanto,

$$\dot{W}_2 = \dot{W}_1 \left(\frac{Q_2}{Q_1}\right)^3 \left(\frac{D_1}{D_2}\right)^4 = 12 \text{ hp} \left(\frac{8 \text{ pés}^3/\text{s}}{5 \text{ pés}^3/\text{s}}\right)^3 \left(\frac{8 \text{ pol.}}{9,14 \text{ pol.}}\right)^4 = 28,8 \text{ hp} \quad \textit{Resposta}$$

Referências

1. JANNA, W. *Introduction to Fluid Mechanics.* 5. ed. Boca Raton, Flórida: CRC Press, 2015.
2. YEAPLE, F. *Fluid Power Design Handbook.* Nova York: Marcel Dekker, 1984.
3. WARRING, R. *Pumping Manual.* 7. ed. Houston, Texas: Gulf Publishing, 1984.
4. BALJE, O. *Turbomachines*: A Guide to Design, Selection and Theory. Nova York: John Wiley, 1981.
5. KARASSIK, I. J. et al. *Pump Handbook.* 4. ed. Nova York: McGraw-Hill, 2007.
6. EVANS, R. et al. *Pumping Plant Performance Evaluation.* North Carolina Cooperative Extension Service, Publ. No. AG 452-6.
7. WALLIS, R. A. *Axial Flow Fans and Ducts.* Nova York: Wiley, 1983.
8. KARASSIK, I. J. et al. *Pump Handbook.* 4. ed. Nova York: McGraw-Hill, 2007.
9. HYDRAULIC Institute. *Hydraulic Institute Standards.* 14. ed. Cleveland, Ohio: Hydraulic Institute, 1983.
10. GARAY, P. N. *Pump Application Desk Book.* Lilburn, Georgia: Fairmont Press, 1990.
11. WISLICENUS, G. F. *Fluid Mechanics of Turbomachinery.* Vol. 2. Nova York: Dover Publications, 1965.

Problemas

Seções 14.1 e 14.2

14.1. A água escoa a 5 m/s em direção ao rotor da bomba de escoamento axial. Se o rotor está girando a 60 rad/s e possui um raio médio de 200 mm, determine o ângulo inicial β_1 da pá de modo que $\alpha_1 = 90°$. Além disso, ache a velocidade relativa da água ao escoar pelas pás do rotor.

14.2. A água escoa a 5 m/s em direção ao rotor da bomba de escoamento axial. Se o rotor está girando a 60 rad/s e possui um raio médio de 200 mm, determine a velocidade da água ao sair das pás, e a velocidade relativa da água ao escoar para fora das pás do rotor.

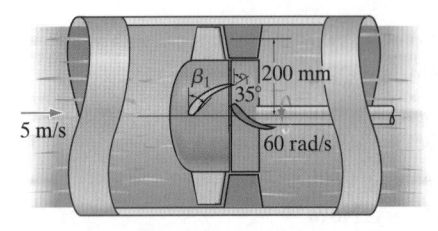

PROBLEMAS 14.1 e 14.2

14.3. A água escoa pela bomba de escoamento axial a $4(10^{-3})$ m³/s, enquanto o rotor tem uma velocidade angular de 30 rad/s. Se o ângulo de borda de fuga da pá é 35°, determine a velocidade e o componente tangencial de velocidade da água quando ela sai da pá. $\rho_{\text{água}} = 1000$ kg/m³.

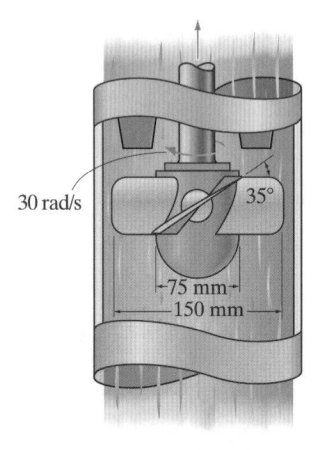

PROBLEMA 14.3

*__14.4.__ A água escoa a 6 m/s através de uma bomba de escoamento axial. Se a pá do rotor tem uma velocidade angular de $\omega = 100$ rad/s, determine a velocidade da água quando ela é entregue às pás do estator. As pás do rotor têm um raio médio de 100 mm e os ângulos mostrados na figura.

14.5. A água escoa a 6 m/s através de uma bomba de escoamento axial. Se os ângulos das pás do rotor são 45° e 30°, conforme mostrado, determine a potência fornecida à água pela bomba quando $\omega = 100$ rad/s. As pás do rotor têm um raio médio de 100 mm. A vazão é de 0,4 m³/s.

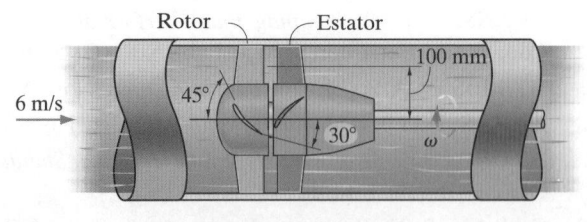

PROBLEMAS 14.4 e 14.5

14.6. Se a velocidade da água para o rotor é de 3 m/s, determine o ângulo inicial da pá β_1 requerido. Além disso, qual é a potência fornecida à água pela bomba? As pás do rotor possuem um raio médio de 50 mm e $\omega = 180$ rad/s. A vazão é de 0,9 m³/s.

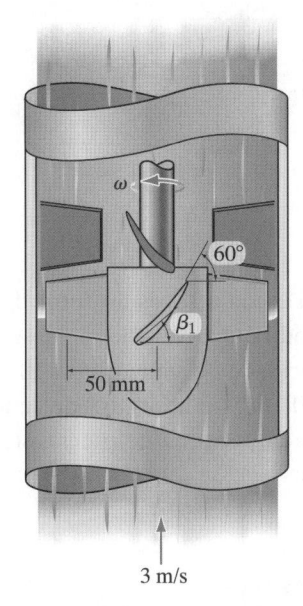

PROBLEMA 14.6

14.7. A bomba de escoamento axial tem um rotor com um raio médio de 100 mm que gira a 1200 rev/min. Na saída, o ângulo da pá do estator $\alpha_2 = 70°$. Se a velocidade da água saindo do rotor é de 8 m/s, determine o componente tangencial da velocidade e a velocidade relativa da água nesse instante.

Seções 14.3 e 14.4

*****14.8.** O turbo ventilador radial é usado para forçar o ar para os dutos de ventilação de um prédio. Se o ar está a uma temperatura de 20°C e o eixo está girando a 60 rad/s, determine a potência de saída do motor. As pás têm uma largura de 30 mm. O ar entra nas pás na direção radial e é descarregado com uma velocidade de 50 m/s no ângulo mostrado.

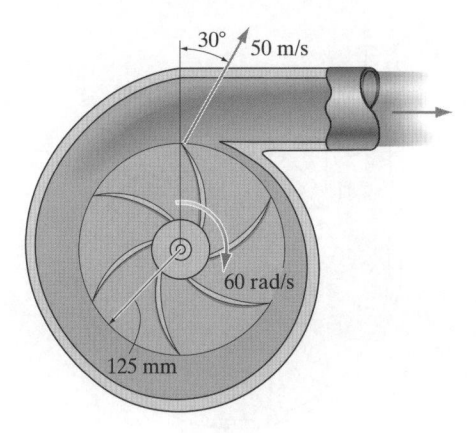

PROBLEMA 14.8

14.9. As pás da bomba centrífuga têm 30 mm de largura e estão girando a 60 rad/s. A água entra nas pás na direção radial e escoa para fora das pás com uma velocidade de 20 m/s, como mostra a figura. Se a descarga é de 0,4 m³/s, determine o torque que precisa ser aplicado ao eixo da bomba.

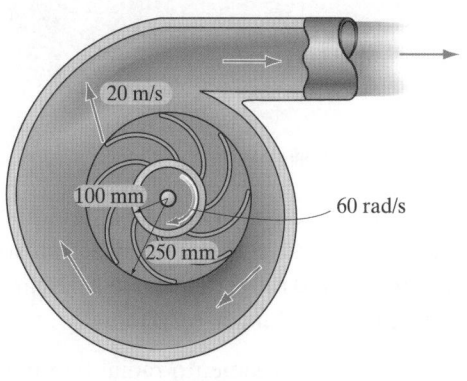

PROBLEMA 14.9

14.10. O ar entra nas pás com 3 pol. de largura do soprador na direção radial e é descarregado das pás a um ângulo de borda de fuga de $\beta_2 = 38°$. Determine a potência requerida para girar as pás a 100 rad/s, produzindo uma descarga de 120 pés³/s. Considere $\rho_a = 2{,}36(10^{-3})$ slug/pés³.

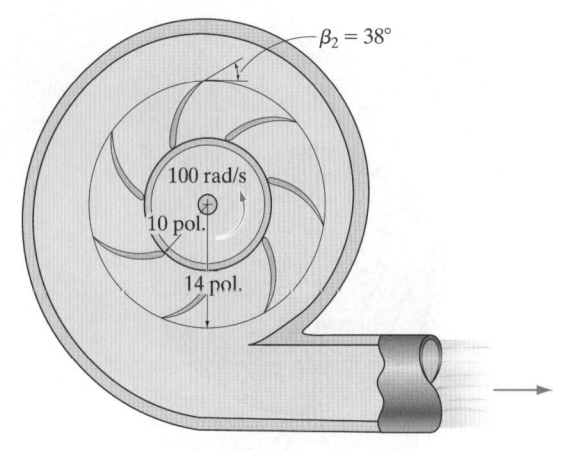

PROBLEMA 14.10

14.11. O rotor da bomba de escoamento radial gira a 600 rev/min. Se a largura das pás for de 2,5 pol. e os ângulos da carga e da borda de fuga forem aqueles mostrados na figura, determine a carga ideal da bomba, desenvolvida pela bomba. A água é inicialmente guiada horizontalmente para as pás do rotor.

*****14.12.** O rotor da bomba de escoamento radial gira a 600 rev/min. Se a largura das pás for de 2,5 pol. e os ângulos da borda de ataque e da borda de fuga forem aqueles mostrados na figura, determine a vazão e a potência ideal que a bomba fornece à água. A água é inicialmente guiada horizontalmente para as pás do rotor.

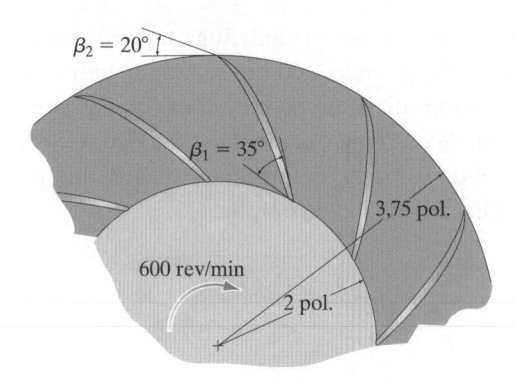

14.13. A bomba de escoamento radial tem um rotor com 60 mm de largura com as dimensões mostradas. Se as pás giram a 160 rad/s, determine a descarga se a água entra em cada pá na direção radial.

14.14. A bomba de escoamento radial tem um rotor com 60 mm de largura com as dimensões radiais mostradas. Se as pás giram a 160 rad/s e a descarga é de 0,3 m³/s, determine a potência fornecida à água.

14.15. A bomba de escoamento radial tem um rotor com 60 mm de largura com as dimensões radiais mostradas. Se as pás giram a 160 rad/s e a descarga é de 0,3 m³/s, determine a carga ideal desenvolvida pela bomba.

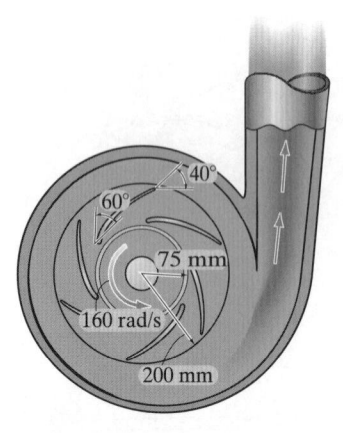

PROBLEMAS 14.13, 14.14 e 14.15

*****14.16.** A velocidade da água escoando para as pás com 40 mm de largura do rotor da bomba de escoamento radial é direcionada a 20°, como mostra a figura. Se o escoamento sai das pás com um ângulo de pá de 40°, determine o torque que a bomba precisa exercer sobre o rotor.

14.17. A velocidade da água escoando para as pás com 40 mm de largura do rotor da bomba de escoamento radial é direcionada a 20°, como mostra a figura. Se o escoamento sai das pás com um ângulo de pá de 40°, determine a carga total desenvolvida pela bomba.

PROBLEMAS 14.11 e 14.12

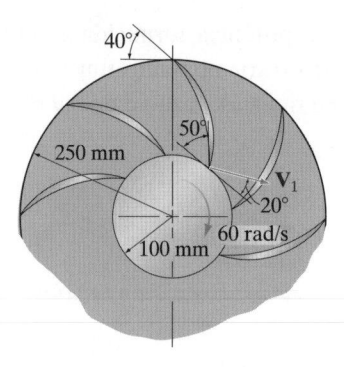

PROBLEMAS 14.16 e 14.17

14.18. A água escoa através do rotor da bomba centrífuga, de modo que a velocidade de entrada é $V_1 = 6$ m/s e a velocidade de saída é $V_2 = 10$ m/s. Se a descarga é de 0,04 m³/s e a largura de cada pá é de 20 mm, determine o torque que precisa ser aplicado ao eixo da bomba.

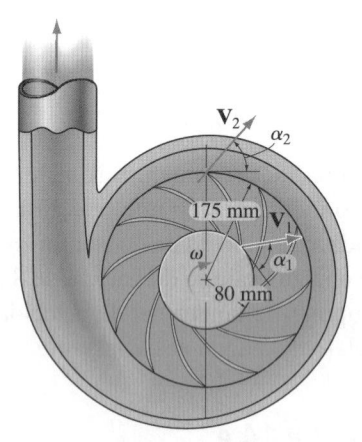

PROBLEMA 14.18

14.19. A água escoa através do rotor da bomba centrífuga a uma vazão de 0,04 m³/s. Se as pás têm 20 mm de largura e as velocidades na entrada e na saída são direcionadas nos ângulos $\alpha_1 = 45°$ e $\alpha_2 = 10°$, respectivamente, determine o torque que precisa ser aplicado ao eixo da bomba.

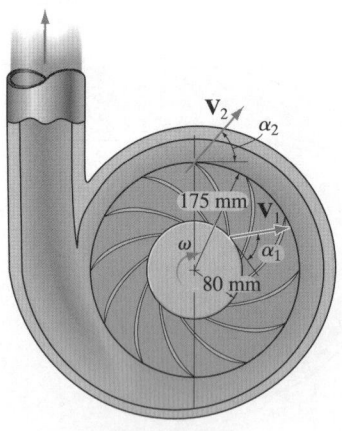

PROBLEMA 14.19

*14.20. Mostre que a carga ideal para uma bomba de escoamento radial pode ser determinada por $\Delta H = (U_2 V_2 \cos \alpha_2)/g$, onde V_2 é a velocidade da água saindo das pás do rotor. A água entra nas pás do rotor na direção radial.

14.21. A água escoa radialmente para as pás com 40 mm de largura do rotor da bomba centrífuga e sai com uma velocidade V_2 a um ângulo de 20°, como mostra a figura. Se o rotor está girando a 10 rev/s e o escoamento é de 0,04 m³/s, determine a carga ideal fornecida à água, o torque exigido para girar o rotor e a potência fornecida à bomba se ela tiver uma eficiência de $\eta = 0{,}65$.

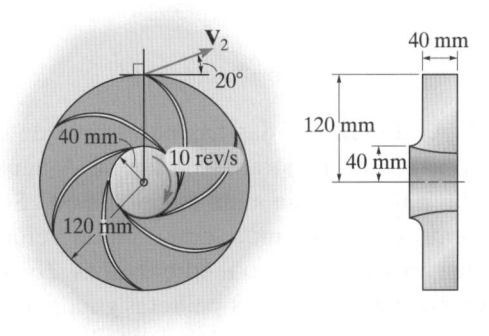

PROBLEMA 14.21

14.22. O rotor da bomba centrífuga está girando a 1200 rev/min e produz uma vazão de 0,03 m³/s. Determine a velocidade da água ao sair da pá, a potência ideal e a carga ideal produzida pela bomba.

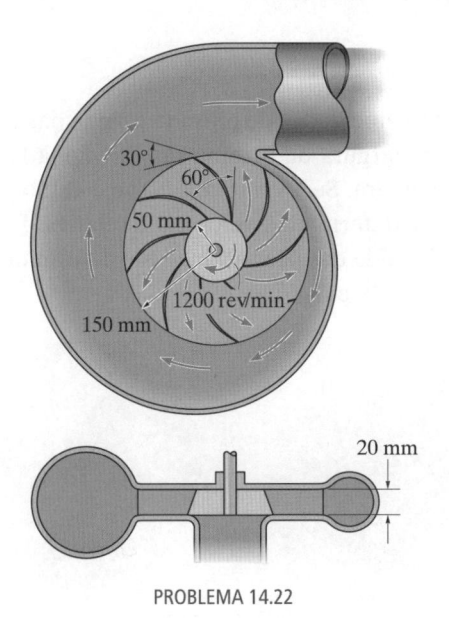

PROBLEMA 14.22

Seção 14.5

14.23. As pás da roda Pelton desviam o jato d'água de 100 mm de diâmetro em 140°, como mostra a figura. Se a velocidade da água a partir do bocal é de 30 m/s, determine o torque necessário para manter a roda em uma posição fixa e o torque que mantém uma velocidade angular de 10 rad/s.

*14.24. As pás da roda Pelton desviam o jato d'água de 100 mm de diâmetro em 140°, como mostra a figura. Se a velocidade da água a partir do bocal é de 30 m/s, determine a potência que é entregue ao eixo quando a roda está girando a uma velocidade angular constante de 2 rad/s. Com que velocidade a roda deverá estar girando para maximizar a potência desenvolvida pela roda?

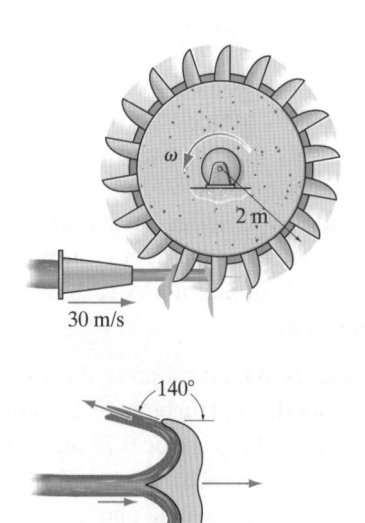

PROBLEMAS 14.23 e 14.24

14.25. A água escoa de um lago através de um tubo com 300 m de extensão, diâmetro de 300 mm e fator de atrito $f = 0{,}015$. O escoamento pelo tubo passa por um bocal com 60 mm de diâmetro e é usado para impulsionar a roda Pelton, onde os ângulos de desvio das pás são de 160°. Determine a potência e o torque produzidos quando a roda está girando sob condições ideais. Desconsidere as perdas secundárias.

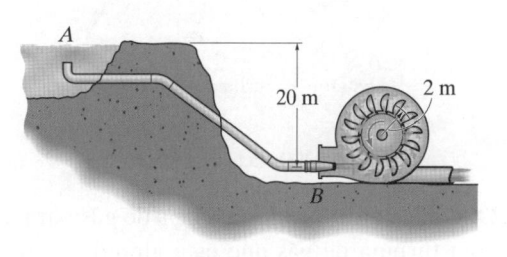

PROBLEMA 14.25

14.26. A água escoa pelo tubo com 400 mm de diâmetro a 2 m/s. Cada um dos quatro bocais com 50 mm de diâmetro aponta tangencialmente para a roda Pelton, que possui ângulos de desvio de pá de 150°. Determine o torque e a potência desenvolvidos pela roda quando ela está girando a 10 rad/s.

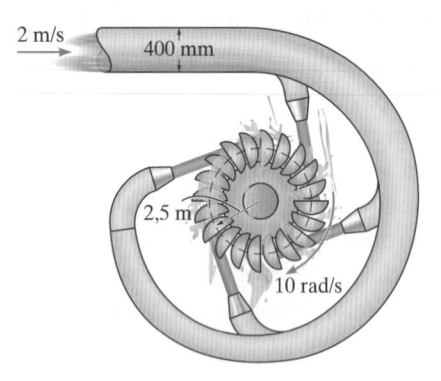

PROBLEMA 14.26

14.27. A água escoando a 4 m/s é direcionada do estator para as pás de uma turbina de escoamento axial a um ângulo de $\alpha_1 = 28°$ e sai a um ângulo de $\alpha_2 = 43°$. Se as pás estão girando a 80 rad/s, determine os ângulos requeridos β_1 e β_2 das pás da turbina, de modo que aceitem devidamente e depois entreguem o escoamento ao estator adjacente. A turbina tem um raio médio de 600 mm.

*__14.28.__ A água escoando a 4 m/s é direcionada do estator para as pás de uma turbina de escoamento axial, onde o raio médio das pás é de 0,75 m. Se as pás estão girando a 80 rad/s e o escoamento é de 7 m³/s, determine o torque produzido pela água.

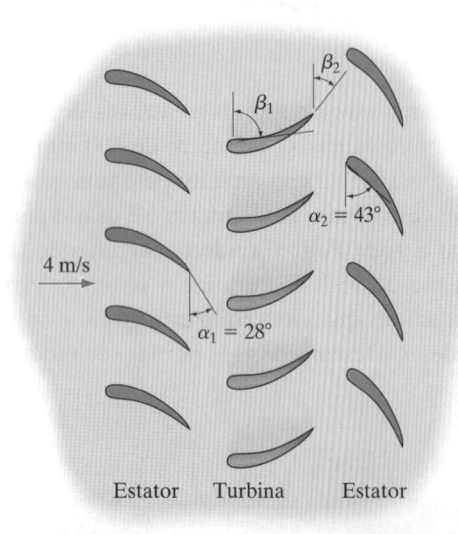

PROBLEMAS 14.27 e 14.28

14.29. Um estator direciona 8 kg/s de gás para as pás de uma turbina de gás que está girando a 20 rad/s. Se o raio médio das pás da turbina é de 0,8 m e a velocidade do escoamento entrando nas pás é de 12 m/s, conforme mostrado, determine a velocidade de saída do gás a partir das pás. Além disso, qual é o ângulo exigido β_1 na entrada das pás?

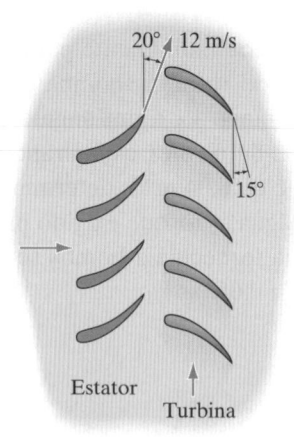

PROBLEMA 14.29

14.30. As dimensões das pás na turbina de escoamento axial são mostradas na figura. A água passa pelas palhetas guia a um ângulo de 60°. Se o escoamento é de 0,85 m³/s, determine a velocidade da água ao atingir o raio médio das pás. *Dica:* dentro da passagem livre das palhetas guia para a turbina, ocorre escoamento de vórtice livre; ou seja, $V_t r = $ constante.

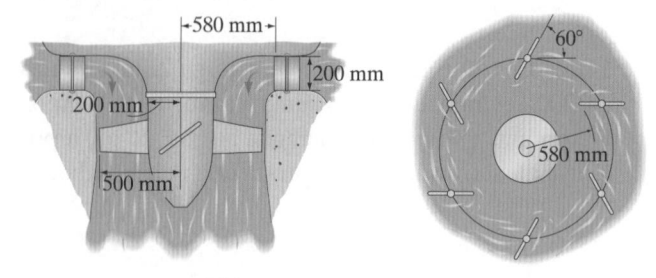

PROBLEMA 14.30

14.31. As velocidades de entrada e saída das pás com 90 mm de largura da turbina são direcionadas como mostra a figura. Se $V_1 = 18$ m/s e as pás estão girando a 80 rad/s, determine a velocidade relativa do escoamento de saída das pás. Além disso, determine os ângulos da pá, β_1 e β_2.

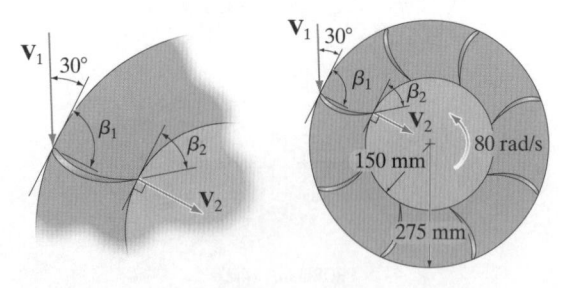

PROBLEMA 14.31

*14.32. As velocidades de entrada e saída das pás com 90 mm de largura da turbina são direcionadas como mostra a figura. Se as pás estão girando a 80 rad/s e a descarga é de 1,40 m³/s, determine a potência que a turbina retira da água.

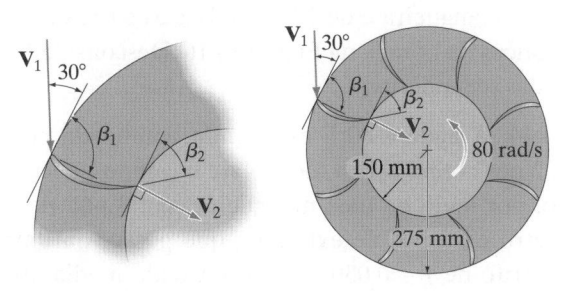

PROBLEMA 14.32

14.33. Se os ângulos para uma pá de turbina com escoamento axial são $\alpha_1 = 30°$, $\beta_1 = 60°$ e $\beta_2 = 30°$, determine a velocidade da água entrando e saindo das pás da turbina se o raio médio das pás é de 1,5 pé. A turbina está girando a 70 rad/s.

14.34. Se os ângulos para uma pá de turbina com escoamento axial são $\alpha_1 = 30°$, $\beta_1 = 60°$ e $\beta_2 = 30°$, determine a velocidade relativa da água na cabeça e na borda de fuga das pás da turbina se o raio médio das pás é de 1,5 pé. A turbina está girando a 70 rad/s.

14.35. As pás de uma turbina de escoamento axial têm um raio médio de 1,5 pé e estão girando a 70 rad/s. Se os ângulos para uma pá da turbina são $\alpha_1 = 30°$, $\beta_1 = 60°$ e $\beta_2 = 30°$, e o escoamento é de 900 pés³/s, determine a potência ideal fornecida à turbina.

*14.36. A água é direcionada a $\alpha_1 = 50°$ em direção às pás da turbina Kaplan e sai das pás na direção axial. Cada pá tem um raio interno de 200 mm e um raio externo de 600 mm. Se as pás estão girando a $\omega = 28$ rad/s e a vazão é de 8 m³/s, determine a potência que a água fornece à turbina.

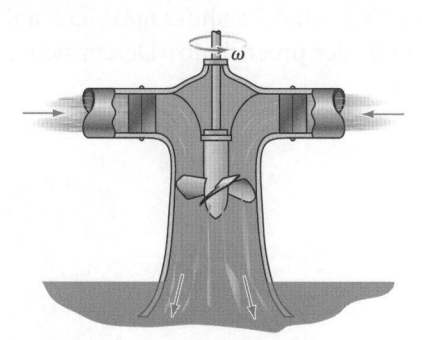

PROBLEMA 14.36

14.37. As pás da turbina Francis giram a 40 rad/s enquanto descarregam água a 0,5 m³/s. A água entra nas pás a um ângulo $\alpha_1 = 30°$ e sai na direção radial. Se as pás têm uma largura de 0,3 m, determine o torque e a potência que a água fornece ao eixo da turbina.

14.38. As pás da turbina Francis giram a 40 rad/s enquanto descarregam água a 0,5 m³/s. A água entra nas pás a um ângulo $\alpha_1 = 30°$ e sai na direção radial. Se as pás têm uma largura de 0,3 m e a turbina opera sob uma carga total de 3 m, determine a eficiência hidráulica.

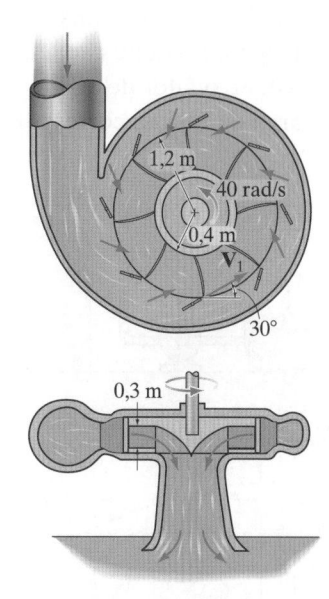

PROBLEMAS 14.37 e 14.38

14.39. A água entra nas pás com 50 mm de largura da turbina com uma velocidade de 20 m/s, como mostra a figura. Se as pás estão girando a 75 rev/min e o escoamento para fora das pás é radial, determine a potência que a água fornece à turbina.

*14.40. A água entra nas pás com 50 mm de largura da turbina com uma velocidade de 20 m/s, como mostra a figura. Se as pás estão girando a 75 rev/min e o escoamento para fora das pás é radial, determine a carga ideal que a turbina retira da água.

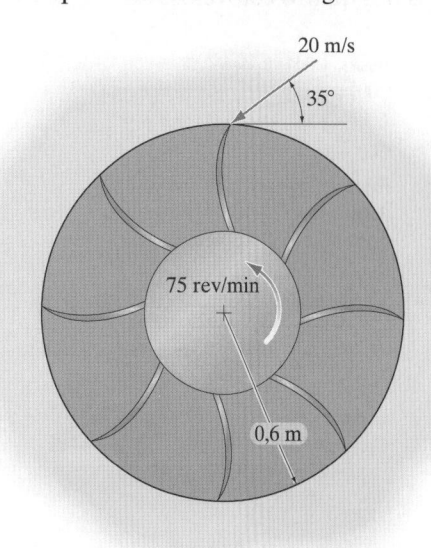

PROBLEMAS 14.39 e 14.40

Seções 14.6 a 14.9

14.41. O sistema de tubos na figura consiste em um tubo de ferro galvanizado com 2 pol. de diâmetro e 50 pés de extensão, uma válvula de gaveta totalmente aberta, dois cotovelos, uma entrada nivelada e uma bomba com a curva de carga da bomba mostrada no gráfico. Se o fator de atrito é 0,025, estime a vazão e a carga da bomba correspondente gerada pela bomba.

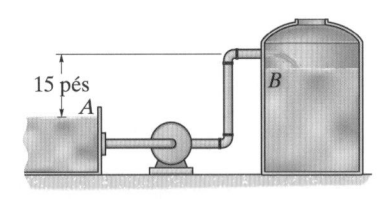

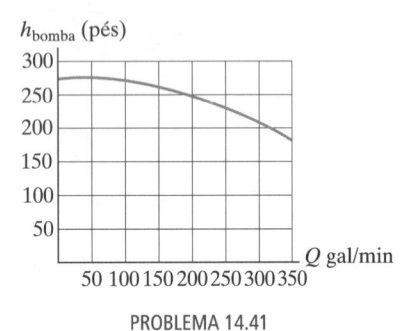

PROBLEMA 14.41

14.42. A água a 20°C é bombeada de um lago para o tanque no caminhão usando um tubo de ferro galvanizado com 50 mm de diâmetro. Se a curva característica da bomba é aquela indicada no gráfico, determine a vazão máxima que a bomba gerará. O comprimento total do tubo é de 50 m. Inclua as perdas secundárias dos quatro cotovelos.

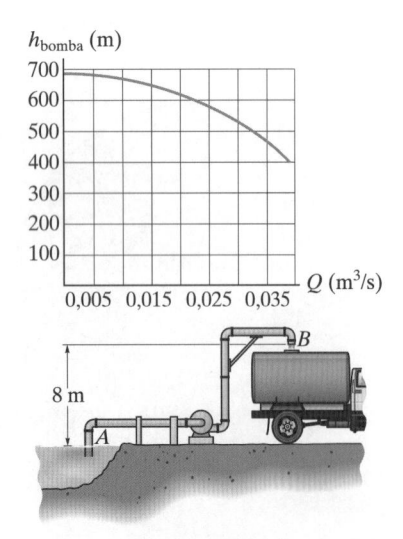

PROBLEMA 14.42

14.43. A bomba é usada para transferir água a 60°F subindo do rio até o campo para irrigação. O fator de atrito para a mangueira com 3 pol. de diâmetro e 30 pés de extensão é $f = 0,015$, e $h = 15$ pés. Determine se ocorre cavitação quando a velocidade média através da mangueira é de 18 pés/s. Use as curvas características da bomba na Figura 14.16. Desconsidere as perdas secundárias.

*__14.44.__ A água a 80°F está sendo bombeada por $h = 12$ pés colina acima, do rio até o campo de irrigação, por meio de uma mangueira com 3 pol. de diâmetro e 25 pés de extensão, que possui um fator de atrito de $f = 0,030$. Se a velocidade média através da mangueira é de 18 pés/s, use as curvas de desempenho da bomba na Figura 14.16 e determine se ocorre cavitação na bomba. Desconsidere as perdas secundárias.

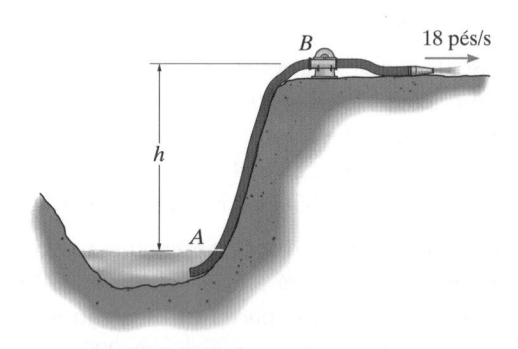

PROBLEMAS 14.43 e 14.44

14.45. A bomba de escoamento radial com um diâmetro de rotor de 5 pol. e as curvas características mostradas na Figura 14.16 devem ser usadas para bombear água do reservatório para o tanque. Determine a eficiência da bomba se o escoamento for de 400 gal/min. Além disso, qual é a altura máxima h até a qual o tanque pode ser preenchido? Desconsidere quaisquer perdas.

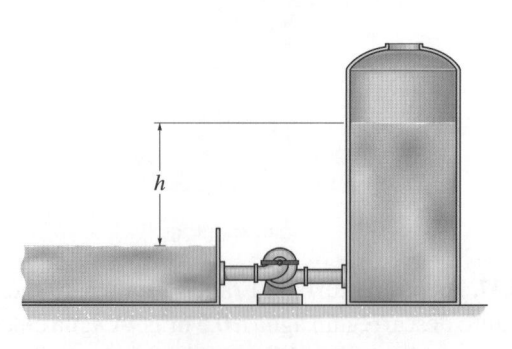

PROBLEMA 14.45

14.46. A bomba de escoamento radial tem um rotor com diâmetro de 5,5 pol. e as curvas características mostradas na Figura 14.16. Se ela for usada para bombear água da cisterna para a caixa d'água, determine a vazão aproximada quando a água estiver nas elevações mostradas, quando $h = 80$ pés. Desconsidere as perdas por cisalhamento no tubo com 3 pol. de diâmetro, mas considere as perdas secundárias como sendo $K_L = 3,5$.

14.47. A bomba de escoamento radial tem um rotor de 6 pol. de diâmetro, e as curvas características para ela aparecem na Figura 14.16. Determine a vazão aproximada que ela oferece para bombear água da cisterna até a caixa d'água, onde $h = 115$ pés. Desconsidere as perdas secundárias e use um fator de atrito de $f = 0,02$ para a mangueira com 100 pés de extensão e 3 pol. de diâmetro.

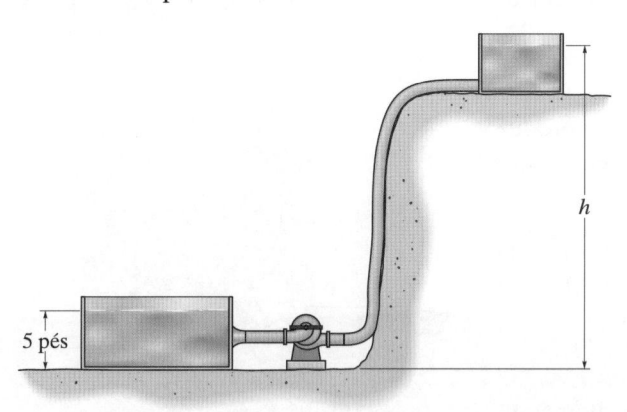

PROBLEMAS 14.46 e 14.47

*14.48. Um rotor com 200 mm de diâmetro de uma bomba d'água de escoamento radial gira a 150 rad/s e produz uma mudança na carga ideal de 0,3 m. Determine a mudança na carga para uma bomba geometricamente semelhante que tenha um diâmetro de rotor de 100 mm e opere a 80 rad/s.

14.49. Um rotor com 200 mm de diâmetro de uma bomba d'água de escoamento radial gira a 150 rad/s e tem uma descarga de 0,3 m³/s. Determine a descarga para uma bomba semelhante, que possui um diâmetro de rotor de 100 mm e opere a 80 rad/s.

14.50. A temperatura do benzeno em um tanque de processamento é mantida reciclando esse líquido através de um trocador de calor, usando uma bomba que possui uma velocidade de rotor de 1750 rpm e produz uma vazão de 900 gal/min. Se for descoberto que o trocador de calor pode manter a temperatura somente quando a vazão é de 650 gal/min, determine a velocidade angular exigida do rotor.

14.51. A temperatura do benzeno em um tanque de processamento é mantida reciclando esse líquido através de um trocador de calor, usando uma bomba que possui um diâmetro de rotor de 6 pol. e produz uma vazão de 900 gal/min. Se for descoberto que o trocador de calor pode manter a temperatura somente quando a vazão é de 650 gal/min, determine o diâmetro exigido do rotor se ele mantiver a mesma velocidade angular.

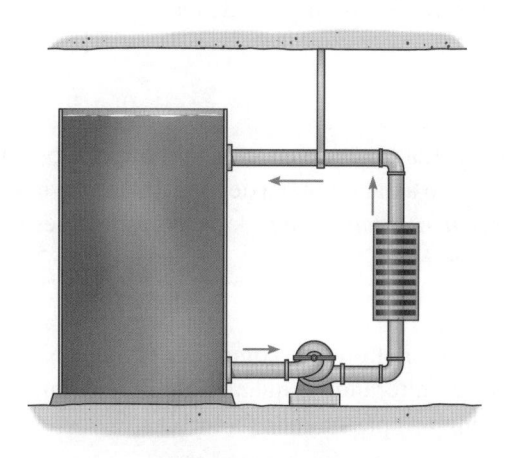

PROBLEMAS 14.50 e 14.51

*14.52. Uma bomba d'água tem um rotor com diâmetro de 8 pol. e gira a 1750 rev/min. Se a bomba fornece uma descarga de 500 gal/min quando está operando a uma carga de 35 pés, determine a descarga e a carga se uma bomba semelhante for usada com um rotor que tem um diâmetro de 12 pol. e gira com a mesma taxa.

14.53. Uma bomba de velocidade variável requer 28 hp para girar em uma velocidade de rotor de 1750 rpm. Determine a potência requerida se a velocidade do rotor for reduzida para 630 rpm.

14.54. O modelo de uma bomba d'água tem um rotor com um diâmetro de 4 pol. que descarrega 80 gal/min. Se a potência requerida for de 1,5 hp, determine a potência requerida para o protótipo com um diâmetro de rotor de 12 pol. que descarregará 600 gal/min.

14.55. O modelo de uma bomba d'água tem um rotor com um diâmetro de 4 pol. que descarrega 80 gal/min com uma carga de pressão de 4 pés. Determine o diâmetro do rotor do protótipo que descarregará 600 gal/min com uma carga de pressão de 24 pés.

Revisão do capítulo

Bombas de escoamento axial mantêm a direção do escoamento enquanto ele passa pelo rotor da bomba. Bombas de escoamento radial direcionam o escoamento a partir do centro do rotor radialmente para fora através de uma voluta. A análise cinemática dos dois tipos de bombas é semelhante. Ela depende da velocidade do rotor e seus ângulos de pá.

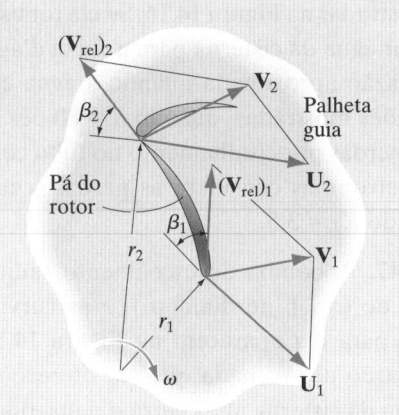

O torque, a potência e a carga produzidos por uma bomba de escoamento axial ou radial dependem do movimento do rotor e dos *componentes tangenciais* da velocidade do escoamento ao entrar e sair do rotor.

Uma roda Pelton atua como uma turbina a impulsão. Ela produz potência alterando a quantidade de movimento do escoamento ao atingir as pás da roda da turbina.

Turbinas Kaplan e Francis são chamadas turbinas a reação. A análise desses dispositivos é semelhante à que é usada para as bombas de escoamento axial e radial, respectivamente.

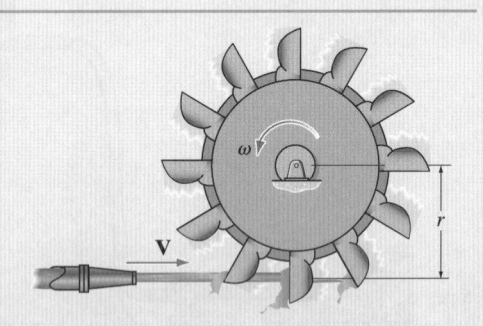

As características de desempenho reais de qualquer turbomáquina são determinadas por experimentos, para levar em conta as perdas por atrito mecânico e cisalhamento do fluido na máquina.

Poderá ocorrer cavitação dentro do escoamento em uma turbomáquina. Isso pode ser evitado se a (NPSH)$_{disp}$ for maior que a (NPSH)$_{req}$ requerida, o que é determinado por experimentos.

Uma bomba que é selecionada para funcionar dentro de um sistema de escoamento deverá produzir uma vazão e carga total requeridas, e deverá operar com uma alta eficiência.

Para comparar as características de desempenho de duas turbomáquinas do mesmo tipo, os coeficientes de vazão, manométrico e de potência precisam ser semelhantes.

$$\frac{Q_1}{\omega_1 D_1^3} = \frac{Q_2}{\omega_2 D_2^3}$$

$$\frac{h_1}{\omega_1^2 D_1^2} = \frac{h_2}{\omega_2^2 D_2^2}$$

$$\frac{\dot{W}_1}{\omega_1^3 D_1^5} = \frac{\dot{W}_2}{\omega_2^3 D_2^5}$$

Turbomáquinas podem ser selecionadas para uma função específica com base em sua velocidade específica, o que é uma função da velocidade angular ω, da vazão Q e da carga h da bomba. Bombas de escoamento radial são eficientes para baixas velocidades específicas, e bombas de escoamento axial são eficientes para altas velocidades específicas.

$$N_s = \frac{\omega Q^{1/2}}{(gh)^{3/4}}$$

APÊNDICE A
Propriedades físicas dos fluidos

Propriedades físicas dos líquidos à pressão atmosférica padrão 101,3 kPa e 20°C (unidades SI)

Líquido	Densidade ρ (kg/m³)	Viscosidade dinâmica μ (N·s/m²)	Viscosidade cinemática ν (m²/s)	Tensão superficial σ (N/m)
Álcool etílico	789	$1{,}19(10^{-3})$	$1{,}51(10^{-6})$	0,0229
Gasolina	726	$0{,}317(10^{-3})$	$0{,}465(10^{-6})$	0,0221
Tetracloreto de carbono	1590	$0{,}958(10^{-3})$	$0{,}603(10^{-6})$	0,0269
Querosene	814	$1{,}92(10^{-3})$	$2{,}36(10^{-6})$	0,0293
Glicerina	1260	1,50	$1{,}19(10^{-3})$	0,0633
Mercúrio	13550	$1{,}58(10^{-3})$	$0{,}177(10^{-6})$	0,466
Óleo cru	880	$30{,}2(10^{-3})$	$0{,}0344(10^{-3})$	

Propriedades físicas dos líquidos à pressão atmosférica padrão 14,70 psi e 68°F (unidades FPS)

Líquido	Densidade ρ (slug/pés³)	Viscosidade dinâmica μ (lb·s/pés²)	Viscosidade cinemática ν (pés²/s)	Tensão superficial σ (lb/pés)
Álcool etílico	1,53	$24{,}8(10^{-6})$	$16{,}3(10^{-6})$	$1{,}57(10^{-3})$
Gasolina	1,41	$6{,}62(10^{-6})$	$71{,}3(10^{-6})$	$1{,}51(10^{-3})$
Tetracloreto de carbono	3,09	$20{,}0(10^{-6})$	$6{,}49(10^{-6})$	$1{,}84(10^{-3})$
Querosene	1,58	$40{,}1(10^{-6})$	$25{,}4(10^{-6})$	$2{,}01(10^{-3})$
Glicerina	2,44	$31{,}3(10^{-3})$	$12{,}8(10^{-3})$	$4{,}34(10^{-3})$
Mercúrio	26,3	$33{,}0(10^{-6})$	$1{,}26(10^{-6})$	$31{,}9(10^{-3})$
Óleo cru	1,71	$0{,}632(10^{-3})$	$0{,}370(10^{-3})$	

Propriedades físicas dos gases à pressão atmosférica padrão 101,3 kPa (unidades SI)

Gás	Densidade ρ (kg/m³)	Viscosidade dinâmica μ (N·s/m²)	Viscosidade cinemática ν (m²/s)	Constante do gás R (J/[kg·K])	Razão do calor específico $k = c_p/c_v$
Ar (15°C)	1,23	17,9(10⁻⁶)	14,6(10⁻⁶)	286,9	1,40
Oxigênio (20°C)	1,33	20,4(10⁻⁶)	15,2(10⁻⁶)	259,8	1,40
Nitrogênio (20°C)	1,16	17,5(10⁻⁶)	15,1(10⁻⁶)	296,8	1,40
Hidrogênio (20°C)	0,0835	8,74(10⁻⁶)	106(10⁻⁶)	4124	1,41
Hélio (20°C)	0,169	19,2(10⁻⁶)	114(10⁻⁶)	2077	1,66
Dióxido de carbono (20°C)	1,84	14,9(10⁻⁶)	8,09(10⁻⁶)	188,9	1,30
Metano (20°C)(gás natural)	0,665	11,2(10⁻⁶)	16,8(10⁻⁶)	518,3	1,31

Propriedades físicas dos gases à pressão atmosférica padrão 14,70 psi (unidades FPS)

Gás	Densidade ρ (slug/pés³)	Viscosidade dinâmica μ (lb·s/pés²)	Viscosidade cinemática ν (pés²/s)	Constante do gás R (pés·lb/[slug·°R])	Razão do calor específico $k = c_p/c_v$
Ar (59°F)	2,38(10⁻³)	0,374(10⁻⁶)	0,158(10⁻³)	1716	1,40
Oxigênio (68°F)	2,58(10⁻³)	0,422(10⁻⁶)	0,163(10⁻³)	1554	1,40
Nitrogênio (68°F)	2,26(10⁻³)	0,367(10⁻⁶)	0,162(10⁻³)	1775	1,40
Hidrogênio (68°F)	0,163(10⁻³)	0,187(10⁻⁶)	1,15(10⁻³)	24,66(10³)	1,41
Hélio (68°F)	0,323(10⁻³)	0,394(10⁻⁶)	1,22(10⁻³)	12,42(10³)	1,66
Dióxido de carbono (68°F)	3,55(10⁻³)	0,309(10⁻⁶)	87,0(10⁻⁶)	1130	1,30
Metano (68°F) (gás natural)	1,29(10⁻³)	0,234(10⁻⁶)	0,181(10⁻³)	3099	1,31

Propriedades físicas da água *versus* temperatura (unidades SI)

Temperatura T (°C)	Densidade ρ (kg/m³)	Viscosidade dinâmica μ (N·s/m²)	Viscosidade cinemática ν (m²/s)	Pressão de vapor p_v (kPa)
0	999,8	$1{,}80(10^{-3})$	$1{,}80(10^{-6})$	0,681
5	1000,0	$1{,}52(10^{-3})$	$1{,}52(10^{-6})$	0,872
10	999,7	$1{,}31(10^{-3})$	$1{,}31(10^{-6})$	1,23
15	999,2	$1{,}15(10^{-3})$	$1{,}15(10^{-6})$	1,71
20	998,3	$1{,}00(10^{-3})$	$1{,}00(10^{-6})$	2,34
25	997,1	$0{,}897(10^{-3})$	$0{,}898(10^{-6})$	3,17
30	995,7	$0{,}801(10^{-3})$	$0{,}804(10^{-6})$	4,25
35	994,0	$0{,}723(10^{-3})$	$0{,}727(10^{-6})$	5,63
40	992,3	$0{,}659(10^{-3})$	$0{,}664(10^{-6})$	7,38
45	990,2	$0{,}599(10^{-3})$	$0{,}604(10^{-6})$	9,59
50	988,0	$0{,}554(10^{-3})$	$0{,}561(10^{-6})$	12,4
55	985,7	$0{,}508(10^{-3})$	$0{,}515(10^{-6})$	15,8
60	983,2	$0{,}470(10^{-3})$	$0{,}478(10^{-6})$	19,9
65	980,5	$0{,}437(10^{-3})$	$0{,}446(10^{-6})$	25,0
70	977,7	$0{,}405(10^{-3})$	$0{,}414(10^{-6})$	31,2
75	974,8	$0{,}381(10^{-3})$	$0{,}390(10^{-6})$	38,6
80	971,6	$0{,}356(10^{-3})$	$0{,}367(10^{-6})$	47,4
85	968,4	$0{,}336(10^{-3})$	$0{,}347(10^{-6})$	57,8
90	965,1	$0{,}318(10^{-3})$	$0{,}329(10^{-6})$	70,1
95	961,6	$0{,}300(10^{-3})$	$0{,}312(10^{-6})$	84,6
100	958,1	$0{,}284(10^{-3})$	$0{,}296(10^{-6})$	101

Propriedades físicas da água versus temperatura (unidades FPS)

Temperatura T (°F)	Densidade ρ (slug/pés^3)	Viscosidade dinâmica μ (lb · s/pés^2)	Viscosidade cinemática ν (pés^2/s)	Pressão de vapor p_v (psia)
32	1,940	37,5(10^{-6})	19,3(10^{-6})	0,0885
40	1,940	32,3(10^{-6})	16,6(10^{-6})	0,122
50	1,940	27,4(10^{-6})	14,1(10^{-6})	0,178
60	1,939	23,6(10^{-6})	12,2(10^{-6})	0,256
70	1,937	20,2(10^{-6})	10,4(10^{-6})	0,363
80	1,934	18,1(10^{-6})	9,35(10^{-6})	0,507
90	1,931	15,8(10^{-6})	8,17(10^{-6})	0,698
100	1,927	14,4(10^{-6})	7,39(10^{-6})	0,949
110	1,923	12,8(10^{-6})	6,65(10^{-6})	1,28
120	1,918	11,8(10^{-6})	6,14(10^{-6})	1,69
130	1,913	10,7(10^{-6})	5,59(10^{-6})	2,23
140	1,908	9,81(10^{-6})	5,14(10^{-6})	2,89
150	1,902	9,06(10^{-6})	4,75(10^{-6})	3,72
160	1,896	8,30(10^{-6})	4,37(10^{-6})	4,75
170	1,890	7,80(10^{-6})	4,13(10^{-6})	6,00
180	1,883	7,20(10^{-6})	3,84(10^{-6})	7,51
190	1,877	6,82(10^{-6})	3,64(10^{-6})	9,34
200	1,869	6,36(10^{-6})	3,40(10^{-6})	11,5
212	1,860	5,93(10^{-6})	3,19(10^{-6})	14,7

Apêndice A – Propriedades físicas dos fluidos

Propriedades do ar na pressão atmosférica padrão dos EUA 101,3 kPa *versus* altitude (unidades SI)

Altitude (km)	Temperatura T (°C)	Pressão p (kPa)	Densidade ρ (kg/m³)	Viscosidade dinâmica μ (Pa·s)	Viscosidade cinemática ν (m²/s)
0	15,00	101,3	1,225	17,89(10⁻⁶)	14,61(10⁻⁶)
1	8,501	89,88	1,112	17,58(10⁻⁶)	15,81(10⁻⁶)
2	2,004	79,50	1,007	17,26(10⁻⁶)	17,15(10⁻⁶)
3	−4,491	70,12	0,9092	16,94(10⁻⁶)	18,63(10⁻⁶)
4	−10,98	61,66	0,8194	16,61(10⁻⁶)	20,28(10⁻⁶)
5	−17,47	54,05	0,7364	16,28(10⁻⁶)	22,11(10⁻⁶)
6	−23,96	47,22	0,6601	15,95(10⁻⁶)	24,16(10⁻⁶)
7	−30,45	41,10	0,5900	15,61(10⁻⁶)	26,46(10⁻⁶)
8	−36,94	35,65	0,5258	15,27(10⁻⁶)	29,04(10⁻⁶)
9	−43,42	30,80	0,4671	14,93(10⁻⁶)	31,96(10⁻⁶)
10	−49,90	26,45	0,4135	14,58(10⁻⁶)	35,25(10⁻⁶)
11	−56,38	22,67	0,3648	14,22(10⁻⁶)	39,00(10⁻⁶)
12	−56,50	19,40	0,3119	14,22(10⁻⁶)	45,57(10⁻⁶)
13	−56,50	16,58	0,2666	14,22(10⁻⁶)	53,32(10⁻⁶)
14	−56,50	14,17	0,2279	14,22(10⁻⁶)	62,39(10⁻⁶)
15	−56,50	12,11	0,1948	14,22(10⁻⁶)	73,00(10⁻⁶)
16	−56,50	10,35	0,1665	14,22(10⁻⁶)	85,40(10⁻⁶)
17	−56,50	8,850	0,1423	14,22(10⁻⁶)	99,90(10⁻⁶)
18	−56,50	7,565	0,1217	14,22(10⁻⁶)	0,1169(10⁻³)
19	−56,50	6,468	0,1040	14,22(10⁻⁶)	0,1367(10⁻³)
20	−56,50	5,529	0,08891	14,22(10⁻⁶)	0,1599(10⁻³)
21	−55,57	4,729	0,07572	14,27(10⁻⁶)	0,1884(10⁻³)
22	−54,58	4,048	0,06451	14,32(10⁻⁶)	0,2220(10⁻³)
23	−53,58	3,467	0,05501	14,38(10⁻⁶)	0,2614(10⁻³)
24	−52,59	2,972	0,04694	14,43(10⁻⁶)	0,3074(10⁻³)
25	−51,60	2,549	0,04008	14,48(10⁻⁶)	0,3614(10⁻³)

Propriedades do ar na pressão atmosférica padrão dos EUA 14,70 psi *versus* altitude (unidades FPS)

Altitude (pés)	Temperatura T (°F)	Pressão p (psf)	Densidade ρ (slug/pés^3)	Viscosidade dinâmica μ (lb·s/pés^2)	Viscosidade cinemática ν (pés^2/s)
0	59,00	2116	2,375(10^{-3})	0,3738(10^{-6})	0,1573(10^{-3})
2.500	50,08	1932	2,218(10^{-3})	0,3688(10^{-6})	0,1661(10^{-3})
5.000	41,17	1761	2,043(10^{-3})	0,3637(10^{-6})	0,1779(10^{-3})
7.500	32,25	1602	1,897(10^{-3})	0,3586(10^{-6})	0,1889(10^{-3})
10.000	23,34	1456	1,754(10^{-3})	0,3535(10^{-6})	0,2015(10^{-3})
12.500	14,42	1320	1,620(10^{-3})	0,3483(10^{-6})	0,2151(10^{-3})
15.000	5,509	1195	1,495(10^{-3})	0,3431(10^{-6})	0,2293(10^{-3})
17.500	−3,406	1079	1,377(10^{-3})	0,3378(10^{-6})	0,2451(10^{-3})
20.000	−12,32	973,2	1,266(10^{-3})	0,3325(10^{-6})	0,2624(10^{-3})
22.500	−21,24	875,8	1,163(10^{-3})	0,3271(10^{-6})	0,2812(10^{-3})
25.000	−30,15	786,3	1,069(10^{-3})	0,3217(10^{-6})	0,3006(10^{-3})
27.500	−39,07	704,4	0,9748(10^{-3})	0,3163(10^{-6})	0,3242(10^{-3})
30.000	−47,98	629,6	0,8899(10^{-3})	0,3108(10^{-6})	0,3489(10^{-3})
32.500	−56,90	561,4	0,8110(10^{-3})	0,3052(10^{-6})	0,3760(10^{-3})
35.000	−65,81	499,3	0,7383(10^{-3})	0,2996(10^{-6})	0,4055(10^{-3})
37.500	−69,70	443,2	0,6652(10^{-3})	0,2970(10^{-6})	0,4460(10^{-3})
40.000	−69,70	393,1	0,5841(10^{-3})	0,2970(10^{-6})	0,5080(10^{-3})
42.500	−69,70	348,7	0,5193(10^{-3})	0,2970(10^{-6})	0,5714(10^{-3})
45.000	−69,70	309,5	0,4620(10^{-3})	0,2970(10^{-6})	0,6423(10^{-3})
47.500	−69,70	274,6	0,4099(10^{-3})	0,2970(10^{-6})	0,7238(10^{-3})
50.000	−69,70	243,6	0,3636(10^{-3})	0,2970(10^{-6})	0,8553(10^{-3})
52.500	−69,70	216,1	0,3225(10^{-3})	0,2970(10^{-6})	0,9201(10^{-3})
55.000	−69,70	191,4	0,2840(10^{-3})	0,2970(10^{-6})	1,045(10^{-3})
57.500	−69,70	170,3	0,2549(10^{-3})	0,2970(10^{-6})	1,164(10^{-3})
60.000	−69,70	151,0	0,2252(10^{-3})	0,2970(10^{-6})	1,318(10^{-3})

Propriedades do ar na pressão atmosférica padrão 101,3 kPa versus temperatura (unidades SI)

Temperatura T (°C)	Densidade ρ (kg/m³)	Viscosidade dinâmica μ (N · s/m²)	Viscosidade cinemática ν (m²/s)
−50	1,582	$14{,}6(10^{-6})$	$9{,}21(10^{-6})$
−40	1,514	$15{,}1(10^{-6})$	$9{,}98(10^{-6})$
−30	1,452	$15{,}6(10^{-6})$	$10{,}8(10^{-6})$
−20	1,394	$16{,}1(10^{-6})$	$11{,}6(10^{-6})$
−10	1,342	$16{,}7(10^{-6})$	$12{,}4(10^{-6})$
0	1,292	$17{,}2(10^{-6})$	$13{,}3(10^{-6})$
10	1,247	$17{,}6(10^{-6})$	$14{,}2(10^{-6})$
20	1,202	$18{,}1(10^{-6})$	$15{,}1(10^{-6})$
30	1,164	$18{,}6(10^{-6})$	$16{,}0(10^{-6})$
40	1,127	$19{,}1(10^{-6})$	$16{,}9(10^{-6})$
50	1,092	$19{,}5(10^{-6})$	$17{,}9(10^{-6})$
60	1,060	$20{,}0(10^{-6})$	$18{,}9(10^{-6})$
70	1,030	$20{,}5(10^{-6})$	$19{,}9(10^{-6})$
80	1,000	$20{,}9(10^{-6})$	$20{,}9(10^{-6})$
90	0,973	$21{,}3(10^{-6})$	$21{,}9(10^{-6})$
100	0,946	$21{,}7(10^{-6})$	$23{,}0(10^{-6})$
150	0,834	$23{,}8(10^{-6})$	$28{,}5(10^{-6})$
200	0,746	$25{,}7(10^{-6})$	$34{,}5(10^{-6})$
250	0,675	$27{,}5(10^{-6})$	$40{,}8(10^{-6})$

Propriedades do ar na pressão atmosférica padrão 14,7 psi versus temperatura (unidades FPS)

Temperatura T (°F)	Densidade ρ (slug/pés³)	Viscosidade dinâmica μ (lb · s/pés²)	Viscosidade cinemática ν (pés²/s)
−40	0,00294	$0{,}316(10^{-6})$	$0{,}108(10^{-3})$
−20	0,00280	$0{,}328(10^{-6})$	$0{,}117(10^{-3})$
0	0,00268	$0{,}339(10^{-6})$	$0{,}126(10^{-3})$
20	0,00257	$0{,}351(10^{-6})$	$0{,}137(10^{-3})$
40	0,00247	$0{,}363(10^{-6})$	$0{,}147(10^{-3})$
60	0,00237	$0{,}374(10^{-6})$	$0{,}158(10^{-3})$
80	0,00228	$0{,}385(10^{-6})$	$0{,}169(10^{-3})$
100	0,00220	$0{,}396(10^{-6})$	$0{,}180(10^{-3})$
120	0,00213	$0{,}407(10^{-6})$	$0{,}192(10^{-3})$
140	0,00206	$0{,}417(10^{-6})$	$0{,}203(10^{-3})$
160	0,00199	$0{,}428(10^{-6})$	$0{,}215(10^{-3})$
180	0,00193	$0{,}438(10^{-6})$	$0{,}227(10^{-3})$
200	0,00187	$0{,}448(10^{-6})$	$0{,}240(10^{-3})$
300	0,00162	$0{,}496(10^{-6})$	$0{,}306(10^{-3})$
400	0,00143	$0{,}541(10^{-6})$	$0{,}377(10^{-3})$
500	0,00129	$0{,}583(10^{-6})$	$0{,}454(10^{-3})$

APÊNDICE B — Propriedades compressíveis de um gás ($k = 1{,}4$)

TABELA B.1 Relações isentrópicas ($k = 1{,}4$)

M	$\dfrac{T}{T_0}$	$\left(\dfrac{p}{p_0}\right)$	$\dfrac{A}{A^*}$
0	1,0000	1,0000	∞
0,10	0,9980	0,9930	5,8218
0,11	0,9976	0,9916	5,2992
0,12	0,9971	0,9900	4,8643
0,13	0,9966	0,9883	4,4969
0,14	0,9961	0,9864	4,1824
0,15	0,9955	0,9844	3,9103
0,16	0,9949	0,9823	3,6727
0,17	0,9943	0,9800	3,4635
0,18	0,9936	0,9776	3,2779
0,19	0,9928	0,9751	3,1123
0,20	0,9921	0,9725	2,9635
0,21	0,9913	0,9697	2,8293
0,22	0,9901	0,9668	2,7076
0,23	0,9895	0,9638	2,5968
0,24	0,9886	0,9607	2,4956
0,25	0,9877	0,9575	2,4027
0,26	0,9867	0,9541	2,3173
0,27	0,9856	0,9506	2,2385
0,28	0,9846	0,9470	2,1656
0,29	0,9835	0,9433	2,0979
0,30	0,9823	0,9395	2,0351
0,31	0,9811	0,9355	1,9765
0,32	0,9799	0,9315	1,9219
0,33	0,9787	0,9274	1,8707
0,34	0,9774	0,9231	1,8229
0,35	0,9761	0,9188	1,7780
0,36	0,9747	0,9143	1,7358
0,37	0,9733	0,9098	1,6961
0,38	0,9719	0,9052	1,6587
0,39	0,9705	0,9004	1,6234
0,40	0,9690	0,8956	1,5901
0,41	0,9675	0,8907	1,5587
0,42	0,9659	0,8857	1,5289
0,43	0,9643	0,8807	1,5007
0,44	0,9627	0,8755	1,4740
0,45	0,9611	0,8703	1,4487
0,46	0,9594	0,8650	1,4246
0,47	0,9577	0,8596	1,4018
0,48	0,9560	0,8541	1,3801
0,49	0,9542	0,8486	1,3595
0,50	0,9524	0,8430	1,3398
0,51	0,9506	0,8374	1,3212
0,52	0,9487	0,8317	1,3034
0,53	0,9468	0,8259	1,2865
0,54	0,9449	0,8201	1,2703
0,55	0,9430	0,8142	1,2550
0,56	0,9410	0,8082	1,2403
0,57	0,9390	0,8022	1,2263
0,58	0,9370	0,7962	1,2130
0,59	0,9349	0,7901	1,2003
0,60	0,9328	0,7840	1,1882
0,61	0,9307	0,7778	1,1767
0,62	0,9286	0,7716	1,1657
0,63	0,9265	0,7654	1,1552
0,64	0,9243	0,7591	1,1452
0,65	0,9221	0,7528	1,1356
0,66	0,9199	0,7465	1,1265
0,67	0,9176	0,7401	1,1179
0,68	0,9153	0,7338	1,1097
0,69	0,9131	0,7274	1,1018
0,70	0,9107	0,7209	1,0944
0,71	0,9084	0,7145	1,0873
0,72	0,9061	0,7080	1,0806
0,73	0,9037	0,7016	1,0742
0,74	0,9013	0,6951	1,0681
0,75	0,8989	0,6886	1,0624
0,76	0,8964	0,6821	1,0570
0,77	0,8940	0,6756	1,0519
0,78	0,8915	0,6691	1,0471
0,79	0,8890	0,6625	1,0425
0,80	0,8865	0,6560	1,0382
0,81	0,8840	0,6495	1,0342
0,82	0,8815	0,6430	1,0305
0,83	0,8789	0,6365	1,0270
0,84	0,8763	0,6300	1,0237
0,85	0,8737	0,6235	1,0207
0,86	0,8711	0,6170	1,0179
0,87	0,8685	0,6106	1,0153
0,88	0,8659	0,6041	1,0129
0,89	0,8632	0,5977	1,0108
0,90	0,8606	0,5913	1,0089
0,91	0,8579	0,5849	1,0071
0,92	0,8552	0,5785	1,0056
0,93	0,8525	0,5721	1,0043
0,94	0,8498	0,5658	1,0031
0,95	0,8471	0,5595	1,0022
0,96	0,8444	0,5532	1,0014
0,97	0,8416	0,5469	1,0008
0,98	0,8389	0,5407	1,0003
0,99	0,8361	0,5345	1,0001
1,00	0,8333	0,5283	1,000
1,01	0,8306	0,5221	1,000
1,02	0,8278	0,5160	1,000
1,03	0,8250	0,5099	1,001
1,04	0,8222	0,5039	1,001
1,05	0,8193	0,4979	1,002
1,06	0,8165	0,4919	1,003
1,07	0,8137	0,4860	1,004
1,08	0,8108	0,4800	1,005
1,09	0,8080	0,4742	1,006
1,10	0,8052	0,4684	1,008
1,11	0,8023	0,4626	1,010
1,12	0,7994	0,4568	1,011
1,13	0,7966	0,4511	1,013
1,14	0,7937	0,4455	1,015
1,15	0,7908	0,4398	1,017
1,16	0,7879	0,4343	1,020
1,17	0,7851	0,4287	1,022
1,18	0,7822	0,4232	1,025
1,19	0,7793	0,4178	1,026
1,20	0,7764	0,4124	1,030
1,21	0,7735	0,4070	1,033
1,22	0,7706	0,4017	1,037
1,23	0,7677	0,3964	1,040
1,24	0,7648	0,3912	1,043
1,25	0,7619	0,3861	1,047
1,26	0,7590	0,3809	1,050
1,27	0,7561	0,3759	1,054
1,28	0,7532	0,3708	1,058
1,29	0,7503	0,3658	1,062
1,30	0,7474	0,3609	1,066

TABELA B.1 Relações isentrópicas ($k = 1{,}4$)

M	$\dfrac{T}{T_0}$	$\left(\dfrac{p}{p_0}\right)$	$\dfrac{A}{A^*}$
1,31	0,7445	0,3560	1,071
1,32	0,7416	0,3512	1,075
1,33	0,7387	0,3464	1,080
1,34	0,7358	0,3417	1,084
1,35	0,7329	0,3370	1,089
1,36	0,7300	0,3323	1,094
1,37	0,7271	0,3277	1,099
1,38	0,7242	0,3232	1,104
1,39	0,7213	0,3187	1,109
1,40	0,7184	0,3142	1,115
1.41	0,7155	0,3098	1,120
1,42	0,7126	0,3055	1,126
1,43	0,7097	0,3012	1,132
1,44	0,7069	0,2969	1,138
1,45	0,7040	0,2927	1,144
1,46	0,7011	0,2886	1,150
1,47	0,6982	0,2845	1,156
1,48	0,6954	0,2804	1,163
1,49	0,6925	0,2764	1,169
1,50	0,6897	0,2724	1,176
1,51	0,6868	0,2685	1,183
1,52	0,6840	0,2646	1,190
1,53	0,6811	0,2608	1,197
1,54	0,6783	0,2570	1,204
1,55	0,6754	0,2533	1,212
1,56	0,6726	0,2496	1,219
1,57	0,6698	0,2459	1,227
1,58	0,6670	0,2423	1,234
1,59	0,6642	0,2388	1,242
1,60	0,6614	0,2353	1,250
1,61	0,6586	0,2318	1,258
1,62	0,6558	0,2284	1,267
1,63	0,6530	0,2250	1,275
1,64	0,6502	0,2217	1,284
1,65	0,6475	0,2184	1,292
1,66	0,6447	0,2151	1,301
1,67	0,6419	0,2119	1,310
1,68	0,6392	0,2088	1,319
1,69	0,6364	0,2057	1,328
1,70	0,6337	0,2026	1,338
1,71	0,6310	0,1996	1,347
1,72	0,6283	0,1966	1,357
1,73	0,6256	0,1936	1,367
1,74	0,6229	0,1907	1,376
1,75	0,6202	0,1878	1,386
1,76	0,6175	0,1850	1,397
1,77	0,6148	0,1822	1,407
1,78	0,6121	0,1794	1,418
1,79	0,6095	0,1767	1,428
1,80	0,6068	0,1740	1,439
1,81	0,6041	0,1714	1,450
1,82	0,6015	0,1688	1,461
1,83	0,5989	0,1662	1,472
1,84	0,5963	0,1637	1,484
1,85	0,5936	0,1612	1,495
1,86	0,5910	0,1587	1,507
1,87	0,5884	0,1563	1,519
1,88	0,5859	0,1539	1,531
1,89	0,5833	0,1516	1,543
1,90	0,5807	0,1492	1,555
1,91	0,5782	0,1470	1,568
1,92	0,5756	0,1447	1,580
1,93	0,5731	0,1425	1,593
1,94	0,5705	0,1403	1,606
1,95	0,5680	0,1381	1,619
1,96	0,5655	0,1360	1,633
1,97	0,5630	0,1339	1,646
1,98	0,5605	0,1318	1,660
1,99	0,5580	0,1298	1,674
2,00	0,5556	0,1278	1,688
2,01	0,5531	0,1258	1,702
2,02	0,5506	0,1239	1,716
2,03	0,5482	0,1220	1,730
2,04	0,5458	0,1201	1,745
2,05	0,5433	0,1182	1,760
2,06	0,5409	0,1164	1,775
2,07	0,5385	0,1146	1,790
2,08	0,5361	0,1128	1,806
2,09	0,5337	0,1111	1,821
2,10	0,5313	0,1094	1,837
2,11	0,5290	0,1077	1,853
2,12	0,5266	0,1060	1,869
2,13	0,5243	0,1043	1,885
2,14	0,5219	0,1027	1,902
2,15	0,5196	0,1011	1,919
2,16	0,5173	0,09956	1,935
2,17	0,5150	0,09802	1,953
2,18	0,5127	0,09649	1,970
2,19	0,5104	0,09500	1,987
2,20	0,5081	0,09352	2,005
2,21	0,5059	0,09207	2,023
2,22	0,5036	0,09064	2,041
2,23	0,5014	0,08923	2,059
2,24	0,4991	0,08785	2,078
2,25	0,4969	0,08648	2,096
2,26	0,4947	0,08514	2,115
2,27	0,4925	0,08382	2,134
2,28	0,4903	0,08251	2,154
2,29	0,4881	0,08123	2,173
2,30	0,4859	0,07997	2,193
2,31	0,4837	0,07873	2,213
2,32	0,4816	0,07751	2,233
2,33	0,4794	0,07631	2,254
2,34	0,4773	0,07512	2,273
2,35	0,4752	0,07396	2,295
2,36	0,4731	0,07281	2,316
2,37	0,4709	0,07168	2,338
2,38	0,4688	0,07057	2,359
2,39	0,4668	0,06948	2,381
2,40	0,4647	0,06840	2,403
2,41	0,4626	0,06734	2,425
2,42	0,4606	0,06630	2,448
2,43	0,4585	0,06527	2,471
2,44	0,4565	0,06426	2,494
2,45	0,4544	0,06327	2,517
2,46	0,4524	0,06229	2,540
2,47	0,4504	0,06133	2,564
2,48	0,4484	0,06038	2,588
2,49	0,4464	0,05945	2,612
2,50	0,4444	0,05853	2,637
2,51	0,4425	0,05762	2,661
2,52	0,4405	0,05674	2,686
2,53	0,4386	0,05586	2,712
2,54	0,4366	0,05500	2,737
2,55	0,4347	0,05415	2,763
2,56	0,4328	0,05332	2,789
2,57	0,4309	0,05250	2,815

TABELA B.1 — Relações isentrópicas ($k = 1{,}4$)

M	$\dfrac{T}{T_0}$	$\left(\dfrac{p}{p_0}\right)$	$\dfrac{A}{A^*}$
2,58	0,4289	0,05169	2,842
2,59	0,4271	0,05090	2,869
2,60	0,4252	0,05012	2,896
2,61	0,4233	0,04935	2,923
2,62	0,4214	0,04859	2,951
2,63	0,4196	0,04784	2,979
2,64	0,4177	0,04711	3,007
2,65	0,4159	0,04639	3,036
2,66	0,4141	0,04568	3,065
2,67	0,4122	0,04498	3,094
2,68	0,4104	0,04429	3,123
2,69	0,4086	0,04362	3,153
2,70	0,4068	0,04295	3,183
2,71	0,4051	0,04229	3,213
2,72	0,4033	0,04165	3,244
2,73	0,4015	0,04102	3,275
2,74	0,3998	0,04039	3,306
2,75	0,3980	0,03978	3,338
2,76	0,3963	0,03917	3,370
2,77	0,3945	0,03858	3,402
2,78	0,3928	0,03799	3,434
2,79	0,3911	0,03742	3,467
2,80	0,3894	0,03685	3,500
2,81	0,3877	0,03629	3,534
2,82	0,3860	0,03574	3,567
2,83	0,3844	0,03520	3,601
2,84	0,3827	0,03467	3,636
2,85	0,3810	0,03415	3,671
2,86	0,3794	0,03363	3,706
2,87	0,3777	0,03312	3,741
2,88	0,3761	0,03263	3,777
2,89	0,3745	0,03213	3,813
2,90	0,3729	0,03165	3,850
2,91	0,3712	0,03118	3,887
2,92	0,3696	0,03071	3,924
2,93	0,3681	0,03025	3,961
2,94	0,3665	0,02980	3,999
2,95	0,3649	0,02935	4,038
2,96	0,3633	0,02891	4,076
2,97	0,3618	0,02848	4,115
2,98	0,3602	0,02805	4,155
2,99	0,3587	0,02764	4,194
3,00	0,3571	0,02722	4,235
3,01	0,3556	0,02682	4,275
3,02	0,3541	0,02642	4,316
3,03	0,3526	0,02603	4,357
3,04	0,3511	0,02564	4,399
3,05	0,3496	0,02526	4,441
3,06	0,3481	0,02489	4,483
3,07	0,3466	0,02452	4,526
3,08	0,3452	0,02416	4,570
3,09	0,3437	0,02380	4,613
3,10	0,3422	0,02345	4,657
3,11	0,3408	0,02310	4,702
3,12	0,3393	0,02276	4,747
3,13	0,3379	0,02243	4,792
3,14	0,3365	0,02210	4,838
3,15	0,3351	0,02177	4,884
3,16	0,3337	0,02146	4,930
3,17	0,3323	0,02114	4,977
3,18	0,3309	0,02083	5,025
3,19	0,3295	0,02053	5,073
3,20	0,3281	0,02023	5,121
3,21	0,3267	0,01993	5,170
3,22	0,3253	0,01964	5,219
3,23	0,3240	0,01936	5,268
3,24	0,3226	0,01908	5,319
3,25	0,3213	0,01880	5,369
3,26	0,3199	0,01853	5,420
3,27	0,3186	0,01826	5,472
3,28	0,3173	0,01799	5,523
3,29	0,3160	0,01773	5,576
3,30	0,3147	0,01748	5,629
3,31	0,3134	0,01722	5,682
3,32	0,3121	0,01698	5,736
3,33	0,3108	0,01673	5,790
3,34	0,3095	0,01649	5,845
3,35	0,3082	0,01625	5,900
3,36	0,3069	0,01602	5,956
3,37	0,3057	0,01579	6,012
3,38	0,3044	0,01557	6,069
3,39	0,3032	0,01534	6,126
3,40	0,3019	0,01512	6,184
3,41	0,3007	0,01491	6,242
3,42	0,2995	0,01470	6,301
3,43	0,2982	0,01449	6,360
3,44	0,2970	0,01428	6,420
3,45	0,2958	0,01408	6,480
3,46	0,2946	0,01388	6,541
3,47	0,2934	0,01368	6,602
3,48	0,2922	0,01349	6,664
3,49	0,2910	0,01330	6,727
3,50	0,2899	0,01311	6,790
3,51	0,2887	0,01293	6,853
3,52	0,2875	0,01274	6,917
3,53	0,2864	0,01256	6,982
3,54	0,2852	0,01239	7,047
3,55	0,2841	0,01221	7,113
3,56	0,2829	0,01204	7,179
3,57	0,2818	0,01188	7,246
3,58	0,2806	0,01171	7,313
3,59	0,2795	0,01155	7,382
3,60	0,2784	0,01138	7,450
3,61	0,2773	0,01123	7,519
3,62	0,2762	0,01107	7,589
3,63	0,2751	0,01092	7,659
3,64	0,2740	0,01076	7,730
3,65	0,2729	0,01062	7,802
3,66	0,2718	0,01047	7,874
3,67	0,2707	0,01032	7,947
3,68	0,2697	0,01018	8,020
3,69	0,2686	0,01004	8,094
3,70	0,2675	0,009903	8,169
3,71	0,2665	0,009767	8,244
3,72	0,2654	0,009633	8,320
3,73	0,2644	0,009500	8,397
3,74	0,2633	0,009370	8,474
3,75	0,2623	0,009242	8,552
3,76	0,2613	0,009116	8,630
3,77	0,2602	0,008991	8,709
3,78	0,2592	0,008869	8,789
3,79	0,2582	0,008748	8,870
3,80	0,2572	0,008629	8,951
3,81	0,2562	0,008512	9,032
3,82	0,2552	0,008396	9,115
3,83	0,2542	0,008283	9,198
3,84	0,2532	0,008171	9,282

TABELA B.1 Relações isentrópicas ($k = 1{,}4$)

M	$\dfrac{T}{T_0}$	$\left(\dfrac{p}{p_0}\right)$	$\dfrac{A}{A^*}$
3,85	0,2522	0,008060	9,366
3,86	0,2513	0,007951	9,451
3,87	0,2503	0,007844	9,537
3,88	0,2493	0,007739	9,624
3,89	0,2484	0,007635	9,711
3,90	0,2474	0,007532	9,799
3,91	0,2464	0,007431	9,888
3,92	0,2455	0,007332	9,977
3,93	0,2446	0,007233	10,07
3,94	0,2436	0,007137	10,16
3,95	0,2427	0,007042	10,25
3,96	0,2418	0,006948	10,34
3,97	0,2408	0,006855	10,44
3,98	0,2399	0,006764	10,53
3,99	0,2390	0,006675	10,62
4,00	0,2381	0,006586	10,72
4,01	0,2372	0,006499	10,81
4,02	0,2363	0,006413	10,91
4,03	0,2354	0,006328	11,01
4,04	0,2345	0,006245	11,11
4,05	0,2336	0,006163	11,21
4,06	0,2327	0,006082	11,31
4,07	0,2319	0,006002	11,41
4,08	0,2310	0,005923	11,51
4,09	0,2301	0,005845	11,61
4,10	0,2293	0,005769	11,71
4,11	0,2284	0,005694	11,82
4,12	0,2275	0,005619	11,92
4,13	0,2267	0,005546	12,03
4,14	0,2258	0,005474	12,14
4,15	0,2250	0,005403	12,24
4,16	0,2242	0,005333	12,35
4,17	0,2233	0,005264	12,46
4,18	0,2225	0,005195	12,57
4,19	0,2217	0,005128	12,68
4,20	0,2208	0,005062	12,79
4,21	0,2200	0,004997	12,90
4,22	0,2192	0,004932	13,02
4,23	0,2184	0,004869	13,13
4,24	0,2176	0,004806	13,25
4,25	0,2168	0,004745	13,36
4,26	0,2160	0,004684	13,48
4,27	0,2152	0,004624	13,60
4,28	0,2144	0,004565	13,72
4,29	0,2136	0,004507	13,83
4,30	0,2129	0,004449	13,95
4,31	0,2121	0,004393	14,08
4,32	0,2113	0,004337	14,20
4,33	0,2105	0,004282	14,32
4,34	0,2098	0,004228	14,45
4,35	0,2090	0,004174	14,57
4,36	0,2083	0,004121	14,70
4,37	0,2075	0,004069	14,82
4,38	0,2067	0,004018	14,95
4,39	0,2060	0,003968	15,08
4,40	0,2053	0,003918	15,21
4,41	0,2045	0,003868	15,34
4,42	0,2038	0,003820	15,47
4,43	0,2030	0,003772	15,61
4,44	0,2023	0,003725	15,74
4,45	0,2016	0,003678	15,87
4,46	0,2009	0,003633	16,01
4,47	0,2002	0,003587	16,15
4,48	0,1994	0,003543	16,28
4,49	0,1987	0,003499	16,42
4,50	0,1980	0,003455	16,56
4,51	0,1973	0,003412	16,70
4,52	0,1966	0,003370	16,84
4,53	0,1959	0,003329	16,99
4,54	0,1952	0,003288	17,13
4,55	0,1945	0,003247	17,28
4,56	0,1938	0,003207	17,42
4,57	0,1932	0,003168	17,57
4,58	0,1925	0,003129	17,72
4,59	0,1918	0,003090	17,87
4,60	0,1911	0,003053	18,02
4,61	0,1905	0,003015	18,17
4,62	0,1898	0,002978	18,32
4,63	0,1891	0,002942	18,48
4,64	0,1885	0,002906	18,63
4,65	0,1878	0,002871	18,79
4,66	0,1872	0,002836	18,94
4,67	0,1865	0,002802	19,10
4,68	0,1859	0,002768	19,26
4,69	0,1852	0,002734	19,42
4,70	0,1846	0,002701	19,58
4,71	0,1839	0,002669	19,75
4,72	0,1833	0,002637	19,91
4,73	0,1827	0,002605	20,07
4,74	0,1820	0,002573	20,24
4,75	0,1814	0,002543	20,41
4,76	0,1808	0,002512	20,58
4,77	0,1802	0,002482	20,75
4,78	0,1795	0,002452	20,92
4,79	0,1789	0,002423	21,09
4,80	0,1783	0,002394	21,26
4,81	0,1777	0,002366	21,44
4,82	0,1771	0,002338	21,61
4,83	0,1765	0,002310	21,79
4,84	0,1759	0,002283	21,97
4,85	0,1753	0,002255	22,15
4,86	0,1747	0,002229	22,33
4,87	0,1741	0,002202	22,51
4,88	0,1735	0,002177	22,70
4,89	0,1729	0,002151	22,88
4,90	0,1724	0,002126	23,07
4,91	0,1718	0,002101	23,25
4,92	0,1712	0,002076	23,44
4,93	0,1706	0,002052	23,63
4,94	0,1700	0,002028	23,82
4,95	0,1695	0,002004	24,02
4,96	0,1689	0,001981	24,21
4,97	0,1683	0,001957	24,41
4,98	0,1678	0,001935	24,60
4,99	0,1672	0,001912	24,80
5,00	0,1667	0,001890	25,00
6,00	0,1220	0,0006334	53,18
7,00	0,09259	0,0002416	104,1
8,00	0,07246	0,0001024	190,1
9,00	0,05814	0,00004739	327,2
10,00	0,04762	0,00002356	535,9

TABELA B.2 Escoamento de Fanno ($k = 1,4$)

M	$\dfrac{fL_{máx}}{D}$	$\dfrac{T}{T^*}$	$\dfrac{V}{V^*}$	$\dfrac{p}{p^*}$	$\dfrac{p_0}{p_0^*}$
0,0	∞	1,2000	0,0	∞	∞
0,1	66,9216	1,1976	0,1094	10,9435	5,8218
0,2	14,5333	1,1905	0,2182	5,4554	2,9635
0,3	5,2993	1,1788	0,3257	3,6191	2,0351
0,4	2,3085	1,1628	0,4313	2,6958	1,5901
0,5	1,0691	1,1429	0,5345	2,1381	1,3398
0,6	0,4908	1,1194	0,6348	1,7634	1,1882
0,7	0,2081	1,0929	0,7318	1,4935	1,0944
0,8	0,0723	1,0638	0,8251	1,2893	1,0382
0,9	0,0145	1,0327	0,9146	1,1291	1,0089
1,0	0,0000	1,0000	1,0000	1,0000	1,0000
1,1	0,0099	0,9662	1,0812	0,8936	1,0079
1,2	0,0336	0,9317	1,1583	0,8044	1,0304
1,3	0,0648	0,8969	1,2311	0,7285	1,0663
1,4	0,0997	0,8621	1,2999	0,6632	1,1149
1,5	0,1360	0,8276	1,3646	0,6065	1,1762
1,6	0,1724	0,7937	1,4254	0,5568	1,2502
1,7	0,2078	0,7605	1,4825	0,5130	1,3376
1,8	0,2419	0,7282	1,5360	0,4741	1,4390
1,9	0,2743	0,6969	1,5861	0,4394	1,5553
2,0	0,3050	0,6667	1,6330	0,4082	1,6875
2,1	0,3339	0,6376	1,6769	0,3802	1,8369
2,2	0,3609	0,6098	1,7179	0,3549	2,0050
2,3	0,3862	0,5831	1,7563	0,3320	2,1931
2,4	0,4099	0,5576	1,7922	0,3111	2,4031
2,5	0,4320	0,5333	1,8257	0,2921	2,6367
2,6	0,4526	0,5102	1,8571	0,2747	2,8960
2,7	0,4718	0,4882	1,8865	0,2588	3,1830
2,8	0,4898	0,4673	1,9140	0,2441	3,5001
2,9	0,5065	0,4474	1,9398	0,2307	3,8498
3,0	0,5222	0,4286	1,9640	0,2182	4,2346

TABELA B.3 Escoamento de Rayleigh ($k = 1,4$)

M	$\dfrac{T}{T^*}$	$\dfrac{V}{V^*}$	$\dfrac{p}{p^*}$	$\dfrac{T_0}{T_0^*}$	$\dfrac{p_0}{p_0^*}$
0,0	0,0	0,0	2,4000	0,0	1,2679
0,1	0,0560	0,0237	2,3669	0,0468	1,2591
0,2	0,2066	0,0909	2,2727	0,1736	1,2346
0,3	0,4089	0,1918	2,1314	0,3469	1,1985
0,4	0,6151	0,3137	1,9608	0,5290	1,1566
0,5	0,7901	0,4444	1,7778	0,6914	1,1140
0,6	0,9167	0,5745	1,5957	0,8189	1,0753
0,7	0,9929	0,6975	1,4235	0,9085	1,0431
0,8	1,0255	0,8101	1,2658	0,9639	1,0193
0,9	1,0245	0,9110	1,1246	0,9921	1,0049
1,0	1,0000	1,0000	1,0000	1,0000	1,0000
1,1	0,9603	1,0780	0,8909	0,9939	1,0049
1,2	0,9118	1,1459	0,7958	0,9787	1,0194
1,3	0,8592	1,2050	0,7130	0,9580	1,0437
1,4	0,8054	1,2564	0,6410	0,9343	1,0776
1,5	0,7525	1,3012	0,5783	0,9093	1,1215
1,6	0,7017	1,3403	0,5236	0,8842	1,1756
1,7	0,6538	1,3746	0,4756	0,8597	1,2402
1,8	0,6089	1,4046	0,4335	0,8363	1,3159
1,9	0,5673	1,4311	0,3964	0,8141	1,4033
2,0	0,5289	1,4545	0,3636	0,7934	1,5031
2,1	0,4936	1,4753	0,3345	0,7741	1,6162
2,2	0,4611	1,4938	0,3086	0,7561	1,7434
2,3	0,4312	1,5103	0,2855	0,7395	1,8860
2,4	0,4038	1,5252	0,2648	0,7242	2,0450
2,5	0,3787	1,5385	0,2462	0,7101	2,2218
2,6	0,3556	1,5505	0,2294	0,6970	2,4177
2,7	0,3344	1,5613	0,2142	0,6849	2,6343
2,8	0,3149	1,5711	0,2004	0,6738	2,8731
2,9	0,2969	1,5801	0,1879	0,6635	3,1359
3,0	0,2803	1,5882	0,1765	0,6540	3,4244

TABELA B.4 Relações de choque normais ($k = 1{,}4$)

M_1	M_2	$\dfrac{p_2}{p_1}$	$\dfrac{\rho_2}{\rho_1}$	$\dfrac{T_2}{T_1}$	$\dfrac{(p_0)_2}{(p_0)_1}$
1,00	1,000	1,000	1,000	1,000	1,000
1,01	0,9901	1,023	1,017	1,007	1,000
1,02	0,9805	1,047	1,033	1,013	1,000
1,03	0,9712	1,071	1,050	1,020	1,000
1,04	0,9620	1,095	1,067	1,026	0,9999
1,05	0,9531	1,120	1,084	1,033	0,9999
1,06	0,9444	1,144	1,101	1,059	0,9997
1,07	0,9360	1,169	1,118	1,016	0,9996
1,08	0,9277	1,194	1,135	1,052	0,9994
1,09	0,9196	1,219	1,152	1,059	0,9992
1,10	0,9118	1,245	1,169	1,065	0,9989
1,11	0,9041	1,271	1,186	1,071	0,9986
1,12	0,8966	1,297	1,203	1,078	0,9982
1,13	0,8892	1,323	1,221	1,084	0,9978
1,14	0,8820	1,350	1,238	1,090	0,9973
1,15	0,8750	1,376	1,255	1,097	0,9967
1,16	0,8682	1,403	1,272	1,103	0,9961
1,17	0,8615	1,430	1,290	1,109	0,9953
1,18	0,8549	1,458	1,307	1,115	0,9916
1,19	0,8485	1,485	1,324	1,122	0,9937
1,20	0,8422	1,513	1,342	1,128	0,9928
1,21	0,8360	1,541	1,359	1,134	0,9918
1,22	0,8300	1,570	1,376	1,141	0,9907
1,23	0,8241	1,598	1,394	1,147	0,9896
1,24	0,8183	1,627	1,411	1,153	0,9884
1,25	0,8126	1,656	1,429	1,159	0,9871
1,26	0,8071	1,686	1,446	1,166	0,9857
1,27	0,8016	1,715	1,463	1,172	0,9842
1,28	0,7963	1,745	1,481	1,178	0,9827
1,29	0,7911	1,775	1,498	1,185	0,9811
1,30	0,7860	1,805	1,516	1,191	0,9794
1,31	0,7809	1,835	1,533	1,197	0,9776
1,32	0,7760	1,866	1,551	1,204	0,9758
1,33	0,7712	1,897	1,568	1,210	0,9738
1,34	0,7664	1,928	1,585	1,216	0,9718
1,35	0,7618	1,960	1,603	1,223	0,9697
1,36	0,7572	1,991	1,620	1,229	0,9676
1,37	0,7527	2,023	1,638	1,235	0,9653
1,38	0,7483	2,055	1,655	1,242	0,9630
1,39	0,7440	2,087	1,672	1,248	0,9607
1,40	0,7397	2,120	1,690	1,255	0,9582
1,41	0,7355	2,153	1,707	1,261	0,9557
1,42	0,7314	2,186	1,724	1,268	0,9531
1,43	0,7274	2,219	1,742	1,274	0,9504
1,44	0,7235	2,253	1,759	1,281	0,9476
1,45	0,7196	2,286	1,776	1,287	0,9448
1,46	0,7157	2,320	1,793	1,294	0,9420
1,47	0,7120	2,354	1,811	1,300	0,9390
1,48	0,7083	2,389	1,828	1,307	0,9360
1,49	0,7047	2,423	1,845	1,314	0,9329
1,50	0,7011	2,458	1,862	1,320	0,9298
1,51	0,6976	2,493	1,879	1,327	0,9266
1,52	0,6941	2,529	1,896	1,334	0,9233
1,53	0,6907	2,564	1,913	1,340	0,9200
1,54	0,6874	2,600	1,930	1,347	0,9166
1,55	0,6841	2,636	1,947	1,354	0,9132
1,56	0,6809	2,673	1,964	1,361	0,9097
1,57	0,6777	2,709	1,981	1,367	0,9061
1,58	0,6746	2,746	1,998	1,374	0,9026
1,59	0,6715	2,783	2,015	1,381	0,8989
1,60	0,6684	2,820	2,032	1,388	0,8952
1,61	0,6655	2,857	2,049	1,395	0,8915
1,62	0,6625	2,895	2,065	1,402	0,8877
1,63	0,6596	2,933	2,082	1,409	0,8538
1,64	0,6568	2,971	2,099	1,416	0,8799
1,65	0,6540	3,010	2,115	1,423	0,8760
1,66	0,6512	3,048	2,132	1,430	0,8720
1,67	0,6485	3,087	2,148	1,437	0,8680
1,68	0,6458	3,126	2,165	1,444	0,8640

TABELA B.4 Relações de choque normais ($k = 1,4$)

M_1	M_2	$\dfrac{p_2}{p_1}$	$\dfrac{\rho_2}{\rho_1}$	$\dfrac{T_2}{T_1}$	$\dfrac{(p_0)_2}{(p_0)_1}$
1,69	0,6431	3,165	2,181	1,451	0,8598
1,70	0,6405	3,205	2,198	1,458	0,8557
1,71	0,6380	3,245	2,214	1,466	0,8516
1,72	0,6355	3,285	2,230	1,473	0,8474
1,73	0,6330	3,325	2,247	1,480	0,8431
1,74	0,6305	3,366	2,263	1,487	0,8389
1,75	0,6281	3,406	2,279	1,495	0,8346
1,76	0,6257	3,447	2,295	1,502	0,8302
1,77	0,6234	3,488	2,311	1,509	0,8259
1,78	0,6210	3,530	2,327	1,517	0,8215
1,79	0,6188	3,571	2,343	1,524	0,8171
1,80	0,6165	3,613	2,359	1,532	0,8127
1,81	0,6143	3,655	2,375	1,539	0,8082
1,82	0,6121	3,698	2,391	1,547	0,8038
1,83	0,6099	3,740	2,407	1,554	0,7993
1,84	0,6078	3,783	2,422	1,562	0,7948
1,85	0,6057	3,826	2,438	1,569	0,7902
1,86	0,6036	3,870	2,454	1,577	0,7857
1,87	0,6016	3,913	2,469	1,585	0,7811
1,88	0,5996	3,957	2,485	1,592	0,7765
1,89	0,5976	4,001	2,500	1,600	0,7720
1,90	0,5956	4,045	2,516	1,608	0,7674
1,91	0,5937	4,089	2,531	1,616	0,7627
1,92	0,5918	4,134	2,546	1,624	0,7581
1,93	0,5899	4,179	2,562	1,631	0,7535
1,94	0,5880	4,224	2,577	1,639	0,7488
1,95	0,5862	4,270	2,592	1,647	0,7442
1,96	0,5844	4,315	2,607	1,655	0,7395
1,97	0,5826	4,361	2,622	1,663	0,7349
1,98	0,5808	4,407	2,637	1,671	0,7302
1,99	0,5791	4,453	2,652	1,679	0,7255
2,00	0,5774	4,500	2,667	1,688	0,7209
2,01	0,5757	4,547	2,681	1,696	0,7162
2,02	0,5740	4,594	2,696	1,704	0,7115
2,03	0,5723	4,641	2,711	1,712	0,7069
2,04	0,5707	4,689	2,725	1,720	0,7022
2,05	0,5691	4,736	2,740	1,729	0,6975
2,06	0,5675	4,784	2,755	1,737	0,6928
2,07	0,5659	4,832	2,769	1,745	0,6882
2,08	0,5643	4,881	2,783	1,754	0,6835
2,09	0,5628	4,929	2,798	1,762	0,6789
2,10	0,5613	4,978	2,812	1,770	0,6742
2,11	0,5598	5,027	2,826	1,779	0,6696
2,12	0,5583	5,077	2,840	1,787	0,6649
2,13	0,5568	5,126	2,854	1,796	0,6603
2,14	0,5554	5,176	2,868	1,805	0,6557
2,15	0,5540	5,226	2,882	1,813	0,6511
2,16	0,5525	5,277	2,896	1,822	0,6464
2,17	0,5511	5,327	2,910	1,821	0,6419
2,18	0,5498	5,378	2,924	1,839	0,6373
2,19	0,5484	5,429	2,938	1,848	0,6327
2,20	0,5471	5,480	2,951	1,857	0,6281
2,21	0,5457	5,531	2,965	1,866	0,6236
2,22	0,5444	5,583	2,978	1,875	0,6191
2,23	0,5431	5,636	2,992	1,883	0,6145
2,24	0,5418	5,687	3,005	1,892	0,6100
2,25	0,5406	5,740	3,019	1,901	0,6055
2,26	0,5393	5,792	3,032	1,910	0,6011
2,27	0,5381	5,845	3,045	1,919	0,5966
2,28	0,5368	5,898	3,058	1,929	0,5921
2,29	0,5356	5,951	3,071	1,938	0,5877
2,30	0,5344	6,005	3,085	1,947	0,5833
2,31	0,5332	6,059	3,098	1,956	0,5789
2,32	0,5321	6,113	3,110	1,965	0,5745
2,33	0,5309	6,167	3,123	1,974	0,5702
2,34	0,5297	6,222	3,136	1,984	0,5658
2,35	0,5286	6,276	3,149	1,993	0,5615
2,36	0,5275	6,331	3,162	2,002	0,5572

TABELA B.4 Relações de choque normais ($k = 1{,}4$)

M_1	M_2	$\dfrac{p_2}{p_1}$	$\dfrac{\rho_2}{\rho_1}$	$\dfrac{T_2}{T_1}$	$\dfrac{(p_0)_2}{(p_0)_1}$
2,37	0,5264	6,386	3,174	2,012	0,5529
2,38	0,5253	6,442	3,187	2,021	0,5486
2,39	0,5242	6,497	3,199	2,031	0,5444
2,40	0,5231	6,553	3,212	2,040	0,5401
2,41	0,5221	6,609	3,224	2,050	0,5359
2,42	0,5210	6,666	3,237	2,059	0,5317
2,43	0,5200	6,722	3,249	2,069	0,5276
2,44	0,5189	6,779	3,261	2,079	0,5234
2,45	0,5179	6,836	3,273	2,088	0,5193
2,46	0,5169	6,894	3,285	2,098	0,5152
2,47	0,5159	6,951	3,298	2,108	0,5111
2,48	0,5149	7,009	3,310	2,118	0,5071
2,49	0,5140	7,067	3,321	2,128	0,5030
2,50	0,5130	7,125	3,333	2,138	0,4990
2,51	0,5120	7,183	3,345	2,147	0,4950
2,52	0,5111	7,242	3,357	2,157	0,4911
2,53	0,5102	7,301	3,369	2,167	0,4871
2,54	0,5092	7,360	3,380	2,177	0,4832
2,55	0,5083	7,420	3,392	2,187	0,4793
2,56	0,5074	7,479	3,403	2,198	0,4754
2,57	0,5065	7,539	3,415	2,208	0,4715
2,58	0,5056	7,599	3,426	2,218	0,4677
2,59	0,5047	7,659	3,438	2,228	0,4639
2,60	0,5039	7,720	3,449	2,238	0,4601
2,61	0,5030	7,781	3,460	2,249	0,4564
2,62	0,5022	7,842	3,471	2,259	0,4526
2,63	0,5013	7,903	3,483	2,269	0,4489
2,64	0,5005	7,965	3,494	2,280	0,4452
2,65	0,4996	8,026	3,505	2,290	0,4416
2,66	0,4988	8,088	3,516	2,301	0,4379
2,67	0,4980	8,150	3,527	2,311	0,4343
2,68	0,4972	8,213	3,537	2,322	0,4307
2,69	0,4964	8,275	3,548	2,332	0,4271
2,70	0,4956	8,338	3,559	2,343	0,4236
2,71	0,4949	8,401	3,570	2,354	0,4201
2,72	0,4941	8,465	3,580	2,364	0,4166
2,73	0,4933	8,528	3,591	2,375	0,4131
2,74	0,4926	8,592	3,601	2,386	0,4097
2,75	0,4918	8,656	3,612	2,397	0,4062
2,76	0,4911	8,721	3,622	2,407	0,4028
2,77	0,4903	8,785	3,633	2,418	0,3994
2,78	0,4896	8,850	3,643	2,429	0,3961
2,79	0,4889	8,915	3,653	2,440	0,3928
2,80	0,4882	8,980	3,664	2,451	0,3895
2,81	0,4875	9,045	3,674	2,462	0,3862
2,82	0,4868	9,111	3,684	2,473	0,3829
2,83	0,4861	9,177	3,694	2,484	0,3797
2,84	0,4854	9,243	3,704	2,496	0,3765
2,85	0,4847	9,310	3,714	2,507	0,3733
2,86	0,4840	9,376	3,724	2,518	0,3701
2,87	0,4833	9,443	3,734	2,529	0,3670
2,88	0,4827	9,510	3,743	2,540	0,3639
2,89	0,4820	9,577	3,753	2,552	0,3608
2,90	0,4814	9,645	3,763	2,563	0,3577
2,91	0,4807	9,713	3,773	2,575	0,3547
2,92	0,4801	9,781	3,782	2,586	0,3517
2,93	0,4795	9,849	3,792	2,598	0,3487
2,94	0,4788	9,918	3,801	2,609	0,3457
2,95	0,4782	9,986	3,811	2,621	0,3428
2,96	0,4776	10,06	3,820	2,632	0,3398
2,97	0,4770	10,12	3,829	2,644	0,3369
2,98	0,4764	10,19	3,839	2,656	0,3340
2,99	0,4758	10,26	3,848	2,667	0,3312
3,00	0,4752	10,33	3,857	2,679	0,3283

TABELA B.5 Expansão de Prandtl-Meyer ($k = 1,4$)

M	ω (graus)
1,00	0,00
1,02	0,1257
1,04	0,3510
1,06	0,6367
1,08	0,9680
1,10	1,336
1,12	1,735
1,14	2,160
1,16	2,607
1,18	3,074
1,20	3,558
1,22	4,057
1,24	4,569
1,26	5,093
1,28	5,627
1,30	6,170
1,32	6,721
1,34	7,279
1,36	7,844
1,38	8,413
1,40	8,987
1,42	9,565
1,44	10,146
1,46	10,730
1,48	11,317
1,50	11,905
1,52	12,495
1,54	13,086
1,56	13,677
1,58	14,269
1,60	14,860
1,62	15,452
1,64	16,043
1,66	16,633
1,68	17,222
1,70	17,810
1,72	18,396
1,74	18,981
1,76	19,565
1,78	20,146
1,80	20,725
1,82	21,302
1,84	21,877
1,86	22,449
1,88	23,019
1,90	23,586
1,92	24,151
1,94	24,712
1,96	25,271
1,98	25,827
2,00	26,380
2,02	26,930
2,04	27,476
2,06	28,020
2,08	28,560
2,10	29,097
2,12	29,631
2,14	30,161
2,16	30,688
2,18	31,212
2,20	31,732
2,22	32,249
2,24	32,763
2,26	33,273
2,28	33,780
2,30	34,283
2,32	34,782
2,34	35,279
2,36	35,772
2,38	36,261
2,40	36,746
2,42	37,229
2,44	37,708
2,46	38,183
2,48	38,655
2,50	39,124
2,52	39,589
2,54	40,050
2,56	40,508
2,58	40,963
2,60	41,415
2,62	41,863
2,64	42,307
2,66	42,749
2,68	43,187
2,70	43,622
2,72	44,053
2,74	44,481
2,76	44,906
2,78	45,328
2,80	45,746
2,82	46,161
2,84	46,573
2,86	46,982
2,88	47,388
2,90	47,790
2,92	48,190
2,94	48,586
2,96	48,980
2,98	49,370
3,00	49,757
3,02	50,14
3,04	50,52
3,06	50,90
3,08	51,28
3,10	51,65
3,12	52,01
3,14	52,39
3,16	52,75
3,18	53,11
3,20	53,47
3,22	53,83
3,24	54,18
3,26	54,53
3,28	54,88
3,30	55,22
3,32	55,56
3,34	55,90
3,36	56,24
3,38	56,58
3,40	56,90
3,42	57,24
3,44	57,56
3,46	57,89
3,48	58,21
3,50	58,53

Soluções dos problemas fundamentais

Capítulo 2

F2.1 $p_B + \rho_{\text{água}} g h_{\text{água}} = 400(10^3)$ Pa

$p_B + (1000 \text{ kg/m}^3)(9{,}81 \text{ m/s}^2)(0{,}3 \text{ m}) = 400(10^3)$ Pa

$p_B = 397{,}06(10^3)$ Pa

$+\uparrow F_R = \Sigma F_y;\ F_R = [397{,}06(10^3) \text{ N/m}^2][\pi(0{,}025 \text{ m})^2]$
$\qquad - [101(10^3) \text{ N/m}^2][\pi(0{,}025 \text{ m})^2]$

$\qquad = 581{,}31 \text{ N} = 581 \text{ N} \qquad$ *Resposta*

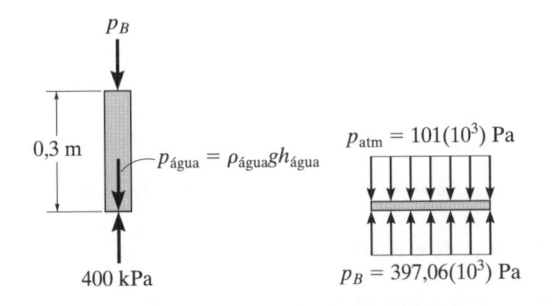

F2.2. As pressões em A, B e C podem ser obtidas escrevendo a equação do manômetro. Para o ponto A, referindo-se à Figura a,

$p_{\text{atm}} + \gamma_{\text{água}} h_{\text{água}} + \gamma_o h_o = p_A$

$0 + (62{,}4 \text{ lb/pés}^3)(4 \text{ pés}) + (55{,}1 \text{ lb/pés}^3)(4 \text{ pés}) = p_A$

$p_A = (470 \text{ lb/pés}^2)(1 \text{ pé}/12 \text{ pol.})^2 = 3{,}264$ psi

$\qquad = 3{,}26$ psi *Resposta*

Para o ponto B, referindo-se à Figura b,

$p_{\text{atm}} + \gamma_o h_o - \gamma_{\text{água}} h_{\text{água}} = p_B$

$0 + (55{,}1 \text{ lb/pés}^3)(4 \text{ pés}) - (62{,}4 \text{ lb/pés}^3)(1 \text{ pé}) = p_B$

$p_B = (158{,}0 \text{ lb/pés}^2)(1 \text{ pé}/12 \text{ pol.})^2 = 1{,}097$ psi

$\qquad = 1{,}10$ psi *Resposta*

Para o ponto C, referindo-se à Figura c,

$p_{\text{atm}} + \gamma_o h_o + \gamma_{\text{água}} h_{\text{água}} = p_C$

$0 + (55{,}1 \text{ lb/pés}^3)(4 \text{ pés}) + (62{,}4 \text{ lb/pés}^3)(3 \text{ pés}) = p_C$

$p_C = (407{,}6 \text{ lb/pés}^2)(1 \text{ pé}/12 \text{ pol.})^2 = 2{,}831$ psi

$\qquad = 2{,}83$ psi *Resposta*

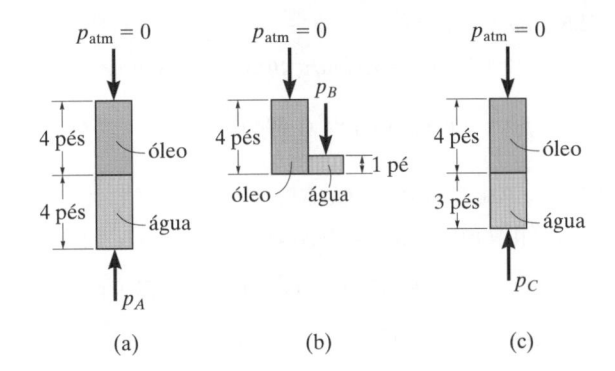

F2.3. Com referência à figura,

$p_{\text{atm}} + \rho_{\text{água}} g h_{\text{água}} - \rho_{\text{Hg}} g h_{\text{Hg}} = p_{\text{atm}}$

$\rho_{\text{água}} g h_{\text{água}} - \rho_{\text{Hg}} g h_{\text{Hg}} = 0$

$(1000 \text{ kg/m}^3)(9{,}81 \text{ m/s}^2)(2 + h)$
$\qquad - (13550 \text{ kg/m}^3)(9{,}81 \text{ m/s}^2) h = 0$

$2000 + 1000h - 13\,550h = 0$

$h = 0{,}1594 \text{ m} = 159 \text{ mm} \qquad$ *Resposta*

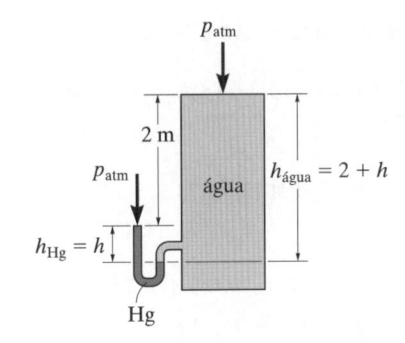

F2.4. $p_{\text{atm}} + \rho_{\text{água}} g h_{\text{água}} - \rho_{\text{Hg}} g h_{\text{Hg}} = p_{\text{atm}}$

$\rho_{\text{água}} h_{\text{água}} = \rho_{\text{Hg}} h_{\text{Hg}}$

$h_{\text{água}} = \left(\dfrac{\rho_{\text{Hg}}}{\rho_{\text{água}}}\right) h_{\text{Hg}}$

$(h - 0{,}3 \text{ m}) = \left(\dfrac{13550 \text{ kg/m}^3}{1000 \text{ kg/m}^3}\right)(0{,}1 \text{ m} + 0{,}5 \text{ sen } 30° \text{ m})$

$h = 5{,}0425 \text{ m} = 5{,}04 \text{ m}$

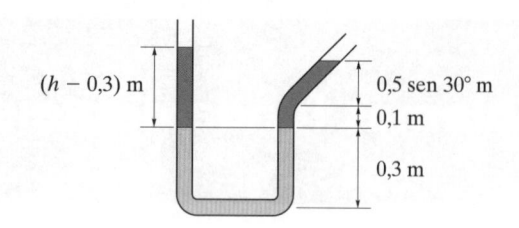

F2.5. $p_B - \rho_{\text{água}} g h_{\text{água}} = p_A$

$p_B - (1000 \text{ kg/m}^3)(9,81 \text{ m/s}^2)(0,4 \text{ m}) = 300(10^3) \text{ N/m}^2$

$p_B = 303,92(10^3) \text{ Pa} = 304 \text{ kPa}$ *Resposta*

F2.6. $p_{\text{atm}} + \rho_o g h_o + \rho_{\text{água}} g h_{\text{água}} = p_B$

$[101(10^3) \text{ N/m}^2] + (880 \text{ kg/m}^3)(9,81 \text{ m/s}^2)(1,1 \text{ m})$
$+ (1000 \text{ kg/m}^3)(9,81 \text{ m/s}^2)(0,9 \text{ m}) = p_B$

$p_B = 119,33(10^3) \text{ Pa} = 119 \text{ kPa}$ *Resposta*

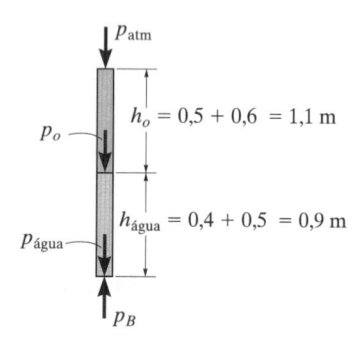

F2.7. A intensidade da carga distribuída em A é

$w_A = \rho_{\text{água}} g h_A b = 1000(9,81)(2,5)(1,5) = 36,7875(10^3) \text{ N/m}$

As forças resultantes em AB e BC são

$(F_R)_{AB} = \frac{1}{2}[36,7875(10^3)](2,5) = 45,98(10^3) \text{ N}$
$= 46,0 \text{ kN}$ *Resposta*

$(F_R)_{BC} = [36,7875(10^3)](2) = 73,575(10^3) \text{ N}$
$= 73,6 \text{ kN}$ *Resposta*

Como alternativa

$(F_R)_{AB} = \rho_{\text{água}} g \bar{h}_{AB} A_{AB} = 1000(9,81)(2,5/2)[2,5(1,5)]$
$= 45,98(10^3) \text{ N} = 46,0 \text{ kN}$ *Resposta*

$(F_R)_{BC} = \rho_{\text{água}} g \bar{h}_{BC} A_{BC} = 1000(9,81)(2,5)[2(1,5)]$
$= 73,575(10^3) \text{ N} = 73,6 \text{ kN}$ *Resposta*

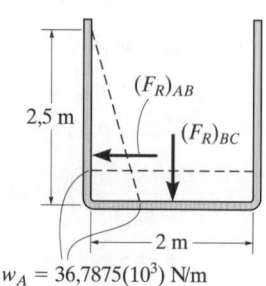

F2.8. A intensidade da carga distribuída é

$w_A = \rho_o g h_A b = 900(9,81)(3)(2) = 52,974(10^3) \text{ N/m}$

Aqui, $L_{AB} = 3/\text{sen } 60° = 3,464 \text{ m}$

$F_R = \frac{1}{2}[52,974(10^3)](3,464) = 91,8 \text{ kN}$ *Resposta*

Como alternativa,

$F_R = \rho_o g \bar{h} A = 900(9,81)(1,5)[(3/\text{sen } 60°)(2)]$
$= 91,8 \text{ kN}$ *Resposta*

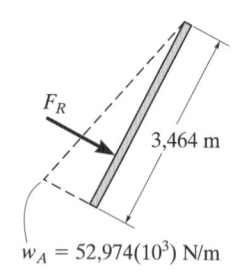

F2.9. As intensidades das cargas distribuídas no fundo de A e B são

$w_1 = \rho_{\text{água}} g h_1 b = 1000(9,81)(0,9)(2) = 17,658(10^3) \text{ N/m}$

$w_2 = \rho_{\text{água}} g h_2 b = 1000(9,81)(1,5)(2) = 29,43(10^3) \text{ N/m}$

Então, as forças resultantes são

$(F_R)_A = \frac{1}{2}[17,658(10^3)](0,9) = 7,9461(10^3) \text{ N}$
$= 7,94 \text{ kN}$ *Resposta*

$(F_R)_{B_1} = [17,658(10^3)](0,6) = 10,5948(10^3) \text{ N}$

$(F_R)_{B_2} = \frac{1}{2}[29,43(10^3) - 17,658(10^3)](0,6) = 3,5316(10^3)$

$(F_R)_B = (F_R)_{B_1} + (F_R)_{B_2} = 10,5948(10^3) + 3,5816(10^3)$
$= 14,13(10^3) \text{ N}$
$= 14,1 \text{ kN}$ *Resposta*

E elas atuam em

$(y_p)_A = \frac{2}{3}(0,9) = 0,6 \text{ m}$ *Resposta*

$(y_p)_B = \dfrac{[10,5948(10^3)](0,9 + 0,6/2) + 3,5316(10^3)[0,9 + \frac{2}{3}(0,6)]}{14,1264(10^3)}$

$= 1,225 \text{ m}$ *Resposta*

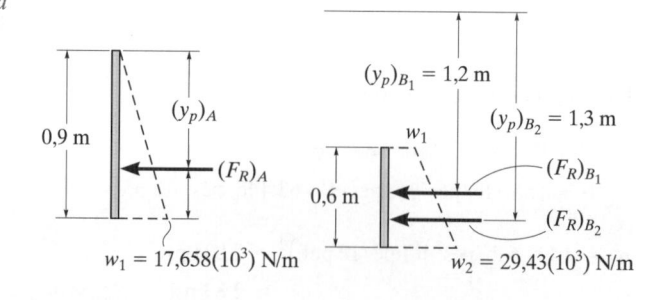

Como alternativa, a força resultante em A é

$$(F_R)_A = \rho_{\text{água}} g \bar{h}_A A_A = 1000(9,81)(0,45)(0,9)(2)$$
$$= 7,9461(10^3) = 7,94 \text{ kN} \quad \textit{Resposta}$$

E atua em

$$(y_p)_A = \frac{(\bar{I}_x)_A}{\bar{y}_A A_A} + \bar{y}_A = \frac{\frac{1}{12}(2)(0,9^3)}{0,45[0,9(2)]} + 0,45$$
$$= 0,6 \text{ m} \quad \textit{Resposta}$$

A força resultante em B é

$$(F_p)_B = \rho_{\text{água}} g \bar{h}_B A_B = 1000(9,81)(0,9 + 0,6/2)(0,6)(2)$$
$$= 14,1264(10^3) = 14,1 \text{ kN} \quad \textit{Resposta}$$

E atua em

$$(y_p)_B = \frac{(\bar{I}_x)_B}{\bar{y}_B A_B} + \bar{y}_B = \frac{\frac{1}{12}(2)(0,6^3)}{(0,9 + 0,6/2)(0,6)(2)} + (0,9 + 0,6/2)$$
$$= 1,225 \text{ m} \quad \textit{Resposta}$$

F2.10. Aqui, $\bar{y}_A = \bar{h}_A = \frac{2}{3}(1,2) = 0,8$ m

$A_A = \frac{1}{2}(0,6)(1,2) = 0,36$ m². Então

$$F_R = \rho_{\text{água}} g \bar{h}_A A_A = 1000(9,81)(0,8)(0,36) = 2825,28 \text{ N}$$
$$= 2,83 \text{ kN} \quad \textit{Resposta}$$

Além disso, $(\bar{I}_x)_A = \frac{1}{36}(0,6)(1,2^3) = 0,0288$ m⁴. Então

$$y_p = \frac{(\bar{I}_x)_A}{\bar{y}_A A_A} + \bar{y}_A = \frac{0,0288}{0,8(0,36)} + 0,8 = 0,9 \text{ m} \quad \textit{Resposta}$$

F2.11. $\bar{y} = 2$ m, $\bar{h} = 2 \text{ sen} 60° = \sqrt{3}$ m,
$A = \pi(0,5^2) = 0,25\pi$ m²

$(\bar{I}_x) = \frac{\pi}{4}(0,5^4) = 0,015625\pi$ m⁴. Então

$$F_R = \rho_{\text{água}} g \bar{h} A = 1000(9,81)(\sqrt{3})(0,25\pi) = 13,345(10^3) \text{ N}$$
$$= 13,3 \text{ kN} \quad \textit{Resposta}$$

$$y_p = \frac{\bar{I}_x}{\bar{y} A} + \bar{y} = \frac{0,015625\pi}{2(0,25\pi)} + 2 = 2,03125 \text{ m}$$
$$= 2,03 \text{ m} \quad \textit{Resposta}$$

F2.12. As intensidades das cargas distribuídas são

$$w_1 = \rho_k g h_k b = 814(9,81)(1 \text{ sen} 60°)(2) = 13,831(10^3) \text{ N/m}$$
$$w_2 = w_1 + \rho_{\text{água}} g h_{\text{água}} b = 13,831(10^3) + 1000(9,81)(3 \text{ sen} 60°)(2)$$
$$= 64,805(10^3) \text{ N/m}$$

Assim, a força resultante é

$$F_R = \frac{1}{2}[13,831(10^3)](1) + 13,831(10^3)(3)$$
$$+ \frac{1}{2}[64,805(10^3) - 13,831(10^3)](3)$$
$$= 124,87(10^3) \text{ N} = 125 \text{ kN} \quad \textit{Resposta}$$

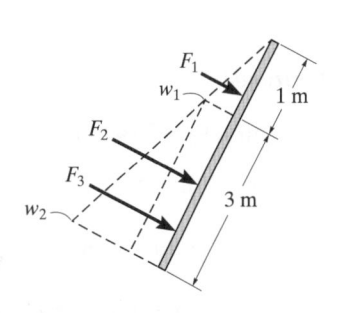

F2.13. Componente horizontal:

$$w_A = \rho_{\text{água}} g h_A b$$
$$= (1000 \text{ kg/m}^3)(9,81 \text{ m/s}^2)(3 \text{ sen} 30° \text{ m})(0,5 \text{ m}) = 7357,5 \text{ N/m}$$
$$F_R = \frac{1}{2} w_A h_A$$
$$= \frac{1}{2}(7357,58 \text{ N/m})(3 \text{ sen} 30° \text{ m}) = 5518,125 \text{ N}$$
$$= 5,518 \text{ kN}$$

Componente vertical:

$$F_v = \rho_{\text{água}} g V$$
$$= 1000 \text{ kg/m}^3(9,81 \text{ m/s}^2)[\frac{1}{2}(3 \cos 30° \text{ m})(3 \text{ sen} 30° \text{ m})(0,5 \text{ m})]$$
$$= 9557,67 \text{ N} = 9,558 \text{ kN}$$

$\xrightarrow{+} \Sigma F_x = 0; \quad A_x - 5,518 \text{ kN} = 0 \quad A_x = 5,52 \text{ kN} \quad \textit{Resposta}$

$+\uparrow \Sigma F_y = 0; \quad 9,558 \text{ kN} - A_y = 0 \quad A_y = 9,56 \text{ kN} \quad \textit{Resposta}$

$\zeta + \Sigma M_A = 0; \quad (9,558 \text{ kN})[\frac{1}{3}(3 \cos 30° \text{ m})]$
$+ (5,518 \text{ kN})\frac{1}{3}(3 \text{ sen} 30° \text{ m}) - M_A = 0$
$M_A = 11,0 \text{ kN} \cdot \text{m} \quad \textit{Resposta}$

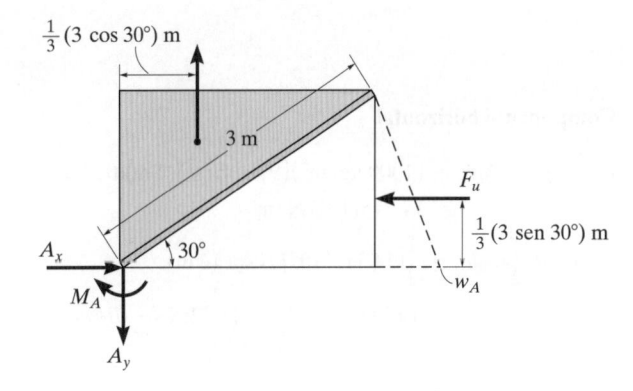

F2.14. A força resultante é igual ao peso do bloco de óleo acima da superfície AB.

$$F_v = \rho_o g (A_{ACB} + A_{ABDE}) b$$
$$= (900 \text{ kg/m}^3)(9,81 \text{ m/s}^2)\left[\frac{\pi}{2}(0,5 \text{ m})^2 + (1)(1,5 \text{ m})\right](3 \text{ m})$$
$$= 50,13(10^3) \text{ N} = 50,1 \text{ kN} \quad \textit{Resposta}$$

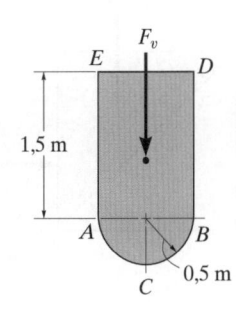

F2.15. Lateral AB
Componente horizontal

$$w_B = \rho_{\text{água}} g h_B b = (1000 \text{ kg/m}^3)(9,81 \text{ m/s}^2)(2 \text{ m})(0,75 \text{ m})$$
$$= 14,715(10^3) \text{ N/m}$$

$$F_h = \frac{1}{2} w_B h_B = \frac{1}{2}[14,715(10^3) \text{ N/m}](2 \text{ m})$$
$$= 14,715(10^3) \text{ N} = 14,7 \text{ kN} \rightarrow \quad \textit{Resposta}$$

Componente vertical

$$F_v = \rho_{\text{água}} g V$$
$$= (1000 \text{ kg/m}^3)(9,81 \text{ m/s}^2)\left[\frac{1}{2}\left(\frac{2 \text{ m}}{\text{tg } 60°}\right)(2 \text{ m})(0,75 \text{ m})\right]$$
$$= 8495,71 \text{ N} = 8,50 \text{ kN} \uparrow \quad \textit{Resposta}$$

Lateral CD

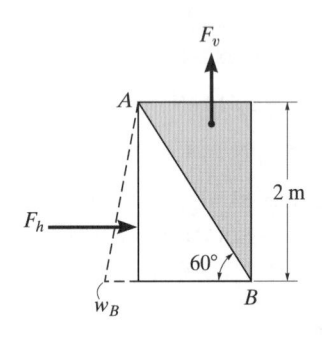

Componente horizontal

$$w_D = \rho_{\text{água}} g h_D b = (1000 \text{ kg/m}^3)(9,81 \text{ m/s}^2)(2 \text{ m})(0,75 \text{ m})$$
$$= 14,715(10^3) \text{ N/m}$$

$$F_h = \frac{1}{2} w_D h_D = \frac{1}{2}[14,715(10^3) \text{ N/m}](2 \text{ m})$$
$$= 14,715(10^3) \text{ N} = 14,7 \text{ kN} \leftarrow \quad \textit{Resposta}$$

Componente vertical

$$F_v = \rho_{\text{água}} g V$$
$$= (1000 \text{ kg/m}^3)(9,81 \text{ m/s}^2)\left[\frac{1}{2}\left(\frac{2 \text{ m}}{\text{tg } 45°}\right)(2 \text{ m})(0,75 \text{ m})\right]$$
$$= 14,715(10^3) \text{ N} = 14,7 \text{ kN} \downarrow \quad \textit{Resposta}$$

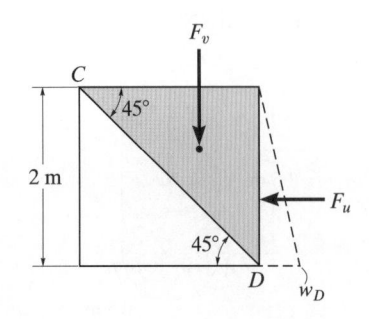

F2.16. Placa AB
Componente horizontal

$$w_B = \rho_{\text{água}} g h_B b$$
$$= (1000 \text{ kg/m}^3)(9,81 \text{ m/s}^2)(0,5 \text{ m})(2 \text{ m})$$
$$= 9,81(10^3) \text{ N/m}$$

$$w_A = \rho_{\text{água}} g h_A b$$
$$= (1000 \text{ kg/m}^3)(9,81 \text{ m/s}^2)(2 \text{ m})(2 \text{ m})$$
$$= 39,24(10^3) \text{ N/m}$$

$$(F_h)_1 = [9,81(10^3) \text{ N/m}](1,5 \text{ m}) = 14,715(10^3) \text{ N} = 14,715 \text{ kN}$$
$$(F_h)_2 = \frac{1}{2}[39,24(10^3) \text{ N/m} - 9,81(10^3) \text{ N/m}](1,5 \text{ m})$$
$$= 22,0725(10^3) \text{ N} = 22,0725 \text{ kN}$$

Assim,
$$F_h = (F_h)_1 + (F_h)_2 = 14,715 \text{ kN} + 22,0725 \text{ kN}$$
$$= 36,8 \text{ kN} \leftarrow \quad \textit{Resposta}$$

Componente vertical

$$(F_v)_1 = \rho_{\text{água}} g V_1$$
$$= (1000 \text{ kg/m}^3)(9,81 \text{ m/s}^2)\left[\left(\frac{1,5 \text{ m}}{\text{tg } 60°}\right)(0,5 \text{ m})(2 \text{ m})\right]$$
$$= 8,4957(10^3) \text{ N} = 8,4957 \text{ kN} \quad \textit{Resposta}$$

$$(F_v)_2 = \rho_{\text{água}} g V_2$$
$$= (1000 \text{ kg/m}^3)(9,81 \text{ m/s}^2)\left[\frac{1}{2}\left(\frac{1,5 \text{ m}}{\text{tg } 60°}\right)(1,5 \text{ m})(2 \text{ m})\right]$$
$$= 12,7436(10^3) \text{ N} = 12,7436 \text{ kN}$$

Assim,
$$F_v = (F_v)_1 + (F_v)_2$$
$$= 8,4957 \text{ kN} + 12,7436 \text{ kN}$$
$$= 21,2 \text{ kN} \uparrow \quad \textit{Resposta}$$

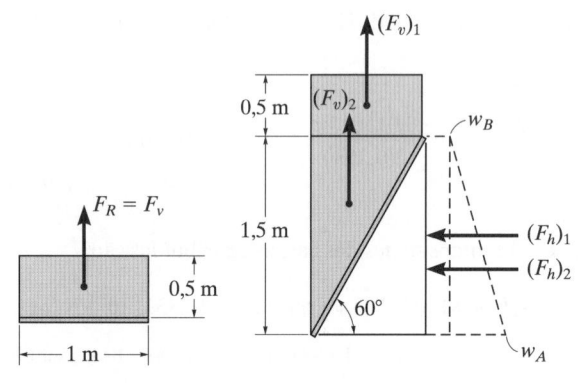

F2.17. Placa AB
Componente horizontal

$$w_B = \rho_{\text{água}} g h_B b = (1000 \text{ kg/m}^3)(9,81 \text{ m/s}^2)(2 \text{ m})(1,5 \text{ m})$$
$$= 29,43(10^3) \text{ N/m}$$

$$F_h = \frac{1}{2} w_B h_B = \frac{1}{2}[29,43(10^3) \text{ N/m}](2 \text{ m})$$
$$= 29,43(10^3) \text{ N} = 29,4 \text{ kN} \rightarrow \quad \textit{Resposta}$$

Componente vertical

$$F_v = \rho_{\text{água}} g V = (1000 \text{ kg/m}^3)(9{,}81 \text{ m/s}^2)\left[\frac{1}{2}\left(\frac{2 \text{ m}}{\text{tg } 45°}\right)(2 \text{ m})(1{,}50 \text{ m})\right]$$

$$= 29{,}43(10^3) \text{ N} = 29{,}4 \text{ kN} \uparrow \qquad \textit{Resposta}$$

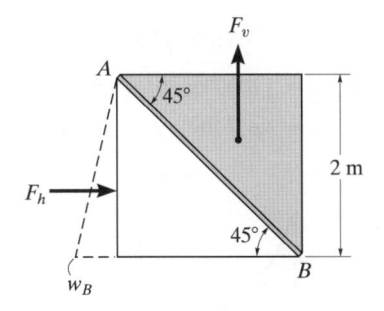

Placa BC
Componente horizontal

$$w_B = \rho_{\text{água}} g h_B b = (1000 \text{ kg/m}^3)(9{,}81 \text{ m/s}^2)(2 \text{ m})(1{,}5 \text{ m})$$

$$= 29{,}43(10^3) \text{ N/m}$$

$$F_h = \frac{1}{2} w_B h_B = \frac{1}{2}[29{,}43(10^3) \text{ N/m}](2 \text{ m})$$

$$= 29{,}43(10^3) \text{ N} = 29{,}4 \text{ kN} \leftarrow \qquad \textit{Resposta}$$

Componente vertical

$$F_v = \rho_{\text{água}} g V$$

$$= (1000 \text{ kg/m}^3)(9{,}81 \text{ m/s}^2)\left[(2 \text{ m})(2 \text{ m})(1{,}5 \text{ m}) - \frac{\pi}{4}(2 \text{ m})^2(1{,}5 \text{ m})\right]$$

$$= 12{,}631(10^3) \text{ N} = 12{,}6 \text{ kN} \uparrow \qquad \textit{Resposta}$$

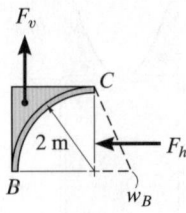

F2.18. Componente horizontal:

$$w_C = \rho_{\text{água}} g h_C b$$

$$= (1000 \text{ kg/m}^3)(9{,}81 \text{ m/s}^2)(5 \text{ m})(2 \text{ m})$$

$$= 98{,}1(10^3) \text{ N/m}$$

$$F_h = \tfrac{1}{2} w_C h_C$$

$$= \tfrac{1}{2}[98{,}1(10^3) \text{ N/m}](5 \text{ m}) = 245{,}25(10^3) \text{ N}$$

$$= 245{,}25 \text{ kN} \leftarrow$$

Componente vertical:

$$F_v = \rho_{\text{água}} g V = (1000 \text{ kg/m}^3)(9{,}81 \text{ m/s}^2)\left[\frac{1}{2}\left(\frac{5 \text{ m}}{\text{tg }\theta}\right)(5 \text{ m})(2 \text{ m})\right]$$

$$= \frac{245{,}25(10^3)}{\text{tg }\theta} \text{ N} = \frac{245{,}25}{\text{tg }\theta} \text{ kN} \uparrow$$

$\zeta + \Sigma M_A = 0$;

$$\left(\frac{245{,}25}{\text{tg }\theta} \text{ kN}\right)\left[\frac{1}{3}\left(\frac{5 \text{ m}}{\text{tg }\theta}\right)\right] - (245{,}25 \text{ kN})\left[\frac{2}{3}(5 \text{ m})\right] = 0$$

$$\frac{1}{\text{tg}^2 \theta} = 2, \quad \theta = 35{,}3° \qquad \textit{Resposta}$$

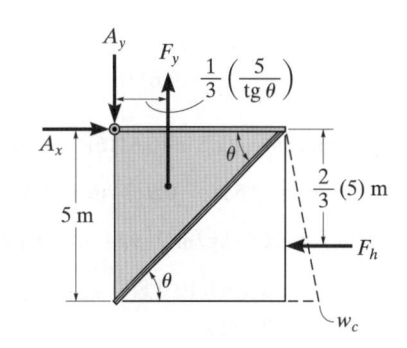

F2.19. $F_{fl} = \rho_{\text{água}} g V_{fl}$

$$= (1000 \text{ kg/m}^3)(9{,}81 \text{ m/s}^2)[\pi(0{,}1 \text{ m})^2 d] = 308{,}2d$$

$+\uparrow \Sigma F_y = 0; \quad 308{,}2d - [2(9{,}81) \text{ N}] = 0; \quad d = 0{,}06366 \text{ m}$

$$V_{\text{água}} = V' - V_{\text{águafl}}$$

$$\pi(0{,}2 \text{ m})^2(0{,}5 \text{ m}) = \pi(0{,}2 \text{ m}^2)h - \pi(0{,}1 \text{ m})^2(0{,}0636 \text{ m})$$

$$h = 0{,}516 \text{ m} \qquad \textit{Resposta}$$

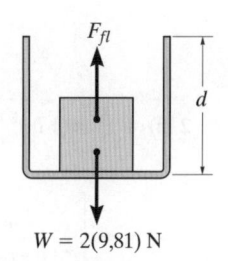

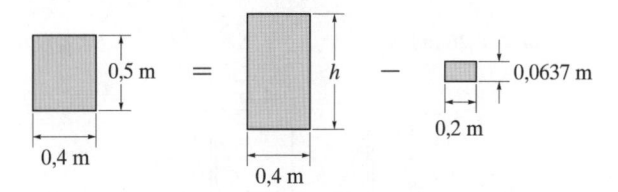

F2.20. $\text{tg }\theta = \dfrac{a_c}{g} = \dfrac{4 \text{ m/s}^2}{9{,}81 \text{ m/s}^2} = 0{,}4077$

$$\theta = 22{,}18° = 22{,}2° \qquad \textit{Resposta}$$

$$h_B = 1{,}5 \text{ m} + (1 \text{ m}) \text{ tg } 22{,}18°$$

$$= 1{,}9077 \text{ m}$$

$$w_B = \rho_{\text{água}} g h_B b = (1000 \text{ kg/m}^3)(9{,}81 \text{ m/s}^2)(1{,}9077 \text{ m})(3 \text{ m})$$

$$= 56{,}145(10^3) \text{ N/m} = 56{,}143 \text{ kN/m}$$

$$F_R = \frac{1}{2}(56{,}145 \text{ kN/m})(1{,}9077 \text{ m}) = 53{,}56 \text{ kN}$$

$$= 53{,}6 \text{ kN} \qquad \textit{Resposta}$$

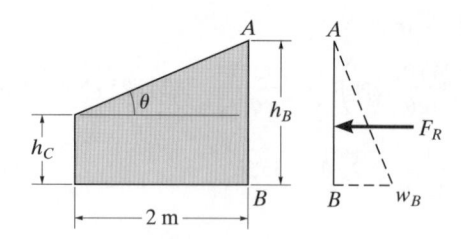

F2.21. $\tan\theta = \dfrac{a_c}{g} = \dfrac{6 \text{ m/s}^2}{9{,}81 \text{ m/s}^2} = 0{,}6116$

$h' = (1{,}5 \text{ m}) \tan\theta = (1{,}5 \text{ m})(0{,}6116) = 0{,}9174 \text{ m}$

$h_A = h_B + h' = 0{,}5 \text{ m} + 0{,}9174 \text{ m} = 1{,}4174 \text{ m}$

$p_A = \rho_o g h_A = (880 \text{ kg/m}^3)(9{,}81 \text{ m/s}^2)(1{,}4174 \text{ m})$

$\qquad = 12{,}2364(10^3) \text{ Pa}$

$\qquad = 12{,}2 \text{ kPa} \qquad\qquad Resposta$

$p_B = \rho_o g h_B = (880 \text{ kg/m}^3)(9{,}81 \text{ m/s}^2)(0{,}5 \text{ m})$

$\qquad = 4{,}3164(10^3) \text{ Pa}$

$\qquad = 4{,}32 \text{ kPa} \qquad\qquad Resposta$

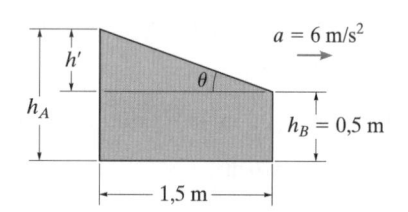

F2.22. $(V_{ar})_i = (V_{ar})_f$

$\pi(1 \text{ m})^2(3 \text{ m} - 2 \text{ m}) = \dfrac{1}{2}\left[\pi(1 \text{ m})^2\right]$

$h = 2 \text{ m}$

$h = \dfrac{\omega^2}{2g} r^2; \qquad 2 \text{ m} = \left[\dfrac{\omega^2}{2(9{,}81 \text{ m/s}^2)}\right](1 \text{ m})^2$

$\omega = 6{,}26 \text{ rad/s} \qquad\qquad Resposta$

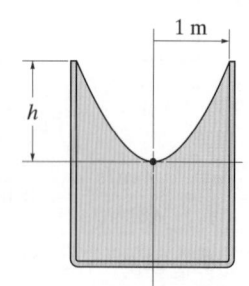

F2.23. $h = \dfrac{\omega^2}{2g} r^2; \qquad h = \left[\dfrac{(8 \text{ rad/s})^2}{2(9{,}81 \text{ m/s}^2)}\right](1 \text{ m})^2$

$\qquad\qquad\qquad = 3{,}2620 \text{ m}$

$V_{água} = V' - V_{par}$

$\pi(1 \text{ m})^2(2 \text{ m}) = \pi(1 \text{ m})^2(h_0 + 3{,}2620 \text{ m}) - \tfrac{1}{2}\left[\pi(1 \text{ m})^2(3{,}2620 \text{ m})\right]$

$h_0 = 0{,}3690 \text{ m}$

Assim,

$h_{máx} = h + h_0 = 3{,}2620 \text{ m} + 0{,}3690 \text{ m} = 3{,}6310 \text{ m}$

$h_{mín} = h_0 = 0{,}3690 \text{ m}$

$p_{máx} = \rho_{água} g h_{máx} = (1000 \text{ kg/m}^3)(9{,}81 \text{ m/s}^2)(3{,}6310 \text{ m})$

$\qquad = 35{,}62(10^3) \text{ Pa} = 35{,}6 \text{ kPa} \qquad Resposta$

$p_{mín} = \rho_{água} g h_{mín} = (1000 \text{ kg/m}^3)(9{,}81 \text{ m/s}^2)(0{,}3690 \text{ m})$

$\qquad = 3{,}62(10^3) \text{ Pa} = 3{,}62 \text{ kPa} \qquad Resposta$

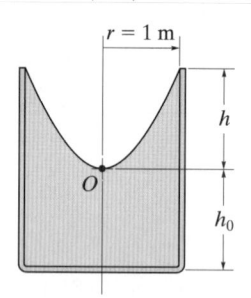

F2.24. $h = \dfrac{\omega^2}{2g} r^2; \qquad h_{máx} = \left[\dfrac{(4 \text{ rad/s})^2}{2(9{,}81 \text{ m/s}^2)}\right](1{,}5 \text{ m})^2$

$\qquad\qquad\qquad\qquad = 1{,}8349 \text{ m}$

$p_{máx} = \rho_o g h_{máx} = (880 \text{ kg/m}^3)(9{,}81 \text{ m/s}^2)(1{,}8349 \text{ m})$

$\qquad = 15{,}84(10^3) \text{ Pa}$

$\qquad = 15{,}8 \text{ kPa} \qquad\qquad Resposta$

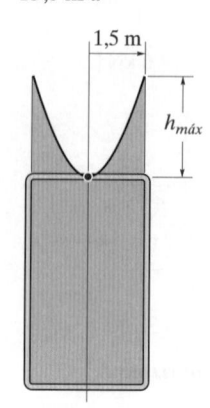

Capítulo 3

F3.1. Visto que $x = 2$ m, $y = 6$ m quando $t = 0$,

$\dfrac{dx}{dt} = u = \dfrac{1}{4x}; \qquad \int_2^x \dfrac{dx}{x} = \int_0^t \dfrac{1}{4} dt$

$\ln x \Big|_2^x = \dfrac{1}{4} t \Big|_0^t; \qquad \ln \dfrac{x}{2} = \dfrac{1}{4}(t)$

$\qquad\qquad\qquad x = 2e^{\frac{1}{4}(t)}$

$\dfrac{dy}{dt} = v = 2t; \qquad \int_6^y dy = \int_0^t 2t\, dt$

$y \Big|_6^y = t^2 \Big|_0^t; \quad y - 6 = t^2$

$\qquad\qquad y = t^2 + 6$

Quando $t = 2$ s, a posição das partículas é

$$x = 2\,e^{\frac{1(2)}{4}} = 3{,}30 \text{ m}, \quad y = (2)^2 + 6 = 10 \text{ m} \quad \textit{Resposta}$$

F3.2. $\dfrac{dy}{dx} = \dfrac{v}{u}; \qquad \dfrac{dy}{dx} = \dfrac{8y}{2x^2} = \dfrac{4y}{x^2}$

$$\int_{3\,\text{m}}^{y} \dfrac{dy}{y} = \int_{2\,\text{m}}^{x} \dfrac{4dx}{x^2}; \quad \ln y \Big|_{3\,\text{m}}^{y} = -4\left(\dfrac{1}{x}\right)\Big|_{2\,\text{m}}^{x}$$

$$\ln \dfrac{y}{3} = -4\left(\dfrac{1}{x} - \dfrac{1}{2}\right)$$

$$y = 3e^{\frac{2(x-2)}{x}} \qquad \textit{Resposta}$$

F3.3. $a = \dfrac{\partial V}{\partial t} + v\dfrac{\partial V}{\partial x}$

$\dfrac{\partial v}{\partial t} = 20t; \qquad \dfrac{\partial v}{\partial x} = 600x^2$

$a = \left[20t + (200x^3 + 10t^2)(600x^2)\right] \text{m/s}^2$

quando $t = 0{,}2$ s, $x = 0{,}1$ m

$a = 20(0{,}2) + \left[200(0{,}1^3) + 10(0{,}2^2)\right]\left[600(0{,}1^2)\right]$

$= 7{,}60 \text{ m/s}^2 \qquad \textit{Resposta}$

F3.4. $a = \dfrac{\partial u}{\partial t} + u\dfrac{\partial u}{\partial x}$

$= 0 + 3(x + 4)(3)$

$= 9(x + 4) \text{ m/s}^2$

Em $x = 0{,}1$ m,

$a = 9(0{,}1 + 4) = 36{,}9 \text{ m/s}^2 \qquad \textit{Resposta}$

$\dfrac{dx}{dt} = u = 3(x + 4); \qquad \int_0^x \dfrac{dx}{3(x+4)} = \int_0^t dt$

$\dfrac{1}{3}\ln(x+4)\Big|_0^x = t; \quad \dfrac{1}{3}\ln\left(\dfrac{x+4}{4}\right) = t$

$x = 4e^{3t} - 4, \quad x = \left[4(e^{3t} - 1)\right] \text{ m}$

Quando $t = 0{,}025$ s

$x = 4\left[e^{3(0{,}025)} - 1\right] = 0{,}2473 \text{ m}$

$= 247 \text{ mm} \qquad \textit{Resposta}$

F3.5. $(a_x)_{\text{local}} = \dfrac{\partial u}{\partial t} = (4t) \text{ m/s}^2$

Quando $t = 2$ s,

$(a_x)_{\text{local}} = [4(2)] \text{ m/s}^2 = 8 \text{ m/s}^2$

$(a_x)_{\text{conv}} = u\dfrac{\partial u}{\partial x} + v\dfrac{\partial u}{\partial y}$

$= (3x + 2t^2)(3) + (2y^3 + 10t)(0)$

$= \left[3(3x + 2t^2)\right] \text{ m/s}^2$

Quando $t = 2$ s, $x = 3$ m

$(a_y)_{\text{conv}} = \left[3(3(3) + 2(2^2))\right] \text{ m/s}^2 = 51 \text{ m/s}^2$

$(a_y)_{\text{local}} = \dfrac{\partial v}{\partial t} = 10 \text{ m/s}^2$

$(a_y)_{\text{conv}} = u\dfrac{\partial v}{\partial x} + v\dfrac{\partial v}{\partial y}$

$= (3x + 2t^2)(0) + (2y^3 + 10t)(6y^2)$

$= \left[6y^2(2y^3 + 10t)\right] \text{ m/s}^2$

Quando $t = 2$ s, $y = 1$ m.

$(a_y)_{\text{conv}} = \left[6(1^2)\right]\left[2(1^3) + 10(2)\right] \text{m/s}^2$

$= 132 \text{ m/s}^2$

Então

$a_{\text{local}} = \sqrt{(a_x)_{\text{local}}^2 + (a_y)_{\text{local}}^2} = \sqrt{(8 \text{ m/s}^2)^2 + (10 \text{ m/s}^2)^2}$

$= 12{,}8 \text{ m/s}^2 \qquad \textit{Resposta}$

$a_{\text{conv}} = \sqrt{(a_x)_{\text{conv}}^2 + (a_y)_{\text{conv}}^2} = \sqrt{(51 \text{ m/s}^2)^2 + (132 \text{ m/s}^2)^2}$

$= 142 \text{ m/s}^2 \qquad \textit{Resposta}$

F3.6.

$a_s = \left(\dfrac{\partial V}{\partial t}\right)_s + V\dfrac{\partial V}{\partial s}$

$\left(\dfrac{\partial V}{\partial t}\right)_s = 0$ (escoamento em regime permanente) $\dfrac{\partial v}{\partial s} = (40s) \text{ s}^{-1}$

$a_s = 0 + (20s^2 + 4)(40s) = \left[40s(20s^2 + 4)\right] \text{ m/s}^2$

Em A, $s = r\theta = (0{,}5 \text{ m})\left(\dfrac{\pi}{4} \text{ rad}\right) = 0{,}125\pi \text{ m}$

$a_s = 40(0{,}125\pi)\left[20(0{,}125\pi)^2 + 4\right] = 111{,}28 \text{ m/s}^2$

$a_n = \left(\dfrac{\partial V}{\partial t}\right)_n + \dfrac{V^2}{\rho}$

Aqui, $\left(\dfrac{\partial v}{\partial t}\right)_n = 0$, $\rho = 0{,}5$ m, e em A,

$V = \left[20(0{,}125\pi)^2 + 4\right] \text{ m/s} = 7{,}084 \text{ m/s}$

$a_n = 0 + \dfrac{(7{,}0842)^2}{0{,}5} = 100{,}37 \text{ m/s}^2$

Assim,

$a = \sqrt{a_s^2 + a_n^2} = \sqrt{(111{,}28 \text{ m/s}^2)^2 + (100{,}37 \text{ m/s}^2)^2}$

$= 150 \text{ m/s}^2 \qquad \textit{Resposta}$

F3.7. Como a velocidade da partícula é constante,

$a_s = 0$

Como a linha de corrente não gira, $(\partial V/\partial t)_n = 0$.
Portanto,

$a_n = \left(\dfrac{\partial V}{\partial t}\right)_n + \dfrac{V^2}{R} = 0 + \dfrac{(3 \text{ m/s})^2}{0{,}5 \text{ m}} = 18 \text{ m/s}^2$

Assim,

$a = \sqrt{a_s^2 + a_n^2} = \sqrt{0^2 + (18 \text{ m/s}^2)^2}$

$= 18 \text{ m/s}^2 \qquad \textit{Resposta}$

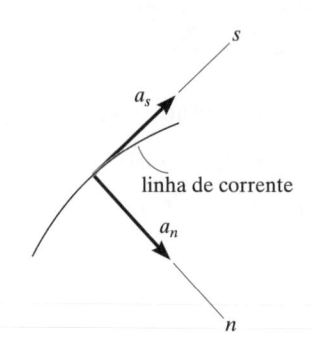

F3.8. $a_s = \left(\dfrac{\partial V}{\partial t}\right)_s + V\dfrac{\partial V}{\partial s}$

$\left(\dfrac{\partial V}{\partial t}\right)_s = \left[\dfrac{3}{2}(1000)\, t^{1/2}\right]\text{m/s}^2 = \left(1500\, t^{1/2}\right)\text{m/s}^2$

$\dfrac{\partial V}{\partial s} = (40s)\ \text{s}^{-1}$

$a_s = \left[1500\,t^{1/2} + \left(20s^2 + 1000t^{3/2} + 4\right)(40s)\right]\text{m/s}^2$

Em A, $s = 0{,}3$ m e $t = 0{,}02$ s.

$a_s = \{1500(0{,}02^{1/2}) + [20(0{,}3^2) + 1000(0{,}02^{3/2}) + 4]$
$\qquad\qquad\qquad [40(0{,}3)]\}\,\text{m/s}^2$

$= 315{,}67\ \text{m/s}^2$

$a_n = \left(\dfrac{\partial V}{\partial t}\right)_n + \dfrac{V^2}{\rho}$

Em A, $\left(\dfrac{\partial V}{\partial t}\right)_n = 0$, $\rho = 0{,}5$ m e

$V = \left[20(0{,}3^2) + 1000(0{,}02^{3/2}) + 4\right]\text{m/s} = 8{,}628\ \text{m/s}$

Então,

$a_n = 0 + \dfrac{(8{,}628\ \text{m/s})^2}{0{,}5\ \text{m}} = 148{,}90\ \text{m/s}^2$

Assim,

$a = \sqrt{a_s^2 + a_n^2} = \sqrt{(315{,}67\ \text{m/s}^2)^2 + (148{,}90\ \text{m/s}^2)^2}$

$= 349\ \text{m/s}^2 \qquad$ *Resposta*

Capítulo 4

F4.1.

$\dot{m} = \rho_{\text{água}}\mathbf{V}\cdot\mathbf{A} = (1000\ \text{kg/m}^3)(16\ \text{m/s})(0{,}06\ \text{m})[(0{,}05\ \text{m})\,\text{sen}\,60°]$

$= 41{,}6\ \text{kg/s} \qquad$ *Resposta*

F4.2. $p = \rho RT$;

$(70 + 101)(10^3)\ \text{N/m}^2 = \rho(286{,}9\ \text{J/kg}\cdot\text{K})(15 + 273)\ \text{K}$

$\rho = 2{,}0695\ \text{kg/m}^3$

$\dot{m} = \rho VA;\quad 0{,}7\ \text{kg/s} = (2{,}0695\ \text{kg/m}^3)(V)[\tfrac{1}{2}(0{,}3\ \text{m})(0{,}3\ \text{m})]$

$V = 7{,}52\ \text{m/s} \qquad$ *Resposta*

F4.3. $Q = VA = (8\ \text{m/s})[\pi(0{,}15\ \text{m})^2]$

$= 0{,}565\ m^3/s \qquad$ *Resposta*

$\dot{m} = \rho_{\text{água}} Q = (1000\ \text{kg/m}^3)(0{,}565\ \text{m}^3/\text{s})$ *Resposta*

$= 565\ \text{kg/s}$

F4.4. $Q = \displaystyle\int_A V dA$;

$0{,}02\ \text{m}^3/\text{s} = \displaystyle\int_0^{0{,}2\ \text{m}} V_0(1 - 25r^2)(2\pi r\, dr)$

$\dfrac{0{,}01}{\pi} = V_0\left(\dfrac{r^2}{2} - \dfrac{25r^4}{4}\right)\Big|_0^{0{,}2\ \text{m}}$

$\dfrac{0{,}01}{\pi} = V_0\left(\dfrac{0{,}2^2}{2} - \dfrac{25(0{,}2^4)}{4}\right)$

$V_0 = 0{,}318\ \text{m/s} \qquad$ *Resposta*

Além disso, $\displaystyle\int_A V dA$ é igual ao volume da paraboloide sob o perfil da velocidade.

$0{,}02\ \text{m}^3/\text{s} = \dfrac{1}{2}\pi(0{,}2\ \text{m})^2 V_0$

$V_0 = 0{,}318\ \text{m/s} \qquad$ *Resposta*

A velocidade média pode ser determinada por

$V_{\text{méd}} = \dfrac{Q}{A} = \dfrac{0{,}02\ \text{m}^3/\text{s}}{\pi(0{,}2\ \text{m})^2} = 0{,}159\ \text{m/s} \qquad$ *Resposta*

F4.5. $p = \rho RT$;

$(80 + 101)(10^3)\ \text{N/m}^2 = \rho(286{,}9\ \text{J/kg}\cdot\text{K})(20 + 273)\ \text{K}$

$\rho = 2{,}1532\ \text{kg/m}^3$

$\dot{m} = \rho VA = (2{,}1532\ \text{kg/m}^3)(3\ \text{m/s})[\pi(0{,}2\ \text{m})^2]$

$= 0{,}812\ kg/s \qquad$ *Resposta*

F4.6. $Q = \displaystyle\int_A V dA = \int_0^{0{,}5\ \text{m}} 6y^2(0{,}5dy) = \int_0^{0{,}5\ \text{m}} 3y^2 dy$

$= 0{,}125\ \text{m}^3/\text{s} \qquad$ *Resposta*

Além disso, o volume do bloco parabólico sob o perfil de velocidade é

$Q = \tfrac{1}{3}(0{,}5\ \text{m})[6(0{,}5^2)\ \text{m/s}](0{,}5\ \text{m})$

$= 0{,}125\ m^3/s \qquad$ *Resposta*

F4.7. $\dfrac{\partial}{\partial t}\displaystyle\int_{vc}\rho\, d\mathcal{V} + \int_{sc}\rho\mathbf{V}\cdot d\mathbf{A} = 0$

$0 - V_A A_A + V_B A_B + V_C A_C = 0$

$0 - (6\ \text{m/s})(0{,}1\ \text{m}^2) + (2\ \text{m/s})(0{,}2\ \text{m}^2) + V_C(0{,}1\ \text{m}^2) = 0$

$V_C = 2\ \text{m/s} \qquad$ *Resposta*

F4.8. Escolha um volume de controle variável.

$\mathcal{V} = (3\ \text{m})(2\ \text{m})(y) = (6y)\ \text{m}^3; \quad \dfrac{\partial \mathcal{V}}{\partial t} = 6\dfrac{\partial y}{\partial t}$

Assim,

$\dfrac{\partial}{\partial t}\displaystyle\int_{vc}\rho_l\, d\mathcal{V} + \int_{sc}\rho_l\mathbf{V}\cdot d\mathbf{A} = 0$

$$\rho_l \frac{\partial V\!\!\!\!/}{\partial t} - \rho_l V_A A_A = 0$$

$$\frac{\partial V\!\!\!\!/}{\partial t} = V_A A_A; \quad 6\frac{\partial y}{\partial t} = (4 \text{ m/s})(0{,}1 \text{ m}^2)$$

$$\frac{\partial y}{\partial t} = 0{,}0667 \text{ m/s} \qquad \text{Resposta}$$

F4.9. $\dfrac{\partial}{\partial t}\displaystyle\int_{vc} \rho\, dV\!\!\!\!/ + \int_{sc} \rho \mathbf{V} \cdot d\mathbf{A} = 0$

$$0 - \dot{m}_a - \dot{m}_{\text{água}} + \rho_m V_A = 0$$

$$0 - 0{,}05 \text{ kg/s} - 0{,}002 \text{ kg/s} + (1{,}45 \text{ kg/m}^3)(V)[\pi(0{,}01 \text{ m}^2)] = 0$$

$$V = 114 \text{ m/s} \qquad \text{Resposta}$$

F4.10. $p = \rho_A R T_A;$

$$(200 + 101)(10^3) \text{ N/m}^2 = \rho_A (286{,}9 \text{ J/kg} \cdot \text{K})(16 + 273) \text{ K}$$

$$\rho_A = 3{,}6303 \text{ kg/m}^3$$

$$p = \rho_B R T_B;$$

$$(200 + 101)(10^3) \text{ N/m}^2 = \rho_B (286{,}9 \text{ J/kg} \cdot \text{K})(70 + 273) \text{ K}$$

$$\rho_B = 3{,}0587 \text{ kg/m}^3$$

$$\frac{\partial}{\partial t}\int_{vc} \rho \cdot dV\!\!\!\!/ + \int_{sc} \rho \mathbf{V} \cdot d\mathbf{A} = 0$$

$$0 - \rho_A V_A A_A + \rho_B V_B A_B = 0$$

$$A_A = A_B$$

$$V_B = \left(\frac{\rho_A}{\rho_B}\right) V_A = \left(\frac{3{,}6303 \text{ kg/m}^3}{3{,}0587 \text{ kg/m}^3}\right)(12 \text{ m/s})$$

$$= 14{,}2 \text{ m/s} \qquad \text{Resposta}$$

F4.11. Escolha um volume de controle variável.

$$V\!\!\!\!/ = \frac{1}{2}(2h \text{ tg } 30°)(h)(1 \text{ m}) = h^2 \text{ tg } 30°$$

$$\frac{\partial V\!\!\!\!/}{\partial t} = 2 \text{ tg } 30° h \frac{\partial h}{\partial t}$$

Assim,

$$\frac{\partial}{\partial t}\int_{vc} \rho_{\text{água}} dV\!\!\!\!/ + \int_{sc} \rho_{\text{água}} \mathbf{V} \cdot d\mathbf{A} = 0$$

$$\rho_{\text{água}} \frac{\partial V\!\!\!\!/}{\partial t} - \rho_{\text{água}} VA = 0$$

$$\frac{\partial V\!\!\!\!/}{\partial t} = VA$$

$$2 \text{ tg } 30° h \frac{\partial h}{\partial t} = (6 \text{ m/s})[\pi(0{,}025 \text{ m})^2]$$

$$\frac{\partial h}{\partial t} = \frac{0{,}01020}{h} \qquad (1)$$

$$\int_{0{,}1m}^{h} h\, dh = 0{,}01020 \int_0^t dt$$

$$h - 0{,}1 \text{ m} = 0{,}01020 t$$

$$h = (0{,}01020t + 0{,}1) \text{ m}$$

Quando $t = 10$ s, $h = 0{,}01020(10) + 0{,}1 = 0{,}2020$ m

Substituindo esse resultado na Equação 1, obtemos

$$\frac{\partial h}{\partial t} = \frac{0{,}01020}{0{,}2020} = 0{,}0505 \text{ m/s} \qquad \text{Resposta}$$

F4.12. $\dfrac{\partial}{\partial t}\displaystyle\int_{vc} \rho\, dV\!\!\!\!/ + \int_{sc} \rho \mathbf{V} \cdot d\mathbf{A} = 0$

$$0 - V_A A_A - V_B A_B + V_C A_C = 0$$

$$-(1{,}5 \text{ m/s})[\pi(0{,}02 \text{ m})^2] - (2 \text{ m/s})[\pi(0{,}015 \text{ m})^2]$$

$$+ (7 \text{ m/s})\left(\frac{\pi}{4}d^2\right) = 0$$

$$d = 0{,}02449 \text{ m} = 24{,}5 \text{ mm} \qquad \text{Resposta}$$

F4.13. $\dfrac{\partial}{\partial t}\displaystyle\int_{vc} \rho_o\, dV\!\!\!\!/ + \int_{sc} \rho_o \mathbf{V} \cdot d\mathbf{A} = 0$

$$\rho_o \frac{\partial}{\partial t} V\!\!\!\!/ - \rho_o V_A A_A + \rho_o V_B A_B = 0$$

$$\rho_o \frac{\partial}{\partial t}[y(2 \text{ m})(3 \text{ m})] - \rho_o(4 \text{ m/s})[\pi(0{,}025 \text{ m})^2]$$

$$+ \rho_o(2 \text{ m/s})[\pi(0{,}01 \text{ m})^2] = 0$$

$$(6 \text{ m}^2)\frac{\partial y}{\partial t} = 7{,}226(10^{-3}) \text{ m}^3/\text{s}$$

$$v_y = \frac{\partial y}{\partial t} = 1{,}20 \text{ mm/s} \qquad \text{Resposta}$$

Como o resultado é positivo, a superfície do óleo está subindo no tanque.

Capítulo 5

F5.1. Visto que o tubo tem um diâmetro constante,

$$V_B = V_A = 6 \text{ m/s} \qquad \text{Resposta}$$

$$\frac{p_A}{\rho_{\text{água}}} + \frac{V_A^2}{2} + g z_A = \frac{p_B}{\rho_{\text{água}}} + \frac{V_B^2}{2} + g z_B$$

$$\frac{p_A}{1000 \text{ kg/m}^3} + \frac{V^2}{2} + (9{,}81 \text{ m/s}^2)(3 \text{ m}) = 0 + \frac{V^2}{2} + 0$$

$$p_A = -29{,}43(10^3) \text{ Pa} = -29{,}4 \text{ kPa} \qquad \text{Resposta}$$

O sinal negativo indica que a pressão em A é um vácuo parcial.

F5.2. $\dfrac{\partial}{\partial t}\displaystyle\int_{vc} \rho\, dV\!\!\!\!/ + \int_{sc} \rho \mathbf{V} \cdot d\mathbf{A} = 0$

$$0 - V_A A_A + V_B A_B = 0$$

$$-(7 \text{ m/s})[\pi(0{,}06 \text{ m})^2] + V_B[\pi(0{,}04 \text{ m})^2] = 0$$

$$V_B = 15{,}75 \text{ m/s} \qquad \text{Resposta}$$

$$\frac{p_A}{\rho_0} + \frac{V_A^2}{2} + g z_A = \frac{p_B}{\rho_0} + \frac{V_B^2}{2} + g z_B$$

Selecione A e B na mesma linha de corrente horizontal, $z_A = z_B = z$.

$$\frac{300(10^3) \text{ N/m}^2}{940 \text{ kg/m}^3} + \frac{(7 \text{ m/s})^2}{2} + gz$$

$$= \frac{p_s}{940 \text{ kg/m}^3} + \frac{(15{,}75 \text{ m/s})^2}{2} + gz$$

$$p_B = 206{,}44(10^3) \text{ Pa} = 206 \text{ kPa} \qquad \text{Resposta}$$

F5.3. Aqui, $p_C = p_B = 0$ e $V_C = 0$.

$$\frac{p_B}{\rho_{\text{água}}} + \frac{V_B^2}{2} + gz_B = \frac{p_C}{\rho_{\text{água}}} + \frac{V_C^2}{2} + gz_C$$

$$0 + \frac{V_B^2}{2} + 0 = 0 + 0 + (9{,}81 \text{ m/s}^2)(2 \text{ m})$$

$$V_B = 6{,}264 \text{ m/s}$$

$$\frac{\partial}{\partial t}\int_{vc} \rho \, dV\!\!\!/ + \int_{sc} \rho \mathbf{V} \cdot d\mathbf{A} = 0$$

$$0 - V_A A_A + V_B A_B = 0$$

$$0 - V_A [\pi(0{,}025 \text{ m})^2] + (6{,}264 \text{ m/s})[\pi(0{,}005 \text{ m})^2] = 0$$

$$V_A = 0{,}2506 \text{ m/s}$$

Visto que AB é uma distância curta,

$$\frac{p_A}{\rho_{\text{água}}} + \frac{V_A^2}{2} + gz_A = \frac{p_B}{\rho_{\text{água}}} + \frac{V_B^2}{2} + gz_B$$

$$\frac{p_A}{1000 \text{ kg/m}^3} + \frac{(0{,}2506 \text{ m/s})^2}{2} + 0 = 0 + \frac{(6{,}264 \text{ m/s})^2}{2} + 0$$

$$p_A = 19{,}59(10^3) \text{ Pa} = 19{,}6 \text{ kPa} \qquad \textit{Resposta}$$

F5.4. Aqui, $V_A = 8$ m/s, $V_B = 0$ (B é um ponto de estagnação) e $z_A = z_B = 0$ (AB é uma linha de corrente horizontal).

$$\frac{p_A}{\rho_{\text{água}}} + \frac{V_A^2}{2} + gz_A = \frac{p_B}{\rho_{\text{água}}} + \frac{V_B^2}{2} + gz_B$$

$$\frac{80(10^3) \text{ N/m}^2}{1000 \text{ kg/m}^3} + \frac{(8 \text{ m/s})^2}{2} + 0 = \frac{p_B}{1000 \text{ kg/m}^3} + 0 + 0$$

$$p_B = 112(10^3) \text{ Pa}$$

A equação do manômetro resulta em

$$p_B + \rho_{\text{água}} g h_{\text{água}} = p_C$$

$$112(10^3) \text{ Pa} + (1000 \text{ kg/m}^3)(9{,}81 \text{ m/s}^2)(0{,}3 \text{ m}) = p_C$$

$$p_C = 114{,}943(10^3) \text{ Pa} = 115 \text{ kPa} \qquad \textit{Resposta}$$

F5.5. $\frac{\partial}{\partial t}\int_{vc} \rho_{\text{água}} dV\!\!\!/ + \int_{sc} \rho_{\text{água}} \mathbf{V} \cdot d\mathbf{A} = 0$

$$\rho_{\text{água}} \frac{\partial V\!\!\!/}{\partial t} + \rho_{\text{água}} V_B A_B = 0$$

$$\frac{\partial V\!\!\!/}{\partial t} = V_B A_B$$

Porém, $V\!\!\!/ = (2 \text{ m})(2 \text{ m}) y = 4y$

$$\frac{\partial V\!\!\!/}{\partial t} = 4 \frac{\partial y}{\partial t}$$

Assim,

$$4 \frac{\partial y}{\partial t} = V_B [\pi(0{,}01 \text{ m})^2]$$

$$V_A = \frac{\partial y}{\partial t} = 25\pi(10^{-6}) V_B \qquad (1)$$

$p_A = p_B = 0$, V_A pode ser desprezado, pois $V_B \gg V_A$ (Equação 1).

$$\frac{p_A}{\rho_{\text{água}}} + \frac{V_A^2}{2} + gz_A = \frac{p_B}{\rho_{\text{água}}} + \frac{V_B^2}{2} + gz_B$$

$$0 + 0 + (9{,}81 \text{ m/s}^2) y = 0 + \frac{V_B^2}{2} + 0$$

$$V_B = \sqrt{19{,}62 \, y}$$

Em $y = 0{,}4$ m,

$$V_B = \sqrt{19{,}62(0{,}4)} = 2{,}801 \text{ m/s}$$

$$Q = V_B A_B = (2{,}801 \text{ m/s})[\pi(0{,}01 \text{ m})^2]$$

$$= 0{,}88(10^{-3}) \text{ m}^3/\text{s} \qquad \textit{Resposta}$$

Em $y = 0{,}2$ m,

$$V_B = \sqrt{19{,}62(0{,}2)} = 1{,}981 \text{ m/s}$$

$$Q = V_B A_B = (1{,}981 \text{ m/s})[\pi(0{,}01 \text{ m})^2]$$

$$= 0{,}622(10^{-3}) \text{ m}^3/\text{s} \qquad \textit{Resposta}$$

F5.6. $\frac{\partial}{\partial t}\int_{vc} \rho dV\!\!\!/ + \int_{sc} \rho \mathbf{V} \cdot d\mathbf{A} = 0$

$$0 - V_A A_A + V_B A_B = 0$$

$$0 - (4 \text{ m/s})[\pi(0{,}1 \text{ m})^2] + V_B [\pi(0{,}025 \text{ m})^2] = 0$$

$$V_B = 64 \text{ m/s}$$

Entre A e B, $z_A = z_B = 0$, $\rho_a = 1000$ kg/m³ em $T = 80°C$ (Apêndice A).

$$\frac{p_A}{\rho_a} + \frac{V_A^2}{2} + gz_A = \frac{p_B}{\rho_a} + \frac{V_B^2}{2} + gz_B$$

$$\frac{120(10^3) \text{ N/m}^2}{1000 \text{ kg/m}^3} + \frac{(4 \text{ m/s})^2}{2} + 0$$

$$= \frac{p_B}{1000 \text{ kg/m}^3} + \frac{(64 \text{ m/s})^2}{2} + 0$$

$$p_B = 117{,}96(10^3) \text{ Pa} = 118{,}0 \text{ kPa} \qquad \textit{Resposta}$$

F5.7. $p_A = p_B = 0$, $V_A \cong 0$ (reservatório grande), $z_A = 6$ m e $z_B = 0$.

$$\frac{p_A}{\gamma_{\text{água}}} + \frac{V_A^2}{2g} + z_A = \frac{p_B}{\gamma_{\text{água}}} + \frac{V_B^2}{2g} + z_B$$

$$0 + 0 + 6 \text{ m} = 0 + \frac{V_B^2}{2(9{,}81 \text{ m/s}^2)} + 0$$

$$V_B = 10{,}85 \text{ m/s}$$

$$Q = V_B A_B = (10{,}85 \text{ m/s})[\pi(0{,}05 \text{ m})^2]$$

$$= 0{,}0852 \text{ m}^3/\text{s} \qquad \textit{Resposta}$$

A coluna de velocidade é

$$\frac{V_B^2}{2g} = \frac{(10{,}85 \text{ m/s})^2}{2(9{,}81 \text{ m/s}^2)} = 6 \text{ m}$$

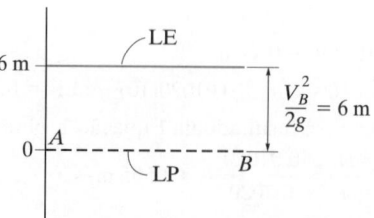

Soluções dos problemas fundamentais **787**

F5.8. $V_A = V_B = V$ (diâmetro do tubo constante), $z_A = 2$ m, $z_B = 1,5$ m e $\rho_o = 880$ kg/m³ (Apêndice A).

$$\frac{p_A}{\gamma_o} + \frac{V_A^2}{2g} + z_A = \frac{p_B}{\gamma_o} + \frac{V_B^2}{2g} + z_B$$

$$\frac{300(10^3) \text{ N/m}^2}{(880 \text{ kg/m}^3)(9,81 \text{ m/s}^2)} + \frac{V^2}{2g} + 2 \text{ m}$$

$$= \frac{p_B}{(880 \text{ kg/m}^3)(9,81 \text{ m/s}^2)} + \frac{V^2}{2g} + 1,5 \text{ m}$$

$p_B = 304,32(10^3)$ Pa $= 304$ kPa *Resposta*

$$H = \frac{p_A}{\gamma_o} + \frac{V_A^2}{2g} + z_A$$

$$= \frac{300(10^3) \text{ N/m}^2}{(880 \text{ kg/m}^3)(9,81 \text{ m/s}^2)} + \frac{(4 \text{ m/s})^2}{2(9,81 \text{ m/s}^2)} + 2 \text{ m}$$

$$= 37,567 \text{ m}$$

$$\frac{V^2}{2g} = \frac{(4 \text{ m/s})^2}{2(9,81 \text{ m/s}^2)} = 0,815 \text{ m}$$

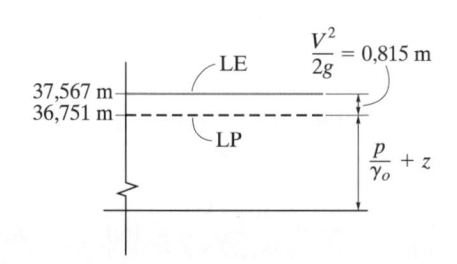

Entre A e C,

$$\frac{p_A}{\gamma_m} + \frac{V_A^2}{2g} + z_A = \frac{p_C}{\gamma_{\text{água}}} + \frac{V_C^2}{2g} + z_C$$

$$\frac{400(10^3) \text{ N/m}^2}{9810 \text{ N/m}^3} + \frac{(3 \text{ m/s})^2}{2(9,81 \text{ m/s}^2)} + 0$$

$$= \frac{p_C}{9810 \text{ N/m}^3} + \frac{(27 \text{ m/s})^2}{2(9,81 \text{ m/s}^2)} + 0$$

$p_C = 40,0(10^3)$ Pa $= 40$ kPa *Resposta*

$$H = \frac{p_A}{\gamma_{\text{água}}} + \frac{V_A^2}{2g} + z_A$$

$$= \frac{400(10^3) \text{ N/m}^2}{9810 \text{ N/m}^3} + \frac{(3 \text{ m/s})^2}{2(9,81 \text{ m/s}^2)} + 0$$

$$= 41,233 \text{ m}$$

As colunas de velocidade em A, B e C são

$$\frac{V_A^2}{2g} = \frac{(3 \text{ m/s})^2}{2(9,81 \text{ m/s}^2)} = 0,459 \text{ m}$$

$$\frac{V_B^2}{2g} = \frac{(6,75 \text{ m/s})^2}{2(9,81 \text{ m/s}^2)} = 2,322 \text{ m}$$

$$\frac{V_C^2}{2g} = \frac{(27 \text{ m/s})^2}{2(9,81 \text{ m/s}^2)} = 37,156 \text{ m}$$

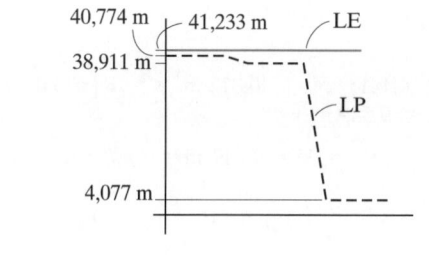

F5.9. $\dfrac{\partial}{\partial t} \int_{\text{vc}} \rho \, dV + \int_{\text{sc}} \rho \mathbf{V} \cdot d\mathbf{A} = 0$

$$0 - V_A A_A + V_B A_B = 0$$

$$0 - (3 \text{ m/s})[\pi(0,075 \text{ m})^2] + V_B[\pi(0,05 \text{ m})^2] = 0$$

$$V_B = 6,75 \text{ m/s} \qquad \textit{Resposta}$$

Além disso,

$$0 - V_A A_A + V_C A_C = 0$$

$$-(3 \text{ m/s})[\pi(0,075 \text{ m})^2] + V_C[\pi(0,025 \text{ m})^2] = 0$$

$$V_C = 27 \text{ m/s} \qquad \textit{Resposta}$$

Entre A e B,

$$\frac{p_A}{\gamma_{\text{água}}} + \frac{V_A^2}{2g} + z_A = \frac{p_B}{\gamma_{\text{água}}} + \frac{V_B^2}{2g} + z_B$$

$$\frac{400(10^3) \text{ N/m}^2}{9810 \text{ N/m}^3} + \frac{(3 \text{ m/s})^2}{2(9,81 \text{ m/s}^2)} + 0$$

$$= \frac{p_B}{9810 \text{ N/m}^3} + \frac{(6,75 \text{ m/s})^2}{2(9,81 \text{ m/s}^2)} + 0$$

$p_B = 381,72(10^3)$ Pa $= 382$ kPa *Resposta*

F5.10. $V_A \cong 0$, $p_A = p_C = 0$, $z_A = 40$ m e $z_C = 0$;

$$\frac{p_A}{\gamma_{\text{água}}} + \frac{V_A^2}{2g} + z_A + h_{\text{bomba}} = \frac{p_C}{\gamma_{\text{água}}} + \frac{V_C^2}{2g} + z_C + h_{\text{turb}} + h_L$$

$$0 + 0 + 40 \text{ m} + 0 = 0 + \frac{(8 \text{ m/s})^2}{2(9,81 \text{ m/s}^2)} + 0 + h_{\text{turb}} + \left(\frac{150}{100}\right)(1,5 \text{ m})$$

$$h_{\text{turb}} = 34,488 \text{ m}$$

$$Q = V_C A_C = (8 \text{ m/s})[\pi(0,025 \text{ m})^2] = 5\pi(10^{-3}) \text{ m}^3/\text{s}$$

$$\dot{W}_i = Q \gamma_{\text{água}} h_s = [5\pi(10^{-3}) \text{ m}^3/\text{s}](9810 \text{ N/m}^3)(34,488 \text{ m})$$

$$= 5314,43 \text{ W} = 5,314 \text{ kW}$$

$$\varepsilon = \frac{\dot{W}_o}{\dot{W}_i}; \quad 0,6 = \frac{\dot{W}_o}{5,314 \text{ kW}} \quad \dot{W}_o = 3,19 \text{ kW} \quad \textit{Resposta}$$

F5.11.

$$Q = V_B A_B; \quad 0,02 \text{ m}^3/\text{s} = V_B[\pi(0,025 \text{ m})^2]$$

$$V_B = 10,19 \text{ m/s}$$

$$p_B = 0, \, z_A = 0, \, z_B = 8 \text{ m}$$

$$\frac{p_A}{\gamma_{\text{água}}} + \frac{V_A^2}{2g} + z_A + h_{\text{bomba}} = \frac{p_B}{\gamma_{\text{água}}} + \frac{V_B^2}{2g} + z_B + h_{\text{turb}} + h_L$$

$$\frac{80(10^3)\text{ N/m}^2}{9810\text{ N/m}^3} + \frac{(2\text{ m/s})^2}{2(9{,}81\text{ m/s}^2)} + 0 + h_{\text{bomba}}$$
$$= 0 + \frac{(10{,}19\text{ m/s})^2}{2(9{,}81\text{ m/s}^2)} + 8\text{ m} + 0 + 0{,}75\text{ m}$$
$$h_{\text{bomba}} = 5{,}6793\text{ m}$$

Aí, a potência fornecida pela bomba à água é

$$\dot{W} = Q\gamma_{\text{água}}h_{\text{bomba}} = (0{,}02\text{ m}^3/\text{s})(9810\text{ N/m}^3)(5{,}6793\text{ m})$$
$$= 1{,}114(10^3)\text{ W} = 1{,}11\text{ kW} \qquad \textit{Resposta}$$

F5.12.
Aqui, $\dot{Q}_m = -1{,}5$ kJ/s. Então

$$\dot{Q}_{\text{entrada}} - \dot{W}_{\text{saída}} = \left[\left(h_B + \frac{V_B^2}{2} + gz_B\right) - \left(h_A + \frac{V_A^2}{2} + gz_A\right)\right]\dot{m}$$

$$-1{,}5(10^3)\text{ J/s} - \dot{W}_{\text{saída}} = \left\{\left[450(10^3)\text{ J/kg} + \frac{(48\text{ m/s})^2}{2} + 0\right]\right.$$
$$\left. - \left[600(10^3)\text{ J/kg} + \frac{(12\text{ m/s})^2}{2} + 0\right]\right\}(2\text{ kg/s})$$

$$\dot{W}_{\text{saída}} = 298\text{ kW} \qquad \textit{Resposta}$$

O sinal negativo indica que a potência está sendo acrescentada ao escoamento pelo motor.

Capítulo 6

F6.1. $Q = VA;$ $\qquad 0{,}012\text{ m}^3/\text{s} = V[\pi(0{,}02\text{ m})^2];$
$V = 9{,}549\text{ m/s}$

$$V_A = V_B = V = 9{,}549\text{ m/s e } p_B = 0$$

$$\Sigma F = \frac{\partial}{\partial t}\int_{\text{vc}} V\rho\, d\forall + \int_{\text{sc}} V\rho\mathbf{V}\cdot d\mathbf{A}$$

$$\xrightarrow{+}\Sigma F_x = 0 + V_B\rho_{\text{água}}(V_B A_B)$$

$$F_x = (9{,}549\text{ m/s})(1000\text{ kg/m}^3)(0{,}012\text{ m}^3/\text{s}) = 114{,}59\text{ N}\rightarrow$$

$$+\uparrow\Sigma F_y = 0 + V_A(-\rho_{\text{água}}V_A A_A)$$
$$(160(10^3)\text{ N/m}^2)(\pi(0{,}02\text{ m})^2) - F_y$$
$$= (9{,}549\text{ m/s})[-(1000\text{ kg/m}^3)(0{,}012\text{ m}^2/\text{s})]$$

$$F_y = 315{,}65\text{ N}\downarrow$$

$$F = \sqrt{F_x^2 + F_y^2} = \sqrt{(114{,}59\text{ N})^2 + (315{,}65)^2}$$
$$= 336\text{ N} \qquad \textit{Resposta}$$

$$\theta = \text{tg}^{-1}\left(\frac{F_y}{F_x}\right) = \text{tg}^{-1}\left(\frac{315{,}65\text{ N}}{114{,}59\text{ N}}\right) = 70{,}0° \qquad \textit{Resposta}$$

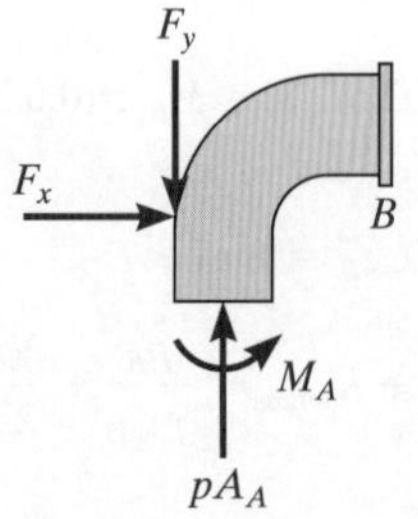

F6.2. $Q_A = V_A A_A;\quad 0{,}02\text{ m}^3/\text{s} = V_A[\pi(0{,}02\text{ m})^2];$
$V_A = 15{,}915\text{ m/s}$

$$Q_B = 0{,}3Q_A = 0{,}3(0{,}02\text{ m}^3/\text{s}) = 0{,}006\text{ m}^3/\text{s}$$
$$Q_C = 0{,}7Q_A = 0{,}7(0{,}02\text{ m}^3/\text{s}) = 0{,}014\text{ m}^3/\text{s}$$

Visto que, $V_B = V_C = V_A = 15{,}915$ m/s e $p_A = p_B = p_C = 0$.

$$\Sigma F = \frac{\partial}{\partial t}\int_{\text{vc}} V\rho\, d\forall + \int_{\text{sc}} V\rho\mathbf{V}\cdot d\mathbf{A}$$

$$\xrightarrow{+}\Sigma F_x = 0 + V_A[-(\rho_{\text{água}}V_A A_A)] + V_B\cos 60°(\rho_{\text{água}}V_B A_B)$$
$$+ (-V_C\cos 60°)(\rho_{\text{água}}V_C A_C)$$

$$-F_x = (15{,}915\text{ m/s})[-(1000\text{ kg/m}^3)(0{,}02\text{ m}^3/\text{s})]$$
$$+ (15{,}915\text{ m/s})(\cos 60°)(1000\text{ kg/m}^3)(0{,}006\text{ m}^3/\text{s})$$
$$+ (-15{,}915\text{ m/s})(\cos 60°)(1000\text{ kg/m}^3)(0{,}014\text{ m}^3/\text{s})$$

$$F_x = 381{,}97\text{ N}$$

$$+\uparrow\Sigma F_y = 0 + V_B\text{sen}\,60°(\rho_{\text{água}}V_B A_B) + (V_C\text{sen}\,60°)[-(\rho_{\text{água}}V_C A_C)]$$
$$-F_y = (15{,}915\text{ m/s})\text{sen}\,60°(1000\text{ kg/m}^3)(0{,}006\text{ m}^3/\text{s})$$
$$+ (15{,}915\text{ m/s})\text{sen}\,60°[-(1000\text{ kg/m}^3)(0{,}014\text{ m}^3/\text{s})]$$

$$F_y = 110{,}27\text{ N}$$

$$F = \sqrt{F_x^2 + F_y^2} = \sqrt{(381{,}97\text{ N})^2 + (110{,}27\text{ N})^2}$$
$$= 397{,}57\text{ N} = 398\text{ N} \qquad \textit{Resposta}$$

$$\theta = \text{tg}^{-1}\left(\frac{F_y}{F_x}\right) = \text{tg}^{-1}\left(\frac{110{,}27\text{ N}}{381{,}97\text{ N}}\right) = 16{,}1° \qquad \textit{Resposta}$$

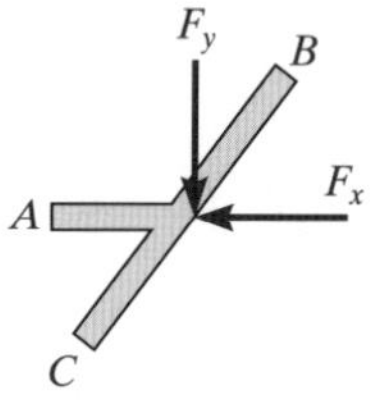

F6.3.
$$\Sigma\mathbf{F} = \frac{\partial}{\partial t}\int_{\text{vc}} \mathbf{V}\rho\, d\forall + \int_{\text{sc}} \mathbf{V}\rho\mathbf{V}\cdot d\mathbf{A}$$

$$\xrightarrow{+}\Sigma F_x = \frac{dV}{dt}\rho_{\text{água}}V_0 + V_A[-(\rho_{\text{água}}V_A A_A)] + V_B(\rho_{\text{água}}V_B A_B)$$
$$F_A = p_A A_A = p_A[\pi(0{,}025\text{ m})^2] = 0{,}625\pi(10^{-3})p_A$$
$$F_B = 0$$

$$\forall_0 = [\pi(0{,}025\text{ m})^2](0{,}2\text{ m}) = 0{,}125\pi(10^{-3})\text{ m}^3$$

$$A_A = A_B \text{ então } V_A = V_B$$

$$\xrightarrow{+}\Sigma F_x = \frac{dV}{dt}\rho_{\text{água}}\forall_0;\quad \text{onde}\quad \frac{dV}{dt} = 3\text{ m/s}^2$$

$$0{,}625\pi(10^{-3})p_A = (3\text{ m/s}^2)(1000\text{ kg/m}^3)[0{,}125\pi(10^{-2})\text{m}^3]$$

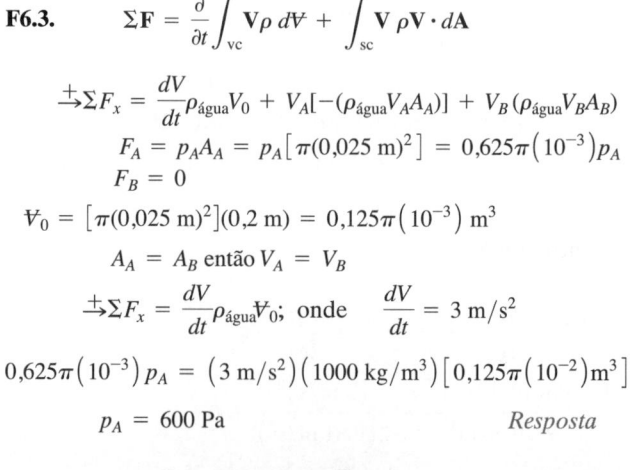

$$p_A = 600\text{ Pa} \qquad \textit{Resposta}$$

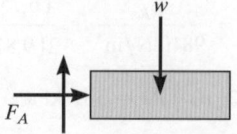

F6.4.
$$Q_A = V_A A_A = (6 \text{ m/s})[\pi(0,015 \text{ m})^2] = 1,35\pi(10^{-3}) \text{ m}^3/\text{s}$$

$$Q_B = Q_C = \frac{1}{2}Q_A = \frac{1}{2}[1,35\pi(10^{-3}) \text{ m}^3/\text{s}]$$
$$= 0,675\pi(10^{-3}) \text{ m}^3/\text{s}$$
$$Q_B = V_B A_B; \quad 0,675\pi(10^{-3}) \text{ m}^3/\text{s} = V_B[\pi(0,01 \text{ m})^2]$$
$$V_B = 6,75 \text{ m/s}$$
$$V_C = V_B = 6,75 \text{ m/s}$$

$$\Sigma F = \frac{\partial}{\partial t}\int_{vc} V\rho \, d\forall + \int_{sc} V\rho \mathbf{V} \cdot d\mathbf{A}$$

$$\xrightarrow{+} \Sigma F_x = 0 + (V_C \cos 45°)(\rho_o V_C A_C) + (-V_B \cos 45°)(\rho_o V_B A_B)$$
$$F_x = (V_C \cos 45°)\rho_o Q_C - (V_B \cos 45°)\rho_o Q_B$$
$$F_x = 0$$

$$+\uparrow \Sigma F_y = 0 + V_A(-\rho_o V_A A_A) + V_B \text{sen} 45°(\rho_o V_B A_B)$$
$$+ V_C \text{sen} 45°(\rho_o V_C A_C)$$

$$[80(10^3) \text{ N/m}^2](\pi(0,015 \text{ m})^2) - F_y$$
$$= (6 \text{ m/s})[-(880 \text{ kg/m}^3)(1,35\pi(10^{-3}) \text{ m}^3/\text{s})]$$
$$+ 2(6,75 \text{ m/s}) \text{sen } 45°[(880 \text{ kg/m}^3)0,675\pi(10^{-3}) \text{ m}^3/\text{s}]$$
$$F_y = 61,1 \text{ N}$$

Visto que $F_x = 0$,

$$F = F_y = 61,1 \text{ N}\downarrow \qquad \qquad \textit{Resposta}$$

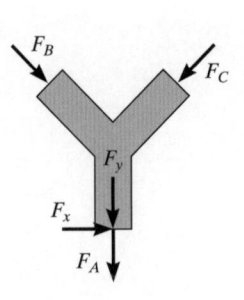

F6.5. $\Sigma F = \dfrac{\partial}{\partial t}\int_{vc} V\rho d\forall + \int_{sc} V\rho \mathbf{V} \cdot d\mathbf{A}$

$$\xrightarrow{+} \Sigma F_x = 0 + (-V_{\text{saída}})[\rho_a V_{\text{saída}} A_{\text{saída}}]$$
$$-F_f = (-20 \text{ m/s})[(1,22 \text{ kg/m}^3)(20 \text{ m/s}) \pi(0,125 \text{ m})^2]$$
$$F_f = 24,0 \text{ N} \qquad \qquad \textit{Resposta}$$

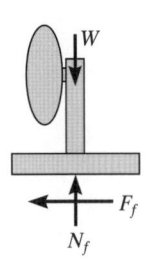

F6.6. $(\xrightarrow{+}) \mathbf{V}_f = \mathbf{V}_{vc} + \mathbf{V}_{f/sc}$

$$20 \text{ m/s} = -1,5 \text{ m/s} + V_{f/sc}$$
$$V_{f/sc} = 21,5 \text{ m/s}$$

$$\Sigma F = \frac{\partial}{\partial t}\int_{vc} V\rho d\forall + \int_{sc} V\rho \mathbf{V} \cdot d\mathbf{A}$$

$$\xrightarrow{+} \Sigma F_x = 0 + (V_{f/sc})_{\text{entrada}}[-\rho(V_{f/sc})_{\text{entrada}} A_{\text{entrada}}]$$
$$-F_x = (21,5 \text{ m/s})[-(1000 \text{ kg/m}^3)(21,5 \text{ m/s})\pi(0,01 \text{ m})^2]$$
$$F_x = 145,2 \text{ N}$$

$$+\uparrow \Sigma F_y = 0 + (V_{f/sc})_{\text{saída}}[\rho(V_{f/sc})_{\text{saída}}(A_{\text{saída}})]$$
$$F_y = (21,5 \text{ m/s})[(1000 \text{ kg/m}^3)(21,5 \text{ m/s}) \pi(0,01 \text{ m})^2]$$
$$= 145,2 \text{ N}$$

$$F = \sqrt{F_x^2 + F_y^2} = \sqrt{(145,2)^2 + (145,2)^2} = 205 \text{ N} \textit{ Resposta}$$

$$\theta = \text{tg}^{-1}\left(\frac{F_y}{F_x}\right) = \text{tg}^{-1}\left(\frac{145,2}{145,2}\right) = 45° \qquad \textit{Resposta}$$

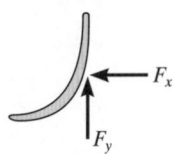

Respostas dos problemas selecionados

Capítulo 1

1.1. a. kN · m
b. Gg/m
c. μN/s^2
d. GN/s
1.2. a. 0,181 N^2
b. 4,53(10^3)s^2
c. 26,9 m
1.3. a. 11,9 mm/s
b. 9,86 Mm · s/kg
c. 1,26 Mg · m
1.5. ρ_{Hg} = 13,6 Mg/m^3
S_{Hg} = 13,6
1.6. γ = 42,5 lb/pés^3
W = 2,13 kip
1.7. 91,5 N
1.9. $p = (0,0273\, T_c + 7,45)$ MPa, onde T_c está em °C
1.10. 55,7 N/m^3
1.11. 0,386 lb/pé^3
1.13. 494(10^6) lb
1.14. 3,05 m
1.15. 0,629 kg
1.17. $p = (0,619\, T_c + 169)$ kPa, onde T_c está em °C
1.18. 20,1 lb
1.19. 446 N
1.21. 47,5 kN
1.22. 0,362 kg/m^3
1.23. 19,5 kN
1.25. ρ_2 = 0,986 kg/m^3, V_2 = 0,667 m^3
1.26. 2,02%
1.27. 14,9(10^3)lb/pol.^{2}
1.29. 1,06(10^3)kg/m^3
1.30. 13,6(10^3) psi
1.31. 220 kPa
1.33. 40,4(10^{-6}) lb · s/pés^2
1.34. 8,93(10^{-3}) N · s/m^2
1.35. não newtoniano
1.37. 0,315 mPa
1.38. 0,1875 mPa
1.39. τ_p = 4,26 Pa, τ_{fs} = 5,32 Pa
1.41. Em $y = h$, $\tau = 0$;
Em $y = h/2$, $\tau = \dfrac{0{,}354\pi\mu U}{h}$
1.42. μ = 0,849 N · s/m^2
v = 2,00 m/s
1.43. 3,00 mN
1.45. $\tau_{y=0}$ = 31,7 N/m^2
$\tau = 0$ quando $y = 5$ μm
1.46. $y = 1,25\,(10^{-6})$ m, u = 0,109 m/s,
τ = 23,8 N/m^2
1.47. 0,835 N/m
1.49. Em T = 283 K, $\mu = 1,25(10^{-3})$ N · s/m^2
Em T = 353 K, $\mu = 0,339(10^{-3})$ N · s/m^2
1.50. $B = 1,36\,(10^{-6})$ N · s/(m^2 · K$^{\frac{1}{2}}$), $C = 78,8$ K
1.51. Usando a equação de Sutherland,
em T = 283 K, $\mu = 17,9(10^{-6})$ N · s/m^2
em T = 353 K, $\mu = 20,8(10^{-6})$ N · s/m^2
1.53. 0,942 N · m
1.54. $T = \left[\dfrac{20(10^{-6})\pi}{t}\right]$ N · m, onde t está em metros
1.55. 7,00 mN · m
1.57. Em r = 50 mm, τ = 3,28 Pa
Em r = 100 mm, τ = 6,57 Pa
1.58. 10,3 mN · m
1.59. $T = \dfrac{\pi\mu\omega R^4}{2t\,\text{sen}\,\theta}$
1.61. p_{atm} = 4,58 psi, T_{ebul} = 158°F
1.62. 4,25 kPa
1.63. 7,38 kPa
1.65. 3,17 kPa
1.66. 2,08(10^{-3}) psi
1.67. 0,0931 pol.
1.69. 0,116 pol.
1.70. d = 0,075 pol., h = 0,186 pol.
1.71. D = 1,0 mm, h = 28,6 mm
1.73. $L = 4\sigma/(\rho g d\,\text{sen}\,\theta)$
1.74. $L = (0,0154/\text{sen}\,\theta)$ m
1.75. 24,3 mm
1.77. 0,0716 N/m

Capítulo 2

2.2. p_g = 137 kPa, p_{abs} = 233 kPa
2.3. h_{Hg} = 301 mm
2.5. p_s = 16,0 kPa = 2,31 psi
p_d = 10,6 kPa = 1,54 psi
2.6. $h_{água}$ = 33,9 pés
h_{Hg} = 30,0 pol.
2.7. p_A = 0
$p_B = p_C$ = 7,16 kPa
$p_D = p_E$ = 21,5 kPa
2.9. $(p_A)_g$ = 1,59 psi
Pressão máxima absoluta ocorre quando o óleo atinge o nível B.
$(p_A)_{\text{máx abs}}$ = 3,98 psi
2.10. $(p_{\text{máx}})_g$ = 4,78 psi
2.11. $(p_B)_g$ = 2,57 psi
h = 21,3 pés

2.13. $(p_A)_g = 1{,}87$ psi
$h = 7{,}46$ pés
2.14. $F_B = 827$ N
$F_C = 883$ N
2.15. 5,33 m
2.17. Não, não importa a forma do fundo do tanque.
$(p_b)_g = 6{,}47$ psi
2.18. $d_s = 0{,}584$ pol.
2.19. Para o ar compressível, $p = 95{,}92$ kPa
Para o ar incompressível, $p = 95{,}85$ kPa
2.21. $p = -E_V \ln\left(1 - \dfrac{\rho_o g h}{E_V}\right)$
2.22. Incompressível: $p = 2{,}943$ MPa
Compressível: $p = 2{,}945$ MPa
2.23. $p = 95{,}2$ kPa
$\rho = 1{,}18$ kg/m^3
2.25. $p = p_0\left(\dfrac{T_0 - Cz}{T_0}\right)^{g/RC}$
2.26. $T_0 = 15°C$
$C = 6{,}50(10^{-3})°C/m$
$p = 53{,}8$ kPa
2.27. 167 kPa
2.29. $p = p_0\left(\dfrac{T_0 - Cz}{T_0}\right)^{g/RC}$
2.30. $p = p_0 e^{-(z-z_0)g/RT_0}$
2.31. 5,43 kPa
2.33. 246 mm
2.34. 851 mm
2.35. 135 mm
2.37. $p_A = 2{,}60$ psi, $p_B = 1{,}30$ psi
2.38. 0,870 psi
2.39. 12,7 kPa
2.41. 18,2 kPa
2.42. 893 mm
2.43. 8,73 psi
2.45. 39,9 kPa
2.46. 365 mm
2.47. 736 Pa
2.49. 329 kPa
2.50. 573 kPa
2.51. 15,1 kPa
2.53. 22,6 psi
2.54. 47,4 psi
2.55. $p_A - p_B = e\left[\gamma_t - \left(1 - \dfrac{A_t}{A_R}\right)\gamma_R - \left(\dfrac{A_t}{A_R}\right)\gamma_L\right]$
2.57. 18,5 kPa
2.58. 9,21 pol.
2.59. 24,5 psi
2.61. $F_B = 61{,}1$ kip, $F_A = 170$ kip
2.62. $F_R = 29{,}3$ kN, $\bar{y}_P = 1{,}51$ m
2.63. 887 lb
2.65. 5,63 pés
2.66. 77,2°
2.67. 1,65 m
2.69. 9,36 pés
2.70. $N_B = 1{,}32$ kip
$F_A = 1{,}06$ kip
2.71. $F_C = 25{,}3$ kN
$h = 3{,}5$ m
2.73. $F_{BCDE} = 1{,}69$ kip, $d = 0{,}943$ pé
$F_{ABEF} = 6{,}27$ kip, $d' = 1{,}71$ pé
2.74. $F_{AB} = 24{,}0$ kip
$F_{DC} = 3{,}37$ kip
$F_{BC} = 82{,}4$ kip
2.75. $F_{BC} = 480$ kN, $F_{CD} = 596$ kN
2.77. 6,71 m
2.78. $F_R = 1{,}68$ kip
$d = 1{,}67$ pé
2.79. $F_R = 1{,}98$ kip
$d = 1{,}62$ pé
2.81. $F_R = 72{,}8$ kN
$y_P = 3{,}20$ m
2.82. $F_R = 72{,}8$ kN
$y_P = 3{,}20$ m
2.83. $F_R = 390$ kN
$y_P = 4{,}74$ m
2.85. $F_R = 18{,}5$ kip
$d = 3{,}00$ pés
2.86. $F_R = 73{,}1$ kN
$d = 917$ mm
2.87. $F_R = 40{,}4$ kN
$d = 2{,}44$ m
2.89. $F = 17{,}3$ kN
$y_P = 0{,}938$ m
2.90. $F = 17{,}3$ kN
$y_P = 0{,}938$ m
2.91. $F_R = 3{,}68$ kN
$y_P = 442$ mm
2.93. $F_R = 676$ lb
$y_P = 2{,}29$ pés
2.94. $F_R = 676$ lb
$y_P = 2{,}29$ pés
2.95. $F_R = 4{,}83$ kN
$y_P = 1{,}77$ m
2.97. $F_R = 6{,}89$ kN
$y_P = 1{,}80$ m
2.98. $F_R = 6{,}89$ kN
$y_P = 1{,}80$ m
2.99. $F_R = 9{,}18$ kN
$y_P = 1{,}75$ m
2.101. $F_R = 752$ lb
$y_P = 1{,}80$ pé
2.102. 2,18 kip
2.103. 9,50 pés
2.105. $N_B = 194$ kN
$A_x = 177$ kN
$A_y = 31{,}9$ kN
2.106. $N_B = 3{,}37$ kip
$A_x = 3{,}37$ kip
$A_y = 1{,}92$ kip
2.107. 442 kN
2.109. $F_R = 368$ kN
$\theta = 53{,}1°$
2.110. 179 kN

2.111. $F_R = 73{,}1$ kN
$\theta = 57{,}5°$ ⟅

2.113. $F_R = \left[\sqrt{601(10^6)h^4 + 16{,}7(10^6)h^6}\right]$ N
onde h está em metros

2.114. $F_{AB} = 58{,}9$ kN
$F_{BC} = 147$ kN
$F_{CD} = 70{,}7$ kN

2.115. 326 kN

2.117. $T_{BC} = 1{,}93$ kip
$A_x = 2{,}56$ kip
$A_y = 1{,}93$ kip

2.118. $F_h = 3{,}17$ kip
$F_v = 3{,}77$ kip
$x = 1{,}93$ m
$y = 0{,}704$ m

2.119. $F_R = 163{,}5$ kN
$\theta = 53{,}1°$ ⟆

2.121. $F_R = 2{,}83$ kip
$\theta = 26{,}6°$ ⟆
$x = 1{,}99$ pé
$y = 2{,}61$ pés

2.122. $F_R = 243$ kN
$\theta = 33{,}7°$ ⟆

2.123. 196 kN · m

2.125. $F_R = 56{,}1$ kip
$\theta = 15{,}9°$ ⟅

2.126. $B_x = 583$ kN
$B_y = 53{,}2$ kN

2.127. 1,53 m
2.129. 248 lb
2.130. 185 lb
2.131. $F_R = 53{,}8$ kN
$T = 42{,}3$ kN · m

2.133. $m_b = 225$ kg
$h = 0{,}367$ m

2.134. 136 mm
2.135. 21,0 m
2.137. 107 mm
2.138. 0,230 pé
2.139. 3,20 pés
2.141. $T_{AB} = 2{,}70$ kN
Ela permanecerá igual
2.142. 1,50 kip
2.143. 265 mm
196 mm
2.145. $r = 1{,}01$ m
$m = 15{,}6$ kg
2.146. $a = 5{,}55$ pés
$F = 19{,}9$ lb
2.147. $h = 11{,}2$ mm
2.149. Ela será restaurada.
2.150. a. 11,0 kPa
b. 13,3 kPa
2.151. $\theta = 11{,}5°$
$p_A = 24{,}6$ kPa
$p_B = 14{,}6$ kPa

2.153. Em repouso: $p_B = 468$ lb/pés^2
Com aceleração: $\Delta V = 140$ pés^3
$p_B = 562$ lb/pés^2

2.154. $a_c = 4{,}45$ m/s^2
O local mais seguro é no fundo do tanque.

2.155. $h'_A = 0{,}171$ m
$h'_B = 0{,}629$ m

2.157. 4,12 kPa
2.158. $p_B = -3{,}06$ kPa
$p_C = 24{,}6$ kPa
2.159. $p_A = 21{,}6$ kPa
$p_B = 11{,}6$ kPa
2.163. 7,02 pés/s^2
2.165. 42,5°
2.166. 4,05 kPa
2.167. 37,7 rad/s
2.169. 132 mm
2.170. −1,29 psi
2.171. 28,1 kPa
2.173. 8,09 rad/s
2.174. $p_B = -2{,}08$ kPa
$p_C = 3{,}81$ kPa
2.175. $p_B = 9{,}92$ kPa
$p_C = 15{,}8$ kPa
2.177. 36,7 N

Capítulo 3

3.5. $V = 19{,}8$ m/s
$\theta = 40{,}9°$
3.6. $V = 2{,}19$ m/s
$\theta = 43{,}2°$
3.7. $\ln y^2 + y = 2x - 2{,}61$
$V = 5{,}66$ m/s
$\theta = 45°$ ⟅
3.9. $y^3 - 6x + 2$
$V = 8{,}94$ m/s
$\theta = 26{,}6°$ ⟅
3.10. $y = \dfrac{4}{3}(e^{1,2x} - 1)$
3.11. $y = 4(x^{1/2} - 1)$
3.13. $y = x^2/9$
3.14. $y = 1{,}6x$
3.15. $y = x$
3.17. Para $t = 1$ s, $y = 4e^{(x^2 + x - 2)/15}$
Para $t = 2$ s, $y = 4e^{2(x^2 + x - 2)/15}$
Para $t = 3$ s, $y = 4e^{(x^2 + x - 2)/5}$
3.18. Para $t = 2$ s, $y = 6e^{2(x^2 + x - 6)/15}$
Para $t = 5$ s, $y = 6e^{(x^2 + x - 6)/3}$
3.19. $u = 3{,}43$ m/s
$v = 3{,}63$ m/s
3.21. $y^3 = 8x - 15$, $y = 9$ m
$x = 93$ m
3.22. $y = \dfrac{2}{3}\ln\left(\dfrac{2}{2 - x}\right)$

3.23. Para $0 \leq t < 10$ s, $y = -\dfrac{3}{2}x$

Para 10 s $< t \leq 15$ s, $y = -\dfrac{2}{5}x + 22$

3.25. $y = \dfrac{1}{16}\ln^2\dfrac{x}{2} + \dfrac{1}{2}\ln\dfrac{x}{2} + 6$

3.26. Para $0 \leq t < 5$ s, $y = \dfrac{8}{8 - 2\ln x}$

Para 5 s $< t \leq 10$ s, $y = 2{,}67e^{(1/x - 0{,}0821)}$

3.27. $2y^3 - 1{,}5x^2 - y - 2x + 52 = 0$

$V = 30{,}5$ m/s

3.29. $a = 24$ m/s^2

3.30. 1088 pol./s^2

3.31. $30{,}9$ pés/s^2

3.33. $V = 23{,}3$ m/s

$a = 343$ m/s^2

3.34. $V = 16{,}3$ m/s

$\theta_v = 79{,}4°$

$a = 164$ m/s^2

$\theta_a = 17{,}0°$

3.35. $a = 36{,}1$ m/s^2

$\theta = 33{,}7°$

3.37. $V = 33{,}5$ m/s

$\theta_V = 17{,}4°$

$a = 169$ m/s^2

$\theta_a = 79{,}1°$

3.38. $y = x/2$, $a = 143$ pés/s^2

$\theta = 26{,}6°$

3.39. $y = 2x$

$a = 286$ m/s^2

$\theta = 63{,}4°$

3.41. $V = 4{,}47$ m/s, $a = 16$ m/s^2

$y = \dfrac{1}{2}\ln x + 2$

3.42. $V = 4{,}12$ m/s

$a = 17{,}0$ m/s^2

$x^2 = \dfrac{y^3 + 5}{6y}$

3.43. $V = 0{,}601$ m/s

$a = 0{,}100$ m/s^2

$x^2/(4{,}24)^2 + y^2/(2{,}83)^2 = 1$

3.45. $x = 2{,}72$ m

$y = 1{,}5$ m

$z = 0{,}634$ m

$\mathbf{a} = \{10{,}9\mathbf{i} + 32{,}6\mathbf{j} + 24{,}5\mathbf{k}\}$ m/s^2

3.46. $y = \dfrac{411}{(4x+6)^{5/2}} - 0{,}3$

$a = 136$ m/s^2

$\theta = 72{,}9°$

3.47. $y = 1{,}25$ mm

$x = 15{,}6$ mm

$a = 0{,}751$ m/s^2

$\theta = 2{,}29°$

3.49. No ponto $(0, 0)$,

$a = 64$ m/s^2 ↓

No ponto $(1$ m$, 0)$,

$a = 89{,}4$ m/s^2, $\theta = 63{,}4°$

Para a linha de corrente passando pelo ponto $(0, 0)$,

$y = \left[2\ln\left(\dfrac{8}{2x^2 + 8}\right)\right]$ m

Para a linha de corrente passando pelo ponto $(1$ m$, 0)$,

$y = \left[2\ln\left(\dfrac{10}{2x^2 + 8}\right)\right]$ m

3.50. Para o ponto $(2$ m$, 0)$,

$a = 0{,}5$ m/s^2

$y = \pm\sqrt{4x^2 - 16}$

Para o ponto $(4$ m$, 0)$,

$a = 0{,}0625$ m/s^2

$y = \pm\sqrt{4x^2 - 64}$

3.51. $-1{,}23$ m/s^2

3.53. 72 m/s^2

3.54. $a_s = 3{,}20$ m/s^2

$a_n = 7{,}60$ m/s^2

3.55. $a = 3{,}75$ m/s^2

$\theta = 36{,}9°$

3.57. $a_s = 222$ m/s^2

$a_n = 128$ m/s^2

3.58. $a_s = 78{,}7$ m/s^2

$a_n = 73{,}0$ m/s^2

3.59. $a = 67{,}9$ m/s^2

$\theta = 45°$

$4y^2 - 3x^2 = 1$

3.61. $4x^2 - y^2 = 3$

$a_s = 85{,}4$ m/s^2

$a_n = 11{,}6$ m/s^2

Capítulo 4

4.13. $Q = 0{,}225$ m^3/s

$\dot{m} = 225$ kg/s

4.14. $8{,}51$ m/s

4.15. $8{,}69(10^{-3})$ slug/s

4.17. $0{,}955$ m/s

4.18. $t = \left(\dfrac{0{,}382}{D^2}\right)$ min, onde d está em metros

4.19. $1{,}56$ kg/s

4.21. $Q = \dfrac{wU_{\text{máx}}h}{2}$

$V = \dfrac{U_{\text{máx}}}{2}$

4.22. $2{,}92$ pés/s

4.23. $5{,}60$ slug/s

4.25. 121 slug/s

4.26. $Q_A = 0{,}036$ m^3/s

$Q_B = 0{,}0072$ m^3/s

4.27. $0{,}0493$ m^3/s

4.29. $\dfrac{49}{60}U$

4.30. $\dot{m} = \dfrac{49\pi}{60}\rho U R^2$

4.31. 119 m^3/s

4.33. $33{,}5$ slug/s

4.34. $6{,}00$ pés/s

4.35. $0{,}0294$ m^3/s

Respostas dos problemas selecionados 795

4.37. $V_A = 3{,}36$ m/s, $V_B = 1{,}49$ m/s
$a_A = 0{,}407$ m/s², $a_B = 0{,}181$ m/s²
4.38. $V_A = 12{,}2$ m/s, $V_B = 9{,}98$ m/s
4.39. $7{,}07(10^9)$
4.41. 9,54 ms
4.42. $u = 58{,}7$ pés/s, $a = 16523$ pés/s²
4.43. $u = 3{,}56$ m/s, $a = 112$ m/s²
4.45. 0,413 s
4.46. 0,217 s
4.47. 2,39 m/s
4.49. 1,50 pé/s
4.50. 3,01 m/s
4.51. 10,0 m/s
4.53. 0,647 kg/s
4.54. 31,9 m/s
4.55. 9,42 m/s
4.57. 4,45 pés/s
4.58. $V_{\text{entrada}} = (0{,}0472\pi\theta)$ pé/s, onde θ está em graus
4.59. $d = 141$ mm
$V = 1{,}27$ m/s
4.61. $V_B = 28{,}8$ m/s
$a_A = 3{,}20$ m/s²
4.62. 0,6 m/s
4.63. 279 m/s²
4.65. $V = \dfrac{0{,}0637}{(0{,}02 - 0{,}141x)^2}$
4.66. $\left[\dfrac{1{,}14(10^{-3})}{(0{,}02 - 0{,}141x)^5}\right]$ m/s²
4.67. 48,5 s
4.69. 2,48 hr
4.70. $V_s = \left(\dfrac{993}{t}\right)$ m/s, onde t está em horas
4.71. 20,4 m/s
4.73. 1,57 slug/pé³
4.74. 1,59 slug/pé³
4.75. $3{,}15(10^{-3})$ pés/s
4.77. 18,8 m/s
4.78. $V = (6{,}25V_p)$ m/s
4.79. 1,78 m/s
4.81. $-0{,}101$ kg/(m³·s), transitório
4.82. 16,4 lb/pés³
4.83. 422 pés/s
4.85. $\dfrac{\partial h}{\partial t} = \left[0{,}417(10^{-3})D^2\right]$ pés/s, onde D está em polegadas
4.86. 0,00530 kg/(m³·s)
4.87. 2,94 g/s
4.89. 7,20 min
4.90. $V = V_0 \dfrac{y^2\sqrt{H^2 + R^2}}{H(H^2 - y^2)}$
4.91. 0,0509 m/s
4.93. 3,11 m/s
4.94. $-0{,}00356$ kg/(m³·s)
4.95. $\rho_m = 1{,}656$ slug/pé³
$V_C = 3{,}75$ pés/s
4.97. 0,101 pé/s
4.98. $\dfrac{0{,}890(10^{-3})}{\sqrt{2h - h^2}}$ m/s
4.99. $\dfrac{dh}{dt} = 0{,}890(10^{-3})$ m/s
$\rho_{\text{méd}} = 967$ kg/m³
4.101. 0,0144 m/s
4.102. 5,99 s
4.103. 2,73 s
4.105. 6,77 m³
4.106. 10,2 s
4.107. $p = (2e^{-0{,}0282t})$ MPa, onde t está em segundos
4.109. 0,975 slug/pé³
4.110. $-0{,}0183$ m/s
4.111. $\dfrac{dy_c}{dt} = \left(\dfrac{0{,}157(10^{-3})}{0{,}173y_c + 0{,}0146}\right)$ m/s

Capítulo 5

5.1. -2 kPa
5.2. 0,254 m³/s
5.3. 152 pés/s²
5.5. $\Delta p = \rho V^2 \ln(r/r_i)$
5.6. 60,1 psi
5.7. 60,3 psi
5.9. $V_n = (3{,}283\sqrt{F})$ m/s, onde F está em N
5.10. 538 kPa
5.11. 11,3 pés/s
5.13. 696 Pa
5.14. 72,8 pés/s
5.15. $-36{,}7$ kPa
5.17. $V = 12{,}7$ m/s, $p = -60{,}8$ kPa
5.18. $p = 0{,}5\left[40{,}5 - \dfrac{6{,}48(10^6)}{r^2}\right]$ kPa, onde r está em mm.
5.19. 2,52 mW
5.21. $3{,}11(10^{-3})$ m³/s
5.22. $p_C = -15{,}4$ Pa
$\dot{W} = 151$ mW
5.23. $Q = 2{,}78(10^{-3})$ m³/s
$p_E = 38{,}8$ kPa
5.25. 3,51 m/s
5.26. 7,63 kPa
5.27. 159 Pa
5.29. 3,32 m
5.30. 3,72 pés³/s
5.31. 34,0 kPa
5.33. $V_B = 5{,}33$ m/s
$p_B = 121$ kPa
5.34. $V_B = \left[\dfrac{30(10^3)}{d_B^2}\right]$ m/s, onde d_B está em mm.
$p_B = \left[135 - \dfrac{450(10^6)}{d_B^4}\right]$ kPa, onde d_B está em mm.
5.35. $p(x) - p_A = (30x - 4{,}5x^2)$ kPa
5.37. 12,8 kPa

5.38.	2,73 m³/s	5.97.	$Q = 0{,}853$ pé³/s, $p = -1{,}16$ psi
5.39.	0,260 m	5.98.	$V_C = 17{,}4$ pés/s
5.41.	90 mm	5.99.	14,0 kW
5.42.	66,3 pés³/s	5.101.	29,5 hp
5.43.	2,69 pés³/s	5.102.	$V = 45{,}8$ pés/s, $h_{bomba} = 66{,}1$ pés
5.45.	0,0374 m³/s	5.103.	13,9 kW
5.46.	114 mm	5.105.	46,2 hp
5.47.	81,6 pés³/s	5.106.	$V = 3{,}56$ m/s, $p = 278$ kPa
5.49.	28,2 kg/s	5.107.	0,742 hp
5.50.	401 kPa	5.109.	1,13 m
5.51.	101 kPa	5.110.	0,344 hp
5.53.	$V_A = 2{,}83$ pés/s	5.111.	1,94 pé³/s
	$V_B = 7{,}85$ pés/s	5.113.	4,64 hp
5.54.	0,00747 slug/s	5.114.	2,66 kJ/kg
5.55.	275,025 kPa	5.115.	146 J/kg
5.57.	1,65 m³/s	5.117.	2,91 kW
5.58.	33,8 pés	5.118.	1,98 hp
5.59.	$d = \left(0{,}352\sqrt{149{,}6\,p_A + 258}\right)$ pés, onde p_A está em psi.	5.119.	6,13 hp
		5.121.	1,02 hp
5.61.	$V_C = 21{,}2$ m/s	5.122.	4,45 MW
	$p_C = 10{,}1$ psi	5.123.	4,99 hp
5.62.	$V_A = 14{,}6$ m/s	5.125.	2,38 pés
	$V_B = 7{,}58$ m/s	5.126.	49,2 kW
5.63.	18,9 (10³) litros	5.127.	1,61 hp
5.65.	$\dfrac{dy}{dt} = \left(-\sqrt{\dfrac{19{,}6(y+0{,}05)}{0{,}316(10^9)y^4 - 1}}\right)$ m/s, onde y está em metros.	5.129.	$p_B - p_A = 105$ kPa
		5.130.	31,2 m/s

Capítulo 6

5.66.	7,36 pés	6.1.	$L = 10{,}1$ kg · m/s por qualquer método.
5.67.	41,0 mm	6.3.	526 N
5.69.	0,0163 m³/s	6.5.	0,467 lb
5.70.	23,1 m/s	6.6.	$F = [13{,}7\,(1 - \cos\theta/2)]$ lb
5.71.	$p_C = 7{,}31$ psi	6.7.	126 N
	$Q_A = 1{,}80$ pé³/s	6.9.	$F = [160\pi\,(1 + \mathrm{sen}\,\theta)]$ N
5.73.	$p_A = -96{,}4$ kPa	6.10.	$T_h = 6{,}28$ kip
	$Q = 0{,}0277$ m³/s		$T_v = 2{,}88$ kip
5.74.	0,0329 m³/s	6.11.	$F_x = 10{,}3$ lb
5.75.	$dy/dt = 0{,}496$ m/s, $p = -2{,}39$ kPa		$F_y = 5{,}47$ lb
5.77.	2	6.13.	302 lb
5.78.	1,06	6.14.	2,26 kN
5.79.	$V_B = 2$ m/s	6.15.	11,3 kPa
	$p_B = 94{,}1$ kPa	6.17.	$Q_A = 0{,}00460$ m³/s
5.81.	$V_B = 8$ m/s		$Q_B = 0{,}0268$ m³/s
	$p_B = 52{,}9$ kPa	6.18.	1,57 kN
5.82.	$V_C = 8$ m/s	6.19.	$F_x = 125$ N
	$pC = 51{,}5$ kPa		$F_y = 232$ N
5.83.	LE em 84,8 pés, LP em 84,2 pés	6.21.	$h = \dfrac{8Q^2}{\pi^2 d^4 g} - \dfrac{m^2 g}{8\rho_{\text{água}}^2 Q^2}$
5.85.	$p_{A'} = -0{,}867$ psi		
	$p_B = -1{,}30$ psi		
5.86.	0,00116 m³/s		
5.87.	0,0197 pé³/s	6.22.	$h = \left[\dfrac{8{,}26(10^6)Q^4 - 0{,}307(10^{-6})}{Q^2}\right]$ m
5.89.	0,0603 m³/s		
5.90.	1,92 m	6.23.	1,47 kip
5.91.	22,6 kW	6.25.	$V_A = 15{,}7$ m/s
5.93.	104 kW		$T = 2{,}31$ kN
5.94.	314 kW	6.26.	18,7 lb
5.95.	18,2 pés/s	6.27.	0,659 N

Respostas dos problemas selecionados 797

6.29. $F_x = 0$
$F_y = 53{,}1$ N
6.30. 117 mm
6.31. 418 Pa
6.33. $F = \left[\dfrac{97{,}7x^2 - 11{,}1x + 0{,}157}{(3{,}69x - 32{,}6x^2)^2} + 14{,}3\right]$ N
6.34. $F = \left[\dfrac{2{,}55(10^3)}{x^2} + 25{,}5\right]$ N
6.35. 1,43 N
6.37. 0,24 lb
6.38. $F = 0$
6.39. 1,57 kN
6.41. 3,43 kN
6.42. $V_B = 67{,}8$ pés/s
$N = 280$ lb
6.43. 15,0 lb
6.45. $N = (150 + 26{,}4\, \text{sen}\, \theta)$ lb
6.46. 176 lb
6.47. 0,451 pé
6.49. 72,3 N
6.50. 104 N
6.51. 22,2 lb
6.53. 3,52 kN
6.54. 1,92 kN
6.55. 141 N
6.57. 26,2 hp
6.58. $F_1 = F_2 = F_3 = \rho_{\text{água}}AV^2$
6.59. 994 W
6.61. 12,1 m/s^2
6.62. 24,4 lb
6.63. 15,7 pés/s
6.65. $A_x = 811$ N
$A_y = 354$ N
$M_A = 215$ N · m
6.66. $C_x = 21{,}3$ N
$C_y = 79{,}5$ N
$M_C = 15{,}9$ N · m
6.67. $C_x = 45{,}0$ N
$C_y = 168$ N
$M_C = 33{,}6$ N · m
6.69. $D_x = 2{,}40$ kip
$D_y = 5{,}96$ kip
$M_D = 10{,}1$ kip · pés
6.70. 0,754 pé
6.71. $N_D = 60{,}0$ N
$C_x = 77{,}6$ N
$C_y = 125$ N
6.73. $A_x = 0$
$A_y = 520$ N
$M_A = 109$ N · m
6.74. $B_x = 4$ kN
$A_x = 1{,}33$ kN
$A_y = 5{,}33$ kN
6.75. $A_x = 70{,}6$ lb
$A_y = 59{,}7$ lb
$M_A = 106$ lb · pés

6.77. 482 N · m
6.78. 71,3 N · m
6.79. 72,8 rad/s
6.81. $e = 0{,}351$
$F = 90{,}7$ kN
6.82. $e = 0{,}714$
$F = 2{,}72$ kip
6.83. 300 kN
6.85. $V_2 = 38{,}7$ pés/s
$\dot{W} = 7{,}04$ hp
6.86. 3,50 MW
6.87. $F = 79{,}4$ kN
$\dot{W} = 5{,}51$ MW
$e = 0{,}5$
6.89. $F = 3{,}50$ kip
$\dot{W} = 1655$ hp
6.90. $e = 0{,}616$
$\Delta p = 0{,}632$ psi
6.93. $V = 9{,}71$ m/s
$\Delta p = 54{,}3$ Pa
6.94. 18,2 kN
6.95. 22 kN
6.97. 8,80 kN
6.98. 24,9 m/s
6.99. 9,72 N
6.101. $T_1 = 600$ N
$T_2 = 900$ N
$e_1 = 0{,}5$
$e_2 = 0{,}6$
6.102. 18,9 kN
6.103. 102 pés/s^2
6.105. 13,7°
6.106. 330 m/s
6.107. 32,2 slug/s
6.109. 0,00584 kg/s
6.110.
$$V = \left(V_e + \dfrac{p_e A_e}{\dot{m}_e} - \dfrac{m_0 c}{\dot{m}_e^2}\right)\ln\left(\dfrac{m_0}{m_0 - \dot{m}_e t}\right) + \left(\dfrac{c}{\dot{m}_e} - g\right)t$$
6.111. $V_{\text{máx}} = \dfrac{\rho V_e^2 A - F}{\rho V_e A}\ln\left(\dfrac{M + m_0}{M}\right)$
6.113. 654 pés/s
6.114. $\dot{m}_f = -\dfrac{dm}{dt} = \dfrac{m_0}{V_e}(a_0 + g)e^{-(a_0 + g)t/V_e}$
6.115. Quando o segundo estágio é disparado, $a = 136$ pés/s^2. Imediatamente antes que todo o combustível seja consumido, $a = 180$ pés/s^2.

Capítulo 7

7.1. $\omega_z = \dfrac{U}{2h}$
$\dot{\gamma}_{xy} = \dfrac{U}{h}$
7.2. $-0{,}384$ m^2/s
7.3. $\Gamma = 0$
7.6. $\psi = V_0[(\cos\theta_0)y - (\text{sen}\,\theta_0)x]$
$\phi = V_0[(\cos\theta_0)x + (\text{sen}\,\theta_0)y]$

798 MECÂNICA DOS FLUIDOS

- **7.7.** irrotacional
- **7.9.** $\psi = y^3$
- **7.10.** ϕ não pode ser estabelecido.
- **7.11.** $\psi = 50y^2 + 0{,}2y$, ϕ não pode ser estabelecido.
- **7.13.** $u = (-4x)$ pés/s
  $V = 20$ pés/s
- **7.14.** rotacional
  $\psi = \dfrac{1}{2}(3y^2 - 9x^2)$
  $y = \sqrt{3x^2 - 39}$
- **7.15.** $p_A = 34$ kPa
  $\psi_2 - \psi_1 = 0{,}5$ m^2/s
- **7.17.** $\psi = 4y - 3x$
  $\phi = 4x + 3y$
- **7.18.** $\psi = 2x^2 y - \dfrac{1}{3}x^3$
- **7.19.** $v_r = 0$
  $v_\theta = 1$ m/s
- **7.21.** $\phi = -4x - 8y$
- **7.22.** 5,57 m/s
- **7.23.** 160 m/s
- **7.25.** $-1{,}45$ kPa
- **7.26.** 2 m/s
- **7.27.** 9,49 pés/s
- **7.29.** -101 kPa
- **7.30.** rotacional
  $a = 221$ pés/s^2
- **7.31.** $V = 6{,}32$ pés/s
  $xy = 3$
- **7.33.** irrotacional
- **7.34.** $\psi = 4(y^2 - x^2)$
  $y = \pm\sqrt{x^2 - 7}$
- **7.35.** $v_r = 4$ m/s
  $v_\theta = -6{,}93$ m/s
  $\phi = 8(x^2 - y^2)$
- **7.37.** $\psi = \dfrac{1}{2}(x^2 - y^2 + 2xy)$
  $\phi = \dfrac{1}{2}(x^2 - y^2 - 2xy)$
- **7.38.** $\psi = y^2 - x^2 + 10x$
  $\phi = 2y(x - 5)$
- **7.39.** $\psi = x^2 - y^2 + xy$
  $\phi = \dfrac{1}{2}(x^2 - y^2) - 2xy$
- **7.41.** $\psi = \dfrac{1}{2}(y^2 - x^2)$
- **7.42.** $\phi = V_0[(\text{sen}\,\theta_0)x - (\cos\theta_0)y]$
- **7.43.** $V = 6{,}32$ pés/s
  $y = \dfrac{3}{x}$
- **7.45.** $\phi = xy^2 - \dfrac{x^3}{3}$
  $p_B = 628$ kPa
- **7.46.** $V_A = 114$ m/s
  $p_O - p_A = 6{,}02$ MPa
- **7.47.** $\phi = \dfrac{5}{3}y(3x^2 - y^2)$
  $\psi = \dfrac{1}{2}(y^2 - x^2)$
- **7.49.** $u = 2$ m/s, $v = 1$ m/s
  $a_x = 1$ m/s^2
  $a_y = 2$ m/s^2
- **7.50.** $\psi = 16xy$
- **7.51.** $u = 2y(2 + x)$
- **7.53.** $-2{,}16$ kPa
- **7.55.** $\psi = 8\theta$
  $V = 1{,}60$ m/s^2
- **7.57.** $V = 60{,}0$ m/s
  $p = -2{,}16$ kPa
- **7.58.** $\theta = \pi$
  $r = \dfrac{3}{16\pi}$ m
- **7.59.** $z = \dfrac{\Gamma^2}{8\pi^2 g r^2}$
- **7.61.** $\phi = \dfrac{5\,\text{m}^2/\text{s}}{2\pi}\ln\dfrac{r_2}{r_1}$
  A linha equipotencial para $\phi = 0$ é ao longo do eixo y.
- **7.62.** $V = 2{,}55$ pés/s
  $a = 1{,}30$ pé/s^2
- **7.63.** $u = \dfrac{q}{2\pi}\left[\dfrac{x-4}{(x-4^2)+y^2} + \dfrac{x+4}{(x+4^2)+y^2}\right]$
  $v = \dfrac{q}{2\pi}\left[\dfrac{y}{(x-4^2)+y^2} + \dfrac{y}{(x+4^2)+y^2}\right]$
  O escoamento é irrotacional.
  $x = 0$
- **7.65.** $\psi = \dfrac{q}{2\pi}(\theta_1 + \theta_2)$
- **7.66.** $\sqrt{2}$ m
- **7.67.** $y = x\,\text{tg}\,[\pi(1 - 32y)]$
- **7.69.** 0,333 pé
  $\Delta p = 0{,}757$ psi
- **7.70.** $p = p_0 - \dfrac{\rho U^2}{2(\pi - \theta)^2}\left[\text{sen}^2\theta + (\pi - \theta)\,\text{sen}\,2\theta\right]$
- **7.71.** $r_0 = 0{,}398$ m
  $h = 1{,}25$ m
  $V = 0{,}447$ m/s
  $p = 283$ Pa
- **7.73.** $L = 1{,}02$ m
  0,0485 m
- **7.74.** $\dfrac{y}{x^2 + y^2 - 0{,}25} = \text{tg}\,40\pi y$
- **7.75.** $h = 0{,}609$ m
  $V = 11{,}2$ m/s
  $p = 29{,}2$ kPa
- **7.77.** $F_y = 0{,}127$ lb/pé
  $\theta = 6{,}86°$ e 173°
- **7.78.** $p_{\text{máx}} = 27{,}6$ kPa
  $p_{\text{mín}} = -4{,}38$ kPa
- **7.79.** 81,0 m/s; sim
- **7.81.**

r (m)	0,1	0,2	0,3	0,4	0,5
V (m/s)	0	4,50	5,33	5,625	5,76
p (kPa)	177	162	156	153	152

7.82. $V = 30\left(1 + \dfrac{9}{r^2}\right)$ m/s

$p = \left[100553{,}5 - 553{,}5\left(1 + \dfrac{9}{r^2}\right)^2\right]$ Pa

7.83. $(F_R)_y = \dfrac{5}{3}\rho RLU^2$

7.85. 5,93 psi

7.86. $\theta = 90°$ ou $270°$

$p_{\text{mín}} = -0{,}555$ psi

7.87. $V|_{\theta=0°} = 0$

$V|_{\theta=90°} = 300$ pés/s

$V|_{\theta=150°} = 150$ pés/s

$p|_{\theta=0°} = 0{,}185$

$p|_{\theta=90°} = -0{,}555$ psi

$p|_{\theta=150°} = 0$

7.89. 0,0748 lb/pé

7.90. $p_A = 86{,}8$ lb/pés^2

$p_B = 80$ lb/pés^2

$F_y = 97{,}5$ lb/pés

7.91. $p_{\text{máx}} = 350$ Pa

$p_{\text{mín}} = -802$ Pa

7.93. $F = 5{,}68$ kN/m

$p = -99{,}3$ Pa

7.99. $p = -\rho(18x^2 + 18y^2 + gy)$

Capítulo 8

8.1. a. sim
b. não
c. não
d. não

8.2. a. $\dfrac{Vt}{L}$

b. $\dfrac{E_\forall L}{\sigma}$

c. $\dfrac{V^2}{gL}$

8.3. $\left(\dfrac{M}{LT^2}\right)^{\frac{1}{2}}$

8.5. a. $\dfrac{L^6}{FT^2}$

b. $\dfrac{1}{L}$

c. L

d. $\dfrac{F}{L^2}$

8.6. a. $\dfrac{L^5}{M}$

b. $\dfrac{1}{L}$

c. L

d. $\dfrac{M}{LT^2}$

8.7. 49,8(10^3)

8.9. 6,79

8.10. $\dfrac{\rho VL}{\mu}$ ou $\dfrac{\mu}{\rho VL}$

8.11. $\dfrac{\rho gD}{p}$ ou $\dfrac{p}{\rho gD}$

8.14. $\tau = k\mu\dfrac{du}{dy}$

8.15. $\tau = k\sqrt{\dfrac{m}{\gamma A}}$

8.17. $V = k\sqrt{\dfrac{p}{\rho}}$

8.18. $Q = k\sqrt{gD^5}$

8.19. $V = k\sqrt{gh}$

8.21. $c = k\sqrt{\dfrac{\sigma}{\rho\lambda}}$

18,4%

8.22. $Q = kb\sqrt{gH^3}$

aumenta em 2,83 vezes

8.23. $h = df\left(\dfrac{\sigma}{\rho d^2 g}\right)$

8.25. $\delta = xf(\text{Re})$

8.26. $Q = k\dfrac{T}{\omega\rho D^2}$

8.27. $c = \sqrt{g\lambda}f\left(\dfrac{\lambda}{h}\right)$

8.29. $F_D = \rho V^2 L^2 f(\text{Re})$

8.30. $t = \sqrt{\dfrac{d}{g}}\left(\dfrac{\mu}{\rho d^{\frac{3}{2}}g^{\frac{1}{2}}}\right)$

8.31. $h_L = Df(\text{Re})$

8.33. $\tau = \sqrt{\dfrac{\lambda}{g}}f\left(\dfrac{h}{\lambda}\right)$

8.34. $F_D = \rho V^2 A f(\text{Re})$

8.35. $T = \rho\omega^2 D^4 f\left(\dfrac{\mu}{\rho\omega D^2}, \dfrac{V}{\omega D}\right)$

8.37. $Q = D^3\omega f\left(\dfrac{\rho D^5 \omega^3}{\dot W}, \dfrac{D^3\omega^2\mu}{\dot W}\right)$

8.38. $V = \dfrac{\mu}{\rho D}f\left(\dfrac{\rho_b}{\rho}, \dfrac{D^3\rho^2 g}{\mu^2}\right)$

8.39. $\Delta p = \rho V^2 f(\text{Re})$

8.41. $p = p_0 f\left(\dfrac{\rho r^3}{m}, \dfrac{E_\forall}{p_0}\right)$

8.42. $F_D = \dfrac{\mu^2}{\rho}f(\text{Re})$

8.43. $\dot W = CQ\,\Delta p$

8.45. $d = Df(\text{Re}, \text{We})$

8.46. $f(\text{Re, M, Eu, Fr, We}) = 0$

8.47. $Q = \sqrt{gH^5}f\left(\dfrac{b}{H}, \dfrac{h}{H}, \dfrac{\mu}{\rho\sqrt{gH^3}}, \dfrac{\sigma}{\rho gH^2}\right)$

8.49. 405 mi/h

8.50. 4,91 pés/s

8.51. 2,83 Pa

8.53. $V_2 = 1{,}33$ m/s

$F_2 = 2{,}80$ N

8.54. 1,90 pé/s

8.55.	0,755 rad/s	9.31.	5,24 mm/s
8.57.	0,894 m/s	9.33.	$\Delta p = 6{,}14$ Pa
8.58.	4,97 Mm/h		$\tau_{máx} = 7{,}68\,(10^{-3})$ Pa
8.59.	18 Mm/h	9.34.	0,214 pé³/s
8.61.	0,463 mi/h	9.35.	0,0431 pé³/s
8.62.	12 m/s	9.37.	0,0264 m³/s
8.63.	12 km/h	9.38.	56,3 N
8.65.	200 kN	9.39.	$\tau = 183$ N/m²
8.66.	11,0 kg/m³		$u_{máx} = 1{,}40$ m/s
8.67.	4,33 s		$Q = 0{,}494(10^{-3})$ m³/s
8.69.	$2{,}25(10^3)$ pés/s	9.41.	sem mistura
8.70.	20,0 kN	9.42.	$\tau_{máx} = 6{,}15$ Pa
8.71.	7 kN		$u_{máx} = 2{,}55$ m/s
8.73.	935 mi/h	9.43.	$0{,}849(10^{-3})$ m³/s
8.74.	$Q_m = 4{,}47$ pés³/s	9.45.	0,970 N·s/m²
	$H_m = 0{,}515$ pé	9.46.	$R = \dfrac{128\mu_a}{\pi D^4}$
8.75.	$V_p = 3{,}87$ m/s	9.47.	$\tau_{água} = 350V$
	$(F_D)_p = 250$ kN	9.49.	$t = \dfrac{32\mu l D^2}{\rho g d^4}\ln\left(\dfrac{h_1}{h_2}\right)$
	$\dot{W} = 967$ kN	9.50.	41,8 mm

Capítulo 9

9.1.	$0{,}141(10^{-3})$ m³/s	9.51.	$0{,}957(10^{-3})$ m³/s
9.2.	$u_{máx} = 0{,}132$ m/s	9.55.	$\tau_{rz}|_{r=0{,}03\,m} = 349$ Pa
	$\tau_t = -8$ Pa		$\tau_{rz}|_{r=0{,}06\,m} = -275$ Pa
	$\tau_b = 8$ Pa		$(v_z)_{máx} = 10{,}4$ m/s
9.3.	$p_B - p_A = -1{,}20$ lb/pé²	9.59.	$Q = 0{,}215$ m³/s
9.5.	0,405 m/s		$L = 13{,}8$ m
9.6.	$0{,}490(10^{-6})$ m³/s	9.61.	$u = 18{,}5$ m/s
9.7.	4,88 m/s		$y = 0{,}203$ mm
9.9.	$1{,}63(10^{-6})$ m³/s	9.62.	$\tau = 13{,}1$ Pa
9.10.	1,79 mm		$u = 2{,}30$ m/s
9.11.	0,326 N·m	9.63.	$\tau_{visc} = 1{,}50$ Pa
9.13.	1,15 mm/s		$\tau_{turb} = 11{,}6$ Pa
9.14.	0,0153 W	9.65.	2,98 m/s
9.15.	2,43 pés/s	9.66.	Na parede
9.17.	$\tau = -27{,}5$ N/m²		$\tau = 0{,}03125$ psi
	$u = (0{,}3 - 125y)$ m/s		No centro
9.18.	0,797 psi		$\tau = 0$
9.19.	$\tau_{água} = \tau_o = \dfrac{\mu_{água}\mu_o U}{(\mu_o + \mu_{água})a}$		$u_{máx} = 41{,}7$ pés/s
		9.67.	$\tau = 0{,}0156$ psi
	$u_{água} = \dfrac{\mu_o U}{(\mu_o + \mu_{água})a}y$		$y = 54{,}5(10^{-6})$ pés
		9.69.	Em $r = 0{,}05$ m,
	$u_o = \dfrac{U}{a(\mu_o + \mu_{água})}[\mu_{água}y + a(\mu_o - \mu_{água})]$		$\tau_{lam} = 2{,}50$ Pa
			$\tau_{turb} = 0$
9.21.	$u = \left(\dfrac{U_t - U_b}{a}\right)y + U_b$		Em $r = 0{,}025$ m,
			$\tau_{lam} = 0{,}0239$ Pa
	$\tau_{xy} = \dfrac{\mu(U_t - U_b)}{a}$		$\tau_{turb} = 1{,}23$ Pa
		9.70.	$u = 4{,}04$ pés/s
9.22.	laminar		$y = 8{,}31(10^{-3})$ pol.
9.23.	$9{,}375(10^{-3})$ psi	9.71.	278 mm³/s
9.25.	$(V)_{máx} = 0{,}304$ m/s		
	Não haverá turbulência.		

Capítulo 10

9.26.	112 Pa	10.1.	0,056
9.27.	laminar	10.2.	0,616 pé
9.29.	11,9 kPa	10.3.	0,0474
9.30.	953 Pa		

10.5.	0,676 psi	10.77.	0,821
10.6.	0,0369 lb/pé²	10.78.	0,00265 m³/s
10.7.	0,0584	10.79.	$Q_C = 0{,}00459$ pé³/s
10.9.	$h_L = 0{,}407$ pé		$Q_D = 0{,}00449$ pé³/s
	$p_B = 35{,}5$ psi	10.81.	0,0335 m³/s
10.10.	123 mm	10.82.	0,0430 m³/s
10.11.	0,0368	10.83.	0,00290 m³/s
10.13.	Use $D = 4\,5/8$ pol.	10.85.	0,0277 m³/s
10.14.	9,50 m	10.86.	$Q_C = 0{,}00588$ m³/s
10.15.	17,7 kPa		$Q_D = 0{,}00412$ m³/s
10.17.	$Q = 0{,}00608$ m³/s	10.87.	$Q_C = 0{,}00583$ m³/s
	$\Delta p = 0{,}801$ Pa		$Q_D = 0{,}00417$ m³/s
10.18.	693 W	10.89.	$Q_B = 0{,}00916$ pé³/s
10.19.	76,7 mm		$Q_C = 0{,}0100$ pé³/s
10.21.	$\dot{W}_{ob} = 13{,}5$ kW	10.90.	0,106 hp
	$\dot{W}_{água} = 10{,}9$ kW	10.91.	$Q_B = 74{,}1$ gal/min
10.22.	0,00861 lb/pé²		$Q_C = 60{,}6$ gal/min
10.23.	0,113 pé	10.93.	$Q_{ABC} = 15{,}6$ gal/min
10.25.	2,34 pés		$Q_{ADC} = 51{,}7$ gal/min
10.26.	0,00529 m³/s	10.94.	$Q_{ABC} = 15{,}7$ gal/min
10.27.	1,01 pé³/s		$Q_{ADC} = 51{,}8$ gal/min
10.29.	0,642 kg/s		
10.30.	133 kPa		

Capítulo 11

10.31.	300%	11.1.	136 pés
10.33.	5,87 kPa	11.2.	2,25 Pa
10.34.	Use $D = 3\frac{7}{8}$ pol.	11.3.	$u\big|_{y=0{,}1\,m} = 13{,}6$ m/s
10.35.	17,4 kPa		$u\big|_{y=0{,}3\,m} = 14{,}5$ m/s
10.37.	8,98 litros/s	11.5.	2,57 N
10.38.	6,94 psi	11.6.	0,00604 lb
10.39.	0,265 pé³/s	11.7.	0,585 m/s
10.41.	25,1 lb	11.9.	$x = \dfrac{\rho U a^2}{100 \mu}$
10.42.	22,9 kPa		
10.43.	19,5 litros/s	11.10.	14,1 mm
10.45.	4,03 hp	11.11.	242 mm
10.46.	0,0145 m³/s	11.13.	$\delta = 0{,}174$ pol.
10.47.	0,00804 m³/s		$u = 1{,}36$ pé/s (aprox.)
10.49.	3,72 pol.	11.14.	$\delta\big|_{x=0{,}2\,m} = 3{,}33$ mm
10.50.	427 W		$\delta\big|_{x=0{,}4\,m} = 4{,}70$ mm
10.51.	194 W	11.15.	$\tau_0\big|_{x=0{,}2\,m} = 0{,}0987$ Pa
10.53.	13,6 kW		$\tau_0\big|_{x=0{,}4\,m} = 0{,}0698$ Pa
10.54.	2,83 kW	11.17.	0,0139 lb
10.55.	51,3 W	11.18.	2,55 pés
10.57.	0,00431 m³/s	11.19.	1,51 N
10.58.	0,536 pé³/s	11.21.	92,8 N
10.59.	0,0337 pé³/s	11.22.	40,8 N
10.61.	106 mm	11.23.	$\tau_0 = 0{,}289\mu\left(\dfrac{U}{x}\right)\sqrt{\mathrm{Re}_x}$
10.62.	121 psi		
10.63.	147 psi	11.25.	$\delta = \dfrac{0{,}343 x}{(\mathrm{Re}_x)^{\frac{1}{5}}}$
10.65.	0,901		
10.66.	0,797 W	11.26.	$\delta = 0{,}0118$ mm
10.67.	$p_B - p_A = 1{,}11$ Pa		$\Theta = 1{,}02$ mm
10.69.	0,0148 m³/s	11.27.	6,22 m/s
10.70.	34,4 kPa	11.29.	$C_1 = 0 \quad C_2 = 2 \quad C_3 = -1$
10.71.	4,91 psi	11.30.	$C_1 = 0 \quad C_2 = \dfrac{3}{2} \quad C_3 = -\dfrac{1}{2}$
10.73.	0,0124 m³/s		
10.74.	0,0111 m³/s		
10.75.	201 kPa		

11.31. $\delta = \dfrac{3,46x}{\sqrt{\mathrm{Re}_x}}$

11.33. $\delta^* = \dfrac{1,74x}{\sqrt{\mathrm{Re}_x}}$

11.34. $\delta = \dfrac{4,64x}{\sqrt{\mathrm{Re}_x}}$

11.35. $\tau_0 = 0{,}323\mu\left(\dfrac{U}{x}\right)\sqrt{\mathrm{Re}_x}$

11.37. 206 mm
11.38. 0,961 Pa
11.39. 7,98 kN
11.41. F_{Df} = 15,7 kN
$\dot{W}$ = 31,4 kW
11.42. 6,43 N
11.43. 4,82 N
11.45. 1,34 pol.
11.46. 19,8 lb
11.47. δ = 34,4 mm
τ_0 = 9,62 Pa
11.49. 5,27 lb
11.50. δ = 4,36 mm
F = 1,39 kN
11.51. 1,22 kN
11.53. 35,8 hp
11.54. 24,9 kN
11.55. 240 N
11.57. 124 N
11.58. 43,7 kN
11.59. 2,19 kip
11.61. 2,71 kN · m
11.62. 10,1 lb
11.63. 0,831 N
11.65. 376 lb
11.66. 4,00 kN · m
11.67. 485 lb · pés
11.69. 26,1 kW
11.70. 1,75 kN · m
11.71. $(F_D)_{AB}$ = 20,9 N
$(F_D)_{BC}$ = 40,5 N
11.73. 3,71 m
11.74. 2,08
11.75. 17,7 hp
11.77. 36,9 kW
11.78. 2,20 kN
11.79. 81,8 N
11.81. Normal: F_D = 3,26 lb
Paralela: F_D = 0,0140 lb
11.82. 6,70 m/s
11.83. 15,7 m/s
11.85. 1210 kg/m^3
11.86. 0,0670 lb
11.87. 114 dias
11.89. 5,45 m/s
11.90. 40,6 min
11.91. 5,03 m/s
11.93. 5,50 m
11.94. V = 16,8 mm/s
t = 2,97 ms

11.95. 8,88 m
11.97. 0,374 m/s
11.98. 2,67 m/s
11.99. 13,7 m/s^2
11.101. 5° (aprox.)
11.102. 0,274
11.103. 167 m/s
11.105. 227 m/s
11.106. 20,8°
11.107. O planador pode aterrissar.
11.109. 3,27°
11.110. C_L = 0,345
α = 2,75°
11.111. F_D = 135 lb
α = 20°
V_s = 108 pés/s
11.113. 130 mi/h
11.114. 0,00565 N
11.115. 31,8 mm

Capítulo 12

12.1. **a.** 6,26 m/s
b. 4,82 m/s
c. 0
12.2. $(v_u)_u$ = 4,26 m/s
$(v_u)_d$ = 8,26 m/s
12.3. Fr = 2,26
supercrítico
V_c = 2,91 m/s
12.5. subcrítico
12.6. E = 2,56 pés
y = 1,37 pé
12.7. 1,02 m
12.9. y_c = 2,63 m
V_c = 5,08 m/s
$E_{\mathrm{mín}}$ = 3,94 m
Em y = 2 m, E = 4,27 m.
12.10. y_c = 1,01 m
$E_{\mathrm{mín}}$ = 1,52 m
Em y = 1,5 m, E = 1,73 m.
12.11. y = 1,90 m (subcrítico)
y = 0,490 m (supercrítico)
12.13. y_c = 1,18 m
y = 1,73 m (subcrítico)
y = 0,838 m (supercrítico)
12.14. $E_{\mathrm{mín}}$ = 1,11 m
y_c = 0,742 m
y = 8,00 m (subcrítico)
y = 0,161 m (supercrítico)
12.15. y = 2,82 m (subcrítico)
y = 0,814 m (supercrítico)
12.17. 4,98 m
12.18. 4,78 m^3/s
12.19. y^2 = 2,96 pés
b_c = 1,53 pé
12.21. supercrítico
y_2 = 1,78 m
V_2 = 5,07 m/s

12.22.	1,22 m	12.66.	$a = b$
12.23.	3,75 pés	12.67.	$\theta = 60°$
	diminui		$l = b$
12.25.	$y_B = 4,80$ m	12.70.	A2
	$V_A = 1$ m/s	12.71.	A3
	$V_B = 1,04$ m/s	12.73.	S2
12.26.	$y_B = 0,511$ m	12.74.	0,888 m
	$V_A = 10$ m/s	12.75.	11,0 m
	$V_B = 9,79$ m/s	12.77.	4,36 pés
12.27.	$y_2 = 0,145$ m	12.78.	4,74 m
	$h = 0,935$ m	12.79.	$V_1 = 7,14$ m/s
12.29.	$y_c = 2,05$ pés		$V_2 = 4,46$ m/s
	$y_2 = 1,18$ m		$h_L = 0,0844$ m
12.30.	$y_2 = 1,73$ pé	12.81.	$y_2 = 3,49$ m
	$Q_{máx} = 488$ pés^3/s		$h_L = 9,74$ m
12.31.	$Q = 227$ pés^3/s	12.82.	$y_1 = 0,300$ m
	supercrítico		$h_L = 17,3$ m
12.33.	$y_2 = 0,613$ m	12.83.	$y_2 = 1,43$ pé
	$y_3 = 3,92$ m		$h_L = 0,0143$ pé
12.34.	$Q = \left[\sqrt{78,48 y_2^2(3 - y_2)}\right]$ m^3/s	12.85.	7,35 m^3/s
		12.86.	0,255 m^3/s
	a. 12,5 m^3/s	12.87.	3,38 m
	b. 16,3 m^3/s		

12.35. **a.** $R_h = \dfrac{bh}{2h + b}$

Capítulo 13

	b. $R_h = \dfrac{\sqrt{3}}{8} l$	13.1.	$\Delta h = 0$
			$\Delta s = 465$ J/(kg · K)
	c. $R_h = \dfrac{\sqrt{3} l(l + 2b)}{4(2l + b)}$	13.2.	$\rho_1 = 0,331$ kg/m^3
			$T_2 = 366$ K
12.37.	5,70 m^3/s	13.3.	$\Delta p = 88,7$ kPa
12.38.	26,0 pés^3/s		$\Delta s = 631$ J/(kg · K)
12.39.	$y = 1,5$ pé	13.5.	$\Delta u = 2,41(10^6)$ pés · lb/slug
	$Q = 17,8$ pés^3/s		$\Delta h = 3,39(10^6)$ pés · lb/slug
12.41.	2,74 pés		$\Delta s = 16,3(10^6)$ pés · lb/(slug · R)
12.42.	0,0201	13.6.	A densidade ρ permanecerá constante.
12.43.	2,51 m^3/s		$\Delta p = 56,0$ kPa
12.45.	25,9 m^3/s		$\Delta u = 157$ kJ/kg
12.46.	79,4 m^3/s		$\Delta h = 261$ kJ/kg
12.47.	40,8 pés^3/s	13.7.	A densidade ρ permanecerá constante.
12.49.	9,14 pés^3/s		$\Delta p = -3,49$ lb/pol.^{2}
12.50.	1,88R		$\Delta u = -388,5(10^3)$ pés · lb/slug
12.51.	1,63R		$\Delta h = -544(10^3)$ pés · lb/slug
12.53.	113 m^3/s	13.9.	$\Delta\rho = -0,00727$ slug/pé^3
	subcrítico		$\Delta s = 477$ pés · lb/(slug · R)
12.54.	0,00422	13.10.	$\Delta u = -429(10^3)$ pés · lb/slug
12.55.	1839 pés^3/s		$\Delta h = -601(10^3)$ pés · lb/slug
	subcrítico	13.11.	5,01°C
12.57.	865 pés^3/s	13.13.	2,48(10^3) pés/s
12.58.	5,73 m	13.14.	$c_{ar} = 343$ m/s
12.59.	15,0 m^3/s		$c_{água} = 1485$ m/s
12.61.	$y_c = 3,46$ pés	13.15.	$c_{ar} = 1,12(10^3)$ pé/s
	$S_c = 0,00286$		$c_{água} = 4,81(10^3)$ pés/s
12.62.	$S_0 = 0,00178$	13.17.	103 m/s
	$Q_c = 504$ pés^3/s	13.18.	2,67(10^3) km/h
	$S_c = 0,00284$	13.19.	1,35 mi
12.63.	3,08 m	13.21.	0,817
12.65.	90°	13.22.	17,3°

13.23. $M = 1{,}78$
$\alpha = 34{,}2°$

13.25. $T_0 = 509$ K
$p_0 = 196$ kPa

13.26. 232 m/s

13.27. $V = 709$ m/s
$T_0 = 450$ K
$p_0 = 273$ kPa

13.29. 0,127 slug/s

13.30. $1{,}00(10^3)$ pé/s

13.31. 0,302

13.33. $T^*/T_0 = 0{,}866$
$p^*/p_0 = 0{,}544$
$\rho^*/\rho_0 = 0{,}628$

13.34. 0,388 slug/s

13.35. $0{,}0547$ kg/m^3

13.37. 17,9 kPa

13.38. 591 kPa

13.39. 1,78 kg/s

13.41. Para escoamento isentrópico, $p = 596$ kPa
Quando $p = 150$ kPa, $\dot{m} = 0{,}411$ kg/s

13.42. $p = 8{,}93$ kPa
$\dot{m} = 0{,}411$ kg/s

13.43. 1,05 kg/s

13.45. 321 m/s

13.46. 0,103 kg/s

13.47. $0{,}652(10^{-3})$ slug/s

13.49. 2,44

13.50. $M = 3{,}70$
$p_4 = 1{,}83$ psi

13.51. $p_3 = 184$ psi
$V_3 = 83{,}9$ pés/s

13.53. 0,714 kg/s

13.54. 49,6 mm

13.55. 50,5 mm

13.57. 236 kPa

13.58. $d_t = 197$ mm
$d_e = 313$ mm

13.59. $p_0 = 403$ kPa
$d_t = 49{,}5$ mm
$p_t = 219$ kPa
$M_B = 0{,}0358 < 1$ (subsônico)
$M_B = 4{,}07 > 1$ (supersônico)

13.61. 0,0519 kg/s

13.62. $4{,}15(10^{-3})$ kg/s

13.63. 0,964 kg/s

13.65. $M_C = 0{,}861$
$M_B = 0{,}190$

13.66. $p_B = 136$ kPa
$V_B = 66{,}7$ m/s

13.67. $d_t = 17{,}4$ mm
$d_B = 22{,}6$ mm
$p_0 = 308$ kPa
$p_B = 39{,}4$ kPa

13.69. 1,42 kg/s

13.70. 0,0155 kg/s

13.71. 0,0186 kg/s

13.73. $T_1 = 278$ K
$p_1 = 249$ kPa
$\rho_1 = 3{,}12$ kg/m^3
$\dot{m} = 1{,}07$ kg/s
$T^* = 244$ K
$V^* = 313$ m/s
$p^* = 122$ kPa

13.74. $p_0^* = 231$ kPa
$T_0^* = 293$ K
75,1 J/(kg · K)

13.75. $T_e = 288$ K
$V_e = 251$ m/s
$p_e = 138$ kPa

13.77. $L_{\text{máx}} = 215$ m
$M_2 = 0{,}565$
$p_2 = 64{,}3$ kPa
$T_2 = 279$ K

13.78. $\dot{m} = 4{,}77$ kg/s
$L_{\text{máx}} = 215$ m
$F_f = 913$ N

13.79. 8,28 kg/s

13.81. $\dot{m} = 3{,}31$ kg/s
$L = 4{,}81$ m

13.82. $\dot{m} = 3{,}31$ kg/s
$L = 4{,}87$ m
$p_2 = 97{,}4$ kPa

13.83. 3,16 kg/s

13.85. $M_2 = 0{,}594$
$T_2 = 517$ °R
$p_2 = 13{,}3$ psi

13.86. $\dot{m} = 0{,}0701$ slug/s
$\Delta s = 398$ pés · lb/(slug · °R)

13.87. $p_2 = 242$ kPa
$V_2 = 310$ m/s

13.89. 91,2 kJ/kg

13.90. $(T_0)_1 = 557$ K
$(T_0)_2 = 648$ K
$\Delta s = 213$ J/(kg · K)

13.91. $T_1 = 259$ K
$V_1 = 181$ m/s

13.93. $T_1 = 153$ K
$p_1 = 42{,}4$ kPa
$\rho_1 = 0{,}936$ kg/m^3

13.94. 6,45 kg/s

13.95. 183 kg/s

13.97. 4,28 s

13.98. $A^* = 48{,}5$ pol.^{2}
$A_{\text{saída}} = 112$ pol.^{2}

13.99. $A^* = 79{,}8$ pol.^{2}
$A_{\text{saída}} = 293$ pol.^{2}
$\dot{m} = 4{,}89$ slug/pés^3

13.101. $d_t = 254$ mm
$d_e = 272$ mm

13.102. 0,513 kg/s

13.103. Para escoamento subsônico,
$p_e = 798$ kPa
Para escoamento supersônico,

$p_e = 6{,}85$ kPa
$V = 766$ m/s

13.105. $(p_0)_1 = 1195$ lb/pés^2
$(p_0)_2 = 971$ lb/pés^2

13.106. $T_2 = 1025°$R
$V_2 = 834$ pés/s

13.107. $p_2 = 73{,}8$ psi
$(p_0)_2 = 89{,}4$ psi

13.109. $p_b < 32{,}2$ kPa

13.110. $32{,}2$ kPa $< p_b < 240$ kPa

13.111. $28{,}3$ psi $< p_b < 57{,}1$ psi

13.113. 261 m/s

13.114. $p_0 = 136$ kPa
M = 0,256
$p = 130$ kPa

13.115. $17{,}9$ kPa $< p_b < 177$ kPa

13.117. 176 kPa

13.118. 40,7 kPa

13.119. $p_b < 0{,}672$ psi

13.121. $0{,}672$ psi $< p_b < 5{,}43$ psi

13.122. $38{,}9$ psi $< p_b < 64{,}3$ psi

13.123. $8{,}12$ psi $< p_b < 38{,}9$ psi

13.125. $V_s = 445$ m/s
$p_2 = 179$ kPa

13.126. 98,8 kPa

13.127. 126 kPa

13.129. 149 kPa

13.130. $p_A = 95{,}9$ kPa
$T_A = 286$ K

13.131. $p_B = 123$ kPa
$T_B = 307$ K

13.133. $p_2 = 131$ kPa
$T_2 = 317$ K
$V_2 = 742$ m/s
$\delta = 57{,}4°$

13.134. $T_2 = 231$ K
$p_2 = 45{,}3$ kPa

13.135. $\beta = 35{,}2°$
$p_2 = 641$ kPa
$T_2 = 499$ K

13.137. $p_A = 105$ kPa
$p_B = 68{,}5$ kPa

Capítulo 14

14.1. $\beta_1 = 22{,}6°$
$(V_{rel})_1 = 13{,}0$ m/s

14.2. $(V_{rel})_2 = 8{,}72$ m/s
$V_2 = 6{,}97$ m/s

14.3. $(V_t)_2 = 1{,}26$ m/s
$V_2 = 1{,}29$ m/s

14.5. 10,1 kW

14.6. $\beta_1 = 18{,}4°$
$\dot{W} = 58{,}9$ kW

14.7. 12,4 m/s

14.9. 1,81 kN · m

14.10. 1,92 hp

14.11. 5,42 pés

14.13. 0,588 m^3/s

14.14. 241 kW

14.15. 81,7 m

14.17. 18,9 m

14.18. 54,5 N · m

14.19. 59,5 N · m

14.21. $T = 17{,}5$ N · m
$(\dot{W}_s)_{bomba} = 1{,}69$ kW
$h_{bomba} = 2{,}80$ m

14.22. $V_2 = 16{,}2$ m/s
$\dot{W}_s = 8{,}44$ kW
$h_{bomba} = 28{,}7$ m

14.23. $T|_{\omega=0} = 25{,}0$ kN · m
$T|_{\omega=10 \text{ rad/s}} = 8{,}32$ kN · m

14.25. $T = 2{,}10$ kN · m
$\dot{W}_{turb} = 10{,}3$ kW

14.26. $T = 8{,}21$ kN · m
$\dot{W}_{turb} = 82{,}1$ kW

14.27. $\beta_1 = 5{,}64°$
$\beta_2 = 5{,}23°$

14.29. $\beta_1 = 41{,}0°$
$V_2 = 4{,}16$ m/s

14.30. 1,70 m/s

14.31. $\beta_1 = 54{,}5°$
$\beta_2 = 54{,}0°$
$(V_{rel})_2 = 20{,}4$ m/s

14.33. $V_1 = 90{,}9$ pés/s
$V_2 = 52{,}5$ pés/s

14.34. $(V_{rel})_1 = 52{,}5$ pés/s
$(V_{rel})_2 = 90{,}9$ pés/s

14.35. $17{,}5(10^3)$ hp

14.37. $T = 230$ N · m
$\dot{W}_s = 9{,}19$ kW

14.38. 0,624

14.39. 167 kW

14.41. $Q = 325$ gal/min
$h_{bomba} = 200$ pés

14.42. 0,03375 m^3/s

14.43. Ocorrerá cavitação.

14.45. $\eta = 76\%$
$\eta = 80$ pés

14.46. 500 gal/min

14.47. 400 gal/min

14.49. 0,02 m^3/s

14.50. 1264 rpm

14.51. 5,38 pol.

14.53. 1,31 hp

14.54. 7,81 hp

14.55. 7,00 pol.

Índice remissivo

A
Abertura retangular, 610
Aceleração convectiva, 135
Aceleração de fluidos, 133-140
    aceleração convectiva, 135
    aceleração local, 135
    derivada material, 134, 136
    escoamento tridimensional, 135
Aceleração horizontal constante, 80
Aceleração local, 135
Aceleração resultante, 142-143
Aceleração translacional constante de um líquido, 80-84
    aceleração horizontal constante, 80
    aceleração vertical constante, 81-82
Aceleração vertical constante, 81-82
Aceleração, coordenadas de linha de corrente, 140-143
    aceleração resultante, 141-142
    variação convectiva, 142
    variação local, 141
Aerofólios, 543
Água *versus* temperatura, propriedades físicas, 761-762
Análise dimensional e semelhança, 373-406
    análise dimensional, definição, 373
    considerações gerais, 386
    grupos adimensionais, 373
    homogeneidade dimensional, 373
    números adimensionais, 375-378
    semelhança, 387-397
    teorema do Pi de Buckingham, 378-379
Análise e projeto para escoamento em tubos, 453-499
    escoamento em tubulação, 470-474
    medição de vazão, 479-484
    perdas decorrentes de conexões e transições no tubo, 464-469
    resistência ao escoamento em tubos rugosos, 453-463
    sistemas de tubulações, 474-479
Anéis piezômetros, 480
Anemômetro de fio quente, 482
Anemômetro, 483
Aplicações da equação de Bernoulli, 203-215
    escoamento a partir de um reservatório grande, 203-204
    escoamento em torno de um limite curvo, 204
    escoamento em um canal aberto, 205
    escoamento em um conduto fechado, 206
    lei de Torricelli, 204
    medidor de Venturi, 207
Aproximação da lei de potência, 436
Ar na pressão atmosférica padrão dos EUA *versus* altitude, propriedades físicas, 763
Ar na pressão atmosférica padrão dos EUA *versus* temperatura, propriedades físicas, 765
Arrasto de asa, 544
Arrasto de cisalhamento, 530
Arrasto de onda, 537
Arrasto de pressão, 530
Arrasto e sustentação, 528-529
Arrasto induzido, 550
Arrasto por cisalhamento, 510

B
Barômetro, 48
Barra geradora de vórtices, 482
Bocal convergente, escoamento isentrópico, 653-654
Bocal convergente-divergente, escoamento isentrópico, 654-655
Bocal de Laval, 649
Bocal de vazão, 480
Bola giratória, 552

Bomba centrífuga, 724
Bomba centrífuga, 724
Bomba de deslocamento positivo, 718
Bombas de escoamento axial, 718-723
    cinemática de escoamento, 720
    continuidade, 718-719
    diagramas cinemáticos de velocidade, 720
    equação de turbomáquina de Euler, 719
    palhetas do estator, 718
    potência, 719-720
    quantidade de movimento angular, 719
    rotor, 718
Bombas de escoamento radial, 723-726
    bomba centrífuga, 724
    bomba de voluta, 724
    continuidade, 724
    escoamento dentro da carcaça, 725
    potência, 724
    quantidade de movimento angular, 724
Brake horsepower (bhp), 725

C
Cálculos, mecânica dos fluidos, 7-8
    homogeneidade dimensional, 7-8
    precisão, 8
    procedimento, 8
Calha, 573
Calor específico, 628
Camada limite, 501-506
    classificação da, 506
    descrição de, 502
    espessura da, 503
Camada limite laminar, 506-516
    arrasto por cisalhamento, 510-511
    coeficiente de arrasto por cisalhamento, 511
    coeficiente de cisalhamento superficial, 510
    espessura de deslocamento, 508
    espessura de distúrbio, 508
    espessura de quantidade de movimento, 509
    tensão de cisalhamento, 509-510
Camada limite turbulenta, 520-521
    arrasto na placa, 522-523
    tensão de cisalhamento ao longo da placa, 522
Camadas limite laminares e turbulentas, 523-527
Campo de tensão, 317
Canais, 573
Canal prismático, 573
Capilaridade. *Ver* Tensão superficial e capilaridade
Características da matéria, 2-4
    contínuo, 4
    fluidos, 3
    gás, 3
    líquido, 3
    sólido, 2-3
Características de desempenho, 737
Características de sólidos, 2-3
Carga cinética, 215
Carga da bomba, 226
Carga da turbina, 226
Carga de pressão de vapor, 740
Carga de pressão, 44, 215
Carga de sucção absoluta, 740
Carga de sucção crítica, 740
Carga de velocidade, 215
Carga específica, 577
Carga ideal da bomba, 726

Carga piezométrica, 215
Carga total, 215
Carros de corrida, 550
Cavitação e carga de sucção absoluta, 740
    carga de pressão de vapor, 740
    carga de sucção absoluta, 740
    carga de sucção crítica, 740
    pressão de vapor, 740
Celeridade da onda, 575
Centro de flutuação, 74
Chézy, equação de, 592-593
Cilindro, força de arrasto, 533
Cinemática do escoamento, 720
Cinemática do movimento de fluidos, 121-153
    aceleração de fluidos, 134-140
    coordenadas da linha de corrente, 123-126
    descrições de escoamentos dos fluidos, 121-122
    descrições gráficas, 126-133
    tipos de escoamento de fluido, 123-126
Cinemática dos elementos de fluido diferenciais, 308-310
    deformação angular, 310
    rotação, 309-310
    translação e deformação linear, 308
Cinemática dos fluidos, 2
Circulação, 311, 548
Cisalhamento, efeito sobre escoamento compressível, 660-670
    comprimento do tubo *versus* número de Mach, 663
    densidade, 664
    equação da continuidade, 661
    equação da energia, 662
    equação da quantidade de movimento, 661
    escoamento de Fanno, 660-661
    lei dos gases perfeitos, 662
    linha de Fanno, 665
    pressão, 664
    temperatura, 664
Coeficiente de arrasto, 534-537
    arrasto de onda, 605
    cilindro, 535
    esfera, 536
    número de Froude, 536
    número de Mach, 537
    número de Reynolds, 535
Coeficiente de arrasto de asa, 544
Coeficiente de arrasto induzido, 551
Coeficiente de arrasto por cisalhamento, 511
Coeficiente de cisalhamento superficial, 510
Coeficiente de descarga de bocal, 480
Coeficiente de energia cinética, 227
Coeficiente de perda, 464
Coeficiente de potência, 744
Coeficiente de rugosidade da superfície, 593
Coeficiente de sustentação, 549
Coeficiente de vazão, 744
Coeficiente de velocidade, 698
Coeficiente de vertedor com soleira espessa, 613
Coeficientes de arrasto para corpos com formas variadas, 537-542
Componentes da velocidade, 322-323
Comporta, 588-591
Comprimento do tubo *versus* número de Mach, 663
Conceitos termodinâmicos, 627-635
    calor específico, 628
    diagrama de estado, 631
    energia interna, 628
    entalpia, 629
    entropia, 630
    equação de estado, 628
    primeira lei da termodinâmica, 628
    processo a volume constante, 628-629
    processo adiabático, 632
    processo isentrópico, 632
    propriedades de estado, 628
    segunda lei da termodinâmica, 630
Cone de Mach, 639-640
Conexões de tubos, 469
Conservação de massa, 155-195, 314-315
    casos especiais, 167
    coordenadas cilíndricas, 316
    equação da continuidade, 167
    escoamento em regime permanente bidimensional de um fluido perfeito, 315
    teorema de transporte de Reynolds, 158-163
    vazão volumétrica, vazão mássica e velocidade média, 163-166
    volumes de controle finitos, 155-157
Contínuo, características, 4
Conversão de unidades de medição, 6
Coordenada x_P, 56
Coordenadas de linha de corrente, 140-143
    aceleração, 141
    velocidade, 141
Corpo rombudo, 530
Corpos com velocidade constante, 267-270
Corpos em repouso, 259-267
Correntes de vórtices, 435
Curva de carga-vazão de coluna, 727
Curvas, 467
Curvas características de bomba do fabricante, 739
Curvas de desempenho, 738

D

Deformação angular, 310
Deformação por cisalhamento, 16
Densidade, 10-11
    gás, 11
    líquido, 10
Densímetro, 74
Derivada material, 134, 136
Descrições de escoamento de fluidos, 121-123
    método de sistemas da descrição Lagrangeana, 122
    método do volume de controle da descrição Euleriana, 122
Descrições gráficas, escoamento de fluidos, 126-133
    dinâmica dos fluidos computacional, 129
    linhas de corrente, 126
    linhas de emissão, 127
    linhas de trajetória, 128
    métodos óticos, 128
    tubos de corrente, 127
Desempenho da bomba, 737-739
    best efficiency point (BEP), 739
    brake horsepower (bhp), 725
    características de desempenho, 737
    curvas características de bomba do fabricante, 739
    curvas de desempenho, 738
    potência de eixo, 725
Desempenho ideal para bombas, 726-731
    carga ideal da bomba, 726
    curva de carga-vazão, 727
    eficiência da bomba, 726
    eficiência hidráulica, 726
    perda de carga, eficiência, 726
Desprendimento de vórtice, 533
    esteira de vórtice de Von Kármán, 533
    número de Strouhal, 534
    rastro de vórtice de Von Kármán, 533
Diagrama da energia específica, 578
Diagrama de corpo livre, 258-259
Diagrama de estado, 631
Diagrama de Moody, 456
    escoamento laminar, 456
    escoamento transicional, 457
    escoamento turbulento, 457
    rugosidade da superfície, 456
Diagrama T-s, 631
Diagramas cinemáticos de velocidade, 720
Diâmetro hidráulico, 458
Dinâmica dos fluidos, 2
Dinâmica dos fluidos computacional, 129, 353-354
Dipolo, 336
Direção n, 198-199
Direção s, 198
Dispositivos fluidodinâmicos, 718
Divergente, 309

E

Efeito Coanda, 531
Efeito Magnus, 553
Efeitos da pressão e da temperatura, viscosidade, 18-19
Efeitos do gradiente de pressão, 530-534
    arrasto de cisalhamento, 530
    arrasto de pressão, 530
    corpo rombudo, 530
    escoamento perfeito em torno de um cilindro, 531
Efeitos viscosos, escoamento, 123
Eficiência da bomba, 726
Eficiência hidráulica, 727
Energia cinética, 222
Energia de superfície livre, 24
Energia do calor, 222
Energia específica, escoamento de canal, 575-577
    carga específica, 577
    definição, 577
    diagrama de energia específica, 578
    ondas estacionárias, 579
    ondulações, 579
    seção transversal não retangular, 579
Energia interna, 222, 628
Energia potencial gravitacional, 222
Entalpia, 226, 629
Entropia, 630
Equação da continuidade, 605, 636, 661, 671, 677, 688
Equação da energia, 221-234, 607
    energia cinética, 222
    energia do calor, 222
    energia gravitacional, 222
    energia interna, 222
    escoamento incompressível, 225
    escoamento subsônico, 676-678, 689
    fluido compressível, 226
    potência e eficiência, 226
    trabalho, 223
    velocidade não uniforme, 227
Equação da quantidade de movimento, 517-518, 606
Equação da quantidade do movimento angular, 270-276
    definição, 270
    escoamento em regime permanente, 271
Equação de Bernoulli, 201-203, 319-322
    definição, 201
    e escoamento de fluido diferencial, 318-322
    hélices, 284
    interpretação de termos, 202
    limitações, 202-203
Equação de Darcy-Weisbach, 455
Equação de estado, 628
Equação de Manning, 593
Equação de movimento linear, 257-258,
    diagrama de corpo livre, 258-259
    e escoamento compressível, 661, 671, 677
    escoamento em regime permanente, 258
    força dinâmica, 259
Equação de turbomáquina de Euler, 719
Equação integral da quantidade de movimento, 516-519
    equação da continuidade, 517
    equação da integral da quantidade de movimento, 518
    equação da quantidade de movimento, 517-518
Equações de Euler do movimento, 197-201, 318
    direção n, 198-199
    direção s, 198
    escoamento de fluido diferencial, 318
    escoamento horizontal em regime permanente de um fluido perfeito, 199
Equações de Navier–Stokes, 349-353
    coordenadas cilíndricas, 351
    definição, 349
Equilíbrio estável, 76
Equilíbrio instável, 76
Equilíbrio neutro, 76
Escoamento
    de um reservatório grande, 203-204
    em canal aberto, 205
    em torno de um cilindro, 344-345
    em torno de um limite curvo, 204
    em torno de uma oval de Rankine, 342-343
    em um conduto fechado, 206
    por um semicorpo, 340-342
Escoamento compressível, 627-716
    cisalhamento, efeito sobre, 660-670
    conceitos termodinâmicos, 627-635
    escoamento isentrópico com variação da seção, 647-652
    escoamento isentrópico por bocais convergentes e divergentes, 652-660
    medição em, 696-699
    ondas de choque em bocais, 680-685
    ondas de choque normais, 676-680
    ondas de choque oblíquas, 686-692
    ondas de compressão e expansão, 692-696
    propagação de onda por um fluido compressível, 635-637
    propriedades de estagnação, 641-647
    tipos, 637-641
    transferência de calor, efeito sobre, 670-676
Escoamento crítico, 576
Escoamento de Couette, 413
Escoamento de Fanno, 661
Escoamento de fluido diferencial, 307-371
    análise diferencial, 307
    cinemática dos elementos de fluido diferenciais, 308-310
    circulação, 311
    conservação de massa, 314-315
    dinâmica computacional de fluidos, 353-354
    equação de Bernoulli, 319-321
    equação do movimento de Euler, 318
    equações de Navier–Stokes, 349-353
    equações do movimento para uma partícula de fluido, 316-318
    escoamento em regime permanente bidimensional, 318
    escoamento irrotacional, 312
    escoamento rotacional, 312
    escoamentos bidimensionais básicos, 331-340
    função corrente, 322-326
    função potencial, 327-330
    outras aplicações, 348-349
    superposição de escoamentos, 340-349
    vorticidade, 311-312
Escoamento de Rayleigh, 660, 772
Escoamento de um sorvedouro linear, 335-336
Escoamento de vórtice forçado, 338-340
Escoamento de vórtice livre, 337
Escoamento dentro da carcaça, 725-726
Escoamento dimensional, 124
Escoamento em canais abertos, 391, 573-625
    classificações, 575-576
    energia específica, 577-584
    escoamento gradual com profundidade variável, 598-605
    obstáculo, 584-587
    ressalto hidráulico, 605-609
    sob uma comporta, 588-591
    tipos, 573-574
    uniforme em regime permanente, 591-598
    vertedores, 609-613
Escoamento em regime permanente, 157, 574
Escoamento em regime permanente bidimensional, 318-319
Escoamento em regime permanente bidimensional do fluido perfeito, 315-316
Escoamento em regime permanente médio, 431
Escoamento em regime permanente por um tubo, 391
Escoamento em uma tubulação, 470-474
Escoamento gradual com profundidade variável, 598-605
    calculando o perfil da superfície, 601
    perfis de superfície, 600
    seção transversal retangular, 599
Escoamento horizontal causado apenas pelo movimento da placa superior, 412
Escoamento horizontal causado por um gradiente de pressão constante – ambas as placas fixas, 410
Escoamento horizontal causado por um gradiente de pressão constante – placa superior movendo-se, 411
Escoamento horizontal em regime permanente de um fluido perfeito, 199

Escoamento incompressível, 225
   carga da bomba, 226
   carga da turbina, 226
   perda de carga, 226
Escoamento irrotacional, 312
Escoamento isentrópico por bocais convergentes e divergentes, 652-660
   convergente, 653
   convergente-divergente, 654-655
Escoamento isentrópico com variação da seção, 647-651
   bocal de Laval, 649
   equação da quantidade de movimento, 648
   escoamento subsônico, 648
   escoamento supersônico, 648
   razões de área, 650-651
Escoamento laminar, 430-431, 454, 456, 573
Escoamento laminar em regime permanente entre placas paralelas, 407-413
   escoamento de Couette, 413
   escoamento horizontal causado apenas pelo movimento da placa superior, 412
   escoamento horizontal causado por um gradiente de pressão constante – ambas as placas fixas, 410
   escoamento horizontal causado por um gradiente de pressão constante – placa superior movendo-se, 411
   limitações, 413
Escoamento perfeito em torno de um cilindro, 531
   desprendimento de vórtice, 533
   efeito Coanda, 531
   escoamento real em torno de um cilindro, 531
   gradiente de pressão, 531
   gradiente de pressão adverso, 531
   gradiente de pressão favorável, 531
Escoamento plenamente desenvolvido a partir de uma entrada, 428-429
   comprimento da entrada, 428
   definição, 428
   escoamento turbulento, 429
Escoamento quase permanente, 227
Escoamento rápido, 576
Escoamento real em torno de um cilindro, 531-533
Escoamento rotacional, 312
Escoamento secundário, 467
Escoamento sônico e supersônico, 639
   movimento hipersônico, 639
   onda de choque, 639
Escoamento subsônico, 638, 649
Escoamento supersônico, 649, 697-698
Escoamento tranquilo, 576
Escoamento transicional, 457
Escoamento tridimensional, 135
Escoamento turbulento, 429, 431, 455, 457
   escoamento em regime permanente médio, 431
   escoamento turbulento em regime permanente, 431
   subcamada laminar viscosa, 431
Escoamento turbulento dentro de um tubo liso, 434-439
   aproximação da lei de potência, 436
   correntes de vórtices, 435
   região de escoamento transicional e turbulento, 435
   subcamada laminar viscosa, 431
   velocidade de cisalhamento, 434
Escoamento turbulento em regime permanente, 431
Escoamento uniforme, 574
Escoamento uniforme e de vórtice livre em torno de um cilindro, 345-347
Escoamento uniforme em regime permanente em canal, 591-598
   coeficiente de rugosidade da superfície, 593
   equação de Chézy, 592-593
   equação de Manning, 593
   inclinação crítica, 594-595
   melhor seção transversal hidráulica, 594
   número de Reynolds, 592
Escoamento viscoso dentro de superfícies delimitadas, 407-451
   escoamento laminar em regime permanente dentro de um tubo liso, 418-421

   escoamento laminar em regime permanente entre placas paralelas, 407-413
   escoamento plenamente desenvolvido a partir de uma entrada, 428-429
   escoamento turbulento dentro de um tubo liso, 434-439
   número de Reynolds, 424-428
   solução de Navier–Stokes para escoamento laminar em regime permanente entre placas paralelas, 413-418
   solução de Navier–Stokes para o escoamento laminar em regime permanente dentro de um tubo liso, 422-425
   tensão de cisalhamento laminar e turbulenta dentro do tubo liso, 430-433
Escoamento viscoso sobre superfícies externas, 501-572
   arrasto e sustentação, 528-529
   camada limite laminares, 506-515
   camada limite turbulenta, 520-523
   camada limite, 501-506
   camadas limite laminares e turbulentas, 523-527
   coeficiente de arrasto induzido, 552
   coeficiente de arrasto, 534-537
   coeficientes de arrasto para corpos com formas variadas, 537-542
   efeitos do gradiente de pressão, 530-532
   equação integral da quantidade de movimento, 516-519
   métodos para reduzir o arrasto, 543-546
   sustentação e arrasto em um aerofólio, 545-554
Escoamentos bidimensionais básicos, 331-340
   dipolo, 336
   escoamento de um sorvedouro linear, 335
   escoamento de uma fonte linear, 333-335
   escoamento de vórtice forçado, 338-340
   escoamento de vórtice livre, 337
   escoamento uniforme, 332-333
Esfera, coeficiente de arrasto, 536
Espaço e tempo, escoamento, 125
Espessura de deslocamento, 508-509
Espessura de distúrbio, 508
Espessura de quantidade de movimento, 509
Estabilidade, 76-79
   equilíbrio estável, 76
   equilíbrio instável, 76
   equilíbrio neutro, 76
   metacentro, 77
Estática dos fluidos, 39-119
   aceleração translacional constante de um líquido, 80-84
   estabilidade, 76-79
   flutuação, 73-76
   força hidrostática sobre um plano inclinado ou superfície curva, 67-73
   força hidrostática sobre uma superfície plana – Método da fórmula, 54-59
   força hidrostática sobre uma superfície plana – Método da integração, 64-66
   força hidrostática sobre uma superfície plana – Método geométrico, 59-64
   medição da pressão estática, 47-54
   pressão absoluta e manométrica, 41-42
   pressão, 39-41
   rotação constante de um líquido, 84-87
   variação da pressão estática, 43
   variação de pressão para fluidos compressíveis, 45-47
   variação de pressão para fluidos incompressíveis, 43-45
Esteira de vórtices de Von Kármán, 482, 533
Estol ("stall"), 549
Expansão de Prandtl-Meyer, 776
Expansão e contração, 466

F

Fator de atrito, 454
Fluido compressível, 226
Fluido, características, 3
Fluidos invíscidos e perfeitos, 17-18
Fluidos não newtonianos, 17
Fluidos newtonianos, 17
Flutuação, 73-76
   centro de flutuação, 74

Índice remissivo

densímetro, 74
força de flutuação, 74
princípio da flutuação, 73
Foguetes, 283-286
Força de flutuação, 74
Força dinâmica, 259
Forças hidrostáticas sobre um plano inclinado ou superfície curva, 67-73
componente horizontal, 67
componente vertical, 68
Fotografia Schlieren, 129
Função corrente, 322-326
componentes de velocidade, 322
vazão volumétrica, 323-326
Função da expansão de Prandtl-Meyer, 694
Função potencial, 327-330
rede de escoamento, 328

G

Galerias, 573
Gás, 3, 11, 12
características, 3
densidade, 11
módulo volumétrico, 12
Gases à pressão atmosférica padrão, propriedades físicas, 760
Gotas líquidas, 24
Gradiente de pressão adverso, 531
Gradiente de pressão favorável, 531
Gradiente de velocidade, 16
Gravidade específica, 11
Grupos adimensionais, 373

H

Hélices, 276-278
equação de Bernoulli, 277
potência e eficiência, 278
quantidade de movimento linear, 277
teorema de Froude, 278
Hidráulica, 2
Hidrodinâmica, 2, 307
Hidrostática, 2
Homogeneidade dimensional, 7, 373

I

Inclinação crítica, 594-595

L

Lei da viscosidade de Newton, 15
deformação por cisalhamento, 16
gradiente de velocidade, 16
tensão de cisalhamento, 16
viscosidade dinâmica, 16
Lei de Bette, 279
Lei de Pascal, 39-40
Lei de Torricelli, 204
Lei dos gases perfeitos, 12
e escoamento compressível, 662, 671, 678
Leis de escalonamento de bombas, 745
Leis de semelhança de bombas, 745
Ligações em série, 467
Linha de energia, 215
Linha de Fanno, 665
Linha de Rayleigh, 674
Linha piezométrica, 215
Linhas de corrente, 126
Linhas de emissão, 128
Linhas de energia e piezométrica, 215-221
carga cinética, 215
carga de pressão, 215
carga de velocidade, 215
carga total, 215
coluna piezométrica, 215
linha de energia, 215
linha piezométrica, 215
Líquido não umectante, 25
Líquido umectante, 25

Líquido, 3, 10, 12
características, 3
densidade, 10
módulo volumétrico, 12
Líquidos à pressão atmosférica padrão, propriedades físicas dos, 759
Manômetro, 48
Manômetro de Bourdon, 51
Manômetro diferencial, 50
Máquina de escoamento axial, 717
Máquina de escoamento misto, 717
Máquina de escoamento radial, 717

M

Mecânica dos fluidos, 1-36
cálculos, 7-8
características da matéria, 2-4
desenvolvimento histórico, 2
introdução, 1-2
medição da viscosidade, 19-22
pressão de vapor, 22-23
propriedades básicas do fluido, 10-14
ramos, 1-2
resolução de problemas, 8-10
sistema de unidades, 4-7
tensão superficial e capilaridade, 23-26
viscosidade, 15-19
Medição da pressão estática, 47-54
barômetro, 48
manômetro de Bourdon, 51
manômetro diferencial, 50
manômetro, 48
regra do manômetro, 49
tubo de Bourdon de quartzo fundido de compensação forçada, 51
Medição de vazão, 479-484
anéis piezométricos, 480
anemômetro, 482
barra geradora de vórtices, 482
coeficiente de descarga de placa de orifício, 481
coeficiente de descarga de Venturi, 480
esteira de vórtices de Von Kármán, 482
medidor a laser Doppler, 484
medidor bocal, 480
medidor de deslocamento positivo, 483
medidor de disco oscilante, 483
medidor de placa de orifício, 481
medidor de vazão eletromagnético tipo *wafer*, 484
medidor de vazão eletromagnético, 483-484
medidor de vazão ultrassônico, 484
medidor de vazão Vortex, 482
medidor de Venturi, 479-480
medidor térmico de vazão mássica, 482
medidor tipo turbina, 482
número de Strouhal, 482
rotâmetro, 481
velocímetro de imagem de partícula, 484
Medição de viscosidade, 19-22
viscômetro de Brookfield, 19
viscômetro de Ostwald, 20
viscômetro rotativo, 19
Medidor a laser Doppler, 484
Medidor bocal de vazão, 480
Medidor de deslocamento positivo, 483
Medidor de vazão eletromagnético tipo wafer, 484
Medidor de vazão eletromagnético, 483
Medidor de vazão ultrassônico, 484
Medidor de vazão vórtice, 482
Medidor de Venturi, 207
Medidor térmico de vazão mássica, 482
anemômetro de filme quente, 483
anemômetro de fio quente, 482
Medidor tipo turbina, 482
Melhor seção transversal hidráulica, 594
Menisco, 25
Metacentro, 77
Método da fórmula da força hidrostática sobre uma superfície plana, 54-59

centro de pressão, 55
    coordenada x_P, 56
    força resultante, 54
    localização da força resultante, 55
Método da fórmula, força hidrostática sobre uma superfície plana, 54-59
    centro de pressão, 55
    coordenada x_P, 56
    força resultante, 54-55
    localização da força resultante, 54
Método da integração, força hidrostática sobre uma superfície plana, 64-66
    força resultante, 64
    localização, 64
Método de definição de sombras, 128
Método de integração da força hidrostática sobre uma superfície plana, 64-66
    força resultante, 64
    localização, 64
Método de sistemas de descrição Lagrangeana, 122
Método do volume de controle da descrição Euleriana, 122
Método geométrico da força hidrostática sobre uma superfície plana, 59-63
    força resultante, 60
    placa com largura constante, 60-61
Método geométrico, força hidrostática sobre uma superfície plana, 59-63
    força resultante, 60
    placa com largura constante, 60
Métodos óticos, descrição da cinemática do movimento de fluidos, 129
    fotografia Schlieren, 129
    método de definição de sombras, 128
Métodos para reduzir o arrasto, 543-545
    aerofólio, 543-544
    arrasto de asa, 544
    coeficiente de arrasto de asa, 544
    veículos de estrada, 545
Módulo volumétrico, 12
    gás, 13
    líquido, 12
Movimento angular, 724
Movimento do fluido, 257-306
    aplicações para corpos com velocidade constante, 267-270
    aplicações para corpos em repouso, 259-267
    aplicações para volumes de controle com movimento acelerado, 281
    equação da quantidade de movimento angular, 270-276
    equação da quantidade de movimento linear, 257-259
    foguetes, 283-286
    hélices, 276-278
    turbina eólica, 279-281
    turbojatos e turbofanes, 282-283
Movimento hipersônico, 639

N

Navios, 392-393
Número de Euler, 376
Número de Froude, 377, 536, 576
Número de Mach, 378, 537
Número de Reynolds, 376-377, 424-428, 592
    coeficiente de arrasto, 534-535
    número de Reynolds crítico, 425
    velocidade crítica, 425
Número de Strouhal, 482, 534
Número de Weber, 377
Números adimensionais, 375-378
    número de Euler, 376
    número de Froude, 377
    número de Mach, 378
    número de Reynolds, 376
    número de Weber, 377

O

Onda de choque, 639
Ondas de choque em bocais, 680-685
Ondas de choque normais, 676-680
    equação da continuidade, 677
    equação da energia, 678-680
    equação da quantidade de movimento, 677
    lei dos gases perfeitos, 678
Ondas de choque oblíquas, 686-692
    equação da continuidade, 688
    equação da energia, 688-689
Ondas de compressão e expansão, 692-696
    função de expansão de Prandtl-Meyer, 694
Ondas estacionárias, 579
Ondulações, 579
Oval de Rankine, 343

P

Palhetas do estator, 718
Paraboloide da rotação, 85
Perda de carga, 226
Perda de carga principal, 453
Perda de coluna, eficiência, 726
Perda principal, 453
Perdas decorrentes de conexões e transições no tubo, 464-469
    coeficiente de perda, 464
    coeficiente de resistência, 464
    coeficiente de vazão, 464
    conexões de tubos, 469
    curvas, 467
    escoamento secundário, 467
    expansão e contração, 466
    ligações em série, 467
    razão de comprimento equivalente, 469
    transições de entrada e saída, 465
    válvulas, 468
    vena contracta, 465
Peso, 5-6
    unidades comuns dos EUA, 4-5
    unidades do SI, 5-6
Piezômetro, 206, 696-697
Ponto de melhor eficiência (ou BEP – *best efficiency point*), 739
Ponto de operação, 742
Potência do eixo, 725
Potência e eficiência, 226-227
Prefixos, unidades de medida, 6-7
Pressão, 39-41
    definição, 39
    lei de Pascal, 39-40
Pressão absoluta e manométrica, 41-42
    pressão absoluta zero, 41
    pressão atmosférica padrão, 41
Pressão absoluta zero, 41
Pressão atmosférica padrão, 41
Pressão de estagnação, 205
Pressão de vapor, 22, 740
Pressão dinâmica, 204
Pressão manométrica. *Ver* Pressão absoluta e manométrica
Pressão total, 205
Primeira lei da termodinâmica, 628
Princípio da flutuação, 73
Processo a volume constante, 628-629
Processo adiabático, 632
Processo isentrópico, 632
Propagação de onda por um fluido compressível, 635-637
    equação da continuidade, 636
    equação da quantidade de movimento linear, 636
    velocidade do som, 635
    velocidade sônica, 635
Propriedade extensiva, 158
Propriedades físicas
    água *versus* temperatura (unidades do SI), 761, 762
    ar na pressão atmosférica padrão dos EUA *versus* altitude, 763
    ar na pressão atmosférica padrão dos EUA *versus* temperatura, 765
    gases à pressão atmosférica padrão, 760
    líquidos à pressão atmosférica padrão, 759
Propriedades básicas dos fluidos, 10-14
    densidade, 10-11

Índice remissivo **813**

gravidade específica, 11
lei dos gases perfeitos, 12
módulo volumétrico, 12
peso específico, 11
Propriedades de estado, 628
Propriedades de estagnação, 641-647
    densidade, 643
    pressão, 642
    temperatura, 641
Propriedades intensivas, 158

Q
Quantidade de movimento angular, 719
Quantidade de movimento linear, 277-278

R
Rampa do escoamento de canal, 584-587
Rampa, escoamento de canal, 584-587
Rastro de vórtice de Von Kármán, 533
Razão de comprimento equivalente, 469
Rede de escoamento, 328
Região de escoamento transicional e turbulento, 435
Regra do manômetro, 49
Relações de choque normais, 773-775
Relações isentrópicas, 767-770
Resistência, 464
Resistência ao escoamento em tubos rugosos, 453-463
    diagrama de Moody, 456
    diâmetro hidráulico, 458
    equação de Darcy-Weisbach, 455
    escoamento laminar, 454
    escoamento turbulento, 455
    fator de atrito, 454
    perda de carga principal, 453
    perda principal, 453
    soluções empíricas, 457
    tubos não circulares, 458
Resolução de problemas na mecânica de fluidos, 8-10
Ressalto hidráulico, 574, 605-609
    equação da continuidade, 605
    equação da energia, 606-607
    equação da quantidade de movimento, 606
Roda Pelton, 731-733
Rotação, 309-310
    rotacional, 310
    velocidade angular média, 309
Rotação constante de um líquido, 84-86
    paraboloide de rotação, 85
    vórtice forçado, 84
Rotacional, 310
Rotâmetro, 481
Rotor, 718
Rotores de turbina a reação, 734
Rugosidade da superfície, 456

S
Segunda lei da termodinâmica, 630
Seleção de bomba relacionada ao sistema de escoamento, 742-743
    ponto de operação, 742
Semelhança, 387-397
    definição, 387
    escoamento e regime permanente por um tubo, 391
    escoamento em canal aberto, 391
    navios, 392-393
    semelhança cinemática, 388-389
    semelhança dinâmica, 389-390
    semelhança geométrica, 388
Semelhança cinemática, 388-389
Semelhança dimensional de turbomáquina, 744-749
    coeficiente de potência, 744
    coeficiente de vazão, 744
    coeficiente manométrico, 744
    eficiência, 744
    leis de escalonamento de bomba, 745
    leis de semelhança de bomba, 745
    velocidade específica, 746

Semelhança dinâmica, 389-390
Semelhança geométrica, 388
Semicorpo, 340
Sistemas de tubulações, 474-479
    em série, 475
    paralelos, 475
Sistemas de unidades, 4-7
    conversão, 6
    unidades comuns dos EUA, 4-5
    unidades do SI, 5-6
    prefixos, 6-7
Solução de Navier–Stokes para o escoamento laminar em regime permanente entre placas paralelas, 413-417
Solução de Navier–Stokes para o escoamento laminar em regime permanente dentro de um tubo liso, 418-420
Subcamada laminar viscosa, 431
Subcamada viscosa, 434
Superfícies de controle abertas, 156
Superposição de escoamentos, 340-349
    escoamento em torno de um cilindro, 344-346
    escoamento em torno de uma oval de Rankine, 342-343
    escoamento por um semicorpo, 340-342
    escoamento uniforme e de vórtice livre em torno de um cilindro, 345-347
    oval de Rankine, 343
    semicorpo, 341
Sustentação do aerofólio, 546-547
Sustentação e arrasto em um aerofólio, 545-555
    bola giratória, 552
    carros de corrida, 550
    circulação, 548
    coeficiente de sustentação, 549
    dados experimentais, 549
    efeito Magnus, 553
    estol ("stall"), 549
    sustentação do aerofólio, 546-547
    teorema de Kutta-Joukowski, 548
    vórtices de fuga e arrasto induzido, 550

T
Taxa de dilatação volumétrica, 309
Temperatura, 5, 6
    unidades comuns dos EUA, 4-5
    unidades do SI, 5
Temperatura absoluta, 5, 6
    unidades comuns nos EUA, 4
    unidades de medida SI, 6
Temperatura constante
    anemômetro, 482
Temperatura constante, fluidos compressíveis, 46-47
Tensão de cisalhamento laminar e turbulenta dentro de um tubo liso, 430-433
    escoamento laminar, 430-431
    escoamento turbulento, 431
    tensão de cisalhamento turbulenta, 432-433
Tensão de cisalhamento turbulenta, 432
Tensão de cisalhamento turbulenta, 432-433
    tensão de cisalhamento aparente, 432
    tensão de Reynolds, 432
Tensão de cisalhamento, 16, 316, 509
Tensão de Reynolds, 432
Tensão normal, 316
Tensão superficial e capilaridade, 23-26
    definição, 23
    energia de superfície livre, 24
    gotas líquidas, 24
    líquido não umectante, 25
    líquido umectante, 25
    menisco, 25
Teorema de Froude, 278
Teorema de Kutta-Joukowski, 548
Teorema de transporte de Reynolds, 158-163
    aplicações, 160-161
    definição, 160
    propriedade extensiva, 158
    propriedades intensivas, 158

Teorema do Pi de Buckingham, 378-385
Tipos de escoamento de fluido, 123-126
    efeitos viscosos, 123
    escoamento com base no espaço e no tempo, 125
    escoamento com base no número de dimensões, 124
Trabalho, 223
    trabalho de cisalhamento, 223
    trabalho de escoamento, 223
    trabalho do eixo, 223
Trabalho de cisalhamento, 228
Trabalho de escoamento, 223
Trabalho do eixo, 223
Trabalho e energia dos fluidos em movimento, 197-256
    aplicações da equação de Bernoulli, 204-215
    equação da energia, 221-234
    equação de Bernoulli, 201-203
    equações eulerianas do movimento, 197-201
    linhas de energia e piezométrica, 215-221
Trajetórias, 128
Transferência de calor, efeito sobre escoamento compressível, 670-676
    equação da energia, 671-672
    equação da quantidade de movimento, 671
    escoamento de Rayleigh, 670
    lei dos gases perfeitos, 671
    linha de Rayleigh, 674
    temperatura e pressão de estagnação, 673
Transições de entrada e saída, 465
Translação de corpo rígido, 308
Translação e deformação linear, 308-309
    divergente, 309
    taxa de dilatação volumétrica, 309
    translação de corpo rígido, 308
Tubo de Bourdon de quartzo fundido de compensação forçada, 51
Tubo de estagnação, 205
Tubo de Pitot, 205, 696
Tubo de Pitot estático, 206
Tubos de corrente, 127
Tubos não circulares, 458
Turbina a hélice, 734
Turbina a impulsão, 731
Turbina eólica, 279-281
    fator de capacidade, 279
    lei de Bette, 279
    potência e eficiência, 279
Turbina Kaplan, 734
Turbinas, 731-737
    roda Pelton, 731-734
    rotores, 734
    turbina a hélice, 734
    turbina a impulsão, 731
    turbina Kaplan, 734
    turbinas a reação, 734-736
Turbinas de reação, 734-736
Turbojatos e turbofanes, 282-283
Turbomáquinas, 717-758
    bombas de escoamento axial, 718-723
    bombas de escoamento radial, 723-726
    cavitação e carga de sucção absoluta, 740-741
    desempenho da bomba, 737-739
    desempenho ideal para bombas, 726-731
    seleção de bomba relacionada ao sistema de escoamento, 742-743
    semelhança dimensional de turbomáquina, 744-749
    tipos, 717-718
    turbinas, 731-737

U

Unidades comuns nos EUA, 4-5
    peso, 5
    temperatura absoluta, 5
    temperatura, 5
Unidades do SI, 5-6
    peso, 5
    temperatura absoluta, 5
    temperatura, 6

V

Válvula borboleta, 468
Válvula de retenção, 468
Válvula gaveta, 468
Válvula globo, 468
Válvulas, 468
    válvula borboleta, 468
    válvula de retenção, 468
    válvula gaveta, 468
    válvula globo, 468
Variação convectiva, 142
Variação da pressão estática, 43
Variação de pressão para fluidos compressíveis, 45-47
    definição, 45
    temperatura constante, 46-47
Variação de pressão para fluidos incompressíveis, 43-44
    carga de pressão, 44
    definição, 43
Variação local, 141-142
Vazão mássica, 165
Vazão volumétrica, 163-164, 323-326
Veia, 610-611
Veículos de estrada, 545
Velocidade, 156-157
Velocidade angular média, 309
Velocidade de cisalhamento, 434
Velocidade do som, 635
Velocidade específica, 746
Velocidade média, 164-165
Velocidade não uniforme, 227
    coeficiente de energia cinética, 227
    escoamento quase permanente, 227
Velocidade sônica, 635
Velocidade, coordenadas de linha de corrente, 140
Velocímetro de imagem de partícula, 484
Vena contracta, 465
Venturi, coeficiente de descarga do, 480
Venturi, medidor, 479, 698
Vertedor com soleira de crista viva, 609
Vertedor com soleira espessa, 612
Vertedor retangular suprimido, 611
Vertedores, 609-614
    abertura retangular, 610
    coeficiente de vertedor com soleira espessa, 613
    veia, 610
    vertedor com soleira de crista viva, 609
    vertedor retangular suprimido, 611
Viscômetro de Ostwald, 20
Viscosidade, 15-19
    causa física, 15
    efeitos da pressão e temperatura, 18
    fluidos invíscidos e perfeitos, 17-18
    fluidos não Newtonianos, 17
    fluidos Newtonianos, 17
    lei de Newton, 15
    viscosidade cinemática, 18-19
Viscosidade cinemática, 18-19
Viscosidade dinâmica, 16
Viscosímetro de Brookfield, 19
Viscosímetro rotativo, 19
Volume de controle com movimento acelerado, 281
Volumes de controle finitos, 155-157
    escoamento em regime permanente, 157
    superfície de controle aberta, 155
    velocidade, 157-158
Vórtice de ponta de asa, 550
Vórtice forçado, 84
Vórtices de fuga e arrasto induzido, 550
    arrasto induzido, 550
    vórtice de ponta de asa, 550
    winglets, 551
Vorticidade, 311-312

EQUAÇÕES FUNDAMENTAIS DA MECÂNICA DOS FLUIDOS

Densidade e peso específico

$$\rho = \frac{m}{\forall} \qquad \gamma = \frac{W}{\forall}$$

Lei dos gases ideais

$$p = \rho R T$$

Viscosidade

$$\tau = \mu \frac{du}{dy} \qquad \nu = \frac{\mu}{\rho}$$

Pressão

$$p_{\text{méd}} = \frac{F}{A}$$

$$p_{\text{abs}} = p_{\text{atm}} + p_g$$

$$p = p_0 + \gamma h \qquad \text{Fluido incompressível}$$

Força hidrostática resultante

$$F_R = \gamma \bar{h} A$$

$$y_p = \frac{\bar{I}_x}{\bar{y} A} + \bar{y} \qquad x_p = \frac{\bar{I}_{xy}}{\bar{y} A} + \bar{x}$$

Vazão volumétrica e mássica

$$Q = \mathbf{V} \cdot \mathbf{A} \qquad \dot{m} = \rho \mathbf{V} \cdot \mathbf{A}$$

Cinemática simplificada

$$\frac{dy}{dx} = \frac{v}{u}$$

$$a = \frac{DV}{Dt} = \frac{\partial V}{\partial t} + V \frac{\partial V}{\partial x}$$

$$a_s = \left(\frac{\partial V}{\partial t}\right)_s + V \frac{\partial V}{\partial s} \qquad a_n = \left(\frac{\partial V}{\partial t}\right)_n + \frac{V^2}{R}$$

Conservação de massa
Equação da continuidade

$$\frac{\partial}{\partial t} \int_{\text{vc}} \rho \, d\forall + \int_{\text{sc}} \rho \mathbf{V} \cdot d\mathbf{A} = 0$$

Energia
Equação de Bernoulli

$$\frac{p_1}{\rho} + \frac{V_1^2}{2} + g z_1 = \frac{p_2}{\rho} + \frac{V_2^2}{2} + g z_2$$

(escoamento em regime permanente, fluido perfeito, mesma linha de corrente)

Carga hidráulica

$$H = \frac{p}{\gamma} + \frac{V^2}{2g} + z$$

Equação da energia

$$\frac{p_{\text{entrada}}}{\gamma} + \frac{V_{\text{entrada}}^2}{2g} + z_{\text{entrada}} + h_{\text{bomba}}$$

$$= \frac{p_{\text{saída}}}{\gamma} + \frac{V_{\text{saída}}^2}{2g} + z_{\text{saída}} + h_{\text{turb}} + h_L$$

Perdas de carga

$$h_L = f \frac{L}{D} \frac{V^2}{2g} \qquad h_L = K_L \frac{V^2}{2g}$$

Potência

$$\dot{W}_s = \dot{m} g h_s = Q \gamma h_s$$

Quantidade de movimento
Equação da quantidade de movimento linear

$$\Sigma \mathbf{F} = \frac{\partial}{\partial t} \int_{\text{vc}} \mathbf{V} \rho \, d\forall + \int_{\text{sc}} \mathbf{V} \rho \mathbf{V} \cdot d\mathbf{A}$$

Equação da quantidade de movimento angular

$$\Sigma \mathbf{M}_O = \frac{\partial}{\partial t} \int_{\text{vc}} (\mathbf{r} \times \mathbf{V}) \rho \, d\forall + \int_{\text{sc}} (\mathbf{r} \times \mathbf{V}) \rho \mathbf{V} \cdot d\mathbf{A}$$

Números adimensionais

$$\text{Re} = \frac{\rho V L}{\mu} \qquad \text{Fr} = \frac{V}{\sqrt{gL}} \qquad \text{M} = \frac{V}{c}$$

Forças de arrasto e sustentação

$$F_A = C_A A_p \left(\frac{\rho V^2}{2}\right) \qquad F_S = C_S A_p \left(\frac{\rho V^2}{2}\right)$$

PREFIXOS DO SI

Múltiplo	Formato exponencial	Prefixo	Símbolo no SI
1000000000	10^9	giga	G
100000	10^6	mega	M
1000	10^3	quilo	k
Submúltiplo			
0,001	10^{-3}	mili	m
0,000001	10^{-6}	micro	µ
0,000000001	10^{-9}	nano	n

FATORES DE CONVERSÃO

1 mi = 5280 pés
1 pé = 0,3048 m
1 kip = 1000 lb
1 lb = 4,448 N
1 slug = 14,59 kg
1 atm = 14,7 lb/pol.² (psi) = 101,3 kPa
7,48 galões EUA = 1 pé³
1 gal/min (gpm) = 0,002228 pé³/s
1000 litros (l) = 1 m³
1 hp = 550 pés · lb/s = 745,7 W

PROPRIEDADES GEOMÉTRICAS DE UMA ÁREA

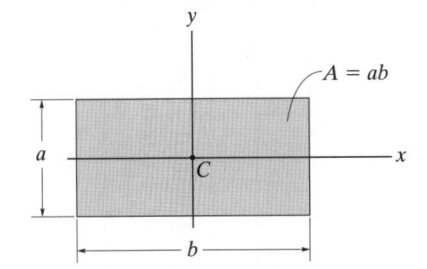

Retângulo

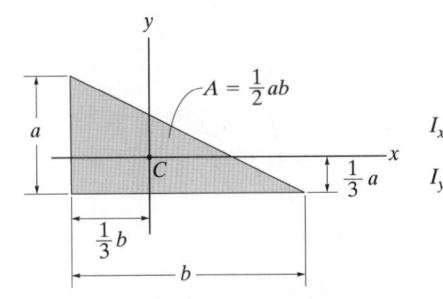

$A = ab$

$I_x = \frac{1}{12}ba^3$

$I_y = \frac{1}{12}ab^3$

Triângulo

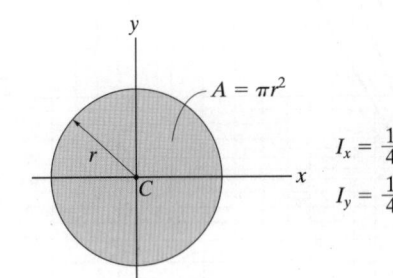

$A = \frac{1}{2}ab$

$I_x = \frac{1}{36}ba^3$

$I_y = \frac{1}{36}ab^3$

Círculo

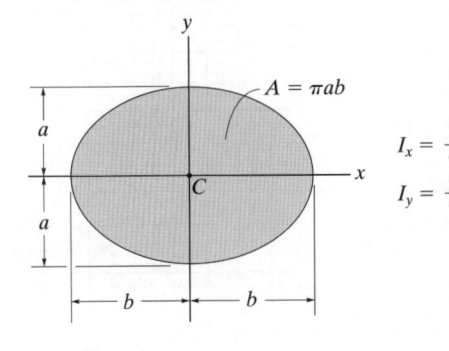

$A = \pi r^2$

$I_x = \frac{1}{4}\pi r^4$

$I_y = \frac{1}{4}\pi r^4$

Elipse

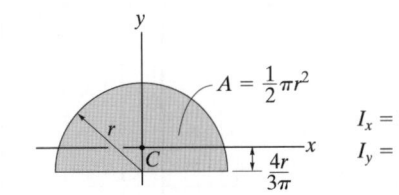

$A = \pi ab$

$I_x = \frac{1}{4}\pi ba^3$

$I_y = \frac{1}{4}\pi ab^3$

Semicírculo

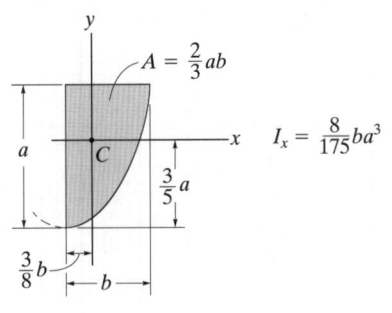

$A = \frac{1}{2}\pi r^2$

$I_x = 0{,}1098\, r^4$

$I_y = \frac{1}{8}\pi r^4$

Parábola

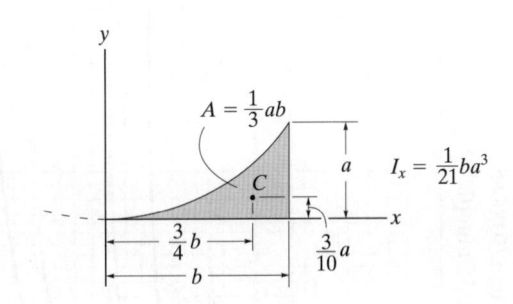

$A = \frac{2}{3}ab$

$I_x = \frac{8}{175}ba^3$

Parábola externa

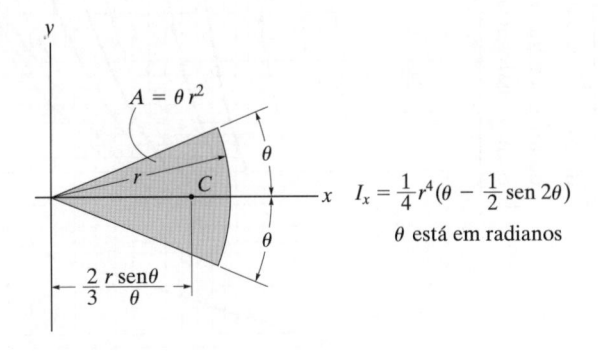

$A = \frac{1}{3}ab$

$I_x = \frac{1}{21}ba^3$

Setor circular

$A = \theta r^2$

$I_x = \frac{1}{4}r^4\left(\theta - \frac{1}{2}\operatorname{sen} 2\theta\right)$

θ está em radianos

818 MECÂNICA DOS FLUIDOS

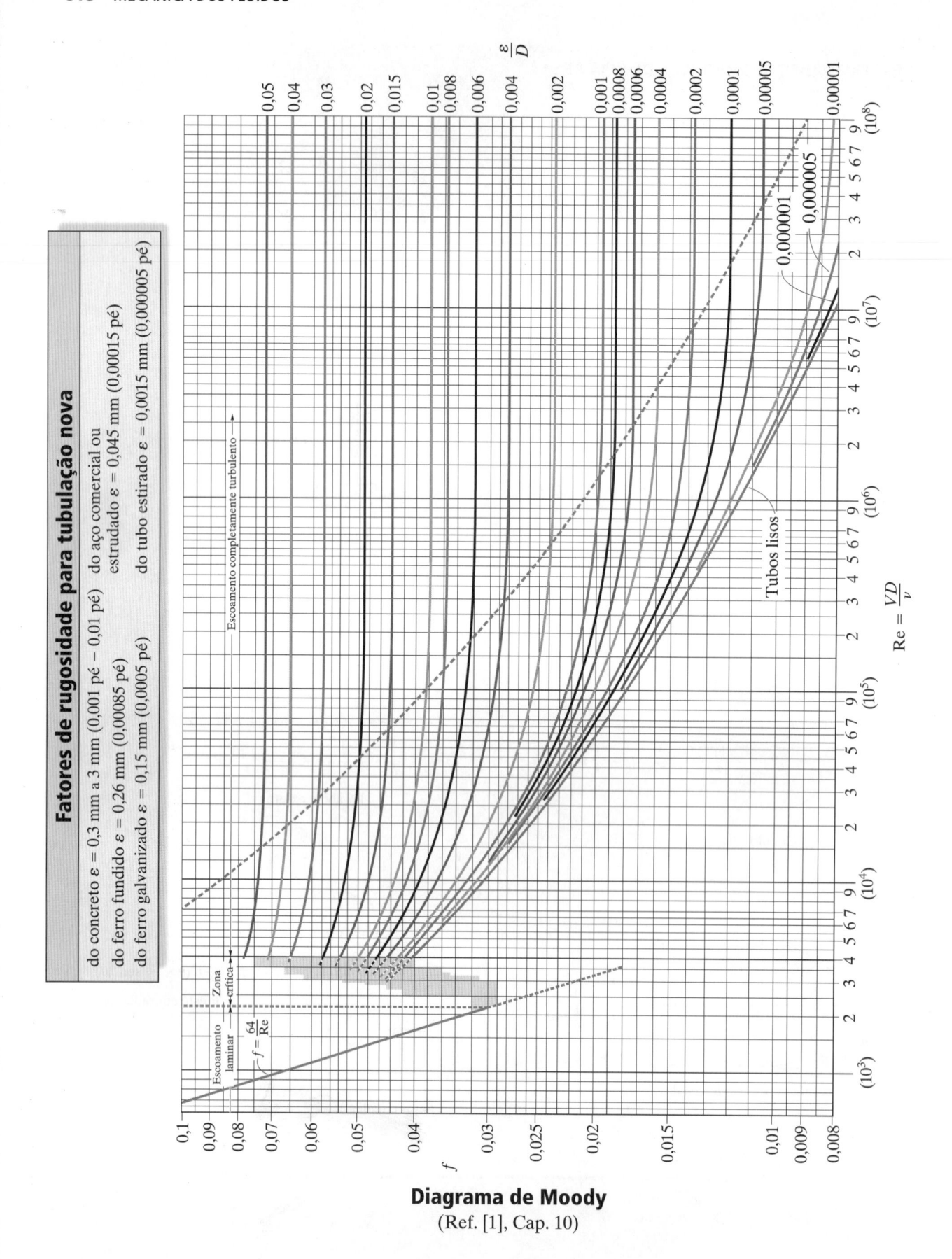

Fatores de rugosidade para tubulação nova

do concreto $\varepsilon = 0{,}3$ mm a 3 mm (0,001 pé – 0,01 pé)
do ferro fundido $\varepsilon = 0{,}26$ mm (0,00085 pé)
do ferro galvanizado $\varepsilon = 0{,}15$ mm (0,0005 pé)
do aço comercial ou estrudado $\varepsilon = 0{,}045$ mm (0,00015 pé)
do tubo estirado $\varepsilon = 0{,}0015$ mm (0,000005 pé)

Diagrama de Moody
(Ref. [1], Cap. 10)